Chamisso, Ac

Adelbert von Chamisso's Werke

Chamisso, Adelbert von

Adelbert von Chamisso's Werke

Inktank publishing, 2018

www.inktank-publishing.com

ISBN/EAN: 9783747785560

Adelbert von Chamisso's

Werke.

Fünfte vermehrte Auflage.

Dritter Band.

Berlin,
Weidmannsche Buchhandlung.
1864.

Reise um die Welt

mit der

Romanzoffischen Entdeckungs-Expedition

in den Jahren 1815—18

auf der Brigg Rurik, Kapitain Otto v. Kotzebue,

von

Adelbert von Chamisso.

Erster Theil.

Tagebuch.

Ἀλλα καὶ ὥς.

Inhalt.

Vorwortlich.

Des Lieutenant der Russisch-Kaiserlichen Marine, Otto von Kotzebue, „Entdeckungs-Reise in die Süd-See und nach der Berings-Straße zur Entdeckung einer nordöstlichen Durchfahrt, unternommen in den Jahren 1815—18 auf Kosten Sr. Erlaucht des Herrn Reichs-Kanzler Grafen Rumanzoff auf dem Schiffe Rurik. Weimar, 1821. 4." enthält im dritten Bande meine auf diese Reise, an welcher ich als Naturforscher Theil nahm, bezüglichen Bemerkungen und Ansichten.

Der einzige Vortheil, den ich mir von meinen Bemühungen während und nach der Reise als Naturforscher und Schriftsteller versprechen durfte, war, diese von mir geforderten Denkschriften vor dem Publikum, für welches sie bestimmt waren, in reinem Abdruck und würdiger Gestalt erscheinen zu sehen. Der Erfolg entsprach nicht meiner Erwartung. Was ich geschrieben, war von unzähligen sinnzerstörenden Druckfehlern an vielen Stellen verfälscht und unverständlich; und dieselben in einem Errata anzuzeigen, wurde mir bestimmt abgeschlagen. In einer eignen Abhandlung, die mir zugeschrieben werden konnte und zugeschrieben worden ist, trug Eschscholtz über die Korallen-Inseln hergebrachte Meinungen wieder vor, die widerlegt zu haben ich mir zu einem Hauptverdienst anrechnete. Die Verlagshandlung hatte die Aussicht auf eine französische Uebersetzung, die ein mir befreundeter Gelehrter besorgen wollte, vereitelt, indem sie die zu diesem Behufe begehrten Aushängebogen verweigerte. Endlich warf noch über das erscheinende Buch Sand's unselige That ihren düstern Schatten, und ließ nur den Namen, den es an der Stirne trug, im Lichte der Parteien schimmern.

Ich habe von dieser Reisebeschreibung und auch nur von dem nautischen Theil derselben eine einzige würdigende Beurtheilung gesehen (Quartorly Review, 1822).

Und dennoch halte ich einige Theile meiner Arbeit für nicht unwerth, der Vergessenheit entzogen zu werden. Was ein gradsinniger Mann, der selbst gesehen und geforscht, in der Kürze aufgezeichnet hat, verdient doch wohl in dem Archive der Wissenschaft niedergelegt zu werden; nur das Buch, das aus andern Büchern ausgeschrieben und zusammengetragen worden, mag von neueren vollständigeren oder geistreicheren verdrängt werden und verschallen.

Sollte ich jetzt die Gegenstände, die ich damals abgehandelt, einer neuen Untersuchung unterwerfen, so läge mir ob, die Zeugnisse und Aussagen meiner zahlreichen Nachfolger zu vergleichen und zu prüfen; das ist aber der Beruf des jüngsten Forschers auf dem gleichen Felde, dem die vollständigen Akten vorliegen; ich sage: der Beruf des jüngsten Reisenden; die Berichte älterer Weltumsegler sind in der Regel wahrhaft, aber nur Selbstanschauung kann das Verständniß derselben eröffnen.

In meiner Kindheit hatte Cook den Vorhang weggehoben, der eine noch märchenhaft lockende Welt verbarg, und ich konnte mir den außerordentlichen Mann nicht anders denken, als in einem Lichtscheine, wie etwa dem Dante sein Urahnherr Cacciaguida im fünften Himmel erschien. Ich war wenigstens noch der Erste, der eine gleiche Reise von Berlin aus unternahm. Jetzt scheint, um die Welt gekommen zu sein, zu den Erfordernissen einer gelehrten Erziehung zu gehören, und in England soll schon ein Postschiff eingerichtet werden, Müssiggänger für ein geringes Geld auf Cook's Spuren herumzuführen.

Ich habe schon oft Gelegenheit gehabt, jüngeren Freunden einen Rath zu ertheilen, den noch keiner befolgen mochte. Ich würde, sagte ich ihnen, wenn ich von einer wissenschaftlichen Reise zurückkehrte, über die ich berichten müßte, in der Erzählung derselben den Gelehrten ganz verleugnen und nur das fremde Land und die fremden Menschen, oder vielmehr nur mich selbst in der fremden Umgebung dem theilnehmenden Leser zu vergegenwärtigen trachten; und entspräche der Erfolg dem Willen, so müßte sich Jeder mit mir hinträumen, wo eben uns die Reise hinführte. Dieser Theil wäre vielleicht am Besten während der Reise selbst geschrieben worden. Abgesondert würde ich sodann den Gelehrten vorlegen, was ich für jedes Fach der Wissenschaft Geringfügiges oder Bedeutendes zu erkunden oder zu leisten das Glück gehabt hätte.

Die Erzählung meiner eignen Reise ist nicht von mir gefordert worden, und ich habe, wenig schreibselig, es gern Anderen, dem Herrn von Kotzebue, und dem Maler Choris*) überlassen, eine solche jeder für sich zu verfassen. Ich habe nur sächlich über die Lande, die wir berührt haben, meine Bemerkungen und Ansichten in den Blättern niedergelegt, von denen ich mehrere, unerachtet ihrer oft unvermeidlichen Dürre, gegenwärtiger Sammlung einverleiben will. Und, offenherzig gesprochen, das eben ist's, was mich veranlaßt, das Versäumte nachzuholen und an euch, ihr Freunde und Freunde meiner Muse, diese Zeilen zu richten. Ich bilde mir nicht ein, vor Fremden, sondern nur vor Freunden zu stehen, da ich von mir unumwunden zu reden und ein Hauptstück meiner Lebensgeschichte vorzutragen mich anschicke.

Aber wird nicht der Thau von den Blumen abgestreift, nicht ihr Duft verhaucht sein? Seither sind fast zwanzig Jahre verstrichen, und ich bin nicht der rüstige Jüngling mehr, ich bin ein fast alter, ein kranker, müder Mann; aber der Sinn ist mir noch frisch, das Herz noch warm geblieben: wir wollen das Beste hoffen. Eben die Krankheit, die meine Kraft bricht und mich zu ernsteren Arbeiten untüchtig macht, verschafft mir die nöthige Muße zu dem vertraulichen Gespräch.

*) Voyage pittoresque autour du monde. Paris 1822. Fol.

Einleitend.

Wer mich theilnehmend auf der weiten Reise begleiten will, muß zuvörderst erfahren, wer ich bin, wie das Schicksal mit mir spielte, und wie es geschah, daß ich als Titular-Gelehrter an Bord des Rurik's stieg.

Aus einem alten Hause entsprossen, ward ich auf dem Schlosse zu Boncourt in der Champagne im Januar 1781 geboren. Die Auswanderung des französischen Adels entführte mich schon im Jahre 1790 dem Mutterboden. Die Erinnerungen meiner Kindheit sind für mich ein lehrreiches Buch, worin meinem geschärften Blicke jene leidenschaftlich erregte Zeit vorliegt. Die Meinungen des Knaben gehören der Welt an, die sich in ihm abspiegelt, und ich möchte zuletzt mich fragen: sind oft die des Mannes mehr sein Eigenthum? — Nach manchen Irrfahrten durch die Niederlande, Holland, Deutschland und nach manchem erduldeten Elend ward meine Familie zuletzt nach Preußen verschlagen. Ich wurde im Jahre 1796 Edelknabe der Königin Gemahlin Friedrich Wilhelm's II. und trat 1798 unter Friedrich Wilhelm III. in Kriegsdienst bei einem Infanterie-Regimente der Besatzung Berlin's. Die mildere Herrschaft des Ersten Consuls gewährte zu Anfange des Jahrhunderts meiner Familie die Heimkehr nach Frankreich, ich aber blieb zurück. So stand ich in den Jahren, wo der Knabe zum Manne heranreift, allein, durchaus ohne Erziehung; ich hatte nie eine Schule ernstlich besucht. Ich machte Verse, erst französische, später deutsche. Ich schrieb im Jahre 1803 den Faust, den ich aus dankbarer Erinnerung in meine Gedichte aufgenommen habe. Dieser fast knabenhafte metaphysisch-poetische Versuch brachte mich zufällig einem andern Jünglinge nah, der sich gleich mir im Dichten versuchte, K. A. Varnhagen von Ense. Wir verbrüderten uns, und so entstand unreiferweise der Musenalmanach auf das Jahr 1804, der, weil kein Buchhändler den Verlag übernehmen wollte, auf meine Kosten herauskam. Diese Unbesonnenheit, die ich nicht bereuen kann, ward zu einem segensreichen Wendepunkte meines Lebens. Obgleich mein damaliges Dichten meist nur in der Ausfüllung der poetischen Formen, welche die sogenannte neue Schule anempfahl, bestehen mochte, machte doch das Büchlein einiges Aufsehen. Es brachte mich einerseits in enge Verbrüderung mit trefflichen Jünglingen, die zu ausgezeichneten Männern heranwuchsen; andrerseits zog es auf mich die wohlwollende Aufmerksamkeit von Männern, unter denen ich nur Fichte nennen will, der seiner väterlichen Freundschaft mich würdigte.

Dem ersten Musenalmanach von Ad. von Chamisso und K. A. Varnhagen folgten noch zwei Jahrgänge nach, zu denen sich ein Verleger gefunden hatte, und das Buch hörte erst auf zu erscheinen, als die politischen Ereignisse die Herausgeber und Mitarbeiter auseinander sprengten. Ich studirte indeß angestrengt, zuvörderst die griechische Sprache, ich kam erst später an die lateinische, und gelegentlich an die lebenden Sprachen Europa's. Der Entschluß reifte in mir, den Kriegsdienst zu verlassen und mich ganz den Studien zu widmen. Die verhängnißvollen Ereignisse vom Jahre 1806 traten hemmend und verzögernd zwischen mich und meine Vorsätze. Die hohe Schule zu Halle, wohin ich den Freunden folgen sollte, bestand nicht mehr; sie selbst waren in die weite Welt zerstreut. Der Tod hatte mir die Eltern geraubt. Irr an mir selber, ohne Stand und Geschäft, gebeugt, zerknickt verbrachte ich in Berlin die düstere Zeit. Am zerstörendsten wirkte ein Mann auf mich ein, einer der ersten Geister der Zeit, dem ich in frommer Verehrung anhing, der, mich empor zu richten, nur eines Wortes, nur eines Winkes bedurft hätte, und der, mir jetzt noch unbegreiflich, sich angelegen sein ließ, mich niederzutreten. Da wünschte mir ein Freund, ich möchte nur irgend einen tollen Streich begehen, damit ich etwas wieder gut zu machen hätte und Thatkraft wiederfände.

Der Zerknirschung, in der ich unterging, ward ich durch den Ruf als Professor am Lyceo zu Napoleonville entrissen, den unerwartet im Spätjahr 1809 ein alter Freund meiner Familie an mich ergehen ließ. Ich reiste nach Frankreich; ich trat aber meine Professur nicht an. Der Zufall, das Schicksal, das Waltende entschied abermals über mich; ich ward in den Kreis der Frau von Stael gezogen. Ich brachte nach ihrer Vertreibung aus Blois den Winter 1810—11 in Napoleon bei dem Präfekten Prosper von Barante zu, folgte im Frühjahr 1811 der hohen Herrin nach Genf und Coppet, und war 1812 ein mitwirkender Zeuge ihrer Flucht. Ich habe bei dieser großartig wunderbaren Frau unvergeßliche Tage gelebt, viele der bedeutendsten Männer der Zeit kennen gelernt und einen Abschnitt der Geschichte Napoleon's erlebt, seine Befeindung einer ihm nicht unterwürfigen Macht; denn neben und unter ihm sollte nichts Selbstständiges bestehen.

Im Spätjahr 1812 verließ ich Coppet und meinen Freund August von Stael, um mich auf der Universität zu Berlin dem Studium der Natur zu widmen. So trat ich jetzt erst handelnd und bestimmend in meine Geschichte ein und zeichnete ihr die Richtung vor, die sie fortan unverwandt verfolgt hat.

Die Weltereignisse vom Jahre 13, an denen ich nicht thätigen Antheil nehmen durfte, — ich hatte ja kein Vaterland mehr, oder noch kein Vaterland, — zerrissen mich wiederholt vielfältig, ohne mich von meiner Bahn abzulenken. Ich schrieb in diesem Sommer, um mich zu zerstreuen und die Kinder eines Freundes zu ergötzen, das Märchen Peter Schlemihl, das in Deutschland günstig aufgenommen und in England volksthümlich geworden ist.

Kaum hatte der Boden sich wieder befestigt und wieder blau der Himmel sich darüber gewölbt, als im Jahre 1815 der Sturm sich wiederum erhob und auf's Neue zu den Waffen gerufen ward. Was meine nächsten Freunde mir beim ersten Ausmarsch zuschreien müssen, sagte ich mir nun selbst: die Zeit hatte kein Schwert für mich; aber aufreibend ist es, bei solcher waffenfreudigen Volksbewegung müßiger Zuschauer bleiben zu müssen.

Der Prinz Max von Wied-Neuwied schickte sich damals an,

seine Reise nach Brasilien anzutreten. Ich faßte den Gedanken, mich ihm anzuschließen; ich ward ihm zu einem Gehülfen vorgeschlagen: — er konnte seine schon abgeschlossene Ausrüstung nicht erweitern, und die Reise aus eignen Mitteln zu bestreiten war ich unvermögend.

Da kam mir zufällig einmal bei Julius Eduard Hitzig ein Zeitungsartikel zu Gesichte, worin von einer nächst bevorstehenden Entdeckungs-Expedition der Russen nach dem Nordpol verworrene Nachricht gegeben ward. „Ich wollte, ich wäre mit diesen Russen am Nordpol!“ rief ich unmuthig aus und stampfte wohl dabei mit dem Fuß. Hitzig nahm mir das Blatt aus der Hand, überlas den Artikel und fragte mich: „Ist es dein Ernst?“ — „Ja!“ — „So schaffe mir sogleich Zeugnisse deiner Studien und Befähigung zur Stelle. Wir wollen sehen, was sich thun läßt.“

Das Blatt nannte Otto von Kotzebue als Führer der Expedition. Mit dem Staatsrathe August von Kotzebue, der zur Zeit in Königsberg lebte, hatte Hitzig in Verbindung gestanden und war mit ihm in freundlichem Verhältnisse geblieben. Briefe und Zeugnisse meiner Lehrer, die zu meinen Freunden zu rechnen ich stolz sein konnte, sandte Hitzig mit der nächsten Post an den Staatsrath von Kotzebue ab, und in der möglichst kurzen Zeit folgte auf dessen Antwort ein Brief von seinem Schwager, dem Admiral, damaligem Kapitain der russisch-kaiserlichen Marine, von Krusenstern, dem Bevollmächtigten des Ausrüsters der Expedition, Grafen Romanzoff, aus Reval vom 12. Juni 1815. Ich war, an die Stelle des Professors Ledebour, den seine schwache Gesundheit zurückzutreten vermocht hatte, zum Naturforscher auf die zu unternehmende Entdeckungsreise in die Südsee und um die Welt ernannt.

Vorfreude. Reise über Hamburg nach Kopenhagen.

Nun war ich wirklich an der Schwelle der lichtreichsten Träume, die zu träumen ich kaum in meinen Kinderjahren mich erkühnt, die mir im Schlemihl vorgeschwebt, die als Hoffnungen ins Auge zu fassen ich, zum Manne herangereift, mich nicht vermessen. Ich war wie die Braut, die den Myrtenkranz im Haare dem Heißersehnten entgegensieht. Diese Zeit ist die des wahren Glückes; das Leben zahlt den ausgestellten Wechsel nur mit Abzug, und zu den hienieden Begünstigteren möchte der zu rechnen sein, der da abgerufen wird, bevor die Welt die überschwengliche Poesie seiner Zukunft in die gemeine Prosa der Gegenwart übersetzt.

Ich schaute, freudiger Thatkraft mir bewußt, in die Welt, die offen vor mir lag, hinein, begierig in den Kampf mit der geliebten Natur zu treten, ihr ihre Geheimnisse abzuringen. So wie mir selber in den wenigen Tagen bis zu meiner Einschiffung Länder, Städte, Menschen, die ich nun kennen lernte, in dem günstigsten Lichte erschienen, das die eigene Freudigkeit meines Busens hinaus strahlte: so muß ich auch den günstigsten Eindruck in denjenigen, die mich damals sahen, zurückgelassen haben; denn erfreulich ist der Anblick des Glücklichen.

Das Schreiben des Herrn von Krusenstern enthielt in sehr bestimmten Ausdrücken das Nächste, was zu wissen mir Noth that. Die Zeit drängte: der Rurik sollte St. Petersburg am 27. Juli und Kronstadt am 1. August verlassen; er konnte unter günstigen Umständen schon am 5. August zu Kopenhagen anlegen. Meinem Ermessen ward anheim gestellt, entweder in St. Petersburg oder zu Kopenhagen zu der Expedition zu stoßen. Im Falle, daß ich das Erstere vorzöge, würde ich den mir für den Eintritt in Rußland nöthigen Paß an der Grenze vorfinden. Der Ehr- und Habsucht ward keine Aussicht vorgespiegelt, sondern als Lohn auf das Gefühl verwiesen, zu einem rühmlichen Unternehmen mitgewirkt zu haben. Das Schiff war anscheinend vorzüglich gut gebaut und besonders bequem und gut eingerichtet. Meine Kajüte, so lauteten die Worte, war, ungeachtet der geringen Größe des Schiffes, viel besser als die von Herrn von Tilesius am Bord der Nadeshda.

Nach reiflicher Berathung mit meinen Freunden ward beschlossen, daß ich zu Kopenhagen an Bord steigen und die drei Wochen bis zur Mitte Juli in Berlin benutzen und genießen solle.

Ich erhielt in diesen Tagen von August von Stael einen, Paris am 15. Mai datirten, aber durch die nöthig gewordenen Umwege verspäteten Brief, den ich nur mit Wehmuth aus der Hand zu legen vermochte. Der Wurf war geschehen, und ich blickte nur vorwärts, nicht seitwärts.

Meines Freundes Gedanken hatten sich vom alten Europa nach der neuen Welt gewandt, und er schickte sich zur Reise an, in den Urwäldern, die seine Mutter am St. Laurenz-Fluß besaß, Neckerstown zu begründen. Sein Begehren war, meine Zukunft an die seinige zu binden; er theilte mir seinen weitaussehenden, näher zu berathenden Plan mit und bezeichnete mir den Antheil, den er mir in der Ausführung zugedacht. Ich sollte mit angeworbenen Arbeitern im nächsten Frühjahr in New-York zu ihm stoßen. Ich konnte ihm nur das eben von mir eingegangene Verhältniß darlegen, betrübt, ihm meine Mitwirkung bei einem Plane zu versagen, der übrigens nie in Ausführung gebracht worden. Was ihn davon abgelenkt hat, habe ich nie erfahren.

Mein Hauptgeschäft war nun, emsig die Zeit und die Willfährigkeit gelehrter Männer benutzend, zu erkunden, welche Lücken der Wissenschaft auszufüllen eine Reise, gleich der vorgehabten, die Hoffnung darböte; mir Fragen vorlegen, mir sagen zu lassen, worauf besonders zu sehen, was vorzüglich zu sammeln sei. Ich konnte mich und Andere nur Allgemeines fragen; über Zweck und Plan der

Reise hatte Herr von Krusenstern geschwiegen, und ich wußte nicht, an welchen Küsten angelegt werden sollte.

Niebuhr bezeichnete mir einen Strich der Ostküste Afrika's, dessen Geographie noch mangelhaft sei, und den bei westlicher Rückfahrt aufzunehmen die Umstände leichtlich erlauben möchten. Ich entgegnete ihm kleinlaut und fast erschrocken, dieses sei doch allein Sache des Kapitains. Er maß aber auch in solcher Angelegenheit der berathenden Stimme des Gelehrten einiges Gewicht bei. — Was bei einer solchen Entdeckungsreise ein Gelehrter ist, wird aus diesen Blättern erhellen.

Der Dichter Robert sagte zu mir: Chamisso, sammeln Sie immerhin und bringen Sie heim für Andere Steine und Sand, Seegras, Blattpilze, Entozoa und Epizoa, das heißt, wie ich höre, Eingeweidewürmer und Ungeziefer; aber verschmähen Sie meinen Rath nicht: Sammeln Sie auch, wenn Sie auf Ihrer Reise Gelegenheit dazu finden, Geld, und legen Sie es für sich bei Seite; mir aber bringen Sie eine wilde Pfeife mit. — Wohl habe ich für den Freund eine wilde Pfeife von den Eskimo's mitgebracht und er hat seine Freude daran gehabt; aber das Geld habe ich vergessen.

Ich will hier gelegentlich anführen, daß ich am Bord des Rurik's eine Denkschrift des Doctors Spurzheim vorfand, der, weniger praktisch, zur Beförderung der Kranologie empfahl, den Wilden das Haupthaar zu scheeren und ihre Schädel in Gips abzuformen.

Ich fuhr von Berlin den 15. Juli 1815 mit der ordinairen Post nach Hamburg ab. Die Beschreibung von dem, was damals eine ordinaire Post hieß, möchte jetzt schon an der Zeit und hier an ihrem Orte sein, da der Fortschritt der Geschichte auch dieses Ungeheuer weggeräumt hat. Ich kann aber, ohne meine Glaubwürdigkeit zu gefährden, auf Lichtenberg verweisen, der die Martermaschine mit dem Fasse des Regulus verglichen hat. Der deutsche Postwagen, schrieb ich damals, scheint recht eigentlich für den Botaniker eingerichtet zu sein, indem man nur außerhalb desselben ausdauern kann und dessen Gang darauf berechnet ist, gute Muße zu lassen vor und zurück zu gehen. In der Nacht wird auch nichts versäumt, da man sich am Morgen ungefähr auf demselben Punkte wiederfindet, wo man am Abend vorher war.

Der Schirrmeister, der die ersten Stationen den Zug leitete, ein langer, fröhlicher Gensdarm, hatte seit fünf und einem halben Jahre, daß er zur Ruhe gesetzt war, ungefähr 8524 deutsche Meilen auf seinem Postcours von etwa 10 Meilen in Hin- und Herschwingungen zur Post zurück gelegt. — Der Gurt der Erde mißt deren nur 5400. Die Passagiere waren unbedeutend. In Lenzen gesellte sich zu uns ein Mann vom Volke, ein schöner, rüstiger, fröhlicher Greis, früher hamburger Matrose, zur Zeit Elbschiffer, der vielmals, und zuletzt als Harpunier, auf dem Robben- und Wallfischfange den nordischen Polar-Gletscher besucht hatte. Einmal war das Schiff, worauf er war, nebst mehreren andern im Eise untergegangen; er selbst hatte, nach siebenzehn auf dem Eise verbrachten Hungerstagen, Grönland erreicht. Er hatte siebenzehn Monate mit dem „Wildmann" gelebt und „Wildmanns-Sprache" gelernt. Ein dänisches Schiff von fünf Mann Equipage nahm ihn nebst zwanzig seiner Unglücksgefährten an Bord und brachte ihn bei dürftiger Kost nach Europa zurück. — Von beiläufig 600 Mann kehrten nur 120 heim. Er selbst hatte etliche Finger eingebüßt. Dieser Mann, mit dem ich bald Freund wurde, war mir erfreulicher als ein Buch; er erzählte einfach und lebendig, was er gesehen, erlebt und erduldet; ich horchte ihm lernbegierig zu und sah vor mir die Eisfelder und Berge und die Küsten des Polarmeeres, in das ich von der Beringsstraße aus einzudringen die Hoffnung hatte, und worin Gleiches zu erleben und zu erdulden mein Loos sein konnte.

Ich erreichte am 18. Juli die liebe Stadt Hamburg, wo ich meine Geschäfte besorgte, alte Freunde besuchte und neue werthe Bekanntschaften anknüpfte. Besonders lieb- und hülfreich war mir Friedrich Perthes, in dessen Buchhandlung sich folgendes Ergötzliche zutrug. Der Hausknecht, der seinen Herrn so freundlich vertraut mit mir umgehen sah und mich beim Globus von weiten Reisen erzählen hörte, fragte einen der Commis: wer denn der schwarze ausländische Herr sei, für den er manche Gänge zu besorgen gehabt? — Weißt du das nicht? antwortete ihm jener; es ist Mungo Park. Und froh und stolz, wie ein Zeitungsblatt, das einmal eine große Nachricht auszuposaunen hat, lief der literarische Zwischenträger seine Gänge durch die Stadt, jeden, den er kannte, anhaltend, um ihm mitzutheilen, Mungo Park sei nicht umgekommen; er sei da, er sei bei seinem Herrn, er sehe so und so aus und erzähle viel von seinen Reisen. — Nun kamen einzeln und schaarenweise die guten Hamburger zu Perthes in den Laden gelaufen und wollten Mungo Park sehen. — Im Schlemihl, und zwar im vierten Abschnitt, steht geschrieben: „Muß ich's bekennen? es schmeichelte mir doch, sei es auch nur so, für das verehrte Haupt angesehen worden zu sein."

Am 21. Abends nahm ich Extrapost nach Kiel. Hamburg war zur Zeit noch die Grenze der mir bekannten Welt gegen Norden, und weiter hinaus nach Kopenhagen zu Land oder zur See vordringend (ich hatte noch in meinem Leben kein Schiff bestiegen) war ich auf einer Entdeckungsreise begriffen. Ich habe wirklich mit Treue die nordische Natur bei Kopenhagen studirt, woselbst, mit dem Rurik anlangend, mein Freund und Gefährte Eschscholtz, der noch nie so weit nach Süden vorgeschritten war, gleichzeitig die südliche Natur zu studiren begann, entzückt, als ihm zuerst Vitis vinifera sub Dio, die Weinrebe im Freien, zu Gesichte kam. Süden und Norden sind wie Jugend und Alter; zwischen beiden denkt sich jeder, so lang er kann; alt sein und dem Norden angehören will kein Mensch. — Ich habe aus einem Gedicht an einen Jubilar das Wort „alt" ausmerzen müssen, und ein lappländischer Prediger erzählte mir von seiner Versetzung nach dem Süden, nach Torneå unter dem Polar-Kreise.

In Kiel am 22. Juli angelangt, war ich daselbst gleich heimisch, wie ich überhaupt die Gabe in mir fand, mich überall gleich zu Hause zu finden. Etliche der Männer, die ich zu sehen hoffte, waren bereits zur Krönung nach Kopenhagen abgereist. Ein Freund führte mich in befreundete Kreise ein, und ich wartete in freudigem Genusse des Moments auf die Abfahrt des Packetboots, an dessen Bord ich erst am 24. Juli vor Tagesanbruch gerufen ward. Ich hatte mich mit ängstlicher Bedächtigkeit erkundigt, ob der Fall überhaupt denkbar sei, daß durch widrige Winde aufgehalten oder verschlagen das Packetboot über acht Tage auf der Fahrt nach Kopenhagen zubringen könne, und mir war versichert worden, man könne im schlimmsten Falle immer noch bei Zeiten auf den dänischen Inseln landen.

Ein Einlaß des Meeres schlängelt sich, gleich einem Landsee, landeinwärts nach Kiel, begrenzt von Hügeln, die im schönsten Grün der Schöpfung prangen. Ein Binnenmeer ohne Ebbe und Fluth, in dessen glatte Spiegelfläche das grüne Kleid der Erde hinabtaucht, hat das Großartige des Ocean's nicht. Nettelbeck schilt die Ostsee einen Entenpfuhl; man kommt auf der Fahrt von Kiel nach Kopenhagen nicht einmal in das Innere desselben hinein, indem man immer Sicht des Landes behält. Aber recht anschaulich wurde, wie die Meere recht eigentlich die Straßen des Landes sind, bei der Menge Segel, die man um sich sieht, und von denen wir zwischen der grünen Ebene Zeeland's und den niedrigen Küsten Schweden's nie unter fünfzig zählten.

Wir waren am Morgen des 24. Juli unter Segel gegangen. Am Abend frischte der Wind, und die Nacht ward stürmisch. Als das Schiff, eine Galeasse von 5 Mann Equipage, zu rollen begann, wurden auf demselben die anfangs lauten Passagiere still, und ich selbst zahlte dem Meere den ersten Tribut. Aber ich erholte mich am andern Tage wieder und glaubte mich schon wohlfeileren Kaufes abgefunden zu haben, als ich selber befürchtet hatte. Nebst dieser Erfahrung erwarb ich auch auf dieser Vorschule des Weltumseglers Anderes, wovon ich zu reden Anstand nehme: Das ergab sich später, als ich nicht gern fand, was ich doch emsig zu suchen vermocht wurde. In der Apotheke zu Kopenhagen, wo ich des Dänischen unkundig mein bestes Latein hülfebegehrend entfaltete, antwortete mir der Lehrbursche in noch viel besserem Deutsch, indem er mir die geforderte Salbe einhändigte. Wir wurden am 26. Juli Mittags bei gänzlicher Windes- und Meeresstille in den Hafen von Kopenhagen von unserm Boote bugsirt.

Ich habe in Kopenhagen, wo ich mich gleich heimisch eingerichtet hatte, mit lieben theilnehmenden Freunden und im lieb- und lehrreichen Umgange von Männern, die in Wissenschaft und Kunst die Ehre ihres Vaterlandes sind, vielleicht die heitersten und fröhlichsten Tage meines Lebens verlebt. Hornemann war zur Zeit abwesend, dagegen Pfaff aus Kiel in Kopenhagen. Oehlenschläger beschäftigte sich eben mit der Uebersetzung der Undine von Fouqué. Das Theater war, wie gewöhnlich in den Sommermonaten, geschlossen. Bibliotheken, Sammlungen, Gärten beschäftigten mich während der Stunden des Tages, die Abende gehörten der schönsten Geselligkeit.

Ich habe der Salbung, nach unserm Sprachgebrauch der Krönung, des vielgeliebten Königs Friedrich VI. von Dänemark im Schlosse zu Friedrichsburg beigewohnt. Ich bemerke beiläufig, daß meine Freunde die für mich nöthige Einlaßkarte von einem Juden, der solche feil hatte, erhandelten.

Ich habe in Kopenhagen kein Pferdefleisch zu essen bekommen, was ich als Naturforscher gewünscht hätte. — Meine Freunde bemühten sich umsonst; es wurde auf der Thierarzneischule, die allein dieses Vorrecht hat, kein Pferd während meiner Anwesenheit geschlachtet.

Der Lieutenant Wormskiold, der sich bereits auf einer Reise nach Grönland um die Naturgeschichte verdient gemacht hatte, und sich jetzt darum bewarb, sich an die Romanzoff'sche Expedition als freiwilliger Naturforscher anschließen zu dürfen, suchte mich gleich nach meiner Ankunft auf. Ich kam ihm zutrauensvoll mit offenen Armen entgegen, froh, der winkenden Ernte einen Arbeiter mehr zuführen zu können; und man wünschte mir Glück zu dem fleißigemsigen Gehülfen, den ich an ihm haben würde.

Ich erhielt den 9. August am frühen Morgen gefällige Mittheilung von der Admiralität, daß eine russische Brigg eben signalisirt werde.

Mögen hier noch, bevor ich euch an Bord des Rurik's führe, etliche Zeilen Platz finden, die ich damals über Kopenhagen und Dänemark niederschrieb. Man erinnere sich dabei an den Ueberfall der Engländer und den Verlust der Flotte, Anno 1807, und an die neuesten Ereignisse; die erzwungene Abtretung von Norwegen an Schweden, dessen selbstständige Vertheidigung unter dem Prinzen Christian von Dänemark und den endlichen Vertrag, wodurch es als ein eigenes Königreich unter eigenen Gesetzen sich dem Könige von Schweden unterwarf.

Kopenhagen scheint mir nicht größer, nicht volkreicher als Hamburg zu sein; breite Straßen, neue, charakterlose Bauart. Das neue Stadthaus ist in griechischem Styl aus Backsteinen mit Kalkbewurf gebaut*). Die Dänen hassen von jeher die Deutschen: nur Brüder können einander hassen. Jetzt aber hassen sie zuvörderst die Schweden, sodann die Engländer, und der Haß gegen die Deutschen tritt zurück. Sie ringen nach Volksthümlichkeit und sind gedemüthigt. Viele lieben deswegen doch nicht Napoleon; nur erkennen Alle, und wer wollte es leugnen, daß sie das Opfer der Sünden Anderer geworden sind. An Frankreich's Schicksal nehmen sie Theil, weil Frankreich's Macht der Macht ihrer Unterdrücker, der Engländer, die Wage hielt. Sie sind Seemänner, ein Volk der See. Man schaut es von Kopenhagen aus, daß Norwegen nicht, und minder noch als die deutschen Provinzen, eine Besitzung von Dänemark, sondern der Sprache, der Verwandtschaft, der Geschichte nach recht

*) Unter den Künsten ist vorzüglich die Baukunst berufen, einer entschiedenen Volksthümlichkeit, einer charaktervollen Zeit eine Stimme zu verleihen, sich vernehmbar der Nachwelt zu verkünden. Die ägyptische, die griechische, die gothische Baukunst, von denen die letztere schon für uns nicht minder der Vergangenheit angehört, als die vorbenannten, legen uns das Zeugniß solcher Volksthümlichkeiten ab. Wie sollte eine Zeit, wie die unsrige, deren Charakter eben darin besteht, alle Schranken nieder zu reißen, alle Volksthümlichkeiten zu verschmelzen und aus den Angelegenheiten eines Volkes die Angelegenheiten aller Völker zu machen, so daß zum Beispiel an der Frage der Reform nicht das Schicksal England's, sondern das Schicksal der Welt hängt: wie sollte die Zeit der Buchdruckerkunst und der Posten, der Dampffahrzeuge zu Wasser und zu Lande, der Schnellpresse, der Zeitungen und der Telegraphen eine andere Baukunst haben, als um Straßen und Brücken, Kanäle, Häfen und Leuchtthürme zu bauen? Ich habe den Maler David vor den Modellen griechischer Tempel den Satz mit Autorität behaupten hören: die Griechen hätten in der Baukunst Alles geleistet, was zu leisten möglich wäre, und es bliebe nur übrig, sie zu kopiren; Eigenes erfinnen zu wollen, sei widersinnig.

eigentlich die andere Hälfte des Reichs war. Die Flotte aber war das Palladium. Gewöhnlich wurde bei den Symposien, zu denen ich zugezogen ward, das norwegisch volksthümliche Lied Sinclair Song mit Ingrimm und Wehmuth gesungen, und der Toast: „Auf die erste glückliche Seeschlacht!“ ausgebracht. Der König wird mit inniger Anhänglichkeit geliebt und das Unglück der Zeiten nicht ihm zugerechnet. Die Ceremonie der Salbung, bei der er mit Krone und Szepter, und seine Ritter in alterthümlicher Tracht um ihn her, erschienen, war kein Schau- und Faschingspiel, sondern das Herz der Dänen war dabei, und der Volksgeist belebte noch die alten ehrwürdigen Formen. Billigdenkende rechnen mit dankbarer Liebe dem Prinzen Christian das in Hinsicht Norwegen's Unternommene und wirklich Erreichte zu, Unbillige das Unerreichtgebliebene und mißschätzen ihn. — — Zu Kiel sind die Professoren deutsch, die Studenten dänisch gesinnt.

Der Rurik. Abfahrt von Kopenhagen. Plymouth.

Ich meldete mich am Morgen des 9. August 1815 am Bord des Rurik's auf der Rhede zu Kopenhagen bei dem Kapitain. Ein Gleiches that mit mir der Lieutenant Wormskiold; und Herr von Kotzebue, anscheinlich durch die Eintracht, die er unter uns herrschen sah, bewogen, sagte ihm die Aufnahme zu. Seiner Reisebeschreibung nach scheint er hierin nicht eigenmächtig gehandelt zu haben. Er übergab mir einen schmeichelhaften Brief vom Grafen Romanzoff und einen andern vom Herrn von Krusenstern, ließ mich übrigens vorläufig ohne Instruktion und Verhaltungsbefehle. Ich fragte vergebens darnach; ich ward über meine Pflichten und Befugnisse nicht belehrt, und erhielt keine Kenntniß von der Schiffsordnung, in die ich mich zu fügen hatte. Es mußte mir in meinen Verhältnissen auf dem Rurik so wie überhaupt in der Welt ergehen, wo nur das Leben das Leben lehrt. Es ward uns befohlen, binnen drei Tagen mit unserer Habe am Bord zu sein. Die Abfahrt verzögerte sich aber bis zum 17. Am 13. besuchten die Gesandten mehrerer Höfe das Schiff und wurden, wie sie dessen Bord verließen, mit dreizehn Kanonenschüssen salutirt.

Es ist hier der Ort, von der abgesonderten kleinen Welt, zu der ich nun gehörte, und von der Nußschale, in der eingepreßt und eingeschlossen sie drei Jahre lang durch die Räume des Oceans geschaukelt zu werden bestimmt war, eine vorläufige Kenntniß zu geben. Das Schiff ist die Heimath des Seefahrers; bei solcher Entdeckungsreise schwebt es über zwei Drittel der Zeit in völliger Abgeschiedenheit zwischen der Bläue des Meeres und der Bläue des Himmels; nicht ganz ein Drittel der Zeit liegt es vor Anker im Angesichte des Landes. Das Ziel der weiten Reise möchte sein, in das fremde Land zu gelangen; das ist aber schwer, schwerer als sich es Einer denkt. Ueberall ist für Einen das Schiff, das ihn hält, das alte Europa, dem er zu entkommen vergeblich strebt, wo die alten Gesichter die alte Sprache sprechen, wo Thee und Kaffee nach hergebrachter Weise zu bestimmten Stunden getrunken werden, und wo das ganze Elend einer durch nichts verschönerten Häuslichkeit ihn fest hält. So lange er vom fremden Boden noch die Wimpel seines Schiffes wehen sieht, hält ihn der Gesichtsstrahl an die alte Scholle festgebannt. — — Und er liebt dennoch sein Schiff! — wie der Alpenbewohner die Hütte liebt, worin er einen Theil des Jahres unter dem Schnee freiwillig begraben liegt.*)

Hier ist, was ich zu Anfang der Reise über unsere wandernde Welt aufschrieb. Den Namen sind die Vor- und Vatersnamen hinzugefügt, bei welchen wir auf dem Schiffe nach russischer Sitte genannt wurden.

Der Kapitain Otto Astawitsch von Kotzebue. Erster Lieutenant Gleb Simonowitsch Schischmareff, ein Freund des Kapitains, älterer Offizier als er, nur russisch redend; ein heiter strahlendes Vollmondsgesicht, in das man gern schaut; eine kräftige gesunde Natur; einer, der das Lachen nicht verlernt hat. — Zweiter Lieutenant Iwan Jacowlewitsch Sacharin, kränklich, reizbar, jedoch gutmüthig; versteht etwas Französisch und Italiänisch. — Der Schiffsarzt, Naturforscher und Entomolog Iwan Iwanowitsch Eschscholtz, ein junger Doktor aus Dorpat, fast zurückhaltend, aber treu und edel wie Gold. — Der Naturforscher, ich selbst, Adelbert Loginowitsch. — Der Maler Login Andrewitsch Choris, der Herkunft nach ein Deutscher, der, jetzt noch sehr jung, bereits als Zeichner Marschall von Bieberstein auf einer Reise nach dem Kaukasus begleitet hatte. — Freiwilliger Naturforscher Martin Petrowitsch Wormskiold. — Drei Untersteuerleute: Chramtschenko, ein sehr gut-

*) Dieses ist zu Trient in Europen der Fall.

müthiger, fleißiger Jüngling; Petroff, ein kleiner, launig-lustiger Bursche; der dritte, Konleff, uns ferner stehend. — Zwei Unteroffiziere und zwanzig Matrosen.

Die Seeleute, unter denen, die sich freiwillig zu dieser Expedition gemeldet haben, ausgesucht, sind ein hochachtbares Volk; handfeste Leute, der strengsten Mannszucht unbedingt unterwürfig, sonst von tüchtiger ehrgeiziger Gesinnung, stolz auf ihren Beruf als Weltumsegler.

Der Kapitain, der in seiner frühesten Jugend mit Krusenstern auf der Nadeshda die Reise um die Welt gemacht, ist der einzige an seinem Bord, der die Linie überschritten hat; — der älteste an Jahren bin ich selbst.

Der Rurik, dem der Kaiser auf dieser Entdeckungsreise die Kriegsflagge zu führen bewilligt hat, ist eine sehr kleine Brigg, ein Zweimaster von 180 Tonnen, und führt acht kleine Kanonen auf dem Verdeck. Unter Deck nimmt die Kajüte des Kapitains den Hintertheil des Schiffes ein. Von ihr wird durch die gemeinschaftliche Treppe die Kajüte de Campagne getrennt, die am Fuß des großen Mastes liegt. Beide bekommen das Licht von oben. Der übrige Schiffsraum bis zu der Küche am Fuße des Vordermastes dient den Matrosen zur Wohnung.

Die Kajüte de Campagne ist beiläufig zwölf Fuß ins Gevierte. Der Mast, an dessen Fuß ein Kamin angebracht ist, bildet einen Vorsprung darin. Dem Kamine gegenüber ist ein Spiegel und unter dem, mit der einen Seite an der Wand befestigt, der viereckige Tisch. In jeglicher Seitenwand der Kajüte sind zwei Koyen befindlich, zu Schlafstellen eingerichtete Wandschränke, beiläufig sechs Fuß lang und dritthalb breit. Unter denselben dient ein Vorsprung der Länge der Wand nach zum Sitz und giebt Raum für Schubladen, von denen je vier zu jeder Koye gehören. Etliche Schemel vollenden das Ameublement.

Zwei der Koyen gehören den Offizieren, die zwei anderen dem Doktor und mir. Choris und Wormskiold schlafen im Schiffsraum in Hängematten. Meine Koye und drei der darunter befindlichen Schubkasten sind der einzige Raum, der mir auf dem Schiffe ange-

2*

hört; von der vierten Schublade hat Choris Besitz genommen. In dem engen Raume der Kajüte schlafen vier, wohnen sechs und speisen sieben Menschen. Am Tische wird Morgens um sieben Uhr Kaffee getrunken, Mittags um zwölf gespeist und sodann das Geschirr gescheuert, um fünf Uhr Thee getrunken und Abends um acht der Abhub der Mittagstafel zum zweiten Mal aufgetragen. Jede Mahlzeit wird um das Doppelte verlängert, wenn ein Offizier auf dem Verdecke die Wache hat. In den Zwischenzeiten nimmt der Maler mit seinem Reißbrett zwei Seiten des Tisches ein, die dritte Seite gehört den Offizieren, und nur wenn diese sie unbesetzt lassen, mögen die Andern sich darum vertragen. Will man schreiben oder sonst sich am Tische beschäftigen, muß man dazu die flüchtigen, karggezählten Momente erwarten, ergreifen und geizig benutzen; aber so kann ich nicht arbeiten. Ein Matrose hat den Dienst um den Kapitain, Scheffecha, ein kleiner Tatar, ein Mohamedaner; ein anderer in der Kajüte du Campagne, Sikoff, einer der tüchtigsten, ein Russe fast herkulischen Wuchses. — Es darf nur in der Kajüte Tabak geraucht werden. — Es ist wider die Schiffsordnung, das Geringste außerhalb des Jedem gehörigen Raumes unter Deck oder auf dem Verdeck ausgesetzt zu lassen. — Der Kapitain protestirt beiläufig gegen das Sammeln auf der Reise, indem der Raum des Schiffes es nicht gestatte und ein Maler zur Disposition des Naturforschers stehe, zu zeichnen, was dieser begehre. Der Maler aber protestirt, er habe nur unmittelbar vom Kapitain Befehle zu empfangen.

Zu Kopenhagen wurde über die oben angeführte Zahl der Schiffsmannschaft noch ein Koch angeworben, ein verwahrlostes Kind der See: der Gesichtsbildung nach ein Ostindier oder ein Malaye; der Sprache nach, die aus allen Dialekten der redenden Menschen undeutlich zusammengemischt war, kaum ein Mensch. Außerdem ward ein Lootse für die Fahrt im Kanal und nach Plymouth an Bord genommen, und dieser brachte die Zahl unserer Tischgesellschaft auf acht, die am kleinen Tische nicht mehr Raum hatten.

Der Rurik war am 30. Juli 1815 (zwei Tage früher, als mir gemeldet worden) von Kronstadt ausgelaufen und am 9. August auf der Rhede von Kopenhagen angelangt. Wir lichteten am 17. um 4 Uhr des Morgens die Anker, die wir vier Stunden später vor Helsingör wiederum auswerfen mußten. Der Wind, der abwechselnd nur zur Ein- oder Ausfahrt das Thor offen hält, ward uns erst am Morgen des 19. günstig, an welchem Tage wir um 10 Uhr des Morgens durch den Sund fuhren, und mit uns zugleich über sechzig andere Schiffe, die auf denselben Moment gewartet hatten. Wir salutirten die Festung, ohne ein Boot abzuwarten, das vom Blockschiff auf uns zuruderte; und rascher segelnd als die Kauffahrer um uns her, überholten wir schnell die vordersten und ließen bald ihr Geschwader weit hinter uns. Der Augenblick war wirklich schön und erhebend.

Wir hatten auf der Fahrt durch die Nordsee fast anhaltend widrige Winde bei naßkaltem Wetter und bedecktem Himmel. Nach langem Laviren mußte uns ein Schiff, das wir anriefen, das Leuchtschiff am Ausfluß der Themse zeigen, das wir noch nicht entdeckt hatten. Ich ward in der Nacht vom 31. August zum 1. September auf das Verdeck gerufen, um die Feuer der französischen Küste bei Calais brennen zu sehen; der Eindruck entsprach nicht ganz meiner Erwartung. Am Morgen brachte uns ein günstiger Windhauch durch die Dover-Straße. Albion mit seinen hohen weißen Küsten lag uns nahe zur Rechten, fern zur Linken dämmerte Frankreich im Nebel; wir verloren es allmälig außer Sicht und es ward nicht wieder gesehen. Wir mußten noch am selben Tage die Anker auf einige Stunden fallen lassen. Am 7. September Mittags gingen wir vor der Stadt Plymouth im Cathwater vor Anker.

Die Zeit dieser Fahrt war für mich eine harte Lehrzeit. Ich lernte erst die Seekrankheit kennen, mit der ich unausgesetzt rang, ohne sie noch zu überwinden. Es ist aber der Zustand, in den diese Krankheit uns versetzt, ein erbärmlicher. Theilnahmlos mag man nur in der Koye liegen, oder oben auf dem Verdecke, am Fuße des großen Mastes, sich vom Winde anwehen lassen, wo näher dem Mittelpunkte der Bewegung dieselbe unmerklicher wird. Die eingeschlossene Luft der Kajüte ist unerträglich, und der bloße Geruch der Speisen erregt einen unsäglichen Ekel. Obgleich mich der Mangel an Nahrung, die ich nicht bei mir behalten konnte, merklich schwächte, verlor ich dennoch nicht den Muth. Ich ließ mir von Andern erzählen, die noch mehr gelitten als ich, und von Nelson, der nie zur See gewesen, ohne krank zu sein. Ich duldete um des freudigen Zieles willen die Prüfung ohne Murren.

Wormskiold hatte indeß die meteorologischen Instrumente zu beobachten übernommen. Seine Kenntniß des Seelebens gab ihm einen großen Vorsprung vor mir, der ich, in die neuen Verhältnisse uneingeweiht, durch manchen Verstoß unvortheilhafte Vorurtheile wider mich erweckte. Ich wußte z. B. noch nicht, daß man nicht ungerufen den Kapitain in seiner Kajüte aufsuchen darf; daß ihm, wenn er auf dem Verdeck ist, die Seite über dem Wind ausschließlich gehört, und daß man ihn auch da nicht anreden soll; daß dieselbe Seite, wenn sie der Kapitain nicht einnimmt, dem wachthabenden Offizier zukommt; ich wußte Vieles der Art nicht, was ich nur gelegentlich erfuhr.

Ich hatte nicht bemerkt, daß in Hinsicht der Bedienung ein Unterschied zwischen den Offizieren und uns Anderen gemacht werde. Als wir in Plymouth einliefen, gab ich unserm Sikoff meine Stiefeln zu putzen; er empfing sie aus meiner Hand und setzte sie vor meinen Augen sogleich da wieder hin, wo ich sie eben hergenommen hatte. So ward mir kund, daß er nur seinen Offizieren zu dienen habe. Ich mußte von dem Tage an auf die kleinen Dienste Verzicht leisten, die er mir bis dahin freiwillig geleistet hatte; der wackere Kerl war mir von Herzen gut, ich glaube, er würde für mich durchs Feuer gegangen sein; aber meine Stiefeln hätte er nicht wieder angerührt. Solche Dienste wußte sich Choris von andern Matrosen zu verschaffen; Eschscholtz wußte sie sich selber zu leisten; ich aber wußte mich darüber hinweg zu setzen und ihrer zu entbehren.

Ich ward, sobald das Schiff vor Anker lag, zu dem Kapitain gerufen. Ich trat zu ihm in seine Kajüte ein. Er redete mich ernst und scharf an, mich ermahnend, meinen Entschluß wohl zu prüfen; wir seien hier in dem letzten europäischen Hafen, wo zurück zu treten mir noch ein Leichtes sei. Er gebe mir zu überlegen, daß ich als Passagier an Bord eines Kriegsschiffes, wo man nicht gewohnt sei, welche zu haben, keinerlei Ansprüche zu machen habe. Ich entgegnete ihm betroffen: es sei mein unabänderlicher Entschluß, die Reise unter jeder mir gestellten Bedingung mitzumachen, und ich würde, wenn ich nicht weggewiesen würde, von der Expedition nicht abtreten.

Die Worte des Kapitains, die ich hier wiederholt habe, wie ich sie damals niederschrieb, wie sie ausgesprochen wurden und mir unvergeßlich noch im Ohre schallen, waren für mich sehr niederschlagend. Ich glaubte nicht Veranlassung dazu gegeben zu haben. Ich kann aber dem Kapitain bei dieser Gelegenheit nicht Unrecht geben. Es scheint so natürlich, daß ein Titular-Gelehrter, Theilnehmer einer gelehrten Unternehmung, begehren werde, dabei eine Autorität zu sein, daß dem Schiffskapitain nicht zu verargen ist, es zu erwarten und dem vorzubeugen. Denn zwei Autoritäten können auf einem Schiffe nicht zusammen bestehen, und das lehrt die Erfahrung auch auf Kauffahrteischiffen, wo es meist unerfreulich zugeht, wann neben dem Kapitain ein Supercargo und Stellvertreter des Eigenthümers ist. Man nimmt auch, wo das Seewesen verstanden wird, Rücksicht darauf. In Frankreich und England werden auf Entdeckungsreisen keine Titular-Gelehrten mehr mitgenommen, sondern es wird dafür gesorgt, daß alle Theilnehmer der Expedition Gelehrte seien; bei den amerikanischen Kauffahrern ist der Führer des Schiffes zugleich der Handelsmann, und die Handelscompagnien haben Faktoreien, zwischen welchen und dem Mutterland das befrachtete Schiff zu fahren dem unumschränkt an seinem Bord gebietenden Offizier einzig obliegt. Ob es gleich in der Wesenheit der Dinge liegt, ist es doch zu bedauern, daß der Gelehrte, dem es in der Regel am Bord eines Kauffahrers so wohl ergeht, so beengt wird, da wo sich ihm ein weiterer Wirkungskreis zu eröffnen scheint. Voller Lust und Hoffnung, voller Thatendurst kommt er hin, und muß zunächst erfahren, daß die Hauptaufgabe, die er zu lösen hat, darin besteht, sich so unbemerkbar zu machen, so wenig Raum einzunehmen, so wenig da zu sein, als immer möglich. Er hat hochherzig von Kämpfen mit den Elementen, von Gefahren, von

Thaten geträumt, und findet dafür nur die gewohnte Langeweile und die nie ausgehende Scheidemünze des häuslichen Elendes, ungeputzte Stiefeln und dergleichen.

Meine nächste Erfahrung war eben auch nicht ermuthigend. Ich hatte mich vorsorglich über das Princip und den Bau der Filtrirfontaine belehrt, und erbot mich, eine solche zu verfertigen. Das zur ungünstigsten Zeit geschöpfte und jetzt schon sehr übelriechende Wasser der Newa, welches wir tranken, schien meinen Antrag zu unterstützen. Nichts desto weniger fand er keinen Anklang. Es fehlte an Raum, an Zeit, an andern Erforderniſſen, und zuletzt war der Kapitain der Meinung: „das Filtriren werde dem Wasser die nahrhaften Theile entziehen und es weniger gesund machen." Ich sah ein, daß ich die Sache fallen lassen müsse.

Plymouth liegt an einem Einlaß des Meeres, welcher sich hinter dem Küstenstriche höheren Landes in Arme theilt und zwischen schönen Felsenufern weit in das Land eindringt. Alte und neue Städte, Dörfer, Stapelplätze, Arsenäle, Festungen, prachtvolle Landhäuser drängen sich an diesen Ufern; die ganze Gegend ist nur eine Stadt, das eigentliche Plymouth nur ein Revier derselben. Das Land umher wird überall von Mauern und Hecken in Felder abgetheilt. Die weißen Mauern, der feine Staub, die Bauart, die riesenhaften Inschriften der Häuser und die Anschlagzettel erinnern unwillkürlich an die Umgegend von Paris. Ein solches Meer von Häusern ist auch Paris; aber ihm fehlt die große Straße, das Meer. Dieses trägt hier in eigenen Häfen und auf Ankerplätzen unzählige Schiffe, dort (Plymouth-Dock) Kriegsschiffe, hier (Plymouth, Cathwater) Kauffahrtei-Schiffe aller Nationen. Es wurde zur Zeit ein riesenhaftes Werk ausgeführt, das Breakwater, ein Damm, der den Eingang des Sundes zum Theil absperren und das Binnenwasser vor dem Andrange der äußeren Wellen schützen sollte. Ueber zwei und sechzig Fahrzeuge waren unaufhörlich beschäftigt, die Felsenmassen herbeizubringen, die in den Steinbrüchen an den Ufern des Fiordes unabläſſig gesprengt wurden. Das Abdonnern dieser Minen, die Signalschüsse, das Salutiren der Schiffe erweckten oft im tiefsten Frieden das Bild einer belagerten Stadt.

Ich war und blieb fremd in Plymouth. Die Natur zog mich mehr an als die Menschen. Sie trägt einen unerwartet südlichen Charakter und das Klima scheint besonders mild zu sein. Die südeuropäische Eiche (Quercus Ilex) bildet die Lustwälder von Mount Edgcomb, und Magnolia grandiflora blüht im Freien am Spalier.

Das Meer hat bei hohen felsigen Ufern und Fluthen von einer Höhe, die kaum auf einem andern Punkte der Welt (auf der Küste von Neuholland) beobachtet wird, seine ganze Herrlichkeit. Die Fluth steigt an den Uebergangs- Kalk- und Thonschiefer-Klippen bis auf zwei und zwanzig Fuß; und bei der Ebbe enthüllt sich dem Auge des Naturforschers die reichste, wunderbar räthselhafteste Welt. Ich habe seither nirgends einen an Tangen und Seegewürmen gleich reichen Strand angetroffen. Ich erkannte fast keine von diesen Thieren; ich konnte sie in meinen Büchern nicht auffinden, und ich entrüstete mich ob meiner Unwissenheit. Ich habe erst später erfahren, daß wirklich die mehrsten unbekannt und unbeschrieben sein mußten. Ich habe im Verlauf der Reise Manches auf diese Weise versäumt, und ich zeichne es hier geflissentlich auf zur Lehre für meine Nachfolger. Beobachtet, ihr Freunde, sammelt, speichert ein für die Wissenschaft, was in euren Bereich kommt, und lasset darin die Meinung euch nicht irren: dieses und jenes müsse ja bekannt sein, und nur ihr wüßtet nicht darum — War doch unter den wenigen Land-Pflanzen, die ich von Plymouth zum Andenken mitnahm, eine Art, die für die englische Flora neu war.

Uns begünstigte die heiterste Sonne. Ich begegnete auf einer meiner Wanderungen zweien Offizieren vom 43. Regimente, die neugierig unser Schiff zu sehen, mir auf dasselbe folgten. Sie luden den Kapitain und uns alle, Genossen ihres gemeinschaftlichen Tisches zu sein. Die Einrichtung ist getroffen, daß an einem oder zweien Tagen der Woche ein reichlicheres Mahl aufgetragen wird und jeder Gäste mitbringen kann. Der Kapitain und ich folgten der Einladung. Ich glaube nie eine reichlicher besetzte Tafel gesehen zu haben. Es ward viel gegessen, noch mehr getrunken, wobei jedoch den fremden Gästen kein Zwang auferlegt wurde; aber es herrschte keine Lustigkeit. Am Abend gaben uns, die uns eingeladen hatten, das Geleit, und einer der beiden entledigte sich vor uns des genossenen Weines, ohne daß dadurch der Anstand verletzt wurde.

Ich habe der politischen Ereignisse, die mich auf diese Reise gebracht, und die, sobald der Ruf an mich ergangen war, für mich in den Hintergrund zurück getreten waren, nicht wieder erwähnt. Mich mahnt Plymouth, mich mahnt die freundliche Berührung mit dem Offiziercorps des 43. Regimentes an den Mann des Schicksals, den von hier aus, kurz vor unserem Einlaufen, der Bellerophon nach St. Helena abgeführt hatte, damit er, der einst die Welt unterjocht und beherrscht hatte, dort in erbärmlichen Zwistigkeiten mit seinen Wächtern kleinlich untergehe. Allgemein war für den überwundenen Feind die Begeisterung, die aus allen Klassen des Volkes, besonders aus dem Wehrstande, einmüthig uns entgegen schallte. Jeder erzählte, wann und wie oft er ihn gesehen und was er gethan, in die Huldigung der Menge einzustimmen; jeder trug seine Medaillen, jeder pries ihn und schalt zürnend die Willkür, die ihn dem Gesetze unterschlagen. In welchem Gegensatze mit der hier herrschenden Gesinnung war nicht der niedrige Schimpf der Spanier in Chile, die sich beeiferten, das Thier der Fabel zu sein, das dem todten Leuen den letzten Fußtritt geben will! Der Bellerophon hatte weit im Sunde vor Anker gelegen, und der Kaiser pflegte sich zwischen fünf und sechs Uhr auf dem Verdecke zu zeigen. Zu dieser Stunde umringten unzählige Boote das Schiff, und die Menge harrte begierig auf den Augenblick, den Helden zu begrüßen und sich an seinem Anblick zu berauschen. Später war der Bellerophon unter Segel gegangen und hatte, kreuzend im Kanal, was noch zu seiner Ausrüstung mangelte, erwartet. Man erzählte von einer wegen Schulden gegen Napoleon erhobenen Klage und der darauf erfolgten Vorladung eines Friedensrichters, welche Vorladung, falls sie auf das Schiff, während es vor Anker lag, hätte gebracht werden können, zur Folge gehabt haben würde, daß der Verklagte dem Richter hätte gestellt werden müssen. Hätte aber sein Fuß den englischen Boden berührt, so konnte er nicht mehr dem Schutze der Gesetze entzogen werden.

Auf dem Theater von Plymouth trat zur Zeit bei erhöhten

Eintrittspreisen Miß O'Neill in Gastrollen auf. Ich habe sie zwei Male gesehen, in Romeo und Julie und in Menschenhaß und Reue (the Stranger). Nach der Rückkehr im Jahre 1818 habe ich in London auch Kean gesehen, und zwar in der Rolle von Othello. Ich erkenne es dankbar als eine Gunst des Schicksals, daß ich, der ich das französische und das deutsche Theater, beide in ihrem höchsten Glanze, ich möchte sagen, vor ihrem Verfall gekannt habe, auch etliche Fürsten der englischen Bühne, sei es auch nur flüchtig, zu sehen bekam. Miß O'Neill befriedigte mich in der Julie nicht, in welcher Rolle sie mir zu massiv erschien; gegen die Eulalia hatte ich nichts einzuwenden; die Gabe der Thränen, die man an ihr bewundern mußte, kam ihr da vortrefflich zu Statten. Mir schienen überhaupt die Darstellenden den Shakspeare zu geben, schier wie Hamlet seine „Mausefalle" nicht gegeben haben will. Kotzebue berechtigt zu minderen Anforderungen, die genügender erfüllt wurden. Uebrigens haben die englischen Schauspieler alle einen guten Anstand, sprechen die Verse richtig, und bemühen sich mit sichtbarer Anstrengung, die Worte, gegen die Sitte des gemeinen Lebens, deutlich und vernehmbar auszusprechen. Sie scheinen mir darin den französischen Schauspielern vergleichbar, denen eine Dressur unerläßlich ist, die Alles einbegreift, was auch der nicht von dem Gotte Begabte aus sich heraus und in sich hinein zu bilden vermag. Gottbegabte Künstler sind überall selten. Vielleicht hat unser Deutschland deren verhältnißmäßig viele, aber selten sieht man auf unserer Bühne solche, die sich zu dem hinaufgebildet haben, was von den französischen Schauspielern gefordert wird; und das gemeine Handwerkervolk, das die Mehrzahl ausmacht — was soll man von ihnen sagen?

Da ich eben berichten müssen, wie ich in Shakspeare's Vaterland unsern Kotzebue von den ersten Künstlern, und zwar befriedigender als ihren eigenen Heros, habe aufführen sehen: so werd' ich auch gleich, um nicht wieder darauf zurück zu kommen, ein vollgültiges Zeugniß ablegen, daß für die, welche die Regierungen de facto anerkennen, dieser selbe Kotzebue der Dichter der Welt ist. Wie oft ist mir doch, an allen Enden der Welt, namentlich auf

O-Wahu, auf Guajan u. s. w., für meinen geringen Antheil an dem Beginnen seines Sohnes mit dem Lobe des großen Mannes geschmeichelt worden, um auch auf mich einen Zipfel von dem Mantel seines Ruhmes zu werfen. Ueberall hallte uns sein Name entgegen. Amerikanische Zeitungen berichteten, daß the Stranger mit außerordentlichem Beifall aufgeführt worden. Sämmtliche Bibliotheken auf den aleutischen Inseln, so weit ich solche erkundet habe, bestanden in einem vereinzelten Bande von der russischen Uebersetzung von Kotzebue. Der Statthalter von Manila, huldigend der Muse, beauftragte den Sohn mit einem Ehrengeschenke von dem köstlichsten Kaffee an seinen Vater, und auf dem Vorgebirge der guten Hoffnung erfuhr der berliner Naturforscher Mundt die Ankunft des Rurik's, auf dem er mich wußte und erwartete, von einem Matrosen, der ihm nur zu sagen wußte, daß der Kapitain des eingelaufenen Schiffes einen Komödianten-Namen habe. Vom Alarcos, vom Ion und deren Verfassern habe ich in gleicher Entfernung vom Hause nichts gehört.

Die amerikanischen Kauffahrer, denen keine meerbespülte Küste unzugänglich ist, denen aber die Sonne der romantischen Poesie noch nicht aufgegangen, sind die wandernden Apostel von Kotzebue's Ruhm; er ist das für sie taugliche Surrogat der Poesie. Die That beweist übrigens, daß er ein Erforderniß besitzt, welches manchem Vornehmeren abgeht; denn was hilft es der Stute Roland's, so unvergleichlich und tadellos zu sein, wenn sie leider todt ist?

Wir fanden in der Regel die Meinung herrschend, der große Dichter lebe nicht mehr. Das ist natürlich; wer suchte Homer, Voltaire, Don Quixote und alle die großen Namen, in deren Verehrung er aufgewachsen, unter den Lebendigen? Aber auch die Anzeige seines Todes wollte man auf O-Wahu und wohl auch an andern Orten in amerikanischen Zeitungen gelesen haben. Dieses Gerücht, welches mich beunruhigte, kam auch zu den Ohren des Kapitains, der es auf den Tod eines seiner Brüder deutete, welcher im Feldzug 1813 rühmlich starb. Man wird im Verlauf dieser Blätter sehen, wie man uns in Europa, die wir die Post in Kamtschatka versäumt, verloren und verschollen hat glauben müssen, und wie der

Vater den hoffnungsvollen Sohn zu beweinen vollgültigen Grund gehabt. Endlich langt unverhofft, unerwartet, allen möglichen Nachrichten von ihm zuvorkommend, der Rurik wieder an, und Otto Astawitsch eilt, dem Vater die junge Gattin, mit der er sich vermählt, zuzuführen. — Er findet die blutige Leiche auf der Todtenbahre!

Ich komme von einer Abschweifung, die mich etwas weit geführt hat, auf Plymouth wieder zurück und eile der Abfahrt entgegen. Die Zeit, nicht immer zweckmäßig angewandt, verging sehr schnell. Wir hatten jeder unsere Ausrüstung zu vervollständigen; uns hielt in der zerstreuenden Umgebung nichts zusammen; jeder sorgte für sich selbst, wie er konnte und mochte; Vieles hätte, gemeinschaftlich besprochen und planmäßig ausgeführt, zweckmäßiger und schneller geschehen können. Ein Paar Diner's, zu denen ich mit dem Kapitain eingeladen wurde, bieten mir zu keinen neuen Bemerkungen Stoff. Die Sitten der mehr Ehrfurcht gebietenden, als durch Liebenswürdigkeit anziehenden Engländer finden sich in allen Büchern beschrieben. Ich habe da den Stachelbeerwein gekostet, dessen wegen das Haus des Vicar of Wakefield berühmt war, und habe ihn dem Champagner gleich, nur süßer gefunden. Ich habe nach abgehobenem Tischtuch am grünen Teppiche getrunken und trinken sehen; ernst, gelassen und wortkarg, einer abwechselnd sich gegen den andern verneigend, eine Ehren- oder Wohlwollensbezeigung, die auf gleiche Weise zu erwidern man nicht verabsäumen darf. Ich habe überhaupt Engländer nur dann lachen sehen, wann ich englisch mit ihnen zu reden versucht, und habe mir auf die Weise oft zu meiner eigenen Freude freudige Gesichter erzeugt. Ich habe später auf dem Schiffe den Freund Choris Englisch gelehrt, der mir die Mühe dadurch vergalt, daß er mir hinfort unter Engländern zu einem Dolmetscher gedient. Wo er zu meinem Englischen die Aussprache herbekommen hat, ist mir unerklärt geblieben. Ich habe übrigens die Engländer im Allgemeinen höflich und dienstfertig gefunden. Das Seehospital, welches ich besuchte, veranlaßt mich nur zu bezeugen, daß Alles, was man von der Reichlichkeit, Reinlichkeit und Schönheit solcher englischen Institute, und von der

Ordnung und Fülle, die in ihnen herrscht, aus Büchern weiß, weit hinter dem Eindruck zurückbleibt, den die Ansicht macht.

Am 22. September war der Rurik segelfertig. Das Observatorium, das unter einem Zelte auf Mount Batten, einer wüsten Halbinsel in unserer Nähe, gestanden hatte, war wieder eingeschifft und das Dampfbad abgebrochen, welches neben dem Observatorium unter einem anderen Zelte für Offiziere und Matrosen eingerichtet worden war. Ich habe in Plymouth zuerst die Sitte der russischen Bäder kennen gelernt und mir angeeignet.

Wir sollten am nächsten Tage die Anker lichten, und noch lagen die Briefe meiner Lieben, und in Anweisungen ein kleines Kapital, das ich auf die Reise mitnehmen wollte, bei der russischen Gesandtschaft in London, an die ich sie adressiren lassen; und alle Schritte, die ich gethan, die Absendung derselben an mich zu erwirken, waren vergeblich gewesen. Ich habe seither auch in Amtsgeschäften erfahren, daß selten durch Gesandtschaften etwas pünktlicher besorgt werde, und selber nie diesen Weg zu Versendungen gewählt. Das Liegen-lassen, welches ein treffliches Mittel sein mag, viele Geschäfte abzuthun, ist nicht dem Bedürfniß jeglichen Geschäftes angemessen. Ich bedauerte zur Zeit, daß der Kapitain den Plan, den er zuerst hatte, nicht befolgt, mich auf der Fahrt hierher zu Dover oder auf jedem andern Punkt der englischen Küste ans Land zu setzen, von wo ich über London nach Plymouth gereist wäre. Erst nachdem wir zwei Mal ausgelaufen und zwei Mal durch den Sturm in den Hafen zurück geschlagen worden, kamen meine Briefe an. Es mußten die Stürme der Nachtgleichen sich meiner in meinem Kummer und in meinen Sorgen erbarmen.

Auf einer weiten Reise wird, wie für die Gesundheit der Leute, frische Nahrung u. s. w., auch möglichst für deren Unterhaltung gesorgt; denn das Ertödtendste ist die Langeweile. Ein Sängerchor der Matrosen war mit den Instrumenten einer Janitscharen-Musik versehen, und unser bengalesischer Koch besaß eine Geige. Nichts desto weniger hätte der Kapitain gern für noch mehr Musik gesorgt. Iwan Iwanowitsch spielte Klavier, und es ward berathen, ein Hackebrett, oder ein Instrument, wie nur der Raum es zulassen wollte, für ihn anzuschaffen. Dessen nahm sich Martin Petrowitsch mit außerordentlichem Eifer an. Er kam am letzten Tage ganz begeistert auf das Schiff und meldete, er habe eine ganz vortreffliche Orgel gefunden, die er ausgemessen, die im Schiffsraume am Fuße des großen Mastes aufgestellt werden könne, und wofür ein und zwanzig Pfund begehrt würden. Man schließt sich nicht aus, wo die Mehrheit entschieden hat; der Kauf ward beliebt, und ich ward für meine drei Pfund ein Gönner der edlen Tonkunst, so gut wie ein Anderer. Der Kapitain fuhr in Geschäften ans Land; seinerseits auch Martin Petrowitsch, um das Instrument zu holen, welches er bald mit einem Arbeiter, um es aufzustellen, heimbrachte; und unsere Offiziere sahen verwundert und entrüstet, aber stillschweigend, am vorbestimmten Orte eine große Maschine, eine Kirchen-Orgel aufbauen, welche die Luken, die Zugänge zu dem unteren Schiffsraume besetzt hielt. Otto Astawitsch, als er, wie kaum das Werk vollbracht war, an Bord wieder eintraf, entsetzte sich davor, und wollte dem wachthabenden Offizier zürnen, daß er solches gelitten. Er hatte aber ja selbst den Befehl gegeben. Es blieb ihm nur übrig, zu verfügen, daß binnen einer halben Stunde Zeit die Orgel entweder wieder ans Land geschafft, oder über Bord geworfen sein solle. Das Erste geschah. Wodurch man gesündigt hat, damit wird man bestraft: es kommt mir selber, dem Gegenfüßler eines musikalischen Menschen, ergötzlich vor, an diesem unserm in England liegenden Besitzthume nicht nur eine, sondern zwei Aktien zu haben, — denn ich habe dem Martin Petrowitsch, als er in Kamtschatka von uns schied, die seine discontirt.

Wir lichteten am 23. September die Anker, die wir, da der Wind umsprang, sogleich wieder auswerfen mußten. Wir liefen erst am 25. Morgens mit schwachem Landwinde aus, aber gleich am Ausgang des Sundes empfing uns von der See her der Südwind, der frisch und frischer wehend uns im Angesichte der Küste zu laviren zwang, und in der Nacht zu einem gewaltigen Sturme anwuchs. Wir erlitten etliche Haverien, wobei ein Mann beschädigt ward, und schätzten uns glücklich, am 26. bei Tagesanbruch unsern alten Ankerplatz wieder zu erreichen. Wir befährdeten dabei ein neben uns liegendes englisches Kauffahrteischiff, dem wir einigen Schaden an seinem Tauwerke zufügten, und dessen Kapitaln in Hemdärmeln, mit vorgebundenem Tuche, halb eingeseift und halb barbiert, fluchend auf dem Verdeck erschien.

Der Rurik aber kämpfte gegen die Gewalt des Sturmes in einer finstern Herbstnacht, zwischen dem Leuchtthurme von Eddystone, der sein blendendes Licht auf die Scene warf, und der Küste von England, auf der zu scheitern er in Gefahr schwebte, gezwungen durch die Umstände, viele Segel zu führen. Ihr kennt den Leuchtthurm von Eddystone schon von euren längst verbrauchten Kinderbilderbüchern her, dieses schöne Werk der modernen Baukunst, das sich von einem einzeln im Kanal verlorenen Steine bis zu einer Höhe erhebt, die ihr vielleicht wißt und die nachzuschlagen ich mir die Zeit nicht nehmen will; ihr wißt, daß bei hohem Sturme der schäumende Kamm der Wellen bis zu der Laterne hinan gespritzt wird; ihr merkt, daß alle Umstände sich hier vereinigen, einen Sturm recht schön zu machen, und ihr erwartet von mir eine recht dichterische Beschreibung. Meine Freunde, ich lag nach entleertem Magen stille, ganz stille in meiner Koye, mich um nichts in der Welt bekümmernd, und kaum auf den Lärm merkend, den Tisch, Stühle, Stiefeln, Schubkasten um mich her verführten, die nach der Musik und dem Takte, die oben auf dem Verdeck geblasen und geschlagen wurden, unruhig auf ihre eigene Hand durch die Kajüte hin und her tanzten. Was der seekranke Mensch für ein erbärmliches Thier ist, entnehmet daraus, daß unser guter Doktor, sonst eifrig und gewissenhaft in seiner Pflicht, wie nicht ein Anderer, zur Hülfe des verwundeten Matrosen gerufen, geholt, kommandirt, stille, ruhig und regungslos in seiner Koye liegen blieb, bis Alles vorüber war.

Ist euch einmal, wie mir, das Haus, das ihr bewohntet, in einer schönen Nacht über dem Kopfe abgebrannt? Habt ihr besonnen und thätig für Weib und Kind, für Habe und Gut Sorge getragen, und von allem, was zu thun war, nichts versäumt? Dasselbe mag für den See-Offizier ein Sturm sein. Mit gesteigerter Thätigkeit führt er den Kampf gegen das Element und hat, siegend oder besiegt, Freude an sich selber, ist reicher nach überstandener Gefahr um eine erfreuliche Erfahrung von der eigenen Thatkraft. Es ist dasselbe Gefühl, welches den Soldaten nach der Schlacht begierig macht. Für den Passagier aber ist der Sturm nur eine Zeit der unsäglichsten Langeweile. Wie es im Verlauf der Reise dabei zuzugehen pflegte, werde ich hier in der Kürze berichten. Bei einem gewissen Commando, das oben auf dem Verdeck erschell, hieß es in der Kajüte: der Krieg ist erklärt. Darauf vernagelte jeder seine Schubladen, und sorgte, seine bewegliche Habe fest zu stellen. Wir legten uns in unsere Koyen. Bei der nächsten Welle, die auf das Verdeck schlug und häufig in die Kajüte zu den Fenstern hinein drang, wurden diese mit verpichten Tüchern geschützt, und wir waren geblendet. Dann wurde ich gewöhnlich aufgefordert, den Versuch zu machen, noch etliche unerzählte Anekdoten aus dem Vorrath hervor zu holen, bald aber verstummten wir alle und hörten nur einander der Reihe nach gähnen. Die Mahlzeiten hörten auf. Man aß Zwieback und trank Schnaps oder ein Glas Wein. Auf das Verdeck darf sich kaum der Naturforscher wagen, um sich aus Pflichtgefühl einmal den Wellengang flüchtig anzusehen; überspült ihn eine Welle, so hat er in vollkommener Unbeholfenheit kein Mittel, Kleider oder Wäsche zu wechseln oder sich zu trocknen. Uebrigens hat die Sache nicht einmal den Reiz der Gefahr; diese ist für die unmittelbare Anschauung nie vorhanden und könnte höchstens nur auf dem Wege der Berechnung für den Verstand zu ermitteln sein. Die nicht geladene Pistole, deren Mündung ich mir selber vor das Auge halte, zeigt mir die Gefahr; ich habe ihr nie so auf dem kleinen wellengeschaukelten Bretterhause ins Angesicht gesehen.

Wir gingen am 30. früh abermals unter Segel und mußten, vom Sturm empfangen und heimgetrieben, am selben Abend Schutz hinter dem Breakwater suchen, wo wir die Anker fallen ließen. Unserem Lootsen, den wir, nach seiner treffenden Aehnlichkeit mit den Karikaturen, John Bull nannten, mußten wir wie der immer wiederkehrende Buckelige aus den Tausend und eine Nacht vorkommen.

Es gelang uns erst am 4. Oktober die See zu behaupten.

Reise von Plymouth nach Teneriffa.

Wir segelten aus dem Sund von Plymouth den 4. Oktober 1815 gegen 10 Uhr des Morgens. Wir behielten günstigen Wind, aber die See ging von den vergangenen Stürmen noch hohl. Das Land blieb uns den Tag über im Angesicht. Wie ich am andern Morgen auf das Verdeck stieg und nach dem Cap Lizard rückblicken wollte, war es schon untergetaucht, und nichts war zu sehen, als Himmel und Wellen. Die Heimath lag hinter uns, vor uns die Hoffnung.

Zu Anfang dieser Fahrt, und etwa bis zum 14. Oktober, litt ich an der Seekrankheit so anhaltend und schwer, wie noch nicht zuvor. Ich erhielt jedoch meine Munterkeit und suchte mich zu beschäftigen. Ich las mit Martin Petrowitsch dänisch einen Aufzug von Hakon Jarl und ohne Hülfe weiter. Ich verdanke Oehlenschlägern manche Freuden und manchen Trost. Correggio hat mich immer bewegt, und Hakon Jarl, der abtrünnige Christ, der einzige gläubige Heide, der mir aus unsern Büchern lebendig entgegen getreten ist, hat mir immer Ehrfurcht eingeflößt.

Wir folgten mit meist günstigem Wind der großen Fahrstraße, die aus dem Kanal südwärts nach dem mittelländischen Meer, oder dem Eingange desselben vorüber, nach beiden Indien führt. Selten verging ein Tag, ohne daß wir verschiedene Segel gesehen hätten, und vom Lande, dessen äußerste Vorsprünge uns beiläufig 300 Seemeilen*) im Osten blieben, kamen bei N. W. Wind und klarem Himmel häufige

*) Unter Meilen werden fortan englische Seemeilen verstanden sein, deren 60 auf einen Grad des Aequators gehen, Minuten des Aequators.

Boten zu uns herüber. Am 9. setzte sich eine kleine Lerche auf unser Schiff nieder, wo sie drei Tage lang der Gastfreundschaft genoß, die wir ihr gern angedeihen ließen; und drei Landvögel umflatterten uns an verschiedenen Tagen. Nirgends ist mir der atlantische Ocean breit vorgekommen; ich habe mich immer auf einer vielbefahrenen Straße gefühlt, deren Ufer ich nicht zu sehen brauchte, um sie gleichsam zu spüren. Fast zu enge dünkten mir hingegen die bisher befahrenen Meere zu sein, deren Küstenfeuer man bei Nacht, wie die Laternen in einer Stadt, selten aus den Augen verliert, und wo man andere Schiffe umzusegeln, oder selbst umgesegelt zu werden befürchten muß. Das große, das ehrfurchtgebietende Schauspiel bot uns der Himmel in seinen Veränderungen dar. Hinter uns senkte sich der Polarstern; und der große Bär, noch beim Homer ἄμμορος ὠκεανοῖο, untheilhaftig der Salzfluth, tauchte seine Sterne nach einander ins Meer; vor uns aber erhob sich der Vater des Lichtes und des Lebens.

Am 13. Oktober und den folgenden Tagen hatten wir in 39° 27' N. B. fast fünf Tage lang vollkommene Windstille. Das Meer ebnete sich zu einem glatten Spiegel, schlaff hingen die Segel von den Raaen und keine Bewegung war zu spüren. Merkwürdig, daß auch dann Strömungen des Wassers unmerklich mit dem Schiffe spielten, das seine Richtung gegen die Sonne veränderte, so daß man auf dem Verdecke seinen eigenen Schlagschatten zu seinen Füßen kreisen und bald zu der einen, bald zu der andern Seite des Körpers fallen sah. So auch veränderte ein ausgesetztes Boot seine Lage gegen das Schiff und ward bald ihm näher gebracht, bald weiter von ihm entführt. Soll meine Phantasie ein Bild erschaffen, gräßlicher als der Sturm, der Schiffbruch, der Brand eines Schiffes zur See: so bannt sie auf hoher See ein Schiff in eine Windstille, die keine Hoffnung, daß sie aufhören werde, zuläßt. —

Die Windstille übrigens ruft zu einer neuen Thätigkeit den Naturforscher auf, der bei günstigem Winde müßig, den Blick nur vorwärts gerichtet, von der Küste träumt, auf welcher er zunächst landen soll. Die Sonne lockt die niedern Thiere des Meeres an die Oberfläche des Wassers, und er kann dieser reizendsten Räthsel der Natur leicht habhaft werden. Wir konnten sonst nur bei einem

3*

Laufe von höchstens zwei Knoten (d. i. zwei Meilen die Stunde) mit dem Köscher von Flaggentuch an einer Stange befestigt, vom Verdecke des Schiffes ähnliche Thiere zu fischen hoffen.

Hier beschäftigten mich und Eschscholtz besonders die Salpen, und hier war es, wo wir an diesen durchsichtigen Weichthieren des hohen Meeres die uns wichtig dünkende Entdeckung machten, daß bei denselben eine und dieselbe Art sich in abwechselnden Generationen unter zwei sehr wesentlich verschiedenen Formen darstellt; daß nämlich eine einzeln freischwimmende Salpa anders gestaltete, fast polypenartig aneinander gekettete Jungen lebendig gebiert, deren jedes in der zusammen aufgewachsenen Republik wiederum einzeln freischwimmende Thiere zur Welt setzt, in denen die Form der vorvorigen Generation wiederkehrt. Es ist, als gebäre die Raupe den Schmetterling und der Schmetterling hinwiederum die Raupe.*)

Ich habe mit meinem treuen Eschscholtz immer gemeinsam studirt, beobachtet und gesammelt. Wir haben in vollkommener Eintracht nie das Mein und Dein gekannt; es mochte sich Einer nur an der eigenen Entdeckung freuen, wann er den Andern zum Zeugen, zum Theilnehmer gerufen hatte. — Warum muß ich's sagen? mit dem Lieutenant Wormskiold war es nicht so. Er hatte eine eifersüchtelnde Nebenbuhlerschaft, die leider unter den Gelehrten nicht unerhört ist, dem Verhältniß, das ich ihm angeboten hatte und das ich mit Eschscholtz eingegangen war, vorgezogen. Daß er mich für einen Naturphilosophen hielt, die bei ihm nicht gut angeschrieben waren, mochte ihn von mir entfernt haben; er mochte auch glauben, zu sehr im Vortheil zu sein, um sich nicht aus einer Gemeinschaft zurück zu ziehen, worin er mehr eingebracht als eingeerntet hätte. Ich lächle jetzt über den tiefen Kummer, über die Verzweiflung, in die ich darüber gerieth und wovon die Briefe zeugen, die ich aus Teneriffa, Brasilien und Chile schrieb. Ich bot Alles auf, mich

*) Siehe: Chamisso, De animalibus quibusdam e classe vermium Linnaeana. Fasc. I. de Salpa. Berol. 1819. 4. Erläuterungen zu dieser Schrift in Oken's Isis 1919. Fasc. II., reliquos vermes continens. Gemeinschaftlich mit C. G. Eisenhardt in Nova acta phys. med. Academiae C. L. C. Naturae curiosorum X. 1821.

selbst und Andere zu überzeugen, daß ich bei dem, was ich für ein Mißverhältniß erkannte, außer aller Schuld sei. Jetzt kann ich, ein alter Mann, nach abgekühlter Leidenschaft und wiederholt eingesehenen Akten, Richter sein über mich selbst und sprechen: ich war wirklich außer Schuld. Es tröstete mich in der Folge noch nicht, daß nicht sowohl mit mir, als mit dem Maler Choris Wormskiold in Mißhelligkeiten lebte, wie sie leicht das Seeleben veranlassen kann und die sich nur nach dem Charakter und der Eigenthümlichkeit der Menschen gestalten. Ich erinnere mich, daß in Sicht des Staatenlandes ich hinüber zu den traurigen, nackten Felsen schaute und fast begehren mochte, daß mich vom Schiffe aus das kleine Boot nach jener winterlichen Oede hinüber trage und dort aussetze, mich von der marternden Gegenwart zu befreien.

Uebrigens hatte der Lieutenant Wormskiold in Plymouth geäußert, er würde vielleicht schon in Teneriffa die Expedition verlassen. Auf der Ueberfahrt von Teneriffa nach Sta Catharina erklärte er, in Brasilien sein Schicksal von dem unsrigen trennen zu wollen. Daselbst angelangt, — das Land kühlt die zur See erhitzte Galle ab, — rieth ich ihm freundschaftlich, dieses reichste Feld der Forschung zu seiner Ernte zu erwählen, und stellte, um ihm die Ausführung zu erleichtern, meine Baarschaft zu seiner Verfügung. Er war nun anderen Sinnes. Er wollte in Chile bleiben; aber dem widersetzte sich die Lichtscheue der Spanier und stellte seinem Entschlusse unüberwindliche Hindernisse entgegen. Er trennte sich erst in Kamtschatka von uns.

Diese Zeilen sind mir zu schreiben so schwer wie eine Beichte aufs Herz gefallen und ich werde auf den Gegenstand nicht wieder zurückkommen, den ich einmal nicht unerwähnt lassen konnte. Es ist etwas gar Eigenthümliches um das Leben auf einem Schiffe. Habt ihr bei Jean Paul die Biographie der mit dem Rücken aneinander gewachsenen Zwillingsbrüder gelesen? Das ist etwas Aehnliches, nicht Gleiches. — Das äußere Leben ist einförmig und leer, wie die Spiegelfläche des Wassers und die Bläue des Himmels, die darüber ruht; keine Geschichte, kein Ereigniß, keine Zeitung; selbst die sich immer gleiche Mahlzeit, die zwei Mal wiederkehrend den

Tag eintheilt, kehrt mehr zum Verdrusse als zum Genusse zurück. Es giebt kein Mittel sich abzusondern, kein Mittel einander zu vermeiden, kein Mittel einen Mißklang auszugleichen. Bietet uns einmal der Freund, anstatt des Guten-Morgens, den wir zu hören gewohnt sind, einen Guten-Tag, grübeln wir der Neuerung nach und bebrüten düster unsern Kummer; denn ihn darüber zur Rede zu setzen, ist auf dem Schiffe nicht Raum. Abwechselnd ergiebt sich Einer oder der Andere der Melancholie. Auch das Verhältniß zu dem Kapitain ist ein ganz besonderes, dem sich nichts auf dem festen Lande vergleichen läßt. Das russische Sprüchwort sagt: Gott ist hoch und der Kaiser ist fern. Unumschränkter als der Kaiser ist an seinem Bord der Mann, der immer gegenwärtige, an den man auch gleichsam mit dem Rücken angewachsen ist, dem man nicht ausweichen, den man nicht vermeiden kann. Herr von Kotzebue war liebenswürdig und liebenswerth. Unter vielen Eigenschaften, die an ihm zu loben waren, stand oben an seine gewissenhafte Rechtlichkeit. Aber die zu seinem Herrscheramte erforderliche Kraft mußte er sich mit dem Kopfe machen; er hatte keine Charakterstärke; und auch er hatte seine Stimmungen. Er litt an Unterleibsbeschwerden, und wir spürten ungesagt auf dem Schiffe, wie es um seine Verdauung stand. Bei dem gerügten Mangel, besonders in der späteren Zeit der Reise, wo seine Kränklichkeit zunahm, mochte er leicht von dem, der ohne Arg grade vor sich schritt und fest auftrat, sich gefährdet glauben. Auf der Fahrt durch den atlantischen Ocean hatte er die Vorurtheile abgestreift, die er gegen mich gefaßt haben mochte, und ich kam für seinen Günstling zu gelten. Ich hing ihm aber auch an mit fast schwärmerischer Liebe. — Später wandte er sich von mir ab und auf mir lastete seine Ungnade.

Ich hatte mit Hülfe von Login Andrewitsch Russisch zu lernen angefangen; erst lässig unter dem schönen Himmel der Wendekreise, dann mit ernsterem Fleiße, als wir dem Norden zusteuerten. Ich hatte es so weit gebracht, mehrere Kapitel im Sarytscheff zu lesen, aber ich ließ mit gutem Bedacht von dem Beginnen ab und lernte mich glücklich schätzen, daß die Sprache eine Art Schranke sei, die zwischen mir und der nächsten Umgebung sich zog. Ich habe auch nicht leicht etwas so schnell und vollständig verlernt, als mein Russisch. Es hat ganze Zeiten gegeben, wo ich während des Essens (ich nahm zufälliger Weise bei Tafel den mittleren Sitz ein) stumm und starr, den Blick fest auf mein Spiegelbild geheftet, gehüllt in meine Sprachunwissenheit, die Brocken in mich hineinwürgte, allein wie im Mutterleib.

Ich kehre zu dem Zeitpunkt zurück, von welchem ich abgeschweift. Wir steuerten bei schwachen wechselnden Winden langsam der Mittagssonne zu, und wiederkehrende Windstillen verzögerten noch unsere Fahrt. Mit den Gestirnen des nächtlichen Himmels hatte sich das Klima verändert, und Bewußtsein des Daseins gab uns nicht mehr, wie in unserm Norden, physischer Schmerz, sondern Athmen war zum Genusse geworden. In tieferem Blau prangten Meer und Himmel, ein helleres Licht umfloß uns; wir genossen einer gleichmäßigen, wohlthätigen Wärme. Auf dem Verdeck, angeweht von der Seeluft, wird die Hitze nie lästig, die wohl in der verschlossenen Kajüte drückend werden kann. Wir hatten die Kleider abgelegt, die daheim, wenn einmal der Sommer schöne, warme Tage hat, uns unleidlicher werden, als selbst die feindliche Kälte der Winterluft. Eine leichte Jacke nebst Pantalons, ein Strohhut auf dem Kopfe, leichte Schuhe an den Füßen, keine Strümpfe, keine Halsbinde: das ist allgemein die angemessene Tracht, worin in der heißen Zone alle Europäer die Wohlthaten des Himmels entgegen nehmen; nur die Engländer nicht, denen überall die Londoner Sitte als erstes Naturgesetz gilt. Während der Mittagshitze ward ein Zelt ausgespannt, und wir schliefen die Nacht unter dem freien Himmel auf dem Verdeck. Nichts ist der Schönheit solcher Nächte zu vergleichen, wenn, leise geschaukelt und von dem Zuge des Windes gekühlt, man durch das schwankende Tauwerk zu dem lichtfunkelnden gestirnten Himmel hinauf schaut. Später ward uns Passagieren dieser Genuß entzogen, indem den Steuerleuten verboten ward, uns das zur Einrichtung unsers Lagers erforderliche alte Segeltuch verabfolgen zu lassen.

Ich werde zu den Schönheiten dieses Himmels ein Schauspiel rechnen, welches man wenigstens in der wärmeren Zone, wo man mehr im Freien lebt, unausgesetzter zu betrachten aufgefordert wird und welches sich auch da in reicherer Pracht zu entfalten pflegt. Ich meine das Leuchten des Meeres. Dieses Phänomen verliert nie seinen anziehenden Reiz, und nach dreijähriger Fahrt blickt man in die leuchtende Furche des Kieles mit gleicher Lust wie am ersten Tage. Das gewöhnliche Meerleuchten, wie von Alexander v. Humboldt (Reise Bd. I.) und von mir beobachtet, rührt bekanntlich von Punkten her, die im Wasser erst durch Anstoß oder Erschütterung leuchtend werden und aus organischen unbelebten Stoffen zu bestehen scheinen. Das Schiff, das die Fluth durchfurcht, entzündet um sich her unter dem Wasser diesen Lichtstaub, der sonst die Wellen nur dann zu erhellen pflegt, wenn sie sich schäumend überschlagen. Außer diesem Lichtschauspiele hatten wir hier noch ein anderes. Es schien im Wasser gleichsam von einem sich in einiger Tiefe entzündenden Lichte zu blitzen, und dieser Schein hatte manchmal einige Dauer. Es schien uns dieses Leuchten von Thieren (Quallen) herzurühren, bei denen eine organische Lichtentwickelung sich annehmen läßt.

Wir hatten am 23. Oktober Windstille im 30° 36′ N. B. 15° 20′ W. L. (über 300 Meilen fern von der afrikanischen Küste). Die Trümmer eines Heuschrecken-Zuges bedeckten das Meer um uns her.*) Drei Tage lang begleiteten uns diese Trümmer. Wir hatten am 25. Mittags Ansicht der Salvages, kreuzten den 26. in ihrer Nähe und sahen am 27. den Pic de Teyde in einer Entfernung von beiläufig 100 Meilen schon unter einem sehr hohen Winkel sich uns enthüllen. Der Wind erhob sich während der Nacht und führte uns unserm Ziele zu.

Ich hatte mir während dieser Fahrt den Schnurrbart wachsen lassen, wie ich ihn früher in Berlin getragen. Wie wir uns dem Landungsplatze näherten, ersuchte mich der Kapitain ihn abzuschneiden. Ich mußte das Opfer bringen und Haare lassen.

Am 28. Mittags um 11 Uhr ließen wir auf der Rhede von Santa Cruz die Anker fallen.

---

*) Gryllus tataricus L.

Der Zweck, wofür in Teneriffa angelegt wurde, war, Erfrischungen und hauptsächlich Wein an Bord zu nehmen, da wir bis jetzt nur Wasser getrunken hatten. Zu dem Geschäfte sollten drei Tage hinreichen, und es ward uns freigestellt, diese auf eine Exkursion ins Innere der Insel zu verwenden.

Von Gelehrten besucht und beschrieben worden ist Teneriffa, wie kein anderer Punkt der Welt. Alexander von Humboldt ist auf dieser Insel gewesen, und Leopold von Buch und Christian Smith, die nicht mehr hier anzutreffen uns schmerzlich war, hatten eben bei einem verlängerten Aufenthalte die ganze Kette der Canarischen Inseln zum Gegenstande ihrer Untersuchungen gemacht. Wir hatten nur an uns selber Erfahrungen zu machen und unsern durstenden Blick an den Lebensformen der tropischen Natur zu weiden.

Man möchte erwarten, daß auf Reisende, die aus einer nordischen Natur unmittelbar in eine südliche versetzt werden, der unvermittelte Gegensatz mit gleichsam märchenhaftem Reiz einwirken müsse. Dem ist aber nicht also. Die Reihe der im Norden empfangenen Eindrücke liegt völlig abgeschlossen hinter uns; eine neue Reihe anderer Eindrücke beginnt, die von jener ganz abgesondert, durch nichts mit ihr in Verbindung gesetzt wird. Die Zwischenglieder, welche beide Endglieder zu einer Kette, beide Gruppen zu einem Bilde vereinigen würden, fehlen eben zu einem Gesammteindruck. — Wenn wir nach unserm Winter die Bäume langsam zögernd knospen gesehen, und sie auf einmal nach einem warmen Regen Blüthen entfalten und Blätter, und der Frühling erscheint in seiner Pracht, — dann schwelgen wir in dem Märchen, das die Natur uns erzählt. Wenn wir in unsern Alpen von der Region der Saaten durch die der Laub- und Nadelwälder und die der Triften zu den Schneegipfeln hinan, und von diesen wiederum in die fruchtbaren Thäler herabsteigen, haben die Verwandlungen, die wir schauen, für uns einen Reiz, dessen der Gegensatz der verschiedenen Naturen entbehrt, welchen uns das Schiff entgegenführt. Aber die Veränderung des gestirnten Himmels und der Temperatur während der Fahrt schließt sich jenen Beispielen an. Ich füge erläuternd eine andere Beobachtung hinzu: Wir können auf einem hohen Standpunkt schwindlich werden, wenn unser Blick an der Mauer des Thurmes oder an Zwischengegenständen in die Tiefe unter uns hinabgeleitet; der Luftschiffer aber mag auf die Erde unterwärts blicken, er ist dem Schwindel nicht ausgesetzt.

Aus den Gärten der kleinen Stadt Santa Cruz erheben nur ein paar Dattelpalmen ihre Häupter, und wenige Bananenstauden ihre breiten Blätter über die weißgetünchten Mauern. Die Gegend ist öde, die hohen zackigen Felsen der Küste nach Osten zu sind nackt und nur spärlich mit der gigantischen, blassen, cactusartigen canarischen Wolfsmilch besetzt. Auf ihren Gipfeln ruhten die Wolken. Man sah auf dem Wege von Laguna her etliche Dromedare herabtreiben.

Ich hatte die erste Gelegenheit benutzt, ans Land zu fahren. Der gelehrte Mineralog Escolar, dessen Bekanntschaft ich machte, übernahm es lieb- und hilfreich, mir einen Führer für den andern Morgen zu besorgen. Den 29. Oktober früh trat ich mit Eschscholtz die Wanderung an. Wir wollten den gebahnten Weg nach Laguna vermeiden; Sennor Nicolas, unser Bote, führte uns irr in den östlichen, felsigen, öden Thälern. Um wenige zerstreut liegende Ansiedelungen sah man den Drachenbaum und die amerikanische Agave und Cactus Opuntia. — Die mehrsten bezeichnenden Formen der tropischen Natur waren dem Menschen hörige, ausländische Gewächse. Wir kamen nach 3 Uhr zu Laguna an. Es begann zu regnen. Wir speisten Weintrauben und besuchten den gelehrten Dr. Savignon, der uns ein Empfehlungsschreiben an Herrn Cologan in Oratava gab: „No quierendo privar a la casa de Cologan de su antiguo privilegio de proteger los sabios viageros etc." Nicht wollend das Haus Cologan seines alten Vorrechtes berauben, die weisen oder gelehrten Reisenden zu beschützen u. s. w. Wir fanden ein Unterkommen zu Nacht und Weintrauben zur Speise bei einer sehr gesprächigen und lustigen alten Frau. Gasthäuser giebt es auf der Insel nur zwei, zu Santa Cruz und zu Oratava. Am Morgen des 30. strömte der Regen. Wir schlugen den Weg nach Oratava ein. Er führt über Matanza und Vittoria, zwei Namen, die, auf den Karten der spanischen Colonien oft wiederkehrend, das Schicksal der eingebornen Völker bezeichnen: Sieg und Gemetzel. Man gelangt erst bei Vittoria in die Weingärten, die der Stolz und der Reichthum der Insel sind. Die Aussicht über das Gebirge und die Küste, den Pic und das Meer, ist ausnehmend schön, zumal, wie sie sich uns darbot, im Spiele der Wolken und der Abendsonne. Die Wolken bildeten sich unten am Gestade und zogen von Zeit zu Zeit an dem Abhang des Gebirges den Höhen zu. Auch der Gipfel des Pic's erschien, bedeckt von frisch gefallenem Schnee, durch die Nebel. Ich sah aber diesem Berge seine Höhe nicht an; der Eindruck entsprach nicht der Erwartung. Wohl hat sich mir in unsern Schweizeralpen die Schneelinie als Maaßstab der Höhen eingeprägt, und wo dieser nicht anwendbar ist, bin ich ohne Urtheil.

Wir hatten uns verspätet und hätten in Oratava nur Stunden der Nacht zubringen können; wir fanden es angemessen, nicht weiter zu gehen. Ich rauchte, votum solvens, eine Pfeife unter einem Palmbaume, schnitt mir zum Andenken ein Blatt desselben ab und gebrauchte die Rippe als Wanderstab; wir suchten ein Unterkommen für die Nacht. Wir mußten bis Matanza zurück gehen, wo wir in einer Hütte Weintrauben fanden und als Lager die nackte Erde. Um animalische Nahrung nicht ganz zu entbehren, hatten wir selber in verschiedenen Häusern Hühnereier aufgekauft.

Wir kehrten am 31. bei anhaltendem Regen über Laguna, wo wir noch einen Garten besuchten, nach Santa Cruz zurück. Zuvorkommend traten uns hier verschiedene unterrichtete Bürger entgegen und luden uns ein, Gärten, Naturaliensammlungen, Guanchen-Mumien zu sehen; unsere Zeit war aber abgelaufen.

Auf unserer Wanderung erschien uns im Allgemeinen das Volk äußerst arm und häßlich, dabei heiteren Gemüths und von großer Neugierde. Die spanische Würde, die sich in den Sprachformen darthut, trat uns hier achtunggebietend zum ersten Mal unter Lumpen entgegen. „Euer Gnaden" ist bekanntlich auch unter dem niedrigen Volk die bräuchliche Anrede.

Zuerst auf Teneriffa, wie später überall im ganzen Umkreis der Erde, haben sich die Wißbegierigen, mit denen ich als ein Wißbegieriger in nähere Berührung kam, Mühe gegeben, den russischen Nationalcharakter an mir, dem Russen, der aber doch nur ein Deutscher, und als Deutscher eigentlich gar ein geborner Franzos, ein Champenois, war, zu studiren.

Reise von Teneriffa nach Brasilien. Santa Catharina.

Am 1. November 1815 lichteten wir die Anker und verließen die Rhede von Santa Cruz. Wir hatten im Kanal zwischen Teneriffa und Canaria Windstille, oder nur schwachen Wind. Wir sahen den Pic von Wolken völlig enthüllt, und am Morgen die Wasserdünste sich an ihm niederschlagen und ihn verschleiern. Am 3. hatten wir außerhalb des Kanals den N. O. Passat erreicht, der ungemein frisch blies und uns mit einer Schnelligkeit von 6 bis 8 Knoten (so viele Meilen die Stunde) auf unserm Wege förderte. Ich bemerke beiläufig, daß die Schnelligkeit seines Schiffes ein Punkt ist, in Betreff dessen die Aussage jegliches Schiffs-Kapitains so unzuverlässig ist, als die einer Frau, die ihr eigenes Alter angeben soll. Wir durchkreuzten den 6. früh um 4 Uhr den nördlichen Wendekreis. Wir sahen an diesem Tage Delphine, und am 7. die ersten fliegenden Fische.

Diese Thiere, die an Gestalt Häringen zu vergleichen sind, haben Brustflossen, die, zum Fluge und nicht zum Schwimmen geschickt, so lang wie der Körper sind. Sie fliegen mit ausgebreiteten Flossen in gebogenen Linien ziemlich hoch und weit über die Wellen, in die sie wieder tauchen müssen, um die Geschmeidigkeit ihrer Flugwerkzeuge zu erhalten. Da sie aber das Auge des Vogels nicht haben und nicht brauchen, weil die Natur ihnen in der Luft keine Hindernisse entgegen setzt, so wissen sie Schiffen, denen sie begegnen, nicht auszuweichen, und fallen häufig an Bord derer, die, wie der Rurik, nicht höher, als sich ihr Flug erhebt, aus den Wellen ragen. Begreiflich ist es, daß dem Nordmann, zu dem die Kunde nicht gedrungen ist, der Flug der Fische Grausen erregend, als eine Umkehrung der Natur erscheine. Der erste fliegende Fisch, der auf das Verdeck und unsern Matrosen in die Hände fiel, ward von ihnen unter Beobachtung des tiefsten Stillschweigens in Stücke zerschnitten, die sie sodann nach allen Richtungen in die See warfen. Das sollte das vorbedeutete Unheil brechen. Gar bald verlor sich für unsere Leute das Unheimliche einer Erscheinung, die in den gewöhnlichen Lauf der Natur zurück trat. Die fliegenden Fische fielen im atlantischen und im großen Ocean so oft und häufig auf das Schiff, daß sie nicht nur uns, sondern auch, so viel ich weiß, ein paar Mal den Matrosen zu einer gar vorzüglichen Speise gereichten.

Wir hatten in Teneriffa eine Katze und ein kleines weißes Kaninchen an Bord genommen. Beide lebten in großer Eintracht. Die Katze fing sich Fische, und das Kaninchen verzehrte die Gräten, die sie ihm übrig ließ. Ich erwähne dessen, weil es mir auffiel, das Kaninchen, nach Art der Mäuse und anderer Nager, ganz von animalischer Nahrung leben zu sehen. Das Kaninchen starb jedoch, bevor wir die Linie passirten, und die Katze erreichte auch nicht Brasilien.

Wir hatten am 9. die Breite der nördlichsten der capverdischen Inseln erreicht. Am 10. Mittags zeigte sich uns Brava durch den Nebel, schon unter einem sehr hohen Winkel. Wir hatten gegen halb zwei Uhr diese hohe Insel zehn Meilen im S. O. + S. ¼ O., und östlicher erschienen unter einem sehr geringen Winkel zwei andere Lande, das östlichste mit einem anscheinlich vulkanischen Pic in der Mitte. Wir kamen am Abend der Insel Brava zu nah unter dem Winde, den sie uns plötzlich benahm. Ueber der Wolkenlage, die auf ihren Höhen ruhte, erschienen auf kurze Zeit, unter einem fast gleichen Winkel, die Gipfel der weiter liegenden Insel Fogo. Zwischen uns und Brava spielten unzählige Heerden von Delphinen, die uns wohl nicht gewahrten, da sie an das Schiff nicht kamen.

Die capverdischen Inseln werden unter portugiesischer Botmäßigkeit mehrstens von armen Negern bewohnt. Die Einwohner der verschiedenen Inseln werden jedoch sehr verschieden geschildert. Die mit weißem Blute versetzten Einwohner von San Jago werden als unverständig und räuberisch dargestellt; die armen und guten Neger von Brava erinnern an die Neger, die uns Mungo Park kennen und lieben gelehrt hat.

Die Sage erzählt, daß die Ersten, die auf Fogo gelandet, zwei Christenpriester gewesen, die daselbst ein gottgefälliges, einsiedlerisch beschauliches Leben führen wollten. Noch brannte die Insel von keinen unterirdischen Feuern. Man weiß nicht, ob die Ankömmlinge Alchymisten oder Zauberer gewesen; aber sie fanden im Gebirge Gold und bauten da ihre Zellen. Sie gruben nach Gold und scharrten einen Schatz zusammen, und ihr Herz wandte sich der Welt wieder zu. Der eine, der sich über den andern überhob, riß das mehrste Gold an sich; daher ihr wechselseitiger Haß und ihre Fehde. Die Flammen, die ihre nicht geheure Kunst ihrem Rachedurst verliehen, entzündeten die ganze Insel, und beide fanden im allgemeinen Brande ihren Untergang. Seither ließ die Gewalt des Feuers nach, das sich in den Mittelpunkt der Insel zurückzog.

Versunken im Anschaun dieser Inseln, auf denen meines Wissens noch kein Naturforscher verweilte, mochte ich träumen, es sei mir vorbehalten, sie einst zum Ziele einer eigenen Reise zu machen, und was dort noch für die Wissenschaft zu thun sei, zu leisten.

Uebrigens haben uns weder Rauch noch Flammen die Vulkane dieser Inseln verrathen, die frühere Reisende brennen gesehen, und Cook, der auf San Jago landete, erwähnt auch nichts von vulkanischen Erscheinungen.

Der nördliche Passatwind, den wir bis zum 6° N. B. zu behalten uns schmeichelten, verließ uns schon am 13. November im 10°. Dagegen erreichten wir am 18. zwischen dem siebenten und achten Grad N. B. den südlichen, den wir erst gegen die Linie anzutreffen hofften. Wir hatten binnen dieser Grenzen und während dieser Zeit unbeständiges Wetter, Windstille, von häufigen Windstößen und Regengüssen unterbrochen; zwei Mal leuchtete das Wetter und Donner ward gehört. Ein Mal, am 17. Nachmittags, ward ein Phänomen, das einer Wasserhose glich, wahrgenommen. Der plötzlich einbrechende Regen störte einige Mal unsere Nachtruhe auf dem Verdecke. Boten brachten uns Kunde von dem Lande, das uns

5¼ Grad im Osten lag. Am 15. setzte sich ein schön roth befiederter Landvogel auf unsern Bugspriet nieder und flog dann von uns weg. Am 16. umkreisten uns drei Reiher, von denen einer, der sich auf das Schiff setzen wollte, ins Wasser fiel; die andern setzten ihren Flug fort. Am 17. verfolgte uns vom Morgen an eine Ente, die am Mittag geschossen ward (Anas Sirsair Forsk.); endlich zeigte sich am 18. eine andere Ente.

Während dieser Zeit wurden auch verschiedene Haifische geangelt und versahen uns mit erwünschter frischer Nahrung. Ich möchte sagen, ich habe nie besseren Fisch gegessen, als den Haifisch; denn er pflegt auf hoher See gefangen zu werden, wenn man eben seiner begehrt.

Am 18. setzte sich der Wind zwischen S. und S. O. fest, und wir steuerten einen sehr westlichen Cours. Wir sahen am 19. eine Seeblase, das seltsamste vielleicht der thierischen Geschöpfe, welche die Oberfläche des Meeres bewohnen. Wir sahen nur die eine nördlich vom Aequator; in der südlichen Halbkugel wurden sie häufig. Am Morgen des 21. waren uns zwei Segel im Angesicht, und wir wurden am Mittag von einem dritten Schiffe, einem heimwärts segelnden Ostindienfahrer, angesprochen, der ein Boot an uns sandte, Nachrichten von Europa zu begehren. Er theilte uns welche von St. Helena mit, wo Napoleon angelangt war. Am 22. und 23. umschwärmten uns Heerden von Delphinen.

Am 23. November 1815 Abends um 8 Uhr durchkreuzten wir zum ersten Mal den Aequator. Die Flagge ward aufgezogen, alles Geschütz abgefeuert und ein Fest auf dem Rurik begangen. Die Matrosen, die alle Neulinge waren, wußten nicht recht, was sie thun sollten, und ihr Neptun war ziemlich albern. Aber eine ausnehmende Freudigkeit herrschte unter ihnen, und eine Komödie, die sie aufführten, beschloß spät und ergötzlich den Tag. Punsch war ihnen in hinreichender Menge gereicht worden.

Der Beifall, den dieses Schauspiel geerntet, veranlaßte eine zweite Vorstellung, die am 3. Dezember Statt fand und noch vorzüglicher ausfiel. Der Steuermann Petroff war dies Mal Dichter des Stückes und einer der Hauptdarstellenden. Es war ein rührendes Stück, aber mit gehöriger Ironie aufgefaßt und vorgetragen. Der Kirchengesang bei der Einsegnung des liebenden Paares bestand in der Litanei sämmtlicher Taue und Leinen des Schiffes unter Anrufung des Herrn Steuermannes.

Ueberhaupt ward alle Sonntage für die Ergötzung der Matrosen gesorgt. Die Janitscharen-Instrumente wurden hervorgeholt und es ward gesungen. Ich bemerke beiläufig, daß unter den russischen Nationalliedern, die wir in allen fünf Welttheilen ertönen ließen, auch Marlborough war. Ich zweifle nicht, daß, wenn heut zu Tage eine gleiche russische Expedition die See hält, ihre Sänger überall das Mantellied von Holtei unter ihren volksthümlichen Gesängen anstimmen.

Wir sahen am 24., 25. und 26. November ein Schiff, eine englische Brigg, welcher die Bramstange des großen Mastes fehlte.

Wir hatten auch, seit wir den südlichen Passat erreicht, häufige Wolken und rasch vorübergehende leichte Regengüsse, besonders während der Nacht. Der Wind, der allmälig vom Süden zum Osten übergegangen war, wandte sich am 30. November nach Norden und verließ uns ganz am 1. Dezember. Nach einer kurzen Windstille erhob sich der Südwind. Wir hatten am 5. die Sonne scheitelrecht. Wir durchkreuzten am 6. den südlichen Wendekreis. In diesen Tagen wurden mehrere Boniten harpunirt und versorgten uns mit frischen Lebensmitteln. Auch brachten uns Schmetterlinge wiederholt Kunde von dem Festlande Amerika, das uns 120 Meilen im Westen lag. Etliche Schiffe wurden gesehen.

Wir beobachteten am 7. Dezember ungefähr anderthalb Grad südlich vom Cap Frio eine Erscheinung, die sich am 9. auffallender wiederholte. Wind und Strom hatten andersfarbiges Wasser, strohgelbes und grünes, bandartig, scharfbegrenzt unabsehbar über die Oberfläche des Meeres hingezogen. Wir untersuchten das Wasser dieser farbigen Flüsse oder Straßen, die wir in unserm Cours durchschnitten. Das blaßgelbe Wasser war wie von einem sehr feinen blaßgrünen Staube getrübt oder wie von einer mikroskopischen Spreu dicht überstreut. Das Färbende zeigte sich unter dem Mikroskop als eine freischwimmende, gradstäbige, gegliederte Alge. Eigenmächtige

Bewegung ward an derselben nicht wahrgenommen. — Das am 7. untersuchte Wasser enthielt außerdem in sehr geringem Verhältniß grüne, schleimige Materie und seltnere, sehr kleine röthliche Thiere aus der Klasse der Krebse, die umherschwimmend sich häufig Fäden von der Oberfläche holten und selbige zu Grunde zogen. Die Striche grünen Wassers, die am 9. beobachtet wurden, waren in der Regel weniger breit, als die graugelben. Sie verbreiteten einen sehr auffallenden faulen Geruch. Die reine grüne Farbe rührte von einer unendlichen Menge Infusorien her, die das Wasser verdichteten. Die Planarien-ähnlichen Thiere waren mit bloßen Augen kaum unterscheidbar. Das Wasser des Kanals von Santa Catharina war manchmal, besonders bei Südwind, ähnlich gefärbt und hatte einen ähnlichen faulen Geruch, aber diese Thiere waren darin nicht vorhanden.

Am 10. überfiel uns ein Sturm in der Nähe des Hafens. Am 11. sahen wir das Land, und lagen am 12. Nachmittags um 4 Uhr im Kanal von Santa Catharina auf der Seite des festen Landes und in der Nähe des Forts Santa Cruz vor Anker.

Ich werde nicht, ein flüchtiger Reisender, der ich auf dieses Land gleichsam nur den Fuß gesetzt habe, um vor der riesenhaft wuchernden Fülle der organischen Natur auf ihm zu erschrecken, mir anmaßen, irgend etwas Belehrendes über Brasilien sagen zu wollen. Nur den Eindruck, den es auf mich gemacht, den es in mir zurückgelassen hat, möchte ich den Freunden mittheilen; aber auch da fehlen mir die Worte.

Die Insel Santa Catharina liegt in der südlichen Halbkugel außerhalb des Wendekreises, in derselben Breite, wie Teneriffa in der nördlichen. Dort ist der felsige Grund nur stellenweis und nur dürftig begrünt, den europäischen Pflanzenformen sind nur fremdartige beigemengt, und die auffallendsten derselben auch fremd dem Boden. Hier umfängt eine neue Schöpfung den Europäer, und in ihrer Ueberfülle ist Alles auffallend und riesenhaft.

Wenn man in den Kanal einläuft, der die Insel Santa Catharina von dem festen Lande trennt, glaubt man sich in das Reich der noch freien Natur versetzt. Die Berge, die sich in ruhigen Linien von beiden Ufern erheben, gehören, vom Urwald bekleidet, nur ihr an, und man gewahrt kaum an deren Fuß die Arbeiten des neu angesiedelten Menschen. Im Innern ragen, als Kegel oder Kuppeln, höhere Gipfel empor, und ein Bergrücken des festen Landes begrenzt gegen Süden die Aussicht.

Die Ansiedelungen des Menschen liegen meist längs dem Gestade, umschattet von Orangenbäumen, welche die Höhe unserer Apfelbäume erreichen oder übertreffen. Um dieselben liegen Pflanzungen von Bananen, Kaffee, Baumwollenstauden u. s. w., und Gehege, worin etliche unserer Küchengewächse, denen viele europäische Unkrautarten parasitisch gefolgt sind, unscheinbar gebaut werden. Der Melonenbaum und eine Palme (Cocos Romanzoffiana M.) ragen aus diesen Gärten hervor. Unterläßt der Mensch, die Spanne Landes, die er der Natur abgerungen hat, gegen sie zu vertheidigen, überwuchert gleich den Boden ein hohes, wildes Gesträuch, worunter schöne Melastoma-Arten sich auszeichnen, umrankt von purpurblüthigen Bignonien. Will man von da seitab in die dunkle Wildniß des Waldes einzudringen versuchen, wird man von dem ausgehauenen Pfade, den man betreten hat, bald verlassen, und der Gipfel des nächsten Hügels ist unerreichbar. Fast alle erdenklichen Baumformen drängen sich im Walde in reicher Abwechselung. Ich will blos die Akazien anführen, mit vielfach gefiederten Blättern, hohen Stämmen und fächerartig ausgebreiteten Aesten. Darunter wuchern am Boden über umgestürzten modernden Stämmen, weit über Manneshöhe, Gräser, Halbgräser, Farren, breitblättrige Helikonien u. s. w.; dazwischen Zwergpalmen und baumartige Farrenkräuter. Vom Boden erhebt sich zu den Wipfeln hinan und hängt von den Wipfeln wieder herab ein vielfach verschlungenes Netz von Schlingpflanzen. Viele Arten aus allen natürlichen Familien und Gruppen des Gewächsreiches nehmen in dieser Natur die bezeichnende Form der Lianen an. Hoch auf den Aesten wiegen sich luftige Gärten von Orchideen, Farren, Bromeliaceen u. s. w., und die Tillandsia usneoides überhängt das Haupt alternder Bäume mit greisen Silberlocken. Breitblättrige Aroideen wuchern am Abfluß der Bäche. Riesenhafte säulenartige Cactus bilden abgesonderte, seltsame starre Gruppen.

4*

Farrenkräuter und Eichene bedecken dürre Sandstriche. Ueber feuchten Gründen erheben luftige Palmen ihre Kronen, und gesellig übergrünt die ganzblättrige Mangle (Rhizophora) die unzugänglichen Moräste, in welche die Buchten des Meeres sich verlieren. Die Gebirgsart, ein grobkörniger Granit, durchbricht nirgends die Dammerde und wird nur stellenweise am Gestade und an den Klippen wahrgenommen, die aus dem Kanal hervorragen.

Ich muß bemerken, daß ich nirgends die Palmen, weder in Brasilien, noch auf Luçon, noch auf Java, so weit ich vom Schiffe aus die nahe liegende Küste überschauen konnte, die Vorherrschaft über andere Pflanzenformen behaupten, den Wald überragen und den Charakter der Landschaft bedingen sah. Nur die von dem Menschen angepflanzte und ihm nur hörige schönste der Palmen, die schlanke, windbewegte Cocospalme auf den Südseeinseln, könnte als Ausnahme angeführt werden. Aber vorherrschend sollen zwischen den Tropen die Palmen sein in den weiten, niedern, oft überflossenen Ebenen, durch welche die großen Flüsse Amerika's sich ergießen.

Obgleich Amerika den riesenhaften Thierformen der alten Welt, von dem Elephanten bis zu der Boaschlange, keine ähnliche entgegen zu stellen hat, scheint doch in der brasilianischen Natur die Mannigfaltigkeit und Fülle diesen Mangel auszugleichen. Die Thierwelt ist in Einklang mit der Pflanzenwelt. Der Lianenform der Gewächse entspricht der Kletterfuß der Vögel und der Wickelschwanz der Säugethiere, mit dem selbst Raubthiere versehen sind. Ueberall ist Leben. Heerden von Krebsen bewohnen in der Nähe des Meeres die feuchteren Stellen des Landes und ziehen sich vor dem Wanderer in ihre Höhlen zurück, ihre größere Scheere über dem Kopfe schwingend. Der größte Reichthum und die größte Pracht herrschen unter den Insekten, und der Schmetterling wetteifert mit dem Kolibri. Senkt sich die Nacht über diese grüne Welt, entzündet rings die Thierwelt ihre Leuchtfeuer. Luft, Gebüsch und Erde erfüllen sich mit Glanz und überleuchten das Meer. Der Elater trägt in gradlinigem Fluge zwei Punkte beständigen Lichtes, zwei nervenversehene Leuchtorgane auf dem Brustschild; die Lampyris wiegt sich in unsicheren Linien durch die Luft mit ab- und zunehmendem Schimmer des Unterleibes; und bei dem märchenhaften Schein erschallt das Gebell und das Gepolter der froschähnlichen Amphibien und der helle Ton der Heuschrecken.

Den unerschöpflichen Reichthum der Flora Brasiliens beweisen die seit Jahren ihr gewidmeten Bemühungen von Auguste de Saint Hilaire, Martius, Nees von Esenbeck, Pohl, Schlechtendal und mir, theils auch von de Candolle und Adrien de Jussieu. Alles war neu für die Wissenschaft. Die Arbeiten so vieler Männer haben sich noch nur über Bruchstücke erstrecken können; und hält Einer Nachlese in einer Familie, die bereits ein Anderer bearbeitet hat, giebt oft diese der ersten Ernte wenig nach.

Am 13. Dezember, dem Morgen nach unserer Ankunft, ward der Rurik dem Lande näher gebracht, und ich begleitete sodann den Kapitain nach der Stadt Nostra Senhora do Destero, auf der Insel, beiläufig neun Meilen von unserm Ankerplatz, an der engsten Stelle des Kanals gelegen. Ich habe sie wiederholt besucht und sie hat mir keine deutliche Erinnerung zurück gelassen; auch von den Menschen, mit denen ich in Berührung gekommen, vermisse ich in mir ein bestimmtes Bild. Die Natur, nur die riesenhafte Natur hat mir bleibende Eindrücke eingeprägt.

Am 14. ward das Observatorium ans Land gebracht und daselbst ein Zelt aufgeschlagen. Ein ärmliches Haus und das Zelt dienten dem Kapitain und der Schiffsgesellschaft, die er mit sich nahm, zur Wohnung, während Gleb Simonowitsch auf dem Schiffe blieb, dessen Kommando er übernahm.

Ich erfuhr, daß der Lieutenant Sacharin, der auf der Herreise mehr und mehr erkrankt war, sich hier, und gleich am andern Morgen, einer furchtbaren chirurgischen Operation unterwerfen wolle, und Eschscholtz, der sie verrichten sollte, eröffnete mir, daß er dabei auf meine Beihülfe rechne. Es war, ich gestehe es, einer der ernstesten Momente meines Lebens, als nach empfangenen Instruktionen und getroffenen Vorbereitungen ich mit Eschscholtz an das Bette des Kranken trat und zu mir selber sagte: „Fest und aufmerksam! Von deiner unerschütterlichen Kaltblütigkeit hängt hier ein Menschenleben ab.“ Als aber zu dem blutigen Werke geschritten werden sollte, fand der Doktor die Umstände, und zwar zum Besseren, verändert. Die Operation unterblieb, und der Kranke erholte sich wirklich und konnte in der Folge seinen Dienst wieder versehen.

Ob es gleich nicht die Regenzeit war, die für diesen Theil Brasiliens in den September fällt, so hatten wir doch fast beständigen Regen, und man brachte wohl im Volke die Ankunft der Russen mit dem ungewöhnlichen Wetter in Verbindung. Indeß war von den gesammelten und schwer zu trocknenden Pflanzen mein ganzer Papiervorrath bereits eingenommen. Die vom Schiffe, welche unter dem Zelte schliefen, Maler, Steuermann und Matrose, bedienten sich meiner Pflanzenpaquete zur Einrichtung ihres Lagers und als Kopfkissen. Ich war darum nicht befragt worden und hätte mich der eingeführten Ordnung zu widersetzen vergeblich versucht. Das Zelt ward aber in einer stürmisch regnichten Nacht umgeworfen, und das Erste, woran jeder bei dem Unfalle dachte, war eben nicht, meine Pflanzenpaquete ins Trockene zu bringen. Ich verlor auf diese Weise nicht nur einen Theil meiner Pflanzen, sondern auch noch einen Theil meines Papieres, — ein unersetzlicher Verlust, und um so empfindlicher, als mein Vorrath nur gering war, indem ich auf einen Andern zu rechnen verleitet worden und selber nun mit meinem Eingebrachten für einen Zweiten, für Eschscholtz, der ganz entblößt war, ausreichen sollte.

Krusenstern, an dessen Bord Otto von Kotzebue sich befand, war vor zwölf Jahren zu derselben Jahreszeit mit der Nadeshda und der Newa in diesem selben Hafen gewesen, hatte ungefähr an derselben Stelle vor Anker gelegen und sein Observatorium auf der kleinen Insel Atomery gehabt, auf welcher das Fort Santa Cruz liegt. Damals hatte ein geborener Preuße, Namens Adolph, wohnhaft zu San Miguel, vier bis fünf Meilen von unserm Zelt, Krusenstern und seine Offiziere auf das gastlichste empfangen und mit ihnen auf das freundschaftlichste gelebt. Otto Astawitsch erinnerte sich liebevoll des Gastfreundes; er erkundigte sich nach ihm; es wurde ihm berichtet, daß jener gestorben sei, daß aber die Witwe noch lebe; und er beschloß, die wohlbekannte, freundliche Frau zu besuchen; wir wallfahrteten nach San Miguel. — Diese Witwe war nicht die Frau, die Otto Astawitsch gekannt hatte, sondern eine junge Frau, die Adolph, bald nach dem Tode der ersten, in zweiter Ehe geheirathet hatte. Sie beherbergte einen Landsmann und Freund in dem neu aufgeputzten Hause. Damals hatten die russischen Offiziere ihre Namen an die gastliche Wand eingeschrieben: geglättet und übertüncht waren die Wände; der Fleck, wo jene Namen gestanden, war nicht mehr zu ermitteln, keiner wußte davon, und das Andenken des erst im vorigen Jahre gestorbenen Adolph's schien, sowohl als das der Russen, gänzlich ausgegangen.

Wir wurden auf solchen Exkursionen von den Landbewohnern, bei welchen wir ansprachen, oder die uns selber zuvorkommend in ihre Häuser zogen, mit Früchten bewirthet, und es ward uns, was der Vorrath erlaubte, angeboten; wenn wir aber für das Genossene Bezahlung anboten, verstand man uns nicht. Die Uebervölkerung hat der natürlichen Gastfreundschaft noch nicht Einhalt gethan.

Wir fanden hier den Sklavenhandel noch im Flor. Das Gouvernement Santa Catharina bedurfte allein jährlich fünf bis sieben Schiffsladungen Neger, jede zu hundert gerechnet, um die zu ersetzen, die auf den Pflanzungen ausstarben. Die Portugiesen führten solche aus ihren Niederlassungen in Congo und Mosambique selber ein. Der Preis eines Mannes in den besten Jahren betrug 2- bis 300 Piaster. Ein Weib war viel geringeren Werthes. Die ganze Kraft eines Menschen schnell zu verbrauchen und ihn durch neuen Ankauf zu ersetzen, schien vortheilhafter zu sein, als selbst Sklaven in seinem Hause zu erziehen. — Mögen euch ungewohnt diese schlichten Worte eines Pflanzers der neuen Welt ins Ohr schallen. — Der Anblick dieser Sklaven in den Mühlen, wo sie den Reis in hölzernen Mörsern mit schweren Stampfkolben von seiner Hülse befreien, indem sie den Takt zu der Arbeit auf eine eigenthümliche Weise ächzen, ist peinvoll und niederbeugend. Solche Dienste verrichten in Europa Wind, Wasser und Dampf. Und schon stand zu Krusenstern's Zeit eine Wassermühle im Dorfe San Miguel. Die im Hause der Herren [und die in ärmeren Familien überhaupt gehalten werden, wachsen natürlich dem Menschen näher als die, deren Kraft blos maschinenmäßig in Anspruch genommen wird. Wir waren übrigens nie Zeugen grausamer Mißhandlungen derselben. Das Weihnachtsfest schien, wie überall das Fest der Kinder, auch hier das Fest der Schwarzen zu sein. Sie zogen truppenweise phantastisch ausstaffirt von Haus zu Haus durch die Gegend, und spielten und sangen und tanzten um geringe Gaben, ausgelassener Fröhlichkeit hingegeben. Um Weihnachten diese grüne Palmen- und Orangenwelt! Ueberall im Freien Panlere und Fackeln, Gesang und Tanz und das freudige Stampfen des Fandango. — In den letzten Tagen hatten die Genossen Bekanntschaften angeknüpft, bei denen sie das Fest feiern mochten; — ich war an diesem Abend so für mich allein!

Man findet überall bekannte Spuren. In der Stadt lebte ein Schneider, der aus meiner Provinz, gleichsam aus meiner Vaterstadt, aus Chalons sur Marne gebürtig war. Mein Name mußte ihm geläufig sein. — Er hat mich aufgesucht; ich weiß aber nicht, wie es sich traf, ich habe ihn nicht gesehen.

Folgende Notiz möge hier noch Platz finden. Der Name Armaçaõ bezeichnet die königlichen Fischereien, die den Wallfischfang ausüben und deren es vier in diesem Gouvernement giebt. Der Fang geschieht in den Wintermonaten vor dem Eingange des Kanals. Es gehen blos offene, gezimmerte Boote aus, die mit sechs Ruderern, einem Steuermann und einem Harpunier bemannt sind; der erlegte Fisch wird ans Land gezogen und da zerschnitten. Jede Armaçaõ soll deren in jedem Winter nah an hundert einbringen, und man versicherte uns, die Zahl könne viel höher anwachsen, wenn die Auszahlung der Gehalte, die um drei Jahre verspätet war, pünktlicher geschähe. Nördlicher gelegene Gouvernements haben an dem Wallfischfange auch Theil. Man soll den Fischen schon unter dem zwölften Grad südlicher Breite begegnen — Es ist vermuthlich der Pottfisch (Physeter), dem unter so heißer Sonne an den Küsten Brasiliens nachgestellt wird.

Ich finde in einem Briefe, den ich aus Brasilien nach Berlin schrieb, eine Entdeckung verzeichnet, die kaum in eine Reisebeschreibung gehören mag, die ich jedoch hier einbuchen will, weil es mir neckisch vorkommt, daß gerade ein geborener Franzose um die Welt reisen mußte, um sie fernher den Deutschen zu verkünden. Ich habe nämlich auf der Fahrt nach Brasilien in der Braut von Korinth, einem der vollendetsten Gedichte Goethe's, einem der Juwelen der deutschen und europäischen Literatur, entdeckt, daß der vierte Vers der vierten Strophe einen Fuß zu viel hat!

„Daß er angekleidet sich aufs Bette legt.“

Ich habe seither keinen Deutschen, weder Dichter noch Kritiker, angetroffen, der selbst die Entdeckung gemacht hätte; ich habe Kommentare über die Braut von Korinth, vergötternde und schimpfende, gelesen und darin keine Bemerkung über den angeführten überzähligen Fuß gefunden. — Die Deutschen geben sich oft so viel Mühe, von Dingen zu reden, die sie sich zu studiren so wenig Mühe geben! — Ich halte die Entdeckung noch für neu.

Am 26. Dezember 1815 wurden die Instrumente an Bord gebracht, und wir selbst schifften uns ein. Stürmisches Wetter hielt uns am 27. noch im Hafen, den wir erst den dritten Tag verließen.

Fahrt von Brasilien nach Chile. Aufenthalt in Talcaguano.

Wir gingen am 28. Dezember 1815 früh um 5 Uhr mit schwachem Winde unter Segel. Beim Auslaufen aus dem Kanal zeigte sich, wie am 7. Dezember vor dem Einlaufen in denselben, jedoch minder auffallend, das Wasser von der mikroskopischen Alge getrübt, und der kleine rothe Krebs zeigte sich auch darin. Der Wind erhob sich während der Nacht, und wir hatten am Morgen das Land aus dem Gesichte verloren.

Schiffe, die das Cap Horn umfahren, pflegen in diesen Breiten einen S. S. W. Cours zu halten und der amerikanischen Küste in einer Entfernung von 5 bis 6 Grad zu folgen. Sie steuern zwischen dem festen Land und den Falklandsinseln, ohne Land zu sehen; der Strom treibt den Inseln zu; das Meer ist dort ohne Tiefe, das Loth findet den Grund mit 60 bis 70 Faden auf grauem Sande. Südlicher halten sie mehr ostwärts, um das Cap San Juan, die Ostspitze vom Staatenland, den einzigen Punkt des Landes, den sie zu sehen begehren, zu umfahren. Sie hoffen auf der Fahrt längs der Küste auf günstige Nordwinde; in südlicheren Breiten stellen sich meist westliche Winde und Stürme ein. Wie zwischen den Wendekreisen die Ostwinde beständig sind, sind in der Region der wechselnden Winde gegen die Pole zu die Westwinde entschieden vorherrschend. Gegen diese ankämpfend suchen die Schiffe eine höhere Breite (bis zu dem 60. Grad) zu gewinnen, um von da, nachdem sie die Mittagslinie des Cap Horn durchkreuzt, wieder nordwärts zu steuern. Nicht beispiellos ist es, daß Schiffe, die lange und erfolglos gegen die Weststürme gerungen, die Hoffnung, das Cap Horn zu umfahren, aufgebend, den westlichen Cours gegen den östlichen vertauschen und um das Vorgebirge der guten Hoffnung in den großen Ocean eingehen.

Der beschriebene Cours war auch der unsrige, nur daß der Kapitain beschloß, beim Umfahren des Cap Horn westlicher zu steuern, und nicht ungezwungen höhere Breiten zu suchen. Und dennoch — ich war zu der Zeit berechtigt vorauszusetzen, daß der Zweck unserer Reise uns eine lange Zeit im nördlichen Eismeer beschäftigen würde, und es wollte mich bedünken, daß das südliche Eis, der südliche Polargletscher, dem unser Cours uns zur Zeit so nahe brachte, uns einen lehrreichen Vergleichungspunkt bei den Untersuchungen, die uns bald beschäftigen sollten, darbieten und wohl geeignet sein könne, unsere Neugierde anzuziehen. Herr von Kotzebue ging in diese Idee nicht ein, die ich seinem Urtheile zu unterwerfen mich vermaß. — Erst zwei Jahre später machte der William, Kapitain Smith, die Entdeckung des New South Shetland, welche, wenn der Kapitain meine Ansicht getheilt hätte, ihm vielleicht zu Theil geworden wäre.

Wir sahen am Morgen des 19. Januar 1816 das Cap San Juan und umschifften dasselbe in der folgenden Nacht. Wir durchkreuzten den 22. die Mittagslinie des Cap Horn in 57° 33′ südlicher Breite, erreichten am 1. Februar die Breite des Cap Vittoria, hatten am 11. um 10 Uhr Abends bei Mondschein Ansicht vom Lande und liefen nach einer Fahrt von nur 46 Tagen am 12. in die Bucht von Concepcion ein.

Ich hole mit kurzen Worten Einiges von den Begegnissen unserer Fahrt nach. Man habe Nachsicht mit mir. Wie in der Geschichte eines Gefangenen eine Fliege, eine Ameise, eine Spinne einen großen Raum einnehmen, so ist dem Seefahrer die Ansicht eines Blattes Tang, einer Schildkröte, eines Vogels eine gar wichtige Begebenheit.

Wir hatten in Brasilien etliche Vögel (junge Ramphastos) und einen Affen (Simia capucina) an Bord genommen. Die Vögel starben beim ersten Windstoß, der uns auf hoher See empfing; der

Affe blieb bis Kamtschatka der unterhaltendste Gesell unserer Genossenschaft.

Wir sahen am 30. Dezember ein Schiff, das vermuthlich nach Buenos Ayres bestimmt war, das einzige Segel, dessen Anblick uns auf dieser einsamen Fahrt erfreute. — Einige Seeschildkröten wurden an verschiedenen Tagen in einer Entfernung vom Lande von 300 Meilen und mehr beobachtet. Ich selber sah sie nicht. Der Nordwind verließ uns in der Breite beiläufig von 41°, und die Kälte ward bei + 12 Gr. Reaumur unangenehm. Wir suchten unsere Winterkleider hervor, und die Kajüte ward geheizt. Wir waren am Cap Horn, wo das Minimum der Temperatur + 4 Gr. war, die Kälte gewohnt worden und unempfindlicher gegen sie. Südwinde brachten uns klares Wetter, Nordwinde Regen. Wir sahen die ersten Albatrosse in einer Breite von beiläufig 40 Grad; etwas südlicher stellten sich die gigantischen Tange des Südens ein: Fucus pyriferus und F. antarticus, eine neue Art, die ich in Choris' Voyage abgebildet und beschrieben habe. — Ich hatte die verschiedenen Formen dieser interessanten Gewächse in vielen Exemplaren gesammelt, und es war mir erlaubt worden, sie zum Trocknen im Mastkorbe auszustellen; später aber, als einmal das Schiff gereinigt ward, wurde mein kleiner Schatz ohne vorher gegangene Anzeige über Bord geworfen, und ich rettete nur ein Blatt von Fucus pyriferus, das ich zu andern Zwecken in Weingeist verwahrt hatte.

Wallfische, andere Säugethiere des Meeres, Delphine mit weißem Bauche (Delphinus Peronii) wurden an verschiedenen Tagen gesehen. Am 10. Januar soll der Steuermann Chramtschenko auf seiner Morgenwacht ein Boot mit Menschen gegen die See ankämpfend gewahrt haben. An diesem selben Tage erhob sich aus S. W. der Sturm, der uns zwischen dem 46° und 47° S. B. fast unausgesetzt sechs Tage lang gefährdete. Nachmittags um 4 Uhr schlug auf das Hintertheil des Schiffes eine Welle ein, die eine große Zerstörung anrichtete und den Kapitain über Bord spülte, der zum Glücke noch im Tauwerk verwickelt über dem Abgrund schweben blieb und sich wieder auf das Verdeck schwang. Das Geländer war zerschmettert, selbst die stärksten Glieder der Brüstung zersplittert, und eine Kanone auf die andere Seite des Schiffes geworfen. Das Steuerruder war beschädigt, ein Hühnerkasten mit 40 Hühnern war über Bord geschleudert, und fast der Rest unsers Geflügels ertränkt. Das Wasser war in die Kajüte des Kapitains zu dem zerstörten Gehäuse hinein gedrungen; Chronometer und Instrumente waren zwar unbeschädigt geblieben, aber ein Theil des Zwiebacks, der im Raume unter der Kajüte verwahrt wurde, war durchnäßt und verdorben.

Der Verlust der Hühner war ein sehr empfindlicher. Das Essen gewinnt auf einem Schiffe eine Wichtigkeit, von der man sich auf dem Lande nichts träumen läßt; es ist ja das einzige Ereigniß im täglichen Leben. Wir waren in der Hinsicht übel daran. Der Rurik war zu klein, um andere Thiere aufnehmen zu können, als etliche kleine Schweine, Schafe oder Ziegen und Geflügel. Unser Bengaleser war, wie die Frau von Stael mit minderem Rechte von ihrem Koch behauptete, ein Mann ohne Phantasie; die Mahlzeit, die er uns am ersten Tage nach dem Auslaufen auftischte, wiederholte sich ohne Abwechslung die ganze Zeit der Ueberfahrt, nur daß die mitgenommenen frischen Lebensmittel bald auf die Hälfte reducirt, am Ende gänzlich wegblieben. Verbot man dem verrückten Kerle, ein Gericht, dessen man überdrüssig geworden, wieder aufzutragen, so bat er mit Weinen um die Vergünstigung, es doch noch einmal machen zu dürfen. Die letzten der lebendig mitgenommenen Thiere werden in der Regel für den Nothfall aufgespart; und tritt dieser nicht ein, so geschieht es wohl, daß sie dem Menschen näher heranwachsen und wie Hunde als Haus- und Gesellschaftsthiere das Gastrecht erwerben. Wir hatten zu der Zeit noch an Bord ein Paar der aus Kronstadt mitgenommenen Schweine, von denen weiter unten die Rede sein wird.

Wir hatten an einem dieser stürmischen Tage Hagel und Donner. Wir sahen außer Delphinen und Albatrossen auch eine Robbe, die äußerst schnell unter dem Wasser schwamm, sich in hohen Sprüngen über dasselbe erhob und, wie Delphine pflegen, nach dem Vordertheile des Schiffes kam. Sie wurde mit der Harpune getroffen, aber wir wurden ihrer nicht habhaft. Wir hatten in der Höhe der

Falklands-Inseln sehr unbeständiges Wetter, Stürme und Windstille. Die Robbe ward noch einmal gesehen. Ein kleiner Falke kam an unsern Bord und ließ sich mit Händen greifen.

Das Feuerland, das uns am 19. Januar im Angesichte lag, ist ein hohes Land, mit sehr zackigen, nackten Gipfeln. Im westlicheren, innerlichen Theile lag stellenweise Schnee auf den Abhängen. Durch die Straße Le Maire vom Feuerlande getrennt, ist das Staatenland die östliche Verlängerung desselben. Es erhebt sich in ruhigeren Linien mit zwei Nebengipfeln zu dem höheren Pic des Innern, und das östliche Vorgebirge senkt sich mit sanfterem Abhange zum Meere herab. In der Nähe des Cap San Juan waren die Tange am häufigsten, und unter ihnen schwamm im Meer ein zweifelhaftes Wesen, Thier oder Pflanze, das unsere Neugierde reizte, ohne daß wir seiner habhaft werden konnten. Zahlreiche Albatrosse schwammen um das Schiff; es ward auf mehrere geschossen, aber das Blei drang durch den dichten Federpanzer nicht durch.

Wir hatten beim Umschiffen des Cap Horn und in der Mittagslinie desselben Stürme aus S. W., die mehrere Tage anhielten und uns die höchsten Wellen brachten, die wir bis jetzt gesehen. Das Meer war ohne Phosphorescenz. Keine oder nur wenige Wallfische. Es wurde kein Polarlicht beobachtet.

Reisende pflegen am südlichen Himmel das Gestirn des Kreuzes mit den Versen Dante's Purgatorio I. 22. u. folg. zu begrüßen, welche jedoch, mystischeren Sinnes, schwerlich auf dasselbe zu deuten sind. Sie pflegen überhaupt den gestirnten Himmel jener Halbkugel an Glanz und Herrlichkeit weit über den nördlichen zu erheben. Ihn gesehen zu haben ist ein Vorzug, der ihnen vor Nichtgereisten gesichert bleibt. Osagen, Botokuden, Eskimos und Chinesen bekommt man bequemer daheim zu sehen, als in der Fremde; alle Thiere der Welt, das Nashorn und die Giraffe, die Boa- und die Klapperschlange sind in Menagerien und Museen zur Schau ausgestellt, und Wallfische werden stromaufwärts der Neugierde unserer großen Städte zugeführt. Das Sternenkreuz des Südens kann man nur an Ort und Stelle in Augenschein nehmen. — Das Kreuz ist wahrlich ein schönes Gestirn und ein glänzender Zeiger an der südlichen Sternenuhr; ich kann aber in das überschwengliche Lob des südlichen Himmels nicht einstimmen; ich gebe dem heimischen den Vorzug. Habe ich vielleicht zu dem großen Bären und der Kassiopeia die Anhänglichkeit, die der Alpenbewohner zu den Schneegipfeln hegt, die seinen Gesichtskreis beschränken?

Als wir nach Norden steuerten, verschwand der Tang. Am 31. Januar 1816 ward in der Nähe des Cap Vittoria mein 34. Geburts- oder vielmehr Tauftag gefeiert. (Wann und ob ich überhaupt geboren bin, ist im Dokumente nicht verzeichnet; Zeugen sind nicht mehr zu beschaffen, und es streitet nur die Wahrscheinlichkeit dafür.) Ich hatte von Brasilien aus etliche Goldfrüchte aufgespart, und wie ich die bei der Gelegenheit vorbrachte, gab der Kapitain eine Flasche Portwein aus seinem eigenen Vorrath zum Besten.

Wir hatten nordwärts längs der Westküste von Amerika in einer Entfernung von beiläufig 2 Grad segelnd schönes heiteres Wetter und Südwinde, wie solche hier in dieser Jahreszeit zu erwarten sind.

Ich verweise, was den Anblick anbetrifft, den die Küste von Chile bei Concepcion gewährt, auf den Aufsatz, welchen man unter den Bemerkungen und Ansichten finden wird und der außerdem noch einige flüchtige Blicke und Notizen enthält. An Ort und Stelle geschriebene Blätter, die der Kapitain über jeden Landungsplatz, den wir eben verlassen, von mir begehrte und erhielt, liegen jenen Denkschriften zum Grunde.

Den 12. Februar 1816 Mittags fuhren wir in die Bucht von Concepcion ein und waren gegen ungünstigen Wind lavirend um 3 Uhr in Ansicht von Talcaguano. Wir zeigten unsere Flagge und begehrten nach Seemannsbrauch einen Lootsen. Aber wir wurden nur von fern scheu und furchtsam rekognoscirt. Was man uns zurief, verstanden wir nicht, und wir konnten uns nicht verständlich machen. Die Nacht fiel ein, und wir warfen Anker. Wir wurden mit Tagesanbruch ein Boot gewahr, das uns beobachtete; es gelang uns endlich, dasselbe herbei zu locken. Unsere Flagge war hier unbekannt, und übergroß die Furcht vor Korsaren aus Buenos Ayres, gegen die man sich nicht zu vertheidigen gewußt hätte. Wir wurden nun nach dem Ankerplatz vor Talcaguano gelootset, und der Kapitain sandte sogleich den Lieutenant Sacharin und mich an den Kommandanten des Platzes ab.

Ferdinand der Siebente war zur Zeit Herr über Chile. In den Machthabern und dem Militair, mit denen wir natürlicher Weise zunächst in Berührung kamen, trat mir Koblenz von 1792 entgegen, und das Buch meiner Kindheit lag offen und verständlich vor mir. Ich habe einen alten Offizier sich in der Begeisterung ungeheuchelter Loyalität vor dem Portrait des Königs, das der Gouverneur uns zeigte, anbetend auf die Erde niederwerfen sehen und mit Thränen der Rührung die Füße des Bildes küssen. Was in diesem vor vielen andern hieroglyphisch herausgehobenen Zuge sich ausdrückt, die Selbstverleugnung und die Aufopferung seiner selbst an eine Idee, sei diese auch nur ein Hirngespinnst, ist das Hohe und Schöne, was Zeiten politischer Parteiungen an dem Menschen zeigen. Aber die Kehrseite ist im Triumphe der Uebermuth, die Grausamkeit, die sich thierisch sättigende Rachsucht. Vae victis! Hievon auch einen Zug Ich sah bei dem Balle, den uns der Gouverneur gab, seinen natürlichen Sohn, einen ungezogenen Knaben von dreizehn bis vierzehn Jahren, Damen, die, in die Mantilla gehüllt, sich nach Landessitte als Zuschauerinnen eingefunden, mit Füßen treten und anspeien, weil solche Patriotinnen seien; und was der Knabe that, war in der Ordnung. Den nicht ausgewanderten, deportirten oder eingekerkerten Patrioten oder Verdächtigen und deren Familien wurden, wie rechtlosen Unterdrückten, alle Lasten, Lieferungen, Transporte, Einquartierungen aufgebürdet. Da galt die Formel: es sind Patrioten.

Die letzten weltgeschichtlichen Ereignisse waren hier bekannt, und gegen uns ward die Ehre derselben ausschließlich den russischen Waffen zugemessen. Natürlich war es, die befreundete Flagge und den Kapitain, der sie führte, zu ehren; aber in ihren Ehrenbezeigungen wußten die Spanier weder Maaß noch Takt zu halten, und ich konnte nur mit Verwunderung die absonderliche Stellung betrachten, in der sich die höchsten Autoritäten der Provinz vor dem jungen russischen Marine-Lieutenant darstellten.

Der Kommandant von Talcaguano, der Obrist-Lieutenant Don Miguel de Rivas, kam sogleich an Bord des Rurik's und lud uns zum Abend in sein Haus ein. Auf den Eilboten, den er nach Concepcion geschickt hatte, erschien sogleich ein Adjutant des Gouverneur-Intendanten, Don Miguel Maria de Atero, und am andern Morgen dieser selbst, dem Lieutenant von Kotzebue den ersten Besuch an seinem Bord abzustatten. Da wir einerseits die spanische Flagge und anderseits den Gouverneur salutirt hatten, war in Hinsicht der Schüsse, welche der Flagge gegolten, ein Mißverständniß eingetreten, worüber unterhandelt wurde, und worin Spanien nachzugeben sich beeilte. Eine Ehrenwache von fünf Mann wurde dem Kapitain an Bord geschickt, mit einem Briefe, dessen Worte spanisch stolz-hochtrabend und dessen Sinn fast kriechend war. Vor das Haus, das dem Kapitain eingeräumt wurde, worin er sein Observatorium aufschlug und mit mir allein von der Schiffsgesellschaft am 16. einzog, ward ihm eine Ehrenschildwacht gegeben.

Aber ich muß euch auch das Militair zeigen, von dem hier die Rede ist. Dazu wird anstatt einer Musterung vorläufig eine Anekdote hinreichen. Der Kapitain hatte mit Geschick den Kommandanten und seine Offiziere an unsere wohlbesetzte Tafel gewöhnt. Wir waren die Wirthe, sie unsere täglichen Gäste, von denen selten einer vergeblich auf sich warten ließ. Der Kommandant, Don Miguel de Rivas, den wir nach einem Liede, das er zu singen pflegte, „vello frondoso d'un verde prado," schlechtweg Frondoso nannten, war nicht der Mann einer politischen Partei, sondern ein gar guter, freudiger Mann und mit Leib und Seele unser zugethaner Freund. Als er einmal nach aufgehobener Tafel Hand in Hand mit dem Kapitain ausgehen wollte, traf es sich, daß der Schildergast die Schwelle der Thür, vor welcher er stehen sollte, zur Lagerstelle, den Mittagsschlaf zu halten, bequem gefunden hatte. Wir frugen uns nun gespannt: was wird Frondoso thun? Frondoso trat an den behaglich Schlafenden heran, betrachtete ihn eine Weile behaglich lächelnd, schritt sodann behutsam und leise über ihn weg und bot dem Kapitain die Hand, ihm auf dieselbe Weise aus dem Hofe in die Straße zu helfen, ohne daß der Kriegsmann in seiner Ruhe gestört werde.

Es war mit Don Miguel de Rivas verabredet, am 19. nach Concepcion zu reiten, um dem Gouverneur einen Gegenbesuch zu machen. Dieser ließ aber den Kapitain ersuchen, bis zum 25. zu warten, damit er Anstalten treffen könne, ihn würdig zu empfangen. Der Vergleich wurde getroffen, daß wir ihn als Freunde am 19. besuchen und am 25. der Ehrenbezeigungen, die er dem russischen Kapitain zugedacht, gewärtig sein würden.

Wir wurden indeß wiederholt bei Don Miguel de Rivas zu anmuthiger Abendgesellschaft und Ball eingeladen. Wir lernten in Concepcion die ersten Männer der Provinz kennen: den Bischof, an feiner Bildung und Gelehrsamkeit jedem Andern überlegen; Don Francisco de Rines, Gouverneur von Valdivia; Don Martin la Plaza de los Reyes mit seinen sieben reizenden Töchtern, und Andere. Ich suchte den würdigen alten Missionar Pater Alday auf, der mir viel und gern von den wohlredenden Araucanern erzählte und mich auf den hohen Genuß vorbereitete, der mir bevor stand, Molina's Civilgeschichte von Chile zu lesen. Ich glaube nicht, daß das Werk ins Deutsche übersetzt worden, und ist doch ein Buch wie Homer. Den Menschen stellt es uns auf einem fast gleichen Standpunkte der Geschichte dar, und Thaten, würdig einer heroischen Zeit.

Wir wurden am 25. bei unserm Einzuge mit sieben Kanonenschüssen salutirt. Ein Festmahl war uns beim Gouverneur bereitet, und Abends ein glänzender Ball: auf die Nacht waren wir, wie das erste Mal, ausquartiert, weil el palacio, das vom Gouverneur bewohnte Haus, nicht eingerichtet sei, Fremde zu beherbergen. Der Tisch war reichlich besetzt, Gefrornes in Ueberfluß vorhanden. Der Bischof saß beim Gouverneur und Herrn von Kotzebue an der Ehrenstelle, und ein Geistlicher wartete ihm auf. Es wurden Toaste bei Kanonendonner und Trompetenschall ausgebracht; es wurden von manchen Verse improvisirt, wozu man sich durch Schlagen auf den Tisch und den Ruf Bomba! Gehör erbat. Ich kann von diesen Stegreifdichtungen eben nicht sagen, daß sie sehr vorzüglich waren;

nur der Bischof zeichnete sich aus mit einer wohlgelungenen Stanze, worin Alexander und Ferdinand, der Bieblo und der Nationaldichter Ercilla volltönigen Klanges genannt wurden. Choris gab mir ein kleines Intermezzo zum Besten. Es fiel ihm ein, zu einer Speise, die ihm vorgesetzt worden, Essig, der nicht vorhanden war, zu begehren. Er konnte sich nicht verständlich machen. Ich war in der Nähe und mußte dolmetschen; aber das Wort war mir entfallen. Daß Aceyte nicht Acetum, sondern Oel bedeutet, war mir gegenwärtig; ich suchte, fast zu gelehrt, aus Oxys ein spanisches Wort zu bilden und verlor meine Mühe. Ich konnte die unglückselige Unterhandlung nicht abbrechen, neue Hülfstruppen rückten heran, ja es ward eben ruchtbar, daß bei den Gästen an jenem Flügel des Tisches ein Mangel gefühlt werde, den sie mit keinem Worte auszudrücken vermochten. Der Gouverneur stand auf, der Bischof stand auf, der Aufstand ward allgemein! — nun fiel mir erst das näher liegende Wort Vinagre ein; es ward nach Essig geschickt und der Fluß trat in sein Bett zurück. Als aber der Essig kam, hatte der Urheber des Lärmes die Speise, wozu er ihn begehrt, bereits verzehrt und weigerte sich ihn zu trinken.

Am Abend versammelte sich zum Tanz die glänzendste Gesellschaft; die Damen, worunter viele von ausnehmender Schönheit, in Ueberzahl, Bewahrerinnen feinerer Sitte, sichtlich zu gefallen bemüht, aber auch durch Liebreiz gefallend.

Der Kapitain lud den Gouverneur zu einer Gegenbewirthung ein und übertrug ihm, alle, die zu seiner Gesellschaft gehörten, gleichfalls einzuladen. Später ward zu unserm Feste der 3. März bestimmt.

Am 27. Februar feierten die Spanier die Einnahme von Carthagena.

Am 29. starb an der Schwindsucht der einzige Matrose, der im Verlauf der Reise mit Tod abgegangen. Der Kapitain hätte gewünscht, ihn auf dem gemeinsamen Kirchhofe und mit kirchlichen Ehren beisetzen zu sehen. Er sprach davon mit unserm Freunde, dem Kommandanten, der aber zurücktrat und sagte: das seien Sachen der Geistlichkeit, in die er sich nicht zu mischen habe; was in seiner

5*

Macht stände, militärische Ehrenbezeigungen stünden zu Befehl. Zum Glück beruhigte sich dabei der Kapitain, und ein Kommando Soldaten stellte sich zur bestimmten Stunde ein, der Bahre zu folgen. Es schien wirklich gefährlich, solchem Gesindel Pulver anvertraut zu haben. Mancher schoß schon auf unserm Hofe seine Flinte ab, ohne sich vorzusehen, wohin. Sie folgten endlich dem Zuge unserer Matrosen, und der gute Wille der Autoritäten war bewiesen. Als am andern Tage die Unsern hingingen, das auf dem Schiffe gezimmerte griechische Kreuz auf das Grab zu pflanzen, ergab es sich, daß solches aufgewühlt worden, die Hobelspäne, die im Sarge gelegen, lagen zerstreut umher. Der Kapitain ließ die Sache auf sich beruhen. Ich erzählte es später einmal gesprächsweise dem Don Miguel de Rivas. Er entsetzte sich ob des Frevels und trat, sich bekreuzend, zwei Schritte zurück.

Der dritte März kam heran, unsere Gäste stellten sich ein. Sie wurden abtheilungsweise auf unsern Booten von unsern festlich geschmückten Matrosen nach dem Rurik übergefahren, um unser Schiff zu besichtigen. Ein Schuppen, angrenzend unserm Hause, war in eine Myrtenlaube umgeschaffen und zu einem Tanzsaal eingerichtet, dessen Blumenpracht wohl Bewunderung in Europa erregt haben würde. Er war mit Wachskerzen und nicht karg erleuchtet, und diese Erleuchtung war es, deren in Chile nie gesehene Pracht eine Bewunderung erregte, die nichts übertreffen kann. Cera de España! cera de España! Der Ausruf übertönte Alles, und der Gouverneur, als wir Chile verließen, erbat sich noch von unserm Kapitain, nebst einigem russischen Sohlenleder, zehn Pfund Wachslichter (cera de España, spanisches Wachs) zum Geschenke. Choris hatte noch zu der Verherrlichung des Festes mit zwei Transparentgemälden beigesteuert. Verschlungene Hände und Namenszüge der Monarchen nebst Lorbeerkronen, und ein Genius des Sieges oder des Ruhmes, der mit blauen Fittigen über der Weltkugel schwebte. Der unglückliche Einfall, die Erde vom Südpol aus gesehen darzustellen, hatte uns ein aufrecht stehendes Cap Horn zu Wege gebracht, das ich anzusehen mich geschämt hätte. — Die von den Unterrichtetsten von unsern Gästen oft an uns gerichtete Frage: aus welchem Hafen wir ausgelaufen, ob aus Moskau oder aus St. Petersburg? finde ich ganz natürlich; die: ob jene fliegende Figur den Kaiser Alexander vorstelle? ist schon um Vieles besser; aber die Krone verdient die, zu der eine schwarzbronzirte Büste des Grafen Romanzoff auf dem Rurik Veranlassung gab. Sie ist schon des Umstandes wegen aufzeichnenswerth, daß sie nicht nur in Chile, sondern auch noch in Californien und zwar mit denselben Worten von einem dortigen Missionair gethan wurde, die Frage nämlich: „wie sieht er denn so schwarz aus! ist denn der Graf Romanzoff ein Neger?"

Hof und Gärten waren reichlich mit Lampions erleuchtet, wozu eine Muschel, die hier gegessen wird, Concholepas peruviana, gedient hatte. Ein Feuerwerk ward im Garten abgebrannt; die Tische waren in den etwas engen Räumen des Hauses eingerichtet; das Sängerchor unserer Matrosen und die Artillerie des Rurik's thaten ihre Dienste. Alle waren bei unserm Feste außerordentlich froh und wohl damit zufrieden; nur die Neugierigen nicht, mit denen sich draußen an den Thüren ein unangenehmer kleiner Krieg entsponnen hatte. Am andern Morgen war auch von dem Gesindel der Schuppen halb abgedeckt, um nur da hinein zu sehen, wo der Ball gewesen war.

Ich habe Concholepas peruviana genannt. Ich habe diese Muschel während meines Aufenthaltes in Chile fast täglich gegessen, und sie hat mir sehr gut geschmeckt; als, Behufes der Erleuchtung, eine ganze Fuhre von den Schalen bei uns abgeladen ward, habe ich mir ein paar Hände voll von den schönsten Exemplaren ausgesucht und von diesen auf dem Rurik den andern Neugierigen, denn jeder wollte auch sammeln, wohl die Hälfte vertheilt. Erst später — werft mir nicht den Stein, ihr Freunde, sondern merkt es euch und erwäget bescheidentlich, es würde auch euch auf einer solchen Reise, wenn nicht grade dasselbe, so doch gewiß Aehnliches begegnet sein; — erst später habe ich erfahren, daß zur Zeit das Thier der Concholepas völlig unbekannt und der Gegenstand einer für die Naturgeschichte wichtigen Streitfrage war, und daß die Muschel, in den Sammlungen noch sehr selten, in sehr hohem Preise stand. Es liegt mir übrigens sehr fern, bei solchen Dingen nach dem Geldeswerth zu fragen; und da ich alles Naturhistorische, was ich gesammelt, den

Berliner Museen geschenkt habe, hätten auch diese und nicht ich den Vortheil davon gehabt.

Unsere Gäste aus Concepcion brachten meist den andern Tag bei den Freunden zu, die ihnen ein Obdach gegeben, und Talcaguano, von jener festlichen Menge überfüllt, gewann ein ungemein belebtes Ansehn. Gruppen von Damen und Herren zogen umher, Musik erscholl aus allen Häusern, und am Abend ward in verschiedenen Zirkeln getanzt. Ich war spät mit dem Kapitain heimgekehrt; wir hatten uns beide zur Ruhe gelegt und schliefen schon, als Musik unter unsern Fenstern sich hören ließ, eine Guitarre, Stimmen. — Der Kapitain stand verdrießlich auf und suchte nach seinen Piastern, um die Ruhestörer befriedigt zu entfernen. Um Gottes willen, rief ich aus, der Sitte kundiger als er, das ist ein Ständchen! Es sind vielleicht die vornehmsten ihrer Gäste; und aus dem Fenster spähend erkannte ich unter vier jungen Damen, die ein junger Mann beschützte, die zwei Töchter unseres Freundes Frondoso. Wir warfen uns in unsere Kleider, bald brannte Licht; wir nöthigten die Nachtwandlerinnen herein, und es ward gespielt, gesungen und getanzt bis später in die Nacht hinein, denn es war schon nicht mehr frühe. — Aber was tanzten die Fräulein von Rivas für einen Tanz?! O meine Freunde! kennt ihr die Fricassée? Nein, ihr kennt die Fricassée gewiß nicht; dazu seid ihr zu jung. Ich habe die Fricassée in den Jahren 1789—90 zu Boncourt in der Champagne als einen alten volksthümlichen Charaktertanz von alten Leuten tanzen sehen, die sie in ihrer Jugend von Anderen erlernt hatten, die damals auch schon alt waren. Ich bin seither noch nur einmal zu Genf flüchtig an die Fricassée erinnert worden, aber ich weiß sie von Boncourt her noch auswendig: zwei Kavaliere begegnen einander, begrüßen einander, sprechen mit einander, erhitzen sich gegen einander, ziehen gegen einander, erstechen einander, und das alles nach einer Melodie, die ich euch noch vorsingen wollte, wenn ich überhaupt singen könnte. — Was tanzten die Fräulein von Rivas Anderes, als eben die Fricassée! — Es fand sich am andern Tage zum großen Schrecken des Kapitains, daß die Chronometer, die wir über die Fricassée vergessen, von der erlittenen Erschütterung ihren Gang merklich verändert hatten.

Ich schloß mich den nächtlichen Schwärmerinnen an, als sie das Observatorium verließen, und es ward noch lange durch Talcaguano's Straßen umhergeschweift, kleine Neckereien zu verüben. Es wurde, wo junge Herren und Offiziere wohnten, ans Fenster geklopft, und eine der Freundinnen brach, mit der Stimme einer entzahnten Alten, in launenhaft eifersüchtig-zärtliche Vorwürfe gegen den Ungetreuen aus, und führte mit ausnehmendem Talente die ergötzlichsten Scenen auf. Die Männer in der Regel ließen sich nur brummend vernehmen, und wir fanden nirgends Aufnahme wie auf dem Observatorium.

Wir schickten uns bereits zur Abfahrt an, als am 6. Schaffecha, der Leibmatrose des Kapitains, vermißt wurde. Dieses Deserteurs wegen wurde wiederum mit dem Gouverneur unterhandelt. Es war vorauszusetzen, daß, jetzt in irgend einem Schlupfwinkel verborgen, er nicht vor der Abfahrt des Rurik's zum Vorschein kommen werde. Ich entsetzte mich ordentlich, als ich schwarz auf weiß vom Gouverneur von Concepcion, Don Miguel Maria de Atero, die Versicherung in Händen hielt, der Ausgetretene solle, wo man seiner habhaft werden könne, festgenommen und zur Strafe nach St. Petersburg als Arrestant geschafft und ausgeliefert werden. Wohl mehr versprochen, als zu halten möglich war; aber welch' ein Versprechen! Soll ein Südasiat, ein mohamedanischer Tatar, vor der Ruthe seines nordeuropäischen, griechisch-katholischen Zwingherrn am Ende der Welt, auf der anderen, der westlichen, der südlichen Halbkugel nicht Sicherheit finden, und das römisch-katholische Spanien noch in der neuen Welt an der Grenze der freien Araucaner Scherge sein für den Russen!?

Bei solchen Verhandlungen war ich mit dem Französischen, das mir geläufig war, und dem Spanischen, das ich erlernt hatte, um den Don Quixote in der Ursprache zu lesen, dem Kapitain, dem ich die Korrespondenz zu Danke führte, nützlich und bequem, und das war gut. Aber ich will die letzten Nachrichten, die uns von unserm Deserteur zugekommen, nicht unterschlagen. Bei der Heimkehr im Jahre 1818 erfuhr der Kapitain in London, daß sich Schaffecha selbst als ein reuiger Sünder vor die dortige russische Gesandtschaft gestellt und um einen Paß nach Petersburg angehalten habe. Bei dem konservativen Gang der Geschäfte hatte der Paß nicht sogleich ausgefertigt werden können, und der Bittsteller war nicht wieder erschienen, die Sache zu betreiben.

Könnte vielleicht die Geschichte einer Sau, die hier zu erzählen ich mich nicht erwehren kann, einen Novellisten reizen, sie ausgeschmückt in die für ein Taschenbuch schickliche Länge auszuspinnen? Sie kann nicht besser erfunden werden. Zu Kronstadt waren junge Schweine von einer sehr kleinen Art für den Tisch der Offiziere eingeschifft worden. Die Matrosen hatten denselben scherzweise ihre eigenen Namen gegeben. Nun traf das blinde Schicksal bald den Einen, bald den Andern, und wie die Gefährten des Odysseus, so sahen sich die Mannen im Bilde ihrer thierischen Namensverwandten nach einander schlachten und verzehren. Nur ein Paar kamen über die afrikanischen Inseln und Brasilien, um das Cap Horn nach Chile, darunter aber die kleine Sau, die den Namen Schaffecha führte und bestimmt war, ihren Pathen am Bord des Rurik's zu überleben. Schaffecha, die Sau, die zu Talcaguano ans Land gesetzt worden war, ward wieder eingeschifft, durchschiffte mit uns Polynesien, kam nach Kamtschatka und warf dort in Asien ihre Erstlinge, die sie in Südamerika empfangen hatte. Die Jungen wurden gegessen; sie selbst schiffte mit uns weiter nach Norden. Sie erfreute sich zur Zeit des Gastrechtes, und es war nicht mehr daran zu denken, daß sie geschlachtet werden könne, es sei denn bei eintretender Hungersnoth, wo am Ende die Menschen auch einander aufessen. Aber unsere ehrgeizigen Matrosen, auf die Ehre eines Weltumseglers eifersüchtig, murrten bereits, daß ein Thier, daß eine Sau desselben Ruhmes und Namens, wie sie, theilhaft werden sollte, und das Mißvergnügen wuchs bedrohlicher mit der Zeit. So standen die Sachen, als der Rurik in den Hafen von San Francisco, Neu Californien, einlief. Hier wurden Ränke gegen Schaffecha, die Sau, geschmiedet; sie wurde angeklagt, den Hund des Kapitains angefallen zu haben, und demnach ungehört verurtheilt und geschlachtet. Sie, die alle fünf Welttheile gesehen, wurde in Nordamerika, mitten im waltenden Gottesfrieden des Hafens, geschlachtet, ein Opfer der mißgünstigen Nebenbuhlerschaft der Menschen.

Nachdem ich von den Schweinen in Beziehung auf Schaffecha berichtet, darf ich wohl die geringfügigern Angelegenheiten des Gelehrten vortragen. In Brasilien war eine Moos-Matratze von mir vom Regen durchnäßt worden und in Folge dessen dergestalt verstockt, daß sie nicht mehr zu brauchen war. Ich konnte von unsern Matrosen, die sich nur ihren Offizieren unterordneten und selbst diesen nur ungern aufwarteten, indem sie nur freudig auf Wache zogen und den Seedienst verrichteten, keinerlei Hülfe erwarten. In Chile, wo ich dem Kapitain näher stand, klagte ich ihm, dem Patuschka, dem Hausväterchen, gelegentlich einmal die Noth, die ich mit meiner Matratze hatte, und er befahl seinem Schaffecha, dafür zu sorgen. Verschwunden war nun mit Schaffecha zugleich auch meine Matratze, von der ich nicht wieder sprechen hörte und nicht wieder zu sprechen begann. Der durch diesen Ausfall bewirkte leere Raum in meiner Koye ist das Einzige, was ich auf der ganzen Reise den Matrosen des Rurik's zu verdanken gehabt.

In diesen letzten Tagen bekam auch unser verrückter Koch den Einfall, in Talcaguano bleiben zu wollen. Davon ihn abzubringen, hielt ihm unser Freund Don Miguel de Rivas mit spanischer Würdigkeit einen langen Sermon, worin er ihn Usted (das übliche „Euer Gnaden") anredete und ihm sehr schöne Sachen zu hören gab, von denen der alberne Mensch kein Wort verstehen mochte; nichts desto weniger ließ er von seinem Vorsatz ab.

Ich wünschte der Reihe chile'scher Bilder, die ich euch vorzuführen versucht habe, mit leichter Radirnadel noch ein paar Figuren hinzuzufügen.

Die erste: Don Antonio, ein langer, hagerer, lebhafter Italiener, der, unser Lieferant, uns mit allen Bedürfnissen versorgte, geschickt und thätig sich überall zwischenschob, Pferde, und was wir begehren mochten, anschaffte, aber uns in Allem übermäßig betrog, indem er, uns sicher zu machen, unablässig über die Spanier schimpfte. Don Antonio's größter Kummer war, daß er nicht lesen und schreiben konnte, was ihm allerdings bei seiner doppelten Buchhaltung hätte zu Statten kommen müssen.

Die zweite: ein dürftiger Kerl, ich glaube ein Schenkwirth, bei dem die Matrosen einen Wein tranken, der in einen der Verrücktheit ähnlichen Zustand versetzte. Der Mann drängte sich an mich mit allerlei Gefälligkeiten und kleinen Geschenken. Spät und zögernd kam er mit seinem Anliegen hervor. Er war ein geborner Pole und hatte seine Muttersprache gänzlich vergessen. Er erwartete von mir, der ich ein Russe war, mit dem er sich auf Spanisch verständigen konnte, daß ich ihm doch sein vergessenes Polnisch wieder zu lehren die Gefälligkeit haben würde.

Die größte Strafe, die ich am Bord des Rurik's über Matrosen habe verhängen sehen, war, von der Hand beider Unteroffiziere mit Ruthen gestrichen zu werden. — Der Kapitain verhört, richtet und läßt in seinem Beisein die Exekution vornehmen, selbstständig und ohne Zuziehung seiner Offiziere. — Solche Exekutionen waren selten, und gewöhnlich, nachdem sie vorüber, zog sich der Kapitain in seine Kajüte zurück und bedurfte der Hülfe des Arztes. — Ich komme darauf, weil hier zu dem Behufe Ruthen geschnitten wurden, und zwar — — Myrtenruthen.

Wir nahmen an Bord, ich weiß nicht mehr ob als Geschenk des Gouverneurs, einigen Wein von Concepcion, der mit den süßen spanischen Weinen Aehnlichkeit hat. Unserm Vorrath war hier Abbruch geschehen, und der Ersatz war willkommen. Etliche Schafe wurden eingeschifft. Alles war zur Abfahrt bereit. Wir stiegen zu Schiff, und ein kleiner häßlicher Hund, der sich an uns gewöhnt hatte und den Namen Valet führte oder erhielt, folgte uns.

Bevor ich dieses Land verlasse, werde ich aus dem Briefe, den ich aus Talcaguano an den Freund in der Heimath schrieb, etliche Zeilen mittheilen, worin die Stimmung der flüchtigen Stunde ihr dauerhafteres Gepräge zurückgelassen hat.

— *Σὺ μοί ἐσσι πατὴρ καὶ πότνια μήτηρ*
Ἠδὲ κασίγνητος. „Das weißt du, und Berlin ist mir durch dich die Vaterstadt und der Nabelort meiner Welt, von dem aus ich zu meinem Cirkelgange ausgegangen, um dahin zurück zu kehren und

meine müden Knochen zu seiner Zeit, so Gott will, neben den deinen zur leichten Ruhe auszustrecken. Mein guter Eduard, es lebt sich, auf so einer Reise eben wie zu Hause. Viele Langeweile während des Sturmes, wann der Mensch es vor lauter Schaukeln und Wiegen zu weiter nichts bringen kann, als zu schlafen, Durack (Germanis: Schafskopf) zu spielen und Anekdoten zu erzählen, worin ich allerdings noch einmal unerschöpflicher bin, als ich selbst glaubte. Sehr unglücklich und zerknirscht, wann man wieder in Reibung mit der Gemeinheit gerathen ist; froh, wann die Sonne scheint; hoffnungsvoll, wann man das Land sieht; und wann man darauf ist, wiederum gespannt es zu verlassen. Man sieht immer stier in die Zukunft hinein, die unablässig als Gegenwart über unser Haupt wegfliegt, und ist an den Wechsel der Naturscenen eben so gewöhnt, wie daheim an den Wechsel der Jahreszeiten. Der Polarstern (τὸ τοῦ πόλου ἄστρον) ist untergegangen, und das werden wir auch zu unserer Zeit thun; die Kälte kommt vom Süden und der Mittag liegt im Norden; man tanzt am Weihnachtsabend im Orangenhain u. s. w. Was heißt denn das mehr, als daß eure Dichter die Welt aus dem Halse der Flasche betrachten, in welcher sie eben eingeschlossen sind. Auch das haben wir los. Wahrlich ihr Süden und Norden und ihr ganzer naturphilosophisch-poetischer Kram nimmt sich da vortrefflich aus, wo einem das südliche Kreuz im Zenith steht. Es giebt Zeiten, wo ich zu meinem armen Herzen sage: Du bist ein Narr, so müssig umherzuschweifen! Warum bliebest du nicht zu Hause und studirtest etwas Rechtes, da du doch die Wissenschaft zu lieben vorgiebst? — Und das auch ist eine Täuschung, denn ich athme doch durch alle Poren zu allen Momenten neue Erfahrungen ein; und von der Wissenschaft abgesehen, wir werden an meiner Reise Stoff auf lange Zeit zu sprechen haben, wenn schon die alten Anekdoten zu welken beginnen. Lebe wohl." — —

Am 8. März 1816 gingen wir unter Segel, nachdem unser Freund Don Miguel de Rivas sich weinend unsern Umarmungen entwunden hatte.

Von Chile nach Kamtschatka.

Salas y Gomez. Die Osterinsel. Die zweifelhafte Insel. Romanzoff. Spiridoff. Die Rurikskette. Die Deanskette. Die Krusensternsinseln. Die Penrhyninseln. Die nördlichsten Gruppen von Radack.

Hier beginnt die Entdeckungsreise des Rurik's. — Wir fuhren am 8. März 1816 aus der Bucht von Concepcion aus, am 19. Juni in die Bucht von Awatscha ein, und hatten während drei Monaten und elf Tagen nur ein Mal die Anker auf kurze Momente vor der Osterinsel fallen lassen, nur zwei Mal, auf dieser und auf der Romanzoffsinsel, den Fuß flüchtig auf die Erde gesetzt, nur mit den Bewohnern der Osterinsel, der Penrhyninseln und den Radackern flüchtig verkehrt und nur die oben verzeichneten Landpunkte gesehen. Unsere Blicke hatten auf keinem europäischen Segel geruht; wir sahen erst am 18. Juni Abends, in Ansicht der Küste von Kamtschatka und im Begriff in die Bucht von Awatscha einzufahren, das erste Schiff, dessen Anblick uns mit den Menschen unserer Gesittung vereinigte.

Spärlicher als im atlantischen Ocean sind die Fahrstraßen befahren, welche dieses weite Meerbecken durchkreuzen, und es begrenzt sie kein Ufer, woran der Seefahrer mit dem Gedanken lehnen könnte; aber der Flug der Seevögel und andere Zeichen lassen ihn oft Land, Inseln, die er nicht sieht und nicht sucht, ahnen, und noch findet er sich nicht in unbegrenztem Raume verloren. Schiffe begegnen in der Regel einander nur in der Nähe der Häfen, die ihnen zum Sammelplatz dienen, der Sandwichinseln u. a. Wir aber vermieden auf dieser langen Fahrt alle Wege des Handels und suchten auf der verlorenen Spur älterer Seefahrer zweifelhafte Punkte der Hydrographie aufzuklären. Dieser Abschnitt unserer Reise, der, in Hinsicht der Leistungen des Herrn von Kotzebue einer der wichtigsten, in seiner Beschreibung ziemlich viel Raum einnimmt, wird hier auf wenige Blätter zusammen schwinden. Was ich über die Inseln, die wir gesehen, und die Menschen, mit denen wir verkehrt, zu sagen hatte, habe ich in meinen Bemerkungen und Ansichten gesagt, und habe namentlich dort in den Hauptstücken „Ueberblick" und „Radack" von der geognostischen Beschaffenheit der niedern oder Koralleninseln, zu denen, die Osterinsel und Salas y Gomez ausgenommen, alle hier zu erwähnende Landpunkte zu rechnen sind, ausführlich abgehandelt. Was das Nautische und Geographische anbetrifft, muß ich auf Otto von Kotzebue und auf Krusenstern verweisen, der in der Reisebeschreibung selbst und sodann in anderen Werken die Entdeckungen des Rurik's in der Südsee kritisch beleuchtet hat.

Es ist zu bedauern, daß die deutsche Originalausgabe der Reisebeschreibung des Herrn von Kotzebue sich dergestalt inkorrekt erweist, daß die im Texte angegebenen Zahlen aller Zuverlässigkeit ermangeln. Vergleicht man die Breiten- und Längenbestimmungen, wie sie in der Erzählung und wiederholt in den meteorologischen Tabellen verzeichnet sind, so findet man, daß in der Erzählung nicht blos die Sekunden zum öftesten ausgelassen sind, sondern die Zahlen abweichen. Die Tabelle „Aerometer-Beobachtungen", III. p. 221, die korrekter als der Text zu sein scheint, wird die Mittagsbestimmungen vom 18. Juli 1816 bis zum 13. April 1818, von Kamtschatka bis vor Santa Helena zu berichtigen dienen und namentlich für einen späteren Abschnitt der Reise, vom 5. bis zum 24. November 1817 auf der Fahrt zwischen Radack und den Marianen durch das Meer der Carolinen, Wichtigkeit erlangen. Hier steht zum Beispiel im Texte II. p. 125 die Breite vom 20. November 1817 10° 42', was offenbar fehlerhaft ist, und in der Tabelle p. 226 11° 42' 29", was das Richtige zu sein scheint. Man wird für den Abschnitt der Reise, der uns beschäftigt, der Beihülfe einer solchen Tabelle entbehren. Es ist zu bedauern, daß Herr von Kotzebue seiner Reisebeschreibung keinen Auszug seines Schiffsjournals beigegeben hat. Es ist zu bedauern, daß er in derselben, wo man sie sucht, viele Karten und Pläne nicht mitgetheilt, die ihm die Hydrographie verdankt und von denen Krusenstern, II. S. 160, den Plan der Häfen Hana-ruru auf O'Wahu und La Calderona de Apura auf Guajan namentlich anführt. Es ist zu bedauern, daß er die ihm auf seine Reise ertheilten Instruktionen, worauf er selbst und Krusenstern an verschiedenen Stellen sich beziehend verweisen, nicht bekannt gemacht hat. Es ist endlich zu bedauern, daß er die zur See während einer längeren Zeit zu verschiedenen Stunden des Tages beobachteten Barometerstände aufzubewahren verschmäht hat.

Die mir während der Reise vom Kapitain mitgetheilten Zahlen (Breiten und Längen, Bergeshöhen u. s. w.) stimmen nie mit denen, die ich in seinem Werke verzeichnet finde. Ich bin hier dem letzteren gefolgt, wo ich keinen Grund gefunden habe, einen Druck- oder Schreibfehler zu argwöhnen.

Ich bitte diese Abschweifung zu entschuldigen. Ich werde mit flüchtigem Finger den vom Rurik gehaltenen Cours auf der Karte zeigen und sodann ein Weniges von den Ereignissen der Fahrt hinzufügen.

Wir segelten nordwärts, die Insel Juan Fernandez unter dem Winde, d. i. im Westen lassend, bis wir den 27. Grad südlicher Breite erreicht, den wir sodann westwärts verfolgten. Wir sahen am 25. den nackten Felsen Salas y Gomez, 26° 36′ 15″ S. B., 105° 34′ 28″ W. L., und berührten am 28. die Osterinsel. Wir steuerten von da etwas mehr nach Norden und erreichten am 13. April den 15° S. B. beiläufig im 134° W. L. Wir verfolgten westwärts diese Parallele, auf der Spur von Lemaire und Schouten, durch ein sehr gefährliches Meer, das mit niedern Inseln und Bänken angefüllt ist, worauf man zu stranden Gefahr läuft, bevor man sie gesehen hat. Wir lavirten öfters die Nacht hindurch ohne fortzuschreiten, theils um Gefahr zu vermeiden, theils um kein Land in unserm Gesichtskreise ungesehen zu lassen. Wir ließen auf dieser Fahrt die Marquesas im Norden, und westlicher die Gesellschaftsinseln im Süden liegen. Es ist bemerkenswerth, daß wir seit der

Osterinsel und diesen Theil der Reise hindurch bis zu dem Aequator meist Nord- und Nordostwind hatten, wo wir im Gebiete des S. O. Passats auf Südostwind zu rechnen hatten. Wir hatten öfters Windstöße, Regen und Wetterleuchten.

Am 16. und 17. April. Die zweifelhafte Insel in 14° 50' 11" S. B. 138° 47' 7" W. L.

Am 20. April die Romanzoffsinsel entdeckt und am 21. auf derselben gelandet. 14° 57' 20" S. B., 144° 28' 30" W. L. Sie ist die einzige der hier aufgezählten Inseln, auf welcher der Cocosbaum wächst; die anderen sind nur spärlich bewachsen. Alle haben mit breitem weißem Strande das Ansehen von Sandbänken, wofür sie ältere Seefahrer hielten, verwundert, in deren nächster Nähe keinen Grund mit dem Senkblei zu finden; einen Umstand, den sie anzuführen nie ermangeln.

Am 22. April die Spiridoffinsel 14° 51' 00" S. B., 144° 59' 20" W. L.

Am 23. in der Nähe der Pallisers von Cook die Rurikskette, von welcher wir südlich fuhren. Wir sahen sie zwischen 15° 10' 00" und 15° 30' 00" S. B., 146° 31' 00" und 146° 46' 00" W. L. Ihre größere Ausdehnung nach Norden wurde nicht erforscht. — Im S. S. O. ward Land gesehen, aber nicht untersucht.

Am 24. und 25. April die Deanskette, deren südlicher Rand in der Richtung N. W. 76° und S. O. 76°, zwischen 15° 22' 30" und 15° 00' 00" S. B. und 147° 19' 00" und 148° 22' 00" W. L. aufgenommen wurde.

Am 25. die Krusensternsinseln; Mitte der Gruppe 15° 00' 00" S. B., 148° 41' 00" W. L.

Wir bogen von da den Cours mehr nach Norden, verschiedene zweifelhafte Inseln aufsuchend, die wir nicht fanden. Wir steuerten sodann nach den Penrhyninseln, die wir am 30. April sahen und mit deren Bewohnern wir am 1. Mai zur See verkehrten. Die Mitte der Gruppe liegt nach der Bestimmung des Kapitains 9° 1' 35" S. B., 157° 34' 32" W. L. Ein starkes Gewitter entladete sich über diese Inseln, als wir sie verließen.

Wir hatten nun häufige Windstillen und Windstöße, die oft

von Regenschauern begleitet waren. Wir durchkreuzten zum zweiten Mal den Aequator am 11. Mai in 175° 27′ 55″ W. L.

Wir suchten am 19. und 20. Mai die nördlichen Gruppen der Mulgravsinseln auf, und hatten bereits diese Untersuchung aufgegeben, als uns nordwärts steuernd am 21. Mai die erste Ansicht der nördlichen Gruppen der Inselkette Radack, Udirick und Tegi erfreute. Diese Inseln, deren liebliche Bewohner wir hier zum ersten Mal gewahrten, werden uns später beschäftigen. Der Kanal zwischen beiden Gruppen liegt 11° 11′ 20″ N. B., 190° 9′ 23″ W. L.

Wir richteten von Radack aus unsern Cours fast nordwärts nach Kamtschatka. Wir traten unter dem 33 Grad N. B. in die Region der nordischen Nebel, und der Himmel und das Meer verloren ihre Bläue. Wir hatten am 13. Juni unter dem 47° N. B. Sturm und Eis. Am 18. Nachmittags um 4 Uhr zertheilte sich der Nebel, und der Eingang der Bucht von Awatscha lag vor uns.

Von Chile aus übertrug der Kapitain dem Doktor Eschscholtz die Beobachtung der physischen und meteorologischen Instrumente.

Vor dem Einlaufen in die Bucht von Concepcion war uns bereits ein Mal das Meer stellen- und strichweise schwach röthlich gefärbt erschienen. Dieses Phänomen wiederholte sich deutlicher in den ersten Tagen unserer Fahrt nordwärts längs der Küste. Das Färbende muß auf jeden Fall sehr fein und zertheilt sein, und nicht so zu erkennen, wie die Alge und das Infusorium des atlantischen Oceans. Ich konnte in dem auf das Verdeck heraufgebrachten Wasser nichts unterscheiden und zweifelte, ob es auch wirklich aus den gefärbten Meerstellen herrühre.

Am 9. März, dem Tage obiger Beobachtung, trieb ein todter Wallfisch an uns vorüber, auf welchem unzählige Schaaren von Vögeln (eine kleine Art Procellaria?) ihre Nahrung hatten. War vielleicht von dieser verwesenden Fleischmasse die Färbung des Meeres herzuleiten?

Die Wallfische, die in der Bucht von Concepcion häufig gesehen werden, wo ihnen damals nur die Amerikaner nachstellten, begleiteten uns noch eine Zeit. Erst nachdem die Wallfische des Nordens gehörig untersucht und beschrieben sein werden, wird es an der Zeit sein, den Wunsch zu äußern, auch die des Südens mit ihnen zu vergleichen.

Am 10. Nachmittags um 6 Uhr glaubte der Kapitain eine eigenthümliche Erschütterung in der Luft zu verspüren, wobei das Schiff ihm ein wenig zu erzittern schien. Das Geräusch, das er fernem Donner vergleicht, erneuerte sich nach ungefähr drei Minuten; nach einer Stunde merkte er nichts mehr. — Andere glauben in der Nacht zum 11. und noch am 11. selbst dieselbe Erschütterung wiederholt empfunden zu haben. Ein Zweifel stieg in uns auf, ob vielleicht jetzt das uns so gastliche Land, von einem Erdbeben durchwühlt, ein Schauplatz des Schreckens und der Zerstörung sei. Unsere Befürchtung hat sich übrigens nicht bestätigt.

Wir hatten in Chile Flöhe in fast bedroblicher Menge an Bord genommen; hätten sie sich vermehrt, so hätten wir viel zu leiden gehabt. Aber wie wir sonnenwärts fuhren, verloren sie sich mehr und mehr, und wir waren bald gänzlich davon befreit. Wir machten in der nördlichen Halbkugel (auf der Fahrt von Californien nach den Sandwichinseln) unter ähnlichen Umständen dieselbe Erfahrung.

Dagegen zeigte sich ein anderes Ungeziefer, das wir bis jetzt nicht gekannt, und vermehrte sich auf dieser Fahrt zwischen den Wendekreisen schon merklich; ich meine die bei den Russen sich heiligen Gastrechts erfreuenden Tarakanen (Blatta germanica, Licht- und Bäckerschaben). Später wurden sie uns zu einer entsetzlichen Plage; sie zehren nicht nur den Zwieback ganz auf, sondern nagen Alles und selbst die Menschen im Schlafe an. In das Ohr eines Schlafenden gedrungen, verursachen sie ihm unsägliche Schmerzen. Der Doktor, dem der Fall öfters vorgekommen, ließ mit gutem Erfolg Oel in das gefährdete Ohr gießen.

Am 16. März, in einer Entfernung von mehr als 17 Grad (beiläufig 1000 Meilen) von dem nächsten bekannten Lande, der amerikanischen Küste, ward ein Vogel im Fluge beobachtet, der für eine Schnepfe gehalten wurde.

Wir sahen am 24. die ersten Tropenvögel, diese herrlichen Hochsegler der Lüfte, die ich mich fast nicht erwehren kann Paradiesvögel zu nennen.

Am Morgen des 25. verkündigten uns über dem Winde von Salas y Gomez Seevögel in großer Anzahl, Pelikane und Fregatten, diesen ihren Brüteplatz, an welchem wir Mittags vorüberfuhren.

Der 28. März 1816 war der Tag der Freude; die erste Bekanntschaft zu stiften mit Menschen dieses reizvollen Stammes und die erste schöne Verheißung der Reise sich erfüllen zu sehen! — Als mit breiter, schönbegrünter Kuppe die Osterinsel sich aus dem Meere erhob, die verschiedenfarbigen Feldereintheilungen an den Abhängen von ihrem Kulturzustande zeugten, Rauch von den Hügeln stieg; als näher kommend wir am Strande der Cooksbai die Menschen sich versammeln sahen; als zwei Boote (mehr schienen sie nicht zu besitzen) vom Strande stießen und uns entgegen kamen — da freute ich mich wie ein Kind; alt nur darin, daß ich zugleich mich auch darüber freute, mich noch so freuen zu können. Die flüchtigen Augenblicke unserer versuchten Landung vergingen uns, umtaumelt von diesen lärmenden kindergleichen Menschen, wie im Rausch. Ich hatte alles Eisen, Messer, Scheeren, Alles was ich mitgenommen hatte, eher verschenkt als vertauscht, und nur, ich weiß nicht wie, ein schönes, feines Fischernetz erhandelt.

Ich habe den verdächtigen Empfang, der uns ward, in den Bemerkungen und Ansichten zu beschreiben versucht, und mit dem, was ich davon gesagt, können die Berichte von Kotzebue und Choris verglichen werden. Ich habe die vermuthliche Veranlassung der halb bedrohlichen Stimmung der Insulaner nur angedeutet. Herr von Kotzebue selber hatte die Geschichte aufgezeichnet, und ihm gebührte es, sie bekannt zu machen. Ich setze sie ergänzend hierher in seinen urkundlichen Worten. Sie steht im ersten Bande, Seite 116, seiner Reisebeschreibung.

„Eine Nachricht, die das feindselige Betragen der Insulaner gegen mich erklärt und welche ich erst später auf den Sandwichinseln durch Alexander Adams erhielt, glaube ich dem Leser hier mittheilen zu müssen. Dieser Adams, von Geburt ein Engländer, kommandirte im Jahre 1816 die dem Könige der Sandwichinseln gehörige Brigg Kahumanu, und hatte vorher auf der nämlichen Brigg, als sie den Namen Forester of London führte und dem Könige noch nicht verkauft war, unter Kapitain Piccort als zweiter Offizier gedient. Der Kapitain des Seuner Nancy aus Neu-London-Amerika, seinen Namen hat mir Adams nicht genannt, beschäftigte sich im Jahr 1805 auf der Insel Mas a fuero mit dem Fange einer Gattung von Seehunden, welche den Russen unter dem Namen Kotick (Seekatzen) bekannt ist. Die Felle dieser Thiere werden auf dem Markte von China theuer verkauft, und daher suchen die Amerikaner in allen Theilen der Welt ihren Aufenthalt ausfindig zu machen. Auf der bis jetzt noch unbewohnten Insel Mas a fuero, welche westlich von Juan Fernandez liegt, und wohin sie aus Chile die Verbrecher schicken, ward dieses Thier zufällig entdeckt und gleich Jagd darauf gemacht. Da aber die Insel keinen sichern Ankerplatz gewährte, weshalb das Schiff unter Segel bleiben mußte, und er nicht Mannschaft genug besaß, um einen Theil derselben zur Jagd gebrauchen zu können, so beschloß er, nach der Osterinsel zu segeln, dort Männer und Weiber zu stehlen, seinen Raub nach Mas a fuero zu bringen und dort eine Kolonie zu errichten, welche den Kotickfang regelmäßig betreiben sollte. Diesen grausamen Vorsatz führte er im Jahr 1800 aus*) und landete in Cooksbai, wo er sich einer Anzahl Einwohner zu bemächtigen suchte. Die Schlacht soll blutig gewesen sein, da die tapfern Insulaner sich mit Unerschrockenheit vertheidigten; sie mußten dennoch den furchtbaren europäischen Waffen unterliegen, und zwölf Männer mit zehn Weibern fielen lebendig in die Hände der herzlosen Amerikaner. Nach vollbrachter That wurden die Unglücklichen an Bord gebracht, während der ersten drei Tage gefesselt und erst, als kein Land mehr sichtbar war, von ihren Banden erlöst. Der erste Gebrauch, den sie von ihrer Freiheit machten, war, daß die Männer über Bord sprangen, und die Weiber, welche ihnen folgen wollten, nur mit Gewalt zurückgehalten wurden. Der Kapitain ließ sogleich das Schiff beilegen, in der Hoffnung, daß sie doch wieder an Bord Rettung suchen würden, wenn die Wellen sie zu verschlingen drohten; er bemerkte aber bald, wie sehr er sich geirrt, denn

*) Ein hier oder weiter oben zu vermuthender Druckfehler in der Jahreszahl benimmt der Geschichte nichts von ihrer Glaubwürdigkeit.

6*

diesen mit dem Elemente vertrauten Wilden schien es nicht unmöglich, trotz der Entfernung von drei Tagereisen ihr Vaterland zu erreichen, und auf jeden Fall zogen sie den Tod in den Wellen einem qualvollen Leben in der Gefangenschaft vor. Nachdem sie einige Zeit über die Richtung, die sie zu nehmen hatten, gestritten, theilte sich die Gesellschaft, einige schlugen den graden Weg nach der Osterinsel ein, und die übrigen wandten sich nach Norden. Der Kapitain, äußerst entrüstet über diesen unerwarteten Heldenmuth, schickte ihnen ein Boot nach, das aber nach vielen fruchtlosen Versuchen wieder zurück kehrte; denn sie tauchten allemal bei seiner Annäherung unter, und die See nahm sie mitleidig in ihren Schutz. Endlich überließ der Kapitain die Männer ihrem Schicksale, brachte die Weiber nach Mas a fuero und soll noch öftere Versuche gemacht haben, Menschen von der Osterinsel zu rauben. Adamo, welcher diese Geschichte von ihm selbst hatte und ihn deshalb wahrscheinlich nicht nennen wollte, versicherte mir, 1806 an der Osterinsel gewesen zu sein, wo er aber wegen des feindseligen Empfangs der Einwohner nicht landen konnte; ein gleiches Schicksal hatte nach seiner Aussage das Schiff Albatros unter Kommando des Kapitain Windship im Jahr 1809."

Ich ergreife diese Gelegenheit, auch hier gegen die Benennung „Wilde" in ihrer Anwendung auf die Südsee-Insulaner feierlichen Protest einzulegen. Ich verbinde gern, so viel ich kann, bestimmte Begriffe mit den Wörtern, die ich gebrauche. Ein Wilder ist für mich der Mensch, der ohne festen Wohnsitz, Feldbau und gezähmte Thiere, keinen andern Besitz kennt als seine Waffen, mit denen er sich von der Jagd ernährt. Wo den Südsee-Insulanern Verderbtheit der Sitten Schuld gegeben werden kann, scheint mir solche nicht von der Wildheit, sondern vielmehr von der Uebergesittung zu zeugen. Die verschiedenen Erfindungen, die Münze, die Schrift u. s. w., welche die verschiedenen Stufen der Gesittung abzumessen geeignet sind, auf denen Völker unseres Continents sich befinden, hören unter so veränderten Bedingungen auf, einen Maßstab abzugeben für diese insularisch abgesonderten Menschenfamilien, die unter diesem wonnigen Himmel ohne Gestern und Morgen dem Momente leben und dem Genusse.

Die fliegenden Fische, von denen wenigstens zwei Arten in dem großen Ocean vorkommen, scheinen in der Nähe des Landes häufiger zu sein. Wir sahen deren viele in der Nähe der Osterinsel.

Wir durchschnitten in der Nacht zum 1. April den südlichen Wendekreis; sahen am 3. eine Fregatte, und hatten am 7. und wiederholt am 13. Windstille. Hier war es, wo, mit der Beobachtung des Meergewürmes beschäftigt, die Entdeckung des ersten wahren Meerinsektes den Doktor Eschscholtz erfreute. Es ist unserer gemeinen Wasserwanze (Hydrometra rivulorum F.) zu vergleichen, schreitet und springt auf dieselbe Weise auf der Oberfläche des Wassers und kommt zwischen den Wendekreisen in allen Meeren vor.

Wir sahen am 15. viele Seevögel, Fregatten und Pelikane, erduldeten etliche Windstöße und segelten während der Nacht nicht weiter. Der Himmel war dunkel umwölkt, es regnete heftig und es blitzte in allen Richtungen.

Der Ruf „Land!" regte uns am 16. Mittags freudig an. Die Erwartung ist gespannt, wann freiwillig, möchte ich sagen, und nicht auf das Gebot des Seemanns, ein Land der Spiegelfläche entlaucht und sich allmälig vor uns gestaltet. Der Blick sucht begierig nach Rauch, der wehenden Flagge, die den Menschen dem Menschen, der ihn sucht, verkündigt. Steigt Rauch auf, dann pocht einem seltsam das Herz. Aber diese traurigen Riffe haben bald, bis auf eine eitele Neugier, alles Interesse verloren.

Es war doch ein großes Fest, als am 20. beschlossen ward, eine Landung auf der kleinen palmenreichen Insel Romanzoff zu versuchen. Der Kapitain beorderte den Lieutenant Sacharin, den Landungsplatz zu erkunden, und mich, ihn zu begleiten. Ich stieg freude- und hoffnungsvoll in das Boot; wir stießen ab. Wir ruderten ganz nahe der Insel, vom Ufer nur durch die schäumende Brandung getrennt. Ein muthiger Matrose schwamm mit einer Leine ans Land. Er schritt längs dem Ufer, entdeckte Menschenspuren, Cocosschalen, betretene Pfade, er lauschte durch das Gebüsch, pflückte grüne Zweige und kam zu der Leine zurück. — Sacharin deutete mit der Hand nach der Insel und sprach zu mir: Adelbert Loginowitsch, wollen Sie? — Ich glaube nicht, daß mich noch einmal in meinem Leben solch peinliches Gefühl durchbohrt. Ich schreibe es zu meiner Demüthigung nieder. Was der Matrose gethan, war ich nicht im Stande zu thun. Jener schwamm zu uns wieder her, und wir ruderten zum Schiffe. Auf den erstatteten Bericht ward ein Pram aus allem beweglichen Holze am Bord verfertigt, und wir fuhren am andern Tage in zweien Booten der Insel zu. Die Boote ankerten in großer Wassertiefe zunächst der Brandung; der Matrose schwamm mit der Leine ans Land, und mit Hülfe des Pram's konnten wir einzeln das Ufer erreichen, wo uns die schäumende Welle übergoß. Wir durchwandelten nun fröhlich den Wald und durchforschten die Insel. Wir lasen alle Spuren der Menschen auf, folgten ihren gebahnten Wegen, sahen uns in den verlassenen Hütten um, die ihnen zum Obdach gedient. Ich möchte das Gefühl vergleichen mit dem, was wir in der Wohnung eines uns persönlich unbekannten, theuren Menschen haben würden; so hätte ich Goethe's Landhaus betreten, mich in seinem Arbeitszimmer umgesehen. — Daß diese Insel keine festen Wohnsitze hat und nur von andern uns unbekannten Inseln her besucht zu werden scheint, habe ich in den Bemerkungen gesagt.

Der Tag, der ohnehin das Osterfest der Russen war, wurde festlich, und auf dem Rurik mit Kanonenfeuer begangen. Die Mannschaft erhielt doppelte Portion. Wir brachten den auf dem Schiffe Zurückgebliebenen etliche Cocosnüsse mit. Sie zu erhalten, war die Axt an den Baum gelegt werden, ein Verfahren, das mir in die Seele schnitt; zur Sühne hatte man die Axt daselbst gelassen.

In der Nähe der niedern Inseln, deren Aufnahme uns in den folgenden Tagen bis zum 25. April beschäftigte, ließen sich die Seevögel nur sparsam sehen; dagegen waren die fliegenden Fische häufig. Hier sah ich auch ein Mal eine Wasserschlange im Meere schwimmen.

Wir entbehrten schon lange aller frischen Nahrung; das Wasser ward uns am 28. April zum ersten Male zugemessen. Die Portion war aber vollkommen hinreichend, und ich verbrauchte von der meinen nur einen Theil. Ich hätte mich im Nothfall mit Seewasser auch begnügt. Ich habe oft auf Exkursionen Seewasser getrunken, ohne Widerwillen und ohne Nachtheil: ob es mir aber den Durst löschte, wie süßes Wasser, könnte noch gefragt werden. Die häufigen

Regengüsse, die besonders in der südlichen Halbkugel uns erfrischten, gaben uns eine erwünschte Gelegenheit, frisches Wasser einzusammeln, wozu unser Zelt eingerichtet war. Solches frisches, gesundes Wasser ist eine wahre Erquickung; denn leider fehlen dem des Vorraths „die nahrhaften Theile" niemals ganz und sind manchmal in unerwünschtem Ueberflusse vorhanden. — Am 4. Mai regnete es so stark, daß zwölf Fässer Wasser gesammelt wurden.

Ich habe eigentlich zu dem nichts hinzuzufügen, was ich in den Bemerkungen und Ansichten über die Peurhyninseln gesagt habe, die wir am 30. April sahen und mit deren Einwohnern wir am andern Morgen verkehrten. Ein solcher Tag mit seinen Ereignissen ist im einförmigen Schiffsleben ein Lichtpunkt, der dessen eintöniges Einerlei belebend durchbricht. Wollte ich wiederholt die empfundene Freude beschreiben, so würde ich in dem Leser eben die Langeweile erzeugen, die sie für uns zu unterbrechen kam. — Wir verhielten uns übrigens dieses Mal leidend, und es war nicht mehr der erste Eindruck. — Ich habe nirgends den Palmenwald schöner als auf den Penrhyn gesehen. Zwischen dem hoch getragenen windbewegten Baldachin der Kronen und dem Boden sah man zwischen den Stämmen hindurch den Himmel und die Ferne. Es schienen, wenigstens stellenweise, das niedere Gebüsch und der Damm zu fehlen, welche die Inseln dieser Bildung nach außen zu umzäunen und zu beschützen pflegen. Verhältnißmäßig zahlreich, stark und wohlgenährt, friedlich und dennoch vertrauend seinen Waffen, unbekannt mit den unsern war das Volk, das uns umringte; jegliche Familie, so schien es, unter Führung des Alten im eigenen Boote. Sie erhandelten Eisen von uns, das köstliche Metall, und als wir unsern Lauf weiter nahmen, waren sie kaum zu bewegen, von uns zu lassen.

Wir hatten in den nächsten Tagen häufige Windstillen mit Windstößen abwechselnd, und erreichten am 4. Mai, beiläufig unter 7° 30' S. B., den wirklichen N. O. Passat. Wir sahen in den folgenden Tagen viele Seevögel Morgens dem Wind entgegen, bei Sonnenuntergang mit dem Winde fliegen. Die kleine Seeschwalbe (Sterna stolida) ließ sich wiederholt auf dem Schiffe fangen, und wir entließen etliche, denen wir auf pergamentnem Halsbande den

Namen des Schiffes und das Datum mitgaben. Es möchte für ein Schiff eine Freude sein, einen solchen Boten in diesem weiten Meerbecken wieder aufzufangen; ließ sich doch in der chinesischen See ein Pelikan am Bord des Rurik's greifen, der von unserer Conserve, der Eglantine, kam, wo er sich schon in die Gefangenschaft begeben hatte.

Wir durchkreuzten am 11. den Aequator. Am 12. zeigten sich viele Seevögel. Auch ein Landvogel soll gesehen worden sein. Ein Delphin wurde harpunirt, der erste, dessen wir habhaft wurden. — Er diente uns zu einer willkommenen Speise. Es ist ein schwarzes blutvolles Fleisch, erdig und unschmackhaft, aber nicht eben thranig. Ich möchte, wie die Haifische, so auch die Delphine für den Tisch loben; sie kommen zu Zeiten, wo sie nicht zu tadeln sind.

Am 19. Mai, da wir die Mulgravesinseln aufsuchten, blies unversehens ein Windstoß dem herrschenden Winde entgegen, brachte die Segel in Verwirrung und zerriß manches Tauwerk. Der Kapitain ward von einem geschleuderten Tau am Vorderhaupte getroffen und sank betäubt nieder. Dieser Vorfall, der Schrecken unter uns verbreitete, hatte glücklicher Weise keine Folgen.

Wir entdeckten am 21. ein nur auf wenigen Punkten spärlich begrüntes Riff, auf dem nur wenige Cocosbäume sich erhoben. Am 22. kamen uns zwei Boote zierlichen Baues, geschickt gegen den Wind zu laviren, aus diesem Riffe entgegen. Die Menschen, geschmückt und anmuthig, luden uns auf ihre Erde ein, aber im Gefühl ihrer Schwäche und unserer Kraft vermaßen sie sich nicht, uns näher zu kommen. Ein Boot ward in die See gelassen, worauf ich mit Gleb Simonowitsch und Login Andrewitsch Platz nahm, und wir ruderten ihnen entgegen. Aber auch so vermochten wir nicht, ihnen Zutrauen einzuflößen. Sie warfen uns Geschenke zu, eine zierliche Matte und eine Frucht des Pandanus, und entfernten sich schnell der Insel zu, uns einladend, ihnen zu folgen. Das waren die Radacker. Sie beschenkten uns zuerst und schieden bei dieser ersten Begegnung unbeschenkt von uns.

Wir hatten nach Norden steuernd den 27. die Sonne im Zenith und durchschnitten am 28. den nördlichen Wendekreis, nachdem wir

42 Tage südlich vom Aequator und 12 Tage nördlich von demselben in der heißen Zone zugebracht. Wir wallten unsern heimischen Sternen zu; vor uns erhob sich der große Bär und hinter uns senkte sich das Kreuz.

Wir hatten am 2. und 3. Juni, etwas südlicher als gewöhnlich die Inseln Rica de Plata und Rica de Oro angegeben werden, ungefähr in derselben Breite wie Mearn, Landzeichen. Am Morgen des dritten ließ sich ein kleiner Vogel vom Geschlechte der Schnepfen auf das Schiff nieder und ward mit Schaben gefüttert. — Treibholz und Tange schwammen im Meer, das Wasser war außerordentlich trübe, doch fand das Senkblei mit hundert Faden Leine keinen Grund.

Die Kälte nahm zu. Wir waren in dem nordischen Nebel, der sich oft an unserm Tauwerke niederschlug und als pechbittere Quellen längs den Wänden herabfloß. Wir fingen in den ersten Tagen des Juni unter der Breite von Gibraltar zu heizen an und hatten gegen die Mitte desselben Monats, bevor wir die Breite von Paris erreicht, Eis am Bord. Das Meer, in diesem selben Meerbecken zwischen den Tropen dunkel ultra-marinblau, ist hier schwarz-grün gefärbt und undurchsichtig. Die Wassertiefe, worin ein weißer Gegenstand sichtbar bleibt, hat sich von 16 Faden auf 2 Faden vermindert. Das Treibholz ward nordwärts immer häufiger.

Am 4. ward ein zweiter Delphin von einer andern Art harpunirt. Die Arten dieser uns sehr mangelhaft bekannten Gattung möchten sehr zahlreich sein. Scheint doch fast jegliche Heerde, die das Schiff umschwärmt, sich von allen andern durch Farbe, Zeichnung oder Größe zu unterscheiden.

Am 6. erschienen rothe Flecken im Meer; sie rührten von einem kleinen Krebse her, womit das Wasser angefüllt war.

Seitdem wir nach Norden steuerten, eilten Wünsche und Gedanken dem Schiffe voran der Küste zu, wo wir die Hoffnung hatten, Briefe von der Heimath vorzufinden. Wir selber fingen an, unsere Journale durchzusehen, unsere Papiere zur Absendung zu ordnen und Briefe an unsere Lieben zu schreiben. Ich habe, durch einen Scherz des Kapitains dazu ermuntert, vom Norden des großen Oceans eine nach Breiten- und Längen-Grad datirte Ordre ausgestellt, einen Korb Champagner Wein an den Staatsrath von Kotzebue zu expediren, und der Wein ist expedirt worden und angekommen.

Ein kleiner Landvogel (eine Fringilla) sagte uns am 17. das Land an, das sich uns am 18. entschleierte. Ein hohes Land mit zackigen Zinnen, über welche sich aus dem Innern hohe vulkanische Kegel erheben. Der Schnee bedeckt nicht gleichmäßig die Höhen, wie in unsern Alpen, sondern liegt fleck- und streifenweise an den Abhängen des zerrissenen Gebirges und steigt an denselben tief zu Thale. Am 18. Juni noch so viel Schnee!

Wir fuhren am 19. in das schöne weite Becken, die Awatscha-Bucht, hinein. Wir wurden von der Berghöhe, die den Nordpfeiler des äußern Thores bildet, telegraphisch nach St. Peter und Paul angemeldet; ein Hülfsboot kam uns entgegen. Wir waren durch den schmalen Kanal des Einganges mit günstigem Winde eingefahren, der uns, sobald wir im Innern angelangt, plötzlich gebrach. Es war Nacht, als wir in den Hafen hinein bugsirt wurden. Ein unleidlicher Fischgestank verkündigte uns die Nähe des Ortes. — Die Anstalt zum Trocknen der Fische, das tägliche Brod dieser nordischen Lande, liegt auf einer Landzunge, die den innern Hafen abschließt.

Hier, zu St. Peter und Paul, betrat ich zuerst den russischen Boden; hier sollte ich meine erste Bekanntschaft mit Rußland machen.

Wir waren hier angemeldet und wurden erwartet; wir waren alle namentlich bekannt, die Zeitungen hatten unsere Namen ausposaunt, und was hat man in St. Peter and Paul Anderes zu thun, als die Zeitung zu studiren. Wir wurden empfangen, wie sich's erwarten ließ. Wir brachten Bewegung in das stockende Leben, und es schien ein Tag über diesen Winkel der Erde, der nicht wie alle übrigen Tage war. Es waren Landsleute, die einander als Wirthe und Gäste an diesem abgelegenen Orte, so fern vom eigentlichen Vaterlande, begegneten.

Der Gouverneur Lieutenant Rudokoff sorgte für alle Bedürfnisse des Schiffes, dessen Kupfer besonders schadhaft befunden ward. Er half uns mit den noch brauchbaren Kupferplatten der „Diana" aus, des Schiffes, das Golownin nach seiner Fahrt nach Japan, als untauglich die See zu halten, im hiesigen Hafen zurücklassen mußte. Der Kapitain zog ans Land, und es folgten auf einander Gast- und Festmähler, wie sie nur in Kamtschatka zu beschaffen waren. Wir erfreuten uns in Kamtschatka der russischen Bäder. Es ist das Erste und vielleicht das Erquicklichste, was die russische Gastfreundschaft anzubieten weiß. Unsere Matrosen wußten sich selbst, wo es erwünscht war, ihr Badezelt einzurichten, und nur unter einem glücklicheren wärmeren Himmel unterblieb es als entbehrlich.

Am 22. Juni ward auf dem Rurik ein Dankfest gefeiert und bei dem Gouverneur zu Abend gespeist. Sonntag den 23. ward nach der Kirche bei uns getafelt. Am 30. war Festmahl beim Kommandanten, wo beim Kanonendonner pokulirt wurde. — Der Wein war nicht eben der vorzüglichste, aber die Gäste, aus allen nur zeigbaren Russen bestehend, waren zahlreich; und nach englischer Sitte, die mehr oder minder überall beobachtet wird, wo salziges Wasser das Land bespült, wollte jeder mit jedem von uns ein Glas Wein trinken, welche Höflichkeit erwidert werden mußte, so daß der Gläser Weines sehr viele wurden. Nach Tische sollten wir das landesübliche Fuhrwerk kennen lernen und zu Schlitten mit Hundegespann auf grünem Rasen, weil schon der Schnee im Thale geschmolzen war, den Abhang des Hügels hinabfahren. Es konnte keiner von uns den Sitz behaupten, was allerdings einige Uebung erfordert; abgeworfen verkrochen wir uns in das Gebüsch, und jeder suchte einen stillen Platz, das Fest für sich allein zu beschließen.

Am 4. Juli speisten wir bei Herrn Clark, einem Amerikaner, der hier, wohin er verschlagen worden, neue Verhältnisse angeknüpft hat. Er hatte das Cap Horn nur einmal umfahren, war aber sechs Mal, und zum letzten Mal vor sechs Jahren, auf den Sandwichinseln gewesen. Ich habe die Nachrichten, die er mir von diesen Inseln gab, und das Bild, das er mir von denselben entwarf, vollkommen wahr und treu befunden. Ich sah zuerst bei Herrn Clark ein Bild, das ich seither oftmals auf amerikanischen Schiffen und, durch ihren Handel verbreitet, auf den Inseln und an den Küsten des großen Oceans wieder gesehen habe: das von chinesischer Hand zierlich auf Glas gemalte Portrait von Madame Recamier, der liebenswürdigen Freundin der Frau von Stael, bei der ich lange Zeit ihres vertrauten Umgangs mich erfreute. Wie ich hier dieses Bild betrachtete, schien mir unsere ganze Reise eine lustige Anekdote zu sein, nur manchmal langweilig erzählt, und weiter nichts.

Am 11. Juli war das Kirchenfest von St. Peter und Paul. Wir steuerten zu einer Kollekte bei, die für den Bau einer Kirche gesammelt wurde. Der erste Beamte der russisch-amerikanischen Compagnie bewirthete uns an diesem Tage.

Am 12. ward das Fest von Gleb Simonowitsch bei uns gefeiert und besonders von den Matrosen mit ausgelassener Freudigkeit begangen, denn Gleb Simonowitsch war allgemein geliebt. Dieses Fest giebt mir Veranlassung, über eine russische Sitte zu berichten, die bei der strengen Mannszucht und der unbedingten Unterwürfigkeit des Untergebenen gegen seinen Vorgesetzten seltsam erscheinen dürfte. Aber mir scheint der gemeine Russe sich gegen seinen Herrn, gleichviel ob Kapitain, Herr oder Kaiser, in ein mehr kindliches als blos knechtisches Verhältniß zu stellen; und unterwirft er sich der Ruthe, so behauptet er auch seine Kindesfreiheiten. Die Matrosen ergriffen zuerst Otto Astawitsch, und, in zwei Reihen gestellt, welche Front gegen einander machten und sich bei den Händen anfaßten, ließen sie ihn schonungslos über ihre Arme schwimmen; eine Art des Prellens, die unter uns für keine Ehren- oder Freundschaftsbezeigung gelten würde. Nach Otto Astawitsch kam Gleb Simonowitsch an die Reihe, und nach diesem wir alle, so wie sie unser habhaft werden konnten. Die am höchsten in ihrer Gunst standen, wurden am höchsten geschnellt und am unbarmherzigsten behandelt. Ich erfuhr nachher, daß solches Thun ein Gegengeschenk verdiene, welches der Geprellte an die prellende Mannschaft zu entrichten pflege.

Am 13. waren wir segelfertig, aber die erwartete Post aus St. Petersburg war nicht angekommen, und wir mußten unserer getäuschten Hoffnung bis zu der Rückkehr nach Kamtschatka, die uns auf den Herbst 1817 verheißen war, Geduld gebieten. — Auch von dieser Hoffnung wurden wir enttäuscht. Wir haben während dieser drei Jahre keine direkt an uns gerichtete Nachricht von der Heimath und keine Briefe von unsern Angehörigen erhalten. Ich hätte vielleicht, wenn mich die Sehnsucht nach der Post nicht hier gebannt gehalten, eine Exkursion in das Innere unternommen; dazu war es jedoch noch zu früh, da in diesem Jahre der Winter nicht weichen zu wollen schien. Schnee lag noch um St. Peter und Paul, als wir ankamen, und jetzt erst begann der Frühling zu blühen. Wie ich von hier aus in die Heimath schrieb, auf das Papier die todten Buchstaben fallen ließ, die kein Widerhall waren und keinen Widerhall gaben, schnürte ein peinliches Gefühl das Herz mir zu.

Ich muß Einiges nachholen. Bücher, so von Bering's Zeiten her Reisende hier oder in Hintersibirien zurückgelassen, haben sich in St. Peter und Paul zu einer Bibliothek angesammelt, in welcher wir verwundert und erfreut Werke fanden, deren Mangel wir schmerzlich empfunden hatten. Bose konnte uns für das so reizende Studium der Seegewürme zu einem Leitfaden dienen, dessen wir ganz entbehrten; und wie erwünscht uns im Norden Pallas' Reisen und Gmelin's Flora Sibirica sein mochten, brauche ich nicht erst zu sagen. Dem Herrn Gouverneur schien es die natürlichste Bestimmung dieser Bücher zu sein, bei einer wissenschaftlichen Expedition, wie die unsrige, gebraucht zu werden, und er ließ mich aus der Bibliothek die Werke, die ich begehrte, nehmen, unter der heilig von mir erfüllten Bedingung, sie nach der Heimkehr der Petersburger Akademie zurück zu stellen. In dieser Bibliothek waren auch unter anderen etliche von Julius Klaproth einst an der chinesischen Grenze zurück gelassene Bücher, die mit seinem chinesischen Siegel, dem Spruch von Confucius: „Die Gelehrten sind das Licht der Finsterniß", gestempelt waren. Dieses selbe Siegel, das besaß ich; ein Geschenk von Julius Klaproth im Jahre 1804 oder 1805, wo ich in Berlin vertraulich mit ihm lebte und von ihm chinesisch lernen wollte. Ich hatte dieses Siegel zufällig auf diese Reise mitgenommen; ich hatte es bei mir und hätte, es vorweisend, die Bücher als mein Eigenthum ansprechen können.

Von einem Naturforscher und Sammler, von Redowsky, der in

diesem Winkel der Erde ein unglückliches Ende nahm, rührten ein paar kleine Kisten her, die getrocknete Pflanzen und Löschpapier enthielten und womit Herr Rudokoff mir ein Geschenk machte. Auch das Papier war mir sehr erwünscht. Wie karg benutzte ich damals jedes Schnitzel; unsere Transparent-Gemälde aus Chile verbrauchte ich zu Saamenkapseln, und ich finde in einem aus St. Peter und Paul geschriebenen Briefe von mir dankbarlichst eines Bundes Fidibus erwähnt, das mir die Kinder eines Freundes in Kopenhagen geschenkt, als ich im Begriff war, zu Schiffe zu steigen.

Ich hatte mir in England eine gute Doppelflinte angeschafft. Der Kapitain selbst hatte uns damals die Weisung gegeben, uns mit Waffen zu versorgen. Ich hatte sie auf der Reise sehr wenig gebraucht, doch war ein Schloß nicht in gutem Stande, und sie war schmutzig, weil ich der Geräthschaften entblößt war, ein Gewehr in Stand und rein zu erhalten. Es borgte sie in St. Peter und Paul Jemand von mir, und ich war dessen unmaßen froh, erwartend, es würde ihr nun ihr Recht geschehen, und sie würde wie neu aussehen, wann sie in meine Hände wieder käme. Darin hatte ich mich nun geirrt; ich bekam sie ungeputzt zurück und die Noth war größer als zuvor. Der Gouverneur hatte meine Flinte gesehen und wünschte sie zu besitzen; er beauftragte den Kapitain, mit mir über den Preis, den ich darauf setzen wollte, zu unterhandeln. Nachdem ich mich vergewissert, daß Herr von Kotzebue, der sich Herrn Rudokoff gefällig zu erweisen trachtete, selber wünschte den Handel zu Stande zu bringen, sagte ich zu ihm, daß, insofern die Flinte, wie er anzunehmen scheine, mir als Nothwehrwaffe entbehrlich sei, ich sie gern Herrn Rudokoff überlassen wollte; ich wisse aber nicht sie in Geld abzuschätzen und sei auch kein Handelsmann. Er möge nur die Thiere und Vögel, die er damit bis zur Zeit unserer Rückkunft schießen würde, von seinen Leuten ausbalgen lassen und mir die Häute verwahren; das solle der Preis sein. Diese Wendung des Handels schien allen Theilen gleich erfreulich und würde auch den Berliner Museen trefflich zu Statten gekommen sein, wenn wir nicht unterlassen hätten, nach Kamtschatka zurück zu kehren.

Der Lieutenant Wormskiold blieb in St. Peter und Paul. Er wollte sein am Bord des Rurik's nach den Instrumenten der Expedition geführtes meteorologisches Journal nur unter Bedingungen mittheilen, auf die sich Herr von Kotzebue nicht einlassen mochte. Dieser, zu dessen Verfügung ich für den eingetroffenen Fall meine Baarschaft gestellt hatte, gab mir, ohne von jener Gebrauch gemacht zu haben, mein Wort zurück. Auch der kranke Lieutenant Sacharin mußte, obgleich ungern, hier von der Expedition scheiden. Wir drückten uns herzlich die Hände. Er hätte wirklich nicht unternehmen sollen, was auszuführen er körperlich nicht im Stande war; denn der Dienst des Seeoffiziers hat Beschwerden, denen der Passagier fremd bleibt.

Unsern lustigen Gesellen, den Affen, schenkte der Kapitain dem Gouverneur. Man möchte meinen, wenn Affen, wie auf Schiffen geschieht, auf vertraulichem Fuße mit den Menschen leben, daß sie, geschickt, neu- und wißbegierig wie sie sind, es weit in der Bildung bringen könnten, wenn sie nur hätten, was zu einem Gelehrten gehört und was ihnen die Natur vorenthalten hat: Sitzfleisch. Sie haben keine Geduld. Das Alles gilt vielleicht mehr noch von den ostindischen Affen, die wir später an Bord nahmen, als von diesem Brasilianer.

Der Kapitain erhielt zur Verstärkung der Mannschaft des Rurik's sechs Matrosen von dem hiesigen Kommando und einen Aleuten von der russisch-amerikanischen Handelscompagnie. Dieser war ein viel erfahrener, sehr verständiger Mann. — Diese sieben Mann sollte Herr von Kotzebue bei seiner Rückkunft in Kamtschatka im andern Jahre wieder abgeben. Er nahm außerdem eine Baidare an Bord, die er hier verfertigen lassen: ein offenes, flaches Boot, das aus einem leicht gezimmerten, mit Robbenhäuten überzogenen, hölzernen Gerippe besteht und beim Uebernachten auf dem Lande als Zelt oder Schutzwehr gegen den Wind gebraucht wird.

Wir alle hatten uns mit Parken versehen, und mehrere hatten sich Bärenhäute zum Lager angeschafft. Die Parke ist das gewöhnliche Pelzkleid dieser Nordvölker, ein langes, aus Rennthierfell verfertigtes Hemd ohne Schlitzen, mit daran hängender Haube oder Kapuze. Manche sind zwiefältig mit Rauchwerk nach innen und außen.

Wir verließen am 14. Juli 1816 den Hafen von St. Peter und Paul und konnten erst am 17. aus der Bucht von Awatscha auslaufen.

Nordfahrt von Kamtschatka aus in die Beringsstraße.

St. Laurenzinsel. Kotzebue's Sund. St. Laurenzbucht im Lande der Tschuktschi. Unalaschka.

„Zur Erforschung einer nordöstlichen Durchfahrt“ sind Worte, die die „Entdeckungsreise von Otto von Kotzebue in die Südsee und nach der Beringsstraße“ an der Stirn trägt. Nun aber segeln wir nach Norden, der Beringsstraße zu, und es dünkt mich an der Zeit zu sein, euch, die ihr mir bis jetzt auf gut Glück gefolgt seid, ohne zu wissen, wohin die Reise ging und was sie beabsichtigte, nachträglich über den Hauptzweck derselben und den Plan, nach welchem er verfolgt werden sollte, die Aufklärungen zu geben, die ich selber nur nach und nach erhalten hatte. Die Sommercampagne 1816 sollte einer bloßen Rekognoscirung gewidmet sein. Ein Hafen, ein sicherer Ankerplatz für das Schiff, sollte in Norton-Sound, oder noch besser im Norden der Straße aufgefunden werden, von wo aus mit Baidaren und Aleuten*), diesen Amphibien dieser Meere, den eigentlichen Zweck der Expedition anzugreifen, der zweiten Sommercampagne vorbehalten bliebe. Früh sollten wir dann in Unalaschka eintreffen, wo unsere Ausrüstung für das nächste Jahr von dem Beamten der russisch-amerikanischen Compagnie beschafft werden sollte: Baidaren, Mannschaft, Mundvorrath für dieselbe, und Dolmetscher, welche die

*) Dreisylbig: A-le-ut. So spreche ich das Wort mit den Russen aus. Meine Jungen, die in Klein-Quarta sitzen, wissen es freilich besser und verweisen es mir. — Daß es zweisylbig A-leut heißen muß, weiß jedes Kind.

Sprachen der nördlichen Eskimos verstünden. Diese Dolmetscher würden von Kodiak bezogen werden müssen; wohin von Unalaschka aus einen Boten auf dreisitziger Baidare die Küsten der Inseln und des festen Landes entlang zu senden, je später im Jahre, desto fahrvoller und unzuverlässiger sei. Deshalb durften wir uns jetzt nicht verspäten. Die Zeit des nordischen Winters sollten wir dann in Sommerlanden verbringen, theils der Mannschaft die erforderliche Erholung gönnen, theils anderwärtigen geographischen Untersuchungen obliegen, dann im Frühjahr 1817 nach Unalaschka zurückkehrend daselbst, was für unsere Nordfahrt vorbereitet worden, uns aneignen, und sobald das nordische Meer sich der Schifffahrt eröffnete, den Rurik in den vorbestimmten Hafen fahren, sichern und zurücklassen und mit Baidaren und Aleuten zur Erforschung einer nordöstlichen Durchfahrt so weit nach Norden und Osten zu Wasser oder zu Lande vordringen, als es uns ein gutes Glück gestattete. — Wenn die vorgerückte Jahreszeit oder die sonstigen Umstände unserer Unternehmung ein Ziel gesetzt, sollten wir die Rückfahrt über Kamtschatka antreten und auf der Heimkehr noch die fahrvolle Torresstraße untersuchen. Wahrlich, es war zweckmäßig, zu Entdeckungen im Eismeer die Söhne des Nordens und ihre Fahrzeuge zu gebrauchen. Nur mißlich war es, die ganze Hoffnung des Gedeihens auf den einzigen Wurf nur einer Campagne zu setzen, die ein ungünstiges Jahr vereiteln konnte. Aber mit Beharrlichkeit möchten am füglichsten von Unalaschka aus, durch Aleuten und wenige rüstige, abgehärtete Seemänner, welche nur die erforderlichen Ortsbestimmungen vorzunehmen befähigt wären, die letzten Fragen zu lösen sein, welche die Geographie dieser Meer- und Küstenstriche noch darbietet.

Die Sommercampagne 1816, deren Ergebniß in der Karte vorliegt, die Herr von Kotzebue von dem nach ihm benannten Sunde mittheilt, hat, was von ihr erwartet werden konnte, auf das befriedigendste geleistet. Der Kotzebue's Sund, ein tiefer Meerbusen, der im Norden der Straße unter dem Polarkreise in die amerikanische Küste eindringt, und dessen Hintergrund beiläufig einen Grad nördlicher und unter gleicher Länge liegt als der Hintergrund von Norton Sound, bietet den Schiffen im Schutze der Chamissoinsel den sichersten Ankerplatz und den vortrefflichsten Hafen dar. Herr von Kotzebue hat im Jahr 1817 darauf verzichtet, Vortheil von seiner Entdeckung zu ziehen, um weiteren Entdeckungen in das Eismeer entgegen zu gehen. Was der Romanzoff'schen Expedition aufgegeben war, ist seither von den Engländern verfolgt worden, und Kapitain Beechey mit dem Blossom hat in den Jahren 1826 und 27 von diesem selben Hafen aus einen Theil der amerikanischen Küste im Eismeer aufgenommen.

Ich kehre zu unserer Nordfahrt zurück. Ihr Zweck war die Geographie. Wir haben zwar mit den Eingeborenen, den Bewohnern der St. Laurenzinsel, den Eskimos der amerikanischen Küste, den Tschuktschi der asiatischen, häufig verkehrt; doch haben wir mit und unter ihnen nicht gelebt. Die Karte und der Bericht von Herrn von Kotzebue, das Zeichenbuch des Malers, das er in seinem Voyage pittoresque offen hält, werden belehrender sein als mein dürftiges Tagebuch. Uebrigens was ich über diese Völker mongolischer Race zu sagen gewußt, habe ich am Schlusse des Aufsatzes, den ich den Nordlanden in meinen Bemerkungen und Ansichten gewidmet habe, in wenige Worte zusammengedrängt.

Am 17. Juli 1816 liefen wir aus der Bucht von Awatscha aus und hatten am 20. Ansicht von der Beringsinsel, deren westliches Ende sich mit sanften Hügeln und ruhigen Linien zum Meere senkt. Sie erschien uns im schönen Grün der Alpentriften; nur stellenweise lag Schnee.

Von der Beringsinsel richteten wir mit günstigem Winde unsern Cours nach der Westspitze der St. Laurenzinsel. Wir waren in den dichtesten Nebel gehüllt; er zertheilte sich am 26. auf einen Augenblick; ein Berggipfel ward sichtbar; der Vorhang zog sich wieder zu. Wir lavirten in der gefährlichen Nähe des nichtgesehenen Landes.

An diesem Tage war die Erscheinung einer Ratte auf dem Verdeck ein Besorgniß erregendes Ereigniß. Ratten sind auf einem Schiffe gar verderbliche Gäste, und ihrer Vermehrung ist nicht zu steuern. Wir hatten bis jetzt keine Ratten auf dem Rurik gehabt; war diese in Kamtschatka an unsern Bord gekommen, konnten auch mehrere schon in den untern Schiffsraum eingedrungen sein. Eine

7*

Rattenjagd ward auf dem Verdeck als ein sehr ernstes Geschäft angestellt und drei Stück wurden erlegt. Es ist von da an keine mehr verspürt worden.

Am 27. steuerten wir auf das Land zu, das uns im heitersten Sonnenschein erschien, so wie wir in seiner Nähe aus der Nebeldecke des Meeres heraustraten. Zwei Boote wurden zu einer Landung ausgerüstet. Indem wir nach dem Ufer ruderten, begegneten wir einer Baidare mit zehn Eingebornen. Wir verkehrten mit ihnen, nicht ohne wechselseitig auf unserer Hut zu sein. Tabak! Tabak! war ihr lautes Begehren. Sie erhielten von uns das köstliche Kraut, folgten unsern Booten freundlich, fröhlich, vorsichtig, und leisteten uns beim Landen in der Nähe ihrer Zelte hülfreiche Hand. Die hier am Strande aufgerichteten Zelte von Robben- und Wallroßhäuten schienen Sommerwohnungen zu sein und die festen Wohnsitze der Menschen hinter dem Vorgebirge im Westen zu liegen. Von daher kam auch eine zweite Baidare herbei. Unser verständiger Aleut, der eine längere Zeit auf der amerikanischen Halbinsel Alaska zugebracht, fand die hiesige Völkerschaft den Sitten und der Sprache nach mit der dortigen verwandt und diente zu einem halben Dolmetscher. Während der Kapitain, der in ein Zelt geladen worden, den Umarmungen und Bestreichungen so wie der Bewirthung der freundlichen thranigen Leute, die er mit Tabak und Messern beschenkte, ausgesetzt blieb, bestieg ich allein und unbefährdet das felsige Hochufer und botanisirte. Selten hat mich eine Herborisation freudiger und wunderlicher angeregt. Es war die heimische Flora, die Flora der Hochalpen unserer Schweiz zunächst der Schneegrenze, mit dem ganzen Reichthum, mit der ganzen Fülle und Pracht ihrer dem Boden angedrückten Zwergpflanzen, denen sich nur wenige eigenthümliche harmonisch und verwandt zugesellten. Ich fand auf der Höhe der Insel, unter dem zertrümmerten Gesteine, das den Boden ausmacht, einen Menschenschädel, den ich unter meinen Pflanzen sorgfältig verborgen mitnahm. Ich habe das Glück gehabt, die reiche Schädelsammlung des Berliner anatomischen Museums mit dreien nicht leicht zu beschaffenden Exemplaren zu beschenken: diesem von der St. Laurenzinsel, einem Aleuten aus einem alten Grabmal auf

Unalaschka, und einem Eskimo aus den Gräbern der Bucht der guten Hoffnung in Kotzebue's Sund. Von den dreien war nur der letztere schadhaft. Nur unter kriegerischen Völkern, die, wie die Nukahiwer, Menschenschädel ihren Siegestrophäen beizählen, können solche ein Gegenstand des Handels sein. Die mehrsten Menschen, wie auch unsere Nordländer, bestatten ihre Todten und halten die Gräber heilig. Der Reisende und Sammler kann nur durch einen seltenen glücklichen Zufall zu dem Besitze von Schädeln gelangen, die für die Geschichte der Menschenracen von der höchsten Wichtigkeit sind.

Wir erreichten gegen zwei Uhr Nachmittags das Schiff und verbrachten, in den tiefen Nebel wieder untergetaucht, noch den 28. und den Vormittag des 29. in der Nähe der Insel, um deren westliches Ende wir unsern Cours nahmen. Am Abend des 28. hob sich die Nebeldecke, das Land ward sichtbar, und wir erhielten auf drei Baidaren einen zahlreichen Besuch der Eingeborenen, in deren Führer der Kapitain seinen freundlichen Wirth vom vorigen Tage erkannte. Nach vorgegangener Umarmung und Reiben der Nasen an einander wurden Geschenke und Gegengeschenke gewechselt und ein lebhafter Tauschhandel begann. In kurzer Zeit waren wir alle und unsere Matrosen reichlich mit Kamlaiken versehen. Die Kamlaika ist das gegen Regen und Uebergießen der Wellen schützende Oberkleid dieser Nordländer, ein Hemde mit Haube oder Kapuze aus der feinen Darmhaut verschiedener Robben und Seethiere verfertigt; die Streifen ring- oder spiralförmig wasserdicht mit einem Faden von Flechsen von Seethieren an einander genäht; die Nähte zuweilen mit Federn von Seevögeln oder Anderem verziert. Die gröbste Kamlaika muß für die geübteste Nähterin die Arbeit von mehreren, von vielen Tagen sein, — sie wurden ohne Unterschied für wenige Blätter Tabak, so viel wie etwa ein Raucher in einem Vormittag aufrauchen könnte, freudig hingegeben.

Die sonderbare Sitte des Tabakrauchens, deren Ursprung zweifelhaft bleibt, ist aus Amerika zu uns herübergekommen, wo sie erst seit beiläufig anderthalb Jahrhunderten Anerkennung zu finden beginnt. Von uns verbreitet, ist sie unversehens zu der allgemeinsten

Sitte der Menschen geworden. Gegen zwei, die von Brod sich ernähren, könnte man fünf zählen, welche diesem magischen Rauche Trost und Lust des Lebens verdanken. Alle Völker der Welt haben sich gleich begierig erwiesen, diesen Brauch sich anzueignen; die zierlichen, reinlichen Lotophagen der Südsee und die schmutzigen Ichthyophagen des Eismeeres. Wer den ihm einwohnenden Zauber nicht ahnet, möge den Eskimo seinen kleinen steinernen Pfeifenkopf mit dem kostbaren Kraut anfüllen sehen, das er sparsam halb mit Holzspänen vermischt hat; möge sehen, wie er ihn behutsam anzündet, begierig dann mit zugemachten Augen und langem, tiefem Zuge den Rauch in die Lungen einathmet und wieder gegen den Himmel ausbläst, während Aller Augen auf ihm haften und der Nächste schon die Hand ausstreckt, das Instrument zu empfangen, um auch einen Freudenzug auf gleiche Weise daraus zu schöpfen. Der Tabak ist bei uns hauptsächlich, und in manchen Ländern Europa's ausschließlich Genuß des gemeinen Volkes. — Ich habe immer nur mit Wehmuth sehen können, daß grade der kleine Antheil von Glückseligkeit, welchen die dürftigere Klasse vor den begünstigteren voraus nimmt, mit der drückendsten Steuer belastet werde, und empörend ist es mir vorgekommen, daß, wie zum Beispiel in Frankreich, für das schwer erpreßte Geld die schlechteste Waare geliefert werde, die nur gedacht werden kann.

Wir hatten am 29. Ansicht vom Nordcap der Insel, einer steilen Felsklippe, an welche sich eine Niederung anschließt, worauf Jurten der Eingeborenen gleich Maulwurfshaufen erschienen, von den Hängeböden umstellt, auf denen, was aus dem Bereich der Hunde gehalten werden soll, verwahrt wird. Es stießen sogleich drei Baidaren vom Lande ab, jegliche mit beiläufig zehn Insulanern bemannt, die, bevor sie an das Schiff heranruderten, religiöse Bräuche vollbrachten. Sie sangen eine Zeitlang eine langsame Melodie; dann opferte einer aus ihrer Mitte einen schwarzen Hund, den er emporhielt, mit einem Messerstich schlachtete und in das Meer warf. Sie näherten sich erst nach dieser feierlichen Handlung, und etliche stiegen auf das Verdeck.

Am 30. erhellte sich das Wetter; wir sahen am Morgen die

Kingsinsel; bald darauf das Cap Wales, die Gwozdeff'sinseln (welche vier vereinzelt stehende Felsensäulen in der Mitte der Straße sind) und selbst die asiatische Küste. Cook hatte nur drei der vorerwähnten Felsen gesehen; der vierte, die Ratmanoffinsel von Kotzebue, ist eine neue Entdeckung von diesem. Wir fuhren durch die Straße, auf der amerikanischen Seite in einer Entfernung von beiläufig drei Meilen vom Ufer, Nachmittag gegen die zweite Stunde.

Ich habe hier eine Frage zu beantworten, die in den Gedanken der Wissenschaft den unaufhaltsamen Fortschritt der Zeit und der Geschichte bezeichnet. — Ihr Starren, die ihr die Bewegung leugnet und unterschlagen wollt, seht, ihr selber, ihr schreitet vor. Eröffnet ihr nicht das Herz Europa's nach allen Richtungen der Dampfschifffahrt, den Eisenbahnen, den telegraphischen Linien, und verleihet dem sonst kriechenden Gedanken Flügel? Das ist der Geist der Zeit, der, mächtiger als ihr selbst, euch ergreift. — Gauß aus Göttingen zuerst fragte mich im Herbst 1828 zu Berlin, und die Frage ist seither wiederholt an mich gerichtet worden: ob es möglich sein werde oder nicht, die geodätischen Arbeiten und die Triangulirung von der asiatischen nach der amerikanischen Küste über die Straße hinaus fortzusetzen? Diese Frage muß ich einfach bejahend beantworten. Beide Pfeiler des Wasserthores sind hohe Berge, die in Sicht von einander liegen, steil vom Meer ansteigend auf der asiatischen Seite, und auf der amerikanischen den Fuß von einer angeschlemmten Niederung umsäumt. Auf der asiatischen Seite hat das Meer die größere Tiefe, und der Strom, der von Süden in die Straße mit einer Schnelligkeit von zwei bis drei Knoten hineinsetzt, die größere Gewalt. Wir sahen nur auf der asiatischen Seite häufige Wallfische und unzählbare Heerden von Wallrossen. Die Berghäupter mögen wohl die Nebeldecke überragen, die im Sommer über dem Meere zu ruhen pflegt; aber es wird auch Tage geben, wie der 30. Juli 1816 einer war.

Als die Niederung der amerikanischen Küste sich über unsern Gesichtskreis zu erheben begann, schien ein Zauberer sie mit seinem Stabe berührt zu haben. Stark bewohnt, ist sie von Jurten übersäet, die von Gerüsten und Hängeböden umringt sind, deren Pfeiler,

Wallfischknochen oder angeschlemmte Baumstämme, die Böden, die sie tragen, überragen. Diese Gerüste nun erschienen zuerst am Horizonte im Spiele der Kimming (Mirage) durch ihr Spiegelbild verlängert und verändert. Wir hatten die Ansicht von einer unzählbaren Flotte, von einem Walde von Masten.

Wir verfolgten jenseit der Straße die Küste nach O. N. O. in möglichster Nähe des Landes in 5 bis 7 Faden Tiefe. Das Land war, bis auf wenige Punkte auf den Höhen des Innern, frei von Schnee und begrünt. Wir ließen am Morgen des 31. die Anker vor einem Punkte fallen, wo das niedere Ufer sich außer Sicht verlor, als sei da die Mündung eines Flusses oder der Eingang eines Meerarmes. Wir landeten unserm Ankerplatz gegenüber und befanden uns auf einer schmalen, flachen Insel, die, wie die Barre eines Flusses, einen breiten, durch die Niederung sich ergießenden Wasserstrom halb absperrte: die Sarytscheffsinsel und die Schischmareffbucht von Kotzebue's Karte. Die Tiefe in der Mitte der breiteren N. W. Einfahrt betrug 8 Faden, und der Strom setzte, bei steigender Fluth, landeinwärts.

Auf der Insel Sarytscheff umringten uns alle Täuschungen der Kimming. Ich sah eine Wasserfläche vor mir, in der sich ein niedriger Hügel spiegelte, welcher sich längs des jenseitigen Ufers hinzog. Ich ging auf dieses Wasser zu; es verschwand vor mir und ich erreichte trocknen Fußes den Hügel. Wie ich ungefähr den halben Weg dahin zurückgelegt, war ich für Eschscholtz, der da zurückgeblieben war, von wo ich ausgegangen, bis auf den Kopf in die spiegelnde Luftschicht untergetaucht, und er hätte mich, so verkürzt, eher für einen Hund als für einen Menschen angesehen. Weiter vorschreitend dem Hügel zu, tauchte ich mehr und mehr aus derselben Schichte hervor, und ich erschien ihm, verlängert durch mein Spiegelbild, länger und länger, riesig, schmächtig.

Das Phänomen des Mirage zeigt sich übrigens auch auf den weiten Ebenen unserer Torfmoore, zum Beispiel bei Linum, wo ich es selbst beobachtet habe. Man sieht es in vertikaler Richtung und kann die Bedingungen, unter welchen es entsteht, an weiten, sonnenbeschienenen Mauerflächen (zum Beispiel an den Ringmauern Berlin's außerhalb der Stadt nach Süden und Westen) am bequemsten studiren, wenn man allmälig das Auge bis dicht an die Mauer nähert. — Wenn sich das Land über den Horizont erhebt, wie sich der Seemann auszudrücken pflegt, ist die Linie, die für den Horizont gehalten wird, der näher dem Auge liegende Rand einer von der untern Schicht der Luft gebildeten Spiegelfläche; eine Linie, die wirklich tiefer als der sichtbare Horizont liegt. Ich glaube, daß diese Täuschung in manchen Fällen auf astronomische Beobachtungen Einfluß haben und in dieselben einen Irrthum von fünf und vielleicht mehreren Minuten bringen kann. — So müßte man dann den Mirage nebst der Deviation der Deklination der am Bord beobachteten Magnetnadel zu den Ursachen rechnen, die in den Polargegenden der Genauigkeit der astronomischen Beobachtungen und Küstenaufnahmen entgegenstehen. Die Deviation (vergleiche Flinders, Roß, Scoresby 2c. 2c.) war schon zur Zeit unserer Reise zur Sprache gekommen. Ich glaube nicht, daß Herr von Kotzebue in dieser Hinsicht den Mirage oder die Deviation beachtet hat.

Wir waren bei Jurten gelandet, welche die Menschen verlassen hatten. Nur etliche Hunde waren zurück geblieben. Wir benutzten die Gelegenheit, die festen Winterwohnsitze dieser Menschen kennen zu lernen. Herr von Kotzebue hat I. S. 152 eine dieser Jurten beschrieben. Plan und Aufriß würden belehrender gewesen sein.

Eine Kammer von zehn Fuß ins Gevierte, die Wände sechs Fuß hoch, die Decke gewölbt, im Scheitelpunkt ein mit einer Blase verschlossenes viereckiges Fenster. Das Gebäude von Balken aufgeführt, die nach dem Innern abgeflacht. Der Thür gegenüber eine anderthalb Fuß erhöhte Pritsche als Schlafstelle, das Drittheil des Raumes einnehmend. Längs der Wände verschiedene leiterähnliche Hängeböden zur Aufstellung von Geräthschaften. Die Thür, eine runde Oeffnung von anderthalb Fuß Durchmesser in der Mitte der einen Wand. Maulwurfsgängen ähnliche, mit Holz belegte Stollen, die nur in einigen Theilen zum Aufrechtstehen erhöht sind, ziehen sich zwischen der innern Kammerthür und dem äußeren Eingange, der, drei Fuß hoch und viereckig, sich zwischen zwei Erdwällen nach S. O. eröffnet. Aus dem Hauptgange führt ein Nebenzweig zu einer Grube, worin der Wintervorrath, fußgroße Speckstücke, verwahrt wird; dabei Siebe mit langem Stiele, um den Speck heraus zu holen. Hauptgebäude und Zugänge von außen mit Erde überdeckt.

Während unsers Aufenthaltes auf der Insel fuhr eine Baidare der Eingeborenen unter Segel aus dem Meere zu dem S. W. Eingange in die Bucht und kam uns landeinwärts im Osten aus dem Gesichte. Zwei Männer, jeder auf einsitziger Baidare, kamen vom festen Lande, uns zu beobachten, waren aber nicht heran zu locken.

Die einsitzige Baidare ist diesen Völkern, was dem Kosacken sein Pferd ist. Dieses Werkzeug ist eine schmale, lange, nach vorn langzugespitzte Schwimmblase von Robbenhäuten, die auf ein leichtes hölzernes Gerippe gespannt sind. In der Mitte ist eine runde Oeffnung; der Mann sitzt mit ausgestreckten Füßen darin und ragt mit dem Körper daraus hervor. Er ist mit dem Schwimmwerkzeuge durch einen Schlauch von Kamlaikastoff verbunden, der, von gleicher Weite als die Oeffnung, dieselbe umsäumt, und den er um den eigenen Leib unter den Armen festschnürt. Sein leichtes Ruder in der Hand, seine Waffen vor sich, das Gleichgewicht wie ein Reiter haltend, fliegt er pfeilschnell über die bewegliche Fläche dahin. — Dieses bei verschiedenen Völkerschaften nur wenig verschieden gestaltete Werkzeug ist aus Reisebeschreibungen und Abbildungen genug bekannt, und es haben sich uns in den Hauptstädten Europa's Eskimos damit gezeigt. — Die große Baidare hingegen, das Frauenboot, ist dem schweren Fuhrwerk zu vergleichen, das dem Zuge der Nomaden folgt.

Als wir gegen Abend wieder an das Schiff fuhren, ruderten uns drei Baidaren der Eingeborenen nach, jede mit zehn Mann bemannt. Sie banden mit dem einen Boote an, welches zurückgeblieben war, und worauf der Kapitain, der Lieutenant Schischmareff und nur vier Matrosen sich befanden. Die Eskimos, welche das Feuergewehr nicht zu kennen schienen, nahmen eine drohende Stellung an, enthielten sich jedoch der Feindseligkeiten und folgten dem Boote bis an das Schiff, auf welches zu kommen sie sich nicht bereden ließen.

Wir folgten der immer niedern Küste in unveränderter Richtung, bis wir am 1. August gegen Mittag uns am Eingang eines weiten Meerbusens befanden. Das Land, dem wir folgten, verlor sich im Osten, und ein hohes Vorgebirge zeigte sich fern im Norden. Der Wind verließ uns; wir warfen die Anker; der Strom setzte stark in die Oeffnung hinein. Die Ansicht der Dinge war vielversprechend. Wir konnten am Eingang eines Kanales sein, der das Land im Norden als eine Insel von dem Kontinente trennte und die fragliche Durchfahrt darböte. Um wenigstens einen Hügel zu besteigen und das Land von einem höheren Standpunkte zu erkunden, ließ Herr von Kotzebue ans Land fahren. Hier, auf dem Cap Espenberg seiner Karte, besuchten uns die Eingeborenen in großer Anzahl. Sie zeigten sich, wie es wackern Männern geziemt, zum Kriege gerüstet, aber zum Frieden bereit. Ich glaube, daß es hier war, wo, bevor wir ihrer ansichtig geworden, ich allein und ohne Waffen auf meine eigene Hand botanisirend, unversehens auf einen Trupp von beiläufig zwanzig Mann stieß. Da sie keinen Grund hatten, gegen mich den Einzelnen auf ihrer Hut zu sein, nahten wir uns gleich als Freunde. Ich hatte als hier gültige Münze dreikantige Nadeln mit, wie man sie in Kopenhagen, dem Bedürfnisse dieses selben Menschenstammes angemessen, für den Handel mit Grönland vorfindet. — Das Oehr ist eine unnütze Zugabe; zum Gebrauche wird es abgebrochen und der Faden von Thierflechse an den Stahl angeklebt. — Ich zog meine Nadelbüchse heraus und beschenkte die Fremden, die sich in einen Halbkreis stellten, vom rechten Flügel anfangend der Reihe nach jeden mit zwei Nadeln. Eine werthvolle Gabe. Ich bemerkte stillschweigend, daß einer der ersten, nachdem er das ihm Zugedachte empfangen, weiter unten in das Glied trat, wo ihm die Andern Platz machten. Wie ich an ihn zum zweiten Male kam und er mir zum zweiten Male die Hand entgegenstreckte, gab ich ihm darein anstatt der erwarteten Nadeln unerwartet und aus aller Kraft einen recht schallenden Klapps. Ich hatte mich nicht verrechnet; Alles lachte mit mir auf das lärmendste; und wann man zusammen gelacht hat, kann man getrost Hand in Hand gehen.

Mehrere Baidaren folgten uns an das Schiff, und da ward gehandelt und gescherzt. Den Handel scheinen sie wohl zu verstehen.

Sie erhielten von uns Tabak und minder geschätzte Kleinigkeiten, Messer, Spiegel u. s. w.; aber lange Messer, welche sie für ihre kostbaren Pelzwerke haben wollten, hatten wir ihnen nicht anzubieten. Wir erhandelten von ihnen elfenbeinerne Arbeiten, Thier- und Menschengestalten, verschiedene Werkzeuge, Zierrathen u. s. w.

Der Wind erhob sich gegen Abend aus Süden, und wir segelten nach Osten in die Straße hinein. Am Morgen des 2. hatten wir noch im Norden hohes Land, im Süden eine niedrige Küste, und vor uns im Osten ein offenes Meer. Erst am Abend stiegen einzelne Landpunkte am Horizont herauf und vereinigten sich und zogen eine Kette zwischen beiden Küsten. Nur eine Stelle schien der Hoffnung noch Raum zu geben. Das Wetter ward uns ungünstig; wir fuhren erst am 3. August durch einen Kanal zwischen einem schmalen Vorgebirge des Landes im Norden und einer Insel, und warfen an gesicherter Stelle die Anker. Die Ufer um uns waren Urgebirge; die Aussicht nur im Norden noch frei. Diese Stelle zu untersuchen ward am 4. eine Exkursion mit Barkasse und Baidare unternommen, und bald schloß sich um uns eine Bucht, die nach Norden und Osten in angeschlemmtes Land eindringt; die Ufer abstürzig von beiläufig 80 Fuß Höhe, die Rücken sanft wellenfaltig zu einer unabsehbaren, nackten, torfbenarbten Ebene sich dehnend. Wir bivouakirten die Nacht unter der Baidare und kehrten am 5. bei ungünstigem Wetter zu dem Schiffe zurück. Die Hoffnung blieb noch, die Mündung eines Flusses zu entdecken. Am 7. ward eine zweite Exkursion nach der Bucht im Norden unternommen; am 8. schlug uns ein Sturm nach unserm Bivouak wieder zurück. An diesem Tage entdeckte Eschscholtz, der, während wir Anderen weiter zu dringen versuchten, westwärts längs des Ufers dem Urgebirge und dem Ankerplatze zu zurück ging, die sogenannten Eisberge, denen die mit dem Norden und den Reisen im Norden nicht Vertrauten fast zu viel Aufmerksamkeit geschenkt zu haben scheinen. Ich habe Beechey über dieses Eisufer sorgfältig gelesen und geprüft, und kann doch nicht anders, als einfach bei der Ansicht beharren, die ich in meinen Bemerkungen und Ansichten ausgesprochen habe. Entweder war in den Jahren von 1816 bis 1826 die Zerstörung des Eis-

Klintes schnell fortgeschritten und hatte die Grenze von der Eisformation und dem Sande erreicht, oder ihre Wirkung hatte die Verhältnisse, die uns noch deutlich waren, bemäntelt. Die ruhige Lagerung in wagerechten Schichten, die an der Eiswand deutlich zu erkennen war, läßt meines Erachtens die Vorstellung von Beechey nicht aufkommen. — Die Zeugnisse scheinen mir darüber übereinstimmend*), daß in Asien und Amerika unter hohen Breiten das angeschlemmte Land nirgends im Sommer aufthaut; daß, wo es untersucht worden, dasselbe bis zu einer großen Tiefe fest gefroren befunden worden ist, und daß stellenweise das Eis, oft Ueberreste urweltlicher Thiere führend, als Gebirgsart und als ein Glied der angeschlemmten Formation vorkommt, mit vegetabilischer Erde überdeckt und gleich anderem Grunde begrünt. (Ausfluß der Lena und des Mackenzie-River, Kotzebue-Sund.) Wo aber die Erde den alten Kern zu Tage zeigt, da mögen andere Temperaturverhältnisse Statt finden, und unter gleichen Breiten mit der Eisformation Quellen anzutreffen sein.

Ich zweifle nicht, daß die Mammuthzähne, die wir hier sammelten, aus dem Eise herrühren; die Wahrheit ist aber, daß die, welche uns in die Hände fielen, bereits von den Eingeborenen, auf deren Landungs- und Bivouakplatze wir selber bivouakirten, aufgelesen, geprüft und verworfen worden waren. Ist es aber das Eis, welches die Ueberbleibsel urzeitlicher Thiere führt, so möchte es älteren Ursprungs sein, als der Sand, in dem ich nur Rennthiergeweihe und häufiges Treibholz angetroffen habe, dem völlig gleich, das noch jetzt an den Strand ausgeworfen wird. Daß dieses Eisufer sich zwischen dem Urgebirge und dem Sande erstreckt, ist auch nicht zu übersehen.

Ich hatte mehrere Bruchstücke fossilen Elfenbeines gesammelt und sorgfältig bei Seite gelegt; — damit wurde in der Nacht das Bivouakfeuer unterhalten. Ich mußte froh sein, nachträglich noch den Hauer, den Molarzahn und das Bruchstück zu finden, die ich

---

*) Ich bitte hier zu vergleichen, was ich in der Linnaea, 1829, T. IV. p. 58 und folg. gesagt habe, und die p. 61 angeführten Autoritäten.

dem Berliner mineralogischen Museum verehrt habe. Schildwacht habe ich dabei stehen und selber die Last bis in das Boot tragen müssen. Jede Hülfe und selbst ein schützendes Wort wurde mir verweigert. Der Hauzahn, der mir einerseits zu dick und anderseits zu wenig gekrümmt schien, um dem Mammuth anzugehören, ist doch von Cuvier in seinem großen Werke auf meine Zeichnung und Beschreibung hin dieser Art zugeschrieben worden.

Die Bucht, worin wir waren, erhielt den Namen Eschscholtz; die Insel, in deren Schutz der Rurik vor Anker lag, den meinen. (Sie ist in meinen Bemerkungen und Ansichten ungenannt.) Sowohl auf der sandigen Landzunge, auf welcher wir bivouakirten, als auf der urfelsigen Insel war die Variation der Magnetnadel durchaus unregelmäßig. —

Auf Exkursionen, wie diese, hatte meine Sekundenuhr von Schunigk zu Berlin die Ehre, Chronometerdienst zu thun; selbst ihrer nicht bedürftig, hatte ich sie dem Kapitain zum Gebrauch ganz überlassen. Nach zweitägigem Bivouak, wobei uns das englische Patentfleisch (frisches Fleisch und Brühe in Blechkasten eingefüllt, die ohne leeren Raum zugelöthet sind) sehr guten Dienst geleistet hatte, kehrten wir am dritten Tage, am 9. August Morgens, zu dem Schiffe zurück. Während unserer Abwesenheit hatten uns die Eingeborenen auf zwei Baidaren einen Besuch zugedacht, der aber, nach dem Befehl des Kapitains, nicht angenommen worden war. Der Hintergrund von Kotzebue's Sund ist unbewohnt, und man findet an dessen Ufern nur Landungs- und Bivouakplätze der Eingeborenen. Ein solcher findet sich zum Beispiel auf der Chamisso's-Insel und ein anderer bei den Eisbergen der Eschscholtz-Bucht; diesen besuchen sie vielleicht hauptsächlich nur um Elfenbein zu sammeln.

Es regnete am 10. August; Nachmittags klärte sich das Wetter auf, und wir gingen unter Segel. Es blieb uns ein Theil der südlichen Küste zu untersuchen. Wir warfen die Anker als es dunkelte, und wurden von Eingeborenen besucht. Wir nahten uns am 11. einem hohen Vorgebirge (das Cap Betrug der Karte), von welchem aus etliche Baidaren an uns ruderten. Zwischen diesem Vorgebirge und dem nördlich von ihm liegenden Cap Espenberg fand sich die niedrige Küste von einer weiten Bucht ausgerandet. Die Tiefe des Wassers nahm ab; wir warfen die Anker und trafen sogleich Anstalten ans Land zu fahren. Dort ließ sich die Mündung eines Flusses erwarten. — Es war schon spät am Nachmittag; ein dichter Nebel überfiel uns und zwang uns an das Schiff zurückzukehren. Wir bewerkstelligten am 12. früh die beabsichtigte Landung, aber die stark abnehmende Tiefe des Wassers erlaubte uns nur auf einem sehr entfernten Punkte, beiläufig sechs Meilen vom Schiffe, anzufahren. Ein Kanal, der sich durch die Niederung schlängelt, ins Meer mündet, und in welchen der Strom landeinwärts hinein zu setzen scheint, beschäftigte den Kapitain. Ich fand ihn, wie ich von einer botanischen Exkursion zurückkehrte, mit einem Eingeborenen, von dem er einige Auskunft über die Richtung und Beschaffenheit jenes Stromes zu erhalten sich bemühte. Dieser Mann, der mit seiner Familie allein sein Zelt hier aufgeschlagen hatte, war mit seinem Knaben, kampffertig, den Pfeil auf dem Bogen, dem Kapitain entgegen getreten, als sich dieser mit vier Mann Begleitung gezeigt. Er hatte sich entschlossen, muthig und klug benommen, wie einem tapfern Mann gegen Fremde geziemt, die ihm an Kraft überlegen sind, und deren Gesinnung er verdächtigen muß. Der Kapitain, indem er seine Begleiter entfernte und allein ohne Waffen auf ihn zuging, hatte den Mann beschwichtigt, und Geschenke hatten den Frieden besiegelt. Der Eskimo hatte ihn gastlich unter seinem Zelte aufgenommen, wo er sein Weib und zwei Kinder hatte; doch schien ihm nicht heimlich bei den zudringlichen Fremden zu werden. Ich maßte mir auch hier mein altes Dolmetscheramt an; ich stellte mich pantomimisch, als ruderte ich den Strom landeinwärts, und fragte den Freund mit Blick und Hand: wohin? und wann? Er faßte sogleich die Frage und beantwortete sie sehr verständig: — Während neun Sonnen rudern, während neun Nächte schlafen, Land zur Rechten, Land zur Linken; — dann freier Horizont, freies Meer, kein Land in Sicht. — Ein Blick auf die Karte berechtigt zu der Vermuthung, daß dieser Kanal, mit dem sich der Strom der Schischmareffbucht vereinigen mag, nach dem Norton Sound führen kann.

Sobald es unserm Freunde gelang, von uns abzukommen, brach

er sein Zelt ab und zog mit seiner Familie an das entgegengesetzte Ufer. Wir aber richteten uns für die Nacht ein, am Fuß eines Hügels zu bivouakiren, der mit Grabmälern der Eingeborenen gekrönt war. Die Todten liegen über der Erde, mit Treibholz überdeckt und vor den Raubthieren geschützt; etliche Pfosten ragen umher, an denen Ruder und andere Zeichen hangen. Unsere habsüchtige Neugierde hat diese Grabmäler durchwühlt; die Schädel sind daraus entwendet worden. Was der Naturforscher sammelte, wollte der Maler, wollte jeder auch für sich sammeln. Alle Geräthschaften, welche die Hinterbliebenen ihren Todten mitgegeben, sind gesucht und aufgelesen worden; endlich sind unsere Matrosen, um das Feuer unseres Bivouak zu unterhalten, dahin nach Holz gegangen und haben die Monumente zerstört. — Es wurde zu spät bemerkt, was besser unterblieben wäre. Ich klage uns darob nicht an; wahrlich, wir waren alle des menschenfreundlichsten Sinnes, und ich glaube nicht, daß Europäer sich gegen fremde Völker, gegen „Wilde" (Herr von Kotzebue nennt auch die Eskimos „Wilde") musterhafter betragen können, als wir aller Orten gethan; namentlich unsere Matrosen verdienen in vollem Maße das Lob, das ihnen der Kapitain auch giebt. — Aber hätte dieses Volk um die geschändeten Gräber seiner Todten zu den Waffen gegriffen: wer mochte da die Schuld des vergossenen Blutes tragen?

Die Ankunft einer zahlreichen Schaar Amerikaner, die von der Gegend des Cap Betruges auf acht Baidaren anlangten und ihr Bivouak uns gegenüber aufschlugen, beunruhigte uns während der Nacht. Ihre Uebermacht gebot Vorsicht; wir hatten Wachen ausgestellt und die Gewehre geladen. Wir nahmen gegen sie die Stellung an, in der sich kurz zuvor einer von ihnen gegen uns gezeigt hatte. Einem lästigen Besuch auszuweichen, ließ der Kapitain noch bei Nacht das Bivouak abbrechen und zu den Rudern greifen. Aber es war die Zeit der Ebbe, und das Meer brandete über Untiefen, die wir bei hoher Fluth nicht bemerkt hatten. Der Kapitain scheint unsere Lage für sehr mißlich gehalten zu haben; „ich sah keinen Ausweg dem Tode zu entrinnen", das sind seine Worte. Ich war freilich auf der Baidare, die nur geringerer Gefahr ausgesetzt gewesen sein mag. Indeß setzte der anbrechende Tag unserer Verlegenheit ein Ziel, und wir erreichten, nicht ohne große Anstrengung von Seiten der Matrosen, wohlbehalten das Schiff.

Wir lichteten am 13. August die Anker, nachdem wir noch den Besuch von zwei Baidaren der Eingeborenen empfangen. Wir näherten uns dem hohen Vorgebirge, das auf der Nordseite den Eingang des Sundes begrenzt. Eine wohlbewohnte Niederung liegt vor dem Hochlande und vereinigt die Bergmassen, die von der See her als Inseln erscheinen mögen.

Der Hauptzweck unserer Sommer-Campagne war befriedigend erreicht und wir setzten hier unsern Entdeckungen ein Ziel. In die Nebel wieder eintauchend durchkreuzten wir das nördlich der Straße belegene Meerbecken zu der asiatischen Küste hinüber, längs welcher wir hinausfahren wollten, um dann in die St. Laurenzbucht im Lande der Tschuktschi einzulaufen. Wir hätten vielleicht die Zeit, die wir in der St. Laurenzbucht verbracht, auf eine Rekognoscirung nach Norden anwenden können und sollen, welche Rekognoscirung bei günstigen Umständen erfolgreicher ausfallen konnte, als bei ungünstigern die beabsichtigte zweite Campagne.

Der Südwind blies fortwährend und verzögerte unsere Fahrt; die Tiefe des Wassers nahm zu, die Temperatur nahm ab, und auch das Meer ward in der Nähe der winterlichen asiatischen Küste kälter gefunden. Wir lavirten in der Nacht vom 18. zum 19. gegen Wind und Strom, um zwischen dem Ostcap und der Insel Rattmanoff durch die Straße zu kommen; und am Morgen, als wir die Höhe der St. Laurenzbucht erreicht zu haben meinten, waren wir noch am Ostcap und nicht vorgeschritten. (30 Faden ist die größte Wassertiefe, die auf der Karte verzeichnet ist.) Da ein Lichtblick durch die Nebel uns das Vorgebirge erblicken ließ, steuerten wir dahin, warfen gegen Mittag die Anker in dessen Nähe und fuhren sogleich in zweien Booten an das Land. Die Tschuktschi empfingen uns am Strande, wie einen Staatsbesuch, freundschaftlich, aber mit einer Feierlichkeit, die uns alle Freiheit raubte. Sie ließen uns auf ausgebreitete Felle sitzen, aber luden uns in ihre Wohnungen nicht ein, die weiter zurück auf dem Hügel waren. Nach empfangenen Geschenken folgten uns ihrer etliche, und darunter die zwei Vornehmern, an das Schiff. Diese, bevor sie an Bord stiegen, schenkten dem Kapitain jeder einen Fuchspelz und kamen dann furchtlos mit ihrem Gefolge herauf. Herr von Kotzebue, der sie in seine Kajüte zog, wo ein großer Spiegel sich befand, bemerkt bei dieser Gelegenheit: „daß die nordischen Völker den Spiegel fürchten, die südlichen hingegen sich mit Wohlgefallen darin betrachten."

Wir benutzten einen Hauch des N. O., der sich am Nachmittag spüren ließ, um sogleich unter Segel zu gehen. Wallrosse, die wir am vorigen Tage einzeln gesehen, bedeckten, wie wir das Ostcap umfuhren, in unzählbaren Heerden das Meer und erfüllten die Luft mit ihrem Gebrüll; zahlreiche Wallfische spielten umher und spritzten hohe Wasserstrahlen in die Höhe. Wir steuerten bei Regen und Nebel nach der St. Laurenzbucht. Am 20. Mittags, als wir eben vor dem Eingange derselben waren, klärte das Wetter sich auf, und wir ließen um 3 Uhr die Anker hinter der kleinen sandigen Insel fallen, die den Hafen bildet.

Vom nächsten Ufer, auf welchem die Zelte der Tschuktschi den Rücken eines Hügels einnahmen, stießen zwei Baidaren ab, in deren jeder zehn Mann saßen. Sie näherten sich uns mit Gesang, hielten sich aber in einigem Abstande vom Schiffe, bis sie herbei gerufen wurden und dann ohne Furcht das Verdeck bestiegen. Wir trafen Anstalt, selber ans Land zu fahren, und unsere Gäste, mit unserer Freigebigkeit zufrieden, folgten uns. Sie ruderten auf ihren leichten Fahrzeugen viel schneller als unsere Boote, und belustigten sich, unsere Matrosen vergeblich mit ihnen wetteifern zu sehen.

Moorgrund und Schneefelder in der Tiefe; wenige seltene Pflanzen, die den alpinischen Charakter im höchsten Maße tragen. Die Hügel und Abhänge zertrümmertes Gestein, worüber Felsen-Wände und Zinnen sich nackt und kahl erheben, schneebedeckt, wo nur der Schnee liegen kann. — Starres Winterland.

Es waren zwölf der Zelte von Thierhäuten, groß und geräumig, wie wir noch keine gesehen. Ein alter Mann hatte Autorität über die Völkerschaft. Er empfing aufs ehrenvollste den Gast, dessen Erscheinung ihm jedoch bedrohlich scheinen mochte. Die Tschuktschi sind in ihren Bergen ein unabhängiges Volk und nicht geknechtet. Sie anerkennen die Oberherrschaft Rußland's nur in sofern, daß sie den Tribut auf den Marktplätzen bezahlen, wo sie zu wechselseitigem Vortheil mit den Russen handeln. Einer der aus Kamtschatka mitgenommenen Matrosen, der etwas Kariakisch sprach, machte sich hier nothdürftig verständlich. Der Kapitain theilte Geschenke aus, und weigerte sich, welche anzunehmen, was diesen Leuten seltsam bedünkte. Er wollte nur frisch Wasser und — etliche Rennthiere. Rennthiere wurden versprochen, aber sie aus dem Innern zu holen, würde ein paar Tage Zeit kosten. Man schied zufrieden auseinander.

Ich kann einen Zug nicht unterschlagen, der mir zu dem Bilde dieser Nordländer bezeichnend zu gehören scheint, und aus dem namentlich der Gegensatz hervorgeht, in welchem sie zu den anmuthsvollen Polynesiern stehen. Einer der Wortführer bei der vorerwähnten wichtigen Konferenz, während er vor dem Kapitain stehend mit ihm sprach, spreizte, unbeschadet der Ehrfurcht, die Beine auseinander und schlug unter seiner Parka sein Wasser ab.

Alle Anstalten waren getroffen, um am andern Tage eine Fahrt in Booten nach dem Hintergrunde der Bucht zu unternehmen. Das Wetter war am 21. ungünstig, und die Partie ward ausgesetzt. Die Tschuktschi aus Nuniago in der Metschigmenskischen Bucht (wo einst Cook gelandet) kamen auf sechs Baidaren, uns zu besuchen. Sie ruderten singend um das Schiff, an dessen Bord sie dann zutraulich stiegen. Sie stifteten Freundschaft mit den Matrosen, und ein Glas Branntwein erhöhte ihre Fröhlichkeit. Sie bezogen ein Bivouak am Strande, wo wir sie am Nachmittag besuchten und ihren Tänzen zusahen, die für uns wenig Reiz hatten.

Wir vollführten am 22. und 23. August mit Barkasse und Baidare die beabsichtigte Exkursion, deren Ergebniß in die Karte von Herrn von Kotzebue niedergelegt ist. Das Innere der Bucht ist unbewohnt. Am Ufer, wo wir am ersten Tage Mittagsrast hielten, erhielten wir etliche Wasservögel und zwei frisch getödtete Robben von tschuktschischen Jägern, die anfangs die Flucht vor uns ergreifen wollten, aber durch unsere Geschenke uns zu Freunden wurden. Die Vögel versorgten unsern Tisch; die Robben ließen wir liegen, um

8*

sie am andern Tage an Bord zu nehmen. Da sie aber während der Nacht, wahrscheinlich von Füchsen, angefressen worden, verschmähten wir sie ganz. Im Hintergrunde der Bucht, wo wir unser Bivouak aufschlugen, hatte sich die Ansicht des Landes und der Vegetation nicht verändert. Die Weiden erhoben sich kaum etliche Zoll über den Boden. Die Felsen um uns waren von weißem krystallinischem Marmor. Es fror Eis während der Nacht.

Gegen Mittag am Schiff angelangt, ward uns die Nachricht, daß unsere Rennthiere angekommen. Wir fuhren ans Land, sie in Empfang zu nehmen. Etliche waren geschlachtet, die andern ließen wir vor unsern Augen schlachten. Das Rennfleisch ist wirklich eine ganz vorzügliche Speise; aber wie köstlich schmeckt es nicht, wenn man lange Zeit hindurch zur Abwechslung vom alten Salzfleisch nur thranige Wasservögel oder Aehnliches gekostet hat. Ich vergaß unsere Robben, die des Bisses eines Fuchses halber verworfen zu haben mir eine vorurtheilsvolle sträfliche Verschwendung geschienen hatte. Die Tschuktschi zerlegten in diesen Tagen einen Wallfisch auf der sandigen Insel; sie boten uns Speckstücke an, aber wir begnügten uns mit unserm Rennfleische.

Am Abend besuchten uns noch neue Ankömmlinge. Auf einer der Baidaren befand sich ein Knabe, dessen possenhaftes Mienenspiel mit etlichen Tabaksblättern belohnt wurde. Ermuthigt durch den Erfolg, war er an Affenstreichen unerschöpflich, die er mit ursprünglicher Lustigkeit aufzuführen nicht ermüdete, immer neuen Lohn begehrend und einerntend. Das Lachen ist auch unter diesem Himmel, wie Rabelais treffend sagt, das Eigenthümliche des Menschen, wenn nämlich der Mensch noch unabhängig seiner angebornen Freiheit sich erfreut. Wir werden bald auf Unalaschka die nächsten Verwandten dieser fröhlichen Nordländer antreffen, die das Lachen gänzlich verlernt haben. Ich habe sehr verschiedene Zustände der Gesellschaft kennen gelernt und unter verschiedenen Gestaltungen derselben gelebt; ich habe Nachbarvölker gleiches Stammes gesehen, von denen diese frei, und jene hörig genannt werden konnten; ich habe nimmer den Despotismus zu loben einen Grund gefunden. Freilich bedingt ein Freibrief, ein Blatt Papier noch nicht allein die Freiheit und ihren

Preis, und das Schwierigste, was ich weiß, ist der Uebergang von der anerzogenen Hörigkeit zu dem Genuß der Selbstständigkeit und Freiheit.

Wir wollten am 25. August unter Segel gehen; ungünstige Winde, Windstillen und Stürme hielten uns bis zum 29. im Hafen. Es ereignete sich am 28., daß einer der hier bivouakirenden Fremden Gewalt gegen einen unserer Matrosen brauchte und ihm mit gezücktem Messer eine Scheere entriß. Einer der ansässigen Tschuktschi sprang schnell hinzu und ergriff den Thäter, den, als die Sache zur Sprache kam, sein Chef bereits bestraft hatte. Er wurde dem Kapitain gezeigt, wie er büßend in engem Kreise unablässig in gleicher Richtung gleich einem Manegepferd laufen mußte; und der Vorfall hatte keine anderen Folgen, als uns zu zeigen, daß unter diesem Volke eine gute Polizei gehandhabt werde.

Wir liefen am 29. August 1816 früh Morgens aus der St. Laurenz-Bucht aus und erduldeten am selben Abend einen sehr heftigen Sturm. Wir richteten unsern Lauf nach der Ostseite der St. Laurenz-Insel, die der Kapitain aufnehmen wollte. Die Nebel vereitelten seine Absicht, und wir segelten am 31. vorüber, ohne Ansicht vom Lande zu haben. Untiefen machen die Fahrt auf der amerikanischen Seite dieses Meerbeckens gefährlich. — Wir steuerten nun nach Unalaschka. Am 2. September hatten wir den in diesen Meerstrichen seltenen Anblick der aufgehenden Sonne. Am 3. kam ein kleiner Landvogel (eine Fringilla) auf das Schiff, und ein Wasservogel (ein Colymbus) lieferte sich uns in die Hände und ließ sich greifen. Nachmittags ward vom Mastkorb die Insel St. Paul fern im Westen gesehen, und wir fuhren am Morgen des 4. an St. George vorüber, die uns ebenfalls im Westen blieb. Uns erfreute unerwartet an diesem Tage der Anblick eines Schiffes. Wir holten es ein und sprachen mit ihm. Es war ein Scunner der russisch-amerikanischen Compagnie, der Pelzwerke von St. Paul und St. George geholt hatte und nach Sitcha bestimmt war. Wir machten den Weg zusammen nach Unalaschka. Die Nacht war stürmisch und dunkel, und dabei leuchtete das Meer, wie ich es kaum schöner zwischen den Wendezirkeln gesehen. An den vom Kamm der Wellen bespritzten Segeln hafteten die Lichtfunken. Am Morgen des 5. waren wir in Nebel gehüllt, und das andere Schiff nicht mehr zu sehen. Wir wußten uns in der Nähe des Landes und konnten es nicht sehen und konnten uns auf unsere Schiffrechnung nicht verlassen. Nachmittags wallte der Schleier auf einen Augenblick auf; wir sahen ein hohes Land, und sogleich war es wieder verschwunden. Wir lavirten die Nacht hindurch.

Am Morgen des 6. September hatten wir ein herrliches Schauspiel. Ein dunkler Himmel überhing das Meer, die hohen zerrissenen schneebedeckten Zinnen von Unalaschka prangten, von der Sonne beschienen, in rother Gluth. Wir mußten den ganzen Tag im Angesichte des Landes gegen den widrigen Wind ankämpfen. Unendliche Flüge von Wasservögeln, die niedrig über dem Wasserspiegel schwebten, glichen von fern niedrigen schwimmenden Inseln. Zahlreiche Wallfische spielten um unser Schiff und spritzten in allen Richtungen des Gesichtskreises hohe Wasserstrahlen in die Luft.

Diese Wallfische rufen mir ins Gedächtniß, was ich einst von einem genialen Naturforscher ins Gespräch werfen hörte. Der nächste Schritt, der gethan werden muß, der viel näher liegt und viel weiter führen wird als die Dampfmaschine mit dem Dampfschiffe, diesem ersten warmblütigen Thiere, das aus den Händen der Menschen hervorgegangen ist, — der nächste Schritt ist, den Wallfisch zu zähmen. Worin liegt denn die Aufgabe? Ihn das Untertauchen verlernen zu lassen? Habt ihr je einen Flug wilder Gänse ziehen sehen; und ein altes Weib gesehen, mit einer Gerte in der zitternden Hand ein halb Tausend dieser Hochsegler der Lüfte auf einem Brachfeld treiben und regieren? Ihr habt es gesehen und euch über das Wunder nicht entsetzt; was stutzt ihr denn bei dem Vorschlag, den Wallfisch zu zähmen? Erziehet Junge in einem Fiord, ziehet ihnen einen von Schwimmblasen getragenen Stachelgurt unter die Brustflossen, stellt Versuche an. Wahrlich beide Meere zu vereinigen und die Entfernung zwischen Archangel und St. Peter und Paul auf acht bis vierzehn Tage Zeit zu verringern, ist wohl des Versuchens werth. — Ob übrigens der Wallfisch ziehen oder tragen soll, ob und wie man ihn anspannt oder belastet, wie man ihn zäumt oder sonst regiert, und wer der Kornal des Waßer-Elephanten sein soll, das Alles findet sich von selbst.

Am 7. September 1816 brachte uns ein günstiger aber schwacher Wind in den Eingang der Bucht, woselbst er uns zwischen den hohen Bergen der Insel plötzlich gebrach, so daß wir uns in einer ziemlich hülflosen Lage befanden, da dort kein Anker den Grund findet. Aber der Agent der Compagnie, Herr Kriukoff, kam uns mit fünf zwanzigruderigen Baidaren entgegen und bugsirte uns in den Hafen. Wir ließen um ein Uhr die Anker vor Illiuliuk, der Hauptansiedelung, fallen. Das Dampfbad war vorsorglich für uns geheizt.

Herr Kriukoff, verpflichtet durch den Befehl der Direktoren der Compagnie in St. Petersburg, die Forderungen des Herrn von Kotzebue zu erfüllen, war in Allem gegen ihn von einer unterwürfigen Zuvorkommenheit. Von den wenigen Rindern, die auf der Insel sind, wurde sogleich eines für uns geschlachtet, und unsere Mannschaft ward mit frischem Fleische, Kartoffeln und Rüben versorgt, dem einzigen Gemüse, das hier gebaut wird.

Die Forderungen des Herrn von Kotzebue bestanden in Folgendem: eine Baidare von 24 Rudern, zwei einsitzige und zwei dreisitzige Baidaren verfertigen zu lassen; funfzehn gesunde starke Aleuten mit ihrer ganzen Ammunition für das nächste Frühjahr bereit zu halten; Kamlaikas von Seelöwenhälsen für die sämmtliche Mannschaft bis zu derselben Zeit zu beschaffen und sogleich einen Boten nach Kodiak abzufertigen, um dort durch den Agenten der amerikanischen Compagnie einen Dolmetscher zu erhalten, der die an der nördlicheren Küste Amerika's gesprochene Sprache verstünde und übersetzen könnte. Die gefahrvolle Sendung zu übernehmen, fanden sich drei entschlossene Aleuten bereit.

Die dreisitzige Baidare ist nach dem Muster der einsitzigen gebaut, nur verhältnißmäßig länger, und mit drei Sitzlöchern versehen. Darin läßt sich ein Europäer, der in Aleutentracht mit Kamlaika und Augenschirm (gegen das Bespritzen der Wellen) den mittleren Sitz einnimmt, von zwei Aleuten fahren. Ich selber habe mich an einem schönen Sonntagsmorgen im Hafen von Portsmouth zur unendlichen Lust der Engländer auf diese Weise in einer solchen Baidare fahren lassen.

Am 8. September Morgens lief der Tschirik, der Scunner, den wir zur See gesehen, in den Hafen ein. Ein Preuße aus der Gegend von Danzig, Herr Binzemann, war Kapitain desselben. — Ein Preuße, der Kapitain eines zwischen Unalaschka und Sitcha fahrenden Scunners der russisch-amerikanischen Compagnie geworden ist, hat in der weiten Welt wohl Manches erduldet und erlebt, wovon einer nichts träumt, der in seinem Leben nicht weiter gekommen, als etwa von den unteren Bänken der Schule bis auf das Katheder. Herr Binzemann hatte nur ein Bein; das andere war ihm auf einem Schiffe, das er kommandirte, durch das Platzen einer Kanone zerschmettert worden. Er, der als Kapitain auch Schiffsarzt an seinem Borde war, ließ sich das nur noch an einigem Fleische hängende Glied von einem Matrosen mit dem Messer abkappen und verband sich dann den Stummel mit einem Pflaster von — spanischen Fliegen!! Diese improvisirte Kurmethode eines ohne Unterbindung der Arterien amputirten Gliedes ward durch den besten Erfolg gekrönt, und die Heilung ließ nichts zu wünschen übrig. Ich habe diese Geschichte hier aufzuzeichnen mich nicht erwehren können, weil dieselbe, nebst den Berichten, die uns Mariner von den chirurgischen Operationen der Tonga-Insulaner mittheilt, die Ehrfurcht, die ich für die Chirurgie, als den sehenden Theil der Heilkunde, von jeher gehegt, zu erschüttern beigetragen hat.

Es ist uns ein längerer Aufenthalt auf dieser traurigen Insel verhängt. Nach einem flüchtigen Blick auf das Elend der geknechteten, verarmten Aleuten und auf ihre selbst unterdrückten Unterdrücker, die hiesigen Russen, verbrachte ich die Tage auf den Höhen schweifend, welche die Ansiedelung bekränzen, und ließ die anziehenden Gaben der Flora mich von den Menschen ablenken. Eschscholtz herborisirte seinerseits. Wir hatten erprobt, es sei besser, uns auf dem Lande zu trennen, da wir uns ohnehin auf dem Schiffe genugsam hatten.

Am 10. war das Fest des Kaisers, und ich borge zu dessen Beschreibung die Worte von Herrn von Kotzebue, I. S. 163.

„Den 11. September. Zur Feier des Namenstages des Kaisers gab Herr Kriukoff gestern der ganzen Equipage am Lande ein Mittagsmahl, und Nachmittags begaben wir uns in eine große unterirdische Wohnung, wo eine Menge Aleuten zum Tanz versammelt waren. Ich glaube gewiß, daß ihre Spiele und Tänze in früherer Zeit, als sie noch im Besitz ihrer Freiheit waren, anders gewesen sind als jetzt, wo die Sklaverei sie beinahe zu Thieren herabgewürdigt hat und wo dieses Schauspiel weder erfreulich noch belustigend ist. Das Orchester bestand aus drei Aleuten mit Tamburins, womit sie eine einfache, traurige, nur drei Töne enthaltende Melodie begleiteten. Es erschien immer nur eine Tänzerin, welche ohne allen Ausdruck ein paar Sprünge machte und dann unter den Zuschauern verschwand. Der Anblick dieser Menschen, welche mit traurigen Geberden vor mir herum springen mußten, peinigte mich, und meine Matrosen, welche sich ebenfalls gedrückt fühlten, stimmten, um sich zu erheitern, ein fröhliches Lied an, wobei sich zwei von ihnen in die Mitte des Kreises stellten und einen Nationaltanz aufführten. Dieser rasche Uebergang erfreute uns alle, und selbst in den Augen der Aleuten, welche bis jetzt mit gebückten Häuptern da gestanden, blitzte ein Strahl der Freude. Ein Diener der amerikanischen Compagnie (Promischlenoi), welcher als rüstiger Jüngling sein russisches Vaterland verlassen und in dieser Gegend alt und grau geworden war, stürzte jetzt plötzlich zur Thür herein und rief mit gefalteten, zum Himmel erhobenen Händen: „Das sind Russen, das sind Russen! o theures, geliebtes Vaterland!" Auf seinem ehrwürdigen Gesichte lag in diesem Augenblick der Ausdruck eines seligen Gefühles; Freudenthränen benetzten seine bleichen, eingefallenen Wangen, und er verbarg sich, um seiner Wehmuth sich zu überlassen. Der Auftritt erschütterte mich; ich versetzte mich lebhaft in die Lage des Alten, dem seine im Vaterlande glücklich verlebte Jugend jetzt in schmerzlicher Erinnerung vor die Seele trat. In der Hoffnung, im Schooße seiner Familie ein sorgenfreies Alter genießen zu können, war er hergekommen und mußte nun, wie viele Andere, in dieser Wüste sein Leben enden."

Die russisch-amerikanische Handelscompagnie weiß durch Geldvorschüsse, die sie denen leistet, welche unternehmenden Geistes sich unter solchem Verhältnisse ihrem Dienste widmen, sie unter ihrem Joche zu erhalten. Dafür ist gesorgt, daß sie die Schuld zu tilgen nimmer vermögend werden, und, wie Friedrich von seinem Militair gesagt haben soll: „Aus der Hölle giebt es keine Erlösung."

Wir hatten Wasser eingenommen, die Arbeiten waren vollendet, und Alles war am 13. September 1816 bereit, am andern Morgen mit Tagesanbruch die Anker zu lichten. Die Nacht brach ein, und Eschscholtz, der in die Berge botanisiren gegangen war, blieb aus und kam an das Schiff nicht zurück. Ich werde, sollte ich der Gefahr mich aussetzen albern zu erscheinen, von der einzigen Begebenheit Meldung thun, wobei ich auf der ganzen Reise in Gefahr geschwebt zu haben mir bewußt bin. Kein Mensch hat Notiz davon genommen, kein Mensch hat es mir gedankt, und hier ist zum ersten Male die Rede davon. Der Kapitain beorderte mich mit etlichen Matrosen und Aleuten, den Doktor im Gebirge zu suchen, wo er sich beim Botanisiren verirrt haben mußte. Ich begehrte, daß uns ein Paar Pistolen mitgegeben würden, um Signalschüsse machen zu können; es ward aber nicht beliebt. Ich führte meine Leute zu dem Absturz hin, der in den Bergkessel hinauf führte, den ich durchsuchen wollte. Die Matrosen meinten, man könne da nicht hinauf klettern. Als ich aber, der ich diesen Paß gut kannte, oben war, folgten mir Alle, und wir erreichten von der innern Seite auf sanfterem Abhange die Felsenzinnen, deren Kamm ich verfolgen wollte. Da erscholl vom Rurik ein Kanonenschuß, der uns zurück rief. Ich überließ es nun meinen Aleuten, uns den richtigsten Weg von der Höhe, die wir erreicht hatten, zum Strande zu führen. Ich ward zu einer Schlucht geführt, die, vom schmelzenden Schneewasser eingerissen, von dem höchsten Felsenkamme, worauf wir standen, steil, fast senkrecht zum Meere abfiel. Ich nahm, wie sich's gebührt, die Vorhut, und einzeln, wie auf einer Leiter, folgten mir die Andern nach; daß Steine rollten, war nicht zu vermeiden; wie in pechfinsterer Nacht ich und meine Leute, wir alle mit heiler Haut hinunter gekommen sind, habe ich später nicht begreifen können, wann ich zu dieser Schlucht hinauf geschaut habe. Als ich mit den Matrosen am Bord anlangte, war der Doktor schon lange da, ich konnte ruhig zu Bette gehen; ich schlief noch, als wir den 14. September 1816 schon unter Segel waren.

Von Unalaschka nach Californien. Aufenthalt zu San Francisco.

Wir fuhren am 14. September 1816 früh am Morgen mit günstigem Winde aus dem Hafen von Unalaschka. Es wurde auf einen Wallfisch geschossen, der uns in der Bucht zu nahe kam; ich lag noch in meiner Koye. Der Paß zwischen den Inseln Akun und Unimak war dem Kapitain als der sicherste gerühmt worden, um die Kette der aleutischen Inseln von Norden nach Süden zu durchkreuzen. Er wählte demnach diese Straße, die auch er jedem Seefahrer empfiehlt. Das Wetter war klar, und der luftige Pic von Unimak, dessen Höhe Kotzebue auf 5525 englische Fuß angiebt, wolkenlos. Die Umstände, die hier unsere Fahrt verzögerten, waren zu der Aufnahme einer Karte günstig, auf die Herr von Kotzebue verweist, ohne sie mitzutheilen. Das Meer war zwischen diesen Inseln besonders lichtreich. Wir befanden uns am 16. Morgens in offener See.

Unsere Hauptaufgabe war jetzt, dem nordischen Winter auszuweichen. Ich halte es nicht für das Ungeschickteste, was ich in meinem Leben gethan, drei Winter auf dieser Reise unterschlagen zu haben. Drei Winter! Habe ich daheim wieder einmal den Winter ausgehalten, so glaube ich als ein muthiger Mann genug gethan zu haben, aber ihn loben, ihn rühmen kann und will ich nicht. Wir Winterländer aber preisen noch die göttliche Weisheit, die bei solcher Einrichtung uns die Freude des Frühlings schenkt. Sollten wir nicht auch von unserer Obrigkeit verlangen, daß sie uns nach der Analogie den halben Tag hindurch Daumenschrauben anlegen lasse, damit wir uns auf die Stunde freuten, worin sie uns abgenommen würden? Diese Einrichtung, sie ist ja auf unserm Erdball eine Winkeleinrichtung, von welcher die Mehrheit der redenden Menschen nichts weiß. Vor Vielen begünstigt von Gott mögen sich unsere Dichter rühmen, denen er zu ihren Frühlingsliedern den Stoff bereitet, aber unbegreiflich und lügengleich bleibt es für den, welcher ein Mal den Winterkreis überschritten hat, daß der Mensch, das gabelförmige, nackte Thier, sich in Winterlanden, unter dem 52., ja unter dem 72. Grad nördlicher Breite anzusiedeln vermessen hat, wo er nur durch die Macht des Geistes sein kümmerliches Dasein zu fristen vermag. Denkt euch doch, wie euch Gott geschaffen hat, und geht an einem Wintertag hinaus und betrachtet euch die auf den halben Jahreskreis ausgestorbene Gegend unter dem Leichentuche von Schnee. Das ausgesetzte Leben schläft im Samen und im Ei, im Keime und in der Larve, tief unter der Erde, tief im Wasser unter dem Eise. Die Vögel sind fortgezogen; Amphibien und Säugethiere schlafen den Winterschlaf; nur wenige Arten der warmblütigen Thiere drängen sich parasitisch um eure Wohnungen; nur wenige der größeren unabhängigen Arten verbringen dürftig die harte Zeit*).

Aber der Mensch ist ein geistiges Thier, und mit dem Feuer, das er sich geraubt, erkennt er auf der Erde keine Schranken. Die unter dem 60. Grad nördlicher Breite ansässigen ostjakischen Fischer, lehrt uns Adolph Erman (Reise I. S. 721), wissen auch von einem verlorenen Paradiese; aber sie verlegen es gegen Norden und über den Polarkreis hinaus! Die Sage ist gar lesenswerth.

Ich habe schon gelegentlich von einem Prediger in Lappland gesprochen. Sieben Jahre hatte der Mann in dieser Pfarre zugebracht, welche über die Region der Bäume hinaus lag; während der warmen Sommermonate ganz allein (seine Pfarrkinder zogen zu der Zeit mit ihren Rennthierheerden in die kühleren Gegenden am Meer);

---

*) Das Alles und manches Andere habe ich schon in einer Schrift gesagt: Ansichten von der Pflanzenkunde und dem Pflanzenreiche, die, einer Kompilation beigedruckt, Berlin bei Dümmler 1827 erschienen ist.

während der Winternacht, als der Mond am Himmel war, zog er zu Schlitten umher, bivouakirte bei gefrorenem Quecksilber und suchte seine Lappen, die er lieb hatte, auf, um seines Amtes zu warten. Zwei Mal in diesen sieben Jahren hatte er in seiner Einsamkeit den Zuspruch von Stamm- und Sprachverwandten genossen; ein Bruder von ihm hatte ihn besucht, und ein Botaniker hatte sich zu ihm verirrt. Wohl wußte er anerkennend die Freude zu preisen, die der Mensch dem Menschen bringt; aber nicht die Freude und keine andere im Leben, so betheuerte er mir, ist der Wonne zu vergleichen, nach der langen Winternacht die Sonnenscheibe sich kreisend wieder über den Horizont erheben zu sehen.

Der Frühling ist für uns das Erwachen aus einer langen, verzögernden Krankheit, die, gemäßigter als der Winterschlaf anderer Thiere, demselben entspricht. Voller und schneller lebt der Mensch unter einer scheitelrechten Sonne, die, wie in Brasilien, Fülle des Lebens aus dem Schooße der Erde zeugt; unter einem Himmel ohne Gluth, auf einer Erde ohne Fruchtbarkeit zählt er mehr der Tage, mehr der Jahre.

Wahrlich, ich möchte in der Region der Palmen wohnen und gewahren von da den alten Unhold auf die Zinnen des Gebirges gebannt. Gern auch wollte ich ihm in seinem Reiche mit Parry oder Roß einen Staatsbesuch abstatten; aber hart finde ich es, ihn daheim die halbe Zeit des Jahres zu beherbergen. Wir haben während der drei Jahre in zwei nordischen Sommern nur etliche Nachtfröste erduldet, wie solche eben auch bei uns in dieser Jahreszeit nichts Unerhörtes sind.

Wir hatten stets günstige N. und N. W. Winde; die Nachtgleichen und der Vollmond brachten uns nur einen starken Wind, der fast zum Sturme sich erhob und vor welchem wir mit vollen Segeln schnell vorwärts kamen.

Wir steuerten nach San Francisco in Neu-Californien. Herr von Kotzebue, der über die Sandwichinseln, wohin er seinen Instruktionen gemäß von Unalaschka aus segeln sollte, von den Schiffskapitainen der amerikanischen Compagnie sehr gut berichtet worden war, hatte diesen Inseln, wo die Frequenz der Schiffe den Preis aller Bedürfnisse gesteigert hat, und wo nur mit spanischen Piastern oder mit Kupferplatten, Waffen und Aehnlichem bezahlt werden kann, jenen Port als Rast- und Erholungsort für seine Mannschaft und zur Verproviantirung des Rurik's vorgezogen.

Ich werde, da ich von der Fahrt selbst nichts zu berichten habe, Einiges hier einschalten, das mir noch nicht in die Feder geflossen ist. Bei der Schiffsordnung, die ich früher beschrieben habe, zu welcher noch hinzukam, daß das Licht Abends um zehn Uhr ausgelöscht wurde, und bei der einförmig ruhigen, aller anstrengenden Bewegung entbehrenden Lebensart, konnte unser Einer nicht alle Stunden, worin er still zu liegen verdammt war, mit festem, bewußtlosem Schlafe ausfüllen, und eine Art Halbschlaf nahm einen großen Theil des Lebens mit Träumen ein, von denen ich euch unterhalten will. Ich träumte nie von der Gegenwart, nie von der Reise, nie von der Welt, der ich jetzt angehörte; die Wiege des Schiffes wiegte mich wieder zum Kinde, die Jahre wurden zurückgeschraubt, ich war wieder im Vaterhause, und meine Todten und verschollene Gestalten umringten mich, sich in alltäglicher Gewöhnlichkeit bewegend, als sei ich nie über die Jahre hinausgewachsen, als habe der Tod sie nicht gemäht. Ich träumte von dem Regimente, bei welchem ich gestanden, von dem Kamaschendienst; der Wirbel schlug, ich kam herbeigelaufen, und zwischen mich und meine Compagnie stellte sich mein alter Obrist und schrie: aber Herr Lieutenant, in drei Teufels Namen! — O dieser Obrist! Er hat mich, ein schreckender Popanz, durch die Meere aller fünf Welttheile, wann ich meine Compagnie nicht finden konnte, wann ich ohne Degen auf Parade kam, wann — was weiß ich, unablässig verfolgt; und immer der fürchterliche Ruf: aber Herr Lieutenant! aber Herr Lieutenant! — Dieser mein Obrist war im Grunde genommen ein ehrlicher Degenknopf und ein guter Mann; nur glaubte er, als ein ächter Zögling der ablaufenden Zeit, daß Grob-sein nothwendig zur Sache gehöre. Nachdem ich von der Reise zurückgekehrt, wollte ich den Mann wieder sehen, der so lange die Ruhe meiner Nächte gestört. Ich suchte ihn auf: ich fand einen achtzigjährigen, stockblinden Mann, fast riesigen Wuchses, viel größer als das Bild, das ich von ihm hatte, der in dem Hause eines ehemaligen Unteroffiziers seiner Compagnie ein Stübchen unten auf dem Hofe bewohnte und von einigen kleinen Gnadengehalten lebte, da er im unglücklichen Kriege, mehr aus Beschränktheit als aus Schuld, allen Anspruch auf eine Pension verwirkt hatte. — Fast verwundert, von einem Offizier des Regimentes, bei dem er nicht beliebt war, aufgesucht zu werden, und nicht Maß zu halten wissend, war er gegen mich von einer übertriebenen Höflichkeit, die mir in der Seele wehe that. Wie er mir die Hand reichte, befühlte er mit zwei Fingern das Tuch meines Kleides, und was in diesem Griffe lag — ich weiß es nicht, aber ich werde ihn nie vergessen. — Ich schickte ihm etliche Flaschen Wein als ein freundliches Geschenk, und als er, ich glaube im folgenden Jahre, verschied, fand es sich, daß er mich zu seinem Leichenbegängniß einzuladen verordnet hatte. Ich folgte ihm allein mit einem alten Major des Regimentes und seinem Unteroffizier; — und Friede sei seiner Asche!

Ich will noch Einiges von den Thieren nachholen, die zur Zeit Haus- und Gastrecht auf dem Rurik genossen. Unser kleiner Hund aus Concepcion, unser Valet, war uns treu geblieben. Er gehörte in die Kajüte de Campagne und war zur See mit Lust und Kunst von einer wahrhaft musterhaften Trägheit. Er sah uns alle bittend an, und winkte ihm Einer Gewährung, so war er mit einem Satze in dessen Koje, wo er bis zu der nächsten Mahlzeit schlief. An jedem Landungsplatz hingegen mußte er zuerst an das Land, und wenn man ihn im Boote nicht mitnehmen wollte, so schwamm er hin. Er suchte, wie wir, seine Gattung, kam aber meist, wenn er sie gefunden, übel zugerichtet und zerfetzt wieder heim. Unser Valet hatte an einem jungen Hunde von der unter den Eskimos dienenden Race, welchen der Kapitain von seiner Nordfahrt mitgebracht, einen Nebenbuhler gefunden. Dieser neue Gast hieß auf dem Rurik: der große Valet. Wir hatten drittens noch Schaffecha, die Sau, die übermüthig ihrem schon verkündeten Schicksal entgegenging.

Als wir von Kamtschatka nach Norden fuhren, hatten wir einen letzten Hahn am Bord, der, aus dem Hühnerkasten entlassen, als ein stolzer Gesell frei auf dem Verdeck spazieren ging. Ich war neugierig zu beobachten, wie er sich hinsichtlich des Schlafes verhalten würde, wenn die Sonne für uns nicht mehr unterginge. Die Beobachtung unterblieb indeß aus zwei Gründen; denn wir kamen erstlich nicht so weit nach Norden, und zweitens flog über Bord, fiel ins Meer und ertrank der Hahn, bevor wir noch die St. Laurenz-Insel erreicht hatten.

Aber ich kehre zu unserer Fahrt zurück. Wir segeln am 2. Oktober 1816 Nachmittags um 4 Uhr in den Hafen von San Francisco hinein. Große Bewegung zeigt sich auf dem Fort am südlichen Eingange des Kanals; sie ziehen ihre Flagge auf, wir zeigen die unsere, die hier nicht bekannt zu sein scheint, und salutiren die spanische mit sieben Schüssen, welche, nach dem spanischen Reglement, mit zwei weniger erwidert werden. Wir lassen die Anker vor dem Presidio fallen, und kein Boot stößt vom Ufer zu uns zu kommen, weil Spanien auf diesem herrlichen Wasserbecken kein einziges Boot besitzt.

Ich ward sogleich beordert, den Lieutenant Schischmareff nach dem Presidio zu begleiten. Der Lieutenant Don Luis de Arguello, nach dem Tode des Rittmeisters Kommandant ad interim, empfing uns ausnehmend freundschaftlich, sorgte augenblicklich für die nächsten Bedürfnisse des Rurik's, indem er Obst und Gemüse an Bord schickte, und ließ noch am selben Abende einen Eilboten an den Gouverneur von Neu-Californien nach Monterey abgehen, um demselben unsere Ankunft zu melden.

Am andern Morgen (den 3.) traf ich den Artillerieoffizier Don Miguel de la Luz Gomez und einen Pater der hiesigen Mission, die eben an das Schiff kamen, als ich selbst im Auftrage des Kapitains nach dem Presidio gehen wollte. Ich geleitete sie an Bord; sie waren die Ueberbringer der freundlichsten Hülfsverheißungen von Seiten des Kommandanten und der viel vermögenderen Mission. Der geistliche Herr lud uns außerdem auf den folgenden Tag, der das Fest des Heiligen war, auf die Mission von San Francisco ein, wohin zu reiten wir Pferde bereit finden würden. Auf den ausgesprochenen Wunsch des Kapitains wurden wir sofort mit Schlachtvieh und Vegetabilien auf das reichlichste versorgt. Nachmittags wurden die Zelte am Lande aufgerichtet, das Observatorium und das russische Bad. Am Abend statteten wir dem Kommandanten einen Besuch ab. Acht Kanonenschüsse wurden zum Empfang des Kapitains von dem Presidio abgefeuert.

Nicht aber nach diesen überflüssigen Höflichkeitsschüssen, sondern nach den zweien der russischen Flagge schuldig gebliebenen begehrte der Kapitain; und er bestand mit Beharrlichkeit auf deren Erstattung. Darüber ward lange unterhandelt, und nur unwillig und gezwungen (ich weiß nicht, ob nicht erst auf Befehl des Gouverneurs) bequemte sich endlich Don Luis de Arguello, die zwei vermißten Schüsse nachträglich zu liefern. Es mußte noch einer unserer Matrosen nach dem Fort kommandirt werden, um die Leine zum Aufziehen der Flagge wieder in Ordnung zu bringen; denn sie war bei dem letzten Gebrauch zerrissen, und es war unter den Einheimischen Niemand, der vermocht hätte, an dem Mast hinauf zu klettern.

Das Fest des heiligen Franciscus gab uns Gelegenheit, die Missionare in ihrer Wirksamkeit, und die Völker, an die sie gesandt sind, in gezähmtem Zustande zu beobachten. Ich werde dem, was ich in den Bemerkungen und Ansichten gesagt habe, nichts hinzuzufügen haben. Man kann über die Stämme der Eingeborenen Choris nachsehen, der in seinem Voyage pittoresque eine schätzbare Reihe guter Portraits gegeben hat; nur sind die nachträglich in Paris gezeichneten Blätter X. und XII. auszuschließen; daß man so, wie dort dargestellt, den Bogen nicht braucht, weiß Jeder. Choris liefert sogar in seinem Texte californische Musik. Ich weiß nicht, wer es übernommen haben mag, hier und noch einige Male im Verlaufe des Werkes Noten nach Choris Gesang zu Papier zu bringen. Ich pflegte zwar dem Freunde einzuräumen, daß er besser sänge als ich, doch durfte er nicht den großen Vorzug bestreiten, den mein Gesang vor dem seinen habe, sich nämlich fast nie hören zu lassen.

Der Kapitain hatte hier, wie in Chile, den Kommandanten und seine Offiziere an unsern Tisch zu gewöhnen gewußt. Wir speisten auf dem Lande unter dem Zelte, und unsere Freunde vom Presidio pflegten nicht auf sich warten zu lassen. Das Verhältniß ergab sich fast von selbst. Das Elend, worin sie seit sechs bis sieben Jahren von Mexiko, dem Mutterlande, vergessen und verlassen schmachteten, erlaubte ihnen nicht Wirthe zu sein, und das Bedürfniß, redend ihr Herz auszuschütten, trieb sie sich uns zu nähern, mit denen es sich leicht und gemüthlich leben ließ. Sie sprachen nur mit Erbitterung von den Missionaren, die bei mangelnder Zufuhr doch im Ueberflusse der Erzeugnisse der Erde lebten und ihnen, seitdem das Geld ausgegangen, nichts mehr verabfolgen ließen, wenn nicht gegen Verschreibung, und auch so nur, was zum nothdürftigsten Lebensunterhalt unentbehrlich, worunter nicht Brod, nicht Mehl einbegriffen — seit Jahren hatten sie, ohne Brod zu sehen, von Mais gelebt. Selbst die Kommandos, die zum Schutze der Missionen in jeglicher derselben stehen, wurden von ihnen nur gegen Verschreibung nothdürftig verpflegt. „Die Herren sind zu gut!" rief Don Miguel aus, den Kommandanten meinend, „sie sollten requiriren, liefern lassen!" Ein Soldat ging noch weiter und beschwerte sich gegen uns, daß der Kommandant ihnen nicht erlauben wollte, sich dort drüben Menschen einzufangen, um sie, wie in den Missionen, für sich arbeiten zu lassen. Mißvergnügen erregte auch, daß der neue Gouverneur von Monterey, Don Paolo Vicente de Sola, seit er sein Amt angetreten, sich dem Schleichhandel widersetzen wollte, der sie doch allein mit den unentbehrlichsten Bedürfnissen versorgt habe.

Am 8. Oktober kam der Courier aus Monterey zurück. Er brachte dem Kapitain einen Brief von dem Gouverneur mit, der ihm seine baldige Ankunft in San Francisco meldete. — Don Luis de Arguello war nach dem Wunsche des Herrn von Kotzebue ermächtigt worden, einen Eilboten nach dem Port Bodega an Herrn Kuskoff abzufertigen; und an diesen schrieb der Kapitain, um von seiner Handel treibenden und blühenden Ansiedelung Mehreres, was auf dem Rurik zu fehlen begann, zu beziehen.

„Herr Kuskoff", sagt Herr von Kotzebue, II. S. 9 in einer Note, „Herr Kuskoff, Agent der russisch-amerikanischen Compagnie, hat sich auf Befehl des Herrn Baranoff, welcher das Haupt aller dieser Besitzungen in Amerika ist, in Bodega niedergelassen, um von

9*

dort aus die Besitzungen der Compagnie mit Lebensmitteln zu versorgen." Aber Bodega, beiläufig 30 Meilen, eine halbe Tagereise nördlich von San Francisco gelegen, wurde von Spanien, nicht ohne einigen Anschein des Rechtes, zu seinem Grund und Boden gerechnet, und auf spanischem Grund und Boden also hatte Herr Kuskoff mit zwanzig Russen und funfzig Kadiakern mitten im Frieden ein hübsches Fort errichtet, das mit einem Dutzend Kanonen besetzt war, und trieb dort Landwirthschaft, besaß Pferde, Rinder, Schafe, eine Windmühle u. s. w. Da hatte er eine Waaren-Niederlage für den Schleichhandel mit den spanischen Häfen, und von da aus ließ er durch seine Kadiaker jährlich ein paar tausend Seeottern an der californischen Küste fangen, deren Häute nach Choris, der gut unterrichtet sein konnte, auf dem Markt zu Canton, die schlechteren zu 35 Piastern, die besseren zu 75 Piastern, im Durchschnitt zu 60 Piastern verkauft wurden. — Es war blos zu bedauern, daß der Hafen Bodega nur Schiffe, die nicht über 9 Fuß Wasser ziehen, aufnehmen kann.

Es scheint mir nicht unbegreiflich, daß der Gouverneur von Californien, wenn er von dieser Ansiedelung späte Kunde erhalten, sich darüber entrüstet habe. Verschiedene Schritte waren geschehen, um den Herrn Kuskoff zu veranlassen, den Ort zu räumen; mit Allem, was sie an ihn gerichtet, hatte er stets die spanischen Behörden an den Herrn Baranoff verwiesen, der ihn hieher gesandt, und auf dessen Befehl, falls man den erwirken könne, er sehr gern wieder abziehen würde. — So standen die Sachen, als wir in San Francisco einliefen. Der Gouverneur setzte jetzt seine Hoffnung auf uns. Ich auch werde von Konferenzen und Unterhandlungen zu reden haben und die Denkwürdigkeiten meiner diplomatischen Laufbahn der Welt darlegen. Aber wir sind noch nicht so weit.

Am 9. Oktober wurden etliche Spanier nach dem nördlichen Ufer übergeschifft, um dort mit der Wurfschlinge Pferde einzufangen für den an Herrn Kuskoff abzusendenden Courier, und ich ergriff die Gelegenheit, mich auch jenseits umzusehen. Die rothbraunen Felsen dort sind, wie in meinen Bemerkungen und Ansichten gesagt wird und im mineralogischen Museum zu Berlin nachgesehen werden kann,

Kieselschiefer; nicht aber Konglomerat, wie bei Moritz von Engelhardt (Kotzebue's Reise, III. S. 192) angenommen wird, um auf diese Annahme weiter zu bauen.

Das Jahr war schon alt und die Gegend, die in den Frühjahrmonaten, wo sie Langsdorf gesehen hat, einem Blumengarten gleichen soll, bot jetzt dem Botaniker nur ein dürres ausgestorbenes Feld. In einem Sumpfe in der Nähe unserer Zelte soll eine Wasserpflanze gegrünt haben, wegen welcher mich Eschscholtz nach der Abfahrt fragte. Ich hatte sie nicht bemerkt, er aber hatte darauf gerechnet, eine Wasserpflanze, meine bekannte Liebhaberei, würde mir nicht entgehen, und hatte sich die Füße nicht naß machen wollen. — So etwas hat man von seinen nächsten Freunden zu gewärtigen.

Auf der nackten Ebene, die am Fuße des Presidio liegt, steht weiter ostwärts einzeln zwischen niedrigerem Gebüsche eine Eiche. Den Baum hat noch jüngst mein junger Freund Adolph Erman gesehen; — wenn er ihn näher betrachtet hätte, so hätte er in dessen Rinde meinen Namen eingeschnitten gefunden.

Am 15. Oktober kam der an Kuskoff abgefertigte Courier wieder zurück, und am 16. Abends verkündigten Artillerie-Salven vom Presidio und vom Fort die Ankunft des Gouverneurs aus Monterey. Gleich darauf kam ein Bote vom Presidio herab, um für zwei Mann, die beim Abfeuern einer Kanone gefährlich beschädigt worden, die Hülfe unseres Arztes in Anspruch zu nehmen. Eschscholtz folgte sogleich der Einladung.

Am 17. Morgens wartete Herr von Kotzebue an seinem Bord auf den ersten Besuch des Gouverneurs der Provinz; und der Gouverneur hinwiederum, ein alter Mann und Offizier von höherem Range, wartete auf dem Presidio auf den ersten Besuch des Lieutenant von Kotzebue. Der Kapitain wurde zufällig benachrichtigt, daß er auf dem Presidio erwartet werde, worauf er mich nach dem Presidio mit dem mißlichen Auftrag schickte, dem Gouverneur glimpflich beizubringen: er, der Kapitain, sei benachrichtigt worden, daß er, der Gouverneur, ihn heute früh an seinem Bord habe besuchen wollen, und er erwarte ihn. Ich fand den kleinen Mann in großer Montirung und vollem Ornat, bis auf eine Schlafmütze, die er, bereit sie a tempo abzunehmen, noch auf dem Kopfe trug. Ich entledigte mich, so gut ich konnte, meines Auftrages, und sah das Gesicht des Mannes sich auf das Dreifache seiner natürlichen Länge verlängern. Er biß sich in die Lippen und sagte: er bedaure, vor Tisch die See nicht vertragen zu können; und es thäte ihm leid, für jetzt auf die Freude verzichten zu müssen, den Herrn Kapitain kennen zu lernen. — Ich sah es kommen, daß der alte Mann zu Pferde steigen und unverrichteter Sache seinen Courierritt durch die Wüste nach Monterey zurück wieder antreten würde; denn daß Herr von Kotzebue, wenn einmal die Spaltung ausgesprochen, nachgeben könne, ließ sich nicht annehmen.

Dem nachsinnend schlich ich zum Strande wieder hinab, als ein guter Genius sich ins Mittel legte und, bevor es zu Mißhelligkeiten gekommen, den waltenden Frieden durch den schönsten Freundschaftsbund besiegelte. Der Morgen war verstrichen und die Stunde gekommen, wo Herr von Kotzebue Mittagshöhe zu nehmen und die Chronometer aufzuziehen an das Land fahren mußte. — Es wurde von den ausgesetzten Spähern auf dem Presidio gemeldet, der Kapitain komme; und wie dieser ans Land trat, schritt ihm der Gouverneur den Abhang hinab entgegen. Er wiederum ging zum Empfang des Gouverneurs den Abhang hinauf, und Spanien und Rußland fielen auf dem halben Wege einander in die offenen Arme.

Es wurde unter unserm Zelte gespeist, und in der Sache von Port Bodega, die zur Sprache kam, hatte der Kapitain Gelegenheit zu bedauern, daß er ohne Instruktion sei, der Unbill, die Spanien widerführe, zu steuern. — Von jenem Hafen her langte heute eine große Baidare an und brachte von Herrn Kuskoff Alles, was der Kapitain verlangt hatte. Mit dieser selben Baidare, die am andern Tage, den 18., zurück ging, ersuchte Herr von Kotzebue im Namen des Gouverneurs den Herrn Kuskoff, sich zu einer Konferenz in San Francisco einzufinden.

Wir sahen am 18. den Gouverneur nicht, der vielleicht einen Staatsbesuch auf dem Presidio erwartete. Am 19. ward auf dem Presidio getafelt, und Artilleriesalven begleiteten den Toast auf die Alliance der Souveraine und die Freundschaft der Völker. Am 20.

waren wir hinwiederum zu Mittag die Wirthe und tanzten Abends auf dem Presidio. Bei der Acht-Uhr-Glocke schwieg auf eine Weile die Musik, und das Abendgebet ward in der Stille verrichtet.

Herr von Kotzebue war im Umgang von einnehmender Liebenswürdigkeit, und Don Paolo Vicente de Sola, der doch sehr an Förmlichkeiten hing, denen Genüge zu leisten ausgewichen worden war, hatte, darüber getröstet, sich uns ganz hingegeben. Das hier beliebte Schauspiel des Kampfes eines Bären mit einem Stiere war uns verheißen. Am 21. fuhren zehn bis zwölf Soldaten in der Barkasse der Mission nach dem nördlichen Ufer hinüber, dort Bären mit dem Lazo einzufangen. Man will am späten Abend von der See her Geschrei gehört haben, was auf die Bärenjäger auf jener Küste gedeutet wurde; kein Bivouakfeuer war jedoch zu sehen. Die Indianer sollen ein gar gellendes Geschrei erheben können.

Erst am 22. Abends brachten die Jäger eine kleine Bärin ein. Sie hatten auch einen größeren Bären gefangen, aber zu weit von der See ab, um ihn ans Ufer transportiren zu können.

Dem Thiere, das am andern Tage kämpfen sollte und über Nacht in der Barkasse blieb, wurden gegen den Brauch Kopf und Maul frei gelassen, damit es sich frischer erhalte. Der Gouverneur brachte den ganzen Tag, Mittag und Abend in unsern Zelten zu. Zu Nacht brannten auf dem festen Lande im Hintergrunde des Hafens große Feuer; die Eingeborenen pflegen das Gras anzuzünden, um dessen Wachsthum zu fördern.

Am 23. fand der Bärenkampf am Strande statt. Unfreiwillig und gebunden, wie die Thiere waren, hat das Schauspiel nichts Großes und Erhebendes. Man bemitleidet nur die armen Geschöpfe, mit denen so schändlich umgegangen wird. Ich war mit Gleb Simonowitsch auf den Abend auf dem Presidio. Der Gouverneur erhielt eben die Nachricht, daß das Schiff aus Acapulco, das seit vielen Jahren ausgebliebene, endlich wieder einmal zur Versorgung von Californien in Monterey eingelaufen. Er bekam mit dieser Nachricht zugleich die neuesten Zeitungen aus Mexiko. Mir, dem er sich bei jeder Gelegenheit geneigt und gefällig erwies, theilte er die Blätter mit. Unter königlicher Autorität redigirt, enthielten sie blos kurze Nachrichten de la pacificacion de las provincias, von der Unterwerfung der Provinzen, und einen langen laufenden Artikel: die Geschichte der Johanna Krüger, Unteroffizier im Regiment Kolberg; — welche Geschichte mir nicht neu war, da ich Gelegenheit gehabt, den tapfern Soldaten selbst bei einem Offizier seines Regiments kennen zu lernen.

Don Paolo Vicente, wie er einst vom Presidio zu unsern Zelten herabstieg, brachte ein Geschenk a su amigo don Adelberto, eine Blume, die er am Wege gepflückt hatte und die er mir, dem Botaniker, feierlich übergab. — Es war zufällig unser Gänserich oder Silberblatt (Potentilla anserina), wie er nicht schöner bei Berlin blühen kann.

In Monterey waren zur Zeit Gefangene verschiedener Nationen, die der Schleichhandel und der Seeotterfang, Abenteuer auf diesen Küsten zu suchen, herbeilockte, und von denen Einzelne für die Andern gebüßt hatten. Darunter ein Paar Aleuten oder Kadiaker, mit denen vor sieben Jahren ein amerikanischer Schiffskapitain den Otterfang in den spanischen Häfen dieser Küste getrieben hatte. Die Russen verbrauchen nicht allein diese nordischen Völker, sie liefern sie auch um halben Gewinn Andern zum Verbrauch. Ich habe sogar auf den Sandwichinseln versprengte Kadiaker angetroffen. Unter den Gefangenen in Monterey befand sich auch ein Herr John Elliot de Castro, von dem weiter noch die Rede sein wird. Er war nach vielen Abenteuern als Supercargo eines von Herrn Baranoff aus Sitcha auf den Schleichhandel dieser Küste ausgesandten Schiffes der russisch-amerikanischen Compagnie mit einem Theil der Mannschaft in die Hände der Spanier gefallen. Außer den Gefangenen waren noch drei Russen da, alte Diener der russisch-amerikanischen Compagnie, die von der Ansiedelung an Port Bodega ausgetreten waren und jetzt Sprache und Sitten der Heimath vermissend den gethanen Schritt bereuen mochten.

Don Paolo Vicente de Sola erbot sich dem Kapitain die gefangenen Russen, wofür auch Aleuten und Kadiaker galten, auszuliefern, während er dieselben Herrn Kuskoff verweigerte. Es scheint nicht, daß die Spanier irgend einen Dienst begehrt, irgend einen

Vortheil gezogen haben von diesen Menschen, die fremde Habsucht ihrer Heimath geraubt, um mit ihren Kräften hier zu wuchern. Der König von Spanien vergütigte oder sollte vergütigen anderthalb Realen des Tages für jeden Kriegsgefangenen. Der Kapitain, beschränkt durch die Umstände, vermochte nur die drei ausgetretenen Russen an seinem Bord aufzunehmen und Herrn Elliot die Ueberfahrt nach den Sandwichinseln anzubieten, von wo aus er leicht nach Sitcha, oder wo er sonst hin wollte, gelangen konnte. Der Gouverneur sandte nach diesen Russen, und wie sie angekommen, überantwortete er sie Herrn von Kotzebue, nachdem er von ihm ein feierliches Ehrenwort gefordert und erhalten, daß sie, die Schutz in Spanien gesucht und gefunden, deßhalb zu keinerlei Strafe gezogen werden sollten. Ich fand sein Benehmen bei dieser Gelegenheit sehr edel.

Unter diesen Russen war einer, Iwan Strogonoff, ein alter Mann, der sich innig freute, zu seinen Landsleuten wieder gekommen zu sein. Da er kaum zum Matrosendienst taugen mochte, bestimmte ihn der Kapitain zu unserm, der Passagiere, Dienste in der Kajüte de Campagne und machte uns solches bekannt. Er wurde die letzten Tage, die wir im Hafen weilten, auf die Jagd geschickt. Der Unglückliche! Am Vorabend der Abfahrt sprang sein Pulverhorn, und er wurde tödtlich verletzt zurückgebracht. — Er wollte nur unter Russen sterben: der Kapitain behielt ihn aus Erbarmen an seinem Bord: er verschied am dritten Tage der Fahrt. Er wurde still in die See versenkt und mit ihm die letzte Hoffnung unserer Stiefeln, je noch einmal auf der Reise geputzt zu werden. Friede sei mit Iwan Strogonoff!

Aber ich bin der Zeit vorangeeilt; ich kehre wieder zurück.

Am 25. Oktober traf Herr Kuskoff mit sieben kleinen Baidaren aus Port Bodega ein. Ein gewandter und in jeder Hinsicht seinem Geschäfte gewachsener Mann.

Am 26. fand in den Vormittagsstunden die diplomatische Konferenz auf dem Presidio statt. Don Paolo Vicente de Sola, Gouverneur von Neu-Californien, setzte das unbestreitbare Recht Spanien's an dem von der russischen Niederlassung unter Herrn Kuskoff eingenommenen Gebiete in volles Licht und forderte Herrn Kuskoff auf, das widervölkerrechtlich besetzte Gebiet zu räumen. Herr Kuskoff, Agent der russisch-amerikanischen Handels-Compagnie und Vorsteher der Ansiedelung zu Port Bodega, ohne sich auf die Rechtsfrage, die ihn nichts angehe, einzulassen, bezeigte die größte Bereitwilligkeit, vom Port Bodega abzuziehen, sobald er nur dazu von seinem Vorgesetzten, Herrn Baranoff, der ihn hieher beordert habe, ermächtigt würde. Darauf forderte der Gouverneur den Herrn von Kotzebue auf, Namens des Kaisers einzugreifen und die Räumung von Bodega zu erwirken. Der Lieutenant der kaiserlich russischen Marine und Kapitain des Rurik's, Otto von Kotzebue, erklärte sich für unbefugt, in einer Sache zu handeln, wo ihm übrigens das Recht so klar schiene, daß es blos ausgesprochen zu werden brauche, um anerkannt zu werden. — Und so waren wir denn so weit, als wir zuvor gewesen.

Hierauf wurde beliebt, über die heutige Verhandlung und den Stand der Dinge ein Protokoll zu verabfassen und dasselbe in duplo, von allen Theilnehmern an besagter Verhandlung unterschrieben und untersiegelt, den beiden hohen Souverainen, als Seiner Majestät dem Kaiser von Rußland durch den Kapitain des Rurik's, und Seiner Majestät dem Könige von Spanien durch den Gouverneur von Neu-Californien, zu Handen kommen zu lassen.

Die Redaktion dieses Aktenstückes, welches spanisch verfaßt wurde, hatte ich als Dolmetscher zu beaufsichtigen. Ich verwarf den ersten Entwurf, in welchem ich etwas vermißte; denn, sagte ich zu Don Paolo Vicente, indem Sie diese Sache vor den Thron der hohen Souveraine bringen und von dem Kaiser von Rußland selber die Abhülfe dieser Unbill und die Bestrafung seiner dafür verantwortlichen Diener erwarten, so begeben Sie sich des Ihnen sonst unbestreitbar zukommenden Rechtes der Selbsthülfe gegen den Eindringling und dürfen dann der hohen Entscheidung der Monarchen nicht vorgreifen. —

Dagegen hatte denn Paolo Vicente de Sola nichts einzuwenden; er lobte meine Einsicht, ließ das Protokoll umschreiben und gab, als es am 28. Abends auf dem Presidio unterschrieben wurde, sein feierliches Ehrenwort, eigenmächtig nichts Gewaltsames gegen den pp. Kuskoff und die russische Niederlassung am Port Bodega zu unternehmen und die Sachen bis zur Entscheidung der hohen Höfe in statu quo zu belassen. — Ich unterschrieb das Aktenstück en clase de interprete als Dolmetscher mit*).

Ich will mit dieser Wendung der Dinge nicht prahlen. Denn hätte auch der wackere Don Paolo Vicente de Sola kein Gelübde abgelegt, so hätte er doch schwerlich die Feindseligkeiten eröffnet und einen Kriegszug gegen das russische Fort am Port Bodega unternommen.

Ich habe gehört, daß besagtes Protokoll in Petersburg seine eigentliche Bestimmung nicht verfehlt hat und, ohne weiter zum Vortrag zu kommen, im betreffenden Ministerio ad acta gelegt worden ist. Aber dem Don Paolo Vicente de Sola, Gobernador de la nova California, soll ein russischer Orden zugesendet worden sein. Ich erhielt von Herrn Kuskoff ein schönes Otterfell als Ehrengeschenk, und solches könnt ihr euch zu Berlin im zoologischen Museum, dem ich es verehrt habe, zeigen lassen.

Eine unmittelbare Folge der Konferenz vom 26. Oktober war für den Rurik eben keine ersprießliche. — Die Verhandlung hatte sich über die Mittagsstunde hinaus verlängert und ein Anderer hatte für den Kapitain die Chronometer aufgezogen. — Er vertraute mir, der große Chronometer habe seither seinen Gang dergestalt verändert, daß er ihn für verdorben halten müsse.

Die Gebietsansprüche Spanien's auf dieser Küste wurden von den Amerikanern und Engländern nicht höher geachtet als von den Russen. Den Ausfluß der Colombia rechnete Spanien auch zu seinem Gebiete. Die Geschichte der dortigen Ansiedelung haben uns die Spanier und Herr Elliot ziemlich gleichlautend erzählt. Die Amerikaner hatten sich aus New-York theils zu Lande und theils zur See dahin begeben und dort eine Niederlassung begründet. Während des Krieges zwischen England und Amerika ward die Fregatte Racoon, Kapitain Black, ausgesandt, Besitz von diesem Posten zu neh-

*) Vergleiche über die russische Ansiedelung am Port Bodega: Otto von Kotzebue, Neue Reise um die Welt in den Jahren 1823—26. II. 65—70.

men. Die englischen Kaufleute aus Canada begaben sich zu Lande dahin, und wie das Kriegsschiff, das die Kolonie bedrohte, im Angesicht des Hafens war, setzten sie sich um Geldes Preis, um 50,000 Pfund Sterling, in Besitz derselben und zogen die englische Flagge auf. Eine Handelsstraße zu Land soll die Colombia mit Canada verbinden. Relata refero.

Die Zeit unsers Aufenthalts in Californien war abgelaufen. Am 26. Oktober, einem Sonntage, war nach einem Ritte nach der Mission Fest- und Abschiedsmahl unter unsern Zelten. Die Artillerie des Rurik's begleitete den Toast auf den Bund der Monarchen und der Völker und auf die Gesundheit des Gouverneurs. — Ein guter Missionar hatte seinen Mantel zu tief in das Blut der Reben getaucht und schwankte sichtbarlich unter der Last.

Am 28. wurde das Lager abgebrochen und wieder eingeschifft. Indeß wir auf dem Presidio das Protokoll besiegelten, hatte Herr Kuskoff mit Vorwissen des Herrn von Kotzebue zwei Baidaren auf den Otterfang in den Hintergrund der Bucht ausgeschickt.

Am 29. reisten, einerseits Herr Kuskoff früh am Morgen mit seiner Baidaren-Flotille nach Bodega, und andererseits später am Tage der gute Don Paolo Vicente de Sola nach Monterey. Dieser nahm unsere Briefe zur Beförderung nach Europa mit, die letzten, die unsere Freunde von der Reise aus von uns erhalten. Mit ihnen verschwand unsere Spur. Denn da wir im Spätjahr 1817 nach Kamtschatka nicht zurück gekehrt, hat man uns in Europa verloren geben müssen.

Am 30. ward alles Gethier eingeschifft, und Vegetabilien in der größten Fülle. Zugleich kamen eine unendliche Menge Fliegen an Bord, welche die Luft verdichteten. Frisches Wasser hatten wir eingenommen, was im hiesigen Hafen, zumal im Sommer, ein schwieriges Geschäft ist; ein Fäßlein Wein aus Monterey verdankten wir dem Gouverneur. Unsere Freunde vom Presidio speisten zu Mittage mit uns auf dem Rurik. Wir waren segelfertig.

Am 31. waren zum letzten Abschied unsere Freunde noch bei uns; einige von uns ritten noch Nachmittags nach der Mission. Spät am Abend langte Herr John Elliot de Castro an, noch unschlüssig, ob er von dem Anerbieten des Kapitains Gebrauch machen werde oder nicht. Er entschied sich jedoch für das Erstere.

Am 1. November 1816, am Allerheiligenfeste, Morgens um 9 Uhr lichteten wir die Anker, während unsere Freunde in der Kirche waren. Wir sahen sie auf dem Fort ankommen, als wir eben vorbeisegelten. Sie zogen mit einem Kanonenschuß die spanische Flagge auf, wir gleichfalls die unsere. Sie salutirten uns zuerst mit sieben Kanonenschüssen, die wir Schuß für Schuß erwiderten.

Das Wasser des Hafens von San Francisco war in hohem Maß von sehr feinen Lichtpunkten phosphorescirend, und merklich schimmernd entrollte sich auch die brandende Welle auf dem Strande der Küste außerhalb der Bucht. Ich habe das Wasser des Hafens mit dem Mikroskop untersucht und darin nicht häufige, ausnehmend kleine Infusorien beobachtet, denen ich dennoch bei dem Leuchten keine Rolle zuschreiben mag.

Wir schauten hier täglich dem Spiele der Nebel zu, die, vom waltenden Seewind ostwärts über das sonnerhellte Land geweht, zerflossen und sich auflösten. Besonders schön war das Schauspiel, welches sie uns bei der Abfahrt bereiteten, indem sie verschiedene Gipfel und Gegenden der Küste bald verhüllten und bald entschleierten.

Von Californien nach den Sandwich-Inseln.

Erster Aufenthalt daselbst.

Wir waren am 1. November 1816 kaum aus dem Hafen, so empfing uns auf dem hohen Meer ein mächtiger Wind, der das Schiff dergestalt schaukelte, daß alte Matrosen und selbst der Kapitain seekrank wurden. Ich habe dieses Uebel nie bezwungen, bin nie nach dem kürzesten Aufenthalt auf dem Lande wieder auf die See gekommen, ohne daran zu leiden; ich brauche nicht zu sagen, daß ich darnieder lag. Die Fliegen wurden vom Winde weggeblasen; am andern Tage war keine mehr auf dem Rurik zu sehen. Wir sahen am 2. große Tange, am 3. Delphine, am 4. unter dem 31° N. B. den ersten Tropikvogel.

Das Meer war blau, der Himmel bedeckt, Alles lebensleer, wie in keinem anderen Meerstriche. Keine andern Vögel als Tropikvögel. Ihr Flug ist hoch, ihr Geschrei durchdringend. Man hört sie oft, ohne sie sehen zu können; oft vernimmt man ihre Stimme zu Nacht.

Wir hatten noch zwischen den Wendezirkeln anhaltende S. und S. W. Winde. Abends oft Wetterleuchten im Süden. Einige Windstillen unterbrachen den Südwind, der immer aufs Neue zu wehen anhub. Am 9. spielten und lärmten Delphine um unsern Kiel. Am 12. begleiteten uns Morgens und Abends ein Paar Wallfische (Physeter?).

Am 16. November (22° 34′ N. B., 104° 25′ W. L.) erreichten wir endlich den Passat.

Am 21. zeigten sich uns einige Berglinien von O-Waihi durch die Wolken.

Herr John Elliot de Castro, aus gemischtem englischen und portugiesischen Blute entsprossen, war so klein, daß ich ihn nur mit dem Jean Paul'schen kleinen Kerle vergleichen mag, der sich selber nicht bis an die Knie ging, geschweige denn längeren Personen. Er war ein frommer Katholik und setzte seine Hoffnung in ein Band von der Brüderschaft des heiligen Franciscus, welches er trug und kraft dessen ihm ganz absonderlicher Indult zu Theil werden sollte. Er war in Rio-Janeiro verheirathet und daselbst als Chirurgus bei einem Hospital angestellt. Aber er war auch verliebt und unglücklich verliebt, und diese Leidenschaft hatte ihn in die weite Welt und in vieles Unglück getrieben. Er war nämlich in zwanzig tausend Piaster verliebt, zu deren Besitz er nicht gelangen konnte, und von denen er sprach mit einer ergreifenden Sehnsucht, mit einer Wahrheit und Tiefe der Empfindung, mit einer Hingerissenheit, die den wenigsten Musenalmanachsgedichten eigen sind. Seine Liebe war wirklich dichterisch; rührend war es ihn zu sehen, wie er über den Bord des Rurik's sich bog und dort in die blaue Ferne ein Segel sich log: ein Amerikaner! piasterbeladen vom Schleichhandel mit den Padres der spanischen Küste! Wir haben mehr Kanonen als er! wir könnten ihn kapern! — Es war aber nicht einmal das Schiff da. — Wie er einst Tabak in Buenos-Ayres einzuschmuggeln versucht, war er daselbst in Gefangenschaft gerathen. Bevor er das Glück bei Herrn Baranoff gesucht, der ihm nur zu einer zweiten Gefangenschaft unter den Spaniern verholfen, hatte er es zwei Jahre lang auf den Sandwich-Inseln erwartet, woselbst er mit den Perlen von Pearl-River einen Handel zu treiben versucht, der seiner Hoffnung nicht gelohnt. Er war indeß Leibarzt des Königs Tameiameia geworden, der ihn mit Land beliehen hatte, und jetzt in seine dortige Familie heimkehrend, erwartete er seine Besitzungen in gutem Stande zu finden und vertraute seinem alten Verhältnisse.

Der Umgang mit unserm Gaste während der Tage der Ueberfahrt war mir unschätzbar lehrreich. Wohl hatte ich, was über die Sandwich-Inseln geschrieben war, gelesen, und hatte über deren jetzigen Zustand, besonders in Hinsicht des Handels, dessen Stapelplatz sie geworden sind, manche Notizen gesammelt. Hier aber hatte ich einen O-Waiber (Naja haore, Delphin der weißen Männer) vor mir, der mit und im Volke gelebt, der einer bestimmten Kaste angehört hatte und dem ich die Sprache abhören und die Sitte abmerken konnte. Ich benutzte emsig die Gelegenheit; und wirklich kam ich gut vorbereitet zu sehen, und selbst der kindergleichen Sprache nicht ganz fremd, auf den Wohnsitz dieses anziehenden und damals seiner Eigenthümlichkeit noch nicht abwendig gemachten Volkes. Gern und herzig stattet seinem wohlwollenden Lehrer, Herrn John Elliot de Castro, der gelehrige Schüler seinen besten Dank ab; aber ich habe ihm auch eine große Freude bereitet, denn ich habe ihm, als zufällig einmal das Gespräch auf die Gabe der Weissagung fiel, mit gehörigem Ernste und Nachdruck geweissagt: er werde als Ordensgeistlicher sein Leben in einem Kloster enden; und bei der Rührung, womit er das Wort auffaßte, sollte es mich keinesweges wundern, wenn die Prophezeihung selber den Grundstein zu deren Verwirklichung gelegt hätte.

Zu mir ist auch auf dieser Ueberfahrt ein Wort gesprochen worden, worüber ich mich herzig gefreut habe, und welches ich, vielleicht ruhmredig, hier verzeichnen will. Gegenstand des Tischgespräches war, wie gewöhnlich, das Land, welches zu sehen, das Volk, mit dem zu verkehren uns bevorstand. Wir hatten die Polynesier noch nur erblickt; hier sollten wir unter ihnen leben. Ich äußerte, wie gespannt dieses Mal meine Neugierde sei und wie erwartungsvoll ich den neuen Eindrücken entgegen gehe. Darauf versetzte Herr von Kotzebue, in der nicht verhehlten Absicht, mir etwas Demüthigendes zu sagen: „ich könne den Zusatz „dieses Mal“ sparen; ich sei doch immer der, dessen Neugierde sich am gespanntesten zeige, und so erwartungsvoll sei keiner wie ich. — Ich wurde also, ich, der älteste an Jahren, gescholten, der jüngste zu sein an Sinn und Herz.

Ich fahre in meinem Reiseberlcht fort. Keine Seevögel hatten uns über dem Winde der Sandwich-Inseln das Land angesagt, und zwischen denselben sahen wir auch keine. Nur hoch in den Lüften der Tropikvogel, und nah über dem Spiegel der Wellen der fliegende Fisch.

Wir richteten unsern Lauf nach der Nordwest-Spitze von O-Waihi, um diese zu umfahren und, nach dem Rathe von Herrn Elliot, Haul-Hanna, Herrn Jung, in der Bai von Tokahai, Gebiet Kochala, zu sprechen, woselbst dieser in der Geschichte der Sandwich-Inseln rühmlichst bekannte Mann seinen Wohnsitz haben sollte. Herr Jung würde uns die nöthigen Nachrichten über den jetzigen Zustand der Dinge und den Aufenthalt des Königs mittheilen. Dem Könige aber mußten wir uns vorstellen, bevor wir in den Hafen Hana-ruru der weiter westwärts liegenden Insel O-Wahu einliefen.

In der Nacht zum 22. November und am Morgen dieses Tages enthüllten sich uns die Höhen der großartig in ruhigen Linien sich erhebenden Landmasse, über welche sich Mittags und Abends die Wolken senken. Noch sahen wir nur Mauna-kea, den kleinen Berg, welcher, wenn gleich der kleinere, sich höher über das Meer erhebt als der Montblanc über die Thäler, von welchen aus er gesehen werden kann. Die Nordküste am Fuße des Mauna-kea ist die unfruchtbarste der Insel.

Wir umschifften gegen Mittag das nordwestliche Vorgebirge von O-Waihi, fuhren durch den Kanal, der diese Insel von Mauwi trennt, und verloren den Passat unter dem Winde des hohen Landes. Wir hatten längs der Westküste von O-Waihi sehr schwache Land- und Seewinde und gänzliche Windstille.

Zwei Insulaner ruderten in der Gegend des Vorgebirges an das Schiff. Der auf das Verdeck stieg, beantwortete so scheu und zögernd die Fragen des ihm wohlbekannten Naja's, daß dieser über das, was auf den Inseln geschehen sein möchte, Besorgniß schöpfte. Wir erfuhren indeß, daß Haul-Hanna mit den mehrsten Fürsten auf O-Wahu, und Tameiameia zu Karakakoa sich befinde. Das Kanot, welches an das Schiff angebunden war und worin der andere O-Waihier sich befand, schlug um, und wir hatten Gelegenheit, die Kraft und Gewandtheit dieser Fischmenschen zu bewundern.

Wir sahen von der hohen See die europäisch gebauten Häuser von Herrn Jung sich über die Strohdächer der Eingeborenen erheben. Der ganze Strand ist von den Ansiedelungen der Menschen bekränzt, aber schattenlos. Erst südlicher längs der Küste untermischen sich Cocospalmen den Häusern. Die Wälder, die an den Bergen eine hohe Zone einnehmen, steigen nicht zu Thale. Rauchsäulen stiegen in verschiedenen Gegenden des Landes empor.

Andere Kanots kamen an das Schiff; wir verkehrten mit mehreren Eingeborenen und vermochten einen weitgewanderten Mann, einen Mann des Königs, der in Boston, an der amerikanischen N. W. Küste und in China gewesen war, an unserm Bord zu bleiben und uns nach Karakakoa zu lootsen. Wir erfuhren, daß zwei amerikanische Schiffe in Hana-ruru lägen, und vor Karakakoa ein drittes, welches, vom Sturme geschlagen, entmastet nach diesen Inseln gekommen. Wir erfuhren endlich, daß Russen der amerikanischen Handels-Compagnie das Reich mit Krieg zu überziehen gedroht, und daß man die russischen Kriegsschiffe erwarte, welche die Drohung verwirklichen sollten.

Das waren die Umstände, unter welchen wir vor O-Waihi erschienen, und uns glücklich preisen mußten, Herrn Elliot, den Leibarzt des Königs, an Bord zu haben, der Zeugniß von uns ablegen konnte.

Wir lagen die Nacht in vollständiger Windstille. Wir erfuhren am Morgen des 23., daß der König von Karakakoa nordwärts, uns näher, nach Tiutatua am Fuße des Wororai gekommen sei, sich aber daselbst nicht lange aufhalten werde. Herr Elliot ließ ihm Botschaft von uns und sich selber ansagen und den Wunsch des Kapitains andeuten, Seine Majestät zu Tiutatua nicht zu verfehlen.

Wir kamen sehr langsam vorwärts. Am Abend ward ein Delphin harpunirt. Während der Nacht frischte der Wind; am Morgen des 24. waren wir vor Tiutatua. Das amerikanische Schiff fuhr eben unter allen Segeln in die Bucht. Der Kapitain ließ das kleine Boot aussetzen, worin er Herrn Elliot mit mir, Eschscholtz und Choris an das Land schickte. Wir begegneten einem Europäer, der in seinem Kanot fuhr; er trat in unser Boot über und geleitete uns.

Das Dorf liegt unter Palmbäumen anmuthig am Seegestade.

Hinter demselben steigt der Blick auf einem Lavastrom zu dem Riesenkegel des Wororai hinan. Zwei Morais standen mit ihren häßlichen Idolen auf einem Vorsprung des Lavastrandes.

Am Ufer war ein zahlreiches Volk in Waffen. Der alte König, vor dessen Wohnung wir landeten, saß auf einer erhabenen Terrasse von seinen Weibern umringt in seiner volksthümlichen Tracht, dem rothen Maro (Schamgürtel) und der schwarzen Tapa (dem weiten schönfaltigen Mantel von Bastzeuge). Nur Schuhe und einen leichten Strohhut hatte er von den Europäern erborgt. Den schwarzen Mantel tragen nur die Vornehmen; das färbende Harz verleiht dem Zeuge die Eigenschaft, nicht naß zu werden. Vor dem Könige sitzt jeder Untergeordnete niedriger als er, mit entblößten Schultern. Der alte Herr nahm seinen Arzt gern wieder auf, jedoch ohne überströmende Freude, und ließ sich von ihm über den friedlichen Zweck unserer Expedition belehren; dann richtete er an uns den Friedensgruß, drückte uns die Hand und lud uns ein, ein gebackenes Schwein zu verzehren. (Drei der hervorragenden Männer der alten Zeit, ich rühme mich der Ehre, haben mir die Hand gedrückt: Tameiameia, Sir Joseph Banks und Lafayette.) Wir verschoben die Mahlzeit bis zur Ankunft des Kapitains; Eschscholtz und ich begehrten botanisiren zu gehen, während Choris blieb und den König zu zeichnen sich erbot. Tameiameia gab uns zu unserm Schutz einen Edeln seines Gefolges mit und warnte uns vor der großen Aufregung des Volkes. Dem Maler wollte er nur in europäischen Kleidern sitzen, nämlich in rother Weste und Hemdesärmeln, da er den Zwang des Rockes nicht ertragen mag. Er beauftragte Herrn Elliot, den Kapitain ans Land zu geleiten, und er sandte mit ihm zwei der vornehmsten Häuptlinge, von denen einer gleichsam als Geißel auf dem Schiffe bleiben sollte, bis er, der Kapitain, an seinen Bord zurückgekehrt sei.

Ich werde hier mit wenigen Worten über die Ereignisse berichten, die unserer Ankunft auf den Sandwich-Inseln zuvorgegangen waren.

Ein gewisser Doktor Scheffer, im Jahre 1815 als Schiffsarzt am Bord des Suwaroff, Kapitain: Lieutenant Lasareff, zu Sitcha angelangt und daselbst im Dienste der amerikanischen Compagnie zurückgeblieben, war, vermuthlich von Herrn Baranoff ausgesandt, anscheinlich zu wissenschaftlichen Zwecken auf die Sandwich-Inseln gekommen, wo er den Schutz des Königs genossen hatte. Der Doktor Scheffer hatte die verschiedenen Inseln bereist. Auf O-Wahu, wo zwei Schiffe der russisch-amerikanischen Compagnie (die Clementia und die Entdeckung) angelegt, war verschiedentlich gegen den König und gegen die Volksreligion gefrevelt worden. Die Russen hatten einen Morai entweiht und die Förmlichkeit der Besitznahme der Insel, bei Aufziehung der russischen Flagge auf dem Lande, vollzogen. Vermittelnde Europäer hatten das Blutvergießen verhindert, und die übermüthigen Fremden hatten, gezwungen sich einzuschiffen, mit Krieg und Eroberung gedroht. Welch ein Antheil der Schuld jenen Schiffen, welcher dem Doktor zuzuschreiben sei, bleibe unentschieden; die größere Erbitterung war gegen den Doktor. Gegenwärtig war derselbe auf den westlichen Inseln, deren König Tamari er vermocht hatte, sich unter russischer Flagge gegen seinen Lehnsherrn Tameiameia zu empören.

Bekanntlich war zur Zeit der Eroberung Tameiameia, der ehedem selbstständige König von Atuai und den westlichen Inseln, dem Gewaltigen zuvorgekommen, indem er sich ihm freiwillig unterworfen.

Das war der jetzige Stand der Dinge. Als wir im Spätjahre 1817 nach den Sandwich-Inseln zurückkamen, hatte auf diesem Schauplatze der Doktor Scheffer seine Rolle bereits ausgespielt; der König von Atuai, dem er lästig geworden, hatte ihn weggewiesen und hatte aufs neue Tameiameia gehuldigt. Der Doktor Scheffer kam nach Petersburg, wo er mit abenteuerlichen Anschlägen und Rathschlägen kein Gehör gefunden zu haben scheint. Er tritt später als kaiserlich brasilianischer Werboffizier in Hamburg auf.

Wie ich mit Eschscholtz botanisiren ging, umringte uns eine mehr lachende als drohende Menge. Ein Häuptling, an seiner Haltung und seinem fast riesigen Wuchs nicht zu verkennen, schwang, wie wir den Weg gingen, den er kam, lachend seinen Wurfspieß gegen mich und drückte mir dann mit dem Friedensgruße: „Arocha!“

die Hand. Was er dabei sagte, mochte bedeuten: Habt ihr uns wieder einmal den Spaß verdorben? wir dachten uns zu schlagen, und nun seid ihr gute Freunde!

Das dürre, ausgebrannte Feld hinter dem Dorfe bot dem Botaniker nur eine karge Ausbeute; und doch war es eine große Freude, hier die ersten Sandwicher Pflanzen zu sammeln. Eine Cyperacee! rief ich dem Doktor zu und zeigte ihm die Pflanze von fern. „Küperake! Küperake!“ fing unser Führer zu schreien an, indem er eine Handvoll Gras über den Kopf schwang und wie ein Hampelmann tanzte. So sind diese Menschen, fröhlich wie die Kinder, und man wird es wie sie, wenn man unter ihnen lebt. Nach dem, was ich in meinen Bemerkungen und Ansichten über die O-Waihier gesagt, bleibt mir nur übrig, sie selbst in kleinen Anekdoten und Zügen auftreten zu lassen.

Wir wurden, in Erwartung des Kapitains, zu den Königinnen eingeführt; große, starke, fast noch schöne Frauen. Kahumanu tritt schon unter Vancouver in der Geschichte auf. Sie lagen in einem Strohhause zusammen auf dem weich mit feinen Matten gepolsterten Estrich; wir mußten Platz unter ihnen nehmen. Fast unheimlich wurden mir, dem Neulinge, die Blicke, die meine Nachbarkönigin auf mich warf. Ich folgte Eschscholtz, der sich schon früher aus dem Hause geschlichen hatte. Ich erfuhr von ihm, seine Königin habe sich noch handgreiflicher ausgedrückt.

Unser Kapitain war angelangt. Der alte Held empfing ihn mit Herzlichkeit. Er verstand sehr wohl das Verhältniß und wußte es großartig, ehrfurchtgebietend und leicht zu behandeln. Herr Cook, ein Europäer, der sein Vertrauen besaß und der jetzt erst von dem amerikanischen Schiffe, wohin er ihn gesandt hatte, zurückkam, diente ihm zum Dolmetscher. Er verhielt seinen Ingrimm gegen die Russen nicht, die seiner königlichen Gastfreiheit mit so schnödem Undank gelohnt; in uns aber, die wir, auf Entdeckung ausgesandt, mit jenen nichts zu theilen hatten, wolle er keine Russen sehen, sondern nur die Söhne und Nachkommen Cook's und seines Freundes Vancouver. Wir seien keine Kaufleute, er wolle es auch gegen uns nicht sein; er werde für alle unsere Bedürfnisse Sorge tragen, frei, unentgeltlich. Wir brauchten dem Könige nichts zu geben, und wollten wir ihm ein Geschenk machen, so sei es nur nach Belieben. So Tameiameia, König der Sandwich-Inseln.

Unsere Gegengeschenke zeugten von unserer friedlichen Gesinnung. Zwei kleine Mörser mit den dazu gehörigen gefüllten Granaten und Pulver. Eisenstangen, die wir als Ballast hatten und die ihm angenehm zu sein schienen, wurden für ihn zu Hana-ruru ausgeschifft. — Er selbst erkundigte sich im Gespräche, ob wir ihm wohl etwas Wein ablassen könnten? Er erhielt ein Fäßlein guten Teneriffa von unserm Vorrath. Der Kapitain hatte zufällig etliche schöne Aepfel aus San Francisco mitgebracht. Er fand sie wohlschmeckend, vertheilte sie zum Kosten den Häuptlingen um ihn und ließ die Kerne mit großer Sorgfalt sammeln. Auf den Wunsch, den Herr von Kotzebue aussprach, ließ Tameiameia sogleich einen Federmantel herbeiholen und überreichte ihm solchen für den Kaiser Alexander. Furchtlos und würdevoll schlug er ab, auf das Schiff zu kommen, da die jetzige Stimmung seines Volkes es ihm nicht erlaube. Wir statteten dem Reichserben Lio-lio einen Besuch ab. Ich kann dem, was ich in den Bemerkungen und Ansichten gesagt habe, nichts hinzufügen, obgleich die dort, hauptsächlich nach Herrn Marini, ausgesprochenen Weissagungen nicht in Erfüllung gegangen sind. Der Tisch war für uns in einem Hause, das im Umfang des königlichen Morai lag, auf europäische Weise gedeckt. Der König geleitete uns dahin mit seinen Häuptlingen, doch nahm weder er noch einer von ihnen Antheil an dem Mahle, das wir allein verzehrten. Unsere Matrosen wurden nach uns auf gleiche Weise bewirthet. Wir erfuhren später, daß mit diesem uns gereichten Mahle ein religiöser Sinn verbunden gewesen. Die wir als Feinde angekündigt, als Freunde gekommen waren, aßen ein geweihtes Schwein an geweihter Stelle in dem Morai des Königs.

Nach uns speiste Tameiameia in seinem Hause allein, wobei wir ihm zuschauten, wie er uns selber zugeschaut hatte. Er aß nach alterthümlicher Sitte. Gesottene Fische und ein gebackener Vogel waren die Gerichte, Bananen-Blätter die Schüssel, und der beliebte Taro-brei vertrat die Stelle des Brodes. — Die Diener brachten die Speisen kriechend herbei, die ein Vornehmerer ihm vorsetzte. Herr von Kotzebue spricht von der sonderbaren Tracht der Höflinge Tameiameia's, die alle schwarze Fracks auf dem bloßen Leib getragen. Ich kann mich nur erinnern, ein einziges Mal auf den Sandwich-Inseln dieses Costüm gesehen zu haben, welches keineswegs so allgemein war und auch dem Auge des Künstlers nicht aufgefallen ist. Vergleiche Choris Voyage pittoresque.

Tameiameia behielt Herrn Elliot um sich, von dem nach O-Wahu begleitet zu werden uns wohl erwünscht gewesen wäre. Er gab uns als Geleitsmann und Ueberbringer seiner Befehle in unserm Betreff einen Edeln geringeren Ranges mit, der seines völligen Vertrauens genoß. Er ließ diesen Mann, Namens Manuja, von zehn Meilen her kommen, weshalb er auch spät eintraf. Der Rurik war unter Segel geblieben. Wir hatten bereits Signalschüsse abgefeuert, Racketen abgebrannt und Laternen aufgezogen, als Herr Cook unsern Schutzmann Abends um 8 Uhr an Bord brachte.

Wir nahmen mit einem schwachen Landwind unsern Cours nach O-Wahu. Die aufgehende Sonne fand uns am 25. in Ansicht von O-Waihi und Mauwi. Der Wind hatte uns verlassen. Es war ein schöner Morgen. Größe, Ruhe und Klarheit. Luft und Meer klar und ruhig; rein und wolkenlos die groß und ruhig gezeichneten Höhen beider Inseln. Herr von Kotzebue benutzte den Moment, die Höhen der Berge beider Inseln zu messen.

Zu Nacht erhob sich der Wind; wir hatten den Passat wieder gewonnen. Wir sahen die Feuer der Insel Tauroa brennen. Wir segelten am 26. schnell längs der Inselkette und südlich von derselben vorwärts. Ein paar Wallfische (Physeter) spritzten nicht fern von uns ihre Wasserstrahlen. Manuja lag seekrank auf dem Verdecke, und sein Dienstmann war kaum im Stande, ihm Hülfe zu leisten. Auch Manuja hatte die Kerne der Aepfel, die er bei uns gegessen, sorgfältig gesammelt und verwahrt. Wir lavirten die Nacht in Ansicht der Insel O-Wahu.

Wir gelangten am 27. November in den Mittagsstunden vor den Hafen von Hana-ruru. Manuja fuhr mit dem ersten Kanot, welches sich zeigte, ans Land, und bald kam ein königlicher Lootse, ein Engländer, Herr Herbottel, heraus, der uns die Anker außerhalb des Riffes werfen hieß, da jedes einlaufende Schiff während der Windstille, die hier regelmäßig vor Sonnenaufgang eintritt, in den Hafen bugsirt werden muß.

Der Kapitain fuhr, sobald der Rurik vor Anker lag, an das Land. — Ein amerikanischer Scunner, der Traveller aus Philadelphia, Kapitain Wilcoks, ging eben unter Segel. Wir sahen über die Brandung hinüber zu der anmuthigen Stadt, die, von schlanken Cocospalmen beschattet, aus O-Waihischen Strohdächern und europäischen Häusern mit weißen Mauern und rothen Dächern besteht. Sie unterbricht die sonnige Ebene, die den Fuß des Gebirges umsäumt. Der Wald, der die Höhen bekleidet, senkt sich auf ihren Abhöhen tief herab. Zwei Schiffe lagen im Hafen; beide gehörten dem Herrn der Inseln. Ein Dreimaster, der bald den Namen der Frau von Kareimoku erhalten sollte und der am 29. Morgens, mit Taro beladen, nach O-Waihi unter Segel ging. Das zweite, nach Tameiameia's edelster Gattin die Kahu-manu genannt, eine kleine elegante, schnell segelnde Brigg, die, in Frankreich zum Kaperschiff gebaut, ursprünglich la grande guimbarde geheißen und, von den Engländern genommen, den Namen Forester erhalten hatte. — Die Kahu-manu feuerte als Wachtschiff bei Sonnenuntergang den üblichen Retraitenschuß ab.

Der Kapitain kam an Bord zurück, nicht eben erfreut von dem Empfang, der ihm geworden. Noch war das Volk gegen die Russen in Aufregung, und bei dem Gouverneur hatte er dasselbe Vorurtheil zu bekämpfen gehabt. Herr Jung war ihm hülfreich gewesen. Der Gouverneur, Kareimoku, den die Engländer Pitt nennen, auf den Sandwich-Inseln der nächste nach dem Könige, hatte ihm jedoch versprochen, die Befehle, die er im Betreff seiner von Tameiameia erhalten, pünktlich zu vollziehen.

Am 28. um 4 Uhr des Morgens riefen wir verabredeter Maßen durch einen Kanonenschuß die Kanots herbei, die uns in den Hafen bugsiren sollten. Der Lootse und acht Doppelkanots, jeder unter der Führung des Eigners von sechzehn bis zwanzig Mann gerudert, kamen heran. Herr Jung fuhr an ihrer Seite in einem kleinen

Kanot. Der Anker ward gelichtet, und spielend, lachend, lärmend führten die Sandwicher in guter Ordnung und mit einer Gewalt, die unsere Seeleute bewunderten, den Rurik dahin. Wir fuhren nach dem Log drei Knoten. Wir ließen unter den Mauern der Festung die Anker fallen, und Herr Jung kam an Bord, Bezahlung für den Dienst einzufordern, den nicht Leute des Königs uns geleistet hatten.

Ich kann das Erste, was uns, wie jedem Fremden, auf diesen Inseln entgegentrat, mit Stillschweigen nicht übergehen. Die allgemeine, zudringliche, gewinnsüchtige Zuvorkommenheit des andern Geschlechtes; die ringsher uns laut zugeschrieenen Anträge aller Weiber, aller Männer Namens aller Weiber.

Die Scham scheint mir dem Menschen angeboren zu sein, aber die Keuschheit ist nur nach unsern Satzungen eine Tugend. In einem der Natur näheren Zustande wird erst das Weib in dieser Hinsicht durch den Willen des Mannes gebunden, dessen Besitzthum es geworden ist. Der Mensch lebt von der Jagd. Der Mann sorgt für seine Waffen und für den Fang; er ernährt die Familie. Der Waffenfähige herrscht rücksichtslos im Gebrauche seiner Uebermacht; das Weib dient und duldet. Er hat gegen den Fremden keine Pflicht; wo er ihm begegnet, mag er ihn tödten und sein Besitzthum sich aneignen. Ob er des Getödteten Fleisch zur Speise benutzt oder verwesen läßt, ist unerheblich. Schenkt er aber dem Fremdling das Leben, so schuldet er ihm fürder, was zu dem Leben gehört; das Mahl ist für Alle bereitet, und der Mann bedarf eines Weibes.

Auf einer höheren Stufe wird die Gastfreundschaft zu einer Tugend, und der Hausvater erwartet am Wege den Fremdling und zieht ihn unter sein Zelt oder unter sein Dach, daß er in seine Wohnung den Segen des Höchsten bringe. Da macht er sich auch leicht zur Pflicht, ihm sein Weib anzubieten, welches dann zu verschmähen eine Beleidigung sein würde.

Das sind reine, unverderbte Sitten.

Diesem Volke der Lust und der Freude — o könnt' ich doch mit einem Athemzuge dieser lauen, würzigen Luft, mit einem Blicke unter diesem licht- und farbreichen Himmel euch lehren, was Wollust des Daseins ist! — diesem Volke, sage ich, war die Keuschheit als eine Tugend fremd; wir haben Hab- und Gewinnsucht ihm eingeimpft und die Scham von ihm abgestreift. — Schon auf der nördlichen Küste der Insel, durch das Gebirge von der verderbten Hafenstadt abgesondert, wähnte ich mehr patriarchalische, unbescholtenere Sitten zu finden.

Ich machte schon an diesem ersten Tage die Bekanntschaft von Herrn Marini (Don Francisco de Paulo Marini, der von den Eingeborenen Manini genannt wird). Er kam mir nicht übereilt entgegen, aber ich fand ihn stets hülf- und lehrreich, wo ich seiner bedurfte; und er hat, mit Geist und Blick den Punkt treffend, den ich suchte, mich das Beste gelehrt, was ich über diese Inseln weiß. Marini war noch sehr jung, als er in einem Hafen der amerikanisch-spanischen Küste, ich glaube zu San Francisco Californien's, mit Früchten und Gemüsen auf ein Schiff geschickt ward, das im Begriff stand auszulaufen. Die Matrosen ließen den Knaben trinken, er schlief ein; sie verbargen ihn. — Das Schiff war auf hoher See, als erwachend er hervorkam. Der Wurf, der sein Schicksal entschied, war geschehen. Auf den Sandwich-Inseln ans Land gesetzt, wurde er auf denselben zu einem Häuptling von Ansehen, der als betriebsamer Landwirth unablässig mit den Arten nutzbarer Thiere und Pflanzen, die er einführte, neue Quellen des Wohlstandes aus dem Boden stampft und als betriebsamer Handelsmann die zahlreichen Schiffe, die hier verkehren, mit allen ihren Bedürfnissen versorgt. Er versteht namentlich unter diesem heißen Himmel das Fleisch auf das dauerhafteste einzusalzen, was die Spanier in der neuen Welt für unmöglich erklären. Manini schien sich als ein unabhängiger Mann von dem Könige fern zu halten und nicht in dessen Gunst zu stehen. Er lebte mehr der Handelswelt. Ich war glücklich zu preisen, daß ihn jetzt keine Schiffe beschäftigten. Im ersten Gespräche, das ich mit ihm hatte, fiel mir eine Aeußerung von ihm auf. Es war von den neuesten Zeitereignissen die Rede und von Napoleon. Der, sagte er, hätte in unserm spanischen Amerika getaugt. Solches Wort hatte ich noch aus keines Spaniers Munde gehört.

Ich machte die erste botanische Exkursion, bestieg den ausgebrannten Vulkan hinter der Stadt, drang berghinan in den Wald, und kam über das Thal zurück, das durch kunstreiche Bewässerung für die Kultur der Taro gewonnen ist. Ich lernte die Kühlung der Bergthäler kennen und die erhöhte Temperatur, die einen empfängt, sobald man aus denselben auf den sonnigen Saum der Insel hervortritt.

Der ich täglich die Gegend durchschweifte und das Gebirge, werde meine einsamen Spaziergänge nicht weiter beschreiben, aber hier etliche der kleinen Abenteuer, die mir auf denselben zustießen, zusammentragen.

Ueber Ströme und Flüsse führt keine Brücke; ist man doch froh, die Gelegenheit zu einem Süßwasserbad zu haben, welches von den Anwohnern des Meeres eben so geschätzt und begehrt wird, wie von uns Mittelländern das Seebad. Man wird auch aller Orten auf jede sich darbietende Gelegenheit aufmerksam gemacht, und: „willst du baden?" ist eine Frage, die man bald erlernt hat.

Ich hatte mich ausgezogen, um den Strom, der hinter Hanaruru sich in den Hafen ergießt, zu durchwaten, und das Wasser ging mir kaum über die Knie, als ich ein leichtes Kanot an mich heranrudern hörte und ein großes Gelächter vernahm. Es war eine Dame, anscheinlich von der ersten Kaste, die mich hier zu necken sich ergötzte. Ich war wie ein unschuldiges Mädchen, das ein Flegel sich den Spaß macht im Bade zu beunruhigen.

Bei einer weiteren Excursion, auf welcher mich ein Führer geleitete, ging der Weg durch ein breites, ruhiges Wasser. Der O-Wahier stieg vor mir hinein und ging hinüber; das Wasser stieg ihm nicht bis an die Brust. Ich gerieth auf den Einfall, ich, der ich eigentlich nicht schwimmen kann, hinüber schwimmen zu wollen. Ich versuchte es, und siehe! das Wasser trug mich und ich kam ordentlich vorwärts.

Ich war außerordentlich mit mir zufrieden und dachte: es ist auch gut, den Leuten zu zeigen, daß, wenn grade kein Meister in ihrer Kunst, man doch derselben nicht ganz fremd ist. Da weckte mich ein unendliches Gelächter, das laut und lauter vom Ufer erscholl, aus meinem Traum. Wie ich mich umsehen konnte, um zu erkunden, was da vorging, gewahrte ich, daß sich das Ufer dicht mit Menschen bekränzt hatte, die herbei gelaufen waren, um über den kuriosen Kanaka haore (den weißen Mann) zu lachen, der, anstatt wie ein vernünftiger Mensch durchs Wasser zu gehen, sich eine ungeheure Mühe gab, seine Ungeschicktheit zur Schau zu geben. Aber das Lachen hat hier nichts Feindseliges. Lachen ist das Recht des Menschen; jeder lacht über den andern, König oder Mann, unbeschadet der sonstigen Verhältnisse. — Andere Anekdoten werden an ihrem Ort den Satz erläutern.

Arocha! ist der Friedensgruß, den jeder jedem bietet und der mit gleichem Gegengruße erwidert wird. Auf jedes „Arocha!", das einem zugerufen wird, antwortet man „Arocha!" und ziehet seines Weges, ohne sich umzusehen. Als ich einst botanisiren ging und von Hana-ruru meinen Weg nach den Taro-Pflanzungen genommen hatte, fiel es mir auf, daß, wo schon die Häuser zu Ende waren, das Grüßen noch kein Ende nahm; und war doch auf dem freien Felde links und rechts Niemand zu sehen. „Arocha!" ward mir in allen Tönen unablässig nachgerufen, und ich erwiderte treuherzig jeden Gruß. Ich sah mich unvermerkt um und ward gewahr, daß ich einen Troß Kinder hinter mir her nachzöge, die es belustigte, den Kanaka haore sein Arocha! wiederholen zu lassen. Wartet nur! meinte ich; und ich zog mit großer Geduld begrüßt und gegengrüßend den Schwarm mir nach bis in die Engpässe der Taro-Felder, über Gräben, Gehege, Wasserleitungen und Erdwälle. Da kehrte ich mich unversehens um und lief mit erhobenen Armen und entsetzlichem Geheul auf sie zu; sie, im ersten Schrecken, ergriffen die Flucht und stürzten über einander und in die Wasserbehälter. Ich lachte sie aus, sie lachten, und wir schieden als Freunde: Arocha!

Auf einer Wanderung durch das fruchtreiche Thal hinter Hana-ruru fand ich einst am Rande eines der Wasserbehälter, worin der Taro gezogen wird, ein schönes Gras, welches ich mich nicht erinnerte gesehen zu haben, und wovon ich mir gleich Exemplare ausriß. Bei dem Geschäfte traf mich ein O-Waihier an, der darob mich ausschalt und pfändete, und den ich nur mit Mühe beschwichtigen konnte.

Ich erzählte Herrn Marini das Ereigniß und zeigte ihm das Gras. Der Mann war sein Pächter, das Gras war der Reis, der, nachdem manche frühere Versuche mißglückt, endlich in diesem Jahre zuerst auf diesen Inseln gegrünt hatte. — Mag mancher Botaniker mich auslachen, dem es vielleicht nicht besser ergangen wäre. Auch ich hätte Oryza sativa im Herbario nicht verkannt.

Bezeichnend mag sein für die hiesige Pflanzenwelt, worin die baumartigen Riesenlianen Brasiliens meist nur durch krautartige Winden- und Bohnen-Arten vertreten werden, die ihre Netze über das niedre Gebüsch ausspannen, daß ich einmal im Gebirg abseits vom Pfade in so ein Netz gerieth, und wie ich weiter vordringen wollte, endlich gewahr wurde, daß ich bereits über den Absturz des Felsen hinaus in einer Hängematte über dem Abgrund schwebte.

Am 29. November wurden wir zuerst nach dem Befehle Tameiameia's versorgt. Wurzeln und Früchte, wie sie das Land nur hervorbringen mag, wurden uns in Ueberfluß gereicht, und die Schweine, die man uns lieferte, waren so groß, daß wir kaum die Hälfte verzehren konnten; die übrigen wurden theils eingesalzen, theils lebendig mitgenommen.

Der Kapitain unternahm an diesem Tage, den Plan des Hafens von Hana-ruru aufzunehmen, und ließ zu dem Behufe Chramtschenko Signalstangen mit Flaggen auf verschiedenen Punkten einpflanzen. Diese Flaggen erinnerten das Volk an jene Flagge, die bei der Besitznahme aufgezogen worden war, und nun griff Alles zu den Waffen, sich das Fest einer Schlacht versprechend; denn waffenlustig ist dieses fröhliche Volk, und es entbehrt schon lange dieser Lustbarkeit. Haul-Hanna, der zum Glücke früh genug berichtet ward, schlug sich ins Mittel, beschwichtigte Kareimoku, kam selbst an das Schiff, den Kapitain zu warnen, und ward unser guter Engel. Alles Flaggenartige verschwand sofort, und der Krieg ward abgesagt.

Am 30. November stellten sich, auf die Einladung des Kapitains, Kareimoku und die vornehmsten Häuptlinge, Teimotu, Bruder der Königin Kahumanu, Haul-Hanna und andere zum Mittagsessen auf dem Rurik ein. Kareimoku war herzlich und brachte dem Kapitain den Friedensgruß. Die Herren waren alle in europäischer Tracht, wenn nicht alle nach der neuesten Mode, so doch alle sehr anständig. Man setzte sich zu Tisch, und ihr Benehmen kann für ein Muster der Schicklichkeit und guten Sitte gelten. Wir hingegen, wir waren die Ungeschickten, die Tölpel; denn es ist doch wohl gesellige Pflicht, sich nach den Sitten und Bräuchen derer, die man bewirthen will, zu erkundigen und sich in nothwendigen Dingen darnach zu richten. Aber das Schwein, das wir den Herren vorsetzten, war nicht im Morai geweiht worden, und so war es nicht (um mich europäisch auszudrücken) kauscher, und nichts von Allem war kauscher, was am selben Feuer mit ihm gekocht und gebraten worden. Ein Stück Zwieback und ein Glas Wein war das Einzige, was sie genießen durften. Sie mußten nüchtern uns essen sehen, ohne sich einmal mit uns unterhalten zu können; das war unsere Bewirthung. Sie aber benahmen sich dabei besser, als wir uns vielleicht an ihrer Stelle benommen hätten, und ließen den guten Willen für die That gelten. Kareimoku trank ein Arochal dem Kaiser von Rußland zu; ein Arochal ward dem Tameiameia dargebracht, und wir waren gute Freunde.

Die Frauen indeß, deren einige mitgekommen waren (das Tabu ist auf Schiffen minder streng als auf dem Lande, wo sie unter Todesstrafe das Speisehaus der Männer nicht betreten dürfen), — die Frauen, sage ich, tranken indeß Wein und betranken sich, was ein O-Waihier von Stand nie thun wird.

Das von Choris gemalte sehr ähnliche Bild von Tameiameia machte ein ausnehmendes Glück. Alle erkannten es, alle hatten Freude daran. — Ich werde einen Zug nicht vergessen, welchen man vielleicht für die Sitten dieses Volkes bezeichnend finden wird. Der Maler hatte in sein Zeichnenbuch neben den König ein Weib aus der Mittelklasse gezeichnet. Herr Jung, dem zuerst das Blatt gezeigt wurde, fand diese Nachbarschaft dergestalt bedenklich, daß er unserm Freunde rieth, die zwei Portraite entweder zu trennen, oder gar nicht sehen zu lassen. Dem gemäß ward das Blatt durchgeschnitten, bevor das Bild des Königs andern O-Waihiern gezeigt wurde. Von diesem sehr gelungenen Portrait theilte Choris hier etliche Kopien aus. Wie wir im nächsten Jahre nach Manila kamen, hatten sich bereits die amerikanischen Kaufleute dieses Bildes bemächtigt und hatten es in den chinesischen Malerfabriken für den Handel vervielfältigen lassen. Choris hat ein Exemplar der chinesischen Ausgabe nach Europa mitgebracht.

Am 30. November fing mit Sonnenuntergang die Feierlichkeit eines Tabu-pori an, um mit dem Sonnenaufgang des dritten Tages zu endigen. Begierig, den heiligsten Mysterien des O-Waihischen Kultus beizuwohnen, wandte ich mich an Karrimoku, der ohne alle Schwierigkeit mich einlud und dessen Gast ich auf die Dauer des Festes im Heiligthume des Morai wurde. Er verließ gegen vier Uhr das Schiff, und ich stellte mich vor Sonnenuntergang bei ihm ein. —

Ich habe die Details der Liturgie und der heiligen Bräuche, die man übrigens bei älteren Reisenden genau beschrieben findet, nicht aufgezeichnet; aber Eins kann ich sagen: gegen die Lustigkeit, mit der sie vollzogen wurden, könnte die Lustbarkeit eines unserer Maskenbälle für ein Leichenbegängniß angesehen werden. Die religiösen Handlungen füllen nur einzelne Stunden aus. Wie bei der katholischen Liturgie, fällt das Volk stellenweise in den Gesang der fungirenden Priester ein. Die Zwischenzeiten gehören der fröhlichsten Unterhaltung, und es werden gute Mahlzeiten abgehalten, wobei ich allein nach europäischer Art bedient wurde und gebackenen Taro anstatt des üblichen Breies bekam. — Zur Mahlzeit wie zur Unterhaltung liegt man in zwei Reihen auf dem mit Matten belegten Estrich, mit dem Kopfe nach dem trennenden Mittelgang, auf den die Thür stößt. Die Gerichte werden auf Bananenblättern aufgetragen, man führt die Speisen mit den Händen zu dem Munde, und der zähe Tarobrei, der das Brod vertritt, wird von den Fingern abgeleckt. Waschwasser wird vor und nach der Mahlzeit gereicht. Zu Nacht geben Fackeln von Kukuinüssen (Aleurites triloba), die auf Stäbchen eingefädelt sind, ein sehr helles Licht. Dieses alles im Morai nicht anders als zu Hause. Wer aus dem heiligen Bezirke sich entfernen will, wird von einem Knaben begleitet, der jeglichem zur Warnung ein kleines weißes Fähnlein führt. — Ein Weib, das man berühren würde, müßte sogleich getödtet werden; ein Mann müßte sich nur im Morai der gleichen Absonderung unterwerfen.

Choris hat in seinem Voyage pittoresque T. V. — VIII. die Idole eines Morai zu O-Wahu abgebildet. Der Typus, der sich in den Figuren VI. 4, VII. 3 und 4, VIII. 1 und 3 wiederholt, ein gleichsam hieroglyphischer, scheint mir der alterthümliche, volksthümliche zu sein. Die mit rothen Federn bekleidete Figur von Korbgeflechte, die, im Allerheiligsten des Morai verwahrt, bei den Bräuchen des Tabu-pori zum Vorscheln kommt, trägt diesen selben Typus. Der weite Mund ist mit wirklichen, ich glaube Hunde-Zähnen umzäunt. Ein paar Jünglinge brachten mir in einer Zwischenzeit die Figur, damit ich sie näher betrachten könne. Begierig, die Grenze des mir Erlaubten zu erkunden, fühlte ich der Göttergestalt auf den Zahn, worauf mit einer plötzlichen Wendung derjenige, der die Figur trug, sie meine Hand verschlingen ließ. Natürlicher Weise zog ich überrascht die Hand schnell zurück, und sie erhoben ein unmäßiges Gelächter.

Die Bräuche, die ich noch gesehen, werden auf diesen Inseln nicht mehr vollführt, und die Sprache der Liturgie soll verhallen. Keiner wohl hat daran gedacht, zu erforschen und der Vergessenheit zu entziehen, was dazu beitragen könnte, das Verständniß der Aeußerlichkeiten des Gesetzes dieses Volkes zu eröffnen; Licht in seine Geschichte, vielleicht in die Geschichte der Menschen zu bringen; und die großen Räthsel, die uns Polynesien darbietet, aufzulösen. Wahrlich, es hätte durch die Romanzoff'sche Expedition Preiswürdiges für die Wissenschaft gewonnen werden können, wenn sie einem gradsinnigen, eifrigen Forscher einen Aufenthalt von einem Jahre auf diesen Inseln gegönnt hätte. Aber man fährt wie eine abgeschossene Kanonenkugel über die Erde dahin, und wenn man heimkommt, soll man rings ihre Höhen und Tiefen erkundet haben. — Als ich gegen den Kapitain mich erbot, hier bis zu der Rückkunft des Rurik's zu bleiben, erhielt ich zur Antwort: er wolle mich nicht halten; es stehe bei mir, von der Expedition abzutreten, wann es mir gefiele.

Am 4. Dezember veranstaltete Kareimoku für uns ein Hurrahurra oder Tanzspiel, und ein zweites am 6. Dezember. Wahrlich, seit ich wiederholt die widrigen Verrenkungen anzuschauen mir Gewalt angethan habe, die wir unter dem Namen Balletanz an unsern

Tänzerinnen bewundern, erscheint mir, was ich in meinen Bemerkungen und Ansichten von der Herrlichkeit jenes Schauspieles gesagt habe, blaß und dem Gegenstande nicht entsprechend. Wir Barbaren! wir nennen jene mit Schönheitssinn begabten Menschen „Wilde", und wir lassen das Ballet den beschämten Dichter und den trauernden Mimen aus den Hallen verdrängen, die wir der Kunst geweiht zu haben uns rühmen. — Ich habe es immer bedauert und muß hier mein Bedauern wiederholt ausdrücken, daß nicht ein guter Genius einmal einen Maler, einen zum Künstler Berufenen, nicht nur so einen Zeichner von Profession, auf diese Inseln geführt. — Es wird nun schon zu spät. Auf O-Taheiti, auf O-Waihi verhüllen Missionshemden die schönen Leiber, alles Kunstspiel verstummt, und der Tabu des Sabbaths senkt sich still und traurig über die Kinder der Freude.

Ein Zeichen muß ich geben, daß ich unbestochen rede. Am 4. tanzten drei Männer; am 6. eine Schaar von Mädchen, darunter viele von ausnehmender Schönheit. Nicht diese haben auf mich den bleibenden Eindruck gemacht, nein, die Männer, die kunstreicher waren und von denen doch der erste nicht einmal schön unter den Seinen zu nennen war. Man sehe übrigens die zwei schlechten Blätter nicht an, die Choris Atlas verunzieren. Das Tanzen läßt sich nicht malen, und was er hier gemalt hat, möge ihm der Genius der Kunst verzeihen.

So hingerissen und freudetrunken, wie die O-Waihier von diesem Schauspiel waren, habe ich wohl nie bei einem andern Feste ein anderes Publikum gesehen. Sie warfen den Tänzern Geschenke, Zeuge, Juwelen zu.

Ich werde hier Geringfügiges berichten, doch tritt in dem Kinde der Charakter des Volkes hervor. Bei dem Tanz der Männer unter den Cocospalmen war mir ein Knabe sehr hinderlich, der vor mir stand und mir auf die Füße trat. Ich schob ihn unsanft von mir; er sah sich grimmig nach mir um, und ich las auf seinem verfinsterten Gesichte, daß ich einer Menschenseele weh gethan habe. Ich entgegnete ihm mit einem erbosten Gesichte und der Pantomime des Wurfspießschwingens, als habe ich ihn zum Gegner und ziele nach ihm. Da war der Junge versöhnt und lachte mich an; hielt ich ihn für waffenfähig und mir gewachsen, so war es gut; aber sich stoßen und treten lassen, das wollte er nicht.

Ein anderes Schauspiel war uns verheißen — das Schauspiel volksthümlicher Waffenübungen von Fürsten und Edeln, einer Scheinschlacht, die, nicht ohne Gefahr, bei der raschen Leidenschaftlichkeit dieses Volkes leicht zu einer wirklichen werden kann. Die Waffe ist, wie man weiß, der Wurfspieß, der nicht mit erhobenem Arm, wie von den Griechen, sondern mit gesenktem, längs der Erde, den Rücken der Hand einwärts, den Daumen nach hinten, geschwungen und von unten auf geschleudert wird. Die Fürsten tragen bei diesem Waffenspiel den Federmantel.

Dieses Schauspiel versäumt zu haben, ist in meinem Leben ein unersetzlicher Verlust. Es sollte am 7. statt finden und ward ausgesetzt. Am 8. unternahm der Kapitain nach der Gegend von Pearlriver eine Jagdpartie, auf welcher er zwei Tage zubringen sollte. Ich benutzte diese Zeit zu einer Exkursion quer durch die Insel nach der Nordküste derselben. Karelmoku hatte mir zwei seiner Leute mitgegeben und mir in den Orten, wo ich einkehren sollte, einen gastlichen Empfang bereitet. Ich erstieg durch das Thal, welches hinter Hana-ruru liegt, den Kamm des Gebirges, da wo er sich zu dem niedrigsten Col senkt. Den steil der Nordküste zugekehrten Absturz kletterte ich, wie man schon in der Schweiz thun lernt, mit nackten Füßen hinab. Ich übernachtete unten und kam, über einen westlichern, viel höheren Bergpaß und durch ein anderes Thal, am Abend des 9. nach Hana-ruru zurück. Da war das Waffenspiel, das an diesem Tage statt gefunden, bereits zu Ende.

Manuja hatte eifrig, pünktlich und liebevoll die Aufträge seines Herrn befolgt; das Holzfällen und Heranbringen besorgt, u. s. w. Er wurde hinwiederum beauftragt, dem Könige, was noch für ihn bestimmt war, zurück zu bringen. Er selber wurde reichlich beschenkt.

Am 13. Dezember waren wir reisefertig. Ich bemerke beiläufig, daß die Europäer auf den Sandwich-Inseln die Zeitrechnung von West in Ost über Canton erhalten haben, so daß wir, die wir die Zeit von Ost in West mitbrachten, einen Tag gegen sie im

Rückstand waren, wie in Kamtschatka und den russischen Ansiedelungen der Fall gewesen war. Derselbe Unterschied fand zwischen Nachbarn, San Francisco und Port Bodega, statt. Wenn man sich mit dem alten und dem neuen Kalender, der Zeitrechnung von Osten her und von Westen her; der Zeit von Greenwich und der von dem Schiffe, der mittleren und der wirklichen Zeit, der Sonnenzeit und der Sternenzeit, dem astronomischen Tag u. s. w. abzufinden hat: so ist es nicht leicht zu sagen, was es an der Zeit ist. Ich rechne bis zur Vollendung des Kreises die Längengrade West von Greenwich und die Tage nach dem neuen Kalender und nach fortlaufender Schiffsrechnung.

Am 14. Dezember 1816, Morgens um 6 Uhr, forderten wir durch einen Kanonenschuß den Lootsen, der mit etlichen Doppelkanots herbeikam. Wir wurden aus dem Hafen heraus bugsirt. Kareimoku kam an Bord. Wir salutirten die Königlich O-Waihische Flagge, die über dem Fort wehte, mit sieben Schüssen, die das Fort Schuß für Schuß erwiderte. Sodann salutirte uns das königliche Wachtschiff, die Kahumanu, mit sieben Schüssen, die wir wiederum mit gleicher Anzahl erwiderten. Um 8 Uhr waren wir aus dem Hafen; Kareimoku und seine Begleiter nahmen von uns zärtlichen Abschied. Als sie sich in ihre Kanots wieder eingeschifft und von uns abstießen, salutirten sie uns mit einem dreimaligen Hurrah, das wir gleicherweise erwiderten.

11*

Abfahrt aus Hana-ruru. Radack.

Am 14. Dezember 1816 aus dem Hafen von Hana-ruru ausgesegelt, hatten wir drei Tage lang schwache, spielende Winde und Windstille. Wallfische (Physeter) wurden in der Ferne gesehen; am 16. ward eine Seeschwalbe (Sterna stolida) auf dem Schiffe gefangen.

Der Wind stellte sich am 17. ein und brachte uns schnell vorwärts. Am 19. hatten wir Regen. Am 21. und 22. suchten wir vergeblich unter dem 17. Grad nördlicher Breite Inseln, die vom Kapitain Johnstone im Jahre 1807 gesehen worden; Pelikane und Fregatten umschwärmten uns in großer Menge. Wir setzten unsern Cours nach S. W. fort. Wir fuhren vor dem Winde bei sehr lästigem Schwanken des Schiffes und schnellem Lauf. Die Seevögel begleiteten uns. Der Horizont hatte nicht seine gewöhnliche Klarheit. Wir suchten vom 26. bis zum 28. unter dem 11. Grad nördlicher Breite die Insel San Pedro, ohne dieselbe zu entdecken. Zeichen von Land vermochten uns, die Nacht zu laviren. Am 29. sahen wir Delphine, fliegende Fische, Treibholz. Die Zahl der Vögel verringerte sich. Vom 28. an steuerten wir westwärts zwischen 9° und 10° N. B., um die Mulgraves-Inseln aufzusuchen; wir lavirten meist während der Nacht. In der Nacht vom 30. zum 31. stellte sich ein Landregen ein, welcher den ganzen Tag anhielt. Ein Stück Holz, worauf sich eine Schnepfe niedergesetzt hatte, trieb am Morgen am Schiffe vorbei. Man hatte schon zu Nacht Schnepfen gehört. Der Wind war viel gemäßigter geworden. Am 1. Januar 1817 hatten wir bereits einen nördlicheren Cours genommen, um die im vorigen Jahre gesehenen Inselgruppen aufzusuchen, als in den Nachmittagsstunden Land gesehen ward.

In dieser Zeit der Reise hatten sich die Lichtschaben (Blatta germanica) auf eine furchtbare Weise auf dem Rurik vermehrt und vergegenwärtigten uns eine der ägyptischen Plagen. Es hat etwas Unheimliches, etwas Wundergleiches, wenn die Natur einer solchen untergeordneten Art, deren Individuum als ein unmächtiges Nichts erscheint, durch die überwuchernde Anzahl derselben, durch das Gedeihen aller Keime und durch die Verwandlung alles organischen Stoffes in sie, zu einer unerwarteten Uebermacht verhilft. Dem Menschen verborgen, entziehen sich seiner Einwirkung die Umstände, welche die Vermehrung und Abnahme jener Geschlechter bedingen; sie erscheinen und verschwinden. Dem Spiele der Natur sieht er unmächtig staunend zu. Als wir im Spätjahr 1817 zum andern Mal von Unalaschka südwärts steuerten, hatte sich die Blatta fast gänzlich verloren, und sie nahm nie wieder überhand.

Eine andere Ungemächkeit des Seelebens, die wir seit Californien kennen gelernt, war der Gestank des faulenden Kielwassers. Auf Schiffen, die, wie der Rurik, kein Wasser einlassen und auf welchen die Pumpen müssig sind, leidet man mehr davon als auf solchen, wo das Eindringen und Herauspumpen des Wassers kein Stocken und Faulen desselben zuläßt. Wir mußten selber Wasser eingießen, um das stockende heraus zu bekommen.

Ich habe bis jetzt noch einer wohlthätigen Erquickung nicht gedacht, deren wir in der heißen Zone genossen. Ich meine das Sturzbad, das Uebergießen mit Seewasser, womit wir uns Abends am Vordertheile des Schiffes erfrischten. Wir waren noch nicht müde und hatten noch Laune zu manchem Scherze. Einmal, während Login Andrewitsch badete, entwendete ihm Iwan Iwanowitsch sein Hemd und machte ihn glauben, der Wind habe es in die See geweht.

Login Andrewitsch schlief noch zu Nacht auf dem Verdeck, nachdem ich und der Doktor auf diesen Genuß verzichten zu müssen geglaubt. Er schob seine Matratze durch das Fenster auf das Verdeck und stieg dann selbst die Treppe hinauf, sich oben zu betten. Ich paßte einmal den Moment ab, wo er auf der Treppe war, zog schnell die Matratze in die Kajüte zurück und legte sie wieder an ihren Ort in seine Koye. Er suchte nun die verschwundene allenthalben, nur nicht, wo sie war, haderte mit Allen, die er auf dem Verdecke fand, und gerieth in eine gar komische Verzweiflung.

Man verzeihe mir dieses lustige Zwischenspiel. Ich komme jetzt auf Radack und die Radacker.

Nach dem, was ich in meinen Bemerkungen und Ansichten gesagt, bleibt mir hier nur die Geschichte unserer Erscheinung zwischen jenen Riffen zu erzählen, und zu berichten, wie wir Bekanntschaft mit einem Volke machten, welches ich unter allen Söhnen der Erde liebgewonnen habe. Die Schwäche der Radacker benahm uns das Mißtrauen gegen sie; ihre eigene Milde und Güte ließ sie Zutrauen zu den übermächtigen Fremden fassen; wir wurden Freunde rückhaltlos. Ich fand bei ihnen reine, unverderbte Sitten, Anmuth, Zierlichkeit und die holde Blüthe der Schamhaftigkeit. — An Kräftigkeit und männlichem Selbstvertrauen sind ihnen die O-Waihier weit überlegen. Mein Freund Kadu, der, fremd auf dieser Inselkette, sich uns anschloß, einer der schönsten Charaktere, den ich im Leben angetroffen habe, einer der Menschen, den ich am meisten geliebt, ward später mein Lehrer über Radack und die Karolinen-Inseln. In meinem Aufsatze „über unsere Kenntniß der ersten Provinz des großen Oceans“ habe ich seiner, als einer wissenschaftlichen Autorität, zu erwähnen gehabt, und habe dort aus den zerstreuten Zügen unsers Zusammenlebens sein Bild und seine Geschichte zusammengestellt. Habt Nachsicht, Freunde, wenn ich mich vielleicht manchmal wiederhole; hier spreche ich ja von meiner Liebe.

Die Inselkette Radack liegt zwischen 6° und 12°, die von uns gesehenen Gruppen zwischen 8° und 11° 30′ N. B., und 188° und 191° W. L. — Ich bemerke nur, daß ich von einer Klippe oder Untiefe Limmosalülü im Norden von Arno Nachricht gegeben habe, die auf der Karte des Herrn von Kotzebue fehlt, und verweise im Uebrigen, was das Geographische anbetrifft, auf die Herren von Kotzebue und von Krusenstern.

Ich lenke in die Tagesgeschichte wieder ein.

Am 1. Januar 1817 hatte sich das Wetter aufgeklärt und der Wind gelegt. Der noch hohe Wellengang bewies, daß kein Land über dem Wind des Schiffes lag. Boniten umschwärmten uns. Nachmittags ward Land entdeckt; es ward erst, als die Sonne unterging, vom Verdeck sichtbar. Eine kleine niedrige Insel: Mesid. Der klare Mondschein sicherte uns zu Nacht vor Gefahr. — Am Morgen des 2. näherten wir uns mit sehr schwachem Winde der Südseite der Insel. Sieben kleine Boote ohne Mast und Segelwerk, jedes mit fünf bis sechs Mann bemannt, ruderten an uns heran. Wir erkannten die Schiffsbauart und das Volk der im Mai des vorigen Jahres gesehenen Inselgruppen. Die reinlichen, zierlichen Menschen betrugen sich sittig; eingeladen kamen sie zutraulich näher an das Schiff heran, auf dessen Verdeck sich jedoch keiner zu steigen vermaß. Wir eröffneten einen Tauschhandel, der ihrerseits mit großer Ehrlichkeit geführt ward. Wir gaben ihnen Eisen; sie hatten meist nur ihren Schmuck, ihre zierlichen Muschelkränze, uns anzubieten. Eine Landung zu versuchen, ließ der Kapitain die Jalik und die Baidare aussetzen. Der Lieutenant Schischmareff kommandirte in der Jalik, ich folgte mit Eschscholtz und Choris in der Baidare; die Mannschaft war bewaffnet. Die das Schiff umringenden Boote folgten uns, als sie uns dem Lande zurudern sahen. Andere kamen von der Insel hinzu, in deren Nähe beiläufig achtzehn gleiche Fahrzeuge um uns einen Kreis zogen, und ich zählte deren noch sechs auf dem Strande. Eine Menge Menschen stand am Ufer, nur Männer; Weiber und Kinder zeigten sich nicht. Ich schätzte die Kopfzahl der von uns Gesehenen auf hundert, der Lieutenant Schischmareff aber auf das doppelte; auf jeden Fall eine verhältnißmäßig viel stärkere Bevölkerung als auf den übrigen von uns besuchten Gruppen derselben Inselkette. Bei unserer Minderzahl, welche die Insulaner zudringlicher machte, und bei der Uebermacht unserer mörderischen Waffen, mochte Gleb Simonowitsch das Land nicht betreten. Hatte doch schon einer unserer Leute auf einen Eingebornen angelegt, der schwimmend ein Ruder unserer Baidare angefaßt hatte. Der Handel ward in der Nähe des Strandes fortgeführt. Die Menschen gaben für Eisen, was sie besaßen: Cocosnüsse, Pandanusfrüchte, Matten, zierliche Muschelkränze, ein Tritonshorn ein kurzes, zweischneidig, mit Haifischzähnen besetztes, hölzernes Schwert. Sie brachten uns frisches Wasser in Cocosschalen; sie wollten uns an das Land ziehen; einer versuchte in unser Boot zu steigen. Der Auftritt war dem bei den Penrhyninseln zu vergleichen. — Wir ließen ihnen ziemlich viel Eisen und fuhren an das Schiff zurück.

Die Länge der Insel Mesid von Norden gegen Süden mag ungefähr zwei Meilen betragen. Wir nahten ihr auf der schmalern südlichen Seite, wo Wohnungen der Menschen sind. Die Cocospalmen, unregelmäßig vertheilt, erheben sich nicht sehr hoch über den niedern Wald, dessen Hauptbestandtheil der Pandanus ausmacht. Man erblickt weithin unter dem grünen Laubdach den von Dammerde entblößten weißen Korallengrund. Die Ansicht ist der von der Insel Romanzoff zu vergleichen, doch ist wohl letztere minder dürftig.

Wir steuerten nach Westen und hatten am Abend mit schwachem Winde die Insel aus dem Gesichte verloren.

Wir sahen am 3. mehrere Schnepfen und Strandläufer, einen Wallfisch (Physeter) und etliche Pelikane, von denen einer geschossen ward. Wir legten um und steuerten nach S. O.

Am 4. gegen Mittag, als wir im Begriff waren, das fernere Suchen aufzugeben, kamen wir auf eine Kette von Inseln, die sich unabsehbar von O. in W. erstreckte. Auf den begrünten Punkten, die Riff und Brandung vereinigten, erhob sich nicht der Cocosbaum, und nichts verrieth die Gegenwart des Menschen. Wir erreichten am Abend die Westspitze der Gruppe und fanden uns unter dem Winde derselben in einem ruhigen Meere. Das Riff, von Land entblößt, nahm eine südöstliche Richtung. Wir segelten längs desselben und entdeckten Lücken in ihm, die uns die Hoffnung gaben, in das innere Becken, das eine ruhige Spiegelfläche darbot, einzudringen. Während der Nacht trieb uns der Strom nach N. W. Am Morgen des 5. war das Land verschwunden. Wir erreichten erst gegen 9 Uhr den Punkt, wo uns die Nacht befallen hatte.

Der Lieutenant Schischmareff ward ausgesandt, die Eingänge zu untersuchen; und bei dem zweiten verkündigten uns seine Signale, daß ein Thor für den Rurik gefunden sei. Da stieg von einer der entfernteren Inseln eine Rauchsäule auf; wir begrüßten frohlockend das Zeichen der Menschen. Kein Fahrzeug der Insulaner ließ sich erblicken.

Der Tag neigte sich schon. Das Boot ward zurück gerufen, und um uns die Nacht auf unserm jetzigen Standpunkt zu behaupten, ward ein Werpanker auf das Riff hinaus getragen und befestigt, dessen Tau in Empfang zu nehmen der Rurik unter Segel an die schäumende Brandung hinan fuhr. „So klammert sich der Schiffer endlich noch am Felsen fest, an dem er scheitern sollte." Der wehende N. O. Passat hielt uns um die Länge eines Taues von unserm Untergange entfernt.

Hier um das Riff und seine Oeffnungen umringten uns Boniten, fliegende Fische, und eine Unzahl Haifische, die unsere Boote bedrohlich verfolgten. Zwei wurden gefangen und verspeist.

Am 6. veränderte sich vor Tagesanbruch der Wind, und, zum Osten übergehend, trieb er uns der schäumenden Brandung zu. Vom Kabeltau uns lösend gingen wir unter Segel. Sobald die Sonne aufgegangen, kehrten wir zurück. Um 10 Uhr Morgens drangen wir, zu beiden Seiten von der Brandung umbraust, alle Segel aufgespannt, mit Wind und Strom durch die Rurik-Straße in das innere Meer der Gruppe Otdia der Inselkette Radack hinein.

Indem das Becken mit der Ebbe und Fluth sich leert und füllt, setzt der Strom zu den Lücken seines Randes bei der Ebbe hinaus und mit wiederkehrender Fluth hinein.

Mit dem Boote ausgesandt, ermittelte der Lieutenant Schischmareff bei der westlichsten der Inseln einen gesicherten Platz, wo der Rurik die Anker fallen ließ.

Die kühnen und geschickten Manöver, die Herr von Kotzebue beim Eingange in dieses und in andere ähnliche Riffgehege ausgeführt hat, müssen selbst bei dem, der von der Schifffahrt keine Kenntniß hat, Interesse erwecken. Der Europäer, der fern von der Heimath mit Völkern verkehrt, über die er sich im Vortheil fühlt, wird von manchen Anwandlungen des Dünkels versucht, denen sich hinzugeben er sich nicht übereilen müßte. Diese Söhne des Meeres, meinte ich, werden sich doch verwundern, wenn sie unser Riesenschiff mit ausgespannten Flügeln, wie den Vogel der Luft, gegen die Richtung des Windes, der es trägt, sich bewegen, in die Befriedigung ihrer Riffe eindringen und gegen ihre Wohnsitze dort nach Osten fortschreiten sehen. Und siehe! ich habe selber verwundert sehen müssen, daß, während wir schwerfällig lavirten und wenig über den Wind gewannen, sie auf ihren kunstreichen Fahrzeugen den graden Strich hielten, den wir auf krummen Wegen verfolgten, uns voran eilten und das Segel fallen ließen, um uns zu erwarten.

Von diesen Fahrzeugen hatte Herr von Kotzebue auf Otdia mit Zuziehung der erfahrensten Eingeborenen ein großes, genügendes Modell mit allem Fleiße verfertigen lassen und hatte dem Gegenstande die Aufmerksamkeit, die er von dem Seemann erzwingt, gewidmet. Sein Werk hat mich in der Erwartung getäuscht, Genügendes darin über die Oa der Radacker zu finden, Choris in seinem Voyage pittoresque, Radak. T. XI. u. XII., giebt drei verschiedene Ansichten derselben. Die Seitenansicht T. XI. ist treu, das Profil aber unrichtig. Der Fuß des Mastes ruht immer auf dem Hängeboden außerhalb des Schiffskörpers auf der Seite des Schwimmbalkens, so wie auf dem Grundriß T. XII. zu sehen ist. Auf diesem Grundrisse neigt aber der Mast weiter nach außen und dem Schwimmbalken hin, als der Wirklichkeit entspricht. Im Ganzen sind diese Zeichnungen unzureichend. Besser ist auf der T. XVII. das Boot der Karolinen-Inseln abgebildet, welches im Wesentlichen mit dem von Radack übereinstimmt. Keine Beschreibung vermag ein Bild von dem beschriebenen Gegenstande zu erwecken, und dennoch muß ich mit schnellen Worten versuchen, das Boot, von dem die Rede ist, dem Leser anzudeuten. Es hat zwei gleiche Enden, die gleich geschickt sind, beim Fahren zum Vorder- und Hintertheile zu werden; und zwei ungleiche Seiten, von denen eine unter dem Winde, die andere über dem Winde bleibt. Unter dem Winde von einer geraden Fläche begrenzt, über dem Wind nur wenig bauchig, schmal, tief, scharfkielig, an den Enden etwas aufwärts gekrümmt, ist der Schiffsrumpf, welcher nur als Schwimmkörper dient. Quer über die Mitte desselben ist ein elastischer Hängeboden befestigt, der nach beiden Seiten hinaus über das Wasser ragt; kürzer unter dem Winde, länger auf der Windseite, wo das leichte Gebälk gegen das Ende nach unten zu gebogen ist und sich einem dem Schwimmkörper parallelen Schwimmbalken anfügt. Auf diesem Hängeboden, außerhalb des Körpers auf der Windseite, ist der Mast, der, an mehreren Seilen befestigt, nach dem Ende geneigt wird, welches zum vorderen werden soll, und an dem ein einfaches, dreieckiges Segel aufgezogen wird, von dem eine Ecke an dem Vorderschiff befestigt wird. Gesteuert wird vom Hintertheile des Schiffes mit einem Handruder; die Schiffenden stehen oder liegen auf dem Hängeboden und nehmen ihren Stand bei stärkerm Winde näher dem Schwimmbalken, und bei schwächerem näher dem Schiffskörper. Auf demselben Hängeboden sind zu beiden Seiten des Schiffes Kasten angebracht, worin Proviant und sonstige Habe verwahrt wird. Die größten dieser Fahrzeuge können an dreißig Personen tragen.

Ich füge die Maaße von einem dieser Fahrzeuge bei, welches kaum von mittlerer Größe war.

Länge des Schiffskörpers	17 Fuß	6 Zoll
Breite desselben	1 „	10 „
Tiefe desselben	3 „	7 „
Abstand des Schwimmbalkens von dem Körper des Schiffes	11 „	10 „
Länge des Vorsprunges von dem Hängeboden über den Schiffskörper auf der Seite unter dem Winde	3 „	0 „
Höhe des Mastbaumes	19 „	6 „
Länge der Raae	23 „	4 „

Herr von Kotzebue hat auf Aur zwei Boote von 38 Fuß Länge gemessen.

Ich werde nicht den Leser einzuschläfern mich bemühen mit ausführlichem Berichte unserer täglichen Versuche und Wahrnehmungen während unseres Aufenthaltes in diesem Hafen. Die Absicht war, nachdem wir, was am 7. geschah, den auf dem Riffe zurückgelassenen Werpanker wieder aufgenommen, nöthig erachtete astronomische Beobachtungen gemacht und in Booten voraus rekognoscirt hätten, tiefer ostwärts in die Gruppe einzudringen, wo wir die festen Wohnsitze der Menschen zu vermuthen berechtigt waren.

Einen traurigen Anblick gewährte dieser westliche Theil der Kette. Die nächsten Inseln um uns waren wüst und ohne Wasser, aber der Mensch hatte auf ihnen seine Spur zurück gelassen, und der jüngst angepflanzte Cocosbaum zeugte von seiner sorgsamen Betriebsamkeit. Es ist wahrlich schwer, Alles voraus zu sehen, was in einer kleinen Welt, wie die unsrige, vorfallen kann. Ein Mal fiel unser alberner Koch über diese Pflanzung her, um die Hoffnung künftiger Geschlechter zu einem Gericht Gemüse für unsern Tisch zu verbrauchen. Daß es nicht wieder geschah, brauche ich nicht zu sagen.

Auf der vierten Insel (von Westen an gerechnet) waren neben einer Wassergrube Strohdächer, die, auf niederen Pfosten ruhend, uns nur zu einem Schirm bei gelegentlichem Besuch dieser Gegend bestimmt zu sein schienen. Außer dem Cocosbaum war da auch der Brodfruchtbaum angepflanzt. Auf dieser Insel landete am 6. ein Boot der Eingeborenen und ging sodann wieder in die See, uns aus scheuer Entfernung zu betrachten. Es gelang uns nicht, die Menschen an uns zu locken, und auch vor dem Boote, worin wir ihnen entgegen ruderten, ergriffen sie ängstlich die Flucht. Sie warfen uns etliche Früchte zu und luden uns an das Land; es war derselbe Auftritt, wie im vorigen Jahre auf der hohen See bei Udirick.

Das Boot zeigte sich wiederum am andern Tage, und da folgten wir den Menschen auf ihre Insel. Bei unserm Nahen traten die Weiber in das Dickicht zurück. Die Männer, erst nur wenige, kamen uns zögernd mit grünen Zweigen entgegen; wir brachen auch grüne Zweige; der schon oft gehörte Friedensgruß Eidara! ward uns zugerufen, und wir erwiderten ihn auf gleiche Weise. Keine Waffe war gegen uns, die gefürchteten Fremden, in Bereitschaft gehalten. Nachdem wir mit den ersten Freundschaft gestiftet, kamen die andern herbei und die Weiber wurden herbei gerufen. Die Menschen schienen uns freudig, freundlich, bescheiden, freigebig und nicht erpicht auf Gewinn. Allen Schmuck, den sie trugen, ihre zierlichen

Muschel- und Blumenkränze, ihre Halsbänder u. s. w. gaben uns Mann und Weib, und es schien mehr ein anmuthiges Liebeszeichen zu sein, denn eine Gabe.

Der Kapitain fuhr am nächsten Tage selber nach dieser Insel, fand aber unsere Freunde nicht mehr dort, die, vermuthlich um frohe Botschaft von unserer friedlichen Gesinnung zu verkünden, sich fortbegeben hatten.

Von den Thieren, die wir zu O-Wahu an Bord genommen, waren noch etliche Ziegen vorhanden. Diese setzte Herr von Kotzebue auf der Insel aus, wo sie vorläufig zum Entsetzen der rückkehrenden Insulaner gereichten. Bei der frommen Absicht, diese nutzbare Thierart auf Radack einzuführen, war unbeachtet geblieben, daß bei der kleinen Heerde ein Bock sich befand (hoffentlich nicht der einzige), ein Bock sage ich, der, horribili dictu! der ein kastrirter war. Derselbe, ob vor Scham, seinem Amte nicht gewachsen zu sein, ob an Gift oder Krankheit, starb sogleich, und dessen geschwollener Körper ward am andern Tage am Strande gefunden. Außer den Ziegen wurden auf der Insel ein Hahn und ein Huhn zurückgelassen, die alsbald Besitz von einem Hause nahmen. Wir brachten später in Erfahrung, daß Hühner einheimisch auf diesen Riffen sind. Endlich wurden auch etliche Wurzeln und Gewächse gepflanzt und ausgesäet. Etliche kleine Geschenke wurden in den Häusern zurückgelassen.

Chramtschenko fand am andern Tag Menschen auf der Insel, etliche Männer, andere als die, mit denen wir zuerst Freundschaft gestiftet. Die Insulaner wandern zur Ebbezeit längs dem Riffe zu entfernteren Inseln. Er ward aufs freundlichste empfangen und bewirthet. Die von uns ausgesetzten Geschenke lagen unangerührt, wo und wie wir sie hingelegt hatten. Sie erzeugten, als er sie vertheilte, eine lebhafte Freude. Aber die Ziegen verbreiteten den größten Schrecken.

Der Lieutenant Schischmareff ward am 10. Januar mit der Barkasse auf eine Rekognoscirung ausgeschickt. Der Wind setzte ihm Schwierigkeiten entgegen. Er sah nur unbewohnte Inseln und kehrte am Abende zurück. Am 12. gingen wir unter Segel, das seiner Reise war. — Mir fällt ein, daß eben die Ziegen auf anderen Inseln der Südsee, wohin sie die Europäer gebracht haben, nicht unrichtig zu den Vögeln gezählt worden; denn Schweine, Hunde oder Ratten sind es einmal nicht; diese haben ihre Namen, und außer ihnen giebt es nur Vögel oder Fische. — Endlich gab Rarick der Versuchung nach; er sprang ins Wasser und schwamm zu seinen Schiffen, mit denen er den Cours nach der Ziegeninsel nahm.

Wir übernachteten am 15. auf der neunten Insel, wo wir nur verlassene Häuser fanden. Sie war reicher an Humus als die Ziegeninsel, und die Vegetation war auf ihr üppiger.

Am 16. hielten wir zu Mittag auf der dreizehnten Insel, und hatten vom Schiffe her erst neun Meilen zurückgelegt. Hier erhielten wir den zweiten Besuch von Rarick, der mit zweien Begleitern längs dem Riffe wandernd zu uns kam und sich mit uns freute. Seine Schiffe kamen ihm gegen den Wind segelnd bald nach und legten bei unsern Booten an. Nun lud er den Kapitain ein, in sein Schiff zu steigen und mit ihm nach seiner Insel zu fahren. Wir versprachen ihm zu folgen, und er schiffte sich ein. Wir fuhren Nachmittags noch anderthalb Meilen zu der vierzehnten Insel, der hochbewaldeten, die ich in meinen Bemerkungen und Ansichten besonders erwähnt habe. Von da erstreckte sich das Riff nach N. O., mehrere Meilen weit landentblößt; die nächste Insel war kaum am Horizonte zu sehen. Ein Schiff konnte bei der Insel, wo wir waren, ankern. Der Kapitain ließ Segel aufspannen, und bei frischem Wind erreichten wir noch am selben Abend den Rurik.

Am 18. Januar ging früh am Morgen der Rurik unter Segel. Der Wind war günstig und zwang uns erst am Nachmittag zu laviren; das Wetter war klar, und die helle Sonne, welche die Untiefen beschien, machte das Senkblei entbehrlich. Um 4 Uhr warfen wir Anker vor Otdia[?], der siebzehnten Insel vom Westen an gerechnet, die, von der westlichsten beiläufig zwanzig Meilen entfernt, den nördlichen Winkel der Gruppe einnimmt. Wir übersahen von diesem wohlgeschützten Ankerplatze den nordöstlichen Theil der Gruppe, den mit kleineren Inseln dicht besetzten Wall, der in N. O. Richtung dem herrschenden Winde entgegen steht. Wir waren in dem bewohnteren Theile der Gruppe.

Ein Boot, worauf wir einen der Begleiter Rarick's erkannten, brachte uns ein Geschenk von Früchten. Aber die Furcht war noch nicht bezwungen, und auf das Schiff zu steigen vermaß sich keiner.

Auf Oromed, der fruchtbarsten der Inseln dieses Riffes, auf welcher jedoch der Cocosbaum den Wald noch nicht überragt, empfing uns ein hochbejahrter, würdiger Greis, der Häuptling Laergaß*). Großherzig und uneigennützig war er vor allen Menschen, die ich gekannt. Er mochte nur geben, schenken, und that es zu der Zeit, wo kein Gegengeschenk mehr zu erwarten war. Durch diesen Charakterzug unterschied er sich sehr von Rarick, dem diese Tugenden abgingen.

Die Bevölkerung der Insel schien aus ungefähr dreißig Menschen zu bestehen. Ihre festen Wohnsitze unterschieden sich nicht von den Dächern, die wir auf den westlicheren Inseln gesehen. Als wir uns eben der Gastfreundschaft des alten Häuptlings erfreuten und mit dem Schmucke schmückten, den die Töchter der Insel uns dargereicht, störte ein Schreckniß die behagliche Stimmung. Unser kleiner Valet kam, seiner Furchtbarkeit unbewußt, munter herbei gesprungen; und wie vor dem nie gesehenen Ungeheuer Alles floh und er gar zu blaffen anfing, hatten wir keine geringe Mühe, das verlorene Zutrauen wieder herzustellen.

Die Radacker, die kein anderes Säugethier als die Ratte gekannt, trugen vor unsern Thieren, Hund, Schwein und Ziege, eine gar schwer zu überwindende Scheu. Aber vor allen furchtbar war ihnen der kleine Valet, der lustig und behend allen nachlief und zuweilen bellte. Der große Valet, den der Kapitain aus der Beringsstraße mitgebracht, war kein solches Ungethüm; er machte sich mit keinem zu schaffen. Er krepirte während unsers Aufenthalts auf Radack, und zwar auf der Gruppe Aur. Vermuthlich wurde ihm das heiße Klima verderblich.

*) Der greise Häuptling von Oromed wird in der ersten Reise von Herrn von Kotzebue gar nicht, und in seiner zweiten Langetiu genannt.

Wir verließen am 20. Januar diesen Ankerplatz, und längs des Riffes segelnd kamen wir nach einer kurzen Fahrt vor Otdia, der Hauptinsel der Gruppe gleichen Namens, welche, die größte im Umfang, den äußersten Osten des Umkreises einnimmt. Wir fanden unter dem Schutze der Insel guten Ankergrund, und lagen sicher, wie im besten Hafen. Das Riff biegt sich über Otdia hinaus nach S. S. W., und dann von Land entblößt nach West und der Rurikstraße hin. — Die Länge der Gruppe von W. nach O. beträgt an dreißig Meilen, ihre größte Breite von N. nach S. zwölf Meilen. Herr von Kotzebue zählte fünfundsechzig Inseln in ihrem Umkreis.

Otdia war, wie man uns zu Oromed angedeutet, der Wohnsitz von Rarick. Ich ward zuerst ans Land geschickt; bald aber bestieg er, auf das zierlichste geschmückt, sein Boot, kam an das Schiff und stieg, der erste der Radacker, furchtlos auf dasselbe.

Diese sinnreichen Schiffer, deren Kunst unsere Bewunderung erzwingt, schenkten natürlich dem Riesenbau unseres Schiffes die gespannteste Aufmerksamkeit. Alles ward betrachtet, untersucht, gemessen. Ein Leichtes war es, die Masten hinan bis zu der Flaggenstange zu klettern, die Raae, die Segel, Alles da oben zu besichtigen und sich jubelnd im luftigen Netze des Tauwerkes zu schaukeln. Aber ein Anderes war es, sich dort durch das enge Loch hinunter zu lassen und dem räthselhaften Fremden aus dem heiteren Luftreich in die dunkle Tiefe, in die grauenerregende Heimlichkeit seiner gezimmerten Welt zu folgen. Das vermochten nur zuerst die Tapfersten, in der Regel die Fürsten; ich glaube, der gute Rarick schickte einen seiner Mannen voran.

Wie könnte man doch einen dieser Insulaner, oder einen O-Waihier, gewohnt, in der freien schönen Natur unter dem Baldachin seiner Cocospalmen der Herrlichkeit seiner Festspiele sich zu freuen, in die dunkeln, bei Tagesscheine halb und düster von Lampen erhellten Irrgänge eines unserer Schauspielhäuser hineinlocken, und ihn bereden, in diesem unheimlichen, mördergrubenähnlichen Aufenthalt werde ein Fest bereitet. — Wahrlich, Trauer befällt mich, wann ich lese, daß in Athen ein Schauspielhaus nach unserem Zuschnitt gebauet werde, um darin Ballette aufzuführen.

Da unten in der Kajüte war der große Spiegel. — Goethe sagt in den Wanderjahren: „Sehrohre haben durchaus etwas Magisches; wären wir nicht von Jugend auf gewohnt hindurch zu schauen, wir würden jedes Mal, wenn wir sie vors Auge nehmen, schaudern und erschrecken.“ Ein tapferer und gelehrter Officier hat mir gesagt, er empfinde vor dem Fernrohre, was man Furcht zu nennen pflege, und müsse, um hindurch zu sehen, seine ganze Kraft zusammen nehmen. Der Spiegel ist ein anderes, ähnliches Zauberinstrument, das wir gewohnt geworden sind, und welches doch noch in der Märchen- und Zauberwelt seine Unheimlichkeit behält. Der Spiegel versetzte unsere Freunde in der Regel nach dem ersten Erstaunen in die ausgelassenste Lustigkeit. Doch fand sich auch Einer, der sich davor entsetzte, schweigend hinaus ging und nicht wieder daran zu bringen war.

Zu Hamburg kam ich einmal unvorbereitet in ein Haus, auf dessen langem Flur zu beiden Seiten blanke Silberbarren mannshoch aufgespeichert waren. Mich ergriff seltsam die darin schlummernde Macht, und es war mir, als schritte ich durch ein überfülltes Pulvermagazin. Natürlich mußte Aehnliches in unsern Freunden vorgehen, wenn sie unsere eisernen Kanonen und Anker betrachteten.

Die Schätze unserer Freunde bestanden in etlichen Eisenstücken und wenigen harten, zum Schleifen des Eisens brauchbaren Steinen, die das Meer auf ihre Riffe ausgeworfen; jene auf Schiffstrümmern, diese im Wurzelgeflechte ausgerissener Bäume. Ihre Schiffe, ihr Schmuck und ihre Trommel, das war ihr Besitzthum. Nirgends ist der Himmel schöner, die Temperatur gleichmäßiger, als auf den niedern Inseln.*) Das Meer und der wehende Wind halten die Wage, und schnell vorübergehende Regenschauer ermangeln nicht, den Wald in üppigem, grünem Glanze zu erhalten. Man taucht in die dunkle blaue Fluth mit Lust sich abzukühlen, wann man von der scheitelrechten Sonne durchglühet ward; und taucht in dieselbe mit Lust sich zu erwärmen, wann nach einer im Freien durchbrachten Nacht

*) Luft und Wasser beiläufig 22° R. mit Schwankungen von kaum einem Grade.

man die Kühlung des Morgens fühlt. Warum muß, denen die Sonne so mild ist, die Erde so stiefmütterlich sein? Der Pandanus, dessen süßen, würzigen Saft sie saugen, dient auf anderen Inseln nur zu einem wohlriechenden Schmucke. Die Nahrung scheint Bienen mehr als Menschen angemessen. Zum Anbau nahrhafter Wurzeln und Pflanzen, worauf sie sehr bedacht sind, eignet sich fast nirgends der Grund; aber überall um ihre Wohnungen angepflanzt, zeugt ein schön und wohlriechend blühendes Liliengewächs von ihrer Arbeitsamkeit und von ihrem Schönheitssinn.

Sie könnten vielleicht aus dem Fischfange ergiebigere Nahrung ziehen, und dem Haifische nachstellen, der die Zugänge ihrer Riffe belagert. Wir haben sie nur sehr kleine Fische essen sehen und nur sehr kleine Fischangeln von ihnen erhalten.

Wir haben uns mit Fleiß und Liebe bemüht, ihnen neue Nahrungszweige zu eröffnen. Nach Herrn von Kotzebue's zweiter Reise scheint von den Thieren und Pflanzen, die wir ihnen gebracht, wenigstens die Ignamwurzel sich erhalten zu haben und unsere fromme Absicht nicht ganz getäuscht worden zu sein.

Aber ich muß, ohne mich ängstlich an die Zeitfolge zu binden, Einiges von unsern Freunden erzählen, mit denen wir, nachdem sie die erste Scheu überwunden, auf dem vertrautesten Fuße lebten.

Auf der Insel Otdia, die über zwei Meilen lang ist, hatten ungefähr sechzig Menschen ihre gewöhnlichen Wohnsitze, aber häufige Wanderungen fanden statt, und unsere Gegenwart zog Gäste aus den entfernteren Theilen der Gruppe herbei. Wir durchschweiften täglich einzeln die Insel, schlossen uns jeder Familie an und schliefen unbesorgt unter ihren Dächern. Sie kamen gleich gern gesehen an das Schiff, und die Häuptlinge und Angesehensten wurden an unsere Tafel gezogen, wo sie mit leichtem und gutem Anstand sich in unsere Bräuche zu fügen wußten.

Unter den Bewohnern von Otdia machte sich bald ein Mann bemerkbar, der, nicht von adeligem Stamme, sich durch Geist und Verstand, durch schnelle Auffassung und leichte Darstellungsgabe vor allen Andern auszeichnete. Lagediack, der Mann unseres Vertrauens, von dem wir am mehrsten lernten und durch den wir unsern Lehren

Eingang im Volke zu verschaffen Hoffnung faßten, tauschte später mit mir seinen Namen. Herr von Kotzebue erhielt zuerst von Lagediack wichtige Aufschlüsse über die Geographie von Radack. Durch ihn erhielt er Kunde von den schiffbaren Furten, die im südlichen Riffe von Otdia befindlich sind, von der Nachbargruppe Erigup, von den übrigen Gruppen, aus welchen die Inselkette besteht. Lagediack zeichnete seine Karte mit Steinen auf den Strand, mit dem Griffel auf die Schiefertafel, und zeigte die Richtungen an, die nach dem Kompaß verzeichnet werden konnten. Mit ihm legte Herr von Kotzebue den Grundstein zu der interessanten Arbeit, die er über Radack und die westlichere Inselkette Ralick geliefert hat. Der erste Schritt war gethan; es galt nur weiter zu gehen.

Lagediack begriff gar wohl die Absicht, die wir hatten, die Arten hier noch unbekannter, nutzbarer Gewächse zum Besten des Volkes einzuführen, einen Garten anzubauen und Sämereien auszutheilen. Am 22. ward mit der Anlage des Gartens der Anfang gemacht, der Grund gesäubert, die Erde durchwühlt, Ignamwurzeln gelegt, Melonen und Wassermelonen ausgesäet. Unsere Freunde waren um uns versammelt und schauten theilnehmend und aufmerksam unserm Werke zu; Lagediack erläuterte unser Beginnen und war unablässig bemüht, die von uns erhaltenen Lehren zu verbreiten und einzuprägen. Wir theilten Sämereien aus, nach welchen erfreuliche Nachfrage war, und wir hatten die Freude, in den nächsten Tagen mehrere Privatgärten nach dem Vorbild des unsern entstehen zu sehen.

Bei der erwähnten Gartenarbeit am 22. ereignete sich, was ich hier, um einen Charakterzug unserer liebenswerthen Freunde zu zeichnen, erzählen will. Als ich eben die Zuschauer ansah, ward ich auf mehrern Gesichtern zugleich ein schmerzliches Zucken gewahr. Ich wandte mich zu dem Matrosen, der, um Raum zu gewinnen, das Gesträuch ausreutete und den Wald lichtete; er hatte eben die Axt an einen schönen Schößling des hier so seltenen und so werthvollen Brodfruchtbaums gelegt. Das Unglück war geschehen, der junge Baum war gefällt. Wenn gleich der Mann unwissend gesündigt hatte, mußte doch der Befehlshaber die Verantwortlichkeit für die

That offenkundig von sich abwälzen; und so fuhr der Kapitain zürnend den Matrosen an, der die Axt abgeben und sich zurückziehen mußte. Da traten die guten Radacker begütigend und fürsprechend dazwischen, und einige gingen dem Matrosen nach, den sie liebkosend zu trösten suchten und dem sie Geschenke aufdrangen.

Die Ratten, die auf diesen Inseln in gar unerhörter Menge sind, hatten am andern Tage bereits Vieles zerstört und die mehrsten Sämereien aus der Erde geholt. Doch war, als wir Otdia verließen, unser Garten in blühendem Zustande. Bei unserm zweiten Besuch auf Radack im nächsten Spätjahr ließen wir Katzen auf dieser Insel zurück. Herr von Kotzebue auf seiner zweiten Reise im Jahre 1824 fand sie verwildert und vermehrt, ohne daß die Anzahl der Ratten abgenommen.

Die Schmiede ward am 24. Januar auf dem Lande aufgestellt. Sie blieb mit dem überschwänglichen Reichthum an Eisen unter der Obhut eines einzigen Matrosen, der dabei schlief. An einem der folgenden Tage wollte sich einmal ein alter Mann eines Stückes Eisen gewaltsam bemächtigen, in welchem Unterfangen er von seinen entrüsteten Landsleuten auch mit Gewalt verhindert ward — das ist kein Diebstahl zu nennen. Aber auch da, wo wirklicher Diebstahl begangen wurde, ward stets von Seiten der Radacker der größte Unwille an den Tag gelegt und die lauteste Mißbilligung ausgesprochen.

Einleuchtend ist, welch ein anziehendes Schauspiel für unsere Freunde die von ihnen nicht geahndete Behandlung des kostbaren Eisens im Feuer und unter dem Hammer sein mußte. Die Schmiede versammelte um sich die ganze Bevölkerung. Freund Lagediack war einer der aufmerksamsten und muthigsten dabei; denn Muth erfordert es wohl, das unbekannte Spiel des Blasebalges und das Sprühen der Funken in der Nähe zu betrachten. Für ihn ward auch zuerst eine Harpune geschmiedet, dann eine zweite für Rarick, und etliche Kleinigkeiten für Andere, bevor die Arbeiten für den Rurik vorgenommen wurden.

Wir hatten noch ein Paar O-Waihische Schweine, Männchen und Weibchen, worüber verfügt werden konnte, und die wir unseren

Freunden bestimmt hatten. Wir hatten Sorge getragen, Alle, die uns auf dem Rurik besuchten, an den Anblick dieser Thiere zu gewöhnen, und ihnen einzuprägen, daß ihr Fleisch es sei, welches uns zur Nahrung diene und welches Viele an unserm Tische gekostet und wohlschmeckend gefunden hatten. Die Schweine wurden am 26. ans Land gebracht und in einer Umzäunung verwahrt, die für sie in der Nähe von Rarick's Hause vorbereitet worden. Ein Matrose wurde der Pflege der noch gefürchteten Thiere vorgesetzt. Auf den verständigen Lagediack, der von der Wichtigkeit unseres Geschenkes durchdrungen war, wurde am mehrsten bei dem gutgemeinten Versuche gerechnet, welcher doch am Ende, wie zu erwarten war, mißglückte. Die verwahrlosten Thiere wurden später in Freiheit gesetzt, und kamen doch bald nach unserer Abreise um.

Ein Paar Hühner, unsere letzten, hatten wir noch dem Lagediack geschenkt.

In süßer Gewöhnung mit den Radackern lebend, studirte ich mit allem Fleiß die Beschaffenheit ihrer neptunischen Wohnsitze und hoffte zu der besseren Kenntniß der Korallen-Riffe und Inseln nicht verwerfliche Zeugnisse zu sammeln. Die Korallen selbst und Madreporen hätten zu ihrem Studium ein eigenes ganzes Menschenleben erfordert. Die gebleichten Skelette, die man von ihnen in den Sammlungen aufbewahrt, sind nur geringen Werthes, doch wollte ich sie sammeln und mitbringen. Eschscholtz hatte beim Baden alle vorkommenden Formen und Arten vollständig zusammen zu bringen sich bemüht, auserwählte kleine Exemplare von denselben auf das Schiff gebracht und sie zum Bleichen und Austrocknen in den leeren Hühnerkasten untergebracht. Es ist wahr, daß Polypenstöcke in diesem Zustande keinen angenehmen Geruch verbreiten. Als er sich eines Morgens nach seinen Korallen umsehen wollte, waren sie sammt und sonders über Bord geworfen worden. Am südlichen Ende von Otdia, wo Lücken in den oberen Steinlagern des Riffes Becken bilden, in welchen man in ruhigem Wasser des Bades genießen und dabei unter blühenden Korallengärten den Räthseln dieser Bildungen behaglich nachforschen und nachsinnen mag, hatte ich mir im Kalksande des Strandes einen Raum abgegrenzt, in welchem ich Korallen, Seeigel und Alles der Art, was ich aufbewahren wollte, der dörrenden Sonne aussetzte. Ich hatte in meinem Hag einen Stab eingepflanzt und daran einen Büschel Pandanusblätter, das Zeichen des Eigenthums, gebunden. Unter diesem Schirme war meine Anstalt den guten Radackern, auf deren Wege sie lag, heilig geblieben, und kein spielender Knabe hatte je das Geringste in dem bezeichneten Bezirke angerührt. Aber, wer kann Alles vorhersehen? Unsere Matrosen erhielten an einem Sonntage Urlaub, sich am Lande zu ergehen, und unternahmen eine Wanderung um den Umkreis der Insel. Sie entdeckten meinen Trockenplatz, zerstörten vom Grund aus meine mühsam zusammengebrachte Sammlung und suchten mich dann gutmüthig auf, mir Kunde von ihrer Entdeckung und Bruchstücke von meinen zerschlagenen Korallen zu geben. Ich habe doch noch eine hübsche Sammlung von den Madreporen von Radack zusammen gebracht und sie, die eine große Kiste füllte, dem Berliner Museum geschenkt. Aber ein böses Schicksal scheint über diesem Theile meiner Bemühungen obgewaltet zu haben. Meine radackischen Lithophyten sind, mit Ausnahme der Millepora caerulea und der Tubipora Chamissonis Ehrenb., in der königlichen Sammlung entweder ohne Zettel oder gar nicht aufgestellt und mit andern Doubletten zu Gelde gemacht worden, so daß Ehrenberg in seiner Denkschrift über die Korallenthiere nur von den zwei benannten Arten den interessanten Standpunkt anführen gekonnt.

Rarick begleitete mich einmal auf einer Wanderung nach meinem Badeplatze und Korallengarten. Daselbst angelangt bedeutete ich ihm, daß ich baden wolle, und fing an mich auszuziehen. Bei der Bewunderung, welche die Weiße unserer Haut unseren braunen Freunden einflößte, dachte ich mir, weniger zartfühlend als er, die Gelegenheit werde ihm erwünscht sein, eine sehr natürliche Neugierde zu befriedigen. Als ich aber ins Bad zu steigen bereit mich nach ihm umsah, war er verschwunden, und ich glaubte mich von ihm verlassen. — Ich badete mich, beobachtete, untersuchte, stieg aus dem Wasser, zog mich wieder an, durchmusterte meine Trockenanstalt und wollte eben den Heimweg einschlagen: da theilte sich das Gebüsch, und aus dem grünen Laube lächelte mir das gutmüthige Gesicht meines Begleiters entgegen. Er hatte sich derweil das Haar mit den Blumen der Scaevola auf das zierlichste geschmückt und hatte auch für mich einen Blumenkranz bereitet, den er mir darreichte. Wir kehrten Arm in Arm nach seiner Wohnung zurück.

Eine gleiche schonende Schamhaftigkeit war unter den Radackern allgemein. Nie hat uns einer im Bade belauscht.

Es war verabredet, daß ich diese Nacht auf dem Lande zubringen würde, die Menschen in ihrer Häuslichkeit zu beobachten. Als wir anlangten, war schon der Kapitain in seinem Boote an das Schiff zurückgekehrt, und es erschien Allen ganz natürlich, daß ich mich der Familie als Gast anschloß. Man war mit der Bereitung des Mogan, des Pandanusteiges, beschäftigt. Wir brachten den Abend unter den Cocosbäumen am Strande des inneren Meeres zu. Der Mond war im ersten Viertel, es brannte kein Feuer, und ich konnte keines bekommen, meine Pfeife anzuzünden. — Es wurde gegessen und gesprochen; das Gespräch, dessen Gegenstand unsere Herrlichkeiten waren, wurde munter und in langen Sätzen geführt. Meine lieblichen Freunde beeiferten sich, den fremden Gast zu unterhalten, indem sie Lieder vortrugen, die sie selbst zur höchsten Freude begeisterten. Soll man den Rhythmus dieses Vortrags Gesang, die schönen naturgemäßen Bewegungen (im Sitzen) einen Tanz nennen? — Als die Radackische Trommel verstummt war, forderte mich Karick auf, hinwiederum ein russisches Lied vorzutragen. Ich durfte meinem Freunde diese einfache Bitte nicht verweigern, und sollte nun, mit unter uns verrufener Stimme, als ein Muster europäischer Singekunst auftreten. Ich fand mich in diese Neckerei des Schicksals, stand auf und deklamirte getrost, indem ich Silbenmaaß und Reim stark klingen ließ, „ein deutsches Gedicht, und zwar das Goethische Lied: „Lasset heut' im edlen Kreis" rc. Verzeihe mir unser verewigter deutscher Altmeister, — das gab der Franzos auf Radack für russischen Gesang und Tanz aus! Sie hörten mir mit der größten Aufmerksamkeit zu, ahmten mir, als ich geendet hatte, auf das ergötzlichste nach, und ich freute mich, sie — obwohl mit entstellter Aussprache — die Worte wiederholen zu hören:

„Und im Ganzen, Vollen, Schönen
Resolut zu leben."

Ich schlief zu Nacht an der Seite Rarick's im Hängeboden seines großen Hauses; Männer und Weiber lagen oben und unten, und öfters wechselte Gespräch mit dem Schlafe ab. Ich fuhr am Morgen an das Schiff zurück, um sogleich wieder an das Land zurück zu kehren.

Ich habe einen meiner Tage auf Radack beschrieben; sie flossen sanft mit geringer Abwechselung dahin, es möge an dem gegebenen Bilde genügen. Der Zartsinn, die Zierlichkeit der Sitten, die ausnehmende Reinlichkeit dieses Volkes drückte sich in jedem geringfügigsten Zuge aus, von denen die wenigsten geeignet sind, aufgezeichnet zu werden. Läßt sich das Benehmen einer Familie erzählen, in welcher in unserm Beisein einmal ein Kind sich unanständig aufführte? die Art, wie der Delinquent entfernt wurde, und wie bei der Entrüstung, die der Vorfall hervorbrachte, zugleich die Ehrerbietung für die vornehmen Fremden gerettet und das Kind zu besserer Lebensart angeleitet wurde? — Auch ist in dieser Hinsicht Verneinendes eben so bezeichnend, und wie soll ich von dem reden, was immer unseren Augen entzogen blieb?

Es wirkt sehr natürlich unsere Volkserziehung dahin, und Volkssagen, Märchen und Lehren vereinigen sich, um uns eine große Ehrfurcht für die liebe Gottesgabe, das Brod, einzuprägen, welche hintenan zu setzen eine große Versündigung sei. Das geringste Stück Brod an die Erde zu werfen, war in meiner Kindheit eine Sünde, worauf unbarmherzig, unerläßlich die Ruthe stand. Beim dürftigen Volke von Radack läßt sich ein ähnliches Gefühl in Hinsicht der Früchte, worauf seine Volksnahrung beruht, erwarten. Einer unserer Freunde hatte einen Cocos dem Kapitain zum Trunke gereicht; dieser warf die Schale mit dem ihr noch anklebenden eßbaren Kerne weg. — Der Radacker machte ihn ängstlich auf die verschmähte Nahrung aufmerksam. Sein Gefühl schien verletzt zu sein, und in mir selber regten sich die alten, von der Kinderfrau eingepeitschten Lehren.

Ich bemerke beiläufig, daß unsere Freunde erst in den letzten

Tagen unseres Aufenthaltes auf Otdia die Wirkung unserer Waffen kennen lernten, indem der Kapitain einen Vogel im Beisein von Rarick und Lagediack schoß. Daß der Schuß sie gewaltig erschreckt, versteht sich von selbst; daß Rarick seither den Kapitain flehentlich bat, wenn er ihn mit der Flinte sah, nicht zu schießen, lag in seinem Charakter.

Das Riff trägt im Süden von Otdia außer mehreren kleineren und öden nur zwei fruchtbare und bewohnte Inseln. Die erste, Egmedio, unterscheidet sich dadurch von allen andern, daß der Cocosbaum sich nur auf ihr hoch über den Wald erhebt, und nur auf ihr Wurzelstöcke ausgestorbener Bäume vorhanden sind. Sie war der Aufenthalt von dem Häuptling Langien, dessen Besuch wir auf dem Rurik schon empfangen, da er uns ein Geschenk von Cocosnüssen gebracht, und uns eingeladen, ihn auf seiner Insel zu besuchen. Die andere Insel nimmt den südöstlichen Winkel des Riffes ein, das von da westwärts noch nur geringe unbewohnbare Inseln trägt.

Am 28. Januar ward in zwei Booten eine Fahrt unternommen, um die von Lagediack uns angegebenen Furten zu untersuchen. Wir legten auf Egmedio an, wohin uns Langien, der sich zur Zeit auf Otdia aufhielt, voraus geeilt war, uns als Wirth in seiner Heimath freundlich zu empfangen; und er war ein gastfreier, herzlicher Mann, dem unser Besuch eine große Freude machte. — Die Insel schien nur von ihm, seiner Frau und ein Paar Menschen bewohnt zu werden. — Ich erfreute ihn mit der Anlage eines kleinen Gartens. Wir hatten am selben Tage eines der Thore, die Lagediackstraße, untersucht; der Rurik hätte diese Furt nicht ohne Gefahr befahren können. Des ungünstigen Wetters wegen verzichteten wir darauf, die nächste Straße zu erreichen, und suchten ein Unterkommen für die Nacht. Dazu eigneten sich die nächsten, wüsten Inseln nicht; wir mußten bis zu der zurück gehen, die den Winkel der Gruppe einnimmt. Hier trat uns erfreulich, unerwartet ein alter Freund entgegen: der fröhliche Labigar bewillkommnete uns auf seinem Grund und Boden und brachte uns Cocosnüsse und Pandanusfrüchte dar. Hier wohnte er allein mit seiner Familie. — Wir hatten auf der

Insel Otdia die ganze Bevölkerung der Gruppe kennen gelernt. Ich legte auch dem gastfreien, freundlichen Mann einen kleinen Garten an (ich hatte wohl zu dieser Zeit keinen andern Samen mehr als Wassermelonen). Wir hatten unsern Bivouak am Strande aufgeschlagen, — als wir uns am Morgen dem Schlaf entrangen, saßen Labigar und die Seinen um uns, still und geduldig unser Erwachen erwartend, um uns den Cocos zum Frühtrunk darzureichen.

Wir erreichten an diesem Morgen (29. Januar) das Schiff. Die andere Furt ward später am 3. Februar von Gleb Simonowitsch in der Barkasse rekognoscirt und nach ihm die Schischmareffstraße benannt. Zu derselben kann jedes Schiff bequem, sicher und ohne umzulegen mit dem wehenden Passat ein- und ausfahren.

Am 30. Januar ward ein Eimer mit einem eisernen Reif von unsern Leuten vermißt, die theils nach Wasser, theils nach Holz ausgeschickt waren, einem Artikel, womit wir uns hier auf die ganze Dauer unserer Fahrt nach Norden versehen mußten. Rarick ward ernstlich angehalten, das gestohlene Gut wieder herbei zu schaffen; aber bei dem Ereigniß, worüber alle Andern ihre Mißbilligung laut ausdrückten, ward er von einer Lässigkeit befunden, die einen Schatten über seinen Charakter warf. Erst am andern Morgen, nachdem wiederholt auf Erstattung gedrungen worden, brachte, nach einem langen Gespräch mit dem Häuptling, einer seiner Leute den Eimer aus dem Dickicht des Waldes hervor. Darauf wurde bekannt gemacht, jeder spätere Diebstahlsversuch würde unserer Seits streng bestraft werden. Ich werde den einzigen Fall nicht verheimlichen, wo wir die Drohung zu verwirklichen Gelegenheit hatten.

Lagediack speiste mit uns auf dem Schiffe. Der Dieb des Eimers hatte ihn begleitet, aber ihm war der Eingang in die Kajüte verwehrt worden, und auf dem Verdecke liegend sah er uns vom Fenster zu. Lagediack ließ ihm Einiges zum Kosten zukommen, und auch ein blankes Messer ward ihm zum Besehen gereicht. Das Messer kam nicht auf unsern Tisch wieder herab, sondern fand seinen Weg in den Mubirbir des Mannes (das Männerkleid, ein mit Baststreifen schürzenartig behangener Mattengürtel). Er wurde beobachtet, und als er das Schiff zu verlassen sich anschickte, ergriffen, durchsucht, überwiesen, hingestreckt und ausgepeitscht.

Zu der Zeit waren bereits unsere Namen kurzen Liedersätzen anvertraut und der Vergessenheit entrissen. Deinnam, Chamisso und andere:

> Aé ni gagit, ni mogit,
> Totjan Chamisso.
> Den geschälten Cocos trinkt, Cocos ißt,
> — ? — Chamisso.

Denkmünzen, die auf uns geprägt, Denksteine, die uns gesetzt sind, und welche, mögen sie ohne Inschrift sein oder Gestalt, die Träger sein werden der sich an dieselben knüpfenden mündlichen Ueberlieferungen und Sagen. — In der Egil-Saga haben oft die metrischen Denksprüche, die bei denkwürdigen Ereignissen auf die Weise gestempelt und durch Allitteration, Assonanz und Reim befestet ausgegeben werden, keine anschauliche Beziehung zu der That, deren Gedächtniß an dieselben gekettet wird.

Unsere Absicht, Otdia zu verlassen, um Erigup, Kaben und andere Gruppen zu besuchen, war verkündigt, und wir wünschten und erwarteten, daß uns der Eine oder der Andere von unsern hiesigen Freunden auf diesem Zuge begleiten würde. Rarick baute an einem neuen Schiffe, worauf er die Reise mit uns zugleich zu machen versprach; aber die Arbeit nahm kein Ende. Lagediack wollte auf dem Rurik mit uns fahren, ließ sich aber durch Rarick's Schiffsbau davon abhalten. Rarick, Langien und Labigar wollten uns auf einem anderen Schiffe begleiten, aber auch der Plan ward aufgegeben. Wir mußten auf die vorgefaßte Hoffnung verzichten.

Wir lichteten am 7. Februar 1817 mit Tages Anbruch die Anker; unsere Freunde standen am Strande, doch keiner kam an das Schiff. Nur ein Boot kam unter Segel von Oromed uns nach. Vermuthlich der Greis Laergaß. Er hatte uns noch etliche Tage zuvor besucht; er war erkenntlich für unsere Geschenke und liebevoll wie keiner; er wollte wohl den letzten Abschied von uns nehmen. Wir verloren das Boot aus dem Gesichte, als wir außerhalb der Straße die Segel vor dem günstigen Winde verdoppelten.

Schon beim Ausfahren aus Otdia ward von dem Masthaupt das Land Erigup gesehen. Wir vollendeten am 7. und 8. Februar die Aufnahme dieser ärmlichen, spärlich begrünten Gruppe, die nur von drei Menschen bewohnt sein soll. Wir sahen nicht mehrere am Strande der einzigen Insel, auf welcher sich Cocosbäume zeigten, aber nicht über den Wald erheben.

Unter dem Winde der Gruppe ward eine Furt untersucht, die wohl nicht ohne Gefahr befahren werden konnte. Wir verließen Erigup, um Kaben aufzusuchen. Wir hatten gegen den Wind, der ausnehmend frisch wehte, anzukämpfen. Am 10. Nachmittags sahen wir Kaben. Die Gruppe ist beiläufig 45 Meilen von Otdia entfernt, und Lagediack hatte ihre Lage ziemlich richtig angegeben.

Am 11. Morgens waren wir vor der Furt, die unter dem Winde der Gruppe ihrem N. W.-Winkel am nächsten gelegen ist. Der Wind war heftig. Zwei Boote kamen aus dem Thore uns entgegen und beobachteten uns von fern. Von einem Windstoß erfaßt, schlug das eine Fahrzeug um. Das andere kümmerte sich nicht um den Unfall; da sind die Schiffer sich selber genug. Wir sahen sie bald theils auf dem Kiele sitzen, theils an Leinen gespannt schwimmend das Schiff dem Lande zu bugsiren, von dem sie doch über eine halbe Meile entfernt waren. — Drei andere Boote kamen von der großen Insel im N. W. zu uns her und luden uns an das Land.

Das Thor ist breit, aber seicht der Kanal, in welchem wir bei der Einfahrt zwischen Korallenbänken wenden mußten. Wir führten schnell und glücklich das kühne Manöver aus. Die Durchsichtigkeit des Wassers ließ unsere Blicke in die geheimnißreichen Korallengärten des Grundes hinabreichen. — Wir warfen die Anker vor einer der geringsten und ärmsten Inseln der Gruppe.

Kaben hat ungefähr die Größe und die längliche Gestalt von Otdia, aber von N. W. nach S. O. kehrt sie eine ihrer längeren Seiten dem Passatwinde zu, und das Hauptland, die Insel Kaben, nimmt die N. W. Spitze der Gruppe ein. Das Riff ist auf der Windseite mit fruchtbaren Inseln reichlich gekrönt. (Herr von Kotzebue zählte deren im ganzen Umkreis 64.) Hochstämmig erhebt sich über den mehrsten die Cocos-Palme; der Brodfruchtbaum ist gemein; drei Arten Arum werden angebaut, die jedoch nur einen spärlichen Ertrag gewähren können; und wir haben die erst eingeführte Bananen-Pflanze auf einer der Inseln angetroffen. Die Bevölkerung ist der größeren Fruchtbarkeit des Bodens angemessen. Die Menschen erschienen uns wohlhabender, selbstvertrauender, zutraulicher als auf Otdia, und durch unsere Gegenwart belebt, durchkreuzten ihre Boote, deren sie viele besaßen, zu allen Zeiten und in allen Richtungen das innere Meer, das einem verkehrreichen Hafen glich.

Wir haben auf Kaben flüchtigere Berührungen mit mehreren Menschen gehabt, und die Bilder der freundlichen Gestalten verwirren sich schon in meinem Gedächtnisse; doch leuchten aus dem Allgemeinen etliche noch besonders hervor, und das freundliche, fröhliche, lebensfrische, muthvolle Fürstenkind auf Airick ist mir unvergeßlich.

Wir fanden auf der Insel, vor der wir lagen, nur junge Cocospflanzungen und verlassene Häuser. Am 12. kamen von Osten her zwei große Boote und näherten sich uns. Wir riefen ihnen den Friedensgruß zu; sie erwiderten unsern Gruß und kamen furchtlos heran; wir warfen ihnen ein Tau zu, woran sie ihre Fahrzeuge befestigten, und ein Häuptling bestieg, von einem einzigen Mann begleitet, das Verdeck. Er suchte sogleich unsern Chef auf, reichte ihm eine Cocosnuß dar und setzte ihm seinen Blumenkranz auf das Haupt. Wir konnten uns gut mit den staunenden Menschen verständigen, und kein Mißtrauen waltete zwischen uns ob.

Herr von Kotzebue, der bereits seinen Namen an Rarick verloren hatte, bot ihn hier dem entzückten Labadini, Herrn auf Torua (einer östlicheren Insel dieser Gruppe) zum Tausche wieder an. Der Freundschaftsbund war geschlossen.

Der Häuptling übernachtete auf der nächsten Insel. Die Nacht war Sturm; wir konnten am 13. weder unter Segel gehen, noch ans Land fahren.

Am 14. verließen wir unsern Ankerplatz und drangen lavirend tiefer ostwärts in das Innere der Gruppe hinein. Unser Freund folgte uns auf seinem Boote, hielt schärfer bei dem Winde als wir und segelte nicht viel langsamer. Nachmittags warfen wir vor einer kleinen, von luftigen Palmen reichbeschatteten Insel die Anker; Lababini kam an Bord. Auch diese Insel, Tian geheißen, gehörte ihm; sie war aber nicht sein gewöhnlicher Aufenthalt, und er drang in uns, ihm nach Torua zu folgen, was wir am morgenden Tage zu thun versprachen. Wir fuhren gemeinschaftlich ans Land, und beim Landen trug er den Kapitain durch das Wasser.

Auf dieser Insel, vor welcher das widrige Wetter uns noch am 15. zurück hielt, freuten wir uns der behaglicheren Wohlhabenheit des anmuthigen Volkes; wir wurden unter jedes Dach gastlich eingeladen, von jeder Familie freundlich empfangen. Etlichen Pflanzungen und Gruppen von Fruchtbäumen diente, an Statt der Mauern, eine um dieselben gezogene Schnur von Cocosbast zur Befriedigung. Wir sahen den weißen Reiher mit gelähmtem Flügel gezähmt und etliche zahme Hühner. Lababini bewirthete den Kapitain mit einem reinlich bereiteten Mahle von Fischen und gebackenen Brodfrüchten. Wir fuhren auf seinem Boote unbesorgt, wie auf den unsern, und es ward uns an beiden Tagen, als wir an das Schiff zurückfuhren, eine solche Menge Cocosnüsse gebracht, daß sie für die ganze Mannschaft auf mehrere Tage ausreichten; wir ließen dagegen Eisen vertheilen. — Wir haben Cocosnüsse von Kaben bis nach Unalaschka gebracht.

Wir gingen am 16. Februar wieder unter Segel, und der Kette der Insel folgend, die eine südlichere Richtung nahm, überschauten wir ihre ganze Bevölkerung, die das wunderbare Schauspiel des fremden Riesenschiffes untre Segel an den Strand herbei zog.

Aus einer größeren Insel, wie wir später erfuhren, Olot geheißen, stieß ein großes Boot ab, auf dem zwanzig bis dreißig Menschen sein mochten. Sie zeigten uns Cocosnüsse und schrieen und winkten uns herbei. Wir segelten weiter und das Fahrzeug folgte uns nach. Auch Lababini's Boot, das uns nachkam, erschien in der Ferne. Eine große Insel, von welcher aus die Kette ihre Richtung nach Süden nimmt, bot uns einen geschützten Hafen, wo wir die Anker fallen ließen. Es war Torua, Wohnsitz von Lababini. Das Boot aus Olot legte sich an unsere Seite, und der

Herr dieser Insel, der junge Häuptling Langebiu, stieg sogleich auf den Rurik. Er war reicher tatuirt und zierlicher geschmückt als Labadini. Er trug Herrn von Kotzebue einen Namenstausch an, den dieser, der immer das behielt, was er hingab, unbedenklich annahm. Das Verfahren war geeignet, Zwist unter den Fürsten zu erregen. Labadini, der bald eintraf, wandte sich beleidigt von uns ab, und hier, auf seiner Insel, verkehrten wir allein mit Langebiu. Mit dem lebhaften, geistreichen und sittigen Jünglinge wiederholte der Kapitain seine Geographie von Radack und vervollständigte sie.

Torua, in grader Linie 24 Meilen von Kaben entfernt, ist doppelt so groß und verhältnißmäßig weniger bevölkert als Tian. Wir wurden hier mit dem unschmackhaften Gerichte bewirthet, das die Radacker aus geraspeltem Cocosholz bereiten. — Hier oder auf Tian ward uns auch der aus der Brodfrucht bereitete Sauerteig gereicht, der aus Beschreibungen von Reisen nach O-Taheiti genugsam bekannt ist und den Europäern nicht munden will. Wir blieben drei Tage auf unserm Ankerplatz, verschafften uns viele Cocosnüsse und theilten viel Eisen aus. Der Matrose, der das Eisen verausgabte, stand bei den Eingeborenen in besonderem Ansehen, und ihm wurde von allen geschmeichelt.

Wir lichteten am 19. die Anker und steuerten südwärts längs des Riffes, das hier einen grünen Kranz von sehr kleinen Inseln trägt. Nach einer Strecke von zehn Meilen ändert sich seine Richtung, und das innere Meer verlängert sich nach Südost sackartig in einen Vorsprung, worin die Gruppe endigt. Eine größere Insel im Hintergrunde dieser Bucht des innern Meeres zog unsere Aufmerksamkeit auf sich und wir richteten dahin unsern Cours. Bevor wir sie erreicht, ward vom Masthaupt jenseits des Riffes Land im Süden entdeckt. Es war die Gruppe Aur. Wir gingen vor Airick, jener großen Insel, vor Anker.

Wir fuhren ans Land, während der Kapitain noch auf dem Schiffe beschäftigt zurück blieb. Ein Boot aus Airick hatte uns bereits vor Torua besucht. Wir wurden mit zuvorkommender Herzlichkeit empfangen; man reichte uns Cocosnüsse dar, und wir schienen alte, langerwartete Freunde zu sein. Diese Insel ist die volkreichste und fruchtbarste von allen, die wir gesehen haben. Sie besitzt allein sechs bis sieben große Boote. Ein Jüngling oder Knabe, der noch nicht mit dem Männerschmucke der Tatuirung angethan war, und dem das Volk mehr Ehrfurcht zu zollen schien, als wir anderen Häuptlingen hatten erweisen sehen, galt uns erst für den Herrn der Insel. Aber gleicher Ehren war ein junges, ebenfalls noch untatuirtes Mädchen (seine Schwester?) theilhaftig, und über beide schien ein Weib (ihre Mutter?) erhaben zu sein, welche sich in einem Nimbus der Vornehmigkeit hüllte, von dem ich auf Radack kein zweites Beispiel gesehen habe. Es ist auch der einzige Fall, wo ich ein Weib der Autorität genießen sah. Daß die verschiedene Würde und Macht der Häuptlinge nicht allein von ihrem Reichthum und Besitzstand abhing, war anschaulich; doch habe ich mir über diese Ungleichheit keine Auskunft verschaffen können.

Der Jüngling, der sich herzig an mich anschmiegte, kam sogleich mit mir auf das Schiff; ein älterer Mann, dessen Obhut er anbefohlen zu sein schien, begleitete ihn. Freudig, freundlich, lebhaft, wißbegierig, geistreich, tapfer und voller Anstand; ich habe nicht leicht eine anmuthigere Erscheinung gesehen. So gefiel er auch dem Kapitain, dem er sich gleich vorstellte. Er maß mit seinem Begleiter das Schiff aus und die Höhen der Masten; die Schnur, die dazu gedient, ward sorgfältig aufbewahrt. Ihm ein Schauspiel zu geben, holte ich meine Rapiere hervor und focht einen Gang mit Eschscholtz. Da erglühete er vor Lust; das Spiel mußte er auch spielen. Er begehrte mit sittiger Art ein Rapier, und freudig, voller Anstand, sich und mir vertrauend, stellte er sich mir entgegen und bot dem blanken, kalten Eisen des weißen Fremden seine bloße Brust. — Bedenket es — es war schön.

Wir fuhren Nachmittags wieder ans Land, und der Jüngling führte den Kapitain zu der Mutter. Sie empfing schweigend den vornehmen Gast und seine Geschenke und ließ ihm dagegen zwei Rollen Mogan und Cocosnüsse reichen. Mogan, das Werthvollste, was ein Radacker geben kann, ist selbst gegen Eisen nicht zu erhandeln. Sie gingen sodann zu der Schwester, die um sich eine

Schaar von Mädchen hatte, von denen sie jedoch abgesondert saß. Hier herrschte Fröhlichkeit und wurde gesungen. Während dieser Besuche und überall auf der Insel bildete sich um die Fürsten und ihre hohen Gäste in weitem Umkreis ein dichter Kranz von Zuschauern.

Der Rurik war zu allen Stunden von Booten der Eingeborenen umringt und von Besuchern überfüllt. Die Insulaner waren hier in Ueberzahl und ihre Zutraulichkeit ward lästig und beunruhigend.

Am 20. kam von Westen her ein großes Boot, worauf zwei und zwanzig Menschen gezählt wurden. Es war Labeloa, der Häuptling von Kaben, der uns hieher gefolgt war und dem Kapitain eine Rolle Mogan überreichte. Er erzählte uns, er sei es gewesen, der mit seinem Boote vor dem Eingang der Gruppe umgeschlagen sei.

Ein Kommando war nach Wasser geschickt werden: Abends, als es dunkelte, schrie der Unteroffizier vom Lande her, daß ein Matrose vermißt werde. Der Kapitain ließ eine Kanone abfeuern und eine Rakete steigen. Der Mann, den die Insulaner nicht aus feindlicher Absicht zurück gehalten, fand sich wieder ein, und unser Boot ruderte heran.

Am 21. war der gestrige Schreckschuß allgemeiner Gegenstand der Nachfrage, und wir fanden unter den Leuten mehr Ehrfurcht und Zurückhaltung. Wir unserer Seits blieben uns in unserm Betragen gleich. Eschscholtz bedeutete ganz gleichgültig den Forschenden, unser Kapitain sei nach oben gefahren, aber er sei schon wieder da. Wir besuchten unsere hiesigen Freunde zum letzten Mal. — Der Zutritt zu der alten Fürstin ward dem Kapitain verwehrt. Wir bekamen auf dieser Insel eine Unzahl von Cocosnüssen.

Wir verließen Airick am 21. Februar und steuerten nach Olot, der Insel von Langediu, den zu besuchen der Kapitain versprochen hatte. Labeloa, der uns nach Aur begleiten wollte, folgte uns in seinem Boote; er nahm, als er uns vor Olot anlegen sah, den Cours nach Kaben, kam uns aber nach Aur nach.

Olot steht an Bevölkerung und Fruchtbarkeit den andern von uns gesehenen Inseln nach. Doch ward der Taro auf Olot gebaut,

13*

und wir sahen nur hier die Banane. Wie ich auf allen Inseln von Kaben, auf denen wir gelandet, bei der regsten Theilnahme der Insulaner, die Wassermelone selber gesät und deren Samen den Häuptlingen ausgetheilt, also that ich auch hier. Bei dem Geschäfte wurde mir mein Messer entwendet. Ich sprach deshalb und nicht vergeblich Langediu's Autorität an; mein Eigenthum ward mir sogleich wieder gegeben. Labadini war hier bei Langediu, und es schien das gute Vernehmen wieder hergestellt zu sein. Beide Häuptlinge wurden reichlich beschenkt.

Wir verließen am 23. Februar 1817 Olot und die Inselgruppe Kaben, aus welcher wir zu derselben Straße hinausfuhren, zu welcher wir hereingekommen waren. Wir steuerten nach Aur, in dessen Gehege wir zu einer engen Furt, geschickt zwischen Korallenbänken steuernd, mit vollen Segeln einfuhren. Die Gruppe, geringeren Umfangs, war vom innern Meere zu übersehen. Sie ist 13 Meilen lang, 6 breit, und besteht aus 32 Inseln. Um 5 Uhr Nachmittags ließen wir vor der Hauptinsel, welche die S. O. Spitze der Gruppe bildet, deren Namen sie führt, die Anker fallen.

Es umringten uns sogleich mehrere Boote der Eingeborenen. Wir riefen ihnen Eidara! zu, und sogleich stiegen die Fürsten zutraulich an Bord, und mit ihnen die Fremden aus Ulea: Kadu und sein Schicksalsgefährte Edock. — Mein Freund Kadu! — Ich überlese, was ich in der Denkschrift „über unsere Kenntniß der ersten Provinz des großen Ocean's", auf die ich euch verweisen muß, von diesem Manne gesagt habe, und die Erinnerung erwärmt mein Herz und befeuchtet meine Augen.

Die Radacker entsetzten sich ob des schnell gefaßten Entschlusses Kadu's, bei den weißen Männern auf dem Riesenschiffe zu bleiben. Sie ließen nichts unversucht, ihn zurück zu halten; sein Freund Edock, tief bewegt, versuchte selbst mit Gewalt ihn in das Boot herab zu ziehen; Kadu aber zu Thränen gerührt, erwehrte sich seiner und stieß ihn, Abschied von ihm nehmend, zurück.

Der hiesige Ankerplatz hatte Nachtheile, die den Kapitain bewogen, einen besseren im Schutze der Insel Tabual zu suchen, die, acht Meilen von Aur entfernt, die N. O. Spitze der Gruppe einnimmt.

Diesen Entschluß hatte er den Häuptlingen angezeigt, und sie folgten uns dahin mit fünf großen Booten am 24. Februar früh. Die Bevölkerung war stärker als selbst auf Kaben, und die Anzahl der großen Boote beträchtlicher.

Nach Herrn von Kotzebue waren die hohen Häupter des Volkes, mit denen wir hier verkehrten, die, Zutrauen fassend, ihn in ihren Rath zogen und ihn bestürmten, mit der Uebermacht unserer Waffen einzugreifen in den waltenden Krieg, von dem sie uns die erste Kunde gaben: Tigedien, ein Mann mit schneeweißem Bart und Haupthaar und vom Alter gebeugt, der Herr der Gruppe Aur, der Schutzherr von Kabu, und in Abwesenheit des Königs Lamari der erste der Fürsten: Der zweite nach ihm Lebeuliet, ein Greis, der Herr der Gruppe Kaben, wo die Insel Airick sein gewöhnlicher Wohnsitz war, der Gatte jener Fürstin, der Vater jener Kinder, die wir dort kennen gelernt: Der dritte, jüngste und rüstigste, Tiuraur, der Herr der Gruppe Otdia, der Vater von Rarick.

Lamari war von Aur an König über den ganzen Norden von Radack. König über die drei südlichen Gruppen Meduro, Arno und Mille war Lathethe, und zwischen beiden war Krieg. Lamari bereiste jetzt die ihm unterthänigen Inseln, seine Mannen und sein Kriegsgeschwader nach Aur zu berufen, um von hier aus einen Kriegszug gegen seinen Feind zu unternehmen.

Man vergleiche meinen Aufsatz über Radack. — Ich will hier nur wiederholen, weil Herr von Kotzebue, schlecht berichtet, es anders aufgezeichnet hat, daß bei diesen Kriegen die überfallenen Inseln aller Früchte beraubt, aber die Bäume selbst nicht beschädigt werden.

Herr von Kotzebue gab dem Tigedien Waffen! — Lanzen und Enterhaken. Tigedien hatte ihm ein Geschenk von etlichen Rollen Mogan gebracht. Die Umstände und der bevorstehende Krieg mögen zu dem hohen Werthe, der auf den Mogan gelegt wurde, und zu der Schwierigkeit, die wir fanden, uns welchen zu verschaffen, beigetragen haben. Dieser wohlschmeckende süße Konfekt ist der einzige Mundvorrath, der auf längeren Reisen eingeschifft werden kann, ist der Zwieback dieser Seefahrer.

Als unsere Boote vom Lande nach dem Schiffe zurückkehrten, wurden sie mit so vielen Cocosnüssen beschwert, als sie tragen konnten.

Vor Tabual erbat sich Kadu vom Kapitain Urlaub, an das Land zu fahren, von wo er an das Schiff zurück kommen werde. Wir selber durchschweiften an diesem Tage die Insel, die reicher ist an Humus als die fruchtbarsten der Gruppe Kaben, und auf der wir Taro- und Bananenpflanzungen in gedeihlichem Zustande antrafen. Wie wir von unserer Wanderung zurückkehrten, fanden wir unsern Kadu, von einem weiten Kreise von Radackern umringt, lebhaft, beseelt, tiefbewegt redend, indem alle um ihn gespannt, ergriffen, gerührt dem Vortrage zuhörten und mehrere in Thränen ausbrachen. — Kadu ward auf Radack geliebt, wie er unter uns geliebt worden ist.

Verschiedene Fahrzeuge von der Gruppe Kaben trafen ein, das eine von Airick, andere zwei oder drei mit Labeloa von der Insel Kaben, und diese zwar bei sehr heftigem Winde. Von unserm Ankerplatz war vom Masthaupt das Land von Kaben zu sehen.

Ich machte auf Tabual einen letzten Versuch, die Tatuirung zu erlangen. Ich hätte damals gern das schöne Kleid mit allen den Schmerzen, die es bekanntlich kostet, erkauft. Ich brachte die Nacht in dem Hause des Häuptlings zu, der versprochen zu haben schien, die Operation am andern Morgen vorzunehmen. Am andern Morgen wurde jedoch die Operation nicht vorgenommen, und Rechenschaft über die stillschweigende Verweigerung konnte ich erst später aus Kadu's Aussagen entnehmen.

Unerachtet des zwischen dem Süden und dem Norden von Radack waltenden Krieges und des leidenschaftlichen Hasses, der oft, bei Erwähnung dieser unglücklichen Verhältnisse, zum Ausbruche kam, lebte unbefährdet, liebgehegt und geehrt ein Häuptling von Arno auf Tabual.

Am 26. gingen wir zum letzten Male ans Land auf Tabual und nahmen Abschied von unsern Freunden. Die Nacht über erschollen die radack'sche Trommel und das Lied unter den Palmen am Strande des innern Meeres.

Am 27. Februar 1817 liefen wir am frühen Morgen aus dem Meerbecken von Aur zu eben dem Thore hinaus, zu dem wir eingefahren waren. Wir steuerten nach Norden, den Tag über unter dem Winde von Kaben, am 28. über dem Winde von Otdia, und hatten noch vor Nacht Kenntniß von der Gruppe Eilu, die uns über dem Winde lag. Kadu erkannte die Gruppe. Er war bereits auf derselben und ebenfalls auch auf Ublrick gewesen, und, wohl bewandert in der Geographie von Radack, gab er uns die Richtungen an, in welchen Temo und Ligiep lagen.

Wir waren am Morgen des 1. März 1817 bei der Südspitze von Eilu, welche von der Insel gleiches Namens gebildet wird. Wir folgten der Süd- und Ostseite des Umkreises, wo das Riff von Land entblößt ist, und suchten einen Durchbruch desselben zur Einfahrt. Drei Boote kamen uns in das offene Meer entgegen, und unser Genosse Kadu pflog ein lebhaftes Gespräch mit seinen staunenden alten Bekannten. Diese wiesen uns mehr in Norden die breiteren Thore ihres Riffwalles. Von dreien schien das eine nur fahrbar für den Rurik zu sein. Der Abend dunkelte schon.

Am 2. März suchten wir das Thor wieder auf, von welchem uns der Strom westwärts entführt hatte. Der Wind blies uns aus dem engen Kanal entgegen, und da hinein zu dringen schien kaum möglich zu sein. Der Lieutenant Schischmareff untersuchte das Fahrwasser. Zwischen zwei senkrechten Mauern hatte die Straße funfzig Faden Breite und eine hinreichende Tiefe. Das Schiff mußte in der Straße gewendet und gleichzeitig von dem stark einsetzenden Strom hineingeführt werden; gehorchte es nur träge dem Steuerruder, so galt es, an der Korallenwand zerschellt zu werden. Schnell ward und glücklich das kühne Manöver ausgeführt; es war ein schöner Moment. Alle Segel waren dem Winde ausgespannt; tiefes Schweigen herrschte auf dem Rurik, wo dem Kommandoworte gelauscht wurde; zu beiden Seiten brauste die Brandung. Das Wort erschallt, und wir sind im innern Meer. In der Furt selbst hatte sich eine Bonite an der Angel gefangen; so hatten wir Thorzoll genommen.

Die Gruppe Eilu ist von N. in S. 15 Meilen lang und nur

5 Meilen breit. Alles Land ist auf der Windseite; es ist spärlich begrünt, die Cocospalme erhebt sich nur auf Eilu im Süden, und auf Kapeniur im Norden über den Wald. Das innere Meer ist seicht und mit Korallenbänken und Untiefen angefüllt, welche uns Gefahr drohten. Wir gingen gegen Mittag in der Nähe von Eilu vor Anker.

Drei Boote umringten uns alsobald, und Kadu hatte für sich und für uns genug zu reden. Lamari, den wir hier zu treffen hofften, war bereits auf Ubirick, und der Häuptling von Eilu Langemui wohnte auf Kapeniur. Kadu fuhr mit den Radackern ans Land, wohin wir ihm später folgten. Wir haben hier den Pandanus noch ganz grün essen sehen, und die Brodfrucht fehlte ganz. Ein Paar Pflanzen von der einen der auf Kaben angebauten drei Taro-Arten bezeugten den Fleiß der Menschen und die Unwilligkeit der Natur. Die guten, dürftigen Leute beschenkten uns mit einer Menge Cocosnüssen, woran wir vielleicht reicher waren als sie. Sie erwarteten dafür keinen Lohn. Wir theilten Eisen aus, und ich säete Kerne der Wassermelone, wie ich es überall auf den andern Gruppen gethan hatte.

Wir gingen am 4. mit Tagesanbruch unter Segel und kamen nach einer beschwerlichen Fahrt erst spät vor Kapeniur, wo wir die Anker fallen ließen. Wir lagen sicher und bequem in der Nähe des Landes, das uns vor dem Winde schirmte; und es wurde beschlossen, etliche Tage hier zu verweilen, um Segel und Tauwerk für die uns bevorstehende Nordfahrt in Stand zu setzen.

Uns besuchte zuerst am Bord Langemui und brachte dem Kapitain etliche Cocosnüsse dar. Er war ein hochbejahrter, hagerer Greis von heiterem, lebendigem Geiste, wie überhaupt auf diesen Inseln das Alter ein jugendliches Gemüth behält. Er mochte nach unserer muthmaßlichen, unzuverlässigen Schätzung achtzig Jahr alt sein. An seinem Körper trug er etliche Narben. Diese, als er nach denselben befragt wurde, veranlaßten ihn, uns die erste Kunde von Ralick zu geben, der westlicher gelegenen Inselkette, deren Geographie jedem Weibe, jedem Kinde auf Radack geläufig ist. Es ist mit den Menschen wie mit der Natur; was man schon weiß, kann man sich leicht zu allen Stunden wiederholen lassen; aber an den Tag zu fördern, was man nicht weiß, dazu gehört Geschick, dazu gehört Glück. Nach Langemui, der auf Ralick seine Wunden erhalten hatte, entwarf Herr von Kotzebue die Karte dieser Inseln, die man in seiner Reise nachsehen muß. Bei Udirick hatte er einen zweiten Punkt, von dem aus er sich die Richtung der nördlichen Gruppen angeben ließ, und er hatte im Spätherbst auf Otdia Gelegenheit, seine Arbeit zu prüfen und zu berichtigen. Ich habe in meinen Bemerkungen Kadu's Aussagen über Ralick aufgenommen. Nach ihm war Sauraur, den wir auf Aur gekannt, später als Langemui auf Ralick gewesen und hatte daselbst den Namen, den er jetzt führt, ertauscht und Freundschaft mit den Eingeborenen gestiftet. — Ralick gehört zu derselben Welt der Gesittung als Radack und schien zur Zeit, wie Radack, in zwei einander feindliche Reiche getheilt zu sein.

Auf Ellu war ein junger Häuptling von Mesid, der, auf einem kleinen Fischerboote durch Sturm von seiner Insel verschlagen, hier angelangt war. Er gedachte sich zu der Rückreise an Lamari anzuschließen, der auch nach Mesid fahren wollte, um Verstärkung von dort zu holen. Unsere Seefahrer halten es für kühn, ohne Kompaß, gegen Wind und Strom anringend einen Landpunkt, der nicht über sechs Meilen sichtbar ist, in einer Entfernung von 56 Meilen aufzusuchen; eine Reise, auf welcher die Radacker wohl zwei Tage und eine Nacht zubringen müssen. Sie würden sich nicht getrauen, das Wagestück zu unternehmen. Wir erfuhren im Spätjahr, daß Lamari dieses Mal Mesid verfehlt und, auf die Hülfe, die er von dieser Insel erwartete, verzichtend, sich zu den übrigen Gruppen Radack's gewendet habe.

Auf Kapeniur war ein anderer Häuptling, welcher anscheinlich um vieles älter als Langemui, gleich regen und heitern Geistes war.

Der Wind drehte sich am 7. Februar über N. nach W., und ein anhaltender Regen unterbrach die Arbeiten auf dem Rurik. Der 9. und 10. waren gleich regnichte Tage. Am 11. ward das begonnene Werk schnell vollendet. Wir waren segelfertig.

Von den Wassermelonen, die ich auf Kapeniur gesäet hatte, waren trotz der Verwüstung, welche die Ratten angerichtet, mehrere Pflanzen im erfreulichsten Wuchs und deren Fortgang schien gesichert. —

Ich habe, um nur von dieser einen Pflanzenart zu reden, eine unerhörte Menge von Wassermelonen-Kernen auf den Riffen von Radack an geeigneten Stellen sorgfältig der Erde anvertraut. Der ganze Samenertrag aller Wassermelonen, die in Californien und auf den Sandwich-Inseln auf dem Rurik verzehrt worden, ist, entweder von mir ausgesäet, oder den Händen betriebsamer Eingeborenen anvertraut, auf Radack geblieben. Ich habe bei unserm zweiten Besuch auf Radack eine zweite Aussaat auf Otdia besorgt und einen anderen beträchtlichen Samenvorrath der liebenden Sorgsamkeit von Kadu überlassen. Nach Herrn von Kotzebue's letzter Reise und letztem Besuch auf Otdia im Jahre 1824, scheint doch diese willigste der Pflanzen, die, wo nur eine milde Sonne nicht fehlt, den Europäern gefolgt ist, sich auf Radack nicht erhalten zu haben. Wahrlich, es ist leichter, Böses zu thun, als Gutes!

Im Innern der Gruppe Eilu wurden vom Schiffe an verschiedenen Tagen zwei Haifische geangelt. Man berichtete mir von dem einen, er habe drei lebendige Junge im Leibe gehabt, jedes drei Spannen lang; zwei in einem Ei, das dritte allein. — Man wird sonst in den Becken, welche Korallenriffe umhegen, von Haifischen nicht befährdet.

Das Wasser dieser Binnenmeere war wenig leuchtend.

Als der gute Langemut unsere Absicht erfuhr, Eilu am andern Tage zu verlassen, ward er betrübt. Wir sahen in der Nacht Lichter längs dem Riffe sich bewegen; am frühsten Morgen kam unser Freund an das Schiff und brachte uns ein letztes Geschenk: fliegende Fische, die er beim Feuerscheine hatte fangen lassen, und Cocosnüsse.

Wir verließen Eilu den 12. März 1817. Der Wind, der uns zum Auslaufen günstig war, erlaubte uns zu einem nördlicher gelegenen, engeren Thore hinaus zu fahren; ein Haifisch ward in der Furt selbst gefangen. Wir hatten um 3 Uhr Nachmittags Ansicht von Udirick und Tegi, welche, wie wir es bereits mit Zuversicht erkannt hatten, die im vorigen Jahre von uns gesehenen Gruppen waren.

Die anbrechende Nacht zwang uns, die Nähe des Landes zu vermeiden. — Wir fanden uns am Morgen des 13. acht Meilen westwärts getrieben. Wir erreichten bald den Kanal, welcher beide Gruppen trennt, fuhren hindurch und befanden uns vor Mittag in ruhigem Wasser unter dem Winde von Ubirick. Kein Thor im Riffgehege war dem Rurik zum Eingang in das Innere der Gruppe gerecht. Lamari mußte hier sein, und es lag uns daran, den gewaltigen Machthaber dieses neptunischen Reiches kennen zu lernen, der von seiner Wiege, der Gruppe Arno, ausgehend den Norden von Radack kraft des Faustrechtes unter seine Alleinherrschaft vereinigt hatte.

Mehrere Segel ließen sich blicken und kamen, das Riff durchkreuzend, in das freie Meer heraus. Zwei Boote nahten sich zuerst dem Rurik; die darauf fuhren, erkannten alsbald unsern Freund und riefen ihn laut beim Namen, mit vorgesetzter Vorschlagsylbe La Kadu! *) Alle Scheu war bezwungen; sie kamen heran, sie stiegen auf das Verdeck. Unter diesen Männern befand sich der Schicksalsgefährte Kadu's, dessen ich in meinen Bemerkungen und Ansichten erwähnt habe, der greise Häuptling aus Eap, der sogleich den Vorsatz faßte, bei uns zu bleiben, und fast nur mit Gewalt davon abzubringen war. Kadu trug zu diesem Manne, der ihn doch vom Rurik verdrängen wollte, ein sanft Erbarmen, und beschäftigte sich noch später mit dem Gedanken, Nachricht von ihm und seinem jetzigen Aufenthalte nach Eap gelangen zu lassen.

Ich stieg mit Kadu auf eines der Boote der Eingeborenen, in der Absicht, auf der Insel zu landen. Bald nachdem wir vom Schiffe abgestoßen, langte bei demselben Lamari auf einem andern Boote an und stieg sogleich auf das Verdeck. Ein stattlicher dicker Herr mit einem schwarzen langen Barte und mit einem größeren

---

*) Bei dem gleichlautenden Anfange aller Mannesnamen auf Radack, der hier angeführten radackischen Sprachweise des Namens Kadu, und der schwankenden Aussprache der Mitlauter L und R, möchte vielleicht der Name unsers Freundes auf Otdia richtiger Larick als Rarick geschrieben werden. Doch entbehrt auch der Name „Wongusagelig" der bräuchlichen Vorschlagsylbe

und einem kleinern Auge. Von seinen Genossen sollen keine äußerlichen Unterwürfigkeitsbezeigungen gegen ihn statt gefunden haben.

Wir indeß lavirten vor dem Riffe, über welches bei hohem Wasser zu fahren sich auch diese Boote nicht zu getrauen scheinen. Wir nahten uns endlich der Insel, zu welcher zwei Mann durch die Brandung hinüber schwammen. Hier kam uns Lamari nach und unterhielt sich mit uns. Ich sah von allen Booten nur ein einziges zu dieser Stunde von dem freien Meer in das innere Becken hineinbringen, da doch alle leicht hinaus gesegelt waren. Dasjenige, worauf ich stand, war neu reparirt; es trug vierzehn Menschen, ohne zu den größten gerechnet werden zu können. Wir kehrten mit etlichen Cocosnüssen an das Schiff zurück. Es war Nachmittag. Kadu, dem noch einmal ernst vorgestellt wurde, daß wir jetzt Radack verließen, um nicht wieder dahin zurück zu kehren, beharrte unerschütterlich bei seinem Entschlusse. Er vertheilte seine letzte Habe unter seine Gastfreunde. Wir warteten nicht auf das, was uns diese Insulaner noch an Früchten versprachen. Wir nahmen unsern Cours nach Bigar.

Das unbewohnte Riff Bigar, das, nach der Aussage der Radacker, im N. O. von Ubirick liegt und von ihren Seefahrern von dieser Gruppe aus des Vogel- und Schildkröten-Fanges wegen besucht wird, war für uns unerreichbar. Wir kämpften zwei Tage lang gegen den Wind an; die im Norden von Radack ausnehmend starke westliche Strömung des Meeres brachte uns am 14. März 26 Meilen, am 15. 20 Meilen von unserer Rechnung nach Westen zurück; wir verloren gegen den Wind, anstatt zu gewinnen, und gaben, von diesen Seefahrern, die wir „Wilde" nennen, in unserer eigenen Kunst überwunden, das fernere Aufsuchen von Bigar auf.

Man könnte auf die Vermuthung kommen, die Radacker hätten uns die Richtung, in welcher sie steuern, um nach Bigar zu gelangen, als diejenige angegeben, in welcher dieses Riff wirklich liegt, und dasselbe habe uns im Westen gelegen, als wir es noch im Osten gesucht. Da müßten hinwiederum dieselben Geographen, von Bigar aus, der Gruppe Ubirick eine um so viel östlichere Lage anweisen. Auf jeden Fall setzt die Reise hinüber und herüber eine hinreichende

Kenntniß der Strömung und eine zuverlässige Schätzung ihrer Wirkung voraus.

Wir nahmen unsern Cours nach den von Kapitain Johnstone auf der Fregatte Cornwallis im Jahre 1807 gesehenen Inseln. Häufige Seevögel, deren Flug Kadu am Abend beobachtete, schienen uns dahin zu leiten. Wir sahen diese Inseln am 19. März 1817. Die sichelförmige öde Gruppe hat von Nord in Süd eine Länge von 13⅓ Meilen. Herr von Kotzebue setzt auf seiner Karte die Mitte derselben in 14° 40′ N. B., 190° 57′ W. L. Der Lieutenant Schischmareff, auf einem Boote ausgesandt, fand kein Thor in dem wallartigen, nackten Riffe, das sie unter dem Winde begrenzt.

Ein Haifisch von außerordentlicher Größe biß indessen an der Angel. Angeregt durch die Hoffnung, uns die ansehnliche Beute zu sichern, zog sich Kadu aus, bereit, hülfebringend in die See zu springen. Das Unthier riß sich mit der Angel los und entkam uns.

Wir setzten unsere Fahrt nach Norden fort.

Von Radack nach Unalaschka.

Nordfahrt; die Inseln St. Paul, St. George, St. Laurenz; der Zweck der Reise wird aufgegeben. Aufenthalt zu Unalaschka.

Wir hatten am 13. März 1817 Udirick von Radack, und am 19. das letzte zu demselben Bezirke Polynesien's gehörige Riff gesehen; wir wandten uns von einer heitern Welt dem düstern Norden zu. Die Tage wurden länger, die Kälte wurde empfindlich, ein nebelgrauer Himmel senkte sich über unsere Häupter, und das Meer vertauschte seine tief azurne Farbe gegen ein schmutziges Grün. Am 18. April 1817 hatten wir Ansicht von den aleutischen Inseln. Der eigentliche Zweck der Reise lag vor uns; über Unalaschka hinaus eilten die Gedanken dem Eismeere zu. Frischen Sinnes und voller Thatenlust versprachen wir uns alle, Offiziere und Mannen, die wir Freude an der Natur gehabt, jetzt Freude an uns selber zu haben während dieses ernsteren Abschnittes unserer Reise und unseres Lebens.

Nicht ohne Reiz war für mich die Gegenwart. Das Ergebniß von Kadu's Aussagen über die ihm bekannte Welt, von den Pelew-Inseln bis Radack, liegt in meinen Bemerkungen und Ansichten dem Leser vor. Aber das dort Aufgezeichnete zur Sprache zu bringen und zu ermitteln, das war die Aufgabe, das war die lustvolle Plage dieser Zeit. Erst mußte das Mittel der Verständigung erweitert, ausgebildet und eingeübt werden. Die Sprache setzte sich aus den Dialekten Polynesien's, die Kadu redete, und wenigen europäischen Wörtern und Redensarten zusammen. Kadu mußte zu verstehen und, was schwieriger war, Rede zu stehen gewöhnt werden. Sächliches und Geschichtliches konnte bald abgehandelt werden, und die

Erzählung war ohne Schwierigkeit. Was aber verbarg nicht noch der Vorhang? Kadu mußte ausgefragt werden — seine Antwort überschritt die Frage nicht. Naturhistorische Bilderbücher beseitigten manche Zweifel über fragliche Gegenstände. — Auf den Grund des Briefes des Paters Cantova über die Carolineninseln in den Lettres édifiantes ward weiter inquirirt. Da war Kadu's freudiges Erstaunen groß, wie er aus unserm Munde so Vieles über seine heimischen Inseln vernahm. Er bestätigte, berichtete; es bot sich mancher neue Anknüpfungspunkt dar, und jede neue Spur wurde emsig verfolgt. Aber in gleiches Erstaunen versetzte uns oft auch unser Freund. Einst sprach ich mit Eschscholtz, während Kadu auf einem Stuhle zu schlummern schien; und, wie manche fremdartige Redensarten sich in unsere Schiffsprache gemischt hatten, so zählten wir auf spanisch. Da fing Kadu von selber an spanisch zu zählen, sehr richtig und mit guter Aussprache, von eins bis zehn. Das brachte uns auf Mogemug und auf die letzten noch vorhandenen Spuren der Mission von Cantova. Das Land Waghal, von dem die Lieder Kadu's Meldung thaten, das Land des Eisens, mit Flüssen und hohen Bergen, ein von Europäern bewohntes, von den Caroliniauern besuchtes größeres Land, blieb uns lange ein Räthsel, und wir erhielten dessen zuversichtliche Lösung erst auf Waghal selbst, das ist auf Guajan, wo wir Don Luis de Torres sogleich mit dem Liede begrüßten, welches auf Ulea seinen Namen verherrlicht, und welches wir von Kadu erlernt hatten, der es noch oft auf den Höhen von Unalaschka gesungen.

Ich bitte die, denen ich widersprechen muß, sehr um Verzeihung. Mein Freund Kadu war kein Anthropophage, so schön das Wort auch klingt, und hat uns auch nie für Menschenfresser angesehen, die ihn als Schiffsproviant mitgenommen hätten. Er war ein sehr verständiger Mann, der, falls er diesen verzeihlichen Argwohn gefaßt, nicht so hartnäckig darauf bestanden hätte, mit uns zu reisen. Er hat auch nie Menschen zu Pferde für Centauren angesehen. Er kann in beiden Fällen nur in einen Scherz eingegangen sein oder selbst gescherzt haben.

Es ist wahr, daß er, der uns eben das näher liegende Bigar

verfehlen gesehen, gegen das Ende einer so langwierigen Fahrt zu zweifeln begann, ob wir nicht auch das verheißene Land Unalaschka verfehlt hätten. — Emo Bigar! „Kein Bigar!" ist sprichwörtlich auf dem Rurik geblieben. — Kadu sah der Veränderung des gestirnten Himmels aufmerksam zu, wie andere Sterne im Norden aufgingen, andere im Süden sich zu dem Meere senkten; er sah uns an jedem Mittag die Sonne beobachten und sah uns nach dem Kompasse steuern; zu wiederholten Malen stieg das Land, wann, wo und wie wir es vorausgesagt, vor uns auf; da lernte er zuversichtlich auf unsere überlegene Wissenschaft und Kunst vertrauen. Diese waren natürlicher Weise für ihn unermeßlich; wie hätte er vermocht, ihre Leistungen zu würdigen und zu vergleichen, und wie zu beurtheilen, was an der Grenze ihres Bereiches lag. — Die Kunde von dem Luftballe und der Luftschiffahrt, die ich ihm gab, schien ihm nicht unglaublicher und fabelhafter als die von einer pferdegezogenen Kutsche. Haben wir aber auch selber einen andern Maßstab für diese Würdigung, als das Gewohnte und Ungewohnte? Dünkt uns nicht, was alltägig für uns geworden ist, eben darum der Beachtung nicht werth, und aus demselben Grunde das Unerreichte unerreichbar? — Scheint es uns nicht ganz natürlich, daß ein Knabe die Gänse auf die Weide treibt, und märchenhaft, daß man davon rede, den Wallfisch zu zähmen?

Kadu sah uns auf Unalaschka und überall, wo wir landeten, alle Erzeugnisse der Natur beachten, untersuchen, sammeln, und verstand viel besser, als Unwissende unseres Volkes, den Zusammenhang dieser unbegrenzten Wißbegierde mit dem Wissen, worauf unsere Uebermacht beruhte. Ich zog einst im Verlauf der Reise zufälliger Weise einen Menschenschädel aus meiner Koye hervor. Er sah mich fragend an, und sich an seiner Verwunderung zu ergötzen, thaten Eschscholtz und Choris ein Gleiches und rückten mit Todtenköpfen gegen ihn an. Was heißt das? frug er mich, wie er es zu thun gewohnt war. Ich hatte gar keine Mühe, ihm begreiflich zu machen, daß es uns daran läge, Schädel von den verschieden gebildeten Menschenstämmen und Völkern unter einander zu vergleichen, und er versprach mir gleich von selber, mir einen Schädel von seinem Menschenstamm auf Radack zu verschaffen. Die kurze Zeit unseres letzten Aufenthaltes auf Otdia war mit anderen Sorgen ausgefüllt, und es konnte von jenem Versprechen die Rede nicht sein.

Ich werde mit wenigen Worten über unsere Fahrt nach Unalaschka berichten.

Wir steuerten nach Norden und etwas westlicher, um den Punkt zu erreichen, wo wir im vorigen Jahr Anzeige von Land gehabt hatten. Am 21. März mochte uns die Insel Wakers in N. O. liegen, die zu erreichen der Wind uns ungünstig war. Viele Seevögel wurden gesehen, deren Flug am Abende, dem Winde entgegen, unsern Cours etwas ostwärts durchkreuzte. Sie gehen ans Land schlafen, sagte Kadu. Ich bemerkte jedoch, daß nicht alle Vögel derselben Richtung folgten, und der abweichende Flug anderer Unzuverlässigkeit in die Beobachtung brachte. Die Seevögel begleiteten uns noch am folgenden Tage.

Den 23. März verloren wir den Passat in 20° 15' N. B., 195° 5' W. L. Wir mußten in den nächsten Tagen erfahren, daß wir außerhalb der Wendekreise uns befanden; der unbeständige Wind wuchs bald zum Sturm an und legte sich bald zur gänzlichen Windstille. Die Kälte ward bei 15° R. empfindlich.

Wir waren am 29. März in 31° 39' N. B., 198° 52' W. L., in dem Meerstriche, wo wir, nach den vorjährigen Erfahrungen, Land vermutheten; jetzt deutete nichts darauf. Wir steuerten jetzt gerade nach Unalaschka. Wir hatten von hier an bis zum 5. April, 35° 35' N. B., 191° 49' W. L., einen ausnehmend starken Strom gegen uns, der uns zwischen 20 und 35 Meilen den Tag nach S. W. zurück trieb.

Am 30. ließ sich ein Pelikan auf dem Schiffe fangen. Wir lavirten vom 31. März bis zum 2. April, zwischen 34° und 35° N. B. und 194° und 195° W. L., gegen den Nordwind und den Strom in einem dunkelgrünen Meere. Wenige Seevögel, viele Wallfische wurden gesehen. Diese, obgleich dem Kadu nicht unbekannt (wir haben selbst einen Physeter bei den Riffen von Radack gesehen), hatten für ihn einen ausnehmenden Reiz.

Wir hatten am 3. April Windstille. Ein schwimmender Kopf (ein Fisch, Tetrodon Mola L., der aber kein Tetrodon ist), der unbeweglich auf der Oberfläche des Wassers zu ruhen schien, wurde von einem ausgesetzten Boote harpunirt und versorgte uns und die ganze Mannschaft auf mehrere Tage mit einer sehr köstlichen frischen Speise. Das Fleisch desselben ist fest und an Geschmack sehr ähnlich dem Krebse. Wir hatten zur Vorsicht, wegen der zweideutigen Verwandtschaft dieses Fisches mit giftig geglaubten Tetrodon-Arten, die Leber und das Eingeweide einem Schweine vorgeworfen. Zahlreiche Wallfische spielten um das Schiff. Wo sie Wasser spritzen, bleibt von dem ausgeworfenen Thran eine glatte Spiegelfläche auf dem Wasser.

Am 4. steuerten wir bei Nordwind nach Osten. Ein Reiher umkreiste im Fluge das Schiff und verfolgte uns einige Zeit. Zahlreiche Flüge von Seevögeln zeigten sich. Flößholz und ein Kreuz von Bambus, das mit Schnüren zusammengefügt war, trieben an uns vorbei. Drei schwimmende Köpfe wurden gesehen.

Am 5. Morgens ward ein zweiter schwimmender Kopf harpunirt. Das ganze Fleisch, Knorpel und Haut war ausnehmend stark phosphorescirend; ich konnte noch nach einigen Tagen bei dunkler Nacht im Scheine des Maxillar-Knochens, den ich aufbewahrt hatte, die Zeit an der Uhr erkennen. Wir hatten den Tag über fast Windstille. Es zeigten sich rothe Flecken im Meere, die, wie westlicher im selben Meere am 6. Juni 1816, von kleinen Krebsen herrührten. Am Abend frischte der Wind aus Süden, wir führten alle Segel.

Am 9., nachdem wir mit wechselnden Winden vier Tage ohne Mittags-Observation gefahren, fanden wir uns durch den Strom, der bis dahin nach Süden gesetzt hatte, beiläufig um einen Grad nördlich von unserer Schiffsrechnung versetzt.

Der große Sturm bei Unalaschka, berüchtigten Andenkens, ist auf dem Rurik zu einem Sprichwort geworden, welches sich, wenigstens in meiner Familie, über die Jahre der Fahrt hinaus erhalten hat. Merkwürdiger Weise scheint dieser Sturm einige

Verwirrung in unsere sonst übereinstimmende Zeitrechnung gebracht zu haben.

Herr von Kotzebue sagt: „Der 13. April war der schreckliche Tag, welcher meine schönsten Hoffnungen zerstörte. Wir befanden uns an demselben unter dem 44° 30' N. B. und 181° 8' W. L. Schon am 11. und 12. stürmte es heftig mit Schnee und Hagel; in der Nacht des 12. zum 13. brach ein Orkan aus; die ohnehin hochlaufenden Wellen thürmten sich in ungeheuren Massen, wie ich sie noch nicht gesehen; der Rurik litt unglaublich. Gleich nach Mitternacht nahm die Wuth des Orkans in einem solchen Grade zu, daß er die Spitzen der Wellen vom Meere trennte und sie in Gestalt eines dicken Regens über die Fläche des Meeres herjagte. — Eben hatte ich den Lieutenant Schischmareff abgelöst; außer mir waren noch vier Matrosen auf dem Verdeck, von denen zwei das Steuer hielten, das übrige Kommando hatte ich, der Sicherheit wegen, in den Raum geschickt. Um 4 Uhr Morgens staunte ich eben die Höhe einer brausenden Welle an, als sie plötzlich die Richtung auf den Rurik nahm und mich in demselben Augenblicke besinnungslos niederwarf. Der heftige Schmerz, den ich beim Erwachen fühlte, ward übertäubt durch den traurigen Anblick meines Schiffes, das dem Untergang nahe war, der unvermeidlich schien, wenn der Orkan noch eine Stunde anhielt; denn kein Winkel desselben war der Wuth jener gräßlichen Welle entgangen. Zuerst fiel mir der zerbrochene Vordermast (Bugspriet) in die Augen, und man denke sich die Gewalt des Wassers, welche mit einem Stoß einen Balken von zwei Fuß im Durchmesser zersplitterte; dieser Verlust war um so wichtiger, da die beiden übrigen Maste dem heftigen Hin- und Herschleudern des Schiffes nicht lange widerstehen konnten, und dann keine Rettung denkbar war. Dem einen meiner Matrosen hatte die Riesenwelle ein Bein zerschmettert; ein Unteroffizier ward in die See geschleudert, rettete sich aber, indem er mit vieler Geistesgegenwart ein Tau umklammerte, das neben dem Schiffe herschleppte; das Steuerrad war zerbrochen, die beiden Matrosen, welche es hielten, waren sehr beschädigt, und ich selbst war mit der Brust gegen eine Ecke geschleudert, litt sehr heftige Schmerzen und mußte einige

14*

Tage das Bett hüten. Bei diesem furchtbaren Sturme hatte ich Gelegenheit, den unerschrockenen Muth unserer Matrosen zu bewundern; aber keine menschliche Kraft konnte Rettung herbeiführen, wenn nicht, zum Glück der Seefahrer, die Orkane nie lange anhielten."

Choris ist in diesem Theile der Reise bis zur Ankunft in Unalaschka um einen Tag zurück. Ich selbst habe in mein Tagebuch unter dem 15. April notirt: „Freitag den 11. April fing der stärkste Sturm an, den wir je erfahren. — Außerordentliche Größe der Wellen. — Eine zerschlug in der Nacht zum Sonnabend (vom 11. zum 12.) den Bugspriet. Der Sturm dauerte den Sonntag durch; am Montag, den 14. ward erst die Kajüte wieder helle. Am Abende ward der Wind wiederum bis zum Sturme stark. — Am 15. noch sehr scharf; wir genießen jedoch das Tageslicht. Heute der erste Schnee. — In diesen Tagen ward Vieles von Kadu herausgebracht u. s. w."

Nachdem die Welle eingeschlagen, ließ der Kapitain das Kielwasser messen, um zu erfahren, ob vielleicht das Schiff von der Erschütterung leck geworden. Das geschieht, indem man ein Loth in eine der Pumpenröhren hinab läßt. Der junge Unteroffizier, der den Befehl erhalten, ein Mann, der sich vor unseren tapfern Matrosen nicht durch größere Unerschrockenheit auszeichnete, berichtete leichenbleich, das Schiff sei ganz voll Wasser. — Die Sache war zu interessant, um nicht genauer untersucht zu werden, — die Leine nur oder die Röhre war naß gewesen; es ergab sich, daß gar kein Wasser in das Schiff eingedrungen.

Ich vermisse unter meinen Papieren etliche Stanzen, die mir der Müßiggang eingegeben hatte. Ich kann mich nur auf die erste besinnen, die hier der Kuriosität halber eine Stelle finden mag. Man macht wenig deutsche Verse auf und bei Unalaschka.

So wüthe, Sturm, vollbringe nur dein Thun,
Zerstreue diese Planken, wie den Mast,
Den wohlzefügten, mächt'gen, eben nun
Du leichten Spieles schon zersplittert hast!
Da unten, mein' ich, wird ein Mensch doch ruhn;
Da findet er von allen Stürmen Rast.

Was kracht noch? Gut! die Welle schlug schon ein?
Fahr' hin! es ist geschehn, wir sinken. — Nein,
Wir sinken nicht! Geschaukelt wird annoch,
Getragen himmelan der enge Sarg;
— —

Kadu, der, ein anderer Odysseus, ein vielbewegtes, thaten- und abenteuerreiches Leben zwischen den Wendekreisen auf einem Meerstrich geführt, dessen Ausdehnung beiläufig der Breite des atlantischen Ocean's gleichkommt, und nie das flüssige Lazur des Wassers erstarren, nie das üppige Grün des Waldes verwelken gesehen, — Kadu sah in diesen Tagen zum ersten Mal das Wasser zum festen Körper werden und Schnee fallen. Ich glaube, daß ich ihm das gräßliche Märchen unseres Winters nicht vorher erzählt hatte, um nicht von ihm, wenigstens bis zu der traurigen Erfüllung meiner Worte, für einen Lügner gehalten zu werden.

Am 17. April versprachen wir unserm Freunde auf den andern Tag Ansicht vom Lande, das wir ihm mit seinen hohen, zackigen, weiß schimmernden Gipfeln beschrieben. Der Wind ließ nach, und die Kette der aleutischen Inseln ward erst am Abend des 18. sichtbar.

Wir befanden uns im Westen von Unalaschka. Der Schnee war auf den südlichen Niederungen geschmolzen. Die Wallfische, die sich hier den Sommer über aufhalten, waren noch nicht eingetroffen; dieselben vermuthlich, denen wir zwischen 45° und 47° N. B. begegnet waren. Wir hatten in dieser frühen Jahreszeit im Norden des großen Ocean's weniger anhaltende Nebel gehabt als im vorigen Jahre, wo wir denselben Meerstrich im Mai und Juni befahren.

Einen merkwürdig herrlichen Anblick gewährten am 21. April beim Sonnenaufgang die weißen Schneeberge von Umnack in blutrothem Scheine auf dunkelm Wolkengrunde. Wir versuchten an diesem Tage den Durchgang zwischen Umnack und Unalaschka. Der Wind änderte sich, und Schneegestöber umdunkelte uns. Unsere Lage soll nicht ohne Gefahr gewesen sein. „Schon konnten wir die Stunde unsers Untergangs berechnen, als der Wind sich plötzlich rettend wandte", sagt Herr von Kotzebue. Wir gewannen während der Nacht das hohe Meer südlich von Unalaschka.

Wir suchten am 22. und 23. bei hellem Wetter und schwachem Winde, der uns oft gänzlich verließ, den Durchgang östlich von Unalaschka zu erreichen. Wir fuhren am 24. grade vor dem Winde, der zu frischen begann, durch die Straße von Unalaschka und Unalga. Wir hatten den Strom gegen uns, der reißend und einer Brandung zu vergleichen war. Wir riefen eine vierzehnruderige Baidare, die sich blicken ließ, mit einem Kanonenschusse herbei; sie erreichte uns, als wir um die Felsenspitze in Windstille lagen. Der Wind schwoll zum Sturm an, mit unendlichem Schneegestöber. Wir warfen Anker in der Bucht und wurden am 25. in den innern Hafen hinein bugsirt, wo wir vor der Ansiedelung Illiuliuk nahe am Ufer vier Anker auswarfen.

Der vergangene Winter hatte sich vor andern ausgezeichnet durch die außerordentliche Menge des Schnees, der gefallen war. Noch lag er tief auf den Abhängen; noch war die Natur nicht erwacht, noch blühte keine Pflanze, als die Rauschbeere (Empetrum nigrum) mit winterlichen, dunklen, fast purpurnen Blättern. Gegen die Mitte Mai zog sich der Schnee allmälig auf die Hügel zurück. Gegen den 24. lockte die Sonne die ersten Blumen hervor, die Anemonen, die Orchideen. Gegen das Ende Mai fiel frischer Schnee, der sich einige Zeit auf den Bergen erhielt, und es fror zu Nacht. Mit dem Juni begann die Blüthezeit.

Das Schiff, dessen Bugspriet nah am Fuße gebrochen war, dessen andere Masten schadhaft, dessen Tauwerk morsch, dessen Kupferbeschlag abgerissen nur noch den Lauf hemmte, mußte abgeladen, abgetakelt und gekielt werden. Der alte Bugspriet mußte, verkürzt und zusammengefügt, in Stand gesetzt werden den Dienst zu verrichten. Es gab viel zu thun, und es wurde ungesäumt an das Werk geschritten.

Was der Kapitain zu seiner Ausrüstung auf unsere zweite Nordfahrt verlangt hatte, war theils bereit, theils im Werke und gedieh bald zur Vollendung. Den 27. Mai langten aus Kadiack zwei Dolmetscher an, welche die Dialekte der nördlichern Küstenvölker Amerika's, bei denen sie gelebt hatten, redeten und sonst verständige, brauchbare Leute zu sein schienen.

Der Kapitain war ans Land zu Herrn Kriukoff, dem Agenten der Compagnie, gezogen, und wir hatten da unsern Tisch. Wir selbst wohnten auf dem Schiffe. Alle Sonnabende ward das erfreuliche Dampfbad geheizt.

Wir lebten meist von Fischen (Lachs und eine Riesen-Butte). — Wahrlich, wahrlich! die schlechteste Nahrung, die es geben kann. Ein großer Krebs (Maja vulgaris) war das Beste, was auf unsern Tisch kam, und wirklich gut. Wir waren auf vegetabilische Nahrung lüstern. Das einzige Gemüse, das wir zur Genüge hatten, war eine große Rübe; wir ließen sie uns, in Wasser abgekocht, trefflich schmecken. Man sucht sonst wildwachsende Kräuter auf; etliche Schirmpflanzen, etliche Kreuzblumen, etliche Ampferarten und die jungen Sprößlinge der Uvullaria amplexifolia, die den Geschmack von Gurken haben. Später im Jahre hatten wir verschiedene Beeren, besondes eine ausnehmend schöne, aber wenig schmackhafte Himbeere (Rubus spectabilis). Russen und Aleuten essen überall auf ihren Wegen die Stengel von dem Heracleum, welches häufig in den Bergthälern wächst. Herr Kriukoff ließ von seiner kleinen Heerde ein Rind für uns schlachten. Wir kosteten etliche Male Wallfischspeck. Es war für uns eine schlechte, jedoch genießbare Speise. Was aber nicht zu essen war und wirklich ungegessen von unserm Tische abgeholen wurde, dünkt mich des Erwähnens werth.

Wir hatten von unsern O-Waihischen Thieren noch ein trächtiges Mutterschwein zum Geschenke für Unalaschka aufgespart, wo übrigens schon Schweine waren und zwar auf einem anderen Theile der Insel, bei Makuschkin. — Das Thier, welches in den ersten Tagen unseres Hierseins seine Jungen warf, wurde mit Fischen gefüttert. Eins der Ferkel kam auf unsern Tisch; die Nahrung der Mutter hatte dem Fleische einen unleidlicheren Thrangestank mitgetheilt, als wir je an Vögeln oder Säugethieren des Meeres gefunden hatten.

Es war zur Sprache gekommen, daß in Hinsicht unseres Tisches und unserer Mundvorräthe nicht zum besten gewirthschaftet worden; Speisekammer und Keller waren in dem Zustande nicht, in welchem sie hätten sein sollen. Um Ordnung darein zu bringen, wurde das Amt einer Schaffnerin unserm Choris zugetheilt, der für dasselbe Neigung und Talent hatte; und wir befanden uns in der Folge sehr wohl bei dieser Einrichtung. Choris sorgte, wie wir im August Unalaschka verließen, für einen Vorrath von Seevögel-Eiern und von eingesalzenem Ampfer, woran wir uns noch zwischen den Wendekreisen erfreuten. Er verschaffte sich zu Hana-ruru und zu Manila von andern, uns wohlwollenden Schiffskapitainen manche Zierde und Würze des Mahles, deren wir bis jetzt entbehrt hatten. Er ließ von Zeit zu Zeit auf dem Rurik frisches Brod backen u. s. w. Lauter Dinge, die zur See angenehmer sind, als man es zu Lande glauben kann. Dabei wirthschaftete er mit Sparsamkeit. Aber Freund Login Andrewitsch ging bei den einzuführenden Reformen mit einem durchgreifenden Diensteifer zu Werke, wodurch er die Wichtigkeit seiner neuen Stellung auf eine mir nicht ganz zusagende Weise beurkundete. Ich fand nämlich, als ich Abends von den Bergen herabkam, wo ich in Amtsgeschäften, botanisirend, die Tischzeit versäumt hatte, die Schränke verschlossen und Verordnungen zu dem Zwecke erlassen, mir ein Stück Zwieback und einen Schluck Branntwein, das Einzige, was ich bescheiden ansprach, unzugänglich zu machen; und so sollte es werden und bleiben. — Gasthäuser und Restaurationen findet man auf Unalaschka nicht. Ich konnte mich bei der neuen Ordnung nicht beruhigen. — Ich glaube, daß unser wackerer Eichoff, der auch eine Autorität auf dem Schiffe war, sich ins Mittel legte und zu Gunsten meiner den Starrsinn des Reformators beugte: die Sache kam von selbst in ein besseres Geleise, und ich hatte den Hunger nicht mehr zu befürchten. —

Herr Kriukoff erwies sich gegen den Kapitain in außeramtlichen sowohl als in amtlichen Verhältnissen von einer unterthänigen Dienstfertigkeit, die sehr weit ging. Er hatte ihm, dem Mächtigeren, mit Beeinträchtigung der Ansprüche von Choris gedient, welcher es ihm nicht vergaß und sich darbietende Gelegenheiten gern ergriff, ihm auf die Hühneraugen zu treten. Die Erinnerungen an Unalaschka sind mir eben so betrübend, wie die an Radack erheiternd sind. — Ich möchte über den Schmutz den Vorhang ziehen.

Das bräuchliche Geschenk, was man hier einem Schiffskapitain macht, andere Notabilitäten verirren sich wohl nicht auf diese Insel, besteht in einer feiner gearbeiteten Kamlaika, deren Verzierungen wirklich bewunderungswürdig sind. Dieses Geschenk kostet den Vorstehern blos die Arbeit der armen aleutischen Mädchen, die nichts dafür bekommen als einige Nähnadeln und — hoch im Werth gehalten, wie Gold und Edelsteine — ein Stück rothen Fries, von der Größe der Hand. Die Hälfte davon wird aber an der Kamlaika selbst verbraucht und verarbeitet. Die Näthe werden mit ganz feinen Friesfranzen zierlich besetzt.

Kriukoff hatte nicht ermangelt, dem Kapitain und auch seinem Lieutenant, und endlich auch seinen Passagieren, jedem eine Kamlaika zu verheißen. Es kam ihm später vor, als sei eben kein Grund vorhanden, sich meinetwegen in Unkosten zu setzen. Die andern erhielten ihr Geschenk, und ich wurde übergangen. Login Andrewitsch nahm die Gelegenheit wahr und sagte ihm mit einer gewissen Autorität, er möge Adelbert Loginowitsch ja nicht vergessen. — Ich erhielt nachträglich meine Kamlaika, und Login Andrewitsch holte sich den Dank bei mir ein.

Kriukoff erzählte dem Herrn von Kotzebue von einem hundertjährigen Aleuten, der auf der Insel lebte. Der Alte ward auf den Wunsch des russischen Kapitains vorgeladen und kam aus seinem entfernten Wohnort vor ihn. Eine fast mythische Figur, aus den Zeiten der Freiheit her, die Schicksale seines Volkes überragend, jetzt vor Alter blind und gebrochen. Der Kapitain, ein gewaltiger Machthaber auf dieser russischen Insel, ließ ihn seiner Gnade versichern; was in seiner Macht stehe, wolle er für ihn thun. Er möge sich ein Herz fassen und seinen kühnsten, während seines langen Lebens unerreicht gebliebenen Wunsch aussprechen. Der Alte erbat sich ein Hemd: er habe noch keines besessen.

Während unseres Aufenthaltes auf Unalaschka schossen die Aleuten Vögel und balgten sie für uns aus. Das Berliner Museum verdankt Herrn von Kotzebue und seinem Eifer für die Wissenschaften die beträchtliche Sammlung nordischer See- und Raubvögel, die es von mir erhalten hat. Ohne die Hülfe des Kapitains und die

Befehle, die er geben ließ, hätte ich hier für die Ornithologie wenig gethan und gesammelt, zumal, da ich meine englische Doppelflinte dem Gouverneur von Kamtschatka überlassen, von welchem den bedungenen Preis abzuholen der später veränderte Plan der Reise mich verhinderte. Ein paar große Kisten Vogelbälge wurden zu Unalaschka gepackt. — Wann überhaupt während des Verlaufes der Reise meine Koye sich mit Gesammeltem überfüllte, ließ der Kapitain Kisten machen, die er wohlgepackt, vernagelt und verpicht in Verwahrung nahm.

Von den erfahrensten Aleuten ließ ich mir die Wallfischmodelle verfertigen und erläutern, die ich in dem Berliner Museum niedergelegt und in den Verhandlungen der Akademie der Naturforscher, 1824, T. XII. P. I. abgebildet, beschrieben und abgehandelt habe. Für diesen Theil der Zoologie ist jede Nachricht schätzbar. Nach unserer Rückkunft auf Unalaschka ward in unserer Nähe ein Wallfisch von der Art Aliomoch von den Aleuten zerlegt. Das unappetitliche Werk wird so emsig von vielem Volke betrieben, daß der Naturforscher sich einzumischen keinen Beruf fühlt. Wir haben den Schädel des Thieres nach St. Petersburg gebracht.

Es fehlt auf Unalaschka an Feuerung; da wächst kein Baum, und das Treibholz wird nicht in Ueberfluß angespült. Der Torf müßte den Mangel ersetzen, aber die Menschen wissen ihn nicht aufzufinden und zu benutzen. Es fehlt mehr an der Technik als an der Natur. Ich hatte zu der Zeit noch kein Torfmoor untersucht und noch nicht über den Torf geschrieben*). Ich würde jetzt den Torf sicherer unter der Bunkerde zu finden wissen und mit nachdrücklicherem Rath das Vorurtheil bekämpfen, welches den Menschen so schwer macht zu thun, was sie noch nicht gethan haben.

Obiger naturhistorischer Zeitung hänge ich ein Feuilleton an. Ein Sohn von Kriukoff, ein munterer Knabe, war von Unalaschka aus nach Unimack gekommen; so weit war für ihn schon die Welt. Er hatte daselbst Bäume gesehen, ja er war auf einen Baum hinauf geklettert und hatte sich auf dessen Zweigen gewiegt. Das er-

*) In Karsten's Archiv für Bergbau, Band V., VIII. und XI.

zählte er uns mit großem Stolze, aber auch mit nicht geringer Furcht, ob der seltsamen Kunde für einen Lügner zu gelten, und gab sich alle Mühe, uns glaubhaft zu erläutern, was ein Baum sei.

Auf den aleutischen Inseln kommen keine Amphibien vor, und die Naturgeschichte von Unalaschka weiß von keinem Frosche. Nichts desto weniger kam einmal in dem chinesischen Zuckersyrup, welcher daselbst verbraucht wird, ein wohlerhaltener, großer Frosch zum Vorschein. Es war schon viele Jahre her, aber man sprach noch davon, und ob es ein kleiner Mensch gewesen, so ein Wilder, ein junger Waldteufel, oder sonst eine Kreatur, darüber war man noch uneinig.

Ich verbrachte meine Tage auf den Bergen. Kadu, nachdem er den Seekohl dieses Meeres (Fucus esculentus) für Bananenblätter anzusehen aufgehört hatte und sich ungern bereden lassen, es würde vergeblich sein, Cocosse an diesem unwirthbaren Strande zu pflanzen, las am Hafen für seine Freunde auf Radack Nägel und vernachlässigtes Eisen auf, wählte für sie unter den meerbespülten Geschieben sorgfältig diejenigen aus, die sich am besten zu Schleifsteinen eigneten, ging von weitem den Rindern auf der Weide nach, setzte sich auf die nächsten Hügel und sang sich Lieder von Ulea und von Radack vor.

Er begehrte mit unseren Feuergewehren umgehen zu lernen, und Eschscholtz übernahm den Unterricht. Zu dem Ende ward vom Schiffe eine alte schlechte Flinte verabreicht. Beim ersten Schusse, den unser Freund that, brannte das Pulver zu dem Zündloch langsam heraus, während er wacker im Anschlag liegen blieb und nicht wußte, was er versehen habe, um nicht wie der Kapitain einen guten Knall heraus zu bekommen. Ich weiß nicht, ob der Unterricht mit besserer Flinte wieder vorgenommen ward, wenigstens ist unser friedlicher Kadu kein Schütze geworden.

Wir hatten einen Sohn von Herrn Kriukoff und fünfzehn Aleuten; Baidaren, große und kleine; gesalzene und gedörrte Fische (Stockfisch) an Bord genommen. Der Rurik war segelfertig. Wir hatten vergebens auf die Ankunft eines Schiffes aus Sitcha gehofft, uns mit Manchem, woran wir Mangel litten, zu versorgen. Widrige Winde hielten uns ein paar Tage im Hafen zurück, an dessen Eingange wir in Windstille auf der Scheidelinie zweier einander entgegengesetzten Winde vor Anker lagen. Vor uns blies der Wind von der See her, hinter uns hingegen, im innern Hafen zwischen der kleinen Insel und dem Hauptlande, seewärts. Wir gingen am Sonntag, den 29. Juni 1817 nach unserer Schiffsrechnung (einen Tag später nach der Rechnung der Insel) unter Segel.

Wir sollten auf unserer Nordfahrt auf den Inseln St. George und St. Paul durch die Agenten der Compagnie, welche den dortigen Ansiedelungen unter Herrn Kriukoff vorstehen, auf Anweisung von diesem mit Manchem, woran wir Mangel litten, versehen werden. Auf beiden Inseln, welche im Meerbecken im Norden der aleutischen Inselkette vereinzelt liegen und sonst unbewohnt waren, werden von wenigen Russen und mehreren angesiedelten Aleuten die Heerden von Seelöwen und Seebären, welche ihren Strand besetzen, bewirthschaftet und die Compagnie zieht aus denselben einen sichern und beträchtlichen Ertrag. Beide Inseln sind ohne Hafen und Ankerplatz.

Bei hellem Wetter und günstigem Winde kamen wir am 30. Juni Nachmittags in Ansicht der Insel St. George, näherten uns derselben, meldeten uns durch einen Kanonenschuß an und lavirten die Nacht über. Am Morgen des 1. Juli holte uns die große Baidare der Ansiedelung an das Land. Einen gar wundersamen Anblick gewährt die zahllose Heerde von Seelöwen (Leo marinus Stelleri), die, unabsehbar im Umkreis der Insel und bis unter der Ansiedelung, einen breiten, felsigen, nackten, von Fett geschwärzten Gurt des Strandes überdeckt. Unförmliche, riesige Fett- und Fleisch-Massen, ungeschickt und schwerfällig auf dem Lande. Die Männchen bewachen ihre Weiber und kämpfen gegen einander wüthend um deren Besitz; jene folgen dem Sieger. Ihr Gebrüll wird sechs Meilen weit zur See vernommen. Man kann ihnen bis auf wenige Schritte nahen; sie kehren sich blos gegen die Menschen und brüllen sie an. Nichts hat während der Zeit, die Kadu unter uns zubrachte, seine Aufmerksamkeit so sehr gefesselt und einen stärkeren Eindruck auf ihn gemacht als der Anblick dieser Thiere. Er schloß sich mir an, als ich sie zu besichtigen ging, blieb aber immer etliche Schritte hinter mir zurück. Man tödtet alte Männchen vorzüglich der Haut wegen, die zum Ueberziehen der Baidaren und Aehnlichem dient; auch werden deren Eingeweide zu Kamlaiken verarbeitet. Junge schlachtet man um des Fleisches willen, das wir selber nicht übeln Geschmackes gefunden haben. Etliche Menschen mit Stöcken bewaffnet verscheuchen die Alten, und die Jungen, von der See abgeschnitten, werden landeinwärts nach dem Orte hin getrieben, wo sie abgethan werden sollen. Ein Kind treibt eine Heerde von zwölf bis zwanzig vor sich her. Alte werden mit der Flinte geschossen; sie haben nur eine Stelle am Kopfe, wo der Schuß tödtlich ist. St. George und St. Paul werden von den Russen „die Inseln der Seebären“ genannt, weil dieses Thier ihnen den größeren Ertrag liefert. St. George ist aber die Insel der Seelöwen. Nur wenige Familien der Seebären nehmen abgesonderte Stellen des Strandes ein. Es wurden für uns und unsere Mannschaft etliche junge Seelöwen geschlachtet; auch vermehrten wir unsere Vorräthe um etliche Fässer Eier, die sich im Thran eine lange Zeit frisch erhalten. Die Nester der Seevögel, die hier ihre Brüteplätze haben, werden regelmäßig geplündert, und die Menschen wirthschaften mit Robben und Vögeln, als seien sie ihnen hörig geworden.

Wir hatten am selben Abend Ansicht erst von der Boberinsel, einer Klippe in der Nähe von St. Paul, und dann von dieser Insel selbst. St. George und St. Paul liegen in solcher Nähe, daß die eine Insel von der andern gesehen werden kann. Wir lagen am 2. Juli in Windstille bei Nebel und Regen in der Nähe der Boberinsel. Das Meer war trüb und schmutzig; häufige Fettflecken darauf spielten in den Farben der Iris. Die Baidaren von St. Paul kamen und gingen zwischen dem Lande und dem Schiffe; vom Rurik ward kein Boot, keine Baidare in die See gelassen. Nachmittags erhob sich ein schwacher Windhauch; wir fuhren an der Klippe vorüber und näherten uns der Hauptinsel. Den 3. am frühen Morgen verkündigte ein Kanonenschuß der Ansiedelung, daß wir uns in ihrer Nähe befänden. Eine Baidare ruderte sogleich heran und wir fuhren auf derselben ans Land. Choris und Kadu versäumten dieses Mal die Gelegenheit und blieben auf dem Rurik zurück.

Die Insel St. Paul erhält von dem Seebären (Ursus marinus Stelleri), der zur Zeit, wo die Mütter werfen, ihren Strand in unendlichen Heerden besetzt hält, ihre größere Wichtigkeit. Das Fell der Jungen wird als Pelzwerk geschätzt und findet in Canton einen sichern Markt und feste Preise. Das Männchen ist um das Doppelte größer als das Weibchen, welches sich außerdem durch Gestalt und Farbe sehr unterscheidet. Männchen und Junge sind dunkler, das Weibchen fahler. Ich habe Schädel von beiden Geschlechtern mitgebracht; sie weichen in der Gestalt sehr von einander ab, doch scheint die Verschiedenheit ihrer Größe geringer als die der Thiere selbst. Der Schädel des Männchens ist gewölbter, der des Weibchens flacher, bei stärkerem Hervortreten der Fortsätze und Ränder, welche die Augenhöhlen bilden. Der Seebär ist gelenkiger als der Seelöwe und bewegt sich auf dem Lande schneller und leichter als er. Das Männchen überschaut von einem erhöhten Sitze den Kreis seiner Familie und bewacht eifersüchtig seine Weiber. Mancher besitzt deren nur eine einzige oder wenige, indem andere gegen ein halb Hundert beherrschen. Das Weibchen wirft zwei Junge, die mit Zähnen in beiden Kinnladen zur Welt kommen. Die Mutter beißt die Nabelschnur nicht ab, und man sieht die jungen Thiere noch lange die Nachgeburt nach sich ziehen. Ich beschaute und streichelte einen solchen Neugeborenen; er that die Augen auf und setzte sich, wie er mich sah, gegen mich zur Wehre, indem er sich auf die Hinterpfoten erhob und mir sehr schöne Zähne wies. Gleichzeitig nahm der Hausvater Kenntniß von mir und setzte sich in Bewegung, um mir entgegen zu kommen:

„Et qui vous a chargé du soin de ma famille?“ Ich versicherte ihn, daß ich es nicht übel gemeint habe, empfahl mich aber und zog mich weiter zurück.

Die Seevögel (Uria) nehmen zwischen den Familien der Robben die freien Stellen des Strandes ein; sie fliegen ohne Scheu mitten durch die Heerde und vor dem Rachen der Wache haltenden Männchen, ohne sich an deren Gebrüll zu kehren. Sie nisten in unzähliger Menge in den Höhlen der meerbespülten Felsenwände und unter den gerollten Steinen, die längs dem Strande einen Damm bilden. Der Rücken dieses Dammes ist von ihrem Unflath weiß überzogen.

Vor St. Paul soll ein Mal ein amerikanisches Schiff erschienen sein, dessen Kapitain mit einem starken Kommando ans Land fuhr, Branntwein hinbringend, womit er gar nicht karg that. Russen und Aleuten tranken zur Genüge, aber die Zeit, die sie darauf schliefen, benutzte der freigebige Fremde, Seebären zu schlachten und abzuziehen; so verschaffte er sich seine Ladung. — In solchen Fällen, wo man die Häute zu trocknen keine Zeit hat, werden solche eingesalzen, wodurch sie nichts von ihrem Werth verlieren sollen.

Unser Kapitain hatte einen Kompaß ans Land gebracht, um sich die Richtung genau angeben zu lassen, in welcher man sowohl von St. George als von hier aus auf hoher See vulkanische Erscheinungen und Land gesehen zu haben meint. Die Magnetnadel ward auf diesem Boden vulkanischer Eisenschlacke sehr unruhig befunden. — Doch fand sich ein Standpunkt, wo sie ruhig blieb und von dem aus die Richtung jener Erscheinungen S. W. ½ W. bestimmt wurde. In eben dieser Richtung waren wir am 4. Juli Mittags bei hellem Wetter und klarem Horizont 60 Meilen von St. Paul entfernt, und kein Land war zu sehen. Wir behielten bis 5 Uhr Abends denselben Cours, und kein Land erschien. Da steuerten wir nach Norden, um die Ostspitze der St. Laurenzinsel zu erreichen.

Wir hatten bei meist trübem Wetter wechselnde Winde und Windstillen. Am 9. Juli waren wir über die Breite der Insel St. Matwey gekommen, ohne dieselbe sehen zu wollen, und sollten am andern Tage, da der Wind günstiger wurde, Ansicht von der St. Laurenz-Insel bekommen. Wir benachrichtigten davon unsern Freund Kadu. Wir hatten Wallfische und öfters Robben gesehen, etliche Seelöwen schienen an diesem Abend dem Laufe unsers Schiffes zu folgen. In diesem Meere ohne Tiefe, wo wir oft das Senkblei warfen, fingen sich mehrere Kabliau (Gadus) an der Angel und versorgten uns mit frischer Nahrung.

Wir sahen am 10. Juli Morgens das Land und steuerten auf das südliche Vorgebirge der St. Laurenz-Insel zu. Die Ansicht ist die von einer Gruppe mäßig hoher Inseln, deren Rücken ruhige Linien begrenzen und deren Küsten abstürzig sind. Aber Niederungen vereinigen alle diese Felseninseln und sie erstrecken sich stellenweise von ihnen aus weit in die See. Auf diesen Niederungen sind die Ansiedelungen der Menschen, welche das in stehenden Pfützen und Seen angesammelte Schneewasser trinken. Wir gingen vor Anker und fuhren Nachmittags bei einer Ansiedelung an das Land. Wir hatten uns bewaffnet; Kadu, darüber entrüstet, hatte sich sehr erkundigt, was unsere Meinung sei. Wie er aber vernommen, unsere Gesinnung sei friedlich und wir sorgten blos für unsere Sicherheit unter Unbekannten, so ließ er sich auch einen Säbel geben und schloß sich dem Kapitain an.

Nur wehrhafte Männer kamen uns selbstvertrauend entgegen, während Weiber und Kinder entfernt wurden. Unsere Dolmetscher machten sich verständlich. Sie gaben Friedensworte, und Tabak und Glasperlen begründeten ein freundschaftliches Verhältniß. — Die Männer hatten tatuirte Linien um das Gesicht, nebst etlichen Zeichen auf Stirne und Wangen. Die Mundknöpfe waren selten und wurden oft durch einen runden tatuirten Fleck ersetzt. Sie waren auf der Scheitel geschoren und trugen einen Kranz längerer Haare um das Haupt (die Aleuten schneiden ihr Haar nicht ab). Sie besitzen das Rennthier nicht. Ihre Hunde werden auf Küstenfahrten an die Baidaren gespannt. Ihre Waaren erhalten sie von den Tschucktschen, mit denen sie in Handelsverbindungen sind.

Wir betraten ihre Wohnungen nicht. Wir sahen ihre irdenen Jurten längs dem Strande, von den üblichen Gerüsten umragt, unter denen die Hundelöcher sind. Ein Zelt von Häuten war ein Sommeraufenthalt.

Wir erfuhren, daß das Eis erst seit drei Tagen (nach meinen eigenen Notaten seit fünf Tagen) aufgegangen war und nordwärts mit dem Strome treibe.

Wir fuhren an das Schiff zurück und gingen unter Segel, um die Insel von der Ostseite zu umfahren.

Am Morgen des 11. Juli lavirten wir bei hellem Wetter und Südwinde. Ich erfuhr, daß man in der Nacht bei der Ostspitze der Insel Eis angetroffen habe, und daß der Kapitain an der Brust litte und bettlägerig sei.

Am 12. machte der Kapitain uns und der Mannschaft des Rurik schriftlich bekannt, daß er den Zweck der Reise wegen seiner zerstörten Gesundheit aufgebe und deren Reste dazu verwenden müsse, uns in die Heimath zurück zu führen. — Wir hatten demnach nur noch das bisher Gethane rückwärts abzuwinden. Hier die Worte des Herrn von Kotzebue in seiner Reise, zweiter Theil, S. 105:

„Um 12 Uhr Nachts, als wir eben am nördlichen Vorgebirge vor Anker gehen wollten, erblickten wir zu unserem Schreck stehendes Eis, das sich, so weit das Auge reichte, nach N. O. erstreckte und nach N. zu die ganze Oberfläche des Meeres bedeckte. Mein trauriger Zustand, der seit Unalaschka täglich schlimmer wurde, erlitt hier den letzten Stoß. Die kalte Luft griff meine kranke Brust so an, daß der Athem mir verging und endlich Brustkrämpfe, Ohnmachten und Blutspeien erfolgten. Ich begriff nun erst, daß mein Zustand gefährlicher war als ich bis jetzt glauben wollte, und der Arzt erklärte mir ernstlich, ich könnte in der Nähe des Eises nicht bleiben. Es kostete mich einen langen schmerzlichen Kampf; mehr als einmal war ich entschlossen, dem Tode trotzend mein Unternehmen auszuführen; wenn ich aber wieder bedachte, daß uns noch eine schwierige Rückreise ins Vaterland bevorstand und vielleicht die Erhaltung des Rurik und das Leben meiner Gefährten an dem meinigen hing: so fühlte ich wohl, daß ich meine Ehrbegier unterdrücken mußte; das Einzige, was mich bei diesem Kampfe aufrecht erhielt, war die beruhigende Ueberzeugung, meine Pflicht redlich erfüllt zu haben. Ich meldete dem Kommando schriftlich, daß meine Krankheit mich nöthige, nach Unalaschka zurückzukehren. Der Augenblick, in dem ich das Papier unterzeichnete, war einer der schmerzlichsten meines Lebens; denn mit diesem Federzuge gab ich einen lang genährten, heißen Wunsch meines Herzens auf.“

Und ich selbst kann nicht ohne das schmerzlichste Gefühl dieses unglückliche Ereigniß berühren. Ereigniß, ja! mehr denn eine That. Herr von Kotzebue befand sich in einem krankhaften Zustande, das ist die Wahrheit; und dieser Zustand erklärte vollkommen den Befehl, den er unterzeichnete. Erklärt, sage ich, ob aber auch rechtfertiget, muß erörtert werden. Ein befugter Richter sagt darüber in der Quarterly Review, (January 1822) Vol. XXIV. p. 363:*)

„Wir haben wenig mehr zu sagen von dieser erfolglosen Reise; aber es scheint kaum zu rechtfertigen, sie unter den erwähnten Umständen plötzlich aufgegeben zu haben. Es würde in England nicht geduldet werden, daß die schlechte Gesundheit des kommandirenden Offiziers vorgeschützt werde als ein Grund ein wichtiges Unternehmen aufzugeben, so lange sich noch ein anderer Offizier an Bord befände, der im Stande wäre, das Commando zu übernehmen."

Dieses ist auch meine Meinung. Derselbe Richter verdächtiget aber unbillig Offizier und Mannen, durch Entmuthigung dem Befehle entgegen gekommen zu sein. — Ich habe für meinen Theil mit schmerzlicher Entrüstung den Befehl von Herrn von Kotzebue vernommen und mich in meine Instruktionen gehüllt: „Ein Passagier an Bord eines Kriegsschiffes, wo man nicht gewohnt ist, welche zu haben, hatte keinerlei Ansprüche zu machen."

Ich habe in den schweigenden, niedergeschlagenen Gesichtern um mich her dasselbe, was in mir vorging, unter der Hülle gewohnter Subordination ebenfalls durchschauen zu sehen geglaubt. Was das ärztliche Gutachten des Doktors Eschscholtz anbetrifft, so hat selbiger die Verantwortlichkeit dafür übernommen; mehr läßt sich nicht sagen.

---

*) We have little more to offer on this unsuccessful voyage; but it appears to us that its abrupt abandonment was hardly justified under the circumstances stated. It would not be tolerated in England, that the ill health of the commanding officer should be urged as a plea for giving up an enterprize of moment, while there remained an other officer on board fit to succeed him. — — But we rather suspect, that when the physician warned him against approaching the ice, the caution was not wholly disinterested on his part, and that the officers and men, like the successors of the immortal Cook, had come to the conclusion that the longest way about was the nearest way home.

Ich habe damals den kranken Herrn von Kotzebue tief bedauert, daß ein Verfahren, welches mir unter ähnlichen Umständen auf Schiffen anderer Nationen beobachtet worden zu sein scheint, vermuthlich nicht in den Bräuchen des russischen Seedienstes lag, und der von ihm gefaßte Entschluß nicht berathen, nicht von einem Kriegsrath, zu welchem jeder Stimmfähige auf dem Schiffe zugezogen worden, für nothwendig erkannt und gerechtfertigt worden sei. Ich habe noch eine Zeitlang gehofft, Herr von Kotzebue werde, den Anfall der Krankheit bemeisternd, sich besinnen und den gegebenen Befehl zurückrufen. Darin hätte er Charakterstärke bewiesen, und ich hätte mich in Demuth vor ihm geneigt.

Lasset uns übrigens nicht vergessen, daß, obgleich der Rurik die kaiserliche Kriegsflagge trug, Schiff, Kapitain und Mannschaft nur den Grafen Romanzoff als Herrn anerkannten; daß der Graf Romanzoff die Expedition ausgerüstet und nur ihm über den Erfolg derselben Rechenschaft abzulegen war. Herr von Kotzebue hat dem Grafen Romanzoff, von dem seine Instruktionen ausgingen, Rechenschaft abgelegt und ihm vollkommen Genüge gethan; mithin ist, was der Graf Romanzoff gut geheißen, gut, und die Frage über das, was sonst hätte geschehen können, eine blos wissenschaftliche.

Nun aber fordert ihr, ihr habt nach dem Gesagten das Recht, daß ich euch die Frage nach meiner eigenen Weisheit beantworte und euch sage, was ich denn glaube, daß sonst noch hätte geschehen können. — Aufrichtig gestanden, nicht viel. Wir waren mit einem einzigen dienstfähigen Offizier und zwei Unter-Steuerleuten (auf den dritten war zur Zeit, aus Gründen, die hierher nicht gehören, nicht zu rechnen) sehr schwach, und wenn in der Nacht vom 10. zum 11. Juli das Eis noch zwischen der St. Lanrenz-Insel und der amerikanischen Küste anstehend gefunden ward, so mochte dieser Sommer ungünstiger sein als der vorjährige.

Wir hätten uns die nächstfolgenden Tage bei der St. Matwey-Insel verweilen können. Das mit dem Strom nordwärts treibende Eis bedrohte uns mit keiner Gefahr; wir hätten demselben auf der asiatischen Seite der St. Laurenz-Insel folgen können und hier schon Vorerfahrungen sammeln von dem, was im Norden aufzu-

15*

suchen unsere Bestimmung war. Die St. Laurenzbucht bot uns einen sichern Hafen und köstliche Erfrischungen dar. Wir hätten daselbst von Rennfleisch gelebt, uns mit Rennfleisch verproviantirt und die Zeit abgewartet, wo der Kotzebuesund, vom Eise befreit, dem Rurik zugänglich geworden wäre. Hier bei dem Schiffe hätte sich der kranke Kapitain so gut als auf Unalaschka ausruhen können, während er dem Lieutenant Schischmareff den Befehl über die Baidaren-Nordfahrt übertragen hätte. Ich bin der festen Meinung, daß im schlimmsten denkbaren Falle ein Untersteuermann das Schiff in den Hafen von St. Peter und Paul zu fahren vollkommen genügt hätte. Man wird mich gern einer weitern Ausführung, welche auch meines Amtes nicht ist, überheben.

Wir machten bei wechselnden Winden, meist in nordische Nebel gehüllt, unsern Weg nach Unalaschka. Wir kamen an den Inseln St. Matwey, St. Paul und St. George vorüber, ohne dieselben zu sehen. Wir segelten am 20. Juli in der Nähe von Unalaschka über zwei Wallfische von der Art Kuliomoch. Sie waren von sehr verschiedener Größe; ihre Haut war glatt; nur die Protuberanz am Vordertheil des Kopfes und der äußere Rand der Klappe der sehr großen und wenig von einander getrennten Spritzlöcher schwammartig. Sie erhielten drei Wurfspieße von unsern Aleuten, ohne sehr darauf zu achten. Sie warfen wenig Wasser, und ich konnte, obgleich darauf aufmerksam, keinen Geruch wahrnehmen. Die Erschütterung des Stoßes, die im Schiffsraum empfunden wurde, war auf dem Verdeck unmerklich.

Am Morgen des 21. zeigten sich etliche Seelöwen um das Schiff. Am Nachmittag entdeckten wir unter der Nebeldecke Unalaschka in geringer Entfernung. Wir lagen in Windstille. Wir ließen uns durch unsere Boote bugsiren. Wir kamen in der Nacht an und lagen am Morgen des 22. Juli 1817 im Hafen von Unalaschka vor Anker.

Das Schiff blieb dieses Mal weit vom Ufer. Der Kapitain zog wieder zu dem Agenten Kriukoff. Wir speisten auf dem Rurik und tranken Thee auf dem Lande.

Der Kapitain theilte uns den Plan der Reise mit: die Sandwich-Inseln, Radack, Ralick und die Carolinen, Manila, die Sunda-straße, das Vorgebirge der guten Hoffnung und Europa. „Der Mangel an frischen Lebensmitteln und der üble Zustand des Ruriks, der durchaus einer Reparatur bedurfte, gestattete mir nicht, meinen Rückweg, der Instruktion zufolge, durch die Torresstraße zu nehmen." Also Herr von Kotzebue, Reise, II. S. 106. — Die Sandwich-Inseln versorgten uns mit frischen Lebensmitteln in Ueberfluß.

Wir sollten zu St. Peter und Paul Briefe von der Heimath vorfinden und wiederum Gelegenheit haben, in die Heimath zu schreiben. — Wir vergruben uns, verschollen für die Welt, zu Unalaschka, schifften aus, was wir zu unserer Ausrüstung auf unsere Nordfahrt eingeschifft, verbucken zu Zwieback, woran wir Mangel zu leiden bedroht waren, das Mehl, das wir in San Francisco an Bord genommen, und verbrachten die Zeit wie in einem Aufenthalt der Verführung.

Ich werde eine kleine Reise erzählen, die ich durch das Innere der Insel zu machen Gelegenheit fand. Ein Schwein, das zu Makuschkin für den Rurik geschlachtet worden war, spielte bei dieser Expedition die Hauptrolle und war die Hauptperson, an deren Gefolge ich mich anschließen durfte. Die ganze Gebirgsmasse, über welche der Vulkan von Unalaschka, die Makuschkeia Sobka, sich erhebt, liegt zwischen Illiuliuk und Makuschkin. Zwei Meerbusen oder Fiorden kommen einander in verschiedenen Richtungen entgegen und machen aus jenem Gebirgsstock eine Halbinsel. Aber die Landzunge von einem Fiorde zu dem andern, über Bergthäler und Päſſe, welche in die Schneeregion reichen, zu durchkreuzen, erfordert wenigstens acht Stunden Zeit. Ich machte mich am 1. August Morgens um 6 Uhr mit zwei Aleuten und einem Russenknaben auf den Weg. Wir erreichten in kleinen Baidaren um acht Uhr den Hintergrund der Kapitains-Bucht, des Fiordes, an welchem Illiuliuk liegt, und traten von da an thalhinauf unsere Wanderung an. Kein Weg ist gebahnt; der Bergstrom, zu dessen Quelle man hinansteigt, ist der Führer durch die Wildniß. Man muß ihn oft durchkreuzen und sich zum kalten Bade in das reißende Schneewasser, das einem bis über die Hüften steigt, entblößen. Die landesübliche Fuß- und Beinbedeckung, die Tarbassi, die, obgleich immer feucht, kein Wasser durchlassen, erlauben minder tiefe Gewässer zu durchwaten, ohne sich auszuziehen. Im unteren Thale ist der Graswuchs üppig und hinderlich dem Wandernden. An der Schneegrenze fesselte manche Pflanze meine Aufmerksamkeit, und die Weite des Weges nicht kennend, den wir noch zurückzulegen hatten, beschleunigte ich nicht den Marsch, so wie ich gesollt hätte. Das jenseitige Thal führt durch tiefe Moräste zu dem Meere. Die Nacht brach ein, als wir den Strand erreichten. Ich glaubte schon bei Makuschkin zu sein; aber der Weg folgt dem Strande in einem Theile des Umkreises der Halbinsel, und hinter jeder vorgestreckten Landspitze, die man mit der Hoffnung erreicht, zu Makuschkin anzukommen, sieht man eine andere Landzunge sich vorstrecken, die eine gleich lügenhafte Hoffnung erregt. Es war 11 Uhr in der Nacht, als wir ankamen. Ich bin als ein rüstiger Fußgänger bekannt gewesen, und was ich als solcher geleistet, hat mir schwerlich Einer nachmachen können; ich habe in meinem Leben keinen ermüdenderen Tagemarsch gemacht als den eben beschriebenen. Alles schlief. Der hier befehlende Russe, bei dem ich heimkehrte, empfing mich auf das gastlichste; aber es war zu spät um das Bad zu heizen, und er hatte weiter nichts mir vorzusetzen als Thee ohne Branntwein, ohne Zucker und ohne Milch, zu welchem Getränke er mich gutmüthig nöthigte, als sei es Malvasier. Der gute Sanin, so hieß mein Wirth, gab mir sein Bett, und das war das Beste, was er mir geben konnte.

Am 2. genoß ich des Dampfbades, ruhete mich aus und untersuchte gemächlich die Hügel um die Ansiedelung und die heiße Quelle, die dort am Strande unter dem Niveau des hohen Wassers aus dem Felsen sprudelt. Ein Thal liegt zwischen der Ansiedelung und dem Fuße des Schneegebirges, der die Grundfesten des Pics von Makuschkin bildet. Diese winterliche Wildniß gewährt einen abschreckenden Anblick. Ein Nebengipfel raucht unablässig; doch wird man den Rauch nur gewahr, wenn ihn der Wind auf die Seite hintreibt, auf welcher man steht.

Sanin selber rüstete sich mit einer Karavane von Trägern, das zerlegte Schwein nach dem Hafen zu bringen. Das schlechte Wetter verzögerte die Abreise um einen Tag, den ich die Gegend zu durchstreifen anwendete. Wir brachen den 4. am frühen Morgen auf. Die große Baidare der Ansiedelung brachte uns in den Hintergrund des Fiordes, von wo der Landweg über die Landenge kürzer ist, als der, den ich auf der Hinreise gemacht. Ich habe, glaube ich, gesagt, daß diese großen Baidaren „Frauenboote“ heißen; aleutische Mädchen waren unsere Ruderer. Arme Geschöpfe! Elend, Krankheit, Schmutz, Ungeziefer und Häßlichkeit schließen eine gewisse zarte Zierlichkeit der Sitten nicht aus; diese Mädchen haben mir einen Beweis davon gegeben, und ein Geschenk, das ich von ihnen besitze und in Ehren halte, hat mich mehr gerührt als Gunstbezeigungen von Königen thun könnten. Auf dem Platze, wo wir Nachmittag noch bei guter Zeit landeten, richteten wir sogleich unser Bivouak ein. Unter der Baidare liegend, betrachtete ich meine Mütze, die zerrissen war, und die Gelegenheit wahrnehmend dem Schaden abzuhelfen, steckte ich drei Nähnadeln hinein und reichte sie so dem mir zunächst liegenden Mädchen und machte sie auf das, was ich von ihr wünschte, aufmerksam. Drei Nähnadeln! — Ein solcher Schatz umsonst! da leuchtete gar wundersam ein unaussprechliches Glück aus ihren Augen. Alle Mädchen kamen herbei, die Nadeln zu bewundern, der Begünstigten Glück zu wünschen, und manche schien mit Wehmuth des eignen Elends zu gedenken. — Da beglückte ich sie denn alle und schenkte jeder drei Nadeln. — Wir brachen am andern Morgen früh auf und waren um drei Uhr zu Illiuliuk. — Hier überreichte mir Sanin das Gegengeschenk der dankbaren Mädchen, welches er mir erst nach der Ankunft einzuhändigen beauftragt war. Ein Knäul Thierflechsenzwirn von ihrer Arbeit.

Ich habe Aleutenmädchen einen Hemdeknopf von Posamentier-Arbeit untersuchen sehen, sich unter sich darüber berathen und am Ende das zierliche Ding dergestalt nachmachen, daß ihr Machwerk würdig befunden wurde, an das Hemd des Kapitains geheftet zu werden.

Ich habe die Radackerinnen über ein Gewebe unserer Fabrik, über einen Strohhut, rathschlagen sehen, Material und Arbeit betrachten und besprechen und die Frage in Erwägung ziehen: ob solches darzustellen ihnen möglich sein werde.

Ich habe meine Frau mit ihren Gespielinnen sich bemühen sehen, das Geknöte eines englischen Hosenträgers zu enträthseln. Ich habe überall die Frauen sich der Zierlichkeit befleißigen sehen, mit nicht gespartem Aufwand von Zeit, Mühe und Nachdenken ihre Handarbeiten auf das künstlichste ausschmücken und für den Putz der Männer wie für den eigenen sorgen. Wenn ich es aber in der Fremde gesehen habe, so habe ich immer eine herzige Freude daran gehabt.

Herr von Kotzebue behielt zur Verstärkung der Mannschaft des Rurik's etliche, ich glaube vier, der Aleuten, die wir auf unsere Nordfahrt mitgenommen hatten. Unter diesen war ein junger, frischer Bursche, aufgeräumten Sinnes und guter Geistesfähigkeit, mit dem Eschscholtz sich leicht zu verständigen gewußt und mit dessen Hülfe er unternommen hatte, die Sprache der Aleuten, die er bereits für einen Dialekt des Eskimo-Sprachstammes erkannt, näher zu beleuchten. — Ich hatte meine Freude an seiner Forschung, mit deren Ergebnissen er mich bekannt machte. Aber das begonnene Werk zu vollenden, das einem eingestandenen Bedürfniß der Linguistik abgeholfen hätte, und aus dem bereits Ermittelten Gewinn zu ziehen, war Eines nöthig: den Doktor Eschscholtz in Europa, wo es Grammatiken und Lexika zu vergleichen galt, des Beistandes seines Sprachlehrers nicht zu entblößen.

Ich habe oft Gelegenheit gehabt zu bedauern, daß, nachdem verschwenderisch für den Erwerb gesorgt worden, mit nichten daran gedacht werde, das Erworbene nutzbar zu machen, und daß selbst für die Erhaltung desselben geizig die geringste Beisteuer verweigert werde. Der Prunk kauft das Theuerste an; er stattet Sammler, sendet Reisende aus; aber das theuer Erstandene, das sorgenvoll Eingespeicherte wird sorglos dem Untergange überlassen. Der Prunk, der den Reisenden ausgerüstet, sorget manchmal noch für die Herausgabe eines Buches; jeder kann nach dem Maßstabe dessen, was er schon gekostet hat, seine Ansprüche stellen; aber mißachtet wird, wer und was freiwillig sich darbietet. — Ich habe einmal eine junge Berlinerin sagen hören, gemachte Rosen seien viel schöner als natürliche, denn sie kosteten viel mehr. Das ist ein großes Kapitel in der Geschichte der Menschen.

Aber ich wollte ja von der aleutischen Sprache reden. Sobald wir in St. Petersburg angekommen, ward der junge Bursch mit den andern Aleuten der russisch-amerikanischen Handelscompagnie wieder überantwortet, und von der verdienstlichen Arbeit, der sich Eschscholtz unterziehen wollte und welche die Wissenschaft dankbar der Romanzoff'schen Expedition zum Ruhme angerechnet haben würde, ist nie wieder die Rede gewesen.

Bezeichnend wird es vielleicht in mehr als einer Hinsicht sein zu bekennen, daß ich selber von der aleutischen Sprache nur ein einziges Wort erlernt und behalten habe: Kitung (i. e. pediculus). Und, ad vocem Kitung, scheidend den letzten Rückblick auf den düstern Norden werfend, werde ich der Vollständigkeit halber bemerken, daß während unserer Nordfahrten im Jahre 1816 und 1817 das Benannte nichts Seltenes auf dem Rurik war, wogegen Iwan Iwanowitsch heimlich aus einem Krüglein spendete, was gute Dienste that.

Am 18. August 1817 verließen wir zum dritten und letzten Male Unalaschka.

Von Unalaschka nach den Sandwich-Inseln.

Zweiter Aufenthalt auf denselben.

Am 18. August 1817 aus dem Hafen von Unalaschka ausgelaufen, suchten wir wiederum den Kanal zwischen Unimack und Akun zu erreichen, als die bequemste Furt, um aus dem Kamtschatkischen Meere südwärts durch die Kette der aleutischen Inseln in den großen Ocean zu gelangen. Windstille und widrige Winde hielten uns auf; wir bewirkten erst am 20. unsere Durchfahrt. Zwei Wallfische der Art Aliomoch kamen sehr nah an das Schiff. Am 21. Morgens lagen wir in Windstille und schauten zum letzten Male zurück nach Norden auf die vulkanische Gebirgskette, welche die aleutischen Inseln bildet. Die zwei Pics der Halbinsel Alaska tauchten aus den Wolken hoch in den reinen Himmel und erschienen uns ungleich höher als der Pic von Unimack, welcher uns viel näher lag. Am Abend frischte der Wind und führte uns dem Süden zu; der trübe regnichte Himmel dieses Meerstriches schloß sich über uns.

Wir aber waren müde. Die Hoffnungen unserer Reise lagen als Erinnerungen hinter uns. Wir gingen keinen neuen Hoffnungen entgegen; wir hatten nur noch etliche der bekannten Kapitel scheidend zu überlesen, und die Heimath war das Ziel der langwierigen Fahrt. Die Kränklichkeit des Kapitains und die reizbare Stimmung, in die sie ihn versetzte, beraubte gar oft die kleine Welt um ihn her der Heiterkeit des Lebens.

Vom 23. August bis zum 10. September rangen wir gegen

vorherrschende, oft stürmische Südwinde an, ohne die Sonne zu sehen. Die Temperatur ward allmälig milder, und wir hatten zu heizen aufgehört, was zu Unalaschka unausgesetzt geschehen mußte. Ein Delphin von einer ausgezeichneten Art, die wir noch nicht gesehen hatten und die unsern Aleuten als einheimisch in ihren Meeren wohl bekannt war, wurde gegen den 44. Grad nördlicher Breite harpunirt. Den Schädel hat, wie die aller Delphine, die wir gefangen haben, das zootomische Museum zu Berlin; die Zeichnung hat Choris behalten; meine Notate sind unbenutzt geblieben. Etwas südlicher wurden, bei starkem Winde und unruhigem Meere, viele spiegelglatte Wasserstellen bemerkt, die unter Windstille zu liegen schienen. Unser vielerfahrener Aleut Afzenikoff deutete diese Erscheinung auf den Thran eines im Meeresgrunde verwesenden Wallfisches, womit meine eigene Vermuthung übereinstimmte.

Am 10. September ging der Wind nach Norden über und das Wetter klärte sich auf. Wir waren am Mittag im 40° 10′ N. B., 147° 18′ W. L., und der Strom hatte uns in 18 Tagen 5 Grad östlich von unserer Rechnung abgeführt. Wir hatten wechselnde und oft wiederkehrende Windstillen bis zum 23., wo sich der Passat einstellte (26° 41′ N. B., 152° 32′ W. L.). Zwei Tage früher, beiläufig einen Grad nördlicher, hatten Schnepfen das Schiff umflattert.

Am 25. September erwarteten wir O-Waihi zu sehen; ein dunstiger Schleier lag davor. Am Morgen des 26. zeigte sich Mauna-kea, erst durch die Wolken, und sodann über denselben. Wir kamen erst bei Nacht in die Nähe des Landes. Ein dickes Stratum von Wolken ruhte über den Höhen der Insel und selbst über Mauna-Puoray. Eine Reihe von Signalfeuern ward angezündet und erstreckte sich von dem Puoray gegen Mauna-kea. Wir umschifften in der Nacht die N. W. Spitze der Insel. Die Wolken lösten sich auf; am Morgen des 27. war das heiterste Wetter. Wir hatten nun Windstille und schwache spielende Winde. Es ruderten nur zwei Kanots an uns heran. Auf dem ersten saß ein Weib allein, das abgewiesen wurde; auf dem zweiten etliche Männer vom Volke.

Wir erfuhren nur, daß Tameiameia auf O-Waihi sei. Der Kapitain beschäftigte sich wiederholt mit der Höhenmessung der Berge.

Wir segelten am Morgen des 28. an dem Fuße des Wororay vorüber, als uns um 10 Uhr Herr Elliot de Castro in seinem Kanot nachfuhr und einholte. Wir hatten bereits Powarua, den Ort, wo sich eben der König aufhielt und mit dem Bonitenfang ergötzte, hinter uns gelassen. Herr Elliot nahm den Kapitain und uns Passagiere des Rurik's, wozu Kadu auch gehörte, in sein Kanot auf, und wir ruderten dem Lande zu.

Kadu, dessen Neugierde durch Alles, was er sah und hörte, auf das Höchste gespannt wurde, hat uns hier zuerst, und überhaupt auch nur das eine Mal einem Mächtigeren als wir Ehrfurcht bezeigen sehen, und dieser Gewaltige war ein Mann von seinem Stamme und seiner Farbe. Er wurde dem Könige vorgestellt, der ihm Aufmerksamkeit schenkte und sich von den Inseln, von wo aus er uns gefolgt, erzählen ließ. Unser Freund war bei dieser Gelegenheit schüchtern, jedoch mit Anstand und guter Haltung. Die O-Waihier waren gegen ihn liebreich und zuvorkommend, und er mischte sich fröhlich unter das Volk.

Powarua liegt am Fuße des Wororay mitten auf dem Lavastrom, den der Berg zuletzt ausgeworfen hat. Nackt und unbenarbt ist rings der glasige, schimmernde Grund. Seitab am Strande haben nur ein paar Sträucher der rothblüthigen Cordia Sebestena Fuß gefaßt. Alles, was zu dem Lebensunterhalt gehört, muß fernher herbei gebracht werden. Seltsam scheint der König den Ort gewählt zu haben, wo er zum Bonitenfang sein Lustlager aufgeschlagen hat. Er selbst, seine Frauen, seine mächtigsten Lehnmänner, die er gern um sich versammelt hält, leben hier, unziemlich aller Gemächlichkeit beraubt, unter niedern Strohdächern.

Als wir landeten, war der König vom Bonitenfang noch nicht heimgekehrt. Dieser Fischfang ist hier, wie bei uns die hohe Jagd, ein königliches Vergnügen. Er ist oft beschrieben worden. Ein Kanot wird mit größter Gewalt der Ruder in dem schnellsten Lauf erhalten. Am Hintertheile desselben sitzt der Fischer und hält die

Perlemutterangel schwebend über dem Meer und bespritzt sie zugleich mit Wasser. Der Fisch muß getäuscht werden und selbst aus dem Wasser auftauchen, um den Haken, der ihm lebendig scheint, zu verschlingen.

Wir besuchten die Königinnen, die unter einem leinenen Schirm lagerten, und etliche Wassermelonen mit uns theilten. Die auf das Essen bezüglichen Tabu's erstrecken sich nicht auf das Essen von Früchten, welches dem Trinken gleich geachtet wird.

Der König kam, nackt bis auf das Maro. Er bewillkommnete uns wie alte Bekannte mit Herzlichkeit. Die neuesten Ereignisse auf Atuai und O-Wahu, von denen uns auf letzterer Insel mehr erzählt ward, hatten den Stand der Dinge zu unseren Gunsten verändert.

Zwei Bonitten wurden dem Könige nachgetragen; er gab mit feiner Sitte dem Kapitain den Fisch, den er selbst geangelt hatte, ganz wie bei uns ein Jäger das Wild verschenkt, das er geschossen hat. Er kleidete sich in die rothe Weste, wie wir ihn im vorigen Jahre gesehen hatten, frühstückte und unterhielt sich indeß mit dem Kapitain. Herr Elliot war der Dolmetscher; Herr Cook stand zu der Zeit nicht mehr in der Gunst des Königs. Tameiameia gab uns, wie im vorigen Jahre einen Edeln mit. Sein Name war Kareimoku. Man denke dabei nicht an den mächtigen Kareimoku, Stellvertreter des Königs auf O-Wahu. Hier gilt zwar die Geburt, und man könnte wohl von Familien sprechen; aber Familiennamen giebt es noch nicht. Auch bei uns findet sich der Name spät zu dem Schilde, und dieses, das Familienzeichen, ist späteren Ursprungs als die Familie selbst. Kareimoku war Ueberbringer des königlichen Befehles: man solle uns so wie im vorigen Jahre empfangen und uns eben so viel an Lebensmitteln liefern als im vorigen Jahre. — Der König erbat sich von uns nur Eisen, das er zum Schiffbau brauchte.

Wir kamen am Abende des 28. Septembers wieder an das Schiff und nahmen, wie das vorige Mal, unsern Weg nach O-Wahu südlich längs der schönen Inselkette. Wir hatten Windstille unter Ranai. Wir sahen am 1. Oktober mit Tagesanbruch O-Wahu.

Eine amerikanische Brigg kam vom Norden zwischen Worotai und O-Wahu und segelte mit uns dem Hafen zu. Viele Kanots ruderten uns entgegen. Wir warfen um 5 Uhr Nachmittags die Anker außerhalb des Hafens, und der Kapitain fuhr ans Land, wohin ihm unser Geleitsmann vorangegangen war.

Sieben Schiffe lagen im Hafen, das achte kam mit uns zugleich an, alle Amerikaner; nur ein altes Schiff der russisch-amerikanischen Compagnie, der Kadiack, lag auf dem Strande. Erwartet wurde noch ein Schiff von Kareimoku, ein hübscher Schooner, welcher unter dem Befehle von Herrn Beklen, Kommandant der hiesigen Festung, Sandelholz aus Atuai herbeiholte. Die mehrsten Schiffe begehrten Sandelholz. Um dieses Handels willen belasten die Fürsten das Volk mit Frohndiensten, welche die Agricultur und die Industrie beeinträchtigen. Reges Leben war zu Hana-ruru.

Der Doktor Scheffer hatte Atuai verlassen und Tamari seinem Lehnsherrn auf's Neue gehuldigt. Ich hörte von dem Ereignisse nicht übereinstimmende Erzählungen; die ich hier aufnehme, entlehne ich von Herrn von Kotzebue. Er berichtet uns, Kareimoku habe ihm erzählt, der König und das Volk von Atuai hätten den Doktor Scheffer vertrieben, welcher jüngst mit seiner Mannschaft, die aus hundert Aleuten und einigen Russen bestanden, auf dem Kadiack zu Hana-ruru angelangt sei. Das Schiff sei leck gewesen und die Flüchtlinge hätten es auf den Grund fahren müssen, sobald sie mit Noth den Hafen erreicht. Er habe nicht Böses mit Bösem vergolten, sondern die armen Aleuten und Russen freundlich aufgenommen, und selbst Scheffern habe er ungehindert auf einem amerikanischen Schiffe abziehen lassen, welches vor wenigen Tagen nach Canton unter Segel gegangen sei. „Herr Tarakanoff, Agent der russisch-amerikanischen Compagnie", setzt Herr von Kotzebue hinzu, „kam mit mehreren Beamten derselben an Bord. Tarakanoff, der auf Baranoff's Ordre ganz unter Scheffer's Befehlen stand, äußerte sein Mißfallen über das Verfahren auf Atuai, wodurch sie alle in die größte Lebensgefahr gekommen waren, und er hielt es für ein wahres Wunder, daß bei ihrer Flucht von Atuai nur drei Aleuten erschossen wurden, da Tamari, welcher sie alle für seine ärgsten Feinde hielt, leicht vielen das Leben nehmen konnte. Er erwähnte auch der gefährlichen Reise hieher und war jetzt mit seinen Leuten in der traurigsten Lage, da man ihnen natürlich die Lebensmittel nicht unentgeltlich überlassen wollte. Glücklicher Weise hatte ich in Unalaschka eine solche Quantität Stockfisch eingenommen, daß ich den armen Menschen jetzt auf einen Monat Provision schicken konnte. Tarakanoff, der mir ein recht verständiger Mann zu sein schien, hatte mit Herrn Hebet, dem Eigenthümer zweier hier liegender Schiffe, einen Kontrakt abgeschlossen, nach welchem dieser sich anheischig machte, die Aleuten ein ganzes Jahr zu ernähren und zu kleiden, unter der Bedingung, daß er sie nach Californien bringen dürfe, wo sie auf den dort liegenden Inseln den Seeotterfang treiben sollten. Nach Verlauf dieses Jahres bringt Hebet sie nach Sitcha zurück und giebt der Compagnie die Hälfte der erbeuteten Felle. Dieser Kontrakt war vortheilhaft für die Kompagnie, welche die Aleuten oft auf diese Weise vermiethet; denn diese Unglücklichen werden die Schlachtopfer ihrer Unterdrücker bleiben, so lange die Compagnie der Willkür eines Unmenschen preisgegeben bleibt, der jeden Gewinn mit dem Blute seiner Nebenmenschen erkauft." (Kotzebue's Reise II. S. 113 ff.)

Ein Versuch der russisch-amerikanischen Compagnie, sich der Sandwich-Inseln zu bemächtigen, kommt mir fabelhaft vor. Es ist mir nicht unbegreiflich, daß man in Sitcha das Volk mißachten könne, welches zum Rückhalt diesen nackten Soldaten dient, die mit der Flinte in der Hand und der Patrontasche um den bloßen Leib gebunden auf Wache ziehen; aber wie sollte man da nicht wissen, daß dieses Reich unter dem unmittelbaren Schutze von England steht, dem Tameiameia gehuldigt hat? — Wir haben im Jahre 1816 einen Brief des Prinzen Regenten von England an Tameiameia gesehen, worin er das Verhalten Seiner Majestät während des Krieges zwischen England und Amerika belobt, dafür dankt und meldet, daß zu den übersendeten Geschenken noch ein Schiff kommen werde, welches er in Port Jackson erbauen lasse.

Sobald wir am 1. Oktober 1817 die Anker ausgeworfen, fuhr, wie ich sagte, der Kapitain an das Land. Wir hatten in Hana-ruru ein gutes Angedenken zurückgelassen; Kareimoku empfing ihn auf das freundlichste und ließ ihn mit drei Schüssen aus der Festung salutiren. Die amerikanischen Kauffahrer ehrten ebenfalls den Kommandanten der kaiserlich russischen Entdeckungs-Expedition und begrüßten ihn mit ihrem Geschütze. Als die Rede war, den Rurik in den Hafen zu bugsiren, so boten sie dazu ihre Boote an, und sie leisteten uns wirklich am andern Morgen mit Tagesanbruch diesen Dienst. Im Hafen angelangt, wechselten wir mit dem Forte Salutschüsse, empfingen mit drei Schüssen Kareimoku, der an Bord kam und uns Früchte, Wurzeln und ein Schwein brachte. — Die gestern empfangenen Artigkeiten wurden erwidert.

Die Amerikaner erwiesen sich uns überhaupt dienstfertig mit zuvorkommender Höflichkeit. Wir erhielten von ihnen Manches, was sie uns von ihrem eigenen Vorrath ohne Gewinn abließen: englisches Bier, Zwieback von einem am 6. aus Sitcha einlaufenden Schiffe und Anderes. Dennoch wurde eine unangenehme Reibung nicht vermieden. Wo mehrere Kauffahrteischiffe verschiedener Nationen in einem fremden Hafen vereinigt sind, pflegt der älteste Kapitain den Vorrang zu nehmen und, wo es geschehen darf, den Retraitenschuß bei Sonnenuntergang abzufeuern; wo aber unter Kauffahrern ein Kriegsschiff sich befindet, wird dem Kapitain desselben die Ehre gelassen. Nun soll der amerikanische Kapitain aus Unachtsamkeit den Retraitenschuß abgefeuert haben, und die Beschwerde, die Herr von Kotzebue darüber geführt, von der Art gewesen sein, daß sie ihn zum Trotz gereizt habe. Die Sache lag übrigens außerhalb meines Kreises, und ich habe nur obenhin davon gehört.

Die fremden Kauffahrtei-Kapitains kamen bei Herrn Marini zusammen und hatten daselbst ihren Tisch. Ich speiste einmal zu Abend an ihrer Tafel. Zu den warmen Fleischspeisen wurde Thee anstatt Weines getrunken. Die Herren waren gegen mich ausnehmend höflich. Ein älterer Kapitain frug mich, zum wie vielten Male ich jetzt diese Reise mache. Ich antwortete bescheidentlich, es sei das erste Mal, und fand mich natürlich veranlaßt, dieselbe Frage an ihn zu richten. Zum zehnten Male war er auf solcher Handelsreise in der Südsee und um die Welt begriffen; aber jetzt, sagte er, sei er müde worden und es solle seine letzte Reise gewesen sein. Er fahre jetzt nach Hause und werde sich zur Ruhe begeben. — Choris, der mit ihm näher bekannt war, fand und sprach ihn wieder in Manila und endlich noch in Portsmouth, wohin er uns vorausgeeilt war. Er hatte Briefe von Hause vorgefunden: segelfertig erwarte ihn daheim ein Schiff, mit dem er zum eilften Male die Reise machen solle, aber das eilfte Mal werde auch das letzte sein.

Wir pflegten jeden der kleinen Dienste, die uns die stets willigen O-Waihier leisteten, die Ueberfahrt zwischen Schiff und Ufer und derlei mehr, mit einer Glasperlenschnur zu belohnen. Solche schimmernde leichte Waare wurde immer gern empfangen, ihr jedoch kein eigentlicher Geldwerth beigelegt. Choris hatte unter seinem Vorrath etliche Schnüre von besonderer Art und Farbe, die er ohne Unterschied mit den andern ausgab. Gerade auf diese eigenthümlich dunkelrothe Farbe, gerade auf diese Perlenart legte, wie es sich später ergab, die Mode einen ganz außerordentlichen Werth. Solche, die Vancouver zuerst auf die Inseln gebracht, und seit seiner Zeit kein anderer Seefahrer, gehörten zu dem Schmucke der Königinnen. Nun waren sie wieder erschienen und etliche Schnüre davon in Umlauf gekommen. Man forschte der Quelle nach und kam bald auf Choris, dem reiche Häuptlinge mehrere Schweine für eine Schnur anboten; die amerikanischen Kaufleute machten ihm ihrerseits ansehnliche Anerbietungen, — Alles zu spät. Freund Login Andrewitsch, ein sonst bedächtiger und den Gewinn nicht verschmähender Handelsmann, hatte dieses Mal seine Dublonen für Maravedis ausgegeben.

Bei der Anwesenheit so vieler Schiffe nahm der Geschäftsverkehr Herrn Marini's Betriebsamkeit und Zeit in Anspruch, und ich konnte mich nur wenig seines belehrenden Umganges erfreuen. Er hatte mir vor einem Jahre versprochen, Manches für mich aufzuschreiben, und hatte die Muße dazu nicht erübrigt. Jetzt war, das Versäumte nachzuholen, nicht mehr Zeit. Ich verbrachte meist meine Tage auf botanischen Wanderungen im Gebirge, während Eschscholtz, wenigstens während der ersten Tage, durch einen wunden Fuß zurück gehalten auf dem Schiffe blieb und für die eingelegten Pflanzen

Sorge trug. Schildwacht zu stehen bei den an der Sonne ausgelegten Pflanzenbündeln war ein zeitraubendes und verdrießliches Geschäft, was dennoch nicht zu umgehen war. Eschscholtz vermißte einmal eines seiner eigenen Packete, die er auf dem Verdecke gehabt hatte, und unterhielt sich mit mir über den Verlust. Der Kapitain kam auf mich zu und fragte mich, was geschehen sei? Ich sagte es ihm geruhig, ohne Ahnung des Gewitters, das über mich losbrach. Er ertheilte mir zornig einen überflüssigen Verweis und wiederholte mir, was ich gar gut wußte, das sei meine Sache und nicht die seiner Matrosen, die er wegen meiner Kräuter nicht werde schlagen lassen. — Ich hatte nichts gethan, als Eschscholtz Klage angehört.

Choris lebte viel mit den amerikanischen Kaufherren. Kadu verlor sich unter die Eingeborenen, die ihn gern hatten und mit denen er sich leicht verständigen gelernt. Er erhandelte mit dem, was er besaß und was wir ihm gaben, verschiedene ihrer Arbeiten und beschenkte damit jeden von uns nach seinem Sinne.

Man hatte zu Hana-ruru Zeitungen von nicht eben altem Datum, russische und englische. Ruhe, scheinbare wenigstens, war in der Geschichte. Aus Zeitungen Alles herauszulesen, was interessiren kann, ist ein Geschäft, wozu man auf dem Lande keine Muße hat. Freunde und Bekannte betreffend, erfuhr ich nur die Reise der Frau von Stael nach Italien. Auf meinen Wanderungen durch die Insel sind mir einige Male von O-Waihiern Zeitungen angeboten worden; vermuthlich alte Blätter.

Der Handel bringt auf den Sandwich-Inseln die bunteste Musterkarte aller Völker der Erde zusammen. Ich sah unter den Dienern vornehmer Frauen einen jungen Neger und einen Flachkopf der Nord-Westküste Amerika's. Ich sah hier zuerst Chinesen, sah unter diesem herrlichen Himmel diese lebendigen Karikaturen in ihrer Landestracht mitten unter den schönen O-Waihiern wandeln und finde für das unbeschreiblich Lächerliche des Anblicks keinen Ausdruck. (Häufig werden in diesem Meerbecken Chinesen, die unterwürfig und leicht zu ernähren sind, als Matrosen gebraucht.)

Einmal auf einer fernen Wanderung, nachdem ich auf dem

Schiffe deutsch und russisch, die Sprache der Carolinen-Inseln mit Kadu, und mit unserm Koche zum flüchtigen Gruße dänisch geredet; nachdem ich zu Hana-ruru mit Engländern und Amerikanern, Spaniern, Franzosen, Italienern und O-Waihiern gesprochen, mit jedem in seiner Muttersprache; nachdem ich auf der Insel noch Chinesen gesehen, mit denen ich aber nicht geredet, wurde mir in einem entlegenen Thale ein Herr Landsmann vorgestellt, mit dem ich gar nicht sprechen konnte. Es war ein Kadiaker, — ein russischer Unterthan. — Ich anerkannte die Landsmannschaft, gab ihm die Hand darauf und zog meiner Straße. Das schien mir in der Ordnung und ganz natürlich. — Es fiel mir erst viel später in der Erinnerung ein, diese Landsmannschaft und meine Ernsthaftigkeit dabei komisch zu finden.

Ich hatte mir vorgesetzt, den westlichen Gebirgsstock der Insel zu besuchen, Herr Marini ertheilte mir seinen Rath, Kareimoku seinen Beistand; ich vollbrachte die beabsichtigte Reise in den Tagen vom 7. bis zu dem 10. Oktober 1817. Ein Kanot von Kareimoku brachte mich, meinen Führer und einen Knaben, der ihn begleitete, längs dem Korallenriffe, das den Strand umsäumt, bald innerhalb, bald außerhalb der Brandung, nach Pearlriver, und auf diesem Wasser landeinwärts nach dem Fuße des Gebirges, das ich bereisen wollte. Ein Schiff, als ich von Hana-ruru abstieß, lief eben in den Hafen ein. Ich hatte bei dieser Fahrt die erwünschte Gelegenheit, die Beschaffenheit des Riffes zu untersuchen. Wir fuhren einmal ziemlich seewärts über eine Korallenuntiefe, worüber das Fahrzeug getragen werden mußte. Mehrere Kanots waren außerhalb der Brandung in einer Tiefe von beiläufig 10 bis 15 Fuß mit dem Fischfang beschäftigt. Mit langen schleppenden Netzen wurden sehr mannigfaltige Fische gefangen, besonders Chaetodon-Arten, die in den wunderherrlichsten Farben spielten. Hier versorgten sich meine Leute im Namen Kareimoku's mit ihrem Bedarf. Sie verzehrten diese Fische roh und, unsauber genug, noch nach drei Tagen, als sie schon angegangen und voller Insektenlarven waren. Als wir landeinwärts wiederum über die Brandung fuhren, ward ungeschickt gesteuert und eine Welle erfüllte das Boot. Die eben erhaltenen Fische schwammen mir um die

16*

Füße, meine Leute schwammen um das Kanot im Meere; Alles kam bald wieder in Ordnung. Wir fuhren nun zwischen Brandung und Ufer bei geringerer Tiefe des Wassers; dieses färbte sich mit einem Male dunkler: wir waren im Pearlriver. Ich versuchte in den Mittagsstunden die Wirkung der scheitelrechten Sonne auf meinen Arm, den ich ihr entblößt und von Seewasser benetzt eine Zeit lang ausgesetzt hielt. Der Erfolg war eine leichte Entzündung und die Erneuerung der Oberhaut.

Ich hatte einmal Grund, mit meinem Führer unzufrieden zu sein, der, wie es ins Gebirge ging und ich seiner am bedürftigsten war, mich mit dem Knaben vorangehen ließ und gar nicht nachkam, so daß ich umkehren und ihn selber holen mußte. Ein Liebesabenteuer hatte ihn aufgehalten. Ich verschoß den ganzen Köcher meines O-Waihischen Sprachschatzes zu einer zornigen Anrede, worin ich ihn an seine Pflicht mahnte und mit Kareimoku bedrohte, der mir ihn untergeordnet. Der Mann, wie es das Recht eines O-Waihiers ist, lachte mich unmenschlich aus ob meiner ungefügen Rede, die er aber sehr wohl verstand; und er gab mir im Verlauf der Reise keine zweite Gelegenheit, meine Beredsamkeit auszuschütten.

Ein reichlicher Regen, eine Art Wolkenbruch, empfing uns auf den Höhen des Gebirges. Die Bastzeuge der O-Waihier verhalten sich wie ungeleimtes Papier gegen die Nässe. Ihre Kleider zu verwahren gebrauchten meine Leute den Wipfel der Dracaena terminalis. Maro und Kapa, Schamgurt und Mantel wurden um den Stamm dicht umgewickelt und darüber die breiten Blätter nach allen Seiten zurück geschlagen und mit einem Ende Bindfaden befestigt. So trugen sie am Stamme des Bäumchens ihre Gewänder in der Form ungefähr eines Turbans. Ich selber zog meine ganz durchnäßten leichten Kleider aus, und wir stiegen vom Gebirge hinab „in der Nationaltracht der Wilden". Daß die O-Waihier gegen Kälte und Regen viel empfindlicher sind als wir, ist so oft bemerkt worden und so wenig bemerkenswerth, daß ich es kaum wiederholen mag; ich will blos erinnern, daß mir als Sammler die Umstände nicht günstig waren. Beim abermaligen Durchkreuzen des Gebirgs über einen höhern Bergpaß hatte ich wiederholt Regen und durchaus keine Ansicht der Gegend. In die bewohnte Ebene herabgestiegen und im Begriff in das Dorf einzuziehen, wo wir übernachten sollten machte ich mir aus zwei Schnupftüchern ein anständiges Kleid. Ein winzigeres genügte meinem Führer; sein ganzer Anzug bestand in einem Endchen Bindfaden von drei Zoll Länge, quo pene ad scrotum represso cutem protractam ligavit.

Ich habe auf der Reise nie blecherne botanische Kapseln, sondern an deren Statt Schnupftücher gebraucht. Man breitet ein Tuch aus, legt die gesammelten Pflanzen quer auf dasselbe, preßt sie mit einer Hand zusammen und bindet mit der andern Hand und dem Munde die zwei entgegenstehenden Zipfel des Tuches zu einem Knoten; der untere Zipfel wird eben auch mit den andern verknüpft, und der obere vierte dient zum Tragen. — Auf größeren Exkursionen, wo man einen Führer und Träger hat, nimmt man ein gebundenes Buch Löschpapier mit, worin man zartere Blumen sogleich verwahrt. — Hier war mein Pflanzenvorrath vom Regen durchnäßt und Fäulniß zu besorgen. Im Quartier angelangt, wurde eine Seite des Hauses mit Tabu belegt und da die Pflanzen über Nacht ausgebreitet. Ein solches Tabu wird heilig gehalten. — Aber auf dem Schiffe schützt kein Tabu, und die ganze Ernte von vier Tagen muß, gleich viel ob trocken oder durchnäßt, in der kürzesten Zeit „zum Verschwinden gebracht werden". Das war unter uns der gestempelte Ausdruck. In unserer abgeschlossenen, wandernden Welt hatte sich aus allen Sprachen, die am Bord oder am Lande gesprochen, aus allen Anekdoten, die erzählt worden, und aus allen geselligen Vorfallenheiten eine Cant-Sprache gebildet, welche der Nichteingeweihte schwerlich verstanden hätte. Durch die Erzählung auf den Rurik wieder versetzt, drängen sich mir die dort gültigen Redensarten auf, von denen diese Blätter rein zu halten ich kaum hoffen darf.

Am 10. Oktober von meiner Wanderung heimgekommen, machte ich am 12. noch eine letzte Exkursion ins Gebirge, bei der mich Eschscholtz zum ersten Mal begleitete. Alles war zur Abfahrt bereit, die am 13. statt finden sollte; aber Kareimoku, den mit den Häuptern des Adels die Feier eines Tabu auf dem Lande fesselte, bat einen Tag länger zu bleiben, damit er Abschied von uns nehmen könne; und seiner freundlichen Bitte wurde nicht widerstanden.

Man hat sich verwundert, mich von Adel unter den Polynesiern sprechen zu hören. Allerdings finde ich da noch den Adel, wie ich mir denke, daß er ehedem bei uns bestand, wo er bereits verschüttet nur noch in verblassenden Erinnerungen lebt. Anerkannt wird in unsern Staaten unter dem Namen Adel nur noch das Privilegium, und es ist auch nur gegen das Privilegium, daß das Wehen des Zeitgeistes fast zum Sturm anschwillt. Ein Adel, der gegeben und genommen werden kann, der verkauft wird, ist keiner. Der Adel liegt tiefer, er liegt in der Meinung, er liegt in dem Glauben. Ich finde in der französischen Sprache, wie sie in meiner Kindheit war, Wörter, deren die deutsche ermangelt, und ich bediene mich ihrer. Le Gentilhomme, das ist der ächte Adel, wie er auf Polynesien ist, wie ihn kein König verleihen, kein Napoleon aus der Erde stampfen kann. Le Noble, das ist der letzte Bolzen, den die Könige gegen den Adel, aus dessen Schooß sie selber hervorgegangen und den zu unterdrücken ihre Aufgabe war, siegreich abgeschossen haben. Wahrlich es giebt Umkehrungen, worüber man sich verwundern möchte! Jetzt heißt es: „der König und sein Adel!" nachdem übermächtig geworden ist der dritte Stand, den zum Verbündeten gegen den Adel die Könige sich anerzogen haben. Jetzt heißt es auch „Thron und Altar!" nachdem lange Zeit „Thron oder Altar!" die Losung gewesen.

Ich werde nicht eitel die Vergangenheit unserer Geschichte zurückrufen, in welcher ein Adel bestand, zu dem meine Väter gehörten. Ich glaube an einen Gott, mithin an seine Gegenwart in der Geschichte, mithin an einen Fortschritt in derselben. Ich bin ein Mann der Zukunft, wie Beranger mir den Dichter bezeichnet hat. Lernt doch auch in die Zukunft, der die Weisheit des Waltenden uns zuführt, furchtlos und vertrauend schauen; und laßt die Vergangenheit fahren, sintemal sie vergangen ist. Und was war denn jene bessere Zeit, an der euer Herz hängt? Die Zeit der Religionskriege mit ihren Scheiterhaufen, der Bartholomäusnächte, der Autos-da-fe? Die Zeit der Hinrichtung Damiens? Wahrlich, wahrlich! diese eine

Gräuelgeschichte —! leset die Akten! — In der Blutzeit der darauf folgenden Staatsumwälzung verklärte sich dagegen die Milde. Wo immer Bürgerkrieg war, ist und sein wird, werden Menschen getödtet, zerrissen, werden Leichname verstümmelt. Aber die Hinrichtung Damiens, — Dank sei dir, o mein Gott! wird nimmer, nimmer zurückkehren; die Zeit ist völlig abgelaufen.

Aber ich verirre mich von meinem Ziele. Ich habe hier nur nachträglich auf das, was ich in meinen Bemerkungen und Ansichten von der geselligen Ordnung, von der Kasteneintheilung, von dem Adel gesagt habe, wie solche auf den Inseln sind, von denen zu reden ich berufen war, mehr Nachdruck legen wollen. Ich habe geglaubt und angenommen, es verstände sich von selbst, daß von einer Kaste in die andere kein Uebergang möglich ist; daß selbige, wie die Arten der Thiere, unbezweifelt naturnothwendig geschieden sind, und daß, so wie es nur eine Fabel ist, daß der Esel sich zu einem Hunde und der Frosch zu einem Rinde habe ausbilden wollen, es auch außerhalb aller Wahrheit ist, daß ein gemeiner Mann zu einem Edeln zu werden nur träumen könne. Daher finden auch in diesen Verhältnissen Neid und Hochmuth keinen Raum. Aber, dürfte man fragen, was versteht sich denn von selbst?

Habe ich doch mit Entrüstung in Herrn von Kotzebue's Reise, II. S. 132, von Piloten der Carolinen-Inseln gelesen, „die, nur von geringem Stande, oft für ihre Verdienste in den Adelsstand erhoben werden“, — „und der Pilot ward zum Lohn für seine Dienste zum Tamon erhoben“.

Wenn ein zum Zeugen aufgerufener unbescholtener Mann solches Zeugniß spricht, was werden wir nicht erst von denen zu erwarten haben, deren Geschäft es ist, ohne selbst etwas gesehen zu haben, die Aussagen der Augenzeugen aus- und ab- und zusammen zu schreiben? Maltebrun, in einer kurzen Anzeige von Choris Voyage pittoresque, nennt meinen lieben Freund Kadu un anthropophage de la mer du Sud, und läßt auf Cap, wo nur Wasser getrunken wird, ganze Nächte dem Trunke widmen. Ist einmal eine recht handgreifliche Abgeschmacktheit zu Papiere gebracht, so rollt selbige unablässig von Buch zu Buch, und es ist das erste, wonach die Büchermacher greifen. So lange noch Bücher geschrieben werden, wird in jedem, wo sie nur Platz finden kann, die Albernheit zu lesen sein, daß die Eingeborenen der Marianen- oder Ladronen-Inseln den Gebrauch des Feuers erst durch die Europäer kennen gelernt.

Aber soll ich zum andern und zum letzten Male von den Sandwich-Inseln scheiden, ohne daß meiner Feder das Wort entgleitet, welches du, Leser, mit flüchtigem Finger diese Blätter umwendend, schnellen, neugierigen Blickes darinnen gesucht hast? Zu einer Parteifrage sind die Missionen geworden, die erst nach meiner Zeit auf diesen Inseln Fuß gefaßt haben, und ich gehöre keiner Partei an. Lasse dir die Akten vorlegen und höre auf die nicht, die, ohne selbst geschaut zu haben, verwirrend ihre Stimmen in dem Streit erhoben. Ich selber habe sie nicht vollständig gelesen. Die Volksthümlichkeit, die vor dem aufgehenden Christenthum untergehen muß, habe ich geschaut und sie ist mir werth geworden; daß ich um sie traure, spreche ich unumwunden aus. Daß ich aber der Mann des Fortschrittes bin und höher mir der Geist des Christenthums mit seinen Segnungen gilt, glaub' ich in meinem Gedichte „Ein Gerichtstag auf Huahine" an den Tag gelegt zu haben. Selbst an dem frommen Ellis (Polynesian researches) habe ich zwei Dinge vermißt: er hätte, meine ich, selber O-Taheitier werden sollen, bevor er O-Taheitier umzuschaffen unternahm, und hätte sein heiliges Geschäft geistiger auffassen und betreiben können. Seefahrer, die da Weiber und Lust auf den Sandwich-Inseln gesucht, mögen dem Missionswesen abhold sein; aber, gewichtigere Beschuldigungen fallen lassend, scheint mir doch aus allen Zeugnissen hervorzugehen, daß das Missionsgeschäft geistlos auf O-Waihi betrieben wird, wo noch kein Fortschritt in der geselligen Ordnung das Aufgehen des Geistes beurkundet hat. Die stille Feier des Sabbaths und der erzwungene Besuch der Kirche und der Schule sind noch das Christenthum nicht.

Dem sei, wie ihm wolle, — früher oder später werden, dem Fortschritt der Geschichte angemessen, die Hauptinseln des großen Ocean's sich der Welt unserer Gesittung anschließen; und schon erscheint in Landessprache und meist von Eingeborenen geschrieben eine

Zeitung auf O-Taheiti! — Hört! hört! — eine Zeitung auf O-Taheiti! Die ihr dort die Presse, die periodische Presse befördert, hört auf, euch daheim davor zu entsetzen und sie zu bekämpfen. Schlagt euch nicht gegen die Luft, eure Streiche verwunden sie nicht. Preßfreiheit ist in Europa. — Der Tory Walter Scott sagt im Leben Napoleon's: „Deutschland verdankt von jeher der politischen Zerstückelung seines Gebietes die Wohlthat der Preßfreiheit.“ Was er von Deutschland sagt, gilt von der Welt. Die Presse ist nur ein Nachhall, selbst machtlos, wo sie das nicht ist. Die öffentliche Meinung, das ist die Macht, die groß geworden. Dankt der Presse und lernt von ihr.

Aber diese Trivialitäten sind hier nicht am Ort. Im Begriffe unter Segel zu gehen, bemerkte ich, daß, nach einem zweimaligen Aufenthalt auf der Insel und häufigem Verkehr mit den Eingeborenen, ich noch kein Hundefleisch zu kosten bekommen hatte; denn der Europäer wird auf O-Waihi seinen Sitten und Vorurtheilen gemäß empfangen und bewirthet, und für den fremden Gast wird ein Schwein, das er zu schätzen weiß, nicht aber ein Hund, den er verschmäht, in der Backgrube bereitet. Da erfuhr ich, als es schon zu spät war, daß ich die weit gesuchte Gelegenheit täglich am Bord versäumt hatte, wo unser königlicher Geleitsmann einen gebackenen Hund zu verspeisen gepflegt. So geht es mit manchen Freuden im Leben.

Am 14. Oktober 1817 lichteten wir mit Tagesanbruch die Anker, und die Boote der amerikanischen Schiffe bugsirten uns aus dem Hafen. Kareimoku kam aus dem Morai zu uns und brachte uns Fische und Früchte mit. Wir wechselten übliche Salutschüsse mit der Festung, wir nahmen herzlichen Abschied von unsern Freunden und entfalteten die Segel dem Winde.

Von den Sandwich-Inseln nach Radack.

Abschied von den Radackern.

Am 14. Oktober 1817 lagen die Inseln des O-Waihi'schen Reiches hinter uns, und vorwärts mit den Wimpeln waren Gedanken und Gemüth den Radackischen Inseln zugewandt. Wir hatten uns ganz besonders ausgerüstet, Geschenke bleibenden Werthes unsern liebewerthen Freunden darzubringen. Mit dem letzten Abschied von ihnen sollten wir auch Abschied von der Fremde nehmen, die, als sie fern vor uns lag, uns mit so mächtigem Reiz angezogen und jetzt noch reizend zurück hielt. Ueber Radack hinaus lagen nur noch bekannte europäische Kolonien verzögernd auf unserm Heimweg, und unsere übrige Fahrt glich dem Abendgang des müden Wallers durch die lang sich hinziehenden Vorstädte seiner heimischen Stadt.

Ich möchte, um die mit den letzten Zeilen gegenwärtigen Abschnittes mir bevorstehende Trennung von den Polynesiern zu verzögern, mir noch etwas mit ihnen zu schaffen, noch etwas über sie zu reden machen. Ich hätte noch manche Kapitel abzuhandeln, wenn ihr mir so lange zuhören wolltet, als ich sprechen könnte. Ich hätte zum Beispiel Lust, dem Verfasser des Sartor resartus einen Artikel zu der Philosophy of Clothes zu liefern.

Wir unterlassen nicht, künstlerisch eitel uns zu brüsten, den Reifrock mit den Paniers, die hohen Absätze, die Frisure à la grecque, den Puder, die Schminke, den Zopf, die Ailes de pigeon u. a. m., worin wir zu der Zeit meiner Kindheit das Schöne noch suchten, aufgegeben zu haben, und sehen nicht mit Scham auf den Zuschnitt unsers Fracks herab und auf alle widerlichen Verzeichnungen der menschlichen Gestalt, die an uns hervorzubringen wir uns mit der Mode befleißen. Ich habe die gefeierte Schönheit, nach welcher man die Tage unserer Geschichte, die den Polignac'schen Verordnungen vorangegangen sind, benennen könnte, — ich habe Mademoiselle Sonntag in Naturrollen, wo nichts sie dazu zwang, sich dergestalt verunstalten sehen, daß sich der Künstler empört von dem Idol der Zeit abwenden mußte.

Aber ihr fragt mich lächelnd, ob ich da von Polynesiern rede? — Ich finde die Schönheit in der einfachen, nicht verunstalteten Natur, und ich weiß diese nicht anders zu preisen, wie es meine Absicht ist, als wenn ich ihr die Unnatur grell entgegenstelle.

Ich finde, daß die Schönheit sich überall mit der Zweckmäßigkeit paart. Für den Menschen ist die menschliche Gestalt das Schönste; es kann nicht anders sein. Die gesunde, ebenmäßige Ausbildung derselben in allen ihren Theilen bedingt allein ihre Schönheit. Der größere Gesichtswinkel bedingt die Schönheit des Antlitzes, weil der Mensch sich als denkendes Wesen über die Thiere erhebt und in dem Zunehmen jenes Winkels den Ausdruck seiner Vermenschlichung wiederfindet.

Die Kleidung dient einerseits der Schamhaftigkeit, die den Körper zum Theil verdecken will, andrerseits der Bedürftigkeit, die Schutz gegen äußere Einwirkungen sucht. Nur der Barbar ruft sie zu Verunstaltungen, in denen er sich wohlgefällt, zu Hülfe. Die Kleidung der Polynesier im Allgemeinen genügt der Schamhaftigkeit, ohne den edlen Gliederbau der kräftigen, gesunden, schönen Menschen zu verhüllen. Der Mantel der O-Waihier, der nach Bedürfniß und Laune umgenommen und abgelegt wird, und von dem sich vor einem Mächtigeren zu entblößen die Ehrfurcht gebietet, — besonders der weitere, faltigere, den die Reichen tragen, ist eben so schön als zweckmäßig.

Aber die Tatuirung? — Die Tatuirung ist eine sehr allgemeine Sitte unter den Menschen; Californier und Eskimos huldigen ihr mehr oder weniger, und das mosaische Verbot beurkundet, daß ihr die Völker anhingen, von denen die Kinder Israel's abgesondert werden sollten. Die Tatuirung, auf verschiedenen Inseln des großen

Ocean's sehr verschiedentlich angewandt, bildet auf Radack ein kunstmäßiges Ganze. Sie verhüllt und verunstaltet die Formen nicht, sie schließt sich ihnen an mit anmuthiger Verzierung und scheint deren Schönheit zu erhöhen. Man muß den Haarschnitt der O-Waihierinnen tadeln, der sie ihres natürlichen Schmuckes beraubt. Bei den Radackern hingegen verwenden beide Geschlechter die größte Sorgfalt auf ihr Haar, und die zierlichen Muschelschnüre, womit sie sich bekränzen, erhöhen sehr zweckmäßig den Glanz der schwarzen Locken und die Bräune der zarten Haut. Befremblich möchte ihr Ohrenschmuck erscheinen, der von dem erweiterten Ohrlappen gehalten wird; ich muß jedoch bekennen, daß ich ihn von angenehmer Wirkung gefunden habe.

Indem wir uns in unsere häßlichen Kleider einzwängen, verzichten wir auf den Ausdruck des Körpers und der Arme; die Mimik tritt bei uns Nordeuropäern ganz zurück, und wir schauen kaum dem Redenden ins Antlitz. Der bewegliche, gesprächige Polynesier redet mit Mund, Antlitz und Armen, und zwar mit der größten Sparsamkeit der Worte und der Geberden, so daß zweckmäßig der kürzeste Ausdruck und der schnellste gewählt wird und ein Wink an die Stelle einer Rede tritt. So wird mit einem Zucken der Augenbrauen bejaht, und das Wort inga erzwingt von dem O-Waihier nur der Fremde, der schwerfälligen Verständnisses seine Fragen mehrere Male wiederholt.

Unser Schuh- und Stiefelwerk hat für uns den Gebrauch der Füße auf das Gehen beschränkt. Dem vierhändigen Polynesier leisten sie noch ganz andere Dienste. Er hält und sichert mit den Füßen den Gegenstand, woran er mit den Händen arbeitet, die Matte, die er flechtet, die Schnur, die er dreht, das Stück Holz, worauf er durch Reibung Feuer hervorbringen will. — Wie unbeholfen, langsam und ungeschickt müssen wir uns bücken, um etwas, das zu unsern Füßen liegt, aufzuheben. Der Polynesier faßt es mit dem Fuße, der es der Hand von derselben Seite reicht, und er hat sich nicht gerührt und hat zu reden nicht aufgehört. Soll etwas, das auf dem Verdecke eines Schiffes liegt, entwendet werden, faßt es einer mit dem Fuße und reicht es dem andern; es wandert von

Fuß zu Fuße und über Bord, während die ausgesetzte Schildwacht Allen nach den Händen siehet und nichts merkt.

Der Ausspruch des Meisters drängt sich mir auf und führt mich noch ferner ab von meinem Ziele:

„Nur aus vollendeter Kraft blicket die Anmuth hervor."

Die vollendete Kraft sucht nicht, sondern trifft mit Sicherheit das Rechte, und das Rechte ist das Schöne. Jede versuchte willkürliche Ausschmückung ist Verunzierung und Verunstaltung. Ich weiß mir kein anmuthigeres Schauspiel, als den indischen Jongleur, der mit der Kanonenkugel spielt, die ihm zum Erstaunen gehorcht. An der Entfaltung der menschlichen Gestalt in ihrer vollen Schöne weidet sich schwelgend der Künstlerblick, indem ich mich kindergleich belustige mit dem kindergleichen Menschen, der eben nur spielt und sich belustigt. Ich habe den europäischen Jongleur unstreitig noch schwierigere Kunststücke ausführen sehen, aber der alberne, widrige Mensch verdarb mir den dargebotenen Kunstgenuß, indem er ganz ernstlich für sein eiteles Spiel die Art Bewunderung in Anspruch nahm, die ich nur Heldenthaten zollen mag. Eben so unterscheiden sich von den lustigen, belustigenden Taschenspielern, wie ich sie in meiner Kindheit noch gesehen habe, die jetzigen langweiligen Professeurs de Physique amusante. — Die Vornehmigkeit hat ihnen den Hals gebrochen. Ich kehre zu meinen Polynesiern zurück: ich vergleiche sie mit dem indischen Jongleur, der mit ihnen gleichen Menschenstammes ist.

Wir hatten den Passat und segelten vor dem Winde. Am 20. Oktober sahen wir am Morgen viele Schnepfen und viele Seevögel. Um zwei Uhr Nachmittags zeigten sich die dem Seefahrer Gefahr drohenden nackten Klippen, die von Kapitain Johnstone in der Fregatte Cornwallis im Jahre 1807 zuerst gesehen worden und die wir im vorigen Jahre vergeblich aufgesucht hatten. Der höchste, sichtbarste Punkt derselben liegt, nach Herrn von Kotzebue, 16° 45' 36" N. B., 169° 39' 21" W. L. Ueberflossene Riffe erstrecken sich weit umher. Schnepfen und Seevögel wurden oft während dieser Ueberfahrt gesehen. Am 21. zog ein Flug Enten gegen S. O. Am 24. setzte sich eine Schnepfe auf das Schiff. Wir fanden im Norden von Radack den uns bekannten starken W. Strom. Wir hatten am 30. Ansicht von Otdia, und wie wir die Schischmareffstraße aufsuchen wollten, befiel uns ein Sturm aus S. O., der in der Nähe dieser Riffe nicht ohne Gefahr war. Der Regen floß in Strömen, und um unser Schiff erging sich ein kleiner Physeter.

Der Wind, der wieder zum Osten überging, wehte in der Nacht noch heftig, und wir lavirten in Ansicht des Landes.

Wir fuhren am 31. Oktober 1817 Morgens um 10 Uhr in Otdia ein. Ein Segel kam von Westen, wir holten es ein. — Wir erkannten unsern Freund Lagediack, der uns frohlockend begrüßte. Um 5 Uhr Nachmittags erreichten wir unsern alten Ankerplatz vor Otdia. Lagediack kam sogleich auf das Schiff und brachte uns Cocosnüsse mit. Seine Freude war unbeschreiblich; er vermochte kaum sie zu zügeln, um uns Nachricht von unsern Freunden und dem Zustande der Inseln überhaupt zu geben.

Kadu, dem als einem Naturkinde das Ferne auf dem üppigen O-Wahu fern lag, der erst in der Enge unseres kleinen Bretterhauses seine Gedanken zusammen gefaßt und auf seine lieben Gastfreunde gerichtet, denen wir ihn zuführten; Kadu, von dem Momente an, wo er die Riffe von Otdia erschaut und erkannt, der Gegenwart angehörend und mächtig sie erfassend, war ganz ein Radacker unter den Radackern. Geschenke, Geschichten, Märchen, Freude brachte er ihnen und jubelte mit ihnen vor Entzücken und Lust. Aber besonnen, wo es zu handeln galt, war er unablässig thätig, und hatte schon Hand angelegt, wo andere noch zögerten. Er that's aus eigenem Herzen in unserm Geiste. Er war unsere Hand unter den Radackern und bis an den letzten Tag ohne Nebengedanken einer der Unsern.

Ich selbst, nachdem ich mit redlichem Bemühen Kadu über Radack zu reden veranlaßt, seine Aussagen zusammen getragen, verglichen und studirt hatte und mir nur die abstrakteren Kapitel der Glaubenslehre, der Sprachlehre u. s. w. abzuhandeln übrig blieben; nachdem ich mit den Sitten und Bräuchen und mit den Zuständen dieses Volkes vertrauter geworden war, hatte jetzt einen klareren

Blick über dasselbe gewonnen und konnte übersichtlich lesen, wo ich sonst nur mit Mühe buchstabirt hatte.

Auch die Radacker standen uns dieses Mal um Vieles näher. Kadu's Genossenschaft mit ihnen und mit uns war das Band, das uns vereinigte. Unser Freund war in Hinsicht unser leichter und schneller für sie, was er in Hinsicht ihrer für uns gewesen war. Wir waren jetzt nur eine Familie.

Aber wir sollten nur drei Tage auf Radack zubringen, und es galt zu schaffen und zu wirken, nicht aber müßig zu studiren.

Der größte Theil von der Bevölkerung der Gruppe war mit dem Kriegsgeschwader von Lamari weggezogen. Von unsern Freunden waren nur Lagediack und der Greis von Oromed, Laergaß, zurück geblieben; letzterer der einzige Häuptling und zur Zeit Machthaber auf Otdia. Es waren überhaupt nur zwölf Mann und mehrere Weiber und Kinder anwesend. Kurz nach unserer Abreise war aus Aur der Häuptling Labeuliet hieher gekommen und hatte sich einen Theil des von uns geschenkten Eisens abliefern lassen. Drei Ziegen lebten zu der Zeit noch; die hatte er ebenfalls mitgenommen. Später war Lamari eingetroffen und hatte den Rest unsers Eisens und unserer Geschenke sich herausgeben lassen. Er war einige Zeit geblieben, die Bereitung von Mogan zu betreiben, und hatte bei seiner Abfahrt nur wenige Früchte zur kümmerlichen Erhaltung der Zurückbleibenden übrig gelassen. Etliche Jamswurzeln, die in unserm Garten noch gegrünt, hatte er ausgegraben und mitgenommen, um sie nach Aur zu verpflanzen.

Am 1. November 1817 gingen wir zuerst ans Land. Einen niederschlagenden Anblick gewährte der wüste Fleck, den wir einst bebaut. Nicht ein armes Unkraut, nicht die Vogelmiere war zurückgeblieben, Zeugniß von uns und unserer frommen Absicht abzulegen. Wir schritten rüstig an das Werk, nicht deshalb entmuthigt, weil, nicht unvorhergesehener Weise, unsere ersten Bemühungen fruchtlos geblieben. Der Garten ward erneuert und reichlicher besetzt; aber von allen Setzlingen und von allen Sämereien ward ein Theil zurückgelegt, um auch auf Oromed einen gleichen Versuch anzustellen; manche, die in größerm Vorrath vorhanden waren, wurden auch unter die Freunde vertheilt. Kadu, den Spaten in der Hand, redete gar eindringlich die Umstehenden an und unterrichtete sie und schärfte ihnen nützliche Lehren ein. Wir speisten und schliefen zu Nacht auf dem Lande. Wir hatten noch ein paar Wassermelonen auf diesen Tag gespart; sie wurden nebst etlichen Wurzeln, die der Kapitain zubereiten lassen, unter die Radacker ausgetheilt und dienten den Reden Kadu's zum Belege. — Am Abend sangen uns die Freunde mehrere der Lieder vor, die unsere Namen und das Andenken unseres Zuges aufzubewahren gedichtet worden.

Am zweiten wurden die Hunde und die Katzen ans Land gebracht; diese zogen zu Walde, während sich jene an die Menschen anschlossen; aber auch sie warfen sich sogleich auf die Ratten und verzehrten ihrer etliche; und ich sah beruhigt ihre Unterhaltung auf Unkosten eines zu bekämpfenden lästigen Parasiten gesichert.

Ziegen und Schweine sollten, von unsern Pflanzungen entfernt, auf eine andere Insel gebracht werden. Da zagten noch die Radacker, sich mit den ihnen unheimlichen Thieren zu befassen. Kadu übernahm sogleich und vollbrachte das Geschäft. Er sollte von jener Insel weiter nach Oromed überfahren, die dortige Gartenanlage zu besorgen. Er begegnete, sowie er den Cours dahin genommen, dem kommenden Laergaß und kam mit ihm an das Schiff zurück. Der alte Freund, liebevoll und freigebig, brachte uns Brodfrüchte und Cocosnüsse, und beklagte sich, daß wir nicht vor seiner Insel die Anker geworfen. Nach kurzem Aufenthalte gingen beide Boote nach Oromed unter Segel. Ich entschloß mich schnell mitzufahren und stieg auf das Boot des Alten. Kadu, der erst auf Otdia anlegte, kam uns nach. Ich pflanzte an diesem selben Abend das Zuckerrohr, das schon von der Dürre gelitten hatte, und fing die Gartenarbeiten an. Kadu langte an. Der eine Tag, den ich auf Oromed unter diesen anmuthigen Kindern, ganz ihren Sitten gemäß, ohne Rückhalt, ohne fremde Einmischung zugebracht habe, hat mir die heiterste, frischeste Erinnerung hinterlassen, die ich von meiner ganzen Reise zurück gebracht. Die Bevölkerung der Insel, drei Männer, zahlreiche Frauen und Kinder waren mit uns am Strande um ein gesellig loderndes Feuer versammelt. Kadu erzählte seine Begebenheiten, denen er schalkhaft unterhaltende Märchen einwob; die Mädchen sangen uns freudig die Lieder vor, die zahllos auf uns entstanden waren. Die Aelteren zogen sich zurück und begaben sich zur Ruhe. Wir zogen weiter abwärts, und es ward abwechselnd verständiges Gespräch gepflogen und lustig gesungen bis spät in die Nacht hinein.

Ich habe von Unschuld der Sitten und Zwanglosigkeit der Verhältnisse, von zarter Schamhaftigkeit und sittigem Anstande gesprochen. Haben die Saint Simonianer einen Traum von diesen meerumbrandeten Gärten gehabt, als sie an der Aufgabe gescheitert sind, zu machen, was sich nicht machen läßt, und sie die Zeit vorzuschrauben gemeint, bis sie im Kreise dahin wiederkäme, wo sie möglicher Weise schon ein Mal war? — Hier ein geringfügiger Zug von den Sitten von Radack. Ich saß im Kreise neben einem jungen Mädchen, auf deren Arm ich die zierlich tatuirte Zeichnung betrachtete, die, wie dem Auge durch die dunkelblaue Farbe, so dem Tasten durch leises Aufschwellen der feinen Haut wahrnehmbar zu sein schien; und ich ließ mich zu dem Versuche hinreißen, indem ich sanft die Hand darüber gleiten ließ. Das hätte nun nicht sein sollen; wie aber konnte das junge Mädchen den nicht arg gemeinten Fehl an dem doch werthen und lieben Gaste rügen, der nur fremd der Sitte war und überdies die Sprache nicht gut verstand? Wie konnte sie dem Einhalt thun und sich davor schützen? Ich merkte Anfangs nicht, daß mein Betragen unsittig gewesen sei; als aber das Lied, das eben gesungen wurde, zu Ende war, stand das Mädchen auf, machte sich anderswo etwas zu schaffen und setzte sich, als sie wieder kam, gleich freundlich und fröhlich, nicht wieder an ihren alten Platz neben mir, sondern an einen andern unter ihren Gespielinnen.

Am andern Morgen wurden Pflanzung und Aussaat beschickt, wobei Kadu die größte Thätigkeit entwickelte. Ich entdeckte bei dieser Gelegenheit auf Oromed den Taro und die Rhizophora gymnorhiza, von denen ich einzeln angebaute Pflanzen sogar auf dem dürftigen Riffe Eilu angetroffen und die mir bis jetzt auf der

Gruppe Otdia noch nicht vorgekommen waren. Sobald das Werk vollbracht war, rief Kadu: zu Schiffe! Wir trennten uns von unsern Freunden und entfalteten das Segel dem Winde.

Ich habe, was in der Geschichte folgt, an anderm Orte berichtet. (Siehe Bemerkungen und Ansichten: „Ueber unsere Kenntniß der ersten Provinz des großen Ocean's“ zu Anfang, und „Radack“ am Schlusse.) Ich habe dem, was dort zu lesen ist, nichts hinzuzufügen.

Du hast, mein Freund Kadu, das Bessere erwählt; du schiedest in Liebe von uns, und wir haben auch ein Recht auf deine Liebe, die wir die Absicht gehegt und uns bemüht haben, Wohlthaten deinem zweiten Vaterlande zu erweisen. Du hast von uns das Gute gelernt und es hat dich ergriffen; du hast in unserm frommen Sinn fortzuwirken dich unterfangen; möge, der die Schicksale der Menschen lenkt, dein Werk segnen und dich selbst bei deiner fahrvollen Sendung beschirmen! Möge er eine Zeit noch die Europäer von euren dürftigen Riffen, die ihnen keine Lockungen darbieten, entfernen. Sie würden euch zunächst nur den Schmutz von O-Waihi zuführen. — Aber was hättest du in unserm alten Europa gesollt? Wir hätten eitles Spiel mit dir getrieben, wir hätten dich Fürsten und Herren gezeigt; sie hätten dich mit Medaillen und Flittertand behangen und dann vergessen. Der liebende Führer, dessen du Guter bedurft hättest, würde dir nicht an der Seite gestanden haben; wir würden nicht zusammen geblieben sein, du hättest dich in einer kalten Welt verloren gefunden. Paßlich für dich würde unter uns keine Stellung sein; und hätten wir dir endlich den Weg nach deinem Vaterland wieder eröffnet, was hätten wir zuvor aus dir gemacht?

Mit der zweiten Reise von Herrn von Kotzebue und seinem Besuche auf Otdia im April und Mai 1824 endigt für uns die Geschichte von Radack.

Seine Ankunft in Otdia verbreitete panischen Schrecken unter den Eingeborenen. Nachdem er erkannt worden, fanden sich die alten Freunde wieder ein; Lagediack, Rarick, Laergaß, Langien, Labigar fanden sich ein: Kadu fehlte. Eine große Schüchternheit und Zaghaftigkeit war den Freunden anzumerken. Diese wird dadurch erklärt, daß die Kupferplatte, die im Jahre 1817 an einen Cocosbaum bei Rarick's Hause angeschlagen worden, weggekommen war. Von Allem, was wir auf Radack gebracht, sah Herr von Kotzebue nur die Katze verwildert und die Jamswurzel. Der Weinstock, der sich bis auf die höchsten Bäume hinauf gerankt hatte, war vertrocknet.

Kadu befand sich angeblich auf Aur bei Lamari, mit dem er sich abgefunden, und unter seiner Pflege sollten sich Thiere und Pflanzen, die der Machthaber dorthin überbracht und verpflanzt hatte, außerordentlich vermehrt haben. — Angeblich war nur der Weinstock ausgegangen. Herr von Kotzebue setzt hinzu, daß ihn die Größe seines Schiffes leider verhindert habe, Kadu in Aur aufzusuchen.

Wir nehmen zweifelnden Herzens die uns nicht befriedigenden Aussagen hin.

Den Kriegszug, zu welchem sich Lamari im Jahre 1817 rüstete, hatte Kadu mitgemacht. Er hatte in europäischem Hemde und rother Mütze mit dem Säbel in der Hand gefochten, und das Eisen, das viele Eisen hatte dem Lamari die Uebermacht gegeben. Er war als Sieger heimgekehrt.

Die von Odia, Inselkette Ralick, hatten jüngst unter ihrem Häuptling Lavadock Kaben überfallen, und Rache für diesen Raubzug zu nehmen, rüstete sich jetzt Lamari den Krieg nach Odia zu tragen.

So erzählten die Befreundeten.

Lagediack drang heimlich in Herrn von Kotzebue, sich die Herrschaft auf Radack anzumaßen, und bot ihm bei dem Unternehmen seine Unterstützung an. Als dieser, in seinen Plan nicht eingehend, sich zur Abreise anschickte, bat er ihn, seinen Sohn nach Rußland mitzunehmen, und mochte doch sich von dem Kinde nicht trennen, als er erfuhr, Herr von Kotzebue habe jetzt Radack zum letzten Male besucht. — Als aber das Schiff im Begriffe stand unter Segel zu gehen, brachte Lagediack dem Freunde ein letztes Geschenk: junge Cocosbäume, die er nach Rußland verpflanzen möge, da, wie er vernommen, es dort keine Cocosbäume gäbe.

Am 4. November 1817 liefen wir aus dem Riffe von Otdia

17*

zu der Schischmareff-Straße aus. Das Wetter war heiter, der Wind schwach. Wir fuhren an Erigup vorüber und steuerten nach der Anweisung von Lagediack und den andern Freunden, um Ligiep aufzusuchen. Wir waren am 5. Vormittags in Ansicht dieser Gruppe, in deren Nähe der Wind uns gänzlich gebrach. Endlich zog uns ein schwacher Hauch aus Norden aus einer peinlich werdenden Lage. Ein Boot kam uns entgegen und beobachtete uns vorsichtig von Weitem. Wir nannten uns: da war alle Scheu von den Menschen gewichen; sie kamen heran, befestigten das Boot an das Schiff und stiegen zutraulich auf das Verdeck. Lamari auf seinem Zuge hatte uns ein gutes Zeugniß gesprochen. Sie brachten uns die üblichen Geschenke dar, Cocosnüsse und ihre zierlichen Muschelkränze, und verkehrten ohne Arg und Rückhalt mit den alten, wohlbekannten Freunden ihres Volkes. Sie luden uns dringend ein auf ihre Inseln und rühmten uns die Schönheit der Töchter von Ligiep. Dieses ist auf Radack das einzige Mal, daß ein solches Wort unser Ohr getroffen hat. Ihre Geschenke blieben nicht unerwidert; sie erstaunten ob unserer Freigebigkeit und unseres Reichthumes an Eisen. Wir gaben ihnen, so gut es gehen wollte, Nachrichten von Otdia und ihren Freunden.

Ohne Kadu ward es uns auf Radack noch schwer, uns zu verständigen, und so haben wir wenig von den Insulanern von Ligiep erfahren. Die Radacker sind, wie die Engländer, im Verstehen, ich möchte sagen, ungefällig. Sie erkennen die Wörter ihrer Sprache nicht, die wir ihnen vorzusagen uns bemühen. Ihre Art ist dann, zu wiederholen, was sie von uns hören, und so täuschen sie uns, die wir uns nicht erwehren können, solche Wiederholung für eine Bejahung aufzunehmen.

Wir sahen nur den dürftigeren Theil der Gruppe; die reicheren Inseln, über welchen die Cocospalme hochstämmig ihre Krone wiegt, sah Herr von Kotzebue erst im Jahre 1824. Die Durchbrüche des Riffes scheinen selbst größeren Schiffen bequeme Thore zu verheißen, zu denen sie beim herrschenden Passat aus- und einfahren können. Die Menschen schienen uns wohlgenährter und wohlhabender als auf anderen Gruppen von Radack, und wir waren darauf vorbereitet, sie so zu finden.

Herr von Kotzebue hatte auf Otdia mit Lagediack, der, wie es sich ergab, öfter selbst auf Ralick gewesen, die Geographie dieser andern Inselkette wiederholt durchgenommen. Hier, am Ausgangspunkt der Seefahrer von Radack, die dahin fahren, ließ er sich wiederum die Richtung der zu jener Kette gehörigen Gruppe Kwadelen andeuten, und sie ward ihm, gleichlautend mit den früheren Angaben, nach Westen gezeigt.

Am Abend frischte der Wind, wir trennten uns von unsern Freunden und steuerten nach Westen. Es war uns aber nicht vorbehalten, diese oder eine andere Gruppe von Ralick zu entdecken. Im Jahre 1825 hat Herr von Kotzebue im Westen und in der Breite von Udirick, da wo den Angaben nach die nördlichsten Riffe von Ralick liegen sollen, drei verschiedene Inselgruppen entdeckt, die wohl mit hohen Cocospalmen bewachsen, aber unbewohnt waren.

Von Radack nach Guajan.

Wir hatten am 5. November 1817 Ligiep, die letzte Inselgruppe von Radack, aus dem Gesichte verloren. Der Kapitain hatte auf Guajan, Marianen-Inseln, anzulegen beschlossen. Wir hatten Ansicht erst von Sarpane oder Rota und sodann von Guajan am 23. November. (Ich behalte die spanische Rechtschreibung, Guajan, bei; man findet sonst den Namen Guaham, Guam und anders geschrieben.) Das blos verneinende Resultat dieser Fahrt, auf welcher wir die Kette Ralick und den Meerstrich durchfahren haben, den die Carolinen-Inseln auf einigen Karten einnehmen, ist in hydrographischer Hinsicht nicht ohne Wichtigkeit. Der Seefahrer, der dieses Meer auf Entdeckung befahren soll, ist auf die Tabelle: Aerometer-Beobachtungen, Reise, III. S. 226, zu verweisen, auf daß er den Cours, den wir gehalten, vermeide.

Herr von Kotzebue bemerkt, daß das Meer im Westen von Radack und in dem Striche, wo die Carolinen-Inseln gesucht wurden (zwischen dem 9. und 10. und in den letzten drei Tagen bis zu dem 11. Grad N. B.), blasser bläulich gefärbt war, einen größeren Salzgehalt und in der Tiefe eine auffallend niedrigere Temperatur hatte als sonst unter gleicher Breite im großen Ocean; und schließt daraus, daß es da weniger tief sein möchte. Als wir, Guajan zu erreichen, nördlicher steuerten (am 20. November, 11° 42′ N. B., 209° 51′ W. L.), nahm das Meer seine gewöhnliche dunkelblaue Farbe, seinen gewöhnlichen Salzgehalt und in der Tiefe seine gewöhnliche Temperatur wieder an.

Wir hatten bis dahin häufige Windstillen gehabt und einmal ein Nachtgewitter mit heftigen Windstößen. Ein Delphin wurde harpunirt. Ein fabelhafter Vorfall ergötzte ungemein unsere Mannschaft.

Einer unserer Matrosen trug eine alte Mütze von Seehundsfell, die, vor Theer, Thran und Alter schier unkenntlich, ein Gegenstand der Verhöhnung geworden war. Ueberdrüssig warf er sie eines Morgens in die See. Ein Haifisch ward am selbigen Tage gefangen, in dessen Magen sich die Schicksalsmütze noch wohlbehalten vorfand.

Wir hatten uns am Nachmittag des 23. November der Nordspitze von Guajan genähert. Wir konnten uns nach keiner Karte richten, und die Stadt Agaña war uns nur aus unzulänglichen Beschreibungen bekannt. Wir entfernten uns vom Lande. Am 24. suchten wir das Land wieder auf und verfolgten dessen Westküste nach Süden, um Stadt und Ankerplatz aufzusuchen.

Der Passat blies mit ausnehmender Stärke. Nachdem wir die Nordspitze der Insel umfahren hatten, fanden wir unter dem Winde derselben ein ruhiges Meer, und ein leichter Windzug, der noch unsere Segel schwellte, wehte uns vom schönbewaldeten Ufer Wohlgerüche zu, wie ich sie in der Nähe keines andern Landes empfunden habe. Ein Garten der Wollust schien diese grüne, duftende Insel zu sein, aber sie war die Wüste. Kein freudiges Volk belebte den Strand, kein Fahrzeug kam von der Isla de las velas latinas uns entgegen. Die römischen Missionare haben hier ihr Kreuz aufgepflanzt; dem sind 44,000 Menschen geopfert worden, und deren Reste, vermischt mit den Tagalen, die man von Luçon herüber gesiedelt hat, sind ein stilles, trauriges, unterwürfiges Völklein geworden, das die Mutter Erde sonder Mühe ernährt und sich zu vermehren einladet. Darüber habe ich in meinen Bemerkungen und Ansichten die Spanier selbst berichten lassen.

Wir waren bemerkt worden. Als wir uns eben in den reizend umgrünten Buchten nach einem Ankerplatz umsahen, kam uns der Pilot des Gouverneurs, Herr Robert Wilson, in einem europäischen Boote entgegen, um uns in den Hafen zu führen. Im Angesichte der Stadt kam der Artillerielieutenant Don Ignacio Martinez uns zu rekognosciren. Er fuhr in einer Proa heran, einem den Fahrzeugen der Radacker gleichen Boote, wie sie ehedem auf diesen Inseln üblich, ihnen den ersten Namen erwarben, bei welchem sie die Europäer benannt haben. Für die Spanier auf Guajan bauen jetzt die südlicheren Caroliner diese Fahrzeuge und bringen sie ihnen her zu Kauf.

Der Hafen La caldera de Apra, von einem Korallenriffe gebildet, ist ausnehmend sicher, aber von schwerem Zugange. Wir hatten die Anker noch nicht geworfen, als wir eine Botschaft des Gouverneurs erhielten, der uns nach Agaña einlud und uns für den beiläufig vier Meilen langen Landweg Pferde und Maulthiere entgegengeschickt hatte. Das Schiff ward unter den Befehl des Lieutenant Schischmareff gestellt, und wir fuhren mit Herrn Wilson ans Land. Im Hafen lag nur die kleine Brigg des Gouverneurs, die Herr Wilson zu fahren den Auftrag hat. Wir hatten bis zu dem Dorfe Massu, wo uns die Pferde erwarteten und auf das wir, der Untiefen wegen, nicht in grader Richtung steuern konnten, beiläufig zwei Meilen zu rudern. Die Nacht brach ein, als wir landeten. Die Tagalen haben die Bauart der Philippinen hier herübergebracht. Die Häuser des Volkes sind auf Pfosten getragene, niedliche Käfige von Bambusrohr mit einer Bedachung von Palmenblättern.

Der Weg, auf welchem uns der Mond leuchtete, führte uns durch die anmuthigste Gegend: Palmengebüsche und Wälder, die Hügel zu unserer Rechten, das Meer zu unserer Linken. Wir stiegen in Agaña bei Herrn Wilson ab und stellten uns sodann dem Kapitain-General der Marianen-Inseln vor. Don Jose de Medinilla y Pineda empfing uns in voller Montirung mit aller Förmlichkeit, aber auch auf das gastlichste. Der Kapitain und ich wohnten bei ihm, die anderen Herren wurden bei anderen Spaniern untergebracht. Seine Tafel war zu mehreren Mahlzeiten des Tages mit einer Unzahl von Fleischgerichten verschwenderisch besetzt; aber von den Früchten, den grünen Erzeugnissen der Erde, nach denen der Seemann, der ans Land tritt, besonders begierig ist, ward nichts aufgetragen, und nur ein Apfelsinentrank, der eine Zwischenmahlzeit bildete, erinnerte an das duftig grüne Land. Brod ward nur dem Wirthe und den fremden Gästen gereicht; die Spanier erhielten an dessen Statt Maistorten.

An Früchten, woran ich in Agaña Mangel litt, herrschte indeß auf dem Rurik der größte Ueberfluß. Der Gouverneur ließ das Schiff mit frischem Fleische und mit Allem, was die Erde an Wurzeln und Früchten hervorbringt, verschwenderisch versorgen. Außerdem durften die Matrosen, die einmal ans Land geschickt worden, so viele Apfelsinen und Limonen aus dem Walde heimbringen, als sie zu pflücken und mit sich zu schleppen vermochten. — Dieser Boden, diese Fruchtbäume haben ja sonst ein starkes, blühendes Volk ernährt; die geringe Anzahl der jetzigen Bewohner steht in keinem Verhältniß zu den reichen Gaben der willigen Erde.

Man möchte fragen, wie diese Kost unsern nordischen Ichthyophagen mundete. Die Apfelsinen schmeckten ihnen besser als Wallfischspeck. Wahrlich, es ist eine solche Lust, Aleuten Apfelsinen essen zu sehen, daß wir auf der Ueberfahrt nach Manila die letzten, die uns vom Vorrath übrig blieben, lieber von ihnen verschlucken sahen, als daß wir sie selber gegessen hätten. Wenigstens überließ Eschscholtz die ihm zugetheilten seinem aleutischen Sprachlehrer.

Ich habe in meinen Bemerkungen und Ansichten von Don Luis de Torres gesprochen, mit dem eine gleiche Gesinnung mich schnell und innig verband. Ich gedenke seiner mit herzlicher Liebe und aufrichtiger Dankbarkeit. Don Luis de Torres, der auf Ulea selbst Sitten und Bräuche, Geschichte und Sagen dieser lieblichen Menschen kennen gelernt, sich von ihren erfahrensten Seefahrern, mit denen er in vertrautem Umgange gelebt, die Karte ihrer neptunischen Welt verzeichnen lassen, und der durch die Handelsflotte von Lamureck, die jährlich nach Guajan kommt, in ununterbrochener Verbindung mit seinen dortigen Freunden geblieben war, — Don Luis de Torres eröffnete mir die Schätze seiner Kenntnisse, legte mir jene Karte vor und sprach gern und mit Liebe zu mir von seinen Gastfreunden und jenem Volke, zu dem ich durch meinen Freund Kadu eine große Vorliebe gefaßt hatte. Alle meine Momente auf Agaña waren dem lehrreichen und herzlichen Umgange des liebenswerthen Don Luis de Torres gewidmet, aus dessen Munde ich die Nachrichten niederschrieb, die ich in den Bemerkungen und Ansichten aufbewahrt habe. Herr von Kotzebue, dem ich die Ergebnisse meiner Studien mittheilte, kam meinem Wunsch zuvor und gab zu den zwei Tagen, die er auf Guajan zu bleiben sich vorgesetzt hatte, einen dritten Tag hinzu, ein Opfer, wofür ich ihm dankbarlichst verpflichtet bin. Während er selbst zwischen dem Hafen und der Stadt seine Zeit theilte, blieb ich in Agaña und verfolgte mein Ziel.

Ich habe von einem Paare rüstiger Eheleute auf Guajan gesprochen, Stammältern der sechsten gleichzeitig lebenden Generation. Von ihnen war Don Luis de Torres ein Enkel, selber Großvater; zu dem sechsten Gliede stieg eine andere Linie herab.

Don Jose de Medinilla y Pineda hatte in Peru, von wo er auf diese Inseln gekommen, Alexander von Humboldt gekannt und war stolz darauf, ihm ein Mal seinen eigenen Hut geliehen zu haben, als jener einen gesucht, um an dem Hof des Vicekönigs zu erscheinen. Wir haben später zu Manila, welche Hauptstadt der Philippinen von jeher mit der neuen Welt in lebendigem Verkehr gestanden hat, oft den weltberühmten Namen unseres Landsmannes mit Verehrung nennen hören und mehrere, besonders geistliche Herren angetroffen, die ihn gesehen oder gekannt zu haben sich rühmten.

Ich habe beiläufig erzählt, daß Don Jose de Medinilla y Pineda unserm Kapitain, der Verlangen trug, die volksthümlichen Tänze und Festspiele der Eingeborenen zu sehen, ein Opernballet bei Fackelschein aufführen ließ. — Ich hörte ihn in diesem schwierigen Falle, wo von ihm verlangt wurde, daß er zeigen sollte, was nicht da war, sich mit anderen berathen und ihrem Gutachten wiederholt die Worte entgegnen: Aber er will einen Tanz sehen! — So ward uns denn ein Tanz gezeigt.

Choris, der ein besonderes Talent hatte, schnell und leicht ein wohlgetroffenes Portrait mit Wasserfarben hinzuwerfen, erbot sich eines Morgens, das Portrait des Gouverneurs zu machen. Dieser ging sogleich sich in vollen Anzug zu werfen und kam in Gala zurück mit seidenen Strümpfen, Schuhen und Schnallen. Choris machte ein bloßes Brustbild, worauf nur die Epauletten aufgenommen werden konnten. Eben diese Epauletten waren die Zielscheibe böser Zungen, die zu verstehen gaben, Don Jose werde das damit verzierte Bild seinen Angehörigen, für die es bestimmt war, nicht schicken dürfen, da er dieselben zu tragen nur von sich selber die Berechtigung habe.

Der 28. November, wo wir uns wieder einschiffen sollten, war herangekommen. Dem Spanier, der mich im Hause des Gouverneurs bedient hatte, wollte ich beim Abschied etliche Piaster darreichen, fand aber einen Mann, der, in unsern Sitten fremd, gar nicht zu verstehen schien, was mir in den Sinn gekommen sein möchte. — In der Furcht, ihn beleidigt zu haben, sagte ich ihm, es sei para los muchachos, für die niedere Dienerschaft, und so nahm er das Geld an. Weder der Kapitain noch ein anderer von den Herren hatte ein Trinkgeld anbringen können. Irgend eine Waare, ein buntes Tuch, wie sie welche um den Kopf tragen, oder Aehnliches würde mit großem Danke angenommen worden sein. Für Piaster kann man hier nur das bekommen, was der alleinige Handelsmann, der Gouverneur, dafür geben mag.

Ich war Zeuge eines peinlich komischen Auftritts zwischen dem Gouverneur und unserm Kapitain. Der erstere hatte großartig gastfrei für die Verproviantirung des Rurik's Zahlung anzunehmen sich geweigert. Der Kapitain hatte zu Geschenken etliche Exemplare einer russischen Medaille mitgenommen, die er auszugeben pflegte, als sei dieselbe auf die gegenwärtige Expedition des Rurik's geprägt. Man liest zu Agaña und an manchen andern Orten das Russische nicht geläufig. Diese Medaille wollte er unserm edeln Wirthe mit der bräuchlichen Redensart: „des alleinigen Werthes der Erinnerung“ u. s. w. verehren. Don Jose de Medinilla y Pineda mißverstand die Sache auf das vollständigste; was er sich aber einbilden mochte, weiß ich nicht; kurz, er schob die dargehaltene Medaille zurück und setzte eine hartnäckige Weigerung, dieselbe anzunehmen, dem entrüsteten Kapitain entgegen. Ich bewog ihn endlich mit vieler Mühe, das Ding, das er für ein gefährliches anzusehen schien, anzunehmen, und die Schlacht wurde noch unsererseits gewonnen.

Ich hatte hier zuerst den Trepang kennen gelernt. Der Gouverneur, der für den Markt von Canton diese kostbare Waare sammeln und bereiten läßt, hatte mir über die verschiedenen Arten Holothurien, die in den Handel kommen, ihr Vorkommen, ihre Bereitung und über den wichtigen Handel selbst, dessen Gegenstand sie sind, die Notizen mitgetheilt, die ich theils in meinen Bemerkungen, theils in den Verhandlungen der Akademie der Naturforscher (T. X. P. II. 1821. p. 353) niedergelegt habe. Er hatte mir einige dieser Thiere verschafft; die abzureichen waren, lebendig; andere geräuchert und in dem Zustande, worin sie zu Markt gebracht werden. (Sie sind nun sämmtlich in dem Berliner zoologischen Museum zu sehen.) Er hatte die ausnehmende Artigkeit, auch meinem Wunsche zu willfahren und diese von den chinesischen Lüstlingen so sehr begehrte Speise für uns bereiten zu lassen. Es ging mir aber damit, wie jenem deutschen Gelehrten, der in einer Bildergallerie gelehrte Notizen aus dem Munde des Cicerone sammelte und emsig niederschrieb, zu Hause aber sein Notatenbuch überlas und sich von seinem Reisegefährten nachträglich sagen ließ, wie die Bilder eigentlich ausgesehen hätten.

Der Trepang muß zwei Mal vierundzwanzig Stunden bei gelindem Feuer langsam kochen; demnach ward der Genuß desselben auf die letzte Mahlzeit aufgespart, die Don Jose de Medinilla y Pineda uns vor dem Scheiden aus Agaña gab. Aber ich hatte bei Tagesschein den grünen duftigen Wald von Guajan noch nur von weitem gesehen und wollte doch wenigstens einen flüchtigen Blick auf diese Flora werfen. Ich verzichtete auf das Mittagsmahl und benutzte die Zeit, den Weg nach dem Hafen zu Fuß botanisirend zurück zu legen, wobei mich noch Don Luis begleitete. — Was das Sammeln von Pflanzen anbetrifft, konnte sich wohl Eschscholtz auf mich verlassen, ich aber nicht auf ihn.

Mit unserer Schiffsgesellschaft trafen am Abend des 28. November die mehrsten spanischen Offiziere am Bord des Rurik's ein. Wir verlebten noch frohe Stunden zusammen und sie blieben zu Nacht bei uns. Was ich von kurzer Waare, Glasperlen und Aehnlichem noch übrig hatte, übergab ich Don Luis de Torres und ließ ihn, den Freund der Indianer, meinen Erben sein. Ich kaufte noch von Choris große Messer, die er abzusetzen keine Gelegenheit gehabt, und bestimmte sie, als Geschenke von Kadu seinen Freunden und Angehörigen auf Ulea vertheilt zu werden.

Am Morgen des 29. November 1817 kam Don Jose de Medinilla y Pineda und übergab unserm Kapitain Depeschen für den Gouverneur von Manila. Wir nahmen Abschied von unsern Freunden, salutirten den Kapitain-General, als er unsern Bord verließ, mit fünf Kanonenschüssen und dreimaligem „Hurra!“ und entfalteten die Segel dem Winde.

Von Guajan nach Manila.
Aufenthalt daselbst.

Am 29. November 1817 aus dem Hafen von Guajan ausgefahren, richteten wir unsern Cours nach dem Norden von Luçon, um zwischen den dort liegenden vulkanischen Inseln und Felsen in das chinesische Meer einzudringen.

Am 1. Dezember (16° 31' N. B., 219° 6' W. L.) gaben uns Seevögel Kunde von Klippen, die nach Arrowsmith's Karte westlich unter dem Winde von uns sich befinden mußten. Am 6. ward ein Raubvogel auf dem Rurik gefangen.

„Schon vor einigen Tagen“, sagt Herr von Kotzebue, „ist ein ansehnlicher Leck im Schiffe entdeckt; wahrscheinlich hat sich eine Kupferplatte abgelöst, und die Würmer, welche zwischen den Korallenriffen so häufig sind, haben das Holz durchbohrt.“ Er sagt ferner unter dem 12. Dezember: „Das Wasser im Schiffe nahm stark zu.“ Ich entlehne seiner Reisebeschreibung, II. S. 136, diesen Umstand, den ich damals entweder nicht erfahren oder aufzuzeichnen vernachlässiget habe.

Wir umsegelten am 10. die Nordspitze von Luçon zwischen den Basheés-Inseln im Norden und den Richmond-Felsen und Babuyanes-Inseln im Süden. Wir hatten am 11. Ansicht des Hauptlandes, längs dessen Westküste wir südwärts segelten. Der Strom war stark und gegen uns, aber der Wind war mächtig, und wir eilten dem Ziele zu. An diesem Tage wurde eine Bonite gefangen. Fliegende Fische waren häufig.

Der Wind legte sich. Wir erreichten erst am 15. Mittags den Eingang der Bai von Manila. Der Telegraph von der Insel Corregidor setzte sich in Thätigkeit, unsere Ankunft zu melden. Diese Insel, die das Thor des schönen Wasserbeckens vertheidigt, schien mir von dem Rande eines zum Theil überflossenen Kraters gebildet zu werden. Wir hatten bereits längs der Küste von Luçon ein Paar Boote unter Segel gesehen: hier zeigten sich ihrer mehrere.

Wir lavirten bei einbrechender Nacht gegen den Ostwind, um in die Bucht einzufahren: als ein Offizier von dem Wachtposten auf einem zwanzigruderigen Boote zu uns heranfuhr, um uns zu rekognosciren. Er ließ uns einen Lootsen zurück, der uns nach Manila führen sollte.

Wir kamen sehr langsam vorwärts; die im Hintergrund der Bucht belebte Schifffahrt verkündigte die Nähe einer bedeutenden Handelsstadt; der Wind gebrach uns; wir ließen am 17. Mittags die Anker fallen. Zwei Offiziere kamen vom Generalgouverneur der Philippinen, Don Fernando Mariano de Fulgeras, den Kapitain zu bewillkommnen. Er benutzte die Gelegenheit, selber in ihrem Boote ans Land zu fahren, und nahm mich mit. Acht Kauffahrteischiffe, Amerikaner und Engländer, lagen auf der Rhede. Der Gouverneur empfing uns auf das liebreichste und versprach, alle mögliche Hülfe uns angedeihen zu lassen. Dasselbe Boot brachte uns an das Schiff zurück. Wir hoben noch am selben Abend die Anker, um nach Cavite, dem Hafen und dem Arsenal von Manila, zu fahren, wohin uns die Befehle des Gouverneurs zuvorkommen sollten. Windstille hielt uns auf und zwang uns abermals, die Anker fallen zu lassen; Fischerboote brachten uns ihren Fang zu Kauf; wir erreichten erst am 18. Mittags Cavite. Der Kommandant des Arsenals, Don Tobias, erhielt erst am 19. die uns betreffenden Befehle; da wurde der Rurik sogleich in das Innere des Arsenals gebracht, eine leerstehende Galion erhielt die Bestimmung, Schiffsladung und Mannschaft aufzunehmen, und ein ansehnliches Haus ward dem Kapitain zu seiner Wohnung eingeräumt. Wir bezogen am 20. dieses Haus. Der Kapitain hätte gar gern eine

Schildwacht vor seiner Thür gesehen, und da er selber keinen Ehrenposten begehren konnte, so begehrte er einen Sicherheitsposten. Wir waren nicht mehr in Chile, und hier wußte man, was in Europa Brauches ist und was nicht. Anstatt des ersehnten Schildergastes erschien eine Ordonnanz, die, zur Verfügung des russischen Kapitains gestellt, sich bei ihm meldete. Herr von Kotzebue entließ den Mann mit kaum unterdrücktem Unwillen.

Indeß besichtigte Don Tobias mit einem Schiffsbaumeister den Rurik und setzte alsbald hundert Arbeiter an das Werk, welches, kräftigst angefaßt und emsig betrieben, vor Ablauf der zweimonatlichen Frist vollendet ward, welche die Dauer des N. O. Monsoon uns im hiesigen Hafen gestattete. An allem Schadhaften reparirt und erneut; neu betakelt; mit neuem Kupferbeschlag versehen, mit welchem, da er ursprünglich nicht vorzüglich gewesen, wir nie in Ordnung gekommen waren; mit verbessertem Steuerruder, das die Schnelligkeit seines Laufes merklich vermehrte, ging der Rurik verjüngt aus dem Arsenal von Cavite hervor. So hätte er eine Reise um die Welt unternehmen, so den Stürmen des Nordens Trotz bieten können. Wir hatten aber nur noch die Heimfahrt vor uns.

Nach der Reparatur des Schiffes war die nächste Sorge, unsern Aleuten die Schutzblattern impfen zu lassen, was der Doktor Eschscholtz ungesäumt bewerkstelligte.

Wir hatten auf der Rhede von Cavite die Eglantine aus Bordeaux, Kapitain Guerin, Supercargo Du Sumier, angetroffen, und Herr Guerin, Offizier der königlichen Marine, hatte uns an unserm Bord besucht, noch bevor wir in das Arsenal aufgenommen worden. Wir haben mit diesen Herren, wie mit den spanischen Autoritäten, auf das freundschaftlichste verkehrt und nur mit Bedauern auch hier die Bemerkung erneuen müssen, daß zwei Autoritäten auf einem Schiffe nicht statthaft sind.

Ich galt in allen Landen für einen Russen: die Flagge deckt die Waare. Außerdem aber erkannten mich Deutsche und Franzosen für ihren Landsmann. So traf ich hier außer den Herren von der Eglantine einen liebenswerthen Landsmann, dessen ich mit herzlicher

Dankbarkeit erwähnen muß. Don San Jago de Echaparre war bei der französischen Auswanderung nach Spanien verschlagen worden, wo er im Seedienst seine in der Heimath begonnene Carriere fortgesetzt hatte. Er war seit vielen Jahren auf Luçon und jetzt ein bejahrter Mann; aber er war noch ganz Gentilhomme françois, und war hier nicht unter dem Volke, nicht in den Verhältnissen seiner Wahl. Sein Herz war noch im alten Vaterlande. Don San Jago besaß und bewohnte ein Landhaus zu Tierra alta. Cavite, auf der äußersten Spitze einer drei Meilen langen, sandigen Landzunge gelegen, ist durchaus kein passender Aufenthalt für einen reisenden Naturforscher. Ich zog nach Tierra alta, einem Dorfe, das auf dem Hochufer der Bai von Manila liegt, da wo die Landzunge von Cavite sich demselben anschließt, und verbrachte dort fast die ganze Zeit, die der Rurik im Hafen blieb. Ich war der Gast meines Landsmanns, ob ich gleich nicht in seinem Hause wohnte, und verbrachte mit dem liebenswürdigen, gutmüthigen Polterer die Stunden, wo ich nicht in der Umgegend die Schluchten und das Feld durchschweifte. Es waren, wie in unsern Häusern, täglich dieselben Gelegenheiten, die ihm bereitet wurden, sich zu ereifern. Sein Diener Pepe hatte vergessen, Rettige, die er gern aß, vom Markte mit zu bringen; darüber lärmte er dann eine Zeit, setzte aber bald begütigend hinzu, er wolle sich um einen Rettig nicht erzürnen. Dann setzten wir uns zu Tisch; — da fand es sich, daß Pepe ihm wiederum den zerbrochenen Stuhl hingestellt hatte, auf dem er nicht sitzen mochte; er sprang auf und schleuderte jähzornig den Stuhl von sich, nahm schon wieder lächelnd einen andern; dann speisten wir selbander und sprachen von den Philippinen-Inseln und von Frankreich.

Eine große Schildkröte erging sich auf dem Hofe und in dem Garten von Don San Jago de Echaparre; Honigsauger (Nectarinia) nisteten in einem Baumzweig, welcher fast in das Fenster seines Zimmers hineinreichte; und ein kleiner Gecko (eine Hauslacerte) kam jedes Mal, daß wir Kaffee tranken, auf den Tisch, den Zucker zu belecken. Er bot mir diese verschiedenen Thiere an. Wie hätte ich an diese Hausgenossen und Gastfreunde des schon so verwaisten Mannes Hand anlegen können? Dazu hätte ich ein Anderer sein müssen, als ich bin.

Die Gehege, worin die Häuser stehen, werden allgemein durch Hunde bewacht, die nicht an der Kette liegen und ihrem Geschäfte wohl gewachsen sind. Ich erfuhr es, als ich am ersten Abend ungewarnt nach Hause kam. Es bellten Hunde umher, an die ich mich wenig kehrte; aber ein übermächtiger Packan trat mir, ohne zu bellen, kampffertig in den Weg; wir standen vor einander und maßen uns mit den Augen. Ich begriff sehr wohl, daß an keinen Rückzug zu denken war, und hielt es für das Klügste, muthig auf das Thier zuzuschreiten, das sich vielleicht fürchten und zurück gehen würde. Ich that also; aber das Thier ging nicht zurück, und nun waren wir an einander. — Sehr bei Zeiten ließen sich Stimmen im Hause vernehmen, wo ich alles im Schlafe glaubte, und der Hund ward abgerufen, bevor es zu einem Kampfe kam, wobei ich gewiß den Kürzeren gezogen hätte.

Dieser Hund erinnert mich an einen andern, mit dem ich einmal in der Heimath zusammen kam. Es war ein Kettenhund, der, als ich an ihm vorüberging, so ausnehmend wüthend sich gebehrdete, daß ich denken mußte: Wie würde das werden, wenn die Kette risse? Und siehe da! die Kette riß; der Erfolg war aber der: Der Hund rollte zu meinen Füßen, stand wieder auf, sah mich an, wedelte mit dem Schwanze und ging sanft wie ein Lamm nach seinem Häuschen. Ich habe gar oft beim Lesen der Zeitungen an diesen Hund gedacht. Zum Beispiel als bei Gelegenheit der Reformbill die Tories das Ministerium Grey stürzten und dann sanftmüthiglich baten, die zerbrochene Kette doch wieder herstellen zu wollen.

Ich habe zu Tierra alta die einzige Unpäßlichkeit überstanden, die mich auf der ganzen Reise betroffen. Ich war ausnehmend erhitzt und fürchtete eine Entzündung der Eingeweide. Mein Lager, welches nach Landessitte aus einer hölzernen Bank und einer feinen Strohmatte bestand, dünkte mich in meiner Unruhe fast hart; Don San Jago sorgte für „ein gutes weiches Lager“ und schickte mir eine von Rohr geflochtene Bank. Eschscholtz besuchte mich; das Uebel legte sich, ohne ganz gehoben zu werden; und unter solchen

Umständen mußte ich, nicht ganz frei von Besorgniß, die Reise nach dem Innern der Insel und dem Vulkan de Taal antreten, zu welcher ich die Anstalten getroffen hatte, weil die Tage unseres Aufenthaltes auf Luçon bereits zu Ende gingen.

Ich hatte die Ausfertigung der mir angebotenen, aber nothwendigen Pässe erwirken müssen und war eigentlich in dieser Hinsicht noch nicht vorschriftmäßig ausgerüstet, da ich eine Mark berühren sollte, auf der ich anderer Papiere und Unterschriften bedurft hätte, die ohne neuen Zeitverlust nicht zu erhalten waren. Ich hatte mit der spanischen Prunksucht unterhandeln müssen, die, wo ich nur eines Führers bedurfte, mir eine militärische Bedeckung von dreißig Pferden aufbürden wollte. — Ich trug allein die Kosten aller meiner wissenschaftlichen Ausflüge und Unternehmungen und wollte Dienste, die ich angenommen, nicht unbelohnt lassen. Am 12. Januar 1818 brach ich von Tierra alta auf, mit einer Leibwache von 6 Tagalen der reitenden Miliz, deren Kommandant, der Sergeant Don Pepe, zugleich mein Führer und mein Dolmetscher war.

Don San Jago de Echaparre hatte ein Kind von Don Pepe aus der Taufe gehoben. Das geistige Band der Gevatterschaft, welches im protestantischen Deutschland alle Bedeutung und Kraft verloren hat, wird in katholischen Landen überhaupt und hier ganz besonders in hohem Grade geehrt. Don San Jago, der seinen Gevatter zu meinem Geleitsmann außersehen, ließ ihn den Abend vorher kommen und ertheilte ihm seine Verhaltungsbefehle, ungefähr mit folgenden Worten: „Eure Gnaden werden diesem Edelmann auf einer Reise nach Taal zur Leibwache und zum Führer dienen. Ich werde mit Euren Gnaden verabreden, in welchen Ortschaften Sie anhalten und bei welchen unserer Gevattern Sie einkehren müssen. Vor Allem aber werden Eure Gnaden darauf bedacht sein, nur bei Tage zu reiten, weil dieser Edelmann Alles sehen will. Eure Gnaden werden oft im Schritte reiten und oft halten lassen müssen, nach dem Begehren dieses Edelmannes, der jedes Kraut betrachten wird, und jeden Stein am Wege, und jedes Würmchen, kurz jede Schweinerei, von der ich nichts weiß und von der Eure Gnaden eben auch nichts zu wissen nöthig haben u. s. w."

18*

Don Pepe war ein brauchbarer, anstelliger, verständiger Mann, mit dessen Dienst ich allen Grund hatte zufrieden zu sein. Nur suchte er mich, für dessen Sicherheit er verantwortlich war, so wie man ein Kind führt, mit angedrohten Krokodilen und Schlangen auf dem graden Pfade und unter seinen Augen zu erhalten; ich hatte ihn aber bald durchschaut. Ich habe nicht leicht in meinem Leben ein ängstlicheres Geschrei vernommen als dasjenige, womit er mir einst zurief, vor meine Füße zu sehen; über den Steg schlich eine kleine Schlange, die ich tödtete und die, wie es sich erwies, ein ganz unschuldiges Thier war. Auf gleiche Weise warnte er mich einmal vor einem Baume, den ich mit erregter Neugierde sogleich untersuchte; es war eine Brennnessel, die ich versuchte und nicht gefährlicher fand als unsere gewöhnliche.

In allen Ortschaften kamen, wie ich es schon gewohnt war, die Menschen zu dem russischen Doktor, ihm ihre Leiden zu klagen und Hülfe bei ihm nachzusuchen. Ich mußte den Unterschied zwischen Doctor naturalista und facultativo aufstellen, und sie mußten sich dabei beruhigen. Das lasse sich, wer Reiselust verspürt, gesagt sein: Der Name und Ruf eines Arztes wird ihm, so weit die Erde bewohnt ist, der sicherste Paß und Geleitsbrief sein und wird ihm, sollte er dessen bedürfen, den zuverlässigsten und reichlichsten Erwerb sichern. Ueberall glaubt der gebrechliche Mensch, der sich selber hülflos fühlt, an fremde Hülfe und setzt seine Hoffnung in den, der ihm Hülfe verspricht. Am begierigsten langt der Hülfsbedürftige nach dem Fernsten, dem Unbekanntesten, und der Fremde erweckt in ihm das Vertrauen, welches er zu dem Nächsten verloren hat. In der Familie des gelehrten Arztes gilt mehr, als seine Kunst, der Rath, den die alte Waschfrau heimlich ertheilt.

Es ist die Medizin für den, der ihrer bedarf, eine heimliche, fast zauberische Kunst. Auf dem Glauben beruht immer ein guter Theil ihrer Kraft. Zauberei und Magie, die tausendgestaltig, tausendnamig, ausgebreitet und alt sind, wie das Menschengeschlecht, waren die erste Heilkunst und werden wohl auch die letzte sein. Sie verjüngen sich unablässig unter neuen Namen und zeitgemäßen Formen, — für uns unter wissenschaftlichen, und heißen: Mesmerianismus und . . . Ich will Niemand beleidigen. Wer aber wird bestreiten, daß heut zu Tage noch in einer aufgeklärten Stadt, wie Berlin, mehr Krankheiten besprochen oder durch sympathetische und Wundermittel behandelt, als der Sorge des wissenschaftlichen Arztes anvertraut werden? —

Ich habe ja nur dem, der die Welt zu sehen begehrt, anrathen wollen, sich mit dem Doktorhut als mit einer bequemen Reisemütze zu versehen; und jüngere Freunde haben bereits den Rath für einen guten erprobt. — Nächst dem Arzt würde der Portraitmaler zu einer Reise in fernen Landen gut ausgerüstet sein. — Jeder Mensch hat ein Gesicht, worauf er hält, und Mitmenschen, denen er ein Konterfei davon gönnen möchte. Die Kunst ist aber selten und noch an viele Enden der Welt nicht gedrungen.

Während ich Andere, die meine Hülfe ansprachen, abwies, hatte ich genug mit meiner eigenen Gesundheit mich zu beschäftigen. Ich behandelte mich mit Cocosmilch und Apfelsinen, wovon ich mich ernährte; konnte aber nicht meinen Don Pepe entwöhnen, das Huhn, das gewöhnlich zu einer Suppe gekocht ward, mit Ingwer und starken Spezereien nach Landessitte zu überwürzen; darin schien seine Heilkunst zu bestehen und er beharrte dabei aus guter Meinung. Ich fand nur im Bade Erleichterung.

Abends wurden die Pferde frei auf die Weide getrieben und Morgens früh zur weiteren Reise wieder eingefangen. Das ist Landes Brauch. Dabei ging aber nicht nur Zeit verloren, sondern auch noch ein Pferd, welches sich nicht wieder fand.

Bekanntlich ist in allen spanischen Kolonien das Monopol des Tabaks die Haupteinnahme der Krone, welche auf diese Weise eine Kopfsteuer anstatt einer Grund- oder Vermögenssteuer erhebt; denn der Tabak ist dem Armen und dem Reichen ein gleiches Bedürfniß. Auf Guajan drückt noch diese verhaßte Steuer nicht die Bevölkerung. Aber hier kann der arme Tagal dem Könige nicht bezahlen, was ihm die Erde umsonst zu geben begehrt. — Gewöhnlich bittet er, wo man ihm auf Straßen und Wegen begegnet, um das Endchen Cigarre, das man im Munde hat und das man nicht so ganz aufzurauchen pflegt, wie die Noth es ihn zu thun gelehrt hat. —

Don Pepe ließ sich meine Cigarrenenden geben und vertheilte sie mit großer Gerechtigkeit unter sein Kommando.

Wir erreichten am dritten Tage den Bergkamm, den Rand des Erhebungs-Kraters, von wo der Blick in die Laguna de Bongbong und auf den Vulkan de Taal, der in ihrer Mitte einen traurigen, nackten Circus bildet, hinabtaucht. Von da kamen wir abwärts durch den Wald nach Westen zu dem jetzigen Burgflecken Taal am chinesischen Meere. Hier war es, wo sich ein Pferd verlor. Ich brachte einen Theil des Morgens des 15. im Bade zu und fuhr am Nachmittag in einem leichten Kahne mit Don Pepe und einem meiner Tagalen den Abfluß der Laguna bis zu derselben hinauf. Wir rasteten in einer ärmlichen Fischerhütte und schifften uns bei Nacht zur Ueberfahrt nach dem Vulkan wieder ein. Hier war es, wo Don Pepe mich beschwor, ja auf meiner Hut zu sein, wohl mich umzuschauen, aber zu schweigen. Der Vulkan, welcher den Indianern nicht feind sei, werde von jedem ihn besuchenden Spanier zu neuen Ausbrüchen gereizt. Ich entgegnete dem guten Tagalen: ich sei kein Spanier, sondern ein Indianer aus fremdem Lande, — ein Russe. — Eine Spitzfindigkeit, die seine Besorgniß nicht zu beschwichtigen schien. Ich nahm mir vor, seiner Meinung nicht zu trotzen, sondern mich ganz nach seiner Vorschrift zu richten. Er hatte sie aber selber früher vergessen als ich.

Wir landeten über dem Winde der Insel. Die ersten Strahlen der Sonne trafen uns auf dem Rande des höllischen Kessels. Wie ich diesen Rand verfolgte, um einen Punkt des Umkreises zu erreichen, auf welchem in das Innere hinabzusteigen möglich schien, hatte Don Pepe alle Vorsicht vergessen. Er war entzückt, ein Wagestück zu vollbringen, das, meinte er, kein Mensch vor uns unternommen, kein Mensch nach uns unternehmen werde. — Diesen Pfad würden wir wohl allein unter den Menschen betreten haben. — Ich zeigte ihm bescheiden, daß Rinder ihn vor uns betreten hatten. — An den Ufern der Insel wächst stellenweise einiges Gras, welches abzuweiden einige Rinder auf dieselbe überbracht worden sind. Ich begreife nicht, was diese Thiere antreiben kann, den steilen nackten Aschenkegel zu ersteigen und sich einen Pfad um den scharfen Rand des Abgrundes zu bahnen.

Ich habe den Vulkan de Taal in meinen Bemerkungen beschrieben und wiederholt in dem Voyage pittoresque von Choris, welcher ihn nach einer Skizze von mir abgebildet hat. Wir kehrten am Abende nach Taal zurück und trafen am 19. Januar 1818 in Tierra alta wieder ein.

Noch habe ich von Manila selbst nicht gesprochen, wohin ich doch zu Wasser und zu Lande längs des wohlbebauten Ufers der Bucht mehrere kleine Reisen gemacht und wo ich stets die zuvorkommendste, freundlichste Aufnahme gefunden habe. In Manila, wo es keine Gasthäuser giebt, war der Doktor Don Jose Amador, an den wir von dem Gouverneur der Marianen-Inseln empfohlen waren, unser Gastfreund. Seine liebenswürdige Frau war eine Mündel von Don San Jago de Echaparre, der an ihrem hier verstorbenen Vater einen Freund, Landsmann, Dienst- und Schicksalsgefährten verloren hatte. Die reizende Señora sprach nur die spanische Sprache. — In der Abwesenheit von Don Jose Amador empfing uns bei unserer ersten Reise nach Manila der Adjutant des Gouverneurs Don Juan de la Cuesta. Der Gouverneur selbst war für den Kapitain und für uns alle von der zuvorkommendsten Artigkeit. Eine ungezwungene anmuthige Geselligkeit herrschte in seinem Hause. Man legte bei ihm das Kleid ab, worin man sich dem General-Gouverneur der Philippinen vorgestellt hatte, und erhielt vom Wirthe eine leichte Jacke, wie sie dem Klima angemessen war. Er schickte mir, als wir die Anker lichteten, die letzterhaltenen französischen und englischen Zeitungen von mehreren Monaten. Das war im chinesischen Meere eine gar reizende Beschäftigung für mich. Da erhielt ich von meinen Angehörigen die erste Kunde, die seit unserer Abfahrt aus Plymouth zu mir erklungen war, und verdankte sie Don Antonio Mariana de Fulgeras. Präfect des Departements des Lot war ein Bruder von mir u. s. w. Man kann nur im chinesischen Meere oder unter ähnlichen Umständen sich einen Begriff machen von der Menge der Dinge, die aus so einem europäischen Zeitungsblatte herausgelesen werden können.

Mein Hauptgeschäft in Manila war, Bibliotheken und Klöster nach Büchern und Menschen durchzusuchen, von denen ich über die

Völker und Sprachen der Philippinen und Marianen Aufklärung erhalten könnte. Ich habe seines Ortes Rechenschaft abgelegt über das, was in dieser Hinsicht mir geglückt und nicht geglückt ist. Ich brachte in sehr kurzer Zeit eine schöne Bibliothek von Tagalisten und Geschichtschreibern von Manila zusammen. Weniges war käuflich zu bekommen, mehreres wurde mir geschenkt, wozegen ich manchmal andere Bücher schenken konnte. Ich fand überall die humanste Gesinnung, die größte Bereitwilligkeit mir förderlich zu sein und die höflichste Sitte. Nur in dem Kloster, wo das Vocabulario de la lengua tagala zu haben war, machte der Bruder, der mir mein bezahltes Exemplar reichte, eine Ausnahme von der Regel, indem er mich gehen hieß und die Thür hinter mir abschloß. Sein Benehmen ärgerte mehr die Spanier, die es erfuhren, als es mich selber geärgert hatte, der ich wußte, daß ein Mönch und ein Weib no hacen agravio, keine die Ehre kränkende Beleidigung zufügen können.

Als in der Nacht vom 3. zum 4. Juli 1822 das Haus, das ich in Neuschöneberg bei Berlin bewohnte, in Asche gelegt ward, war, nach dem Leben der Meinigen, diese tagalische Bibliothek das Erste, was ich zu retten bemüht war, und ich sorgte sogleich, sie mit der königlichen Berliner Bibliothek zu vereinigen, wo der gelehrte Forscher der Sprachen malayischen Stammes manches finden wird, das nicht so leicht eine andere Bibliothek besitzt.

Wir waren auf Luçon nicht in der Jahreszeit der Manga, einer Frucht, die hoch gerühmt wird und in dem größten Ueberflusse vorhanden, einen Theil der Volksnahrung auszumachen scheint. Eine einzige zur Unzeit reif gewordene Manga ward beschafft und bei einer Mahlzeit unter die Schiffsgesellschaft des Rurik's vertheilt. Ich kann, nach der unzureichenden Probe, nichts darüber sagen. Wir haben überhaupt von den Früchten der heißen Zone nur solche genossen, die zu allen Zeiten zu haben sind und denen zu entgehen nicht möglich war. — Keine Manga! Kein Ananas! Keine Eugenia! u. s. w.

Die chinesische Vorstadt ist für den anziehend, der das Reich der Mitte nicht betreten hat. „Non cuivis homini contigit adire Corinthum.“ Es ist doch und mögen wir uns noch so sehr über die Chinesen erheben, das Normalreich der conservativen Politik, und wer von den Unseren dieser Fahne folgt, hätte gewiß an jenem Muster vieles zu lernen. Ich meine nicht eben, um Rückschraubungsversuche, die immer mißlich sind, in Dingen vorzunehmen, wo wir einmal thatsächlich weiter vorgeschritten sind als die Chinesen; aber doch um zu ermessen, was zu conserviren frommt und wie man überhaupt conservirt. Ich bin aber hier außer meinem Fache. Man suche Belehrung in den Mémoires pour servir à l'histoire de la Chine. Ich habe mich nur als Dilettant an den chinesischen Gesichtern ergötzt.

Ich war am 19. Januar 1818 in Tierra alta wieder eingetroffen. Eschscholtz besuchte mich am 21. Am selben Tage kam auch der Kapitain, der weiter nach Manila fuhr. Ich kehrte am 22. nach Cavite zurück. Der Kapitain traf am 25. aus Manila ein. Der Rurik war segelfertig, die Chronometer wurden eingeschifft. Ich fuhr am 26. früh Morgens in einem leichten Boote nach Manila, frühstückte auf der Eglantine, die vor der Barre unser wartete, hielt einen letzten Umzug nach tagalischen Büchern und vertraute nicht vergeblich auf die Gastfreundschaft von Don Jose Amador. Der Rurik langte am 27. vor der Barre an. Ich schiffte mich am 28. ein, und dieser Tag war der letzte, den wir bei Manila zubrachten. Der Gouverneur kam an unsern Bord und ward mit 15 Kanonenschüssen geehrt. Die Freunde fanden sich ein; und die letzten Stunden, verschönt durch die reizende Gegenwart der Señora Amador, wurden zu einem fröhlichen und herzlichen Abschiedsfest.

Ich habe einen unserer Freunde nicht genannt, der auf eine Weise, die mir aufgefallen war, oft im Gespräche mit mir der Freimaurerei erwähnt und dennoch die Zeichen einer Weihe nicht erwidert hatte, die aus dem Schatze halbvergessener Jugenderinnerungen wieder hervorzusuchen sein Benehmen mich veranlaßte. An diesem Abend suchte er mich auf und drückte mir die Hand. — Ich erstaunte. Wie haben Sie doch verleugnet ...? — „Sie reisen ab, aber ich bleibe." Das war seine Antwort, die ich nicht vergessen habe.

Das Sängerchor unserer Matrosen sang zur Janitscharenmusik russische Nationallieder, und die Señora Amador, die in der fröhlichsten Stimmung sich wie eine anmuthige Fee unter uns bewegte, warf ihnen, nach spanischer Sitte, eine Handvoll Piaster zu. — Der Herr von Kotzebue fand darin eine Beleidigung. Er ließ, nachdem unsere Gäste sich entfernt, dieses Geld aufsuchen und sandte es der wohlmeinenden Geberin mit einem Billet zurück, welches, an eine schöne Frau gerichtet, von der Zartheit russischer Sitte keinen günstigeren Begriff gegeben haben kann, als ihm die Freigebigkeit, die er zurückwies, von der spanischen Weise gegeben hatte.

Am 29. Januar 1818 gingen wir mit der Eglantine zugleich unter Segel und verließen die Bucht von Manila.

Von Manila nach dem Vorgebirge der guten Hoffnung.

Nachdem wir aus der Bucht von Manila am 29. Januar 1818 ausgelaufen, durchkreuzten wir de conserve mit der Eglantine mit günstigem N. O. Wind in W. S. Westlicher Richtung auf vielbefahrener Fahrstraße das chinesische Meer und hatten am 3. Februar Ansicht von Pulo Sopata. Von hier mit südwestlichem und mehr südlichem Cours kamen wir am 6. in Ansicht von Pulo Teoman, Pulo Pambeelau und Pulo Aroe (nach Arrowsmith, dem ich folge, um bei der schwankenden Rechtschreibung der malayischen Namen einen Halt an ihm zu haben; nach Anderen Pulo Timon, Pisang und Aora). Die Eglantine, die minder schnell als wir segelte, hielt uns auf.

Von diesem westlichsten Punkt unserer Fahrt im chinesischen Meere steuerten wir nach Süden und etwas östlicher, um die Gasparstraße, zwischen der Insel gleiches Namens und Banca, zu erreichen.

Wir durchkreuzten am 8. Februar 1818 am frühen Morgen zum dritten Mal den Aequator. Es war für die Russen und Aleuten, die wir zu St. Peter und Paul, zu San Francisco und zu Unalaschka an Bord genommen, das erste Mal. Unsere alten Matrosen hatten besonders die Aleuten mit märchenhaften Erzählungen von der furchtbaren Linie und von den Gefahren und Schrecken beim Ueberschreiten derselben in Angst gesetzt. — Es blieb bei dieser Verhöhnung; es ward keine Taufe vorgenommen und keine Feierlichkeit fand Statt.

An diesem Tage schickte mich der Kapitain Mittags zu der Eglantine, um dem Kapitain Guerin Nachtsignale, die noch nicht verabredet worden, mitzutheilen. Ich speiste am Bord der Eglantine. Ein solcher Besuch auf hoher See hat einen besonderen Reiz. Wenn man aus der veränderten Umgebung sein eigenes Schiff, womit man reist, unter Segel sieht, so ist es, als stünde man am Fenster, um sich auf der Straße vorüber gehen zu sehen. Ich kehrte Nachmittags zu dem Rurik zurück.

Von beiden Schiffen hatte man den Tag über im Westen ein malayisches Segel bemerkt, welches, nur mit der Spitze über den Horizont ragend, denselben Cours als wir zu halten schien. Abends um 9 Uhr zeigte sich in der Nähe des Rurik's Licht, — ein Boot, vielleicht jenes Segel. — Der Kapitain ließ sogleich einen Schuß darauf thun, das Licht verschwand, und etliche Kartätschenschüsse wurden noch in die Nacht hinein abgefeuert; — hoffentlich ohne Schaden anzurichten. Es mochte übrigens sehr weise sein, in diesem Meere, das nicht für sauber von malayischem Raubgesindel gehalten wird, auf den ersten Argwohn hin zu zeigen, daß wir Kanonen hatten und nicht schliefen. Die Eglantine, die eine halbe Meile hinter uns war, hielt unsere Schüsse für Nothschüsse. Der Kapitain Guerin glaubte uns auf eine Untiefe gerathen und wandte wohlweislich sein Schiff, um selber nicht zu scheitern. Wir legten bei, riefen ihn durch ein Signal herbei, erzählten ihm durch das Sprachrohr den Vorfall und setzten in seiner Begleitung unsern Weg fort.

Eine weitläufigere Beschreibung von dem ganzen Vorfall ist in der Reise von Herrn von Kotzebue, Theil II. Seite 142, nachzusehen, woselbst es heißt: „Fest entschlossen zu siegen oder zu sterben, ließ ich u. s. w.“ — Ich verweise darauf.

Am 9. Vormittags ward die Insel Gaspar von dem Masthaupt entdeckt. Wir segelten am Abend südwärts längs ihrer Westküste und ließen um Mitternacht die Anker fallen, als sie uns im Norden lag. Wir gingen mit Tagesanbruch wieder unter Segel und kamen schon am Vormittag durch die Gasparstraße.

Die Küste von Banca und die von Sumatra, längs welcher wir die nächstfolgenden Tage segelten, sind niedriges Land. Der Wald, der die Ebene üppig bekleidet, erstreckt sich bis zum Strande; die Form der Palmen ist darin nicht vorherrschend.

Am 11. warfen wir die Anker um Mitternacht und nahmen sie um halb fünf Uhr wieder auf. Am Morgen des 12. segelten wir durch grüne Wiesen, die frei im Meere schwimmende aufkeimende Pflanzen bildeten, vermuthlich eine Baumart; die Pflänzchen hatten die Samenhülle bereits abgeworfen. — Wind und Strom zogen diese schwimmenden Saaten zu langhin sich schlängelnden Flüssen. Bald zeigten sich die zwei Brüder. Diese nahe der niedern Küste von Sumatra liegenden Inselchen gleichen den niedern Inseln der Südsee, nur sieht man das Meer an denselben nicht branden. Wir glaubten zuerst, daß Büsche von Rhizophoren sich unmittelbar aus der Fluth erhöben. Wir segelten zwischen diesen Inseln und dem Hauptlande durch und warfen um 7 Uhr Abends die Anker.

Am 13. wehte nur ein schwacher Landwind, der uns zu öfteren Malen gebrach; wir gingen unter Segel und warfen wiederholt die Anker, zuletzt sehr nah an der Küste von Sumatra. Wir waren in der Nähe der Zupften-Inseln; die Nordinsel lag hinter uns; drei kleine waldbewachsene Inselchen nördlich von uns fehlten auf der Karte. Java war gut zu sehen und nah an dessen Küste ein großes Schiff. In unserer Nähe angelten zwei Fischer auf einem leichten Kahn. Wir machten ihnen, als sie sich uns näherten, kleine Geschenke; sie ruderten sogleich, uns freundlich winkend, an das Land, von wo sie uns bald eine sehr große Schildkröte brachten. Ein anderes Boot brachte uns deren mehrere und außerdem Hühner, Affen und Papageien. Die Menschen wollten dafür Pistolen und Pulver oder Piaster. Schildkröten wurden für unsern und der Matrosen Tisch auf mehrere Tage angeschafft, und außerdem kauften Einzelne von der Schiffsgesellschaft Affen von verschiedenen Gattungen und Arten.

Unter diesen Affen, die alle kränkelten und von denen keiner das Vorgebirge der guten Hoffnung erreichte, befand sich ein junger, der häßlich, räudig und sehr klein war. Des letztern Umstandes wegen hatten ihn die Matrosen Elliot genannt. Dieses armen verwaisten Affenkindes wollten sich die erwachsenen alle, sowohl Männchen als Weibchen, annehmen; alle wollten ihn an sich reißen, ihn haben, ihn liebkosen, und keiner war doch von seiner Art. Der Untersteuermann Petroff, dem besagter Elliot gehörte, wurde von den Herren der anderen Affen flehentlich um denselben gebeten. Er theilte seine Gunst und beglückte jeden Tag einen Andern. Eschscholtz hat in der Reisebeschreibung einen dieser Affen als eine neue Gattung beschrieben.

Wir hatten ein Pärchen von der auf Luçon gemeinen Art aus Manila mitgenommen. Diese befanden sich in dem gedeihlichsten Zustande; sie belebten unser Tauwerk, wie ihre heimischen Wälder, und blieben unsere lustigen Gesellen bis nach St. Petersburg, wo sie glücklich und wohlbehalten ankamen.

Ich finde den Umgang mit Affen belehrend; „denn", — wie Calderon von den Eseln sagt, — „denn es sind ja Menschen fast." Sie sind das ganz natürliche Thier, das dem Menschen zum Grunde liegt. Mazurier wußte es wohl; er spielte den Jocko, wie Kean den Othello. Die Charakterverschiedenheit bei Individuen derselben Art ist bei den Affen wie bei den Menschen auffallend. Wie in den mehrsten unserer Häuslichkeiten, führte das verschmitztere Weib das Regiment, und der Mann fügte sich.

In Hinsicht der Schildkröten werde ich bemerken, daß ich an der letzten, die geschlachtet ward, und nachdem sie bereits zerlegt worden, phosphorisches Licht wahrnahm; es zeigte sich besonders an dem Bug des einen Vordergliedes. Aber auch am abgeschnittenen Halse leuchteten etliche Theile — ob die Nerven? Das Leuchtende ließ sich mit dem Finger aufnehmen und auf demselben ausbreiten, wo es seinen Schein behielt.

Im chinesischen Meere, das wir zu verlassen uns anschicken, hatten sich eine Seeschwalbe und ein Pelikan auf dem Rurik fangen lassen; letzterer, nachdem er ein Gefangener auf der Eglantine gewesen war. — Insekten und Schmetterlinge kamen in der Nähe des Landes an unsern Bord. Die Windstille in der Sundastraße versorgte uns mit einer reichen Ausbeute an Seegewürmen, und das von Eschscholtz entdeckte Insekt des hohen Meeres fehlte auch hier nicht.

Ich kehrte zu unserm Ankerplatz vom 13. Februar 1818 zurück. — Am Abend besuchten uns die Herren von der Eglantine. Wir nahmen von einander Abschied. Der Rurik sollte wohl früher als die Eglantine in Europa anlangen; dennoch gab ich dem Kapitain Guerin etliche Zeilen an meine Angehörigen mit.

Der Strom setzte mit einer Schnelligkeit von zwei Knoten, abwechselnd bei der Fluth in das chinesische Meer, bei der Ebbe aus demselben in das indische.

Wir lichteten am 14. mit dem Frühsten die Anker und fuhren bei großer Gewalt der Strömung und schöner Nähe des Landes durch den Kanal zwischen den Zupfien-Inseln, deren wir achte zählten, und dem Stromfelsen in den indischen Ocean. Wir hatten um 12 Uhr Mittags die Eglantine aus dem Gesichte verloren. Wir sahen sie, da uns der Wind zu laviren zwang, noch ein Mal um 4 Uhr vor der Insel Crocotoa vor Anker liegen. Wir hatten am 15. Abends die Straße und die Inseln hinter uns. Wir bekamen am 16. den beständigen Ostwind. Wir hatten bisher täglich drei bis vier Schiffe um uns bald einzeln, bald zugleich gezählt. Am 18. war kein Segel mehr zu sehen.

Wir hatten am 21. die Sonne im Zenith. Am Abend des 2. März ward eine Feuerkugel von ausnehmendem Scheine am nördlichen Himmel gesehen. — Ich habe im atlantischen Ocean und in anderen Meeren manche Meteore der Art mit ziemlicher Genauigkeit beobachtet. Aber die Wissenschaft verlangt zusammentreffende, gleichzeitige Beobachtungen derselben Erscheinung, und meinen Beobachtungen sind keine anderen entgegen gekommen.

Der Fang einer Bonite erfreute uns am 3. März. Wir überschritten am 4. den südlichen Wendekreis. Ein großes Schiff durchkreuzte am Morgen dieses Tages in N. N. O. Richtung unsern Cours. Am Abend flog uns eine Seeschwalbe in die Hände.

Am 12. März, 29° 19′ S. B., 313° 26′ W. L., im Süden von Madagascar, hatten wir den beständigen Wind verloren. Gewitter mit Blitz und Donner, Windstille und Sturm wechselten ab. In der Nacht zum 13., die ausnehmend finster war, befanden wir uns unversehens in der Nähe eines übergroßen Schiffes und in Gefahr übergesegelt zu werden. Wir sahen in dieser Breite noch Tropik-Vögel.

Die Nachtgleiche (20. März) brachte uns Stürme. Wir hatten vom 14., erstes Mondviertel, bis zum 21., Vollmond, beständig ein stürmisches Meer und abwechselnd die heftigsten Windstöße, die wir je erlitten. (Gegen 31° S. B., zwischen 318° und 325° W. L.) Am 22., dem Ostertage, war das schönste Wetter. Morgens wurde ein Delphin harpunirt von einer ausgezeichneten Art, welche uns noch nicht vorgekommen war.

Am 23., wo der Wind sehr schwach war, wurde vom Masthaupt ein Segel im Norden entdeckt. Wir erreichten am Abend die Mittagslinie von St. Petersburg. Am 27. befanden wir uns schon auf der Bank, welche die Südspitze Afrika's umsäumt, und der Strom trieb uns schnell westwärts unserm Ziele zu. Am 29. hatten wir Ansicht vom Lande, westlich vom Cap Agulhas. Wir liefen in der Nacht vom 30. zum 31. in die Tafelbai ein.

Da hatte uns der alte Adamastor*) einen Trug gespielt und uns in die größte Gefahr verlockt, die wir vielleicht auf der Reise bestanden. Herr von Kotzebue kannte die Tafelbai nicht und mußte wohl keinen Plan von derselben haben. Er sagt selbst: „Durch verschiedene Feuer am Ufer irre geleitet, hatte ich nicht den Ort getroffen, wo die Schiffe gewöhnlich zu liegen pflegen. — — Bei Tagesanbruch merkten wir erst, daß wir nicht vor der Capstadt geankert, sondern am östlichen Theile der Bai, drei Meilen von der Stadt entfernt.“ Auf dem Strande vor uns, dem wir in der Nacht zugesteuert waren und von dem uns der Wind abgehalten hatte, lagen zur Warnung die Wracke verschiedener Schiffe.

Es wehte stürmisch aus Süden. Ein Lootse holte uns aus der gefährlichen Stelle, die wir einnahmen, und brachte uns auf den sichern Ankerplatz vor der Stadt, wo Windstille war oder auch ein

*) Camoens Lusiada, V. 51.

leichter Windhauch aus Norden. Der Kapitain fuhr nach der Stadt und ich mußte auf dem Rurik seine Rückkunft abwarten. Es brannte mir wie Feuer auf den Nägeln. Die Capstadt ist eine Vorstadt der Heimath. Hier sollte ich in einer deutschen Welt die Spuren mir theurer Menschen wiederfinden; hier erwarteten mich vielleicht Briefe von meinen Angehörigen; hier rechnete ich auf einen Freund, Karl Heinrich Bergius aus Berlin, Ritter des eisernen Kreuzes, Naturforscher, der vor meiner Abreise als Pharmaceut nach dem Cap gegangen war. Und wie ich nach der Stadt hinüber sah, die an diesem schönen Morgen sich nach und nach aus dem Nebel, der über ihr lag, entwickelt hatte und, von der bekannten herrlichen Berggruppe überthürmt, rein vor mir lag: da ruderte aus dem Walde von Masten hervor ein kleines Boot auf den Rurik zu, und Leopold Mundt, ein anderer befreundeter Botaniker aus Berlin, stieg an Bord und fiel mir um den Hals.

Die erste Nachricht, die er mir gab, war eine Todesnachricht. Der wackere Bergius, allgemein geliebt, geachtet und geehrt, hatte am 4. Januar 1818 sein Leben geendet. Mundt selbst war von der preußischen Regierung als Naturforscher und Sammler nach dem Cap geschickt worden.

Sobald der Kapitain wieder eintraf, fuhr ich mit Mundt ab und zwar zuerst an den Bord der Uranie, Kapitain Freycinet. So wie der Rurik von seiner Entdeckungsreise müde und enttäuscht heimkehrte, lief eben die Uranie zu einer gleichen Reise in der Blüthe der Hoffnung aus und war im Begriff den hiesigen Hafen zu verlassen. Wir fanden den Kapitain Freycinet nicht an seinem Bord. Seine Offiziere, die zugleich seine Gelehrten waren, behielten uns zu Tische. Ich freute mich des günstigen Zufalls, der mir, obgleich nur flüchtig, ihre Bekanntschaft verschaffte. Es war ihnen verheißen, auf Guajan anzulegen; und für diesen Landungsort hatte ich ihnen manches zu sagen, was da noch übrig blieb zu thun, und hatte ihnen Grüße an meinen Freund Don Luis de Torres aufzutragen. — Einer von den Herren hatte mit einem Chamisso gedient und sollte, falls er mir in der Welt begegnete, mir von ihm und der Familie ein Glückauf zurufen. Hier trat mir zuerst mein wackerer Nebenbuhler und Freund, der Botaniker Gaudichaud entgegen.

Wir kehrten nach Tische zu dem Rurik zurück, und da schnürte ich mein Bündel und zog auf die Zeit unseres Aufenthalts am Cap zu Mundt an das Land.

Man erstaunt selber ob der gesteigerten Thätigkeit, zu welcher man plötzlich, so wie man den Fuß auf das Land setzt, aus dem trägen Schlafe erwacht, von dem man unter Segel sich gebunden fühlte. Ein Blättchen zu schreiben, zehn Seiten zu lesen, das war ein Geschäft, zu dem man mühsam die Zeit suchte, und bevor man sie gefunden, waren die bleiernen Stunden des Tages leer abgelaufen. Jetzt dehnen sich gefällig die vollen Stunden, und zu Allem hat man Zeit, und zu Allem hat man Kraft; man weiß nichts von Schlaf oder Müdigkeit. „Der Körper hat sich bis auf das Vergessen seiner Bedürfnisse dem Geiste untergeordnet"*).

Wir blieben nur acht Tage am Cap. Während drei dieser Tage wüthete ein N. O. Sturm mit solcher Gewalt, daß er die Verbindung zwischen dem Lande und dem Schiffe unterbrach. Mich hemmte der Sturm nicht, ich war die Stunden des Tages in der freien Natur, die Stunden der Nacht mit dem Gesammelten und mit Büchern geschäftig. — Mundt, Krebs, dortiger Pharmaceut und Naturforscher, und andere, meist Freunde meines seligen Freundes Bergius, waren meine Wegweiser und Gefährten.

Wir machten eine große Exkursion auf den Tafelberg; wir bestiegen ihn vor Tages Anbruch von der Seite des Löwenberges und kamen bei dunkler Nacht auf dem mehr betretenen Weg zu der Schlucht hinter der Stadt wieder herab. Die Gefährten legten sich sogleich müde und schlaftrunken hin, erst spät am andern Tage zu erwachen. Ich aber, nachdem ich meine Pflanzen besorgt, studirte die Nacht über eine Holländisch-Malayische Grammatik, die erste Malayische Sprachlehre, die mir in die Hand gekommen war, und verschaffte mir den ersten Blick in diese Sprache, deren Kenntniß mir zur Vergleichung mit den Mundarten der Philippinen und Südsee-Inseln erforderlich

*) Dya na Sore.

war. Am frühen Morgen war ich schon am Strande und sammelte Tange.

Unter den Seepflanzen, die ich vom Cap mitgebracht habe, hat eine, oder nach meiner Ansicht haben zwei eine große Rolle in der Wissenschaft gespielt, indem sie für die Verwandlung der Gattungen und Arten in andere Gattungen und Arten Zeugniß ablegen gesollt. Ich habe wohl in meinem Leben Märchen geschrieben, aber ich hüte mich, in der Wissenschaft die Phantasie über das Wahrgenommene hinaus schweifen zu lassen. Ich kann in einer Natur, wie die der Metamorphosier sein soll, geistig keine Ruhe gewinnen. Beständigkeit müssen die Gattungen und Arten haben, oder es giebt keine. Was trennt mich homo sapiens denn von dem Thiere, dem vollkommneren und dem unvollkommneren, und von der Pflanze, der unvollkommneren und der vollkommneren, wenn jedes Individuum vor- und rückschreitend aus dem einen in den andern Zustand übergehen kann? — Ich sehe in meinen Algen nur einen Sphaerococcus, der auf einer Conferva gewachsen ist, nicht etwa wie die Mistel auf einem Baume wächst, nein, wie ein Moos oder eine Flechte*).

Man hat, um sich mit dem Vorgebirge der guten Hoffnung, der Capstadt und deren Umgebung bekannt zu machen, zwischen vielen Reisebeschreibungen die Wahl. Ich lasse gern überflüssige Werke ungeschrieben sein, versuche kein neues Gemälde von dieser großartig eigenthümlichen Landschaft zu geben, sondern zeichne mich blos als Staffage auf das bekannte Bild. Nirgends kann für den Botaniker das Pflanzenkleid der Erde anziehender und behaglicher sein als am Cap. Die Natur breitet ihre Gaben in unerschöpflicher Fülle und Mannigfaltigkeit unter seinen Augen zugleich und unter seiner Hand aus; Alles ist ihm erreichbar. Die Haiden und Gebüsche vom Cap scheinen zu seiner Lust, wie die Wälder von Brasilien mit ihren wipfelgetragenen Gärten zu seiner Verzweiflung geschaffen zu sein.

In der Stadt und eine Strecke weit auf dem Fahrwege, der sich um den Fuß des Gebirges zieht, findet man mit Verdruß nur

*) „Ein Zweifel und zwei Algen" in: Verhandlungen der Gesellschaft Naturforschender Freunde in Berlin. I. Band, 3. Stück, 1821.

europäische Pinien, Silberpappeln und Eichen. Ueberallhin bringt der Mensch ein Stück von der Heimath mit sich, so groß wie er kann. — Verläßt man aber den Fahrweg und steigt zu Berge, so entspricht kein Ausdruck der gedrängten Vielfältigkeit und dem bunten Gemische der Pflanzen. Ich habe mit Mundt auf dem Tafelberge manche Pflanzen gefunden, die ihm bis dahin entgangen waren, und habe, flüchtiger Reisender, aus diesem betretensten der botanischen Gärten manche Pflanzenart mitgebracht, die noch unbeschrieben war. — Und jede Jahreszeit entfaltet eine ihr eigenthümliche Flora.

Der Gebirgsstock des Tafelberges, der durch weite Ebenen von den Gebirgen des Innern abgesondert ist und den man als ein nördlichstes stehengebliebenes Vorgebirge des mit seinen Bergen im Meere untergegangenen südlicheren Landes betrachten könnte; — der Gebirgsstock des Tafelberges unterscheidet sich sehr von den nächsten Bergzügen durch seine Flora, in welcher sich Gattungen und Arten in einem andern Verhältniß auf eine eigene charakteristische Weise mischen, und die anscheinlich mehrere ihr ausschließlich eigenthümliche Pflanzen besitzt. So ist zum Beispiel die in unsern botanischen Gärten gemeine Protea argentea nur auf dem Tafelberge gefunden worden, und es wäre leicht denkbar, daß eine Laune des Zufalls oder des Menschen sie auf ihrem so beschränkten heimathlichen Boden vertilgte und ihre Art sich nur noch in unsern Treibhäusern erhielte.

Etliche Pflanzer des Innern kamen während meines Hierseins nach der Stadt. Wie sie hörten, daß ein neuer „Blumensucher" da sei, erboten sie sich, mich auf ihre Besitzungen mitzunehmen. Jeder reisende Naturforscher kann darauf rechnen, auf das Gastfreundlichste im Innern der Kolonie aufgenommen zu werden.

Der Islamismus und das Christenthum sind auf den ostindischen Inseln gleichzeitig gepredigt worden, und die Missionare beider Lehren haben auf demselben Felde gewetteifert. Es war mir auffallend, von mohammedanischen Missionen am Cap sprechen zu hören. — Unter dem Vorwand des Handels, sagte man mir, kommen, die diesem Geschäfte sich widmen, und suchen in das Innere der Kolonie zu dringen. Sie richten sich vorzüglich an die Sklaven, von denen sie nicht wenige bekehren. — Es soll aber auch nicht beispiellos sein, daß Freie und Weiße sich zu ihnen bekannt haben. — Ich wiederhole blos, was ich gehört habe, und kann keine Bürgschaft dafür stellen.

Ich hatte Befehl erhalten, mich am Abend des 6. Aprils einzuschiffen. Wie ich an Bord kam, wurde ein Tag zugegeben und ich fuhr wieder ans Land. Ich machte am 7. noch eine weite Exkursion mit Mundt und Krebs. Am Abend begleiteten mich Beide an Bord. Mundt schlief die Nacht auf dem Rurik. Als wir am Morgen des 8. Aprils 1818 aufwachten, war bereits der Rurik unter Segel und hatte die Schiffe auf der Rhede hinter sich zurückgelassen. — Der Kapitain wollte den gepreßten Passagier auf das nächste Schiff zurückschicken. Da zeigte sich ein Boot und ward herbei geschrieen. Der Eigner begehrte gleich baare Bezahlung. Es zeigte sich, daß Mundt, wie ohne Hut, so auch ohne Geld war. — Ich löste schnell den Freund aus, wir umarmten uns, er sprang in das Boot. Der Rurik glitt mit vollen Segeln in die offene See.

Vom Vorgebirge der guten Hoffnung nach der Heimath. London. St. Petersburg.

Nachdem wir am 8. April 1818 (nach unserer Schiffsrechnung) die Tafelbai verlassen, erhielten wir auf der gewöhnlichen Fahrstraße der heimkehrenden Schiffe den Passat am 16., durchkreuzten am 18. den südlichen Wendekreis und erreichten am 21. die Mittagslinie von Greenwich. Hier erst korrigirten wir unsere Zeitrechnung und schrieben, die von Greenwich annehmend, anstatt Dienstag den 21., Mittwoch den 22.

Am 24. April 1818 hatten wir Ansicht von St. Helena. Unser Kapitain hegte den Wunsch, an dem Felsen des gefesselten Prometheus anzulegen; das ist begreiflich. Die hohen Mächte hatten Kommissare auf der Insel. Es konnte nicht unnatürlich scheinen, daß ein russisches Kriegsschiff sich dem russischen Kommissar (Grafen Balleman) erböte, seine Depeschen zu befördern. Die englische Kriegsbrigg, die über dem Winde der Insel kreuzte, visitirte uns. Der Offizier, der an Bord kam, trat mit gespannter Pistole in die Kajüte des Kapitains. Nach eingesehenen Papieren gab er uns die Weisung, uns während der Nacht, die zu dämmern begann, in der Nähe der Insel aufzuhalten und am andern Morgen nach Jamestown zu steuern. — Die Brigg machte Signale; der Telegraph auf dem Lande setzte sich in Bewegung; die Nacht brach ein.

Wir segelten am Morgen der Stadt und dem Ankerplatze entgegen. Eine Batterie gab uns durch eine Kanonenkugel, die vor dem Schiffe die Luft durchpfiff, zu verstehen, daß wir nicht weiter gehen möchten. — Der Telegraph war in Thätigkeit; eine Barke stieß vom Admiralschiff ab und ruderte auf uns zu. Wir glaubten jener Barke entgegenfahren zu dürfen, nahmen den alten Cours wieder und erhielten, auf demselben Punkt angelangt, eine zweite Kanonenkugel. Der Offizier, der an unsern Bord gekommen war, erbot sich, uns auf die Rhede zu führen: Die Batterie, meinte er, habe keine Befugniß auf uns zu feuern und werde es jetzt nicht wieder thun. Wir steuerten mit unsern Geleitsmann wiederum auf den Hafen und erhielten sofort die dritte Kanonenkugel. — Darauf stieg der Offizier wieder in sein Boot und ruderte an sein Schiff zurück, um Mißverständnissen ein Ziel zu setzen, welche nur von der Abwesenheit des Gouverneurs herrühren konnten, der nicht in der Stadt, sondern auf seinem Landhause war. — Mittlerweile lichteten alle Kriegsschiffe, die auf der Rhede lagen, die Anker und gingen unter Segel. — Wir warteten bis nach zwölf Uhr; da wir um diese Zeit noch ohne Nachricht waren, strichen wir mit einer Kanonenkugel die Flagge und nahmen, nach einer Versäumniß von beiläufig 18 Stunden, unsern Cours wieder nach Norden.

Ich bemerke beiläufig, daß nach Seemannsbrauch bei der Art Unterhaltung, welche die Batterie mit uns führte, die erste Kugel über das Schiff, die zweite durch das Tauwerk und die dritte in die Kajüte des Kapitains geschickt zu werden pflegt. Die Batterie hatte eigentlich drei Mal den ersten Schuß, aber keinen zweiten auf uns abgefeuert. Es ist übrigens einleuchtend, daß in dem Verfahren der Wachtbrigg, des Admiralschiffes und der Landbatterie keine Uebereinstimmung statt fand; und die Schuld an der Verwirrung, die in Hinsicht unser herrschte, können wir nur dem Gouverneur beimessen.

Ich ward in diesen Tagen eines Mißverständnisses wegen von dem Kapitain vorgefordert. Es kam zu Erörterungen, wobei die liebenswerthe Rechtlichkeit des kränklich-reizbaren Mannes in dem schönsten Lichte erschien. Er erkannte, daß er sich in mir geirrt, bot mir die Hand, wollte selber die Hälfte der Schuld auf sich nehmen, ich solle zu der andern mich bekennen. Und wahrlich, ich mochte zur Unzeit seiner Empfindlichkeit Stolz und Trotz entgegengesetzt haben. Alles, was ich zu dulden gehabt, war vergessen und aller Groll ins Meer versenkt.

Wir sahen am 30. April die Insel Ascension, die wir im Westen liegen ließen. Die Schildkröten, die man auf ihrem Strande zu finden hoffen kann, bewogen uns nicht, eine Landung zu versuchen. — Auf den Bergen ruhten Wolken. Viele Vögel waren zu sehen.

Am 6. Mai überschritten wir vor Tages Anbruch zum vierten und letzten Male den Aequator. Der Tag wurde festlich begangen. — Ich habe von der Komödie, welche die Matrosen aufführten, keine Erinnerung. Da mußte ich wohl nicht mit ganzem Herzen dabei sein.

Wir hatten den Passat verloren und hatten leichte spielende Winde und Windstille. Wir hatten am 5. ein Schiff gesehen, am 8. zeigte sich ein anderes. Am Abend dieses Tages war ein Regen gleich einem Wolkenbruche und es donnerte stark.

Wir bekamen am 12. Mai den nördlichen Passat, behielten ihn bis zu dem 26., wo der Wind zum Südosten überging, und durchschnitten ungefähr vom 22. bis zum 30. Mai, zwischen dem 20° und 36° N. B. und dem 35° und 37° W. L. das Meer des Sargasso. So wird geheißen eine weite Wiese schwimmenden, von dem unbekannten Felsenstrande, wo er erzeugt worden sein muß, abgerissenen und von dem weiten Strudel der Seeströmung in die Mitte ihres Kreislaufes zusammengespülten Seetanges meist von einer und derselben Art. Ich will mit diesen flüchtigen Worten nur dem Laien das gebrauchte Wort erklären. Die Sache selbst läßt dem Gelehrten noch viel zu denken und zu erforschen übrig.

Seit wir die Linie durchkreuzt hatten, nahm die Zahl der Schiffe zu, die wir fast täglich sahen. Wir zeigten oft wechselseitig unsere Flaggen. Am 29. Mai sahen wir eine Flasche im Meere schwimmen, die wir aber nicht aufnahmen. — Was mochte die Schrift besagen, die sie vermuthlich enthielt? Am 1. Juni sprach uns ein amerikanischer Scunner und erhielt von uns Zwieback, woran er Mangel litt.

Wir sahen am 3. Juni 1818 die Insel Flores, die westlichste der Azorischen Inseln, und steuerten von da dem Kanale zu.

Am 5. kam uns ein Schiffswrack in Sicht. Es wurde weiter

nicht untersucht. Die Zahl der Schiffe nahm zu; mehrere hielten mit uns denselben Cours; wir unterhielten uns mit einigen.

Am 15. waren wir am Eingange des Kanals, ohne noch Ansicht des Landes zu haben. Eine englische Flotte war zu sehen. Ein Lootse stieg an unsern Bord. Die erste Nachricht, die ich erhielt, war eine Todesnachricht: in einem Zeitungsblatte, das jener mitbrachte, wurde eine Ausgabe der Werke der verstorbenen Frau von Stael angekündigt.

Am Abend des 16. Juni 1818 lagen wir auf der Rhede von Portsmouth vor Cowes vor Anker neben einem Amerikaner, dem wir bereits zu Hana-ruru und zu Manila begegnet waren. Am Abend des 17. waren wir im Hafen.

Meine erste Sorge war die, Briefe, die ich vorsorglich zur See geschrieben, nach allen vier Winden zu verstreuen. Ich war auf heimathlich europäischem Boden und konnte noch so bald nicht Nachricht von denen erwirken, durch die mir ein bestimmter Punkt der überall nährenden Erde zur Heimath geworden. — Ich will euch, Freunde, noch zum Zwischenspiel einladen, mich auf einen schnellen Ausflug nach London zu begleiten. Aber meine Seele durstete nur nach dem Einen, nach Briefen von den Freunden, und ich konnte erst im heimathlichen Berlin zur Ruhe gelangen.

Ich finde in einem vom Kanal datirten Briefe von mir die Worte: Ich kehre dir zurück, der sonst ich war — ganz — etwas ermüdet, nicht gesättiget von dieser Reise — bereit noch, unter diesen oder jenen Umständen, wieder in die Welt zu gehen, und „den Mantel umgeschlagen".

Ich trat am 18. Morgens in Portsmouth in das erste beste Haus hinein, mich nach Schneider, Schuster u. s. w. zu erkundigen. Ich wurde fest gehalten: Was brauchen Sie? — Alles — und will mit dem Wagen, der morgen um vier Uhr Nachmittags abgeht, nach London fahren. — Stoffe, Zeuge, Kattun, Leinwand, wurden mir zur Auswahl vorgelegt. Arbeiter nahmen Maaß; Hüte, Stiefeln wurden anprobirt; Strümpfe ausgesucht; die Bestellung genau gemerkt. Ich wurde in der Zeit von zehn Minuten fertig. — Am 19. um halb vier bekam ich auf dem Rurik meinen gepackten Koffer, alles nach Muster und Vorschrift, die Wäsche neu genäht, gezeichnet, gewaschen und geplättet. Verdrießlich war mir nur die Aengstlichkeit, mit welcher nach dem Gelde gelangt wurde, bevor man die Waare aus der Hand ließ.

In England beginnt der Arbeitstag in der Regel um 10 Uhr des Morgens und endigt Nachmittags um 4. Ein Wagen zwischen Portsmouth und London fährt Nachmittags um 4 Uhr ab und langt am andern Morgen um 10 Uhr an; der Geschäftsmann hat auf der Reise keine Stunde Zeit versäumt. — Ein anderer Wagen fährt bei Tage für andere Leute.

Ich saß um 4 Uhr im Wagen und sah aus dem Schlage die Marksteine mit unglaublicher Schnelligkeit vorüber gleiten. Ich erkannte im Fluge manche Pflanzen der heimischen Flora, und der purpurne Fingerhut mit seinen hohen Blüthenrispen schien mir ein freundliches Willkommen zuzuwinken.

Auf der Decke des Wagens, ich hätte fast gesagt auf dem Verdecke, hatten mehrere auf Urlaub entlassene Zöglinge einer Seeschule ihre Plätze. Die jungen Leute übten ihre Kletterkünste an der pfeilschnell rollenden Maschine auf eine ergötzliche Weise und waren überall eher als da, wo sie sollten.

Ich hatte mich als den Titulargelehrten der russischen Entdeckungs-Expedition zu erkennen gegeben; die Gefährten der Fahrt hatten für mich, den Fremden, Aufmerksamkeiten, die ich weit entfernt war zu erwarten.

Ich wurde mitten in der Nacht aus dem festesten, gesundesten Schlafe geweckt; es sollte gespeist werden. Man erwies sich dienstfertig meiner schlaftrunkenen Unbeholfenheit. Die Augen halb eröffnend, versuchte ich nacheinander in Babel-rurikischer Sprachverwirrung alle Zungen der redenden Menschen, die ich kannte und nicht kannte, bevor ich auf die rechte kam und mich auf old England wiederfand.

Unter jenen Schülern, die zu unserer Reisegesellschaft gehörten, befand sich ein geborener Russe. Der wurde mir vorgestellt und ich sollte mich mit ihm unterhalten. Das war ich mit dem besten Willen nicht im Stande zu thun.

Welch ein Glücksfund, welch eine Perle für eine gut eingerichtete Polizei! Ein Mensch, der ohne Paß und ohne Papiere irgend einer Art sich nach der Residenz begiebt; der, um sich recht zu verstecken, sich für einen Russen ausgiebt, und von dem ein besonderes Glück sogleich an den Tag legt, daß er die Sprache nicht versteht. Die armen Engländer genießen aber der wohlthätigen Einrichtung nicht. Die Verlegenheit, die mich verrieth, wurde nicht einmal bemerkt; man glaubte mir aufs Wort, und ich war so sicher wie bei uns ein Spitzbube, der sich selber seine Pässe geschmiedet hat.

Ich stieg aus Unkenntniß der Stadt in der City ab, Fleet-Street, Belle Sauvage-Inn. Die Welt, in welcher ich mich bewegen wollte, war in Westminster, Piccadilly. Sieben Tage in London fassen mehr Erlebtes, mehr Gesehenes, als drei Jahre an Bord eines Schiffes auf hoher See und in Ansicht fremder Küsten; — in London, das nächst und abwechselnd mit Paris die Geschichte für die übrige Welt macht und verkündigt. — Ich werde nicht von jedem Vogel, den ich hier habe fliegen sehen, Rechenschaft ablegen.

Ich habe in London ausschließlich mit Gelehrten gelebt und in Museen, Herbarien, Bibliotheken, Gärten und Menagerien meine Zeit verbracht. Schon die Namen der Männer herzuzählen, denen ich mich dankbar verpflichtet fühle, würde mich zu weit führen. Die Bibliothek von Sir Joseph Banks war gleichsam mein Hauptquartier. Sir Robert Brown, welcher derselben vorstand, war für mich von ausnehmender Dienstfertigkeit. — Ich hatte die Ehre, Sir Joseph Banks vorgestellt zu werden. Ich sah unter Anderen bei ihm den Kapitain James Burney, den Gefährten Cook's auf seiner dritten Reise und Verfasser von der Chronological history of the discoveries in the South Sea, einem Meisterwerke gründlicher Gelehrsamkeit und seltener gesunder Kritik. — Mich erkühnt zu haben, in der Frage „ob Asien und Amerika zusammenhangen oder durch die See getrennt sind", gegen einen Mann wie James Burney aufzutreten und Recht gegen ihn behalten zu haben, ist eines der Dinge, die mich in meinen eigenen Augen ehren.

Ich ging einst in einem Museum auf und ab, die Schreibtafel in der Hand, und schrieb mir über Gegenstände, die meine Aufmerksamkeit besonders fesselten, Notata auf. Ein gleiches that mit großem Eifer ein rascher, lebendiger Mann; der Zufall führte uns zusammen, und er redete mich an. Er mochte bald an meinen Antworten merken, daß ich kein geborner Engländer sei; er fragte mich auf französisch, ob er sich dieser Sprache bedienen solle? Ich aber rief in der Freude meines Herzens auf Deutsch aus: das ist ja meine Muttersprache! So wollen wir Deutsch reden, fuhr auf Deutsch Sir Hamilton Smith fort, und er ward seit der Stunde mein gefälliger und gelehrter Wegweiser in den verschiedenen Museen, die wir zusammen zu besuchen uns verabredeten.

Ich lernte zuerst in London Cuvier kennen und begegnete auch dort dem Professor Otto aus Breslau, der mir manche Nachrichten aus der Heimath mittheilte.

Der bekannte Herr Hunnemann war mir in allen Dingen dienst- und hülfreich; er war mein Rath, mein Führer, mein Dolmetscher. Er widmete meinem Dienste einen großen Theil seiner ihm kostbaren Zeit. Er half mir alles, was mir auf der Reise an Instrumenten, Büchern, Karten gefehlt hatte, nachträglich zusammenbringen, um mich zu der Heimfahrt auszurüsten, wie ich es zur Ausfahrt hätte sein sollen. — Hätte wohl, wer darüber lächelt, es viel klüger gemacht? Ich meinerseits bin bei jedem neuen Kapitel meines Lebens, das ich schlecht und recht, so gut es gehen will, ablebe, bescheidentlich darauf gefaßt, daß es mir erst am Ende die Weisheit bringen werde, deren ich gleich zu Anfang bedurft hätte, und daß ich auf meinem Sterbekissen die versäumte Weisheit meines Lebens finden werde. — Und ich bin ohne Reue, weil ich nicht wissentlich und mit Willen gefehlt; und weil ich die Meinung habe, daß es Anderen nicht viel anders geht als mir. — Aber ich sprach von meinen Ankäufen, denen ich beiläufig 100 Pfund bestimmt hatte. — Ich fand in Arrowsmith einen liebenswerthen, liberalen Gelehrten. Er sagte: wir hätten für ihn gearbeitet, und schenkte mir die Karte, die ich von ihm zu kaufen begehrte.

Der ich die letzten Jahre in der Natur gelebt, fühlte jetzt zu der Kunst, welche die Natur nach dem Bedürfnisse des geistigen Menschen vergeistigt, einen unaussprechlichen, unwiderstehlichen Zug;

und von den kurzgezählten Stunden, die ich in London zu verleben hatte, mußte ich mehrere widmen, Beruhigung im Anschauen der Cartons von Raphael oder der Antike zu suchen.

Die französische Restauration, welche sich die nächstvergangene Geschichte zu verläugnen bemühte, beeiferte sich hergebrachterweise, Standbilder umzustürzen und Inschriften und Namenzüge auszukratzen. Aber die öffentliche Meinung Europa's verbot ihr, Kunstwerke, die sie in Schutz nahm, zu vernichten. Sie hatte den Mittelweg erwählt, diese Träger verhaßter Erinnerungen wenigstens von ihrer Wurzel abzulösen und dieselben als Geschenke den Fremden zuzuwerfen. Ich wußte, daß der Napoleon von Canova dem Lord Wellington zugetheilt worden und in London sich befinden mußte. Längst war ich auf diese Statue aufmerksam geworden und ich begehrte gar sehr zu sehen, wie Canova den Kaiser idealisirt; um darüber zur Klarheit zu kommen, ob der vieux Sergeant de la Garde, an welchen ich dieses Kunstwerk gerichtet wissen wollte, in dem griechisch nackten Halbgott seinen vergötterten petit Caporal erkennen könne.

Hier, sagte mir Robert Brown auf dem Wege nach Kew, wohin er die Güte hatte, mich zu begleiten, — hier, in diesem Hause, hinter dieser Thür steht die Bildsäule, von der wir sprechen. Und ich darauf: so lasset uns hingehen, klopfen oder klingeln; die Thür wird aufgehen und wir sehen hinein. — Wenn Sie wünschen das Bild zu sehen, erwiderte, der Sitte kundig, Robert Brown, so will ich an Sir Joseph Banks schreiben; auf dessen Bitte wird Ihnen sonder Zweifel die Erlaubniß ertheilt werden. — Oder auch der russische, oder der preußische Gesandte. . . . . — Ich kann einmal keine großen Mittel an kleine Zwecke setzen und Polyspasten anwenden, um eine Feder zu bewegen. Ich schüttelte mit dem Kopfe und wir gingen weiter.

Herr von Kotzebue war mit mir zugleich in London. Ich sah ihn flüchtig. Er hatte sich dem russischen Gesandten angeschlossen, war dem Prinz Regenten und dem Großfürsten Nikolai Pawlowitsch vorgestellt worden und klagte, daß seine Zeit anders ausgefüllt werde als er gewünscht hätte, und daß er von dem, was ihn interessire, nur wenig zu sehen bekomme.

Aber ich bin in London, und spreche bis jetzt von London nicht. — Man trifft auch anderswo naturhistorische Sammlungen an und dem Fremden hülfreiche gefällige Gelehrte. Manche Stadt ist reicher als diese an Schätzen der Kunst.

Wahrlich ich wanderte nicht ein Blinder durch diese bewunderungswürdige Welt, welche sich mir, von den Parlamentswahlen aufgeregt, in ihrem Wesen enthüllte. Auf dem öffentlichen Markte bewegt sich in England das öffentliche Leben mit Parlamentswahlen, Volksversammlungen, Aufzügen, Reden aller Arten. — Was hinter Mauern gesprochen wird, hallt auf den Straßen nach, die zu allen Zeiten von Ausrufern, von Ausstreuern von Flug- und Zeitschriften, Nachts von transparenten Bildern und Inschriften durchströmet werden. Die Mauern von London mit ihren politischen Plakaten sind für den Fremden, der seinen Augen nicht traut, das märchenhaft wundersamste, das unglaublichste Buch, das er je zu sehen bekommen kann. Und diese heiligen Freiheiten sind es, die das Gebäude sicher stellen, indem sie jeglicher Kraft, und auch der zerstörenden, ihr freies Spiel in die freien Lüfte hin zugestehen. Diese heiligen Freiheiten sind es, welche die nothwendig gewordene, zu lange verzögerte, zeitüberreife Revolution, die zu bewirken jetzt England geschäftig ist, hoffentlich als ruhige Evolution gestalten werden, — eine Revolution, die längst schon jeden andern Boden mit schauerlichem, aus Staub und Blut gemischtem Schlamme überspült hätte.

Der Herzog von Wellington hat durch das unzeitig widerstrebende Wort „No reform“ diese Revolution begonnen. Er hat das Schiff dem Winde und Strom übergeben, die es unwiderstehlich dahin reißen, derselbe Herzog hat sich jetzt des Steuerruders angemaßt und verspricht sich, es unter gerefften Sturmsegeln an den Klippen vorüber zu steuern, aber abwärts, immer abwärts dem Ziele zu.

Zu Vergleichungen geneigt, werfe ich abseits von London den Blick zuerst auf Paris. Da sollen las narizes del Volcan, die Sicherheitsventile des Dampfkessels, zugedammt und zugelöthet werden. Das öffentliche Leben wird in das innere Gebäude gewaltsam eingezwängt und kann sich nur als Emeute oder Aufruhr einen Weg auf den Markt bahnen. Auf den Mauern von Paris werden noch nur neben den Theater-Anschlagezetteln Buchhändler-Anzeigen u. d. m. Privat-Angelegenheiten verhandelt. Da erhebt der Kaufmann seine Waare über die seines Nachbars, da führt Brodneid kleinliche Zwiste u. s. w.

Man ist über dem Rheine zu keinem öffentlichen Leben erwacht. Daß es troß dem Gesinnungen giebt, tüchtige, thatenmächtige, hat das Jahr 1813 dargethan, wird jedes dem ähnliche Sternenjahr darthun, das über Deutschland aufgehen wird. — Man liest in Berlin noch an den Straßenecken die Komödien- und Concert-Zettel, den Anschlagzettel vom großen Elephanten, vom starken Manne und von den Dingen überhaupt, die da zu sehen sind; endlich noch Versteigerungsankündigungen.

In St. Petersburg darf kein Erzeugniß der Presse den Augen des Volkes ausgestellt werden. Die Mauern werden rein gehalten, und der Komödien-Zettel wird unter dem Mantel in die Häuser eingeschwärzt, die nach demselben begehren.

Ich kehre zurück von wo ich ausgegangen. Ich las von den Mauern Londons das Plakat ab, womit sich Lord Thomas Cochrane von seinen Komittenten, den Wählern von Westminster, verabschiedete. Nach manchen Schmähungen gegen die Minister kam er auf den Helden zu sprechen, den jene widergesetzlich, widerrechtlich auf St. Helena gefangen hielten. Sie selber, nicht Napoleon, gehörten in diesen Kerker. Es gebühre sich ihn zu befreien und sie an seiner Statt einzusperren. Stünde sonst keiner auf, solches zu unternehmen, er, Lord Thomas Cochrane, sei der Mann, es zu thun.

Dieses Kriegs-Manifest hatte in London nichts Anstößigeres, als in Berlin der Anschlagzettel der Oper Alcidor. Es stand im Schutze der Sitte.

Ich kam vor das Wahlgerüste für Westminster auf Covent Garden eine halbe Stunde zu spät, um den Premier-Minister, zur Rüge eines unpopulären Verfahrens bei Ausübung seines Rechtes als Wähler, mit Koth bewerfen zu sehen; eine ächt volksthümliche Lustbarkeit, der beigewohnt zu haben der lernbegierige Reisende für eine wahre Gunst des Schicksals ansehen müßte.

Wir wissen noch aus Ueberlieferung, daß sonst zu den akademischen Freiheiten der auf deutschen Hochschulen studirenden Jugend die allenfalls mit etlichen Tagen Carcer zu erkaufende Befugniß gehörte, einem mißfälligen Lehrer die Fenster einzuwerfen, ohne daß von Verschwörung gegen Kirche und Staat die Rede war. Bei solchen Gelegenheiten flog einmal dem alten Johann Reinhold Forster ein faustdicker Stein auf den Arbeitstisch; den Stein nahm er zornig auf, und das Fenster aufreißend, warf er ihn den Studenten wieder zurück, ihnen zurufend: den hat ein Fuchs geworfen!

Aehnliches kam, ins Englische übersetzt, bei den mehr erwähnten Wahlen vor. Das Volk hatte von seiner unbestrittenen Befugniß gegen einen ministeriellen Candidaten Gebrauch gemacht und denselben mit Koth beworfen. Aber auch ein Stein war geflogen; wenigstens gab der Gemißhandelte vor, von einem solchen getroffen worden zu sein, und legte sich zu Bette. Es wurden Bülletins ausgegeben, und der schicksalige Stein schien mit Stimmen, die dem Verletzten zuflossen, aufgewogen werden zu sollen. Sein Gegner hielt, als ich vor das Gerüste trat, eine Rede, worin er das Ereigniß besprach. Er erklärte: derjenige, welcher jenen Stein geworfen, könne kein Engländer gewesen sein; da deckte der rauschende Beifall der Versammlung die Stimme des Redners.

Am 26. Juni 1818 um 4 Uhr Nachmittags brachte mich Herr Hunnemann zu dem Wagen, der nach Portsmouth abfuhr. Meine Ankäufe, die er einpacken zu lassen übernommen hatte, füllten eine mäßige Kiste, die ich mit auf den Wagen nahm. Ich umarmte den mir unvergeßlichen Landsmann und nahm Abschied von der Weltstadt London.

Ich war am 27. Juni in Portsmouth. Ich fand keine Briefe vor; kein Gegengruß von meinen Lieben erreichte mich in England, keine Nachricht von ihnen. Der Rurik ging am 29. auf die Rhede und am 30. unter Segel. Wir gingen am 1. Juli durch die Doverstraße, verloren am 2. das Land aus dem Gesichte, sahen Jütland am 10., gingen am 11. durch den Sund und waren am 12. vor Kopenhagen. Wir sollten, ohne anzuhalten, vorüberfahren; der Wind, der uns gebrach, entschied es anders. Ich durfte auf eine flüchtige Stunde ans Land. Ich empfing den ersten Gruß von der Heimath und umarmte die alten Freunde.

Wir lichteten am 19. die Anker. Wir liefen am 23. in den Hafen von Reval ein, wo der Kapitain den Herrn von Krusenstern sprechen wollte. Dieser war nicht in der Stadt und traf erst am dritten Tag ein. Wir gingen am 27. unter Segel, waren am 31. Juli vor Kronstadt; am 3. August 1818 lag der Rurik zu St. Petersburg in der Newa vor dem Hause des Grafen Romanzoff vor Anker.

Der Graf war auf seinen Gütern in Klein-Rußland und mußte erwartet werden, um die kleine Welt aufzulösen, die so lange in seinem Namen zusammengehalten hatte. Herr von Krusenstern traf erst ungefähr vierzehn Tage nach uns ein. Es wurden etliche obere Zimmer im Hause des Grafen Romanzoff dem Herrn von Kotzebue und seiner Schiffsgesellschaft eröffnet; mich selbst zog ein hier ansässiger Preuße, ein Universitätsfreund, gastlich an seinen Heerd; ich verließ den Rurik.

Aber ich hatte keinen Paß, und hier war die Polizei gegen Fremde viel vorzüglicher eingerichtet als in England. Indeß hatte ich an der preußischen Gesandtschaft vorläufig einen Schutz, und was läßt sich nicht ins Geleise bringen, wenn man Freunde hat.

Ich hatte in St. Petersburg nur das eine Geschäft, mich so bald als möglich von St. Petersburg frei zu machen. Ich kehrte mich von jeder Aussicht ab, die mir in Rußland eröffnet werden sollte, und wich hartnäckig jedem Antrag aus, mich durch irgend ein Verhältniß binden zu lassen. Mich zog heimathlich ein anderes Land. Ich werde diesem Geschwätze hohe Namen nicht einmischen. Mein Herz hing an Preußen und ich wollte nach Berlin zurück kehren.

Ich habe in St. Petersburg nur mit Deutschen, nur mit Sprach- und Herzens-Verwandten vertraulich gelebt; ich bin in das russische Leben nicht eingedrungen; ich werde nur über die äußere Erscheinung der Stadt einige flüchtige Bemerkungen hinwerfen, zu denen mich die Vergleichung mit London auffordert.

London ist, entsprechend dem Begriffe einer großen Stadt, ein riesenhafter Menschen-Ameisen-Haufen, ein unermeßlicher Menschen-

Bienen-Bau, bei dessen Ansätzen ungleiche Kräfte unregelmäßige Zellen hervorgebracht haben. Das Bedürfniß hat die Menschen zusammen gebracht; sie haben nach dem Bedürfniß sich angebaut; ein Naturgesetz, das als Zufall erscheint, hat den Plan vorgezeichnet, die Willkür hat keinen Theil daran; und wenn die Stadt stellenweise decorirt worden, beweist es blos, daß Dekoriren dem Menschen zum Bedürfniß geworden ist.

St. Petersburg ist eine grosartig angelegte und prächtig ausgeführte Dekoration. Die Schifffahrt, die zwischen Kronstadt und dem Ausfluß der Newa das Meer belebt, deutet auf einen volk- und handelreichen Platz! Man tritt in die Stadt ein, — das Volk verschwindet in den breiten, unabsehbar lang gezogenen Straßen, und Gras wächst überall zwischen den Pflastersteinen.

Dekoration im Einzelnen wie im Ganzen; der Schein ist in allem zum Wesen gemacht worden. Mit den edelsten Materialien, mit Gußeisen und Granit wird dekorirt; aber man findet stellenweise, um die unterbrochene Gleichförmigkeit wiederherzustellen, den Granit als Gußeisen geschwärzt und das Gußeisen als Granit gemalt. Die Stadt wird alle drei Jahre aufs Neue und in den Farben, die polizeilich den Hauseigenthümern vorgeschrieben werden, angestrichen, außerdem noch außerordentlich bei außerordentlichen Gelegenheiten, zum Empfang eines königlichen Gastes u. d. m.; dann wird auch das Gras von den Straßen ausgereutet. Der Herrscher sprach einst das Wohlgefallen aus, mit welchem er auf einer Reise massive Häuser gesehen, an denen alles Holzwerk, Thüren und Fensterladen, von Eichenholz gewesen. Darauf wurden Maler polizeilich angelernt und Thüren und Fensterladen aller Häuser der Stadt, auf Kosten der Eigenthümer, als Eichenholz bemalt. Da kamen die Maler in das Viertel, wo die reichen englischen Handelsherren wohnen und wo der Luxus eichenhölzerner Thüren und Fensterladen nicht selten ist, — und sie begannen, das wirkliche Eichenholz wie Eichenholz zu übermalen. — Die Eigenthümer verwahrten sich dagegen und schützten vor: es sei ja schon Eichenholz; — vergebens; der Vorschrift einer hohen Polizei mußte genügt werden.

Mit Monumenten, denen man Heiligkeit beizulegen sich volksthümlich beeifern sollte, wird wie mit eitelen Dekorationen verfahren und gespielt. Die Romanzoffs-Säule wird von einem Ufer der Newa auf das andere hinübergebracht, um dort zu einem neuen Point de Vue zu dienen, und es wird beantragt, die Statue des Zaren Peter's des Großen zu einer ähnlichen Verschönerung von der Stelle, die sie jetzt einnimmt, zu verrücken.

Es ist mir schmerzlich, hier ein scharfes Urtheil sprechen zu müssen, welches gleiche Unheiligkeit trifft, deren man sich in der Heimath auch schuldig gemacht. Aber was ist denn ein Monument? Ein Fleck Erde wird dem Gedächtniß eines Mannes oder einer That geweiht; da setzt man einen Stein auf und peitscht die Kinder bei dem Steine und sagt ihnen dabei: erinnert euch an das und das. So wird unter den Menschen die Sage, die mündliche Ueberlieferung an ein bestimmtes Aeußeres gebunden. — Das ist im Wesentlichen ein Monument. Daß ihr später Buchstaben in den Stein graben gelernt und den Stein selbst nach dem Bildnisse eines Menschen meißeln, das sind außerwesentliche Zugaben. Wälzt den Stein von seinem Orte fort, so habt ihr nur einen Stein, wie andere Steine mehr auf dem Felde sind. Verrückt das Standbild von seiner Stelle, so setzt ihr es auf seinen Kunstwerth herab, so habt ihr nur noch ein Bild, wie ihr der Bilder mehr in euren Museen habt, die sonst in Tempeln Götter gewesen sind. — Legt nicht Hand an ein volksthümliches Monument; legt nicht Hand an die Statue eines eurer Helden: der Ort, wo sie steht, gehört ihr, ihr habt kein Recht mehr daran. Errichtet Monumente auf Plätzen, wo man sie sehen kann, nicht aber zu eiteler Verschönerung, und wählt bedächtig den Ort, den ihr nicht willkürlich verändern dürft.

Der Graf Romanzoff traf in St. Petersburg in den ersten Tagen des Septembers ein.

Alles was zu meinem Gebrauch an Instrumenten und Büchern auf Rechnung der Expedition angeschafft worden, wurde mir, wie jedem von uns, abgefordert. Ich blieb hingegen im Besitz dessen, was ich gesammelt hatte. Ich wurde entlassen, die von mir geforderten Denkschriften in Berlin zu vollenden. — Der Rurik ward verkauft.

20*

Nun hielt mich aber noch in St. Petersburg die Polizei fest, die mich daselbst zu dulden sich so schwer entschlossen hatte. — Man weiß die weitläuftigen Förmlichkeiten, denen man sich unterziehen muß, bevor man einen Paß erhält. (Dreimalige Bekanntmachung der Absicht zu reisen im Wochenblatt u. s. w.) — Ich war endlich so weit: die Welt, der ich angehört hatte, war schon aus einander gestoben.

Es sei mir vergönnt, jetzt ein Scheidender, mit dem Blicke die Männer zu suchen, in deren Gemeinschaft ich Manches erduldet und erfahren. Herrn von Kotzebue's „Neue Reise um die Welt in den Jahren 1823—26" (die zweite, wobei er kommandirt, die dritte, die er gemacht hat) ist in diesen Blättern erwähnt worden. Sie hat, besonders wegen der ungünstigen Berichte über die Missionen auf den Südsee-Inseln, Aufsehen erregt. — Chramtschenko hat ein Schiff im Norden der Südsee kommandirt und mir im Jahre 1830 aus Rio-Janeiro freundliche Grüße zugesandt. Die übrigen Seeleute erreicht mein Auge nicht mehr auf ihrem beweglichen Elemente. Von denen, die mit mir in ähnlichen Verhältnissen standen, bin ich, der älteste, allein vom Schauplatze nicht abgetreten. Eschscholtz, Professor in Dorpat, begleitete abermals Herrn von Kotzebue auf seiner neuen Reise. Er besuchte mich in Berlin im Jahre 1829, wo er sein wichtiges Werk: „System der Akalephen" herausgab; — nach wenigen Monaten war er nicht mehr. Ich sah Choris im Jahre 1825 in Paris, wo er der Kunst lebte. Er unternahm bald nachher eine Reise nach Mexico: zwischen Santa Cruz und Mexico ward er von Räubern angefallen und ermordet. Der Lieutenant Wormskiold zu Kopenhagen, versunken in trüben Tiefsinn, ist der Welt erstorben.

Am 27. September 1818 waren meine Kisten an Bord der Asträa aus Stettin, Kapitain Breslack, eingeschifft. Verschiedene Umstände verzögerten die Abfahrt; ich mußte in Kronstadt noch einige Tage auf günstigen Wind harren.

Die Verwandlungen des Insektes lassen sich auch an dem Menschen nachweisen, nur in umgekehrter Reihenfolge. Er hat in seiner Jugend-Periode Flügel, die er später ablegt, um als Raupe von dem Blatte zu zehren, auf welches er beschränkt wird. — Ich befand mich auf dem Wendepunkt. Vor meinem vierzigsten Lebensjahre (bis dahin standen noch nur zwei und ein Viertel-Jahr vor mir) wollte ich die Flügel abstreifen, Wurzel schlagen und eine Familie begründen; oder die Flügel wiederum ausbreiten und auf einer andern außereuropäischen Reise, reifer und besser vorbereitet, nachholen, was für die Wissenschaft zu thun ich auf meiner ersten versäumet hatte. — Diese demokratische Zeit, in welcher, wie in der Geschichte, so in der Wissenschaft und in der Kunst, anstatt einzelner Fürsten, die Massen auftreten, gewähret noch jedem Strebenden die Hoffnung, da im Volke mitzuwirken, und mitzuzählen, wo sonst nur hervorragenden Häuptern, denen es ein Gott gegeben, unbedingt gehuldiget wurde.

Die Asträa lag am 17. Oktober auf der Rhede vor Swinemünde.

Hier endigt dieser Abschnitt meines Lebens. Als Fortsetzung gebe ich euch, ihr Freunde, das Buch meiner Gedichte. Ich habe darin zu eigener Lust die Blüthen meines Lebens sorgfältig eingelegt und aufbewahrt, während die Zweige verdorrten, auf welchen sie gewachsen sind.

Aber die Zeilen, die ich auf der Rhede von Swinemünde niederschrieb, mögen gegenwärtiges Buch beschließen, wie sie jenem zur Einleitung dienen.

Heimkehret fernher, aus den fremden Landen,
In seiner Seele tief bewegt der Wandrer;
Er legt von sich den Stab und knieet nieder,
Und feuchtet deinen Schooß mit stillen Thränen,
O deutsche Heimath! — Woll' ihm nicht versagen
Für viele Liebe nur die eine Bitte:
Wann müd' am Abend seine Augen sinken,
Auf deinem Grunde laß den Stein ihn finden,
Darunter er zum Schlaf sein Haupt verberge.

(Geschrieben im Winter 1834—35.)

Verlag der Weidmannschen Buchhandlung (J. Reimer) in Berlin.

Druck von W. Pormetter in Berlin.

Chamisso's Werke.

Vierter Band.

Adelbert von Chamisso's

Werke.

Fünfte vermehrte Auflage.

Vierter Band.

Berlin,
Weidmannsche Buchhandlung.
1864.

Reise um die Welt

mit der

Romanzoffischen Entdeckungs-Expedition

in den Jahren 1815—18

auf der Brigg Rurik, Kapitain Otto v. Kotzebue,

von

Adelbert von Chamisso.

Zweiter Theil.

Anhang.

Bemerkungen und Ansichten.

Το τοῦ πόλου ἄστρον.

Inhalt.

Seite

Seite

Anhang.

Vorwort.

Der Naturforscher der Expedition ist ausdrücklich beauftragt worden, diese Aufsätze zu verfassen, die, wie es die Natur der Dinge mit sich bringt, Untersuchungen, Bemerkungen, Berichtigungen, Entdeckungen enthalten sollen, an denen jedes Mitglied der Expedition Antheil gehabt hat und die als die Früchte ihrer gemeinsamen Bemühungen anzusehen sind. Verfasser verwahrt sich ausdrücklich gegen den Verdacht, fremdes Verdienst sich aneignen zu wollen.

Er wird dagegen für die Redaktion und für die Ansichten, die er ausspricht und die nicht Jeder mit ihm theilen möchte, allein verantwortlich sein.

Er erkennt übrigens nur den deutschen Text für sein an. Er hat bei manchen der fremdartigen Gegenstände, die er zu behandeln hatte, zu wohl gefühlt, wie schwer es sei, der Kürze beflissen die Dunkelheit zu vermeiden, um für Uebersetzungen, die er nicht beurtheilen kann, sich verbürgen zu können.

Berlin im Dezember 1819.

Ich versuche nach sechszehn Jahren diese Aufsätze der Vergessenheit zu entziehen. Ich unterdrücke etliche derselben und gebe die andern unverändert, wie sie schnell nach der Rückkehr verfaßt nach Ablauf eines Jahres dem Erlauchten Ausrüster der Expedition übergeben wurden. Etliche wenige Noten, die ich ergänzend hinzugefügt habe, unterscheiden sich von den ursprünglichen dadurch, daß sie mit Initial-Buchstaben und nicht wie jene mit Sternchen bezeichnet sind.

Seither haben die Pressen von O-Taheiti und von O-Wahu unsere Bibliotheken bereichert und Licht verbreitet über die Sprachen Polynesien's, in Hinsicht derer ich noch im Dunkel tappte. Wichtige Werke der Missionare haben uns über die Völker, unter denen sie gelebt haben, belehrt. Gelehrte aller Nationen haben den großen Ocean befahren, und die Reisebeschreibungen haben sich ins Unglaubliche vermehrt.

Seither sind die Engländer unablässig thätig gewesen, die Beschaffenheit des Nordens und der Nordküsten Amerika's zu erkunden. Die Russen haben gleichzeitig die Umschiffung und Aufnahme der Nordküsten Asien's vollendet, und Streitfragen, die ich noch theoretisch abzuhandeln berufen war, sind thatsächlich entschieden worden.

Ich lasse diese neuere Literatur unberührt.

Dem Vorwurf, daß diese Blätter für mein eigentliches Fach, die Pflanzenkunde, nur Weniges und Dürftiges enthalten, entgegne ich, daß in ihnen nur der erste Eindruck des flüchtigen Blickes niedergelegt werden sollte und konnte, indem die Ergebnisse der Untersuchung einem eigenen Werke vorbehalten blieben. Ich verweise auf die Linnaea von Schlechtendal, in welcher Zeitschrift fortlaufend De plantis in expeditione Romanzoffiana observatis abgehandelt wird. Ein selbstständiges Werk mit den nöthigen Figuren konnte ohne fremde Unterstützung nicht herausgegeben werden. — Ich habe in diesen Aufsätzen nur etliche Pflanzenbestimmungen berichtigt oder ergänzt; bei einer Umarbeitung derselben konnte alles Botanische daraus wegbleiben.

Berlin im April 1835.

Adelbert v. Chamisso.

Chile.

Die Küste von Chile gewährte uns, als wir ihr nahten, um in die Bucht de la Concepcion einzulaufen, den Anblick eines niedrigen Landes. Die Halbinsel, die den äußern Rand dieses schönen Wasserbehälters bildet, und der Rücken des Küstengebirges hinter demselben bieten dem Auge eine fast wagerechte Linie dar, die durch keine ausgezeichneten Gipfel unterbrochen wird, und nur die Brüste des Biobio erheben sich zwischen der Mündung des Flusses, nach dem sie heißen, und dem Hafen San Vincent als ein anmuthiges Hügelpaar. Wallfische, Delphine, Robben belebten um uns das Meer, auf welchem der Fucus pyriforus und andere gigantische Arten, die wir zuerst am Cap Horn angetroffen, schwammen; Heerden von Robben sonnten sich auf der Insel Quiquirina, am Eingange der Bucht, und in dieser selbst umringten uns dieselben Säugethiere wie im offenen Meer; aber kein Segel, kein Fahrzeug verkündete, daß der Mensch Besitz von diesen Gewässern genommen. Wir bemerkten nur an den Ufern zwischen Wäldern und Gebüschen umzäunte Felder und Gehege, und niedrige Hütten lagen unscheinbar am Strande und auf den Hügeln zerstreut.

Das niedrige Gebirg der Küste, aus welchem der Biobio bei der Stadt Mocha oder Concepcion breit und ohne Tiefe herausfließt, verdeckt die Ansicht der Cordillera de los Andes, welche sich in Chile mit ihrem Schnee und ihren Vulkanen, in einer Entfernung von mindestens vierzig Stunden vom Meer, hinter einer breiten und fruchtreichen Ebene erhebt und der wissenschaftlichen

1*

Forschung ein noch unversuchtes Feld darbietet. Molina, der die Cordillera in Peru und in diesem Reiche gesehen, glaubt, daß die hiesigen Gipfel die um Quito an Höhe übertreffen.

Der Berg, an dessen Fuß die Stadt und auf dessen Höhe das Fort liegen, ist verwitterter Granit, der kernförmige, unverwitterte Massen derselben Gebirgsart einschließt. Die Hügel, welche die Halbinsel bilden, sind Thonschiefer, über welchem roth und dunkelgefärbter Thon liegt, und die niedrigen Hügel, an welchen Talcaguano gegen den Port von San Vincent zu lehnt, bestehen nur aus Lagern solchen Thons, deren etliche, und vorzüglich die obern, mit den in diesen Meeren noch lebenden Muschelarten (Concholepas peruviana, ein großer Mytilus u. s. w.) in unverändertem Zustande angefüllt sind. Der Sand des Strandes und der Ebene zwischen Talcaguano und Concepcion ist durch Schiefertrümmer grau gefärbt.

Die hier berühmten Steine des Rio de las Cruzes bei Arauco sind Geschiebe von Chiastolith.

Die Natur hat auf dieser südlichen Grenze Chile's, des Italien's der neuen Welt, die wilderzeugende Kraft nicht mehr, die uns in Santa Catharina mit Staunen erfüllte, und es scheint nicht der bloße Unterschied der Erdbreite die Verschiedenheit der beiden Floren zu bedingen. Die Gebirge sind die Länderscheiden. Anmuthige Myrten-Wälder und Gebüsche überziehen die Hügel, andere beerentragende Bäume schließen sich mit verwandten Formen dieser vorherrschenden Gattung harmonisch an. Die schöne Guevina Avellana, aus der Familie der Proteaceen, gesellt sich den Myrten, und von den Vögeln ausgesäet, zieren Loranthus-Arten Bäume und Gesträuche mit dem fremden Schmucke ihrer roth und weißen Blumentrauben. Die Fuchsia coccinea erfüllt zumeist die bewässerten Schluchten, wenige Lianen ranken im dichteren Walde empor. Eine Bromeliacea, die ausgezeichnete Pitcairnia coarctata, besetzt mit liegenden Schlangenstämmen und starrenden Blätterhäuptern die sonst nackten dürren Höhen. Die schöne Lapageria rosea umflicht das Gesträuch, dessen lichtere Stellen andere Liliaceen: Amaryllis, Alstroemeria, Sisyrynchium u. a. zieren.

Den Oenotheren, Calceolarien, Acaenen u. s. w. mischen sich

manche europäische Gattungen mit neuen Arten ein, und die feuchten Wiesen des Thales prangen, wie bei uns, mit goldblüthigen Ranunkeln.*)

Der Winter ist hier nicht ohne Frost, und es ist nicht ohne Beispiel, daß Schnee im Thale fällt. Die Palme von San Jago (Cocos chilensis Mol.) kommt so südlich nicht mehr vor. Die Frucht der Orangen und Citronen reift zwar in den geschützten Gärten von Mocha, aber man sieht hier nicht die hohen reizenden Orangenhaine, die uns in Brasilien entzückten. Man zeigte uns in einem dieser Gärten einen jungen Dattelbaum, der in gesundem Wachsthum fortzukommen schien, und neben dieser Palme wuchs die Araucaria imbricata, der schöne Tannenbaum der Anden, den man nur in der Cordillera wildwachsend antrifft, wo er ganze Wälder bildet und mit seinen Samenkörnern die Bewohner ernährt. Die chilesche Erdbeere hatte zur Zeit unsers Aufenthalts weder Blüthe noch Frucht.

Der Name des Huemul oder Guemul (Equus bisulcus Mol.), nach dem wir uns zu erkundigen eilten, war Niemandem bekannt, und selbst der würdige Missionar, dessen Umgang uns so lehrreich gewesen, wußte von diesem Thiere nichts. So müssen wir die wichtige Streitfrage, die Molina in dessen Betreff in der Zoologie angeregt hat, glücklichern Naturforschern zu beantworten überlassen. Aber dieser Schriftsteller scheint uns wenig Autorität in der Naturgeschichte zu verdienen. Wir sahen in Concepcion keine der Kameel-

---

*) Die Familie der Proteaceen und die Gattung Araucaria, aus der Familie der Strobilaceen, gehören der südlichen Halbkugel an. Die Arten, die in Chile vorkommen und an Australien erinnern könnten, sind eigenthümliche. Wir sammelten die Goudenia repens, die nach Brown's Bemerkung auf Neuholland und in Chile wächst; sie kann als eine Strandpflanze angesehen werden, eben wie die Mesembrianthemum-Arten, die wir hier und in Californien fanden und die, den Arten gleich, die auf Neuholland und auf Neuseeland wachsen, dem Mesembrianthemum edule vom Cap sehr nahe kommen. Wir müssen unsere Bemerkungen über die geographische Verbreitung der Pflanzen auf die Zeit aufsparen, wo wir unsere botanischen Sammlungen verarbeitet haben werden.

Arten der neuen Welt; sie sind im wilden Zustande nur im Gebirge anzutreffen, und man verschmäht, bei gänzlichem Mangel an Industrie, sie als nutzbare Thiere zu erziehen. Wir sahen überhaupt keine wilden Säugethiere.

Lärmende Papageien durchziehen in zahlreichen Flügen die Luft; Kolibris verschiedener Arten umsummen die Blumen; ein Kibitz mit gespornten Flügeln (Parra chilensis Mol.) erfüllt mit gellendem Geschrei die Ebene, welche die Bai von dem Port San Vincent trennt; einzelne Geier (Chatbartes Jll.) suchen an dem Strande ihre Nahrung, und häufige Fischervögel und Enten bedecken das Meer, sich auf die Bänke niederlassend, die bei Talcaguano aus den Wellen hervorragen.

Wir sahen von Amphibien einen kleinen Frosch und eine kleine Eidechse, glauben aber auch außerdem eine Schlange, obgleich Molina deren keine aufzählt, wahrgenommen zu haben.

Unter den Muscheln waren uns Concholepas peruviana und Balanus Psittacus merkwürdig.

Wir fanden unter andern Insekten den kleinen Scorpio chilensis, der nach Molina keine Ausnahme von der Regel macht, daß Chile kein einziges giftiges Gewürm innerhalb seiner Grenzen hegt.*)

Es bleibt nach Feuillée's und Molina's Vorarbeiten, nach Ruiz und Pavon, nach Cavanilles, der manche chilesche Pflanzen nicht immer ohne Verwechselung beschrieben hat, für die Naturgeschichte dieses Landes noch viel zu thun und zuvörderst viele Irrthümer wegzuräumen.**)

---

*) Die Scorpione sind im Allgemeinen minder gefährlich als gefürchtet. Am Vorgebirge der guten Hoffnung sind zwei große Arten gemein, deren jegliche vorzugsweise in verschiedenen Gegenden vorkommt. An jedem Orte gilt die seltenere Art für die giftigere, und die Wahrheit ist, daß der Stich von keiner gefährlichere Folgen nach sich zieht als der Stich einer Wespe. — Die uns belehrten, sprachen aus eigener Erfahrung. Die Scorpione sind eine Lieblingsspeise der Affen.

**) Louis Feuillée, journal des observations physiques, mathématiques et botaniques, faites dans l'Amérique meridionale. Paris 1714—1725. 4.

Wir haben, was die Sitten der Einwohner, die zuvorkommende, unvergleichliche Gastlichkeit der oberen Klasse und den Zustand der Kolonie überhaupt anbetrifft, nur an die Berichte von Laperouse und Vancouver zu erinnern. Wir fanden nur die Tracht der Frauen, die der Erste beschreibt und die man im Atlas zu seiner Reise abgebildet findet, verändert; sie hat seit acht bis zehn Jahren unsern europäischen Moden Platz gemacht, nach deren neuesten sich die Damen angelegentlich erkundigten, und es zeichnen sich blos in der Männer-Tracht der araucanische Poncho und der breitrandige Strohhut aus.*)

Aber wir konnten uns nicht bei der freien und anmuthigen Geselligkeit, die wir in Concepcion genossen, ernster und trüber Betrachtungen über die politische Krisis, worin dieser Theil der Welt begriffen ist, erwehren.

Wer mitten in einem Bürgerkriege nüchtern zwischen die Parteien hintritt, gewahrt auf beiden Seiten nur beim Haufen blinde wilde Trunkenheit und Haß. Wir sahen nur die königliche Partei, die Mauren, wie, der Geschichte des Mutterlandes eingedenk, die Freigesinnten sie nennen. Wir sahen, im Gegensatz mit zahlreichen glänzenden Frauenvereinen, nur wenige Männer, nur Offiziere und Beamte des Königs und ein zerlumptes, elendes, kümmerlich zusammen gebrachtes Soldatenvolk.

Molina, Saggio sulla storia naturale del Chili. Bologna 1782. 8. Seconda edizione Bologna 1810. 4. klärt nicht auf, was in der ersten Ausgabe dunkel gelassen worden.

Ruitz et Pavon, Florae Peruvianae et Chilensis prodromus. Madriti 1794. Romae 1799. Systema vegetabilium Fl. Per. et Chil. Madrit. 1798.

Flora Peruviana et Chilensis. Mad. 1798 et 99. Das Eryngium rostratum Cav. ist das Eryngium nicht, das bei Talcaguano wächst, sondern E. paniculatum.

*) Der Poncho ist eine längliche, viereckige, mit bänderähnlichen Verzierungen der Länge nach gestreifte Decke von eigenem wollenem Gewebe, in deren Mitte eine Schlitze eingeschnitten ist, durch die man den Kopf steckt. Die zwei Enden hängen nach vorn und hinten. Chile empfängt sonst die Moden aus Lima, aber man trägt den chilesischen Poncho auch in Peru.

Von den zur Zeit unterdrückten Patrioten saßen viele in den Stadtgefängnissen, deren Raum durch eine Kirche erweitert worden, und wurden zum Bau des Kastels gebraucht, das, die Stadt im Zaume zu halten, erbaut wurde. Andere waren nach der Insel Juan Fernandez abgeführt worden, andere, und unter ihnen viele Geistliche, hatten sich in Buenos-Ayres unter der Fahne des Vaterlandes gesammelt, die man uns, nach dem Falle von Carthagena, den wir mit enthusiastischer Freude feiern sahen, als gänzlich überwunden darstellte.

Und Chile, das uns Molina als ein irdisches Paradies beschreibt, dessen fruchtbarer Boden jeder Kultur angeeignet ist, dessen Reichthum an Gold und Silber, Korn, edlem Weine, Früchten, Produkten aller Arten, an Bauholz, an Rinder-, Schaf- und Pferdezucht überschwänglich ist, darbt in gefesselter Kindheit ohne Schifffahrt, Handel und Industrie. Der Schleichhandel der Amerikaner, deren Vermittler die Mönche sind, versieht es allein gegen gemünztes Geld, ohne daß es seine Produkte benutze, mit allen Bedürfnissen, und dieselben Amerikaner treiben allein den Wallfischfang auf seinen Küsten.

Die Geschichte hat über die Revolution geurtheilt, der die Freistaaten von Amerika ihr Dasein, ihren Wohlstand, ihre rasch zunehmende Bevölkerung und Macht verdanken; und alle Völker Europa's schauen dem Kampfe der minderjährigen spanischen Besitzungen mit unverhohlenem Glückwunsche zu. Die Trennung vom Mutterlande ist vorauszusehen, aber es ist zweifelhaft, wann weise ruhige Entwickelung den Uebergang von der Unterdrückung zur freien Selbstständigkeit besiegeln werde.

Die Stadt Mocha ist regelmäßig und groß angelegt, die Häuser aber niedrig und weitläufig, nur nach den innern Hofräumen mit Fenstern versehen. Die Bauart ist wohl auf häufige und starke Erdbeben, keineswegs aber auf Winterkälte eingerichtet. Man kennt weder Kamine noch Oefen. Aermere besitzen sogar keine Küchenheerde und bereiten ihre Speisen im Freien oder unter der Vorhalle. Abends brennen auf den Straßen von Talcaguano häufige Feuer, bei welchen sich die Menschen wärmen, und wir waren Zeugen einer Feuersbrunst, die dadurch entstanden war und ein Haus in Asche verwandelte.

Die Weinberge, die den geschätzten Concepcion-Wein hervorbringen, sind in beträchtlicher Entfernung von der Stadt gelegen. Der Wein wird wie das Korn in ledernen Schläuchen hereingebracht und man verwahrt ihn in großen irdenen Gefäßen. Tonnen giebt es nicht; Lastthiere, Esel, deren Race vorzüglich schön ist, und Maulthiere vertreten die Stelle der Fuhrwerke, deren es nur wenige giebt und unbeholfen wie in St. Catharina. Der Gouverneur-Intendant besitzt allein eine in Lima verfertigte Kalesche und gebraucht sie selten oder nie. Die Pferde sind schön und gut und das Reiten allgemein; die Frauen reiten ebenfalls oder gebrauchen auf ihren Reisen Karren, die unsern Schäferhütten ähnlich sind und von Ochsen gezogen werden.

Der Creol ist immer nur zu Pferde, der Aermste besitzt wenigstens ein Maulthier, und selbst der Knabe reitet hinter den Eseln her, die er treibt. Die Wurfschlinge ist im allgemeinen Gebrauch.

Wir erwähnen einer Sitte, die, seltsam auf religiösen Begriffen begründet, unser Gefühl beleidigte. Wenn ein Kind nach empfangener Taufe stirbt, wird am Abend vor der Beerdigung die Leiche selbst wie ein Heiligenbild aufgeputzt und im erleuchteten Hausraume aufrecht über einer Art Altar ausgestellt, der mit brennenden Kerzen und Blumenkränzen prangt. Die Menge findet sich dann ein, und man vergnügt sich die Nacht über mit weltlichem Gesang und Tanz. Wir waren zweimal in Talcaguano Zeuge solcher Feste.

Einzelne Araucaner, die wir in Concepcion sahen und die den Aermern ihres Volkes angehörten, welche sich den Spaniern als Tagelöhner verdingen, konnten uns kein wahres Bild jener kriegerischen wohlredenden, starken und reinen Nation geben, deren Freiheitssinn und gelehrte Kriegskunst ein unüberwindliches Bollwerk den Waffen erst der Incas und sodann der vernichtenden Eroberer der neuen Welt entgegensetzten. Die Peruvianer drangen nicht südlicher in Chile vor als bis zum Flusse Rapel, und der Biobio ist die eigentliche Grenze der Spanier geblieben, die südlicher nur die Plätze S. Pedro, Arauco, Valdivia, den Archipelagus Chiloe und unbedeutende Grenzposten besitzen, zu denen der Weg durch das unabhängige Land der Indianer führt.

Wir werden über die Geschichte von Chile und seine Völker nicht Bücher ausschreiben, die Jeder zur Hand nehmen kann.*) Ovalle ist getreu, ausführlich und weitschweifig. Molina schreibt mit Vorliebe für sein Vaterland eine Geschichte, die man nicht ohne Vorliebe lesen kann; und wahrlich, die Geschichte eines Volkes, das noch auf der Stufe steht, wo der Mensch als solcher gilt und in selbstständiger Größe und Kraft hervortritt, muß anziehender sein als die der polizirten Staaten, wo Rechnenkunst obwaltet, der Charakter zurücktritt und der Mensch nur abwägt oder abgewogen wird.

Unter den Quellen zu der Geschichte von Chile werden mehrere spanische Heldengedichte aufgezählt, worunter die Araucana von Don Alonzo de Ercilla den ersten Rang behauptet. Dieses Werk wird im Don Quixote rühmlich erwähnt; Voltaire hat es gelobt, und eine Ausgabe davon ist in Deutschland (Gotha 1806—7) erschienen. Dieses schön versificirte historische Fragment, dessen Verfasser Kriege besingt, worin er selber gefochten, verdient weniger die Aufmerksamkeit der deutschen Literatoren, als die der Geschichtsfor-

---

*) Ovalle (P. Alonzo) Breve relacion del Reyno de Chili 1646. Molina, Saggio sulla storia civile del Chili 1787. 8.

Der Abate Giovanni Ignazio Molina, ein geborner Chileser, wird zu den vorzüglichsten Schriftstellern der italienischen Literatur gerechnet. Wir bedauern, daß sein historisches Werk nicht, wie sein naturhistorisches, ins Deutsche übertragen worden. Man kann in demselben einen Catalogo di scrittori delle cose del Chili nachsehen; einen Nachtrag zu demselben in Mithridates, 3. Thl. 2. Abth. p. 391 u. folg. und in Linguarum totius orbis index J. S. Pater Ber. 1815. p. 18.

Unter den Hülfsmitteln zur Erlernung der araucanischen Sprache heben wir aus: B. Havestadt Chilidugu Monast. 1777, welches, zugänglicher als die verschiedenen in Lima erschienenen Ausgaben von Luis de Baldivia allen Sprachforschern wie uns zu Gebote stehen wird. — Molina selbst giebt im Saggio sulla storia civile ein sehr bestimmtes und klares Bild dieser schönen Sprache. Wir werden an anderm Orte Veranlassung finden, die Völker und Sprachen von Südamerika mit denen der Inseln des großen Ocean's und des östlichen Asien's zu vergleichen, und erwähnen nur, daß uns unsere Forschung davon entfernt hat, eine Gemeinschaft unter ihnen anzunehmen.

scher. Die Geschichtsschreiber beziehen sich mit Zutrauen darauf, und es ist in Chile, wo es für ein nationales Gedicht gilt, das Buch, das am meisten gelesen wird.

Wir werden die Notizen, die wir dem Pater Alday, einem Missionar, der einen Theil seines Lebens unter diesen Völkern zugebracht hat, verdanken, als einen Nachtrag zu den Geschichtsschreibern von Chile mittheilen und nur noch Weniges erinnern.

Der letzte Vertrag zwischen den Spaniern und Indianern ward Anno 1773 geschlossen. Letztere unterhalten seit dieser Zeit einen Residenten beim Kapitain-General von Chile in San Jago, und der Friede hat ungestört bestanden. Laperouse scheint geflissentlich getäuscht worden zu sein, um ihn oder die Gelehrten seiner Expedition von einer Exkursion ins Innere des Landes abzuhalten. Man spiegelte ihm einen Krieg vor, von dem die Geschichte nichts weiß. Man sagte uns, daß unter den jetzigen Umständen die Indianer treu an dem Könige von Spanien hingen und die Bergpässe gegen die von Buenos-Ayres besetzt hielten. Die direkte Kommunikation der Kolonie mit dem Mutterlande, die sonst über die Cordillera bei Mendoza, die Pampas und Buenos-Ayres ging, ward zu unserer Zeit über Lima und Carthagena wiederhergestellt. Ein Parlament, feierliche Volksversammlung der Indianer, bei welchem spanischer Seits der Kapitain-General selbst erscheint, wo die Interessen beider Nationen erwogen und der Freundschaftsbund besiegelt wird, sollte binnen wenigen Wochen am gewohnten Grenzorte Los angeles gehalten werden, und es war uns schmerzlich, diese Gelegenheit zu verfehlen, die große Versammlung eines freien Volkes zu sehen, dessen Geschichte, selbst von seinen Erbfeinden aufgezeichnet, an großen Männern und Thaten so reich erscheint.

Notizen des Missionar's Pater Alday.

(Aus dem spanischen Manuskript übersetzt.)

Die Geschichte des Reiches Chile ward vom Anfange an durch Garcilaso de la Vega, seiner Geschichte von Peru beigemischt, aufgeschrieben. Unser berühmter Ercilla verherrlichte sie bis zu dem Ende seiner eigenen Sendung in heroischen Versen. Auf das treffendste schrieb in Rom der Pater Ovalle die Thaten und Schicksale dieses Reiches von dessen Begründung an bis zu seiner Zeit, und endlich der Abate Molina vollendete das Werk und führte diese Geschichte in allen ihren Theilen aus. Dieser gelehrte Exjesuit handelt, was das Mineral- und Pflanzenreich anbetrifft, auf das vorzüglichste, so daß dem, was er darüber sagt, nichts hinzugefügt werden kann. Unerschöpflich sind die Reichthümer, die Chile hegt, sein Boden ist der angemessenste für jedes der Erzeugnisse, die Europa bereichern, indem es an seinen äußersten Grenzen einer gleichmäßigen Temperatur genießt und weder die Gewitter kennt, die dem Seidenwurme feind sind, noch den Hagel, der die Früchte der Erde gefährdet. Kein reißendes Thier hält sich in seinen Gebirgen auf, das den Menschen bedrohen könnte, und kein einziges giftiges Gewürm kommt innerhalb seiner Grenzen vor.

Die Indianer, die das Land von dem Flusse Biobio an bis zu Osorno bewohnen, sind in vier Provinzen eingetheilt, die sich wie vier Streifen vom Norden zum Süden erstrecken. Ihre Anzahl kann sich auf ungefähr 80,000 Seelen belaufen. Sie sind im Allgemeinen von mehr als mittlerer Statur, kräftig und stark und von großer

Behendigkeit. Alle sind außerordentlich dem Trunke ergeben*), und dies ist der Hauptgrund der Verminderung, die wir unter ihnen bemerken, wenn wir ihre jetzige Volksmenge mit der vergleichen, welche uns die Geschichte zur Zeit der Eroberung zeigt. Deshalb sagt auch ein scharfsinniger Beobachter, Don Garcia Hurtado de Mendoza habe den ärgsten Krieg gegen sie geführt, als er ihnen den Apfelbaum gegeben. Diese Bäume bilden nun ganze Wälder in ihrem Gebiete. Das Blut der Indianer findet sich heut zu Tage nirgends mehr rein. Es rühret her theils von den vielen Spaniern, die eine Zuflucht vor der Gerechtigkeit unter ihnen gesucht, theils von den Spanierinnen, die sie bei Zerstörung von sieben Kolonien in verschiedenen Ereignissen des Krieges zu Sklavinnen gemacht, theils von den Holländern, die in so großer Anzahl von der holländischen Expedition desertirten, welche unter der Regierung Philipp's IV. bei Valdivia landete, daß deren Führer bei seinem Rückzuge zwei Galeonen zu Grunde bohren mußte, die zu bemannen er nicht mehr stark genug war. Man sieht jetzt die Nachkömmlinge dieser Holländer von Villarica und Tolten bis zu den Ufern des Rio de la Imperial**).

Das Land der Indianer ist, nach Maßgabe der Polhöhe, von gleicher Fruchtbarkeit mit dem der Spanier. Aber man sieht darinnen, wegen der beträchtlich verminderten Bevölkerung, viele mit hohen Bäumen und niedrigem Gesträuche bewachsene Felder, deren ebener Boden bezeugt, daß sie einst dem Feldbau angehörten, und von denen sich aus vielen Zeichen darthun läßt, daß sie ihre ehemaligen Bewohner verloren haben.

Die zahlreichen Baumarten, die im Lande der Indianer, sowohl in der Ebene als auf dem Abhange der Cordillera, wachsen, kom-

---

*) Ihr berauschendes Getränk ist Apfelwein; auch ärmere Creolen bereiten und trinken ihn. Uebers.

**) Die Nachrichten, die wir von der Expedition der Holländer nach Chile im Jahre 1643 unter Hendrick Brouver haben, sind im entschiedenen Widerspruch mit den hier angeführten Thatsachen. Man vergl. Burney chronological history T. 3. p. 113. Molina berührt nur flüchtig dieses Ereigniß. Uebers.

men in dem spanischen Gebiet auch vor. Der Taijo nur macht eine Ausnahme. Die Rinde dieses Baumes, die glatt ist von der Dicke einer Linie, ist für die Heilung innerlicher Aposteme und jeder Art Fistel oder Wunde von besonderer Kraft. Man trinkt für innerliche Aposteme und Geschwüre Wasser, worin sie gekocht werden, und man badet und wäscht sich für solche äußerliche Uebel mit diesem Wasser und überstreut sich sodann mit dem Pulver derselben Rinde, die getrocknet und zerrieben worden. Die übrigen Pflanzen und Kräuter dieses Landstrichs sind von gleicher Eigenschaft mit denen, die das spanische Gebiet hervorbringt.

Man trifft in den Gebirgen Löwen an, die sich von andern Thieren ernähren, den Menschen aber, die sie meiden, unschädlich sind. Daselbst kommen auch etliche Bergziegen und Rehe, von der Größe eines Lammes, vor; ihr Fleisch ist von gutem Geschmack. Die Flüsse sind an guten Forellen und geringeren Fischarten reich. An ihren Ufern kommt ein Thier vor, jedoch nicht häufig, welches von Fischen lebt, von den Spaniern Wasserkatze und von den Indianern Guillin genannt wird. Sein Fell giebt ein schätzbares Pelzwerk ab, und das äußerst feine Haar hat seines Gleichen nicht für die Verfertigung von Hüten*).

Wir kehren zu den Indianern zurück. Sie gebrauchen, um die Freiheit ihrer Staaten zu bewahren, eine gar behutsame Politik. Sie lassen keinen Spanier noch Fremden durch ihr Gebiet reisen, geschweige denn dasselbe durchforschen, ohne Vorwissen und Erlaubniß des Kaziken des Distriktes, welche Erlaubniß er nie ertheilt, ohne den wohl zu kennen, dem er sie giebt. Dies wird auch in Ansehung der Missionare beobachtet, die im Innern des Landes von einer Mission zur andern reisen, ohne von dem Missionare des Distriktes selbst begleitet zu sein; denn gegen diesen besondere Vorsichtsmaßregeln zu gebrauchen, so weit erstreckt sich das Mißtrauen des Indianers nicht. Ich werde das Maaß ihrer mißtraulichen Bedächtlichkeit angeben. Die mehrsten Indianer sind Christen, und alle, ohne Ausnahmen, mögen und wollen, daß ihre Kinder getauft wer-

*) Castor Huidobrius. Molina.

den; aber sie weigern sich, sobald als solche in dem Alter sind, um den christlichen Unterricht zu empfangen, sie der Kirche zu überantworten, weil, sagen sie, die Missionare, falls sie sich der Kinder bemeisterten, sich auch der Eltern bemeistern und sie also die politische Freiheit ihrer Väter einbüßen würden. Es werden daher in den Tabellen, die ich einreiche, nur die Indianer aufgeführt, die in den bestehenden Missionen als Kinder der Kirche leben, und nicht solche, die sich mit den Heiden des Distrikts vermengt.

Man kann im Uebrigen die Relation von Thomas Falkaner gedruckt in London Anno 1774, nachlesen; dieser geborne Engländer brachte in Paraguay, dem Reiche Chile und an den patagonischen Küsten vierzig Jahre zu.

Die Eintheilung der Indianer in vier Provinzen ist bereits erwähnt worden. Namentlich die Araucaner, die Llanistas oder Bewohner der Ebene, die Huylliches und die Pehuenches. Die Araucaner bewohnen die Küste, eingetheilt in folgende Gouvernements: Arauco, das der ganzen Provinz den Namen giebt; Tucapen, aus welchem sie stets zu ihren größten Unternehmungen ihre Feldherren erwählt haben, Lleulleu, Tirua, Imperial bara, Voroa, Tolten, wo die Gerichtsbarkeit von Valdivia anfängt, Mariguirra, Valdivia, Cubico, Cumcos. Jedes Gouvernement hat seinen ersten Kaziken, der allen Bezirken befiehlt, die sein Gebiet umfaßt. Jedem Bezirke steht ein Indianer von Ansehen vor, mit dem Namen Guilmen. Die Würden von Kaziken und Guilmen sind erheblich. Dieselbe Eintheilung in Gouvernements und Bezirke und dieselben Namen von Kaziken und Guilmen finden in den drei andern Provinzen statt, bei den Llanistas, Bewohnern der Ebene, den Huylliches, Bewohnern des Abhanges der Cordillera, den Pehuenches, Bewohnern ihrer Höhen und innern Thäler. Kein Kazike oder Guilmen mischt sich in eines Andern Gebiet ein. Sie berufen, um wichtige Geschäfte abzuhandeln, Provinzial-Versammlungen, die der Küste von Arauco bis zu Tolten, in Chile, und die von Tolten bis zu Cumcos in Valdivia. Unter ihnen herrscht die größte Eintracht. Die Kaziken kommen allein mit wenigen Kriegsleuten zu den Provinzial-Versammlungen; betrifft aber das Geschäft das ganze Land, so nehmen Beauftragte der andern Provinzen Antheil an den Rathschlägen, nachdem die Sache in der Versammlung einer jeglichen erwogen worden. Alle Indianer, bis auf die Pehuenches, bauen das Feld und säen Weizen, Mais, Gerste, Bohnen verschiedener Arten und Lein, dessen Samen sie essen und dessen Stroh sie zu Besen benutzen. Sie besitzen Alle Pferde, Rinder, Schafe, Schweine und Hühner; die Maulthiere sind selten. Sie pflanzen oder säen weder Gartengewächse noch Fruchtbäume. Rinder und Pferde verbreiten allein den Samen des Apfelbaumes. Die Pehuenches besitzen viele Stutereien, die sie durch Fleisch und Milch mit Speisen versorgen, und ob sie gleich Rinder und Schafe halten, so essen sie doch nie deren Fleisch. Sie verarbeiten selbst die Wolle ihrer Schafe und verhandeln die Rinder an die Spanier. Die Frauen sind im Allgemeinen sehr arbeitsam, sie helfen ihren Gatten bei den Arbeiten des Feldes und leben dem Manne dergestalt unterwürfig, daß die Buße, die Gott dem ersten Weibe auferlegte, sich an ihnen in ihrer ganzen Fülle offenbart.

IV.

Tabellarische Uebersicht

der Missionen des Collegii de propaganda fide de san Ildefonso, der Stadt Chillan im Reiche Chile und der durch dieselben gewonnenen Früchte, seit sie durch besagtes Collegium besorgt worden, mit Bemerkung des Jahres ihrer Stiftung und der Zahl der in jeglicher beschäftigten Missionarien.
Entworfen im Jahre Christi 1815.

Missionen	Stiftungsjahr	Zahl der Miss.	Taufen		Ehen		Begräbnisse		Christen all. Stände, Geschlecht., Alter	Heiden all. Stände, Geschlecht., Alter
			Kinder	Erwachs.	geschlossene	bestehende	Kinder	Erwachs.		
B. † Valdivia	1769	3	1113	361	460	79	469	465	465	20
† Mariquina	1769	2	1039	147	342	130	243	140	775	466
Arique	1776	2	1016	79	235	88	410	246	487	45
Niebla	1777	2	445	50	123	48	170	120	364	4
Ranihue	1777	2	406	68	137	58	97	105	264	20
Quinchilca	1778	2	1035	167	246	120	265	163	622	200
Rio bueno	1778	2	991	241	239	181	186	80	1086	500
Dalli pulli	1787	2	1219	248	245	260	250	113	1216	303
Cudico	1787	2	1406	185	215	159	326	80	1231	275
O. Quilacahuin	1794	2	730	157	106	90	102	30	667	377
Curunco	1794	2	882	272	180	171	150	77	964	890
Costa	1806	2	635	130	96	85	166	40	949	450
C. † Arauco	1768	2	1016	66	201	106	282	202	540	2300
Tucapen	1779	2	108	12	17	5	18	8	15	6400
St. Barbara	1758	2	80	16	10	2	26	54	8	150
		31	12121	2167	2852	1622	3160	1787	9644	12400

2

Kurze Nachricht

der Missionen, die sich verloren haben, mit Bemerkung des Jahres, worin sie gestiftet und eingezogen, und der durch sie gewonnenen Früchte.

Missionen	Jahr der Stiftung	Jahr des Verlustes	Taufen	Ehen	Begräbnisse
P. Culaco	1758	1766	59	6	26
P. Rerinleyu	1758	1766	—	—	—
P. Lollo	1766	1766	52	—	—
C. Imperial baxa	1768	1787	4	—	—
B. Tolten el baxo	1776	1787	179	6	6
			294	12	32

Missionen	Geograph. Lage*) Breite	Geograph. Lage*) Länge	Ausdehnung N. S.	Ausdehnung O. W.	Entfernung v. Colleg.	Bezirke
Valdivia	39° 47'	302° 28'	6	7	160	10
Mariquina	39 24	302 31	6	7	140	10
Arique	39 47	302 48	4	5	155	8
Niebla	39 49	302 32	9	2	160	6
Ranihue	39 32	302 48	10	8	145	9
Quinchilca	39 42	303 18	13	10	179	12
Rio bueno	40 29	303 24	7	8	190	12
Dalli pulli	40 18	303 21	7	8	187	8
Cudico	40 15	303 18	4	4	185	7
Quilacahuin	40 27	303 18	6	4	193	6
Cuvunco	40 36	303 21	8	7	199	7
Costa	40 37	302 47	7	4	201	6
Arauco	37 21	302 30	20	4	50	16
Tucapen	37 56	302 30	18	6	70	24
St. Barbara ist allein ein Hospitium ohne Seelsorge.	36 41	304 2	—	—	40	—

*) Astronomisch bestimmt durch Cebillo.

Bemerkungen zum leichtern Verständniß.

Die mit † bezeichneten Missionen verdanken ihre Stiftung den Jesuiten und kamen in die Hände der Franciskaner in dem Jahre, welches in der Tabelle eingetragen ist. Die unter dem Buchstaben V angeführten liegen in der Gerichtsbarkeit von Valdivia, die unter dem Buchstaben O in der Gerichtsbarkeit von Osorno, die unter dem Buchstaben C in der Gerichtsbarkeit von Chile. Alle sind eigentliche Missionen, St. Barbara ausgenommen, welche ein Hospitium für die ist, die zur geistlichen Gewinnung der Nation Pehuenche, welche die Cordillera bewohnt, bestimmt sind. Daselbst hatten die Franciskaner drei Missionen, die in der zweiten Tabelle mit dem Buchstaben P aufgeführt sind, mit Bemerkung des Jahres, worin sie verloren gingen. Sie sind aus Mangel an Missionaren nicht wiederhergestellt worden, obgleich im Jahre 1803 die Indianer darum angehalten, da sie wohl erkennen, zu welchem Nutzen es ihnen gereicht, Missionare unter sich zu haben, die ihnen helfen und Einhalt thun der Wuth ihres thörichten Heidenthums. Die in derselben Tabelle mit dem Buchstaben C bezeichnete Mission gehörte zu Chile, die mit dem Buchstaben V zu Valdivia.

Die drei ersten Missionen der zweiten Tabelle liegen in den Voralpen der Cordillera de los Andes, woselbst von dem Ursprunge des Flusses Nuble an bis zu dem Archipelagus Chiloe sich folgende Vulkane befinden: Chillan, Antuco, Callagui, Chandel, Villa rica, Huanchue, Copi, Llanguihue und Puraranco. Es ist zu bemerken, daß sich am Fuße jeglichen Vulkans ein großer See befindet und daß die Hauptflüsse dieses weiten Landstriches aus diesen Seen entspringen. Namentlich vom Chillan oder aus seinem See fließt der Fluß Nuble, vom Antuco die Lara, vom Callagui der Biobio, vom Chandel der Imperial, vom Villa rica der Tolten, vom Huanchue der Fluß von Valdivia, vom Copi der Rio bueno, vom Llanguihue der Pilmayquen, und vom Puraranco der Fluß Rauhue, der das Gebiet von Osorno bewässert und auf dem halben Wege nach Chiloe einen zweiten Arm bildet, der den Namen Maypuhue erhält.

2*

Die Indianer, die die Cordillera bewohnen, heißen Pehuenches, ein Name, der sich von den Tannen*) herleitet, die daselbst in großer Menge vorkommen. Sie sind äußerst rüstig und über allen Begriff gegen die Hitze und die Kälte abgehärtet, sie sind gleich tapfer und kühn, und die Bewohner des Thales fürchten sie. Ihre gewöhnliche Nahrung ist Pferdefleisch und Tannenkerne, die das Gebirge im Ueberfluß hervorbringt. Sie säen keinerlei Saaten, und wenn sie Gemüse begehren, so tauschen sie solche von den Indianern der Ebene gegen Salz und Tannenkerne ein; sie treiben denselben Tauschhandel mit den Spaniern aus dem Gebiete der Cordillera. Sie besitzen äußerst reiche Salinen, die sich zwei Tagereisen weit von Osten nach Süden erstrecken, ohne daß man in dieser Ausdehnung einen einzigen Tropfen süßen Wassers anträfe. Das Salz ist sehr gesund, weiß wie Schnee und läßt sich leicht so fein als Mehl zerreiben. Die Weiber, die sehr arbeitsam sind, weben viele Ponchos, und die Männer verfertigen zu Zeiten, und gleichsam zur Erholung, Troge und andere Holzarbeiten. Diese Industrie ist die Frucht ihres Verkehrs mit den Spaniern. Die Tanne ist unter den wenigen Baumarten, welche die Cordillera hervorbringt, die vorzüglichste. Dieser Baum wächst bis zu der Höhe von 25 Varas (ungefähr 75 Fuß) und seine Stärke ist seiner Höhe angemessen. Es ist zu glauben, daß, wenn man ihm nur einige Aufmerksamkeit schenkte, er als Schiffsbauholz alle übrigen Holzarten übertreffen würde. Die Pehuenches verkehren mit den Spaniern jenseits der Cordillera bis Buenos Ayres. Sie führten ehemals Raubzüge durch die Pampas aus, plünderten die Reisenden, brachen in die geringern Dörfer und Ansiedlungen der Spanier ein, mordeten die Männer und entführten die Weiber und Kinder, die sie als Sklaven behandelten. Die Missionare haben einige dieser Unglücklichen losgekauft und befreit. Jetzt werden die Pehuenches durch die zwei Forts S. Juan und S. Carlos im Zaume gehalten, welche die aus Mendosa an angemessenen Orten errichtet haben.

*) Araucaria imbricata Pav.

Californien.*)

Ein niederes Gebirg umzäunt, wo wir sie sahen, die Küste von Californien und verhindert den Blick in das Innere zu dringen. Dasselbe hat kein vulkanisches Ansehn.**) Der Hafen von San Francisco, in welchem Burney (Thl. 1. p. 354.) mit gelehrter Kritik den Hafen von Sir Francis Drake erkennt, dringt durch ein enges Thor ein, nimmt Flüsse aus dem Innern auf, verzweigt sich hinter den Höhen und macht eine Halbinsel aus dem südlich des Eingangs gelegenen Lande. Das Presidio und die Mission von San Francisco liegen auf dieser Landzunge, die mit ihren Hügeln und Dünen das wenig günstige Feld war, welches sich zunächst unsern Untersuchungen eröffnete.

Die Höhen auf der nördlichen Seite des Hafens sind Kieselschiefer-Gebirg. Der Hügel, der ihnen auf der südlichen Seite entgegensteht und worauf das Fort liegt, ist von Serpentin. Wenn

---

*) Ueber Californien sind nachzusehen: Noticia de la California y de su Conquista, por el P. Miguel Venegas. Madrid 1775. 4., wovon: A natural and civil history of California. London 1759 eine Uebersetzung ist.

Diario historico de los Viages de mar y tierra hechos al Norte de la California. D. Vincente Vila. Mexico 1769. Nachrichten von der americanischen Halbinsel Californien von einem Priester der Gesellschaft Jesu, welcher lange darin diese letztern Jahre gelebt hat. Mannheim 1773. Und die Reise von Laperouse, Vancouver und Langsdorff.

**) Bei St. Barbara (34° n. B.) erhebt sich von der Küste ein noch wirksamer Vulkan, dessen Fuß das Meer bespült, und noch an andern Orten der Halbinsel offenbart sich vulkanische Natur.

man den Strand nach der Punta de los Lobos gegen Süden zu verfolgt, hört der Serpentin auf und man trifft auf etliche fast senkrechte Lager Kieselschiefer, die gegen grobkörnigen Sandstein mit Kalkspathgängen schildförmig anliegen, und dieser Sandstein, aus dem die südlichern Hügel bis zu der Punta de los Lobos bestehen, scheint die tiefer liegende Gebirgsart zu sein. — Flugsand liegt an manchen Orten in einer beträchtlichen Höhe über dem Stein und es hat sich stellenweise ein neuer Sandstein erzeugt.

Die Gegend um St. Francisco bietet in der nördlichen Halbkugel eine bei weitem ärmere Natur dar, als unter gleicher Breite die Küste von Chile in der südlichen. Im Frühjahr, nachdem der Winter der Erde einige Feuchtigkeit gegönnt, schmücken sich zwar die Hügel und Fluren mit prangenden Schwertlilien und andern Blumen, aber die Dürre zerstört sie bald.

Die Nebel, welche die herrschenden Seewinde über die Küste herwehen, lösen sich im Sommer über einer erhitzten und durstenden Erde wieder auf, und das Land zeigt im Spätjahr nur den Anblick kahler braungebrannter Räume, die mit kümmerlich dem Boden angedrückten Gebüschen und stellenweis mit blendenden Triebsandwüsten abwechseln. Dunkle Fichtenwälder zeigen sich hie und da auf dem Rücken der Berge zwischen der Punta de los Reyes und dem Hafen von St. Francisco. Hierselbst ist eine stachelblättrige Eiche*) der gemeinste und stärkste Baum. Mit zackig gekrümmten Aesten, dicht gedrängten mit Usneen behängten Zweigen, liegt sie gleich dem andern Gesträuch landeinwärts gebogen, und die belaubten Flächen, die der Seewind bestreicht, scheinen wie von der Scheere des Gärtners geebnet. Die hiesige Flora ist arm und wird von keiner der Pflanzenformen geziert, die eine wärmere Sonne erzeugt. Sie bietet aber dem Botaniker vieles Neue dar. Bekannten nordamerikanischen Gattungen**) gesellen sich eigenthümliche***), und die

---

*) Quercus agrifolia.

**) Ceanothus, Mimulus, Oenothera, Solidago, Aster, Rhamnus, Salix, Aesculus? u. s. w. Wilde Weinarten, die wir selbst nicht angetroffen, sollen weiter im Innern häufig sein und wohlschmeckende Früchte tragen.

***) Abronia, Eschscholtzia Cham. und neuzubeschreibende.

mehrsten Arten sind noch unbeschrieben. Nur Archibald Menzies und Langsdorff haben hier gesammelt, und die Früchte ihres Fleißes sind der Welt noch nicht mitgetheilt. Uns war die Jahreszeit nicht die günstigste. Wir sammelten aber den Samen mancher Pflanzen, und dürfen uns versprechen, unsere Gärten bereichern zu können.

Diese Wüsten dienen vielen Thieren zum Aufenthalt, deren manche noch unbeschrieben sein mögen. Sie tragen hier den Namen bekannter Arten: kleiner Löwe, Wolf und Fuchs, Hirsch, Ziegen und Kaninchen. Ihr furchtbarster Gast ist aber der Bär, der nach den Berichten der Jäger von außerordentlicher Größe, Kraft, Wildheit und Lebenszähigkeit sein soll. Er fällt Menschen und Thiere an, ob es ihm gleich an vegetabilischer Nahrung nicht fehlt, und versammelt sich in zahllosen Schaaren bei todt ausgeworfenen Wallfischen am Strande. Sein Fell ändert ab von dem Braunen ins sehr Helle und zeigt oft stellenweise andere Farben. Es scheint nicht der weiße Bär von Lewis und Clarke zu sein und ist auch der bekannte amerikanische schwarze nicht. Wir können ihn nicht nach dem Exemplar, das wir gesehen (eine junge Bärin), von dem europäischen braunen unterscheiden, und der Schädel, den der Professor Rudolphi untersucht hat, schien demselben auch zu dieser Art zu gehören. Der Spanier ist wohl geübt, dieses gefährliche Thier mit der Schlinge zu fangen, und ergötzt sich gern an seinem Kampfe mit dem Stiere. Die Wallfische und Robben des Nordens besuchen diese Küste. Der Seelöwe ist gemein, die Seeotter jetzt nirgends häufiger als hier.

Die Vögel sind in großer Mannigfaltigkeit und Menge, der Oriolus phoeniceus ist in unendlichen Flügen besonders häufig. Wir bemerkten keine einzige Art aus der Familie der Klettrer, und ein glänzend befiederter Kolibri schien wie ein Fremdling aus dem Süden, der in diese Natur sich verirrt.

Mit traurigem Gefühl schicken wir uns an, ein Wort über die spanischen Ansiedelungen auf dieser Küste niederzuschreiben.*) Mit

*) Jeglicher Mission stehen zwei Franciskaner-Mönche vor, die sich verbindlich gemacht, zehn Jahre in dieser Welt zuzubringen. Sie sind von der

neidischer Besitzsucht breitet sich hier Spanien aus, nur um Anderen den Raum nicht zu gönnen. Es erhält mit großem Aufwand seine Presidios und will durch Prohibition alles Handels das baare Geld nach seiner Quelle zurückzufließen zwingen. Ein wenig Freiheit würde aber bald Californien zu dem Kornboden und Markt der nordischen Küsten dieser Meere und der sie befahrenden Schiffe machen. Korn, Rinder, Salz (zu St. Quentin, Alt-Californien), Wein, dessen Erzeugung Nachfrage vermehren würde, geben ihm in mancher Hinsicht den Vortheil über die Sandwich-Inseln, deren Lage auf der Handelsstraße zwischen China und der Nordwestküste freilich die vorzüglichere ist. Und wer, mit Industrie und Schifffahrt, Töchtern der Freiheit, könnte an diesem Handel vortheilhafter Antheil nehmen als eben Californien, das vor allen Küsten jetzt die Seeotter besitzt.*)

Aber Californien liegt ohne Industrie, Handel und Schifffahrt öde und unbevölkert.**) Es hat 6 bis 7 Jahre während der inneren Kriege Spaniens und seiner Kolonien, ohne alle Zufuhr von Mexiko, vergessen geschmachtet. Jetzt erst während unseres Hierseins ist in Monterey das Schiff aus St. Blas eingelaufen, welches sonst

---

Regel ihres Ordens dispensirt und erhalten Jeder 400 Piaster von der Krone. Mehrere Missionen stehen unter einem Presidio. Der Kommandant des Presidio, Kapitain der Compagnie, hat unter sich einen Artillerie-Offizier, einen Kommissar (Officier payeur), einen Lieutenant, einen Alferez (Fähndrich) und achtzig Mann. Der Spanier ist immer zu Pferd. Pferde und Rinder werden hier heerdenweis gehalten, und sind fast verwildert; man fängt sie mit dem Lazo (Wurfschlinge). Die Waffen sind Lanze, Schild und Muskete. Die Presidios haben keinen Ackerbau; kaum legen die Offiziere Gärten an, sie betrachten sich wie Verbannte, die ihrer baldigen Zurückberufung harren. Die Pueblos, deren es wenige giebt, sind Dörfer der Spanier. Einige anfangs ausgeschickte Kolonisten und ausgediente Soldaten machen die Bevölkerung aus. Ihre Weiber sind meistens Indianerinnen. Der Gouverneur von Neu-Californien in Monterey steht, wie der von Alt-Californien in Loretto, unter dem Vicekönig von Mexico. Zu St. Francisco war zur Zeit der Lieutenant, nach dem Tode des Kapitains, Kommandant ad interim, der Alferez abwesend.

*) Die californischen Seeotterfelle stehen wirklich den nördlichern nach, der Unterschied ist aber so sehr beträchtlich nicht.

**) Man urtheile: Der Centner Mehl, der in den hiesigen Missionen 6 Piaster kostet, kostet in St. Blas 40 Piaster und in Acapulco 50 Piaster.

jährlich die Ansiedelungen versorgte. Im Hafen von St. Francisco besitzen die Missionen einzelne schlechte Barkassen, die fremde Gefangene gebaut. Das Presidio selbst hat kein Boot, und andere Hafen sind nicht besser versehen. Fremde fangen die Seeotter bis im Innern der spanischen Häfen, und ein Schleichhandel, dem erst seit seinem Antritt (14 Monate) der jetzige Gouverneur von Neu-Californien sich zu widersetzen strebt, versorgt allein diese Provinz mit den unentbehrlichsten Bedürfnissen. Spanien hat in der Sache von Nootka nachgegeben; jetzt verhandeln, ohne Rücksicht auf seine eiteln Gebietsansprüche, England und die Freistaaten von Amerika über die Ansiedelungen am Ausfluß der Columbia, und die russisch-amerikanische Compagnie hat noch eine Niederlassung wenige Meilen nördlich von St. Francisco.

Man schiebt aber der Erhaltung dieser Ansiedelungen einen andern Grund unter, als einen politischen: nämlich die fromme Absicht der Verbreitung des Glaubens Christi und der Bekehrung der heidnischen Völker. Diesen Gesichtspunkt gab uns selbst der Gouverneur dieser Provinz als den richtigen an. Wohlan, hier wird also ein gutes Werk zweckwidrig begonnen und schlecht vollführt.

Die frommen Franciskaner, welche die Missionen in Neu-Californien halten, sind in keiner der Künste und Handwerke unterrichtet, die sie hier ausüben, lehren sollen; in keiner der Sprachen, welche die Völker sprechen, an die sie gesandt sind. Es sind Mönche, wie eben in den Klöstern Europa's.*) Sie stehen je Zwei in jeder Mission einer beträchtlichen Landwirthschaft vor, halten den Gottesdienst und unterhalten sich durch Dolmetscher, die selbst Indianer sind, mit ihren Pflichtbefohlenen. Alles Eigenthum gehört der Gemeinde der Mission an und wird von den Vätern verwaltet. Der Indianer selbst bezieht unmittelbar keine Frucht von seiner Arbeit; keinen Lohn, wenn er etwa auf dem Presidio als Tagelöhner vermiethet wird. Die Mission, dieses Vernunftwesen, bezieht den Pfennig,

*) Eine in der Mission von St. Francisco am Namenstage des Heiligen in spanischer Zunge gehaltene Predigt, worin der Schutzpatron Christo an die Seite gestellt ward, gereichte uns mehr zum Aergerniß als zur Erbauung.

den er verdient. Er lernt das Eigenthum nicht kennen und wird durch dasselbe nicht gebunden. Wir verkennen nicht die Milde, die väterliche Sorgsamkeit der Missionare*), deren wir verschiedentlich Zeuge gewesen. Das Verhältniß bleibt aber das aufgestellte und würde, wie uns dünkt, fast nur dem Namen nach ein anderes sein, wenn der Herr von Sklaven sie zur Arbeit anhielte und nach Willkür vermiethete; ernähren würde er sie ebenfalls.

Der Wilde kommt unbedachtsam in die Mission**), empfängt da gern gereichte Nahrung, hört der Lehre zu; noch ist er frei; hat er aber erst die Taufe empfangen, gehört er der Kirche an, so schaut er mit vergeblicher Sehnsucht hinfort nach seinen heimathlichen Bergen zurück. Die Kirche hat ein unveräußerliches Recht auf ihre Kinder und vindicirt hier dieses Recht mit Gewalt. Kann dies befremden, wo das Mutterland noch die Inquisition hegt? Der Wilde ist unbedachtsam, er ist unbeständig wie das Kind. Ungewohnte Arbeit wird ihm zu schwer; er bereut den Schritt, der ihn bindet; er begehrt nach seiner angebornen Freiheit. Mächtig ist in ihm die

*) Ein Beispiel unter andern: die Väter schickten ihre Indianer auf ihrem Boote nach unserm Ankerplatz her, blos damit sie sich unser Schiff, ein neues Schauspiel für sie, ansehen möchten. Der Indianer in der Mission tanzt am Sonntage, unter den Augen der Väter, seine Nationaltänze, spielt (immer um Gewinn) seine gewohnten Hazardspiele; es ist ihm nur sein Kleid, ein Stück grobes wollenes Gewebe aus der Fabrik der Mission, zu verspielen untersagt; er kann das gewohnte Schwitzbad genießen. Die Tänze sind wild, verschieden bei jedem Volke; die dazu gesungene oder gezischte Melodie meist ohne Worte. Das Spiel wird von zwei Gegnern mit rasch vorgezeigten Stäben, paar oder unpaar, gespielt; ein Richter sitzt dabei und führt mit andern Stäben die Rechnung. Das übliche Bad der Indianer, ähnlich dem der meisten nordischen Völker, ist folgendes: am Eingang einer Höhle am Meeresufer, darin sich die Badenden befinden, wird Feuer geschürt, sie lassen es, wenn sie genugsam geschwitzt, ausgehen und laufen dann darüber weg sich in die See zu stürzen. Dampfbäder, den russischen ähnlich, waren sonst bei den meisten Völkern Europa's gebräuchlich. Erasmus Roterodamus Coll. diversoria. Atqui ante annos viginti quinque nihil receptius erat apud Brabantos quam thermae publicae, eae nunc frigent ubique, scabies enim nova docuit nos abstinere.

**) Den verschiedenen Missionen ist kein Gebiet angewiesen. Der Indianer geht nach Willkür in diese oder jene. —

Liebe zur Heimath. Die Väter gewähren ihren Pflegebefohlenen meist zweimal im Jahre einige Wochen Urlaub, ihre Angehörigen und den Ort ihrer Geburt zu besuchen.*) Bei Gelegenheit dieser Reisen, die truppenweis unternommen werden, fallen Apostaten ab und kommen Neophyten ein; erstere, aus denen den Spaniern die ärgsten Feinde erwachsen, suchen die Missionare erst auf Berufsreisen mit Güte wieder zu gewinnen, und vermögen sie es nicht, so wird die bewaffnete Macht gegen sie requirirt. Daher mehrere der feindlichen Vorfälle zwischen den Spaniern und den Indianern.

Die Indianer sterben in den Missionen aus, in furchtbar zunehmendem Verhältniß. Ihr Stamm erlischt. St. Francisco zählt bei Tausend Indianer, die Zahl der Todten überstieg im vorigen Jahr 300; sie beträgt in diesem schon (bis Oktober) 270, wovon blos im letzten Monat 40. Die Zahl der Proselyten muß jedoch die der Apostaten und den Ueberfluß der Aussterbenden übersteigen. Man nannte uns fünf Missionen, die in dieser Provinz seit Vancouver's Zeit begründet worden. Dagegen sind von den Missionen der Dominikaner im alten Californien bereits etliche eingegangen, und dort sind die zum Glauben gewonnenen Völker fast schon als ausgestorben zu betrachten.

Hier findet keine medicinische Hülfe statt, nur den Aderlaß soll einmal ein Schiffsarzt gelehrt haben und dieses seitdem bei jeder Gelegenheit angewandte Mittel den Tod fördern. Besonders eine Krankheit, die, obgleich die Meinungen getheilt sind, die Europäer wohl hier verbreitet haben mögen, raffte ohne Gegenwehr ihre Opfer dahin. Sie herrschte unter wilden Stämmen ebenfalls, diese jedoch

---

*) Zwei Kranke, Mann und Weib, die sich ihrem nahen Ende entgegen zu neigen schienen, waren, unfähig die Reise zu vollenden, aus der Schaar der Beurlaubten zurückgeblieben. Sie waren nach der Mission nicht zurückgekehrt, sie hatten sich am Ufer neben unsern Zelten, ohne Schirm bei den stürmischen regnichten Nächten, nackt wie sie waren, auf die feuchte Erde gelagert. Ihre Blicke hafteten hinüber auf jenen blauen Bergen, sie sahen ihr Vaterland und sie trösteten ihr Herz, da sie es zu erreichen nicht vermochten. Der Vater, nach einigen Tagen auf sie aufmerksam gemacht, schickte sie, mild zuredend, nach der Mission zurück.

verschwinden nicht mit gleich furchtbarer Schnelligkeit von der Erde. Die Anzahl der Weißen nimmt dagegen zu.

Die Verachtung, welche die Missionare gegen die Völker hegen, an die sie ausgesandt sind, scheint uns bei ihrem frommen Geschäft ein unglücklicher Umstand zu sein. Keiner von ihnen scheint sich um deren Geschichte, Bräuche, Glauben, Sprachen bekümmert zu haben. „Es sind unvernünftige Wilde, und mehr läßt sich von ihnen nicht sagen! Wer befaßte sich mit ihrem Unverstand, wer verwendete Zeit darauf?"

In der That, diese Stämme stehen tief unter denen, welche die nördliche Küste und das Innere von Amerika bewohnen. Sie sehen im Ganzen einander ähnlich, die Tcholovonen etwa ausgenommen, die wir bald an ihrer ausgezeichneten Physiognomie unterscheiden lernten (was die Väter selbst nicht vermochten). Alle sind von sehr wildem Ansehen, von sehr dunkler Farbe. Ihr flaches breites Gesicht, aus dem große wilde Augen hervorleuchten, beschattet schwarz und dicht ein langes flaches Haar. Die Abstufung der Farbe, die Sprachen, die den Wurzeln nach einander fremd sind, Lebensart, Künste, Waffen, verschiedentlich bei einigen am Kinn und Hals tatuirte Linien, die Art wie sie sich zum Krieg oder zum Tanz den Körper malen, unterscheiden die verschiedenen Stämme. Sie leben unter sich und mit den Spaniern in verschiedenem, freundlichem oder feindlichem Verhältnisse. Die Waffen sind bei vielen Bogen und Pfeile; diese sind bei einigen von außerordentlicher Zierlichkeit, der Bogen leicht und stark, am äußern Bug mit Thiersehnen überzogen, bei andern ist er von bloßem Holz und plump. Einige besitzen die Kunst (eine Weiberarbeit), zierliche wasserdichte Gefäße aus farbigen Grashalmen zu flechten, meist aber vergißt der Indianer in der Mission seine Industrie. Alle gehen nackt, alle sind ohne Pferde, ohne Kähne irgend einer Art. Sie wissen nur Bündel von Schilf zusammen zu fügen, die sie durch ihre specifische Leichtigkeit über dem Wasser tragen. Die an den Flüssen wohnen, leben vorzüglich vom Lachs, dem sie Fangkörbe stellen; die in den Bergen von wilden Früchten und Körnern. Keiner aber pflanzt oder säet, sie brennen nur von Zeit zu Zeit die Wiesen ab, ihre Fruchtbarkeit zu vermehren.

Die Insulaner der Südsee, weit von einander geschieden und zerstreut über fast ein Drittheil des heißen Gurtes der Erde, reden Eine Sprache; in Amerika, wie namentlich hier in Neu-Californien, sprechen oft bei einander lebende Völkerschaften eines Menschenstammes ganz verschiedene Zungen. Jedes Bruchstück der Geschichte des Menschen hat Wichtigkeit. Wir müssen unsern Nachfolgern, wie uns unsere Vorgänger, überlassen, befriedigende Nachrichten über die Eingeborenen von Californien und deren Sprachen einzusammeln*). Wir hatten es uns auf einer vorgehabten Reise nach einigen der nächstgelegenen Missionen zum Zweck vorgesetzt. Geschäfte einer andern Art fesselten uns in S. Francisco, und der Tag der Abfahrt kam heran, ohne daß wir zu dieser Reise Zeit abmüßigen gekonnt.

Wir berufen uns im Uebrigen auf die Berichte von Laperouse und Vancouver, die wir treu erfunden haben. Seit ihrer Zeit hat sich nur Weniges in Californien verändert**). Das Presidio ist neu aus Luftsteinen erbaut und mit Ziegeln gedeckt; der Bau der Kapelle noch nicht angefangen; in den Missionen ist gleichfalls gebaut worden, und die Kasernen der Indianer zu S. Francisco sind von gleicher Bauart. Ein Artillerist hat Mühlen, die von Pferden getrieben werden, in den Missionen angelegt; sie sind jetzt meist außer Stand und können nicht wieder eingerichtet werden. Zu S. Francisco ist noch ein Stein, den ohne Mechanik ein Pferd über einen andern Stein drehet, die einzige Mühle im Gange. Für eiliges Bedürfniß zerreiben die Indianer-Weiber das Korn zwischen zwei Steinen. Eine Windmühle der russisch-amerikanischen Ansiedelung erregt Bewunderung und findet keine Nachahmung. Als vor etlichen Jahren Handwerker mit großen Unkosten hieher gezogen wurden, die verschiedenen Künste, deren man bedarf, zu lehren, benutzten die Indianer den Unterricht besser als die Gente racional (das vernünf-

---

*) De Lamanon hat in Laperouse's Reise schätzbare Beiträge über die Sprachen der Achastlier und Ecclemachs bei Monterey geliefert. Was sonst geschehen, siehe Mithridates 3, 3. p. 182.

**) Ein Fort, an gutgewählter Stelle angelegt, sperrt nun den Hafen von S. Francisco.

tige Volk), der Ausdruck, womit sich die Spanier zeichnen; diese selbst sprachen jenen das Zeugniß.

Wir bemerkten mit Bedauern, daß nicht das beste Verhältniß zwischen den Missionen und den Presidios zu herrschen scheint. Die Väter betrachten sich als die Ersten in diesem Lande, zu deren Schutz blos die Presidios beigegeben sind. Ein Militair, das die Waffen führt und oft gebraucht, trägt unwillig die Vormundschaft der Kirche. Die Presidios, blos von ihrer Besoldung lebend, hängen für ihre Bedürfnisse von den Missionen ab, von denen sie dieselben für baares Geld erhandeln: sie darbten während dieser letzten Zeit und sie beschuldigten die Missionen, daß diese sie darben gelassen.

Wir müssen schließlich der edeln Gastfreundschaft erwähnen, womit Militair und Missionen unsern Bedürfnissen zuvorzukommen sich bestrebten, und der gern gegönnten, unbeschränkten Freiheit, die wir hier auf spanischem Boden genossen. Wir widmen diese Zeilen der Erinnerung und des Dankes unsern Freunden in Californien.

Man hat uns folgende Stämme der Californier genannt, als solche, die im Bereich der Mission von San Francisco wohnen:

Die Guymen „ Utschiun „ Olumpali „ Soclan und „ Sonomi	Reden alle Eine Sprache; sie machen in der Mission von San Francisco die Mehrzahl aus.
Die Chulpun „ Umpin „ Kosmitas „ Bolbones „ Tchalabones „ Pitemen „ Lamames „ Apalamnes und „ Tcholovones	Wohnen am Rio del Sacramento und sprechen alle nur Eine Sprache. Sie führen die besten Waffen. Die Tcholovones, ein kriegerischer Stamm, sind mit den Spaniern gegen die andern Indianer verbunden.

Die Suysum „ Rumpali „ Tamal	Sie tatuiren sich, reden dieselbe Sprache und wohnen gegen Norden, die Tamal gegen Nordwesten.

Die Ululato; wohnen nördlicher als die Suysum, und deren kommen nur Wenige in die Mission.

Ueberblick des großen Ocean's, seiner Inseln und Ufer.

An der Westseite des großen Ocean's bildet eine Reihe von Inseln und Halbinseln einen Vorwall vor den vielfach eingerissenen Küsten des festen Landes. Neu-Holland erscheint hinter diesem Bollwerk als die S. O. Spitze der Ländermasse der alten Welt. Der Zusammenhang der Länder ist zwischen Neu-Holland und Asien durch verschiedene Durchfahrten unterbrochen, aber leicht im Gedanken wieder herzustellen, und so erscheint in natürlicher Verbindung die Insel Borneo, die man sonst als einen eigenen Kontinent betrachten müßte.

Der indische Ocean dringt vom südlichen freien Meer zwischen beide Vorgebirge unseres Welttheils, Afrika und Neu-Holland, als ein geräumiger Meerbusen scheidend ein.

Wir kehren zu dem Becken des großen Ocean's zurück, welches man mit gleich unpassenden Namen das stille Meer und die Südsee zu nennen pflegt.

Die Philippinen bilden sein Ufer in dessen äußerstem Westen zwischen dem Aequator und dem nördlichen Wendekreis; sie liegen vor den Landmassen, die wir als Fortsetzuug des festen Landes betrachten, und schließen sich an dieselben, und namentlich an Borneo, durch vermittelnde Inseln und Inselgruppen an.

Von Mindanao, der südlichsten der Philippinen, aus erstreckt sich die Kette der Vorlande nach Südosten über die Molukken und Gilolo, Neu-Guinea und verschiedene sich daran anschließende Archipelagen bis nach Neu-Caledonien und den davor liegenden Neuen

Hebriden unter dem südlichen Wendekreise. Die abgesonderte Ländermasse von Neu-Seeland kann als das südliche Ende dieses Vorwalles angesehen werden, und die Norfolk-Insel deutet auf deren Verbindung. Von Luçon, der nördlichsten der Philippinen, aus erstreckt sich die Kette der Vorlande nach Nordosten über Formosa, kleinere Inselgruppen, Japan, die Kurilen, die Halbinsel Kamtschatka, die aleutischen Inseln, die amerikanische Halbinsel Alaschka und verbindet sich mit dem festen Lande der neuen Welt unter dem 60° nördl. Breite.

Brennende Vulkane erheben sich überall längs diesem Ufer, wenigstens von den Neuen Hebriden an bis nach dem festen Lande Amerika's. Man hat auch auf Neu-Seeland vulkanische Produkte angetroffen und Erderschütterungen verspürt. Landwärts des beschriebenen Saumes kommt das Vulkanische nur stellenweise und insularisch vor. Es ist zu bemerken, daß die Erdstöße, welche die Philippinen-Inseln erschüttern, auf der Insel Paragua (Palavan der englischen Karten), die in S. W. von Luçon, zwischen Mindoro und der Nordspitze von Borneo liegt, keineswegs verspürt werden.

Die Westküste beider Amerika bildet das östliche Ufer des großen Ocean's. Sie läuft rein und ununterbrochen fort, nur im äußersten Norden und Süden zu etlichen Inseln eingerissen, und bildet nur einen Einlaß, den californischen Meerbusen, gegen den nördlichen Wendekreis.

Ein brennender Vulkan erhebt sich im Neuen Californien am Meeresufer, und die Halbinsel verräth vulkanische Natur. Der dem großen Ocean zugekehrte hohe Rücken der neuen Welt bietet von Neu-Spanien an bis zu der Südspitze Amerika's eine Reihe brennender Vulkane dar.

Die Inseln des so begrenzten Meerbeckens sind in zwei Hauptprovinzen und eine abgesonderte Gruppe vertheilt.

Zu der ersten Provinz gehören die Inseln, die im Osten der Philippinen zwischen dem Aequator und dem nördlichen Wendekreis bis gegen die Mitternachtslinie von Greenwich liegen. Die zweite Provinz liegt im Süden der Linie gegen den Wendekreis, welchen sie auf einigen Punkten überschreitet, und erstreckt sich von Westen nach Osten, von den Vorlanden bis zur Osterinsel und dem Felsen de Salas y Gomez in einer Ausdehnung von mehr als 100 Längengraden. Abgesondert liegt die Gruppe der Sandwich-Inseln gegen den nördlichen Wendekreis. Die Inseln der zweiten Provinz, die Sandwich-Inseln und Neu-Seeland sind in Hinsicht der sie bewohnenden Völker zu vereinigen.

Diese Inseln gehören in geognostischer Hinsicht zweien verschiedenen Bildungen an. Die hohen Inseln, die im großen Ocean die Minderzahl ausmachen, obgleich sie die Hauptgruppen bilden, sind allgemein, wie in anderen Meeren und namentlich im atlantischen Ocean, vulkanischer Natur. — Die Marianen bilden in der ersten Provinz eine mit den Philippinen parallel laufende Bergkette, die man mit den Vorlanden, die das Meerbecken begrenzen, vergleichen möchte; sie enthält wie diese, und besonders gegen Norden, fortwährend wirksame Vulkane, während die Inseln, die abgesondert inmitten des Meeresbeckens liegen, zumeist erloschen scheinen. Im Westen der zweiten Provinz brennt auf Tofua ein Vulkan; und Mauna Wororay auf O-Waihi, Sandwich-Inseln, hat noch im Jahre 1801 A) durch einen Seitenausbruch einen Lavastrom ergossen. Auf den Freundschafts- und Marquesas-Inseln kommen Urgebirgsarten vor; wir haben auf O-Wahu nur Porphyr und Mandelstein gesehen.

Die niedern Inseln, die sogenannten Koralleninseln und Riffe, stellen uns eine ganz eigenthümliche Bildung dar, die genau zu untersuchen es uns nicht an erwünschter Gelegenheit gefehlt hat und die wir in unserm Aufsatz über Radack nach unsern vorzüglich dort gesammelten Erfahrungen und Beobachtungen genauer beschrieben. Es sind diese Inseln und kreisförmigen Inselgruppen Tafelberge, die sich steil aus dem Abgrunde erheben und bei denen das Senkblei keinen Grund findet; die Oberfläche der Tafel ist unter Wasser; nur ein breiter Damm um den Umkreis derselben, das Riff, erreicht bei niederem Wasserstande den Wasserspiegel und trägt auf seinem Rücken die Sandbänke (die Inseln), die das Meer besonders

A) Im Jahre 1774 nach Choris Voyage pittoresque.

auf der Windseite und an den ausspringenden Winkeln des Umkreises aufwirft. Riffe und Inseln umschließen also ein inneres Becken, eine Lagune. Nur bei sehr geringem Umfang der Tafel wird solche ausgefüllt, in welchem Falle dann eine einzelne Insel anstatt einer Inselgruppe gebildet wird. Was von dem Damm untersucht werden kann, besteht aus wagerechten Lagern eines aus Korallensand oder Madreporentrümmern gebildeten Kalksteins. Auf dem Damm ausgeworfene, oft klaftergroße Felsenblöcke (Geschiebe) sind von demselben Steine, der nur oft größere Madreporentrümmer einschließt, als die obern an dem Tage liegenden Lager; und wir halten dafür, daß der ganze Bau, der Tafelberg, der die Grundfeste der Inselgruppe bildet, aus dieser selben Gebirgsart besteht. Es ist eine Gebirgsart neuerer Bildung und die noch fortwährend erzeugt wird. Dieser selbe Stein, diese selbe Gebirgsart lagert sich unter demselben Himmelsstriche am Fuße aller hohen Inseln, wenigstens stellenweise, an und bildet die Korallenriffe, von denen manche gänzlich umringt sind.

Die Ebenen, die um den Fuß solcher Berge den Saum der Inseln bilden, scheinen gleiche Riffe zu sein, die bei sonst höherem Wasserstand das Meer, welches sie gebildet hat, überdeckte. Diese an hohem Land anliegenden Korallenriffe senken sich abschüssig ins Meer, so daß die Welle, auf einer schrägen Fläche sich entrollend, brandet und nicht, wie bei jenen, gegen das obere Gesims eines Felsenwalles anschlägt und bricht*). Es ist dies derselbe Stein, worin man an der Küste von Guadeloupe Menschenskelete versteint eingeschlossen findet. Wir haben das berühmte Exemplar davon im britischen Museum gesehen und die Steinart in der Berlinischen mineralogischen Sammlung genau zu vergleichen Gelegenheit gehabt**).

---

*) Wir haben dies vorzüglich genau auf O-Wahu zwischen Hana-ruru und Pearl-river beobachtet, wo wir in einem Boote der Eingeborenen längs dem Riffe und zu verschiedenen Malen hin und wieder durch die Brandung fuhren. Außerhalb derselben waren etliche Boote mit dem Fischfang beschäftigt, in einer Tiefe von drei bis vier Faden.

**) Wir haben im Jahr 1817 zu O-Waihi am Fuße der Lava, die im Jahr 1801 vom Wororay geflossen, und wo kein eigentlicher Riff ist, diesen Riff-

3*

Diese Korallenriffe, niedere Inselgruppen und Inseln, sind im großen Ocean zwischen den Wendekreisen, und besonders innerhalb der oben den beiden Inselprovinzen angewiesenen Grenzen, ausnehmend häufig. Man trifft sie bald einzeln an, bald in Reihen, die einen Bergrücken des Meeresgrundes anzudeuten scheinen, bald in der Nähe der hohen Inseln und den Gruppen, die sie bilden, gleichsam beigesellt. Diese Bildung gehört aber nicht ausschließlich diesem Meerbecken an. Das berüchtigte Meer zwischen der Küste von Neu-Holland und der Reihe der Vorlande von Neucaledonien an bis über die Torresstraße hinaus (das Meer, wo Laperouse untergegangen und Flinders kaum einem gleichen Schicksal entging), ist angefüllt mit Riffen und Bänken dieser Art. Im indischen Ocean liegen manche meist unbewohnte Inseln und Riffe zerstreut, die derselben Bildung angehören. So sind die Chagos, Juan de Nova, Cosmoledo, Asumpcion, die Amiranten, die Cocos-Inseln u. a. m. Die Maladiva und Laccadiva, insofern wir aus Nachrichten zu schließen wagen, die vieles zu wünschen lassen, möchten auch hieher zu rechnen sein, und es zeigt uns endlich der Stein von Guadeloupe die Elemente dieser Bildung im atlantischen Ocean, in welcher engen Meeresstraße sie sich jedoch nicht bis zur unabhängigen Ländererzeugung aufgeschwungen hat.

Im großen Ocean und im indischen Meere liegen die hohen und niedern Inseln gegen Westen, den begrenzenden Ostküsten der festen Lande gleichsam angelehnt, die alle von Osten gegen Westen mehrfach eingerissen sind, und wir können im atlantischen Ocean dieselbe Bemerkung, nur auf beschränkterem Felde, wiederholen.

---

stein angetroffen. Hier enthält er Fragmente von Lava, sonst ist er identisch mit dem auf den niedern Inseln gesammelten. Der Stein von Guadeloupe ist mit den feinkörnigen Abänderungen desselben vollkommen eins und dasselbe. Wir haben auch diesen Riffstein und stellenweise Riffe auf Guajan und Manilla angetroffen. In Hinsicht der aus größern Trümmerstücken zusammengesetzten Abänderungen möchte aus der Verschiedenheit der Madreporenarten, aus welchen sie vorzüglich bestehen, eine örtliche Verschiedenheit sich ergeben. Wir meinen, daß die Arten, die am Orte selbst leben, die Elemente zu dem Steine, der gebildet wird, darreichen.

Der mexicanische Meerbusen vergegenwärtigt uns das chinesische Meer mit den Archipelagen, die es begrenzen, auf das treffendste; dem Jucatan ist das getrennte Land Borneo zu vergleichen, und nur zwischen Timor und dem Cap van Diemen von Neu-Holland ist der Isthmus durchgerissen, der in Amerika den Isthmus von Darien bildet.

Auf der Westküste der alten Welt macht Europa mit der Ostsee, dem mittelländischen Meere und den daran liegenden Halbinseln und Inseln die einzige namhafte Ausnahme zu dem Gesetz, das aus der Betrachtung der Erdkugel sich ergiebt.

Ob wir gleich in den Korallenriffen und der Gebirgsart, aus der sie bestehen, das Skelet der Lithophyten nirgends an ihrem ursprünglichen Standort und an der Stelle, wo und wie sie lebten und fortwuchsen, erkennen und darin von Flinders abweichen, dessen Beobachtungen uns sonst die größte Achtung einflößen*), so müssen wir doch glauben, daß in den Meerstrichen, wo die enormen Massen dieser Bildung sich erheben, selbst im kalten und lichtlosen Meeresgrund, Thiere fortwährend geschäftig sind, durch den Proceß ihres Lebens den Stoff zu deren nicht zu bezweifelndem fortwährendem Wachsthume und Vermehrung zu erzeugen**), und der Ocean zwischen den Wendekreisen scheint uns eine große chemische Werkstatt der Natur zu sein, wo sie den Kalk erzeugenden, niedrig organisirten Thieren ein in ihrer Oekonomie wichtiges Amt anvertraut. Die

---

*) In dessen Reise an verschiedenen Stellen. Er nimmt an, daß die Skelete der Madreporen am Orte selbst, wo sie gewachsen, durch Ausfüllung ihrer Zwischenräume, durch hinzugefügten Korallensand und andere Madreporentrümmer in Riffstein übergehen, während ihre oberen Zweige fortwachsen und andere auf dem so erhöhten Grund fortbauen. — Forster ist über diesen Gegenstand flüchtig, und was er davon sagt, ist der Beachtung nicht werth. — Anzunehmen, daß die Kalkerzeugenden Polypen blos an den Wänden der schon bestehenden Riffe und deren innern Lagunen leben, würde das erste Entstehen dieser Riffe nicht erklären, deren senkrechte Höhe man nicht unter 100 Faden annehmen kann.

**) Kapitain Roß hat bei Possession-Bai unter dem 73° 39′ nördlicher Breite lebendige Würmer in dem Schlamm des Grundes gefunden, den er aus einer Tiefe von 1000 Faden heraufgeholt und dessen Temperatur unter dem Gefrierpunkt stand.

Nähe des Gesichtspunktes vergrößert freilich die Gegenstände, und es mag geneigt sein, wer mitten unter diesen Inseln ihre Bildung betrachtet, dieser Bildung in der Geschichte der Erde ein größeres Moment beizumessen, als der Wirklichkeit entspricht. Die genaue Vergleichung des Zustandes eines dieser Riffe zu verschiedenen Zeiten, etwa nach dem Verlauf eines halben Jahrhunderts, müßte, falls sie möglich und wirklich unternommen würde, über manche Punkte der Naturwissenschaft Licht zu verbreiten beitragen.

Es ist zu bemerken, daß die niedern und geringen Landpunkte, die dieser Bildung angehören, keine Einwirkung auf die Atmosphäre äußern. Die beständigen Winde bestreichen sie unverändert wie den ununterbrochenen Wasserspiegel. Sie bewirken keinen Wasserniederschlag, keinen Thau, und wir haben bei großer Aufmerksamkeit das Phänomen der Kimming (Mirage), welches dem Auge besonders auffallend zu machen, ihre flachen Profile sich vorzüglich eignen, an denselben nie wahrgenommen. Wir müssen als einer Ausnahme zu dieser Regel des donnernden Gewitters erwähnen, welches sich über die großen und hoch mit Palmen bewachsenen Penrhyn-Inseln niedergelassen, zur Zeit wo wir sie sahen.

Die organische Natur auf den Sunda-Inseln entspricht vollkommen durch Reichthum und Fülle, Großartigkeit und Mannigfaltigkeit ihrer Erzeugnisse der Erwartung, die wir von einem unter dem Aequator gelegenen Kontinent hegen. Doch ist sie leider wenig bekannt. Seit Rumpf und Bontires haben sie nur flüchtige Reisende mit wissenschaftlichem Auge angeblickt, und jetzt erst eilen Gelehrte und Sammler mehrerer Orten der reifen Ernte zu. Sie schließt sich der Natur des südlichen Asien's an, von der sie sich jedoch durch vieles Eigene auszeichnet. Neu-Holland scheint uns eine eigenthümliche Schöpfung darzubieten, die sich weigert, sich von den nächst gelegenen Landen bereichern zu lassen. Die organische Natur hat sich anscheinlich von den festen Landen auf die Vorlande und Inseln, dies ist gegen den Lauf der Winde, von Westen gegen Osten, über den aus dem großen Ocean hervorragenden Erdpunkten verbreitet.

Die Ansicht der Natur auf den östlichern Inseln der Südsee

erinnert an Süd-Asien zugleich und an Neu-Holland und ist von Amerika völlig entfremdet. Manche Pflanzengattungen breiten sich über den indischen und großen Ocean von der afrikanischen Küste bis auf diese Inseln aus, und man sucht umsonst nach ihnen auf der entgegenliegenden Küste Amerika's.

Auf der dieser Küste zunächst gelegenen und von den übrigen abgesonderten hohen Insel Pascha hat Forster, außer den angebauten nutzbaren Pflanzen, die dem Menschen von Westen her dahin gefolgt sind, nur noch neun wildwachsende Arten gezählt.

Forster hat auf Neu-Caledonien drei amerikanische Pflanzen gefunden*). Wir könnten diesen etliche weitverbreitete Arten, meist Strandpflanzen, beizählen: Ipomaea maritima, Dodonaea viscosa, Suriana maritima, Guilandina Bonduc, die wir sämmtlich unter andern auf Radack, Portulaca oleracea (?), die wir auf Romanzoff gefunden, u. a. m.; doch was beweisen diese gegen das Zeugniß der gesammten Pflanzenwelt? Wir heben als Beispiel einige ausgezeichnete charakteristische Gattungen aus.

Die funfzehn Arten der Gattung Dracaena, die wir kennen (Dracaena borealis ist Convalaria Pursch), sind von der Ostküste und Südspitze Afrika's an über Indien und die Inseln des indischen und großen Ocean's zerstreut. Keine kommt auf Neu-Holland vor, zwei werden auf Neu-Seeland gefunden, und D. Terminalis ist von Indien an bis auf die östlichen Inseln des großen Ocean's allgemein verbreitet. Zwölf Amomum-Arten (außerdem kommt eine eigene auf Jamaika vor) und beide Curcuma sind über denselben Weltstrich verbreitet, und die Arten, die auf den Bergen der Sandwich-Inseln wachsen, sind gleichfalls in Indien einheimisch. Diese Gattungen kommen in Neu-Holland nicht vor.

Man findet von der Gattung Pandanus eine Art in Afrika, eine in Arabien, eine auf Mauritius. Brown hat deren zwei in Neu-Holland gezählt, wir auf Luçon vier bis fünf, auf Guajan zwei bis drei, und eine derselben ist auf allen Inseln des großen

*) Murucuia aurantia, Ximenesia encelloides und Waltheria americana.

Ocean's verbreitet. Eine dieser Gattung verwandte Pflanze kommt auf der Insel Norfolk (F. Bauer in Brown Prodromus p. 341) und auf O-Wahu vor.

Eine Sagopalme wächst auf Madagascar, die andere Art auf den Inseln des malayischen Archipelagus und den Philippinen. Die Cocospalme überschreitet nicht die Torresstraße und kommt auf Neu-Holland nicht vor. Die Tacca pinnatifida ist in Süd-Asien, Neu-Holland und den Inseln des großen Ocean's einheimisch. Das Phormium tenax kommt einzig auf Neu-Seeland und der Insel Norfolk vor. Die Baringtonia speciosa gehört den Küsten Asien's und den Inseln des großen Ocean's an. Zwei Arten Aleurites kommen auf den Molukken-Inseln vor, eine dritte Art macht auf den Südsee-Inseln einen Haupttheil der Vegetation aus. — Eine Art Casuarina kommt in Afrika, eine in Indien und auf den Inseln des großen Ocean's vor; die übrigen sind auf Neu-Holland ausschließlich einheimisch.

Von den neuholländischen zahlreichen Gattungen Metrosideros Melaleuca und Leptospermum kommen nur eine Art in Indien, mehrere in Neu-Seeland, Neu-Caledonien, O-Taheiti und den Sandwich-Inseln vor, die Gattung Eucalyptus scheint auf Neu-Holland beschränkt. Von der neuholländischen Form der blätterlosen Akazien kommt eine Art auf Mauritius und eine in Cochinchina vor. Eine solche ist auf den Sandwich-Inseln der Stolz der Wälder und der vorzüglichste Baum. Das Santalum (Sandelbaum), eine indische Gattung, zu der Brown fünf neue Arten auf Neu-Holland gefunden hat, kommt auf den Fidji- und Sandwich-Inseln vor.

Wir beschränken uns hier auf diese wenigen Züge:

Die vorherrschenden Pflanzenfamilien sind auf Luçon: die Urticeae, die Leguminosae in vielfach wechselnden Gestalten, die Contortae und Rubiaceae. Wir haben an zwölf Arten Palmenbäume gezählt und es mögen deren mehrere vorkommen, sie sind indeß nur untergeordnet. Nipa bleibt in den Sümpfen, andere Zwergarten im Schatten der Feigenwälder verborgen, und nur der Cocosbaum, wo er angepflanzt schöne Wälder bildet, entspricht der Erwartung, die diese Pflanzenform in uns erweckt*). Das schönste der Gräser, das Bambusrohr, dessen es mehrere Arten giebt, die bereits Loureiro (Flora cochinchinensis) unterscheidet, giebt der Landschaft einen eigenthümlichen und lieblichen Charakter.

Diese reiche Flora scheint auf den Inseln des großen Ocean's von Westen gegen Osten zu verarmen. Die Palmen verschwinden zuerst, bis auf den Cocos, der den niedern Inseln anzugehören scheint und namentlich die Penrhyn mit einem luftigen Baldachin überschattet, unter welchem das Auge zwischen den schlanken Stämmen den Himmel durchscheinen sieht; der Bambus tritt zurück, die andern Elemente der Flora mischen sich anders. O-Taheiti hat manche Pflanzen, die den Sandwich-Inseln zu fehlen scheinen, und diese andere, die auf O-Taheiti nicht vorkommen**).

Die dem ewigen Schnee angrenzenden Höhen von O-Waihi bleiben in ihrer Abgeschiedenheit die geheimnißreichste, reizendste Aufgabe für die Botaniker, so lange die Ernte, die Menzies darauf gesammelt, der gelehrten Welt vorenthalten wird.

Am dürftigsten begabt ist, am nächsten der amerikanischen Küste, die Oster-Insel, die freilich über den Wendekreis hinaus liegt.

Assompcion (ein unwirthbarer Vulkan im Norden der Ladronen, gegen den 20° nördlicher Breite gelegen) bot eine reichere Ernte den Gelehrten der Laperousischen Expedition dar.

Die Vegetation scheint nur spät und zögernd sich auf den niedern Inseln anzusetzen. Sandbänke von einer beträchtlichen Ausdehnung schimmern häufig weiß und nackt über den Wellen. Einmal begonnen, mag sie schnelle Fortschritte machen, doch zeigt sie sich auf den verschiedenen Inseln und Inselgruppen auf sehr ungleicher Stufe.

Wo der Cocosbaum sich eingefunden, ist die Erde für den Empfang des Menschen bereit, und der Mensch fehlt in der Südsee selten, wo er leben kann.

---

*) Wir haben gleichfalls auf den schön begrünten Ufern der Gaspar- und Sunda-Straße die Palmen nirgends vorherrschend gesehen.

) Auf O-Taheiti die **Baringtonia speciosa und **Casuarina equisetifolia**, auf den Sandwich-Inseln das **Santalum**.

Die Fauna der Sunda-Inseln bietet uns meist dieselben Familien und Gattungen dar, die im südlichen Asien einheimisch sind, aber viele der Arten sind eigenthümliche.

Unter einer reichen Mannigfaltigkeit von Affen zeichnet sich der Orang-Utang aus, die dem Menschen ähnlichste Art, deren nächste Verwandte man in Afrika antrifft. Man findet den asiatischen Elephanten, eine eigene Art Rhinoceros, mehrere Hirsche, Schweine und so weiter.

Die Säugethiere, die auf Neu-Holland gefunden worden, haben fast durchgängig neue Arten und Gattungen, neue auffallende Formen gezeigt. Die größte der untersuchten Arten, ein Canguru, ist, mit den Thieren der übrigen Kontinente verglichen, nur klein, aber das Dasein größerer noch unbekannter Arten ist durch das Zeugniß mehrerer Reisenden beglaubigt. Die Vögel zeigen auf beiden Landen eine minder auffallende Verschiedenheit. Von zwei Arten Casuar kommt die eine auf den Sunda-Inseln, die andere auf Neu-Holland vor.

Der größere Reichthum herrscht auf den Inseln; die Papageien, Hühner und Tauben, die Gattung Buceros zeichnen sich aus.

Der Psittacus formosus und die Menura machen zwei eigenthümliche neuholländische Gattungen aus. Die Paradiesvögel scheinen dem uns so unbekannten Lande Neu-Guinea ausschließlich anzugehören.

Die Inseln und das feste Land sind nach Maßgabe des Himmelsstriches, unter dem sie liegen, an größern Amphibien gleich reich, und namentlich Krokodile kommen auf beiden vor.

Mehrere Thierarten haben sich von der Nordspitze von Borneo auf die nächst gelegenen Inseln verbreitet. Man findet auf Iolo (Sooloo der englischen Karte) noch den Elephant und auf Mindanao mehrere der größern Affenarten. Wenigere Säugethiere sind von der Nordspitze derselben Insel auf Paragua übergegangen, und die Zahl der Arten ist auf Luçon, der nördlichsten der Philippinen-Inseln, schon sehr beschränkt.

Auf den westlichsten der Inseln, in der nördlichen Provinz bis auf die Marianen, in der südlichen bis auf die Freundschafts-Inseln, hat sich die große Fledermaus (Vespertilio Vampyrus) verbreitet. Eine kleine Art kommt noch auf den Sandwich-Inseln vor. Das am weitesten verbreitete Säugethier ist eine Ratte, die sich überall und selbst auf der Oster-Insel gefunden hat.

Die Landvögel finden sich auf den hohen Inseln in ziemlicher Menge und Mannigfaltigkeit, und manche Arten derselben scheinen sogar kein anderes Vaterland anzuerkennen.

Eine Krokodilenart ist bis auf die Pelew-Inseln verbreitet. Nur einmal hat ein solches Thier auf Eap sich gezeigt und in der südlichen Provinz auf den Fidji-Inseln (Mariners Tonga I. p. 327). Ein Iguan wird weiter bis auf den Marianen-Inseln und Eap gefunden.

Alle Inseln sind an Insekten ausnehmend arm. Es ist merkwürdig, daß der Floh dem Hunde und dem Menschen auf die Inseln des großen Ocean's nicht gefolgt war und erst von den Europäern dahin gebracht ist. Nach unserer Erfahrung gilt diese Bemerkung von den Inseln der ersten Provinz ebensowohl als von Neu-Seeland und den Sandwich-Inseln.

Der gemeine Erdwurm scheint ein allgemein verbreitetes Thier zu sein, wir haben ihn auf den niedern Inseln gefunden, wo sich nur Humus gebildet hatte.

Wir erheben uns von der Ansicht der Natur zu der Betrachtung des Menschen.

Die erste Menschenrace, die unsere Aufmerksamkeit auf sich zieht, ist die der Papuas oder Australneger mit wolligen Haaren, vorspringenden Kinnladen, wulstigen Lippen und schwarzer Haut. Diese Neger erscheinen uns vor Einwanderung anderer Völker und Anbeginn der Geschichte als Eingeborene der ostindischen Inseln und eines Theils der nächsten Kontinente und Vorlande. Sie sind auf den meisten Punkten von eingewanderten Völkern verdrängt worden und haben sich vor ihnen in die Berge des Innern geflüchtet, die sie als vereinzelte wilde Stämme bewohnen.

Wir treffen zuerst im Westen auf der Insel Madagascar, wie auf den ostindischen Inseln, zwei bestimmt verschiedene Menschenracen an. Die uns bekannteren Madagassen, die, in verschiedene einander feindliche Reiche getheilt, alle Küsten behaupten, sind Ein Volk und reden Eine Sprache. Drury nennt sie eben auch Neger. Ihr Haar ist lang und glatt; einzelne Fürstenfamilien zeichnen sich durch hellere Farbe aus. Ihre Aehnlichkeit mit dem malayischen Menschenstamm und in ihrer Sprache die Gemeinschaftlichkeit vieler Wurzeln mit den übrigen Dialekten sind auffallend. Die Einwirkung des Islam auf ihre Sitten ist gleich unverkennbar. Von jeher standen die Araber in Handelsverkehr mit ihnen. Die Vinzimbers, mit fast wolligem Haare, mit künstlich verbildetem Hirnschädel, mit eigenthümlichen Sitten und Sprachen, scheinen, jetzt zerstreut und unstät, die Urbewohner der Insel gewesen zu sein.

Sollen wir die Madagassen von Ostindien, die Vinzimbers aber von Afrika herleiten, oder sollen wir sie mit den Papuas, denen sie zu vergleichen sind, vereinigen? *)

Die kleineren Inseln des indischen Meeres waren vor den Europäern unbewohnt.

Wir erkennen die Australneger in Urbewohnern von Cochinchina, den Moys oder Moyes, die gegen den Anfang des funfzehnten Jahrhunderts Ausgewanderte aus Tungquin von tatarischer Race in die Berge zwischen Cochinchina und Cambogia, ihren jetzigen Aufenthalt, zurückscheuchten **), und in den Bergbewohnern der malayischen Halbinsel, welche Samang, Bila und im südlichen Theile Dayack genannt werden. Die Völker von den Andaman-Inseln sind anscheinlich von gleicher Race. Die Papuas sind unter verschiedenen Namen im Innern mehrerer der malayischen Inseln noch vorhanden, und es scheint, daß sie sich sonst auf allen vorgefunden. In den frühern Reisebeschreibungen der Araber wird ihrer verschiedentlich erwähnt ***).

Die Aetas oder Negritos del Monte, die Papuas des Innern der Philippinen-Inseln, sind gleichfalls die Urbewohner dieses Archipelagus, los Indios der Spanier; die Weißeren sind fremde Eroberer,

---

*) Wir haben besonders benutzt: Madagascar or Robert Drurys Journal. London 1729, dessen Vokabularium und das von Hieronymus Megisserus. Leipzig 1723.

**) Chapman im Asiatic Journal.

***) J. Leyden Asiatic Researches. Vol. 10. p. 218.

und die Ortsbenennungen, die längs der Küste noch in den Sprachen der Papuas bestehen, sind Monumente, die diese von ihrem Besitzrechte hinterlassen haben. Wir finden dieselbe Menschenrace unter ähnlichen Umständen auf Formosa wieder, und die Geschichte von Japan gedenkt schwarzer Einwohner, welche man auf den Inseln an der südlichen Küste von Niphon angetroffen*).

Wir finden die Australneger in meist ungestörtem, ungetheiltem Besitz von Neu-Guinea oder dem Lande der Papuas und den östlicher gelegenen Inseln, die mit den Neuen Hebriden und Neu-Caledonien die Kette der Vorlande bilden, und erkennen sie in den Völkerschaften, die Forster zu seiner zweiten Hauptgattung der Südländer rechnet**).

Sie bestehen auf etlichen der östlichern dieser Inseln mit der andern Hauptrace zugleich und erscheinen durch Vermischung mit ihr an manchen Orten sehr verändert.

Crozet im Nouveau voyage à la mer du Sud hat diese Neger unter den Bewohnern der Nordspitze von Neu-Seeland angetroffen, woselbst sie spätere Reisende nicht wieder gefunden haben.

Die Westküste von Neu-Holland und Van-Diemen's-Land sind von eigentlichen Papuas, von Negern mit wolligem Haar, bewohnt. Die übrigen Völkerschaften dieses Kontinents scheinen zu einer eigenthümlichen Race zu gehören, die überall auf der untersten Stufe der Bildung steht. Sind auch hier die Neger die Ureinwohner, und haben es jene Armseligen dennoch vermocht, sie vor sich her in die äußersten Winkel ihres ehemaligen Landes zu treiben? Oder sind sie später und auf Schiffen eingewandert? — Wir erkennen in ihnen kein Schiffervolk.

Wir wissen fast nichts von den Haraforas, Alfuriern oder Alföirs, die von Vielen mit den Papuas verwechselt worden, von denen sie jedoch verschieden scheinen. Sie gehören nach Leyden***) zu den wildesten und ältesten Bewohnern dieser Inseln und sind

*) Mithridates, I. Theil, p. 569.
**) J. R. Forster Observations p. 238.
***) L. c. p. 217.

eine eigenthümliche Menschenrace von langem Haarwuchs und öfters von hellerer Farbe als die Malayen.

Wir finden in den Geschichtsschreibern von Manila keinen Grund, eine dritte, von den Negern und den gebildeten hellfarbigen Küstenbewohnern verschiedene Race auf diesen Inseln anzunehmen.

Die Sprache der Papuas, die mitten unter andern Völkern in vereinzelten Stämmen außer aller Gemeinschaft und Verbindung leben, muß sich in viele ganz abweichende Mundarten gespalten haben; die Malayen der Halbinsel Malacca betrachten die Dialekte der Neger des Gebirges als bloßes Zwitschern, der Stimme größerer Vögel allein vergleichbar, und es herrscht auf manchen der Inseln keine günstigere Vorstellung davon. — Die Sprache der Haraforas gilt eben auch für eine ganz besondere, die mit den Sprachen der übrigen Völker nichts gemein hat *). Von den Aetas der Philippinen behaupten dagegen die Spanier, daß in der Regel ihr Idiom eine große Uebereinstimmung mit dem der Küstenbewohner habe (Fra Juan de la Concepcion), und daß sie Dialekte derselben Sprache reden als die Indianer (Zuñiga).

Nach Forster sind die Sprachen der Völkerschaft seiner zweiten Menschenrace nicht nur von der gemeinsamen Sprache der Südländer gänzlich verschieden, sondern auch unter einander völlig fremd und unähnlich. Die von ihm mitgetheilten Proben enthalten jedoch, außer den Zahlwörtern, noch einige wenige Wurzeln, die gemeinschaftlich sind; und dieselbe Bemerkung ist auch auf die Vokabularien anwendbar, die Lemaire und Schuten auf Neu-Guinea und der Isle de Moise gesammelt haben.

Die Sprachen auf Neu-Holland scheinen unter sich und von den Dialekten der andern Menschenrace abweichend, jedoch sind die Wörtersammlungen, die man davon hat, unzulänglich ein Urtheil zu begründen. Sir Robert Brown hat uns versichert, daß die Völkerschaften, mit denen er verkehrt, nicht über Vier zu zählen vermögen, und daß Fünf und Vier für sie zusammenfließen.

*) Leyden l. c. p. 218 u. 217. Marsden Grammar. Introduction p. 22.

Wir kommen nun zu der vorherrschenden Menschenrace von schöner Gesichtsbildung, langem lockigem Haar und weißer, jedoch von Einwirkung des Klima's mehr oder weniger gebräunter Farbe, die von Madagascar im Westen bis zu der Oster-Insel im Osten verbreitet ist.

Wir müssen mit Marsden die Identität des Sprachstammes anerkennen, zu dem alle Dialekte gehören, welche die verschiedenen über so unermeßlichen Raum zerstreuten Völkerschaften reden. Die Uebereinstimmung der Zahlwörter in allen Mundarten von Madagascar bis zu der Oster-Insel*) kann, streng genommen, nur gemeinschaftliche Berührung, nicht gleiche Abstammung beweisen. Die Zahlen werden leichtlich von einer fremden Sprache angenommen, wir finden dieselben in manchen Mundarten der Papuas, deren Stammverwandtschaft zweifelhaft bleibt, und die Einwohner der Marianen haben zuerst in ihrer Sprache zu zählen vergessen, indem sie sich die spanischen Zahlen angewöhnt.

Man findet in allen Mundarten, außer den gleichen Zahlwörtern, eine beträchtliche Anzahl gemeinschaftlicher Wurzeln, die meist die nächsten, einfachsten Dinge und Begriffe bezeichnen, und die von einem Urstamm ererbt, nicht aber von einem fremden Volk erlernt scheinen. Wir können diese Wurzeln in den Vokabularien von Madagascar wie in denen der Inseln des großen Ocean's nachweisen.

Endlich ist die Sprachlehre in den mehr bekannten Dialekten Malayu, Tagalog, Tonga, mehr oder minder ausgebildet, im Wesentlichen dieselbe; und nichts berechtigt uns anzunehmen, daß es sich in den minder bekannten anders verhalte. — Das sehr einfache Sprachsystem ist bei Mehrsylbigkeit der Wurzeln ungefähr dasselbe als in den einsylbigen Sprachen. Es findet keine Wortbiegung statt, die Wurzeln stehen entweder, wie im Chinesischen, schroff bei einander und erhalten von der Stellung ihren Werth, oder werden in den ausgebildeteren Dialekten durch verschiedentlich angehängte oder eingeschaltete Partikeln bedingt.

---

*) Siehe Hervas Arithmet. d. nat. und die vergleichende Tabelle in Cook's dritter Reise Appendix 1.

Es bewohnen viele verschiedene und verschiedenredende Völkerschaften dieser Menschenrace die Inseln des ostindischen Archipelagus. Leyden stellt uns die reinere im Innern der Insel gesprochene Mundart des Javanischen dar als mit dem Sanskrit nahe und innig verwandt. Die einfachsten Gegenstände und Begriffe werden durch Wörter ausgedrückt, die vom Sanskrit nur in der Aussprache abzuweichen scheinen, wie es der Gebrauch eines minder vollkommenen Alphabets nothwendig bedingt *). Sprache, Monumente und Geschichte weisen auf Indien zurück.

Die Geschichte zeigt uns zuerst im zwölften Jahrhundert eine dieser Völkerschaften, die Malayen, von der Gegend Manangkaban im Südwesten von Sumatra, ihrem ersten Wohnsitze aus, ihre Eroberungen und das Gesetz Mohamed's, welches sie von handelnden Arabern empfangen, sowohl auf dem festen Lande der Halbinsel Malacca als an den Küsten der übrigen Inseln ausbreitend. Die bekehrten Völker werden oft mit ihnen verwechselt und die Ausdrücke: Malayen, Mauren und Mohamedaner ohne Kritik als gleichbedeutend gebraucht.

Wir finden im dritten Buch des Marco Polo ein Bild dessen, was dieser Archipelagus am Ende des 13. Jahrhunderts war, und dieses Bild ist noch heute treffend; die Bemerkungen dieses Reisenden sind im Bereich seiner eigenen Erfahrungen immer treu, und die Fabeln, die er auf Autorität erzählt, sind an den Orten, wo er sie gesammelt hat, noch nicht verschollen. Pigafetta verdient ein gleiches Lob. Marco Polo fand, daß die Menschen, so im Reiche Felech auf der Insel Klein-Java am Meere wohnten, Mohamedaner waren, die das Gesetz Mohamed's von den Kaufleuten gelernt, die dahin verkehrten. Pigafetta, der im Jahre 1521 auf Tidori war, berichtet, daß die Mauren seit etwa fünfzig Jahren die Molukken erobert und ihren Glauben dahin verpflanzt hätten. Die Wörtersammlung, die er dort machte, stimmt mit dem jetzigen Malayischen überein.

Das Malayische ist in diesem Theile der Welt zur allgemein

*) Leyden l. c. p. 190.

vermittelnden Sprache geworden, zur Sprache alles Handels und Verkehrs, und es wird im Innern der Häuser der Europäer bis am Vorgebirge der guten Hoffnung geredet. Diese Sprache ist uns vollkommen bekannt; Marsden's Dictionary und Grammar, London 1812, lassen uns nichts in dieser Hinsicht zu wünschen. Man findet in der Introduktion zur Grammar die Geschichte der Sprache und die Literatur der Quellen zu deren Erlernung.

Das Malayische ist ein später aufgeblühter Zweig des gemeinsamen Sprachstammes. Es enthält neben einem Theile gemeinsamer Wurzeln einen beträchtlichen Theil indischer Wörter, und der Islam hat eine spätere Einwirkung gehabt, die oberflächlicher geblieben ist. Das arabische Schriftsystem hat das indische verdrängt, welchem die heidnischen Völker in eigenthümlicher Ausbildung noch anhängen. Die vier Arten des Styls und des Ausdrucks in der gemeinsamen malayischen Sprache, die dem Range und den Verhältnissen derer, die sie reden, sich aneignen: die Sprache des Hofes, der Großen, des Landvolkes und des Marktes, sind nur von Unkundigen für Dialekte angesehen worden. In der malayischen Grammatik ist uns ohne Wahl ein Vergleichungspunkt für die übrigen minder bekannten Zungen dieses Sprachstammes gegeben.

Wir verdanken dem Forschungssinn der Engländer unsere zunehmende Kenntniß der Völker und Sprachen der ostindischen Inseln und verweisen für deren Studium auf die bereits angeführten Schriften: Marsden's Sumatra, Raffle's Java, die Asiatic Researches, das Asiatic Journal u. s. w. Es wird ihrer Gelehrsamkeit gelingen, die Monumente verschollener Geschichten auf Java zu entziffern, Sprachen und Sitten in ihrem Zusammenhange mit denen anderer Völker zu erhellen, das Stammvolk, das uns beschäftigt, von dem hohen Asien herzuleiten und den Weg nachzuzeichnen, auf dem es zu seinen jetzigen meerumspülten Wohnsitzen gewandert ist.

Die Philippinen bieten uns eine eigenthümliche Familie desselben Volkes und derselben Muttersprache dar. Wir finden hier die Sprache auf dem höchsten Standpunkt ihrer eigenthümlichen selbstständigen Ausbildung, und die Lehrbücher der verschiedenen Dialekte, die wir den spanischen Missionaren verdanken, eröffnen uns einen linguistischen Schatz, in welchen wir einen Blick zu werfen versuchen werden.*)

Die Küstenbewohner dieser Inseln, die man als ihre ersten Eroberer betrachten kann, los Indios der Spanier, reden nach ihren Völkerschaften sieben verschiedene Hauptdialekte, nämlich: im Norden

---

*) Vocabulario de la lengua Tagala por el Padre Ivan de Noceda y el Padre Pedro de San Lucas de la Comp. de Jesus. Impresso en Manila en la imprenta de la Comp. de Jesus. Fol.

Vocabulario Tagalog por Fr. Pedro de Buenaventura. 1613.

Vocabulario de la lengua Tagala por nostro Hermano Fr. Domingo de los Santos de Religiosos minores descalzos. Impresso en la muy noble villa de Tabayos. A. D. 1703. Fol.

Idem. Reimpresso en la imprenta de N. S. de Loreto. Sampaloc 1794.

Arte Tagalog por el Padre Fr. Francisco de San Joseph. 1610.

Arte de la lengua Tagala por el Padre Augusto de la Magdalena 1669. 8.

Arte y reglas de la lengua Tagala. Thom. Ortiz. 4.

Compendio de la Arte de la lengua Tagala por el Padre Fr. Gaspar de San Augustin, Religioso de el mismo Orden. 1703.

Idem. Segunda impression en la imprenta de N. S. de Loreto. Sampaloc 1787. 8.

Tagalismo elucidado y reducido (en lo possible) a la latinidad de Nebrija con su Syntaxis, tropos, prosodias, etc. etc. y con la alusion, que en su uso y composition tiene con el Dialecto Chinico Mandarin, con las lenguas Hebrea y Griega. Por N. H. Fr. Melchor Oyanguren de Santa Ynes, Religioso descalzo. Mexico en la imprenta de D. Fr. X. Sanchez 1742. 4.

Arte de la lengua Tagala y Manual Tagalog por Fr. Sebastian de. Totanes de Religiosos descalzos de San Francisco. Impresso en la imprenta de N. S. de Loreto Sampaloc extra muros de la Ciudad de Manila. 1745. 4.

Idem. Reimpresso en Sampaloc. 1796. 4.

Vocabulario de Pampango por el muy R. P. Lector Fr. Diego Bergaño de la Orden de los Hermitanos en Manila en el Convento de N. S. de los Angelos. Fol.

Arte de la lengua Pampanga por Fr. Diego Bergaño en la imprenta de la Comp. de Jesus. Manila 1729. 4.

Idem. Sampaloc 1736. 4.

Vocabulario de la lengua Bisaya compuesto por el R. P. Matheo

von Luçon die Pampangos, Zambales, Pangasinanes, Ylocos und Cayayanes; in der Gegend von Manila die Tagalos, und auf allen südlichern Inseln mit einigen Idiotismen die Bisayas*).

Die Spanier sind Fremde auf den Philippinen-Inseln. Viele Stämme der Indianer haben im Innern selbst von Luçon ihre Unabhängigkeit behauptet, und die der Küsten, die mit dem Christenthum das fremde Joch übernommen, haben die fremde Sprache nicht erlernt. Die Mönchsorden, welche die geistliche Eroberung der Völker vollbrachten und die politische Herrschaft sichern, haben sich deren Sprache angeeignet. Das Tagalog besonders, welches durch den Umstand, daß es um die Hauptstadt gesprochen wird, zur Hauptsprache geworden, hat durch sie nicht nur an Hülfsbüchern zu dessen Erlernung, sondern auch an erbaulichen Schriften aller Art, beides in Prosa und Versen, eine ansehnliche Literatur erhalten. Fr. Francisco de San Joseph wird el Ciceron, Fr. Pedro de Herrera el Horacio Tagalo genannt, und es fehlt selbst an Tragöden nicht, die den Dionysius Areopagita übersetzt. Die Artes und Vocabularios der Pampango-, Bisaya- und Yloco-Sprachen sind im Drucke erschienen. Die Hülfsbücher der übrigen

---

Sanchez de la Comp. de Jesus al Colegio de la S. C. de Jesus. Manila 1711. Fol.

Arte de la lengua Bisaya de la Provincia de Leyte, compuesta por el P. Domingo Ezguerra de la Comp. de Jesus. Tiene enxeridas algunas advertensias de la lengua de Zebu y Bool. 1662.

Idem. Reimpresso en Manila en la imprenta de la Comp. de Jesus. 1747. 4.

Arte de la lengua Iloca por Fr. Lopez. Manila 1617. 4.

Vocabulario de las lenguas de Philipinas por Alonzo de Mentrida. 1637. 4.

Arte de la lengua Bisaya y Vocabulario Español Bisaya de lengua Sugbuana compuesto por Fr. Thomas de San Geronimo de los descalzos de San Augustino. Reducido a mas exacto orden etc. por uno Individuo de la misma Provincia. Manuscript in unserm Besitz.

*) Nach Marigondon, am Ufer der großen Bucht von Manila, wurden in alter Zeit Eingeborene der Molukken-Inseln versetzt; ihre Nachkommen reden bei dem Tagalog und Spanischen noch ihre Sprache, die sie mit Vorliebe bewahren. F. Juan de la Concepcion, T. 7. p. 102.

4*

Mundarten sind Manuskript, und die Abschriften, durch welche sie vervielfältigt werden, befinden sich meist nur in den Provinzen in den Händen der Padres.

Die sieben angeführten Mundarten kommen nach dem Zeugniß aller Tagalisten im Wesentlichen der grammatischen Formen wie in den Wurzeln überein. Wir haben selbst die Lehrbücher der Tagala-, Pampango- und Bisaya-Sprache verglichen und nur unbedeutende Abweichungen bemerkt. Wenn die Verschiedenheit der Aussprache den Eingeborenen einer Provinz sich in einer andern gleich zu verständigen hindert, reicht eine kurze Frist doch hin, den Abstand auszugleichen, und er lernet bald die eigene Sprache erkennen. Was mithin von dem Tagalog gesagt wird, ist gleichfalls auf die übrigen Dialekte anwendbar.

Leyden hat in den Asiatic researches p. 207 die tagalische, malayische, Bugis- und javanische Sprache als Schwestersprachen aufgestellt, den künstlichern Bau der tagalischen auf die Elemente der malayischen zurückgeführt und in beiden die Identität der Partikeln erwiesen, worauf in einem Sprachsystem, dem jede Wortbiegung fremd ist, alle Grammatik beruhet.

Leyden scheint uns den verdienstlichen Fleiß nicht genug zu würdigen, womit die Tagalisten das mit allen Partikeln, die es bedingen, verschiedentlich verbundene Zeitwort, bei einfacher, gedoppelter oder halbgedoppelter und außerdem euphonisch veränderter Wurzel, in eine Konjugationstabelle gebracht haben, die wenigstens einen leichten Ueberblick gewährt. Es ist unstreitig, daß bei diesem Vorzuge ihre Darstellung des tagalischen Zeitwortes der ursprünglichen Einfalt der Sprache nicht entspricht und unser Sprachsystem da zu vergegenwärtigen strebt, wo wirklich ein anderes vorhanden ist.

Durch Artikel und Präposition werden an dem Hauptwort meist nicht mehr als ein direkter und indirekter Fall bezeichnet. Der Plural, und nicht wie im Malayischen der Singular, wird besonders durch eine getrennte Partikel bezeichnet. Die Pronomina sind dieselben wie im Malayischen, nur vollständiger. Es giebt außer den zwei Pluralen der ersten Person, von denen der eine die angeredete

Person mit inbegreift und der andere sie ausschließt*), noch einen Dual von jeder Person. Die Pronomina haben im direkten und indirekten Fall verschiedene Formen. Der Wurzel, die die Handlung ausdrückt, werden Partikeln vor- und nachgehängt und eingeschaltet, die den Präpositionen unserer Sprache entsprechen und an ihr die Zeit und die Beziehungen bezeichnen, welche wir an den Haupt- und Fürwörtern entweder durch Beugung derselben oder durch sie begleitende Präpositionen auszudrücken pflegen; daher die drei Passiva, deren Sinn und Gebrauch zu lehren die schwierigste Aufgabe der Tagalisten ist. Wir können in einem Satze nur Subjekt oder Objekt der Handlung im Nominativ setzen und die Beziehung an dem Zeitwort selbst bezeichnen, Aktiv und Passiv, amo et amor, dänisch Jeg elsker og elskes. Die Tagalen vermögen das Subjekt, das Objekt, den Zweck oder das Werkzeug und den Ort der Handlung im direkten Fall zu setzen und die Beziehung am Zeitwort auszudrücken. Der Sinn entscheidet, was als Nominativ der Phrase hervorgehoben und vorangesetzt werden soll, und die Form des Zeitwortes richtet sich darnach. Man kann auf die Weise in dem Satze: Petrus hieb dem Malchus das Ohr ab mit dem Schwert, auf Petrus (das Subjekt) was schneidet (aktive Form), das Ohr (das Objekt) was geschnitten wird (erste Passivform mit y), das Schwert (das Werkzeug) womit geschnitten wird (zweite Passivform mit in) und auf Malchus (den Ort) woran geschnitten wird (dritte passive Form mit an), den Nachdruck beliebig legen. Die Feinheit und die Schwierigkeit der Sprache liegen in dem Gebrauch. Dieselben Partikeln, welche die Wurzeln als Zeitwort bedingen, bedingen sie auch in ähnlichen Verbindungen als Haupt- und Eigenschaftswort. Das bereits zusammengesetzte Wort wird, als einfaches behandelt, förder zusammengesetzt; der Reichthum erwächst aus dem Reichthum, aber es findet keine eigentliche Wortbeugung statt.

Die Tagalen brauchen in ihrer Poesie Verse, die, obgleich eigen-

*) Diese zwei Plurale der ersten Person finden sich, außer in gegenwärtigem Sprachstamme, noch in der Quitschua- oder peruvianischen Sprache.

thümlich, durch die Zahl der Sylben und eine Art Reim oder Halbreim an spanische Sylbenmaaße erinnern. Sie haben jedoch die künstlichern Canzonen und Sonette, die ihnen der Padre Francisco de San Joseph zu geben versucht, aufzunehmen sich geweigert. Wir haben uns vergeblich bemüht, Proben von ihren ursprünglich heidnischen Liedern, deren es noch welche giebt, an uns zu bringen. Wer beachtet in dem Lande selbst Geschichte, Kunst und Alterthümer eines unterdrückten Volkes?

Wir theilen im Anhange, und zwar aus drei verschiedenen Quellen, das tagalische Alphabet mit, welches dem älteren Schriftsystem der Völker der ostindischen Inseln sich anschließt, und verweisen auf die Bemerkungen, womit wir dasselbe begleiten.

Die Küstenbewohner der Insel Formosa, im Norden der Philippinen, scheinen uns zu demselben Volksstamm, ihre Sprache zu derselben Stammsprache zu gehören.

Wir kommen zu den im Osten der Philippinen gelegenen Inseln, die wir als die erste Provinz von Polynesien betrachtet haben. Wir finden in ihren Bewohnern eine Völkerfamilie, welche dieselben Sitten und Künste, eine mit großer Kunst ausgebildete Schifffahrt und Handel vielfach verbinden. Ein friedliches, anmuthiges Volk betet keine Bilder an, lebt, ohne Hausthiere zu besitzen, von den Gaben der Erde und opfert unsichtbaren Göttern nur die Erstlinge der Früchte, wovon es sich nähret. Es baut die kunstreichsten Fahrzeuge und vollbringt bei großer Kenntniß der Monsoons, der Ströme und der Sterne weite Seereisen. — Auf den westlichen Inseln, den Pelew-Inseln, Cap, den Marianen, finden sich Bräuche der ostindischen Insulaner, wie das Käuen des Betels, eingeführt.

Bei einer großen Aehnlichkeit der mehrsten Völkerschaften (andere, wie die der Pelew-Inseln, die durch Schamlosigkeit der Sitten und mindere Kunde der Schifffahrt sich auszeichnen, möchten fremd in die Familie getreten sein), und bei dem vielfachen Verkehr, der sie unter sich verbindet, herrscht unter ihnen eine große Verschiedenheit der Zungen. Wir waren berufen, Sprachproben ihrer Mundarten zu sammeln, indem wir mit ihnen selbst in näherer Verbindung gestanden als andere wissenschaftliche Reisende vor uns, und wir theilen im Anhang ein vergleichendes Wortverzeichniß von den Marianen, Eap, Ulea und Radack mit.

Die Völker der Marianen gleichen nach Fra Juan de la Concepcion den Bisayas, wie an Ansehen, so auch an Sprache, welche letztere jedoch in einigen Dingen abweicht (in algunas cosas alterado). Diese Chamori- oder Mariana-Sprache ist aber fast mit dem Volke, das sie sprach, verschwunden; die neue Generation redet die Sprache der Eroberer, und die eigene nur noch durch deren Einmischung entstellt. Es ist zu bemerken, daß nur noch spanisch gezählt wird und es uns Mühe gekostet hat, die Zahlwörter der Mariana-Sprache zu erhalten. — Es scheinen anderer Seits Benennungen aus den Philippinen-Sprachen für manche der eingeführten fremden Thiere und Gegenstände obgesiegt zu haben. — So haben auch auf den Pelew-Inseln Thiere, welche die Engländer eingeführt, malayische Namen erhalten. (Die Ziege Gaming, malayisch Kambing.)

Ein Vocabulario de la lengua Mariana, in der Form der Vokabularien, die wir von den Sprachen der Philippinen haben, und namentlich des Vocabulario Tagalog von Fr. Domingo de los Santos, befindet sich noch, von den Jesuiten herrührend, in Agaña; eine Arte scheint zu fehlen. Es vermodert dieses Manuskript unbenutzt, da die spanische Sprache den jetzigen Seelsorgern zu ihrem Amte genügt. Wir haben uns bemüht, dem grammatischen Bau der Chamori-Sprache nachzuforschen, und haben in Manila die Padres aufgesucht, die den Missionen auf Guajan vorgestanden. Etliche hatten die Sprache eigentlich nicht erlernt, und ein Greis war unvermögend, Rechenschaft davon zu geben. Die Ortsbenennungen endigen auf den Marianen, wie auf den Philippinen, meist in an, eine Partikel, die in den Sprachen der Philippinen die örtliche Beziehung bezeichnet und das dritte Passivum bedingt, und wir finden noch andere Merkmale der Analogie, welche alle in den Mundarten der Carolinen-Inseln wegfallen. Don Luis de Torres hat uns versichert, daß in der Marianen-Sprache und in der von Ulea keine Wortbeugung statt findet. Wir bemerken, daß wir die Wörter der Marianen-Sprache, welche wir zur Vergleichung mittheilen, nicht aus dem Vokabulario ausgezogen, wozu wir keine

Zeit gehabt, sondern mit eigener Orthographie nach der Aussprache von Don Luis aufgeschrieben haben.

Ein Vokabularium des auf den Pelew-Inseln gesprochenen Dialekts wird uns in Wilson mitgetheilt*), welches uns nur zu wünschen läßt, daß man, um die Sprachlehre zu beleuchten, denselben Fleiß angewandt hätte, oder uns nur etliche Proben, etliche Lieder mitgetheilt, die uns einen Blick darin zu werfen gegönnt hätten.

Diese Arbeit hat für uns mehr Autorität als eine geringe, flüchtig hingeworfene Wörtersammlung, die uns ein Spanier in Manila mitgetheilt und die wir aus diesem Grunde unterdrücken. Sie würde nur darthun, wie derselbe Laut von verschiedenen Nationen anders aufgefaßt und anders aufgezeichnet werden kann.

Wir müssen uns selbst über die Unzulänglichkeit der Wörtersammlungen von Eap, Ulea und Radack entschuldigen, die wir gleichfalls, ohne in den Bau der Sprache einzugehen, mittheilen. Man erwäge, wie unverhofft und plötzlich unser Freund und Lehrer Kadu von uns schied. Es hatte sich unter uns, indem diese Sammlungen entstanden, ein Mittel der Verständigung eingestellt, welches sich nach und nach vervollkommnete, und wir hatten unsere Arbeit wieder durchzugehen, sie zu berichtigen, zu vervollständigen, uns über abstrakte Begriffe zu unterhalten und die Sprachlehre zu berühren, auf Zeiten aufgespart, die wir nicht mehr zusammen erlebt haben.

Die Eingeborenen von Radack haben, den Engländern gleich, bei einer schwer zu treffenden Aussprache kein Geschick, Fremde leicht zu verstehen und sich ihnen wiederum verständlich zu machen. Wir glauben diese Dialekte minder einfach in ihrem Bau als die Mundart des östlichen Polynesien. Man erkennt in verschiedenen Sätzen die Wurzeln nicht wieder, die man in ihnen erwartet, und die Schwierigkeit des wechselseitigen Verstehens scheint auf dasselbe zu deuten. Die Mundart der Pelew-Inseln scheint uns die abweichendere zu sein, die von Radack aber sich am nächsten der gemein-

---

*) An account of the Pelew-Islands from the journals of Captain Henry Wilson by George Keate, the fifth edition. London 1803. Supplement p. 63.

schaftlichen Sprache der östlichern Südländer anzuschließen, und wir finden auch zuerst da das Rechnungssystem auf die Skale von Zwanzig begründet, wie auf Neu-Seeland und den Sandwich-Inseln, indeß die westlichern Caroliner, die Malayen und die Tagalen die reine Decimalskale brauchen, die auch auf Tonga üblich ist.

Wir finden schon innerhalb der dieser Provinz angewiesenen Grenzen, und zwar im Südwesten am nächsten den Wohnsitzen der Papuas und den Molukken, etliche Inseln, deren Bewohner von Eingeborenen der Sandwich-Inseln verstanden wurden und deren Boote den O-Waihischen gleich waren, nämlich die Mavils-Islands*). Eine Erscheinung, die uns Aufmerksamkeit zu verdienen scheint.

Auf Neu-Seeland, den Inseln der zweiten Provinz, bis fern im Osten auf der entlegenen Oster-Insel und auf der abgesonderten Gruppe der Sandwich-Inseln findet sich bekanntlich nur Ein Volk, das überall fast auf gleicher Stufe der Bildung steht, ähnliche Sitten und Bräuche hat und eine gemeinsame Sprache redet, deren Mundarten fast nur durch örtliche Abweichungen der Aussprache bedingt sind, so daß oft Reisende sich mit Wörtern, die auf einer Insel gesammelt, auf andern weit entlegenen verständigen, die Eingeborenen der Sandwich-Inseln mit denen der Freundschafts-Inseln, und Tupeia, ein Insulaner dieser letzten Gruppe, sich mit den Neu-Seeländern unterreden konnten.

Wir verdanken den Herren Mariner und T. Martin eine vollständige Grammatik der Mundart von Tonga**), die uns in den Stand setzt, die Sprache des östlichen Polynesien's näher zu beleuchten. Wir erkennen darin das malayische Sprachsystem in möglichster Einfalt und nach unserer Ansicht auf dem Standpunkt unentwickelter Kindheit. Es ist ein liebliches Kinderlallen, das kaum erst eine Sprache zu nennen ist.

---

*) Siehe Arrowsmith Chart of the Pacific Ocean 1798 und Moares Voy. p. 293.

**) An account of the Natives of Tonga Islands from the communications of M. W. Mariner, by T. Martin. MD. London 1818.

Die Tonga-Sprache schließt sich dem unendlich künstlichern Tagalog unmittelbarer an als dem Malayu; sie hat den häufigern Gebrauch des Artikels und zeichnet vorzugsweise den Plural durch Partikeln aus. Die Fürwörter sind unverkennbar dieselben, und sie hat bei den zwei Pluralen der ersten Person noch den Dual. Die Wurzeln werden ohne Unterschied für das Hauptwort, die Eigenschaft oder die Handlung gebraucht. Bei der Handlung werden, wie im Malayischen, die drei Zeiten durch bloße getrennte Partikeln (adverbia) bezeichnet. Von zwei bei einander stehenden Wurzeln ist, wie in andern Mundarten, die erste Hauptwort und die andere Eigenschaft.

Bei dieser Einfachheit möchte dennoch die Mundart von Tonga, wie eine der abweichenderen, so auch eine der ausgebildeteren des östlichen Polynesien's sein. Tonga liegt an der westlichen Grenze zunächst an den Vorlanden, und das Zahlensystem, wie wir bereits bemerkt haben, ist nicht das von Neu-Seeland und den Sandwich-Inseln.

Es hat uns wirklich die Sprache der Sandwich-Inseln viel kinderhafter noch geschienen, als uns die Mundart von Tonga in deren Sprachlehre erscheint. Wir haben in derselben nur zwei Pronomina entdeckt, Wau für die erste Person, Hoo für die zweite, und nur zwei Adverbien zur Bestimmung der Zeit der Handlung, Mamare für die zukünftige, Mamoa für die vergangene Zeit. Die fragende oder zweifelnde Partikel Paha, die nachgesetzt wird, ist von häufigem Gebrauch. — Nuo und Nue Nuo sehr und groß, bilden den Komparativ und Superlativ. Etliche Partikeln bezeichnen als Präpositionen die Beziehungen der Hauptwörter.*)

---

*) Wir können zwar nicht die Grenzen unserer erlangten Kenntniß der Sprache der Sandwich-Inseln für die der Sprache selbst ausgeben, finden aber in sonstigen Sprachproben Polynesien's und namentlich in Nicolas Voyage to new Seeland, London 1817, keine Andeutung eines weiteren Bereichs, wir finden da auch nur zwei Pronomina. Pronomen 1. Person: O-Waihi Wau, Neu-Seeland Aou, Tonga Au, vielleicht das Tagalog Aco, Malayu Ku. (Tonga hat außerdem und unter Andern auch Gita, Tagalog Quita, Malayu Kita.) Pronomen 2. Person: O-Waihi Hoe, Neu-Seeland Eakoo oder Acquoi, Tonga

Die nach Art der Kinder aus der Wiederholung eines Lautes gebildeten Wörter, bei welchen die Wurzel bald denselben, bald einen andern und bald gar keinen Sinn hat, die in der gemeinsamen Sprache der östlichern Inseln viel häufiger vorkommen als in den westlichern ausgebildeteren Dialekten, denen sie jedoch nicht fehlen, ertheilen ihr einen ganz eigenen lieblichen Charakter*).

Die O-Waihier haben bereits von den fremden Nationen, mit denen sie verkehren, viele Wörter angenommen, die nach ihrer Aussprache bei dem Mangel etlicher Buchstaben und der Gleichgültigkeit anderer schwer zu erkennen sind. Die Zahl derselben wächst täglich an und sie verdrängen die eigenthümlichen**).

Die Sprache der Liturgie ist auf den Sandwich-Inseln eine eigene, von der jetzt gesprochenen abweichende, die der gemeine Mann nicht versteht, wahrscheinlich die ältere unveränderte Sprache des

---

Acoi und coi, Tagalog Yeao, Malayu Ankau. Was uns beim Studium dieser Sprachen am mehrsten verwirrt, ist die Verschiedenheit der Rechtschreibung bei den verschiedenen Wortsammlern und Linguisten. Man muß oft das Wort kennen, um es zu erkennen.

*) Moku-moku Krieg. Moku Insel und Europäisches Schiff.
Make-make lieben, mögen. Make oder Mate tödten, schlagen.
Mire-mire schauen, sehen.
Moe-moe und moe schlafen.
Nome-nome sprechen, sagen.
Hane-hane machen.
Para-para zeichnen.
Mi-mi mingere.
Wite-wite schnell, rasch.
Rike-rike gleichwie, ebenso.

**) Gleichen Werthes sind die Buchstaben R, L und N, K und T. Beispiele solcher Wörter sind: Kau-kau, chinesisch Tschau-tschau, für Paini essen. Pane-pane, chinesisch für Aini, Coïtus, welches fremde Wort noch euphemisch zu sein scheint, da bei der allgemeinen Entblödung züchtigere Matronen das andere doch vermeiden. Pihi, englisch Fish, für Haiina Fisch. Neipa, englisch Knife, Messer. — Pike-nene, spanisch pequeño, für Käea klein. Wir wundern uns, nicht nur auf Neu-Seeland (Nicolas) dasselbe Wort wieder zu finden, sondern auch noch unter den angeblich grönländischen, die Bernard O'reilly (Greenland, the adjacent seas and the Nordwest passage. London 1818.) mittheilt.

Volkes, die einer der ersten Gegenstände der wissenschaftlichen Forschungen des Gelehrten sein müßte, dem das Schicksal einen längeren Aufenthalt auf diesen Inseln vergönnte. Mit dem stimmen die Nachrichten aus O-Taheiti überein*) und es mag wohl vermöge dieser älteren liturgischen Sprache gewesen sein, daß sich der Gelehrte Tupeia mit den Neuseeländern verständigte, da es anderen gemeinen Menschen seines Volkes nicht wie ihm gelang.

Es ist bekannt, wie auf O-Taheiti beim Antritt eines neuen Regenten und ähnlichen Gelegenheiten Wörter aus der gemeinen Sprache gänzlich verbannt und durch neue ersetzt werden. Solche willkürliche Veränderungen haben in neuerer Zeit die Sprache dieser Insel, die sonst von der von O-Waihi wenig abwich, sehr von ihr entfremdet, und die Eingeborenen beider Inseln verstehen einander nicht mehr.

Folgende Thatsache aus der Geschichte von O-Waihi, die wir der Mittheilung eines glaubwürdigen Zeugen, eines denkenden und unterrichteten Mannes, des Herrn Marini, eines dort angesiedelten Spaniers, verdanken, und welche uns die Eingeborenen bestätigt haben, läßt uns unerwartet diese befremdende Sitte auch auf den Sandwich-Inseln wiederfinden und zwar auf die auffallendste Weise.

Gegen das Jahr 1800 ersann Tameameia bei Gelegenheit der Geburt eines Sohnes eine ganz neue Sprache und fing an, selbige einzuführen. Die neuersonnenen Wörter waren mit keinen Wurzeln der gangbaren Sprache verwandt, von keinen hergeleitet, selbst die Partikeln, welche die Formen der Sprachlehre ersetzen und das Bindungsmittel der Rede sind, waren auf gleiche Weise umgeschaffen. Es heißt, daß mächtige Häupter, denen diese Umwälzung mißfiel, das Kind, welches dazu Veranlassung gegeben, mit Gift aus dem Wege räumten. Bei dessen Tode ward dann aufgegeben, was bei dessen Geburt unternommen worden war. Die alte Sprache ward wieder angenommen und die neue vergessen. Die Neuerung ging

*) Wir berufen uns auf das Zeugniß des Herrn Marini, von dem wir weiter unten reden werden.

von Hana-ruru auf O-Wahu aus, wo sich Tameiameia zur Zeit aufhielt. Herr Marini befand sich auf O-Waihi, wo sie kaum einzubringen begann. Als wir Herrn Marini fragten, wie das eine oder das andere Wort in der neuen Sprache geheißen habe, besprach er sich deshalb mit anwesenden Eingeborenen von Hanaruru, denen allen die Sache wohlbekannt, die neu eingeführten Wörter aber meist entfallen waren.*) Herr Marini wußte kein anderes Beispiel willkürlicher Sprachveränderung auf diesen Inseln; Kadu hatte auf den Carolinen-Inseln keinen Begriff von deren Möglichkeit geschöpft. A)

Der Mensch ist von den großen zwischen Asien und Neu-Holland liegenden Ländermassen aus, von Westen gegen Osten, gegen den Lauf der Winde gewandert und hat von allen Erdpunkten, die aus dem großen Ocean auftauchen, bis zu der entlegenen, einzeln im Osten abgesonderten Insel Pascha Besitz genommen. Seine Sprache zeugt von seiner Herkunft. Seine Sitten, Bräuche und Künste deuten darauf, seine Hausthiere und nutzbaren Gewächse, die ihm überall gefolgt sind und die sämmtlich der alten Welt angehören, sagen uns die Küste, von der er sie mitgebracht.**)

---

*) So können wir auch nur unzulängliche Belege dieser gänzlichen Spracherschaffung beibringen, die, obgleich für uns hinlänglich beglaubigt, das Maaß unserer Einbildungskraft dergestalt übersteigt, daß wir Glauben zu begehren uns nicht vermessen.

Gangbare Sprache.	Neue Sprache.
Kanaka	Auna Mann.
Waheini	Kararu Weib.
Kokine	Amio gehen.
Irio	Japapa Hund.

Herr Marini spricht Irio aus, man hört sonst Lio.

A) Wir erwähnen nachträglich einer ähnlichen Sitte willkürlicher Sprachveränderungen, welche unter einem Volke und in einer Sprache nachgewiesen wird, die mit den Völkern und Sprachen Polynesien's keiner Gemeinschaft verdächtig sind. M. Dobrizhoffer's Geschichte der Abiponer ist in alle Sprachen übersetzt worden und kann von Jedem nachgeschlagen werden. Dieser Sitte der Abiponer wird im 17. Hauptstück des 2. Theiles erwähnt; von der Sprache selbst wird in den 16—18. Hauptstücken ausführlich abgehandelt.

**) Es ist unentschieden, ob das Schwein und der Hund nicht in Chile

Es finden sich das Zuckerrohr, der Pisang, der Papier-Maulbeerbaum, der Hibiscus populneus, die Gilbwurz, der Flaschenkürbis, die Arum-Arten, Jamswurzeln und süßen Bataten, unter den Thieren endlich das Huhn auf der Oster-Insel; der Brodfruchtbaum und andere Gewächse, das Schwein und der Hund bis auf den Gesellschafts-, Marquesas- und Sandwich-Inseln. Das Schwein scheint auf den niedern Inseln sich nicht erhalten zu können. Neu-Seeland hatte nur den Hund, die Freundschafts-Inseln nur das Schwein, aber der Hund war dem Namen nach (Ghuri nach Forster, Gooli nach Mariner) daselbst bekannt, und wir glauben in dem Worte Giru auf Radack denselben Namen und eine ähnliche überlieferte Kenntniß desselben Thieres gefunden zu haben. Das Schwein und der Hund fehlen auf allen Inseln der ersten Provinz.

Die Bereitung des auf allen Inseln üblichen Bastzeuges hat zuerst Pigafetta auf Tidor (Molukken-Inseln) beschrieben, und derselbe zeigt uns die Bisayas seiner Zeit mit den durchbohrten und erweiterten Ohrlappen, wie Forster die Bewohner der Oster-Insel gefunden, eine Mode, die diese zu unserer Zeit bereits verlassen und die wir auf Radack und den Carolinen-Inseln noch herrschend gefunden haben.

Man wird wohl vergeblich versuchen, die heiligen, vielfach verwehrenden Sitten und Gesetze des Tabu, welche die Geschlechter absondern, zwischen den Klassen des Volks unumstößliche Scheidemauern erheben und bei den verschiedenen Völkerschaften verschieden, bei allen in demselben Geist die Grundfesten der geselligen Ordnung sind, zu einem Princip und einer Quelle zurückzuführen und diese Men-

---

vorgefunden worden, und Humboldt hat bewiesen, daß die Musa (der Pisang) in Mexiko einheimisch war, bevor die afrikanische von den canarischen Inseln (im Jahre 1516) nach Westindien überbracht wurde. Der Brodfruchtbaum und der Papier-Maulbeerbaum gehören entschieden ausschließlich Ostasien an, wo die verwandten Arten noch allein vorkommen. Das indische Zuckerrohr ist im Mittelalter nach Sicilien, von uns nach Amerika verpflanzt worden. Verschiedene Arten Arum, Dioscorea, Convolvulus und Ipomoea (Taro, Jams und Bataten) kommen in beiden Welttheilen vor und erfordern eine schärfere Untersuchung, in die sich einzulassen der Raum hier verbietet.

schen-Satzungen in ihrem Zusammenhang zu verstehen, oder sie von dem religiösen und Civil-System anderer bekannten Nationen herzuleiten. — Hier fehlt die Schrift; und wer vermöchte, hätten wir nicht das geschriebene Dokument zur Hand, aus den ähnlichen Verboten und Bräuchen der Juden den milden Geist der mosaischen Gesetzgebung wieder zu finden, die auch dem Thier ein wohl abgemessenes Recht anerkennt, und worin uns übrigens noch die Idee von rein und unrein unbegründet erscheint*). Wir sind außerdem weit entfernt, anzunehmen, daß jede Civil- oder religiöse Ordnung als ein vollendetes Ganze aus Einem Geist hervorgegangen sei; solchen Bau führt öfters die Geschichte aus, die vom Zufall die Steine zu demselben empfängt. Und sehen wir nicht selbst den blöden Menschen aus einer rein geistigen Religion zum Polytheismus zurückkehren und sein eitles irdisches Vertrauen dem materiellen Gegenstande, dem Stein, dem Holze zuwenden? Wird es nicht uns selbst wie andern Völkern der Welt leichter, der Zauberei, der Lüge und dem Wort zu glauben, als dem Geiste anzuhängen?

Die unter den Insulanern der Südsee so tief eingewurzelte Ungleichheit der Volksklassen, die besondere Heiligkeit etlicher Familien und Personen, die von Vermögen und Civilmacht unabhängig sind, erinnern unwillkürlich an Indien. Der Einwurf ist unzulässig, daß die besonderen Kasten Indien's besonderen Gewerben, Lebensweisen u. s. w. ergeben sind. Solche Ausscheidung kann auf diesen Inseln nicht statt finden.

Der freiwillige Tod der Gattin bei der Bestattung des Gatten auf den Fiji-Inseln und die ähnliche Sitte in der Familie des Tooitonga zu Tonga deutet eben auch auf Indien**).

Bringt man nun die Frage in Anregung, wie und zu welcher Zeit ein ursprünglich asiatisches Volk sich gegen den Lauf der Winde, seine Hausthiere und nützlichen Gewächse mit sich bringend, auf die

---

*) Wir erinnern beiläufig, ohne etwas daraus zu folgern, daß das Wort Tabu mit gleichem Sinn als auf den Südsee-Inseln in den mosaischen Büchern vorkommt, welches von den Gelehrten nicht unbeachtet geblieben ist.

**) Mariner's Tonga I. p. 330.

entlegensten Inseln des großen Ocean's verstreut hat; wie da in ihrer Abgeschiedenheit die verschiedenen Völkerschaften noch ähnliche Sitten und gleiche Künste bewahren und bei dem Mangel der Schrift, die allein die Sprache in ihrer Wandelbarkeit festzuhalten im Stande scheint, und bei dem Brauche willkürlicher Sprachneuerungen dennoch nur eine gemeinsame Mundart reden: so stehen wir in unserer Unwissenheit blos. Die erwähnten Umstände beweisen eine gleichzeitige Auswanderung von einem Punkte aus und scheinen auf eine neuere Epoche zu deuten; die Kindheit aber der Sprache und in mancher Hinsicht des Volkes selbst scheinen den Zeitpunkt in ein graues Alterthum zu tauchen. Unsere ersten Seefahrer haben die Völker der Südsee in dem Zustande gefunden, worin sie noch sind.

Monsoons und Stürme verschlagen die Seefahrer der Carolinen, wie nach Westen, so nach Osten und häufig bis nach Radack gegen den 180° der Länge von Greenwich. Wir können uns leicht von der Bevölkerung dieser Inseln Rechenschaft geben. Aber wir finden in dieser Provinz verschieden redende Völkerschaften, die eine ausgebildetere Schifffahrt auszeichnet und die keine Hausthiere besitzen. Es ist nur auf Radack der Name des Hundes in dem östlichen Dialekte bekannt*). Diese Völkerschaften scheinen, bei sonstiger Aehnlichkeit und vielleicht bezeichnetem Uebergang der Sprachen, die östlichern Inseln des großen Ocean's von den westlichen Landen eher abzusondern als zu verbinden.

Die Meinung Zuñiga's**) und derer, welche die Bevölkerung der Inseln des großen Ocean's nach dem Laufe der Passatwinde von Osten gegen Westen, von Amerika gegen Asien herzuleiten und zu erklären versucht haben, ist widerlegt.

Falls es sich aus der Untersuchung ergeben sollte, daß hinreichende Gründe wirklich vorhanden sind, in den Bewohnern von

---

*) Giru und Ghuri lassen sich nicht bestimmt von Kuyuk Malayu, Iro Bisaya, Aso und Ayam Tagalog ableiten. Irio oder Ilo der Sandwich-Inseln sind dem Bisaya näher.

**) Im zweiten Kapitel der Historia de las Philipinas.

Süd-Amerika und den Insulanern des großen Ocean's oder den Völkern von Ost-Asien dasselbe Urvolk und in ihren Sprachen dieselbe Stammsprache zu erkennen, so würden vielmehr nach Molina's Meinung die Bewohner der neuen Welt von der alten Welt über das Meer herzuleiten sein — sei es über die Inselkette der zweiten Provinz und gegen den Lauf der Passat-, sei es über Neu-Seeland und unter dem Reiche der wechselnden Winde.

Wir beseitigen zuvörderst die Vergleichung, die man anzustellen versucht hat zwischen den kolossalen Statuen der Insel Pascha und den Monumenten der peruvianischen Baukunst. Wir erkennen in jenen Figuren, die aus einem leichten vulkanischen Stein gebildet sind, nur die gewöhnlichen Idole, die auf den Moral der mehrsten Inseln zu finden sind und die auf den Sandwich-Inseln Akua, Götter, und auf den Gesellschafts-Inseln Tighi, Geister, Seelen, genannt werden.

Wir bemerken, daß die zunächst an der amerikanischen Küste gelegenen Inseln, die Galapagos, Juan Fernandez u. a. m., wie alle im atlantischen und indischen Ocean gelegenen, weit von dem festen Lande zerstreuten Landpunkte, ohne Bewohner waren; kein amerikanisches Volk war ein Schiffervolk.

Zuñiga stellt die Vermuthung auf, daß die Sprache der Araucaner und Patagonier*) mit der Sprache der Philippinen-Inseln im Wesentlichen übereinkommen müsse, und bauet, aller Mittel der Untersuchung entblößt, auf diese Voraussetzung fort. Dem ist aber nicht also**).

Wir haben zwischen den Wurzeln der araucanischen Sprache und denen der Stammsprache, die uns beschäftigt hat, keine Ueber-

*) Die Patagonier, die Puelci oder Puelchi, die Morgenländer, wie sie die Araucaner nennen, gehören bekanntlich zu dem chilesischen Volk und reden dieselbe Sprache.

**) Wir haben über die araucanische Sprache benutzt:
Bern. Havestadt, Chilidugu, Monast. 1777.
Molina, Saggio sulla storia civile del Chili. Bologna 1787.
Mithridates 3. p. 403. und über die Quichua-Sprache Mithridates 3. p. 519.

einstimmung gefunden. Die Zahlwörter, die Pronomina sind andere. Man könnte wohl die Konjugation des Zeitwortes und die Deklination des Hauptwortes auf die Wurzel zurückführen, die stets unverändert bleibt und welcher nur Partikeln angehängt werden, letztere werden aber stets nachgesetzt, und in der Art wie in dem Sinn der Zusammensetzung waltet ein ganz eigenthümlicher Geist, der mit dem malayischen und tagalischen nichts Gemeinschaftliches hat. Die Person wird an dem Zeitwort und zwar an dessen Endung bezeichnet, die Personalendungen bleiben sich durch alle Zeiten vollkommen und durch alle Moden im Wesentlichen gleich. Es entstehen durch Einschaltung verschiedener Partikeln nach der Wurzel (nur wenige Präpositionen werden vor dieselbe gesetzt) eine Menge Konjugationen, worin die Bedeutung verschiedentlich bedingt erscheint. So negativ, frequentativ u. s. w. Es wird auch verschiedentlich in den transitiven Konjugationen (Transiciones der spanischen Grammatiker) das Objekt der Handlung, das Pronomen Akkusativi, in das Zeitwort aufgenommen. Es wird gern ein Satz als Wurzel eines Zeitwortes behandelt und mit der Partikel der Zeit, der Endung, der Person u. s. w. versehen, so daß sich der Sinn in ein einziges Wort drängt. Aus so zusammengesetzten Zeitwörtern werden, wie aus einfachen, durch verschiedene Endungen abgeleitete Wörter gebildet. Das Araucanische hat in der Deklination und Konjugation einen Dual, aber es hat den doppelten Plural der ersten Person nicht, welchen die Quichua-Sprache in Peru mit den Sprachen Ostindien's gemein hat. Dieses Zusammentreffen ist aber auch in dem Quichua blos zufällig und auf keine innere Verwandtschaft gegründet. Das Quichua ist dem Sprachstamme, der uns beschäftigt hat, eben so fremd als das Chilidugu, mit dem es bei auffallender Verschiedenheit der Wurzeln wesentlich in der Grammatik übereinkommt und unverkennbar zu demselben Sprachsystem gehört.

Die vollkommene Regelmäßigkeit der araucanischen Sprache, die ohne alle Anomala dem Gesetz wie der Nothwendigkeit folgt, zeugt von einer ruhigen, ungestörten, selbstständigen Entwickelung, der keine fremde Beimischung oder Einwirkung Gewalt gethan hat. Die

Endung an, die in der araucanischen Sprache öfters gehört wird und Zuñiga zu täuschen beigetragen hat, ist von der gleichen Endung im Tagalischen völlig verschieden.

Völlig verschieden scheinen uns, wie die Sprachen, so die Völker; und wir halten dafür, daß diese mit Recht zu verschiedenen Menschenracen zu zählen sind. Gemeinsame Züge vereinigen die Araucaner mit den übrigen amerikanischen Völkern, wie die Insulaner des großen Ocean's mit den übrigen Völkern der ostindischen Inseln, und es bleiben bei der Verschiedenheit der geselligen Ordnung, Sitten und Bräuche nur zwei Punkte zu berücksichtigen, die allerdings die Aufmerksamkeit anzuregen geeignet sind und worüber wir, um den Standpunkt der Frage nicht zu verrücken, was uns überliefert ist, mittheilen.

Das Schwein und der Hund haben in der araucanischen Sprache eigene Namen, da die übrigen von den Spaniern eingeführten Thiere auch mit fremden Wörtern bezeichnet werden. Das Schwein heißt nach spanischer Rechtschreibung Chancho, nach italienischer Ciancio, zwei verschiedene Arten Hunde Quiltho und Thega; und Molina ist anzunehmen geneigt, daß sie vor dem Einfall der Spanier einheimisch gewesen und von den Urbewohnern von Westen her über das Meer gebracht worden. Der P. Acosta, der bald nach der Eroberung schrieb, wagt nicht zu entscheiden, ob das Schwein sich in Peru vorgefunden oder von den Europäern dahin gebracht worden sei; wir bemerken nur, daß die angeführten Namen den Sprachen der Südsee und Ostindien's völlig fremd sind*).

Burney in seiner Chronological History of the discoveries in the South Sea V. 3. ch. 5. p. 187. bringt eine Stelle von Hendrick Brouwer's voyagie near de Custen van Chili p. 72. in Anregung, wo eines Trankes der Chileser bei Valdivia erwähnt wird, Cawan, auch Schitio und von andern mit italienischer Orthographie

*) Das Schwein heißt Malayu Babi, Tagalog und Bisaya Babui, in den Sprachen der Südsee Bua, Buacca, Buaha und Pua. Für den Namen des Hundes vergleiche eine vorhergehende Note.

Cici genannt, welcher wie der Kava oder Ava der Südsee bereitet wird und nur einer längern Gährung bedarf. Die Wurzel, aus der man ihn bereitet, wird Inilio geheißen. Das Trinken des Kava ist eine den Bewohnern der östlichen Inseln eigenthümliche Sitte, die auf den Inseln der ersten Provinz wie auf den ostindischen Inseln völlig unbekannt ist, obgleich die Pflanze daselbst vorkommt. Wir haben Piper methysticum auf Guajan und das sehr ähnliche Piper latifolium auf Luçon gesammelt. Es ist nicht anzunehmen, daß dieses verderbliche Kraut in Chile wachsen könne, doch möchten es andere ersetzen, und wir gestehen, daß die Uebereinstimmung des Namens auffallend ist. Wir finden übrigens in Molina nichts über diesen Trank.

Burney, am angeführten Ort, sucht zwischen dem araucanischen Poncho und der Kleidertracht der Insulaner des großen Ocean's eine Aehnlichkeit, die wir nicht finden; und wir können kein größeres Gewicht auf eine schwankende Sage der Araucaner legen, nach der sie vom Westen herstammen, indem sie eine andere vom Norden herwandern läßt und wieder eine andere sie als Eingeborene der Erde schildert, die sie bewohnen.

Das Resultat unseres Studiums sowohl der Geschichte als der Natur ist, uns den Menschen sehr jung auf dieser alten Erde vorzustellen. In den Schichten der Berge liegen die Trümmer einer ältern Welt wie Hieroglyphen begraben, die Gewässer ziehen sich zurück, Thiere und Pflanzen verbreiten sich von verschiedenen Punkten aus in verschiedenen Richtungen über die Oberfläche der Erde, die Berge werden die Länderscheiden. Der Mensch steigt von seiner Wiege, dem Rücken von Asien herab und nimmt nach allen Seiten vorschreitend das feste Land in Besitz; er verbreitet sich im Westen über Afrika, wo die Sonne den Neger färbt, und über Europa, wo später eingewanderte Stämme in dreifacher Zunge unverkennbar die Sprache Indien's reden*). Der Papua auf den östlichen unter

---

*) Autochthonen kann man in Europa nur die Kantabrer und Kelten nennen und nur in sofern sich ihre Einwanderung und Abstammung nicht nachweisen läßt. — Die tschudische Volksstamm läßt sich auf andere asiatische zurückführen.

der Linie gelegenen Ländern erleidet unter gleicher Einwirkung dieselbe Veränderung als der Afrikaner, oder gehört vielleicht mit ihm zu einem Stamm. Der Chinese bleibt in Ost-Asien unwandelbar. Andere Stämme verbreiten sich im Norden von Asien, die N. O. Spitze der alten Welt bahnet zu der neuen die Straße, — hier zerstreuen und entfremden sich die Völkerschaften, eine gewisse Aehnlichkeit läßt uns einen gemeinsamen Menschenstamm annehmen, aber die Sprachen haben sich völlig von einander getrennt. Die Geschichte zeigt uns noch in frischem Andenken einen Völkerstrom, der über die Ebene von Mexico von Norden gegen Süden sich forterließt, andere Stämme vor sich her verscheucht, Monumente seines Ueberganges hinter sich läßt und Erinnerungen seines Geburtslandes, des hohen Asien's, treulich bewahrt*). — Ein anderer Stamm, die Eskimos, deren Gesichtsbildung uns die mongolische und chinesische Menschenrace verräth, ergießt sich von Nord-Asien über den nördlichen Saum von Amerika bis Grönland hin und bewahrt in beiden Welttheilen eine gleiche Sprache, gleiche Lebensweise und gleiche Künste. Endlich ergießt sich von der S. O. Spitze Asien's ein kühnes Schiffervolk, die malayische Race, über die Wohnsitze der Papuas hin, bis über die östlichsten, abgelegensten Inseln des großen Ocean's, und die Frage wird in Anregung gebracht: ob auch im Süden der Linie der Mensch sich auf Schiffen von der alten nach der neuen Welt den Uebergang gebahnt?

Wir ahnen, daß, wer mit gehörigen Kenntnissen gerüstet alle Sprachen des redenden Menschen überschauen und vergleichen könnte, in ihnen nur verschiedene, aus Einer Quelle abgeleitete Mundarten erkennen würde und Wurzeln und Formen zu Einem Stamme zurückzuführen vermöchte.

*) Humboldt, Vues des Cordilleres p. 152. etc.

Das tagalische Alphabet.

Das erste ist entlehnt aus dem Compendio de la Arte de la lengua Tagala por el padre Fr. Gaspar de San Augustin. Segunda impression. Sampaloc 1787.

Das zweite aus der Arte de la lengua Bisaya de la provincia de Leyte por el P. Domingo Ezguerra de la comp. de Jesus, reimpressa en Manila 1747.

Das dritte aus einer Arte de la lengua Bisaya. Manuskript. Die Tagalisten stimmen darin überein, diese Schriftzüge seien von den Malayen erborgt. Die Malayen haben mit dem Islamismus die arabische Schrift angenommen, aber die unbelehrten Völker vom Innern von Sumatra und Java bedienen sich noch der Alphabete, die auf den Grundsätzen des Sanskrit oder Deva-nagri beruhen und nach Marsden*) gleich dem Sanskrit und den europäischen Sprachen von der linken Hand zu der rechten geschrieben werden. Dem widerspricht Leyden; das Alphabet von Java wird nach ihm von der Rechten zur Linken geschrieben, und das Batta-Alphabet auf Sumatra von unten nach oben, in einer der der Chinesen völlig entgegengesetzten Ordnung. Die Battaschrift wird auf Bäume oder Stäbe mit dem Criß eingeschnitten; das Lampung und Rajang sind Abänderungen davon, die auf andere Materialien in anderer Ordnung geschrieben werden. Das Bugis auf Celebes scheint in Betreff der

*) Grammar of the malayan language by W. Marsden. London 1812. 4. p. 2.

Ordnung, in der es geschrieben wird, mit dem Javanischen überein zu kommen*).

Wir haben uns nichts von dem verschaffen können oder auch nur zur Ansicht bekommen, was mit tagalischen Charakteren gedruckt worden ist, und nichts Geschriebenes. Obgleich diese Schrift in entlegenen Provinzen noch nicht außer Brauch ist, hat uns Niemand in Manila darüber Auskunft geben können, und die Tagalisten lassen uns in Zweifel über die Ordnung, in der sie geschrieben wird**).

In welcher Ordnung auch die erwähnten Alphabete geschrieben werden, das indianische Schriftsystem ist in ihnen nicht zu verkennen. Die Schrift der Tagalen scheint, in Hinsicht auf Vokale, die einfachste und unvollkommenste zu sein***).

---

*) Asiatic researches Vol. 10. Lond. Edit. p. 158. on the languages and literature of the Indo-Chinese nations by T. Leyden p. 190. 193. 205.

**) El modo de escribir era formando los renglones de alto abajo, empezando por la izquierda y acabando por la derecha, al modo de los Hebreos y Chinos sus caracteres eran enteramente diversos de los nuestros, no tenian vocales etc. Historia de Philipinas por Fr. J. Martinez de Zuñiga. Sampaloc 1803. p. 30. „Die Art zu schreiben war, bildend die Zeilen von oben nach unten, anfangend von der Linken und endigend zur Rechten, nach Art der Hebräer und Chinesen; ihre Charaktere waren von den unsern ganz verschieden, sie hatten keine Vokale u. s. w.“ (ohne Punktuation.) — So han antes de agora (y aun muchos oy dia) escrivir de abajo hazia arriba, poniendo el primer renglon hazia la mano Izquierda. Ezguerra l. c. p. 1. „Sie pflegten in vorigen Zeiten (wie Viele jetzt noch thun) von unten nach oben zu schreiben, setzend die erste Zeile zur linken Hand.“ „Sie schreiben auf Bambus, Palmen- oder Pisangblätter“ Poblacion de Manila.

***) Siehe Vergleichungstafeln der Schriftarten verschiedener Völker von C. W. Büttner. 2. Aufl. Göttingen 1779, wo das Tagalische auf den fünf ersten Tafeln die 43. Säule, auf der 6. die 23., und auf der 7. die 21. einnimmt. Der darauf Bezug habende Text fehlt.

A. E. I. O.U.

1.

2.

3.

B. K.C. D.R. G. Ng. H. L.

1.

2.

3.

M. N. P.F. S. T. V. Y.J.

1.

2.

3.

Ba. Bi, be. Bu, bo. Ka.

Ki, ke. Ku, ko. etc.

Vokabularium

der Dialekte Chamori (Marianen-Inseln) und von Eap, Ulea und Radack.

Anmerkung.

Wir haben den Laut mit unsern deutschen Buchstaben, so weit sie hinreichten, zu malen versucht. Einen Mittellaut zwischen A und O haben wir Å, ein sehr offenes e (das französische ai — j'aimais) Ä, eine den französischen Nasen-Lauten sehr nahe kommende Endung — ng geschrieben. Wir haben für das deutsche W das einfache V gebraucht und aus dem englischen Alphabet das W und das th für verwandte Laute entlehnt. Das j oder g der Franzosen, Ж der Russen, kommt blos in dem Worte Nagen vor.

Der Accent fällt meist auf die letzte Sylbe. Wo sonst Mitlauter sich begegnen oder sich häufen würden, scheint ein gleitender Selbstlauter euphonisch eingeschaltet zu werden.

Daß übrigens keiner der Fehler, denen wir in ähnlichen Arbeiten mit Nachsicht begegnen, umgangen werden konnte, brauchen wir wohl nicht erst zu erinnern. Unvermeidlicher Mißverständnisse nicht zu gedenken, ist unsere Rechtschreibung schwankend, wie selbst die Aussprache unseres Lehrers in ihm fremden Sprachen unzuverlässig war. Wir hörten auf Radack Medid, Irud, Dilé, — Kadu sprach Mesid, Irus, Thilé aus. Wir waren stets zwischen D, th und s, zwischen ch, k und g u. s. w. zweifelhaft. Von letzteren Buchstaben scheinen ch oder k am Ende eines Wortes hart zu klingen und in der Verbindung in ein weicheres g überzugehen. Ingaeb. — Ingaga gamelato Rossia. Ich verstehe nicht. — Ich verstehe nicht die Sprache Rußland.

Vokabularium

der Dialekte Chamori (Marianen-Inseln) und von Eap, Ulea und Radack.

Zahlen.

Zur Vergleichung und zur Ergänzung der Tafel in Cook's dritter Reise.

	Tagalog	Pampango	Bisaya	Pelew-Islands nach Wilson.	Item nach einem Spanier Manuskript.
	nach den spanischen Arles.				
1.	Yea	Isa	Usa und Sayo	Tong	Dita
2.	Dalva und Dalava	Adua	Duhà	Oroo	Teru
3.	Tatlò	Atlo	Tolo	Othey	Tedey
4.	Apat	Apat	Upat	Oang	Oa
5.	Linà	Lima	Lima	Aeen	Olm
6.	Anim	Anam	Unum	Malong	Malo
7.	Pitó	Pitu	Pito	Oweth	Vis
8.	Valò	Valo	Valo	Tei	Yay
9.	Siyam	Siam	Siam	Etew	Ytiu
10.	Polò und Povò	Apulo	Polo	Mackoth	Magot

	Chamori	Zahlen eines gewissen Längenmaaßes (Faden) in derselben Sprache.	Eap	Careolineninseln (Ulea) nach J. Wilson im Duff 1797. Nach deutscher Rechtschreib.	Ulea	Radack.
1.	Hatjijai	Tac batjun	Rep	Eiota (Pota)	Eoth	Duon
2.	Huguijai	Tac hugua	Ru	Ruo	Rû	Ruo
3.	Tolguijai	Tac tulum	Thalep	Tolu	Àl	Dillu
4.	Fatfa ai	Tac fatum	Eninger	Teia	Fahn	Emmen
5.	Limijai	Tac lima	Labl	Lima	Lim	Lallim
6.	Gonmijai	Tac gunum	Nel	Hounu	Ol	Dildinu
7.	Fedguijai	Tac guijai	Medalip	Feizu	Fis	Dildimemduon
8.	Gualguijai	Tac gualum	Meruk	Warto	Oòl	Eidinu
9.	Siguijai	Tac siguam	Merep	Hivo	The-u	Eidinemduon
10.	Manutai	Tac manud	Ragach	Segga	Seik	Tjabudjet und Tjongaul.

	Chamori.	Gap.	Ulea.	Radack.
11.			Seikamethéo	Tjabudjetmeduon
12.			Seikemeruo	Tjabudjetmeruo
13.			Seikemesilu	Tjabudjetmedillu
14.			Seikemefao	Tjabudjetmeemmen
15.			Seikemelimo	Tjabudjetmelallim
16.			Seikeméolo	Tjabudjetmedildinu
17.			Seikemefiso	Tjabudjetmedildinemduon
18.			Seikemeoalo	Tjabudjetmeeidinu
19.			Seikemetheuo	Tjabudjetmeidinemduon
20.	Huguanafulu	Repudegach	Rueg	Tjagoren
30.	Tulungafulu	Thalepanath	Selig	Tjagorenmetjabudjet
40.	Fatfatnafulu	Eningenath	Faig	Ruagor
50.	Limangafulu	Lablöath	Limeg	Ruagormetjabudjet
60.	Gonumnafulu	Nelonath	Oleg	Dillagor
70.	Fitinafulu	Medelipenath	Fisig	Dillagormetjabudjet
80.	Gualungafulu	Merugenath	Oalig	Eagor
90.	Siguanafulu	Merebenath	Théuég	Eagormetjabudjet
100.	Manud und Gatus	Raai	Semaul	Limmagor
120.				Dildinu
140.				Dildinemduon
160.				Eidinu
180.				Eidinumeduon
200.				Tjabugi
1000.	Tjalan	Wubin	Theongoras	
Allein		Tarep	Theotog	Duonot

Anmerkung. Im radackschen Rechnungssystem ist die Skale von 20, wie auf Neu-Seeland und den östlichen Inseln. Die einfachen Zahlen gehen nur bis 5. 6 wird aus 3 gebildet. 7 ist 6 und 1, so wird 8 aus 4, und 9 aus 8 und 1. Tjabudjet ist die gewöhnliche 10. Tjongaul wird von Menschen, Schiffen, Pandanusfrüchten u. a. m. gesagt.

	Chamori.	Gap.	Ulea.	Radack.
Der Name. Wie heißt das?	Nahan	Waoresingen	Ātan	Ātan
Ausruf der Verwunderung		Eretam	Ilomäut	Irio
„ des Unwillens		Wutävan	Tamaurel	Epada

	Chamori.	Yap.	Ulea.	Raback.
Ich	Guaho	Igagk	Ngang	Nga
Du	Hago			
Ja	Huu	Ier	Illa	Inga (und auf den südlichen Gruppen) Ja
Nein, auch Verbot	Ahe	Matamat	Tabu zu Bulnath Ebla	Emo und Ap
Es giebt keins, es fehlt		Tari	Tor	Eitolok
Gott		Tautup	Tautup	Jageach
Der Name des Gottes		Eagalap derselbe zu Ngoli, Mogomug u. Ulea. Zu Feis: Rongala, zu Lamurock und Elath: Fuss, zu Fojo: Lagé.		
Anruf beim Opfern			Wareganam gure Tautup!	Gidien Auls mne jeo!
Das Volk wiederholt:			Tautup!	Jeo!
Die Seele	Anti			
Der Mann — Mensch	Lahi	Pimohu	Mâmoan	Mâmoan
Der Körper	Tatautau	Kaiaim	Kagel	Goen
Das Blut	Hinga	Ratta	Ta	Wothagedig
Der Schweiß (f. warm)		Âthu	Lass	Mnagaru
Der Kopf	Ulu	Eilngong	Methackitim	Emethackworra und Methackwarr
Das Haupthaar	Gapunulu	Lalâgel	Timul	Worra
Was überhaupt Haaren gleicht, Fasern	Gapu			
Haar	Pulu			
Der Bart	Atschai, auch das Kinn	Râp	Elsâl	Koriak
Die Augen	Mata, auch das Gesicht	Eauteg	Matai	Medja
Sehen	Atan	Mutangarangal	Kolomethoa	Medimedl
Die Ohren	Talanja	Ilig	Talengel	Talengel
Hören	Hungrug	Gorungar	Erungerung	Rungerung
Die Nase	Guihia	Busomun	Wathel	Wathu
Riechen		Foloboua	Eesangi	Easangi
Der Mund	Patjud	Langach	Eol	Langin

	Chamori.	Eap.	Ulea.	Radack.
Die Zähne	Nifin	Mulech	Nir	Nir
Die Zunge	Hula	Athaen	Luel	Luel
Der Hals	Hagaga	Lügfinag	Uel	Wurawen
Die Brust	Hauf	Nüerungoren	Uwal	Ugel
Der Bauch	Tudjan	Thugunim	Siel	Sieu
Der Arm }		Pach	Bäi	Bän
Die Hand }	Kanai	Karovinarinc-pagh	Humutal	Laperinepel
Die Finger	Kalulud	Pugelipagh	Kasthel	Thanethari
Der Daumen	Tamagath	Wagulinegah	Kasthelep	
Das Bein }		Ai	Petehl	Nen
Der Fuß }	Adding	Garoverevin	Patepatelpetohl	Leporinen
Das Weib	Palauan	Wupin	Täbut, zu Fels: Feivil	Gora und Redini
Die Brüste	Susu	Thithi	Thithi	Thithi
Die Milch	Tschuguasau	Lengirén	Täll	Täll
Säugen	Pogsai			
Schwanger		Kaithien	Sasiel	Elöpesien (vgl. Groß)
Gebären, auch Eier legen		Korgoel	Sasiemelau	Emesalesal
Der Vater }	kein Wort vorhanden	Tamangen	Taman	Taman
Die Mutter }		Langelin	Rehn	Rehn
Das Kind		Vagk	Nagen	Nagen
Der Knabe		Taraman	Taraman	Taraman
Das Mädchen		Wulil	Tarvévil	Lerrick
Zwillinge (??)		Tathangen	Usi	
Der älteste Sohn		Ngani	Molles	Sän } Nur auf Radack unter Geschwistern üblich — Bruder, Schwester.
Die jüngeren		Wain	Usel	Sathen
Die Tochter		Olagen	Moengel	Loén
An Kindesstatt annehmen		Fagk (s. Kind)	Lä-eul	Nasi
Die Freunde (die verbrüderten)	Atjama, jetzt meist nur für Liebende (der, die Geliebte) üblich.	Tafaveil	Marar	Sera
Der Greis		Pelewider	Malellap	Elallap

	Chamori.	Yap.	Ulea.	Radack.
Der Jüngling		Waitiketihk	Oaétit	Enning
Ein Chef	Tjamoro	Pilu	Tamohn	Irud oder Irus. Tamohn schon eingeführt. Außerdem scheinen verschiedene Benennungen eine Rangordnung unter den Irus anzudeuten.
		Zu Lamuniur, Kathegube und Mour: Ratulweli. Zu Pelli: Ruwach (Rupack Wilson).		
Der aus dem Volke		Tonepinau	Malegaffageu	Armesuan
Leute, Menschen				Loma
Eine Mißgeburt, natürliche Mißbildung, ein Krüppel		Botalip	Emmate	Ruwéwé
Eine Sprache, ein Wort		Rewomaringach	Sãokapatapat	Gamelat
Verstehest Du?		Komenang	Kogela	Kosalage
Ich verstehe		Kümenang	Ugüla	Üsala
Ich verstehe nicht		Thagonang	Ittagela	Ingach
Reden, sprechen		Marangach	Kapatapat	Tattigalai
Schweigen		Fanwach	Tangiel	Riap
Schreien	Agang	Taulul	Tataul	Lamuit
Essen	Tjumatju	Thamunemun	Mogai	Mogai } Er ißt, trinkt: Mogit
Trinken	Guminim	Thachu	Por	Bogai } Bogit
Einen Cocos trinken				Gaga } Gagit
Zu essen fordern		Piwotugnai	Tattegalai	Gisãsirick
Begehren andere Dinge		Pigofanai	Kassiso	Läsoch
Nehmen	Tjull	Mugol	Bulii, zu Feis: Choli	Kabudri
Geben	Nahe	Areganam	Kalamuje	Kalamuje
Kaufen, tauschen	Fahan	Uaraifanam	Eamuje	Mojamuje
Ich will nicht	Mungajo			
Irgendwo sein, bleiben, sich aufhalten		Wairi	Emelega	Eberi
Gehen	Humanau	Mahn	Galloch	Wailok
Kommen	Mamaila	Meongrai	Maiga	Waidok
Jemanden holen, rufen	Maila, komm her! maila quini	Mahnemupinning	Vosangahsog	Gollali
Wo gehst Du hin?		Thingamanangan	Kowalaïa	Oathigit

	Chamori.	Yap.	Ulea.	Rabad.
Dahin (den Weg zu weisen)	Adju			
Klettern		Manangelang	Thousagk	Resach
Laufen	Malago	Mumill	Therr	Theser
Springen		Mooch	Ladt	Gäloch
Schreiten	Mamockat			
Straucheln, fallen im Gehen		Idol	Täparack	Ewong
Stehen	Tumotughe	Tülling	Süsach	Süsach
Sitzen	Matatju	Permowut	Mathothi	Sithlet
Liegen	Umassum	Mül (und schlafen)	Ülloch	Wawu
Gähnen		Pingeoll	Mauloch	Mö
Sich recken		Dhadha	Raloch	
Schlafen	Mahigu	Mal	Mädur	Mädur
Träumen	Mangulå	Lickai	Thal	Thanack
Aufwachen	Magmata			
Erwecken (it. ein umgeschlagenes Boot wieder umwenden)	Pangun			
Lachen	Tschali	Minimin	Malikowot	Lea
Weinen	Tangis	Thingejur	Kawasinng	Átang
Er weint	Tumatangis			
Niesen		Oingut	Musai	Musai
Husten		Tautol	Tagefach	Pogopoch
Seufzen		Poghovan	Nassetairack	Menuna
Sich fürchten		Kogethigau	Resumith	Ilubüch
Sich schämen		Ettamera	Emma	Esoch
Zittern	Laulau			
Einer der zittert	Laulaulau			
Jucken	Makaka			
Kratzen, auch raspeln	Kassass	Gatål-gitigit	Moó und Ethat, zu Fels: Rub	Irir
Tatuiren, zeichnen		Kotau	Möck	Åo
Liebkosung durch Berührung der Nasen		Farai	Felssong	Agomit, auf Radack unter Männern nicht üblich.
Biegen		Mogawornaök	Kowaru	Gehil
Brechen		Mutar	Kopi	Kosai

	Chamori.	Car.	Ulea.	Radack.
Reißen		Mukuruv	Katarra	Epeosach
Schneiden		Mithap	Kutovi	Mutemut
Gut	Mauli	Jertam	Damoút	Eldara
Schlecht von Menschen	Abbale			
„ von Sachen	Tailago			
Wenig	Diddini	Thancior	Teitolop	Ejet
Viel	Meggai	Wéor	Etolop	Eor
Groß	Dankulu	Poga	Eolep, zu Feis: Mallilop.	Elüp
Klein	Dikiki	Wätich	Edigit, zu Feis: Taraman.	Irick
Hoch		Otoliang	Etageet	Etageet
Niedrig		Otawut	Ottatal	Ottatal
Oben, über		Mungelang	Theusach	Reaach
Unten, unter		Mulu	Theusi	Thuseni
Gesund		Kaitü	Sahtü	Edjaghu
Krank	Malango	Vaiamith	Emmedack	Emmedack
Rechts	Agapa	Wanegilei	Gilimera	Rear
Links	Akagui	Wanemetau	Glitschâgil	Jeridili
Leicht		Wowaut	Eppel	Emmera
Schwer		Tomal	Ettau	Irro
Jung	Paggun			
Alt	Amku			
Fest		Boghu	Eculip, zu Feis: Epalling.	Eghasur
Schmächtig		Poetiketik	Egetigith	Egoirick
Trocken		Mallick	Epellepell	Emora
Feucht		Wogarda	Öllö	Eu
Kalt		Ollum	Isaleu	Pão
Warm (s. Schweiß)		Eatho	Lâss	Mongaru
Weiß		Umira	Ewuet	Emous
Schwarz		Alit	Wol	Raran
Karminroth		Eria	Lap	fehlt

Für die Farben fehlen Benennungen.

	Chamori.	Yap.	Ulea.	Radack.
Walzenförmig		Otapalo	Eulul	Eúlethilith
Vierkantig		Emetavan	Emetavan	Eurevan
Flach		Bogarathan	Etoilep	Erilep
Genug		Kaivel	Lalmal	Emuft
Weit in Zeit oder Raum, fern, alt		Wutaurel u. Taurol	Esaolog	Eddo
Hier		Erol	Iga	Idi
Jetzt		Tharu	Igala	Gihu
Nahe		Utuwur	Egarep	Ebeägk
Siehe da (ecce)		Waram	Mathailai	Juóo
Schelten, zürnen, einen raufen		Tabuel	Sûsegh	Emadirdir
Schlagen, verwunden		Miléau	Kauli	Mani
Tödten	Puau	Milcauogaim	Kauliwolmes	Manimanilmütch
Sterben	Matai	Kaim	Imütch	Imütch
Kampf, Krieg	Mumu	Matämal	Maul	Meidar
Der Wurfspieß, die Lanze	Gugudanun	Thillagk	Tilleg	Mari
Derselbe ungespitzt, item die Schärfe abstumpfen	Fudfud			
Werfen		Mun	Kattevi	Kavo
Treffen		Ikan	Jel	Ellil
Verfehlen		Theikan	Tarami	Tjapomcle
Die Schleuder		Kaul	Kaul	Wuath
Der zweigespitzte Wurfstab		Tauwalach		Gilibilip
Die Trommel		fehlt	fehlt	Adl
Der Trommelschlag, wenn der Feind noch fern ist		fehlt	fehlt	Ringeelpinen
It. zum Handgemenge		fehlt	fehlt	Pinneaume
Singen und Tanzen		Turu	Waruk	Eäp
Ein besonderer Kreistanz		Walebong	Walebong	fehlt
Ein anderer Tanz		Kapaugach	Kapangach	fehlt
Das Haus	Guma	Naun	Ihm	Ihm
Flößholz		Eal	Kapepe	Gaimed
Flößholz mit Eisen		Marauasai	Waleparang	Gaithoga
Eisen	Lalu	Uasai	Parang	Mäl

	Chamori.	Cap.	Ulea.	Radack.
Das Eisen der Art (ein Stück Eisenreif)		Uasai	Parang	Mäl
Der Meisel (ein Nagel oder ähnliches Eisenstück)		Matai	Tété	Miré
Die Art		Kol	Moll	Sisür
Das Messer (eine geschärfte Muschelschaale und unsere M.)		Ear	Sar	Bogebog
Der Schleifstein (vgl. Stein)	Guasaun	Tamathelai	Pasitto	Ragäloll
Schleifen	Guasa	Musum	Taité	Timetim
Scharf	Malagdus			
Zimmern		Mutol	Falla	Ticketick
Nähen		Munevit	Thig	Dillodill
Ein schiffförmiges hölzernes Gefäß		Thawi	Tapi	Tapi
Ein rundes dto.	Sabádjan			
Zerstampfen		Eoagil	Lovis	Komällis
Ein Kranz		Iliau	Kabulipeu	Pollepel
Ein Halsband		Maremar	Maremar	Maremar
Ohrenschmuck		Tharau	Wot	Worr
Matte von Pandanusblättern		War	Mang	Mang
Die Schlafmatte		War	Sagi	Sagi
Eine Art Zeug aus den Fasern der Bananenpflanze		Waigi	Kou	fehlt
Die Bastschürze der Männer				Mudirdir
Die Mattenschürze der Frauen				Thibidja
Das Männerkleid		Thoú	Kapellepel	
Das Weiberkleid		Platu und Jong	Kapellepel	
Das Curcuma-Pulver		Rahn	Rahn	
Fischangel		Lam	Gau	Gäth
Fischnetz		Teú	Uch	Kabull
Das Boot, ein Schiff	Sahadjan	Mu	Oa	Oa
Der Mastbaum	Falina	Olian	Gkeus	Gieu
Das Segel	Laadjag	Lai	Ui	Usala
Was den Ausleger oder das Balancier trägt	Gahid			

	Chamori.	Eap.	Ulea.	Radack.
Der Ausleger, das Balancier	Litja	Tham	Tham	Gubach
Ein Seil		Tal	Tal	Tho
Die Schnur			Kologol	Kologol
Die zierliche Schnur, womit die Schürze umgebunden wird				Irick
Der Vordertheil, und		Wukämu	Muril	Tjabogon
Der Hintertheil des Bootes unter Segel		Mitämu	Mol	Moan
Steuern, Steuerruder	Ulin	Bogallåat	Ekailloth	Djudjuve
Rudern, Ruder	Pogsai	Mamann	Fathell	Girgagi
Das Land aus dem Gesichte verlieren		Kaiau	Sasol	Eisäsalog
Treiben mit dem Strome		Obogail	Eckall	Emarungerung
Scheitern		Mup	Thon	Ribadi
Drehen		Teltel	Tattagul	Arbuluul
Laviren	Lailai, und daher wegen des hiehin und dahin Gehens:			
Stücke Schildkröten, eine Art Münze	Lailai			
Dünne Scheiben Schildkröte an einer Schnur, eine andere Art Münze	Alas			
Baden und Schwimmen von Menschen	Numango	Monong	Evoloch	Aü
Untertauchen	Lumouf	Malit	Esúlong	Esüloch
Auftauchen	Kahulu	Farangalang	Ewäsach	Oaloch
Die Sonne	Addau	Al	Al	Al
Der Mond (Monat von 30 Tagen)	Pulan	Pul	Moram	Alling
Die Sterne	Putiun	Tuv	Fiss	Idiu
Der Polarstern		Fissimogedigit	Fissimogedigit	Lemannemanu
Der Schatten	Aninnig	Vahn	Eangal	Allil
Der Morgen	Aggaan	Kairagan	Eral	Eral

	Chamori.	Yap.	Ulea.	Radack.
Der Mitag	Talluani	Kaimesĭ	Tajet	Tajet
Der Abend	Pupoeni	Kaiau	Thasuleal	Thūlog
Die Nacht	Poeni	Kainep	Ebong	Ebong
Ein Tag	Haaai			

Anmerkung. Die Zeit wird auf Radack, Ulea und Yap durch die Zahl der Nächte und Monde, auf den Marianen-Inseln durch die der Tage und Monde gerechnet. (Die Sandwicher zählen gleichfalls die Nächte Po.) Ebong wird auf Radack auch für Heute gebraucht. Das Wort, welches wir für ein Jahr (12 Monate) herausbekommen haben, ist uns sehr zweifelhaft geblieben.

	Chamori	Yap	Ulea (Don Luis de Torres)	Ulea (Nach Kadu)	Radack
Ein Jahr?		Wosu	Sewarak		Sewarak
Vorgestern	Nigabaja		Talanginlallau		
Gestern	Nigab	Fanop	Lallau	Lalo	Inné
Heute	Paagu		Ralai		Ebong
Morgen	Agupa	Chabul	Lao	Walasu	Ildiu
Uebermorgen	Agupanja	Langelat	Salangin	Watalangin	Tjagalat
Der dritte Tag			Watalangin		
Der siebente Tag			Ranalal		

Die Tage des Monats auf Ulea nach Kadu.

Der 1. Lingiling	Der 7. Mesevel	Der 13. Olomoal	Der 19. Sopatemir	Der 25. Ereve
„ 2. Sigaur	„ 8. Mesavol	„ 14. Alat	„ 20. Ortevalan	„ 26. Eii
„ 3. Mesul	„ 9. Mesadu	„ 15. Ir	„ 21. Olabugi	„ 27. Erevi
„ 4. Meseven	„ 10. Tjabong	„ 16. Ladi	„ 22. Olahue	„ 28. Euu
„ 5. Meselim	„ 11. Alabugi	„ 17. Gilei	„ 23. Olamahé	„ 29. Evan
„ 6. Mesaul	„ 12. Oloboa	„ 18. Kaira	„ 24. Tamalaval	„ 30. Etav

Die zwölf Haupt-Wind-Rumben auf Ulea nach D. Luis de Torres.

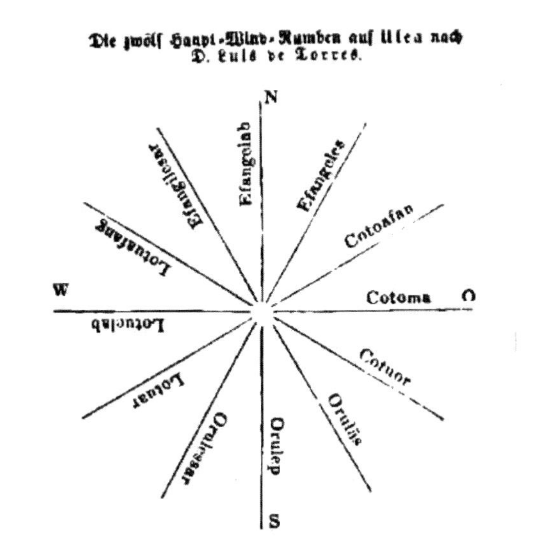

Halbe Rumben bringen die Anzahl auf 24. Sie werden nach den zweien, zwischen welchen sie liegen, auf folgende Weise benannt:

Efangelab - caululor - Efangeles.
Efangeles - caululor - Cotosfan etc.

Der Cours der Schiffe auf Ulea, nach Demselben:

Zwischen W und O nach Norden Puo.
Zwischen O und W nach Süden Puilung.
Zwischen N und S nach Osten Puitag.
Zwischen S und N nach Westen Puitug.

Die Himmelsstriche nach dem Standpunkt der Sonne zu den verschiedenen Tageszeiten zu Ulea, nach Demselben:

Der Morgen Nissur.
Der Mittag Egwol.
Der Abend Eppong.

	Chamori.	Yap.	Ulea.	Radack.
Nord	Timi	Laélot	Maévan	Wasogien
Süd	Seplun	Laut	Majürr	Wasogrick
Ost	Manuu	Ngaäck	Mattaral	Kåsu
West	Fanlipan	Ngal	Måleso	Kåsusogepiling
Der Himmel	Langin	Lang	Lang	Lang
Der Wind	Manglu	Niveng	Aang	Githu
Die See	Tahsi	Não	Lao	No
Die Fluth		Fasach	Fasach	Aåthagk
Die Ebbe		Elsowil	Elsowil	Aåtho
Der Strom		Eatsch	Eath	Aåthagk
Branden		Tanna	Faleram	Thiwanegilingi
Auswerfen		Kaipaht	Sapat	Eotbeck
Land, eine Insel, ein Gebiet in einer Insel	Tahno	Wunau	Valli	Enni
Eine niedere Inselgruppe		Lůgůlleng	Lůgůlleng	Aåleng
Das Innere, der Strand am innern Meere				Iar
Das Aeußere, der Strand am äußern Meere		Illůch	Illůch	Iligleth
Eine Durchfahrt		Thibutol	Thau	Tjer
Ein Berg	Alumtano	Tăit	fehlt	fehlt
Ein Fluß	Saddug	Lull	fehlt	fehlt
Eine Wassergrube		Raha	Tahl	Ranlibul
Süßes Wasser	Hanum	Munum	Elůmi	Ira
Feuer	Guafi	Nevi	Eaf	Gidleg
Anzünden		Muruweg	Fissigi	Dilé oder Thilé
Rauch	Assu	Athanenevl	Oath	Oath
Wolken	Mapagahis	Tharami	Tharami	Tharami
Nebel		Thap	Thap	Thap
Regen	Utjan	Nu	Uth	Uth
Der Regenbogen	Iasa	Laulůor	Laulůor	Tamåluth
Der Donner	Hulu			
Der Blitz	Lammlamm (d. i. leuchtend)			
Das Erdbeben	Linau	Hirru	Fallamar	fehlt

	Chamori.	Eap.	Ulea.	Radack.
Ein Pfad, Weg	Tjalan	Ua	Ieal	Ial
Ein Stein	Atju	Malang	Vas	Ragha
Fallen, von Dingen gesagt		Emul	Eponloch	Ewonloch
Ein Gewächs, Baum oder Kraut, auch der Wald		Pan	Oluol	Mar
Ein Baum	Uddunhadju			
Baumstamm, Holz	Hadju			
Die Wurzel	Hali	Likangèn	Oagar	Oagar
Das Blatt	Hagun	Imm oder Iuan	Teil	Pellepel
Die Blume	Tschinali	Oamangen	Ual	Länn
Pflanzen oder Säen		Mioug	Fasagü	Gallub
Die Wurzel ausgraben	Haali			
Arbeit			Engang	Murilir
Ein Kraut	Papaguan			
Der Pandanus und dessen Frucht		Ner	Fabt	Wob, der männl. Baum Digar, der wilde Eruan, cultiv. Abarten: Bugor, Bugien, Eilugk, Undaim, Erugk, Lerro, Adiburik, Eldeboton, Eremamugk, Tabenebogk, Rabilebil, Tumulisien, Lugulagubilau, Andian, Ulidien u. a. m. Das aus dem Saft bereitete Konfekt Moghau.
Die Basthülle der Cocosnuß, auch die Nuß davon befreien		Thaivu	Pajöl	Aé
Cocos, der Baum und die Nuß	Nidju	Niu	Ni	Ni
Der Brodfruchtbaum u. Frucht	Lemmai	Ethau	Mā	Mā
Die Banane	Tjodha	Pao	Ut	Kalbaran
Arum esculentum		Mal	Eoth	Kadeck
Arum sagittifolium		Ülack	Wulach	Jerat
Arum macrorrhizon		Lai	Villa	Woth

	Chamori.	Eap.	Ulea.	Radack.
Tacca pinnatifida	Ein Ort auf Guajan heißt Mungemung	Mogemug	Mogemug	Mogemug
Hibiscus populneus		Gahl	Giliveu	Lo
Ein Strauch mit nutzbarem Bast		Aromä	Aromä	Aromä
Eine Pflanze Triumfetta procumbens		Korach	Kårach	Atahat
Curcuma		Gutol	Eong	fehlt
Bambus		Mor	Wowau	fehlt
Areca Catechu		Bu	fehlt	fehlt
Caryophylla aromatica		Tongath	fehlt	fehlt
Eine Art süße Kartoffel		Kåmot	fehlt	fehlt
Unsere Säugethiere				Giru, zu vergleichen mit Gh-uri, der Hund auf Neu-Seeland und den Freundschafts-Inseln.
Nota. Auf den Pelew-Inseln heißen Rinder Ming, Ziegen Gaming.				
Schweine	Babui wie im Tagal.			
Katzen (spanisch)		Gato	Gato	
Ratten		Warro	Git	Gidirik
Der Schweif oder Schwanz eines Thieres		Wuck	Patal	Logon
Die Seeschildkröte		Woal	Woal	Uen
Große Eidechse (Iguana)		Kaluv	fehlt	fehlt
Eidechse		Athavararu	Purupur	Uioe
Ein Fisch	Guihan	Nich	Igk	Igk
Schwimmen	Numango	Kajea	Iloch	Iloch
Ein Delphin		Gatich	Gul	Gui
Ein Haifisch		Kojong	Paghu	Paghu
Ein Roggen (Raja Pastinaca oder R. Aquila ähnl.)				Samuso
Der fliegende Fisch		Kogk	Mongar	Thotho
Tritonshorn-Muschel		Eabui	Taui	Silimaré, für Muschel fehlt eine allgem. Benennung.
See-Igel			Mugol	Mugo

	Chamori.	Car.	Ulea.	Radack.
Ein Vogel	Gaga	Eretá	Girigagk	Waó
Fliegen	Gumupu	Gaitomgagk	Elsoch	Gäsoch
Feder		Fath	Ülellemell	Emmerim
Nest		Taggil	Fa	Rong
Eier		Fagk	Fathiel	Lip
Brüten		Hernasakein	Eponfathiul	Wavulerong
Der Hahn		Númen	Mallich	Kahu
Die Henne		Númenowupin	Malugofeivil, vgl. Weib.	Lala
Die Fregatte		Molov	Gatuf	Agk
Die Ameise				Kallep

Lieder von Radack.

1.

(Von Weibern gesungen.)

:,: Esilog o no logo dildiuu
Oalog o no logo dildiuu :,:

dildinemduon!

:,: Untertauchen in die See sechs Mal.
Auftauchen aus der See sechs Mal. :,:
(wird sechs Mal wiederholt)
Sieben Mal!

2.

Wongusagelig, der Chef von Liglep, führte seine Boote und Mannen dem Lamari auf Aur zu, als die von Meduro und Arno den Krieg dahin gebracht. Der erste Theil des Liedes vergegenwärtigt seine Ausfahrt aus Liglep, der zweite seine Einfahrt in Aur.

:,: – ⏑ – ⏑ –
– ⏑ ⏑ – ⏑ ⏑ –
– ⏑ ⏑ – ⏑ ⏑ –
– ⏑ – ⏑ –
– ⏑ ⏑ ⏑ ⏑ – ⏑ –
– ⏑ – ⏑ –
⏑ ⏑ – ⏑ ⏑ –
– ⏑ – ⏑ – :,:

⏑ ⏑ – ⏑ – ⏑ –
⏑ ⏑ – – ⏑ ⏑ –
– ⏑ ⏑ – ⏑ –
⏑ ⏑ – ⏑ ⏑ – ⏑ ⏑ – ⏑ ⏑ –
⏑ ⏑ – ⏑ ⏑ – ⏑ ⏑ –
– ⏑ – ⏑ – ⏑ – ⏑ –

Wongusagelig
:,: Agaruteragerig
Ilgieth a loinn
„Wagesag diwou.
„Ribadi aälongine!
Esisäsalog!
Äätho! Äätho!
Wongusagelig! :,:

Eaalnewarnsaoh:
„Sellesi innesoo!
„Eyeweapwesog
„Tjubogon djudjuvo! djudjuvo! djudjuvo!
„Djudjuvo! djudjuvo! djudjuvo!
„Emarungerung aäthagin!“

Wongusagelig
:,: Gehet unter Segel.
Außen am Strande das Volk.
„Setzt das Segel um.
„Scheitern wir nicht an dem Riff!
Land aus der Ansicht verloren!
Ebbe! Ebbe!
Wongusagelig! :,: (wiederholt)

Und es erschallet der Machtruf:
„Die Schiffe zusammengehalten!
„Es schlägt die Welle wohl ein!
„Am Schiff vorn steure! steure! steure!
„Steure! steure! steure!
„Reißet hinein und die Fluth!“

Die Philippinen-Inseln.

Cavite, auf der äußersten Spitze einer Landzunge gelegen, die sich in die schöne und wohlbefahrene Bucht von Manila hinein verlängert und einen Theil derselben absondert, ist der ungünstigste Standpunkt für einen Reisenden, der die kurze Dauer seines Aufenthalts auf Luçon anwenden will, die Natur des Landes zu erkunden. Die Landzunge und das schön bebaute Ufer der Bucht bis nach Manila hin, gehören dem Menschen an. Man sieht zwischen den Dörfern und Häusern nur Reisfelder, Gärten und Pflanzungen, worin sich die Gewächse beider Indien vermischen.

Wir hatten nur eine achttägige Exkursion in das Innere nach Taal und dem Vulkan gleiches Namens in der Laguna de Bongbong zu machen Gelegenheit. Die uns beigesellte militairische Bedeckung, worin sich die spanische Grandezza aussprach, belästigte uns sehr unnützerweise und vermehrte die Kosten einer Reise, wobei unter den milden und gastfreundlichen Tagalen nur ein Führer nöthig gewesen wäre. Die Insel Luçon ist durchgängig hoch und bergig, die höchsten Gipfel scheinen jedoch die Region der Wälder nicht zu übersteigen. Drei Vulkane erheben sich auf derselben. Erstens im Norden der Aringuay im Gebiete der Ygorrotes in der Provinz von Ilocos, welcher am 4. Januar 1641 gleichzeitig mit dem Vulkan von Jolo und dem Sanguil im Süden von Mindanao ausbrach, wodurch diese Inseln eine der furchtbarsten Scenen darstellten, deren die Geschichte erwähnt*); das Getös ward bis auf das feste Land von Cochinchina vernommen. Zweitens der Vulkan de Taal, besonders bedrohlich der Hauptstadt, von welcher er ungefähr eine Tagereise entfernt ist, und endlich der weitgesehene Mayon in der Nähe der Embocadera de San Bernardino zwischen Albay und Camarines.

Gold-, Eisen- und Kupferminen, die reichhaltig aber vernachlässigt sind, beweisen das Vorkommen anderer Gebirgsarten als eben vulkanischer. Wir haben auf dem Wege, den wir zurückgelegt, nur einen leichten, aus Asche, Bimstein und Schlacken bestehenden vulkanischen Tuff angetroffen und in Manila, Cavite, Taal, Balayan u. s. w. keinen andern Baustein gesehen, als diesen selben Tuff und den Riffkalkstein, der dem Meere abgewonnen wird. Der Granit, den man in den Bauten von Manila anwendet, wird als Ballast von der chinesischen Küste hergebracht.

Wenn man von Cavite südwärts gegen Taal reiset, erhebt sich das Land allmälig und unmerklich, bis man zu Höhen gelangt, die jenseits schroff abschüssig sind und von denen man zu seinen Füßen die Laguna de Bongbong und den rauchenden weiten Krater, der darin eine traurige nackte Insel bildet, übersieht.

Der See (die Laguna) mag ungefähr sechs deutsche Meilen im Umfange haben, er entladet sich in das chinesische Meer, durch einen jetzt nur noch für kleine Nachen fahrbaren Strom, der ehemals Champanes und größere Fahrzeuge trug; er fließt stark, und die Länge seines Laufes beträgt über eine deutsche Meile. Taal ist seit der Zerstörung von 1754 an seine Mündung verlegt worden.

Das Wasser der Laguna ist brackisch, aber doch trinkbar. In deren Mitte soll das Senkblei keinen Grund finden. Sie soll von Haifischen und Kaimanen wimmeln, deren sich uns jedoch keiner gezeigt hat.

Als wir uns zur Ueberfahrt der Laguna nach der Insel einschifften, ermahnten uns die Tagalen, an diesem unheimlichen Orte

*) Die Jahrbücher von Manila erwähnen der zerstörendsten Erdbeben in den Jahren 1645 und 1648.

wohl Alles anzuschauen, aber zu schweigen und durch kein unbedachtsames vorwitziges Wort den Unhold zu reizen. Der Vulkan bezeige sich unruhig jedesmal, wenn ein Spanier ihn besuche, und sei nur gegen die Eingeborenen gleichgültig.

Die Insel ist nur ein Haufen von Asche und Schlacken, der, in sich selbst eingestürzt, den weiten, unregelmäßigen Krater bildet, der so viel Schrecken verbreitet. Es scheint nie eine Lava daraus geflossen zu sein. Vom Ufer, wo spärlich und stellenweise noch ein wenig Gras wächst und etliches Vieh zur Weide gehalten wird, erklimmt man auf der Ostseite auf kahlem steilen Abhang in ungefähr einer Viertelstunde den Rand, von wo man in den Schlund hinab sieht, wie in den Raum eines weiten Circus. Ein Pfuhl gelben Schwefelwassers nimmt gegen zwei Drittheil des Grundes ein. Sein Niveau ist anscheinlich dem der Laguna gleich. Am südlichen Rande dieses Pfuhls befinden sich etliche Schwefelhügel, die in ruhigem Brande begriffen sind. Gegen Süden und Osten derselben fängt ein engerer innerer Krater an, sich innerhalb des großen zu erzeugen. Der Bogen, den er bildet, umspannt, wie die Moraine eines Gletschers, die brennenden Hügel, durch die er entsteht, und lehnt mit seinen beiden Enden an den Pfuhl. Der Pfuhl kocht von Zeit zu Zeit am Fuße der brennenden Hügel.

Man kann an der innern Wand des Kraters die Lagerung der verschieden gefärbten Schlacken, aus denen er besteht, deutlich erkennen; Rauch steigt von einigen Punkten derselben auf.

Wir bemerkten von dem Standpunkt, von wo aus wir den Krater gezeichnet haben, an der uns gegenüberliegenden Seite desselben eine Stelle, wo ein Einsturz nach innen einen Abhang darzubieten schien, auf dem in den Grund hineinzusteigen möglich sein könnte. Es kostete uns Zeit und Mühe, diesen Punkt zu erreichen, weil wir die scharfe und zackige Kante, auf der wir wanderten, an manchen Stellen unwegsam fanden und öfters auswärts fast bis zu dem Strande hinab zu steigen gezwungen waren. Wir wurden unter dem Winde des Brandes nur mäßig von dem Schwefeldampfe belästigt.

Die bezeichnete Stelle ist die, an welcher in den letzten Ausbrüchen das ausgeworfene Wasser sich ergossen hat. Wir versuchten in mehrere der sich darbietenden Schluchten hinabzusteigen und mußten von unserm Vorhaben abstehen, nachdem wir ohngefähr zwei Drittheile der Tiefe erreicht hatten. Wir waren in Taal nicht mit den Seilen versehen worden, die wir begehrt hatten und vermöge derer wir vielleicht die senkrechte Wand von etlichen Faden Höhe, die sich zuerst darbot, hinabgekommen wären, ohne darum bis auf den Grund gelangen zu können, denn der Absturz wurde nach der Tiefe zu immer jäher. Wir fanden in dieser Gegend den Boden mit kristallisirten Salzen überzogen*). Die Zeit erlaubte uns nicht, mehrere Hügel zu besuchen. Die andern Krater sind am Fuße des Hauptkraters.

Der furchtbarste Ausbruch des Vulkan de Taal war im Jahre 1754. Dessen Hergang wird im 12. Kapitel des 13. Theils der Geschichte von Fr. Juan de la Concepcion ausführlich erzählt. Der Berg ruhete zur Zeit von früheren Ausbrüchen (der letzte hatte im Jahre 1716 statt gefunden) und es wurde Schwefel aus dem anscheinlich erloschenen Krater gewonnen. Er begann im Anfang August aufs neue zu rauchen, am 7. wurden Flammen gesehen und die Erde bebte. Der Schrecken nahm vom 3. November bis zum 12. Dezember zu; Asche, Sand, Schlamm, Feuer und Wasser wurden ausgeworfen. Finsterniß, Orkane, Blitz und Donner, unterirdische Getöse und lang anhaltende heftige Erderschütterungen wiederholten sich in furchtbarer Abwechselung. Taal, damals am Ufer der Laguna gelegen, und mehrere Ortschaften wurden gänzlich verschüttet und zerstört. Der Vulkan hatte zu solchen Ausbrüchen den Mund zu klein; der ward sehr dabei erweitert und es eröffnete sich ein zweiter, aus dem gleichfalls Schlamm und Brand ausgespieen ward. Ja noch mehr, das Feuer brach aus manchen Orten der Laguna bei einer großen Tiefe des Wassers aus, das Wasser siedete. Die Erde eröffnete sich an manchen Orten, und es gähnte besonders ein tiefer Spalt, der weit in der Richtung von Calanbong sich erstreckte. Der

*) Nach Dr. Mitscherlich's Untersuchung: Feder-Alaun.

Berg rauchte noch eine lange Zeit hinfort. Es haben seither noch Ausbrüche statt gefunden, jedoch mit abnehmender Gewalt.

Die schönen Wälder, die in üppiger Grüne die Berge und einen Theil des Landes bekleiden, breiten sich bis zu dem Meere aus, in das Rhizophoren und andere Bäume noch hinabsteigen. Wir haben diese Wälder zu flüchtig auf gebahnten Wegen berührt, sind in dieselben nicht tief genug eingedrungen, um sie gehörig schildern zu können. Die Feigenbäume scheinen uns darin vorzuherrschen. Etliche Arten stützen sich als mächtige Bäume auf ein seltsames Netz von Stämmen und Luftwurzeln, welches die Felsen umklammert und sich über sie ausbreitet. Andere erheben sich schlankstämmig zu einer erstaunlichen Höhe, und man sieht am untern Stamm von Bäumen, deren Krone sich über das Laubdach des Waldes verliert, die räthselhafte Frucht herausbrechen. Andere Arten bleiben strauchartig und andere ranken. Wir haben in den Wäldern die schöne Form der Akazien-Bäume mit vielfach gefiederten Blättern vermißt. Die zahlreichen Gattungen der Schotengewächse nehmen sonst hier alle erdenkliche Formen an. Die Farrenkräuter und besonders die baumartigen, die Lianen, die Orchideen, die Pflanzenformen, die in Brasilien luftig getragene Gärten auf den Wipfeln der Bäume bilden, scheinen sehr zurückzutreten, oder, wie Cactus und die Bromeliaceen, ganz zu fehlen. Die Natur trägt einen andern ruhigern Charakter. Die Palmenarten sind zahlreicher wie in San Catharina. Mehrere derselben sind unscheinbar, der schlanke niederliegende Rotang ist wohl von allen die wunderbarste. Unter den Aroideen ist der Pothos scandens, der mit grasähnlichen, in der Mitte verengten, zweizeiligen Blättern an den Baumstämmen hinankriecht, eine auffallende Pflanzenform.

In den Gründen und an den Ufern der Bäche wächst das zierliche Bambusrohr*), dessen schlanke Halme, in dicht gedrängten

*) Der Halm des Bambus schießt in einer einzigen Regenzeit zu der völligen Höhe, die er erreichen kann, und verholzt nur in den folgenden Jahren und treibt Seitenzweige ohne zu wachsen. Der junge Sprößling ist wie der des Spargels genießbar. Etliche der von Loureiro beschriebenen Arten sind hier einheimisch, wir haben die Blüthe von keiner gesehen.

Büschen aus der Wurzel empor geschossen, tönend im Spiel der Winde an einander gleiten; und ein dichtes Gebüsch bietet da die reichste Mannigfaltigkeit von Pflanzen dar.

Auf den Ebenen wechseln mit den Wäldern Savannen ab, deren Flora die allerdürftigste ist. Ein Paar Grasarten, deren Halme gegen acht Fuß Höhe erreichen und welche die Sonne ausdörrt, scheinen Saaten zu sein, die der Ernte entgegen reifen. Sehr wenige Zwergpflanzen, meist Schotengewächse, verbergen sich in deren Schatten, und eine baumartige Bauhinia raget hie und da einzeln daraus hervor.

Diese Savannen werden in Brand gesteckt, sei es um sie zur Kultur vorzubereiten, sei es um den Heerden jüngeren Graswuchs zu verschaffen. Das Feuer geht prasselnd darüber hin, und kleinere Falkenarten und andere Vögel umkreisen mit geschäftigem Fluge die Rauchwolken, die sich vor dem vorschreitenden Brande wälzen, anscheinlich den Insekten nachjagend, die sich davor aufschwingen.

Die Umstände haben unsere Forschungen im organischen Reiche der Natur fast ausschließlich auf die Botanik und die Entomologie beschränkt. Wir finden jedoch hier Gelegenheit, über ein Meergewürm, das der gelehrten Welt minder bekannt ist als der handelnden, ein Wort zu sagen.

Unter dem gemeinsamen Namen Bicho de mer, malayisch Trepang, spanisch Balato, werden auf den Markt zu Canton getrocknete und geräucherte Holothurien von sieben und vielleicht mehreren verschiedenen Arten gebracht, deren jede ihren besonderen Werth und Namen hat. Dieselbe Lüsternheit der Chinesen, welche den bis in Europa bekannten Vogelnestern einen hohen Preis setzt, erhält auch bei der großen Konkurrenz den Trepang in Werth. Die Malayen suchen ihn bis auf der Küste von Neu-Holland im Golf von Carpentaria, die Malayen und Chinesen bis auf den Küsten von Neu-Guinea, die Engländer lassen ihn auf den Pelew-Inseln sammeln, wo sie mit diesem Geschäft beauftragte Matrosen zurücklassen. Die Spanier bringen ihn von den Marianen-Inseln herbei, und da er von den Küsten, wo er gesucht wird, allmälig verschwinden mag, wird darnach auf Entdeckungsreisen, deren wir an anderem Orte erwähnen werden, nach den Carolinen-Inseln gegangen. Der Trepang scheint auch im indischen Ocean und namentlich auf der Insel Mauritius für den Handel eingesammelt zu werden. Man findet diese Holothurien besonders auf den Korallenriffen, wo einige Arten, wie die auf Radack vorkommende, trocknen Fußes bei der Ebbe aufgelesen werden können, während andere sich in tieferem Wasser aufzuhalten scheinen. Wir haben diese eine Art genauer zu untersuchen und abzubilden Gelegenheit gehabt. Es ist eine der kleinern und minder geschätzten, die andern sind ihr ähnlich. Alle wahre Holothurien möchten als Trepang genossen werden. Dieser kostbare Wurm wird in manchen Orten auf den Philippinen-Inseln gesammelt.

Die Insektenwelt ist auf diesen Inseln reich; die Schmetterlinge, Käfer und Wanzen besonders schön. Ein Scorpion scheint dieselbe Art zu sein, die auch auf den Inseln des großen Ocean's vorkommt und die wir auf Radack gleichfalls gesammelt; wir fanden aber hier die Exemplare viel größer. Termiten und Mosquitos sind eine Plage der Einwohner. Eine große Mantis, die bei Manila häufig ist, mag zu der Erzählung Pigafetta's von den lebendigen Blättern eines Baumes auf der Insel Cimbonbon Veranlassung gegeben haben. Dieselbe Sage und die ähnlichen von dem lebendigen Seetang, dem Liebeskraut, den Schlangenbrüdern, den Menschen mit Schweifen, die Fr. Juan de la Concepcion in seiner Geschichte aufgezeichnet hat, werden noch von den Spaniern nacherzählt; denn Niemand hat hier für die Naturgeschichte, wie überhaupt für irgend eine Wissenschaft, Sinn, und Jeder fragt nur nach dem, was ihm nützt, oder was ihm in seinem Beruf nothwendig ist. Die naturgeschichtliche Sammlung von D. Gonzales de Caragual, Intendanten der Philippinen zur Zeit Laperouse (1787), ist seitdem von Manila nach dem Mutterlande überbracht worden.

Der gelehrte Cuellar, der von Spanien ausgesandt mit der Beförderung verschiedener ökonomischer Zwecke, der Kultur der Baumwolle, der Gewinnung des Zimmets u. s. w. beauftragt war und nach einem längeren Aufenthalt auf diesen Inseln vor wenigen Jahren in Manila starb, hatte einen botanischen Garten bei Cavite angelegt; es ist keine Spur mehr davon vorhanden. Cuellar sandte Naturalien aller Art nach Madrid, besorgte den Einkauf chinesischer Bücher, bereicherte die Gärten von Madrid und Mexico mit den Sämereien hiesiger Pflanzen und unterhielt gelehrte Verbindungen mit beiden Welten. Wir haben dessen nachgelassene Papiere untersucht und uns überzeugt, daß Alles, was die Wissenschaft betreffen konnte, dem Untergang entzogen und nach Spanien gesendet worden ist. Es scheint, daß Cavanilles dessen gesammelte Pflanzen, wie die von der Malespinaischen Expedition, die hier einen ihrer Gelehrten verlor, herrührenden beschrieben hat.

Die reiche Ernte einzusammeln, die hier noch die Naturkunde einzufordern hat, erfordert einen längeren Aufenthalt und Reisen auf die verschiedenen und besonders auf die mehr versprechenden südlicheren Inseln und in das Innere derselben. Es giebt hier Vieles und für Viele noch zu thun.

Die Philippinen-Inseln haben mehr und ausführliche Geschichtschreiber aufzuweisen als manches europäische Reich*). Wir wissen

---

*) Antonio de Morga, Sucesos de Philipinas. Mexico 1603. — Pedro Murillo Velarde, Historia de la provincia de Philipinas de la Compañia de Jesus. Manila, en la imprenta de la Comp. de Jesus 1749. 2 Vol. fol. — Fr. Juan de la Concepcion, Recoleto Augustino descalzo, Historia general de Philipinas. Manila 1788—92. 14 Vol. 4. — Joaquin Martinez de Zuñiga del orden de San Augustin, Historia de las Islas Philipinas. Sampaloc 1803. 1 Vol. 4. Wovon eine englische Uebersetzung bereits die zweite Auflage erlebt hat. An historical View of the Philipine Islands from the Spanish of Martinez de Zuñiga by John Maver. London 1814.

Poblacion de Philipinas. Fol. Eine mangelhafte statistische Tabelle mit vielen Fehlern in den Zahlen, gedruckt zu Cavite en S. Telmo 1817. Es scheint, daß ähnliche früher, und etwa von 1734 an, von Zeit zu Zeit erschienen sind.

Carta edificante o viage a la provincia de Taal y Balayan por el Abate Don Pedro Andres de Castro y Amoedo 1790. 4. Manuskript in unserm Besitz.

Es werden außerdem noch folgende Geschichtschreiber angeführt, die wir nicht Gelegenheit gehabt haben zu benutzen.

Fr. Gaspar de San Augustin.

Colin, Historia de Philipinas.' Ein Auszug aus dem folgenden. Pedro Chirino, Historia de Philipinas. 1 Vol. fol., Manuskript der Bibliothek des es dem Uebersetzer des Zuñiga Dank, uns der Pflicht überhoben zu haben, uns bei dieser ekeln Geschichte zu verweilen, die nur in einem Gewebe von Mönchszwistigkeiten und von Fehden der geistlichen Macht mit der weltlichen besteht, worauf die Berichte der Missionen in China, Japan u. s. w. aufgetragen in einem ungünstigen Lichte erscheinen. Fr. Juan de la Concepcion bringt die Geschichte bis zur Regierung des Gouverneurs Aranda, vor dem Einfall der Engländer im Jahre 1762; Zuñiga bis zu deren Abzug im Jahre 1764. Wir werden über den jetzigen Zustand dieser spanischen Besitzung einen flüchtigen Blick zu werfen uns begnügen.

Die Spanier rechnen zu dem Gebiete dieses Gouvernements die Marianen-Inseln, die Carolinen-Inseln, von denen verschlagene Boote ihnen früh die Kunde überbracht, und auf welche sie ihren Glauben und ihr Joch zu verbreiten beabsichtigt haben, und endlich die südlichern Inseln der Philippinen, Mindanao, Solo u. s. w., Sitze ihrer Erbfeinde, der Mauren oder mohamedanischen Indianer, welche im Piratenkriege Schrecken und Verheerung über alle Küsten der Christen zu verbreiten nicht aufhören.

Das Presidio von Sanboangan auf der Westspitze von Mindanao soll dieses Gezücht im Zaum halten, ist aber in der That, so wie das Gouvernement der Marianen-Inseln, nur eine Pfründe,

---

Collegio, und verschiedene Chroniken und Geschichten mehrerer Mönchsorden, oder vielmehr ihrer Provinz der Philippinen-Inseln, die als Manuskript in den Klöstern dieser Orden zu Manila aufbewahrt werden.

Geschichte der Marianen:

Charles Goblen, Histoire des Isles Marianes nouvellement converties à la religion chrétienne, et de la mort glorieuse des premiers missionaires qui y ont prêché la foi. Paris 1700.

Geschichte der Entdeckung der Carolinen-Inseln und der darauf beabsichtigten Missionen.

Lettres edifiantes. V. 1. 2. Auflage. V. 11. 16. 18. Murillo Velarde und Juan de la Concepcion scheinen keine andern Quellen als eben die hier enthaltenen Briefe und Berichte benutzt zu haben.

Ueber die Palaos insbesondere:

George Keate Esq. An account of the Pelew Islands from the journal and communications of Capt. Henry Wilson. 5. Edition. London 1803. 4.

die den Kommandanten auf die Jahre seines Amtes berechtiget, sich durch ausschließlichen Handel mit allen für Besatzung und Beamte ausgesetzten Gehalten zu bereichern. Die Expeditionen auf bewaffneten Booten, die von Manila ausgeschickt werden, um gegen den Feind zu kreuzen, sind nicht zweckmäßiger. Sie fröhnen nur dem Schleichhandel, und Christen und Mauren weichen dabei einander aus mit gleichem Fleiß. Nur die Bucht von Manila, die noch dem Laperouse als unsicher geschildert ward, scheint jetzt den Seeräubern gesperrt zu sein.

Es giebt auf den Philippinen-Inseln, außer den Spaniern, die als fremde Herrscher anzusehen sind, und den Chinesen, ihren Parasiten, zwei einheimische Menschenracen: Papuas im Innern, und Malayen im weitern Sinne oder Polynesier an den Küsten.

Der Spanier sind nur wenige. Die Chinesen, die man Sangleyes, das ist wandernde Kaufleute nennt, die Juden dieses Welttheils, sind in unbestimmter, bald größerer, bald minderer Anzahl. Ihr bürgerliches Verhältniß beruht auf keinem festen Vertrage, und die Geschichte läßt sie bald als geduldet, bald als verfolgt, bald als Aufrührer erscheinen. Manche von ihnen nehmen, um sich sicherer anzusiedeln, die Taufe an und schicken nicht selten, wenn sie Manila mit ihrem erworbenen Reichthum auf heimischen Schiffen verlassen, ihr weißes Neophytenkleid und ihr Kreuz dem Erzbischof, von dem sie es empfangen haben, zurück, damit er solche anderen ihrer Landsleute ertheilen könne.

Die Papuas, erste Besitzer der Erde, die Aetas oder Negritos der Spanier, sind Wilde, die ohne feste Wohnsitze, ohne Feldbau, im Gebirge, das sie durchstreifen, von der Jagd und von wilden Früchten und Honig sich ernähren. Sie lassen sich zu keiner andern Lebensart verlocken. Selbst solche, die von ihrer Kindheit an unter den Spaniern erzogen worden, sind unsichere Christen und flüchten nicht selten von ihren Pflegeherren zu den Menschen ihrer Farbe in die Wildniß zurück. Sie scheinen feindlicher gegen die Indianer, von denen sie verdrängt worden, als gegen die Spanier, die ihre Rächer sind, gesinnt zu sein. Man weiß von ihnen sehr wenig, und es ist uns nicht geglückt, bestimmtere Nachrichten einzuziehen. Sie werden im Allgemeinen als ein sanftes und argloses Volk geschildert und sind namentlich der Sitte, Menschenfleisch zu essen, nie beschuldigt worden. Sie gehen, bis auf eine Schürze von Baumrinde, nackt; wir haben uns vergeblich bemüht, dieses Kleidungsstück oder nur etwas von ihrer Händearbeit zu sehen, und müssen unentschieden lassen, ob diese Baumrinde roh oder nach Art der Stoffe der Südsee bearbeitet sei. Wir haben von diesem Menschenstamme nur zwei junge Mädchen gesehen, die in Manila und Cavite in spanischen Familien erzogen wurden. Es befanden sich außerdem zwei Männer als Festungsgefangene in Cavite.

Es giebt der Malayen, der Indios der Spanier, verschiedene und verschieden redende Stämme und Völkerschaften, welche die Geschichte aus Borneo und Mindanao einwandern läßt. Manche Stämme, die im Innern wohnen, haben ihre Freiheit bewahrt; die Küstenbewohner sind Christen in den Händen der Mönche und der spanischen Krone unterthan.

Die freien Stämme verdienten vorzüglich unsere Aufmerksamkeit, wir haben jedoch genauere Kunde von ihnen nicht einzuziehen vermocht. Sie weichen in manchen Dingen von einander ab, und was von dem einen gilt, ist nicht auf alle auszudehnen. Es ist zu bemerken, daß bei einigen die Keuschheit nicht nur der Weiber, sondern auch der Jungfrauen in hohen Ehren steht und durch strenge Satzungen gehütet wird. Eine Art Beschneidung soll bei anderen eine ursprüngliche Sitte und nicht von dem Islam herzuleiten sein.

Die Indianer der Philippinen-Inseln sind im Allgemeinen ein freundliches, harmloses, heiteres und reinliches Volk, dessen Charakter mehr an die Bewohner der östlichen Inseln als an die eigentlichen Malayen oder an die grausamen Battas erinnert. Verderbtheit herrscht blos unter dem Pöbel, der sich in Manila und Cavite um die Fremden drängt. Wir verweisen, was die Sitten, Bräuche, den vielfachen Aberglauben dieser Völker anbetrifft, auf die angeführten Quellen und auf Pigafetta's Reisebeschreibung. Die Bevölkerungstabelle von dem Jahr 1815 bringt die Zahl der Unterthanen Spanien's im Bereich dieses Gouvernements auf beiläufig zwei und eine halbe Million Seelen*). Das Empfangen der Taufe bezeichnet in der Regel die Unterthänigkeit. In dieser Zahl sind nicht einbegriffen zweitausend Familien der unbekehrten Indianer Tinguianes der Provinz de Ylocos im Norden von Luçon, gegen tausend Familien der unbekehrten Indianer Ygorrotes**) im Gebirge derselben Provinz, zwölfhundert Familien der Negritos desselben Gebirgs und endlich über neunhundert Familien der unbekehrten Indianer der Provinz Calamianes, welche alle in verschiedenen Waaren und namentlich die Negritos in Jungfern-Wachs Tribut bezahlen. Die Bevölkerung von Manila wird, mit Ausschluß der Klerisei, der Besatzung, der angesiedelten Spanier und Europäer und der Chinesen, vier- bis sechstausend an der Zahl, auf neuntausend Seelen gerechnet.

Manila scheint mit seinem Hafen Cavite die einzige namhafte Spanierstadt auf den Philippinen-Inseln zu sein. In den Provinzen erheben sich nur die prachtvollen Bauten und Tempel der Klerisei zwischen den reinlichen und leichten Hütten der Eingeborenen, die wie zur Zeit Pigafetta's auf Pfählen erhöht, aus Bambusrohr und Rotang geflochten und mit Nipablättern gedeckt, zierlichen Vogelbauern zu vergleichen sind. Das Feuer verzehrt oft solche Dörfer leicht und schnell wie das kahle Gras der Savannen, und sie erstehen nach wenigen Tagen verjüngt aus ihrer Asche empor.

Die Spanier in Manila bewohnen vorzüglich die eigentliche befestigte Stadt am linken Ufer des Flusses. Die Vorstädte der Chinesen mit Kaufläden und Buden und die der Tagalen von schönen Gärten umringt, breiten sich am rechten Ufer aus; die Straßen

*) Die gewöhnliche Weise der Volkszählung geschieht durch Tribut, welcher von jeder Familie erhoben wird. Tribut oder Familie werden im Durchschnitt zu fünf Seelen gerechnet. In derselben Tabelle wird angegeben, daß die Volkszahl sich seit dem Jahre 1734 um beiläufig eine Million und sieben tausend Seelen vermehrt habe.

**) Die Gesichtsbildung dieser Ygorrotes de Ylocos und ihre hellere Farbe zeigen, daß sie sich mit den Gefährten des Limahon vermischt haben, die zu ihren Bergen flüchteten, als Juan de Salcedo die Chinesen in Pangasinan belagerte.

der Stadt sind grad angelegt; die Häuser massiv, von einem Stockwerk, auf einem unbenutzten Geschoß erhöht. Die Feuchtigkeit der Regenzeit gebietet in dieser Hinsicht dem Beispiele der Eingeborenen zu folgen. Sie sind nach allen Seiten mit äußeren Gallerien umringt, deren Fenster anstatt Glases mit einer durchscheinenden Muschelschaale ausgelegt sind. Man befindet sich in den geräumigen luftdurchzogenen und schattigen Zimmern gegen die Hitze wohl verwahrt. Die Klöster und Kirchen, welche die Hauptgebäude der Stadt ausmachen, sind von nicht schlechter Architektur. Die Mauern werden, der Erdbeben wegen, von einer außerordentlichen Dicke aufgeführt und durch eingemauerte Balken gesichert. Etliche dieser Kirchen besitzen Gemälde von guten Meistern; einige Altäre sind mit hölzernen Statuen verziert, die nicht ohne Kunstwerth und das Werk von Indianern sind. Was aber der Indianer gemacht hat, wird nicht geschätzt. Wir haben die wenigen flüchtigen Stunden, die wir in Manila verlebt haben, meist in den Klöstern zugebracht, wo wir über uns wichtige Gegenstände Belehrung zu finden hofften. Wir haben in diesen Pflanzschulen der chinesischen und japanischen Missionen keinen Mönch angetroffen, der mit der Wissenschaft und Literatur dieser Völker vertraut gewesen wäre. Die Fremdlinge erlernen am Orte ihrer Bestimmung selbst die ihnen nothwendigen Sprachen; und das, wonach man in den nicht unbeträchtlichen Bibliotheken von Manila zu fragen eilt, ist eben, was in denselben gänzlich fehlt: das Fach der inländischen Sprachen und Literaturen und der Sprachen und Literaturen der Völker, die man von hier aus zum Glauben zu gewinnen sich bemüht.

Die Inquisition scheint jetzt zu schlummern, aber die Gewohnheit der Vorsicht gegen sie besteht, und man merkt den Menschen an, daß es unheimlich ist und daß ein Gespenst gefürchtet wird, das man nicht sieht.

Die Spanier entfalten hier einen großen Luxus. Die Equipagen sind zahlreich und elegant. Die Profusion der Speisen auf ihren Tischen, bei der Zahl der Mahlzeiten, die sie an Einem Tage halten, gereicht fast zum Ueberdruß. Geld und Gut zu erwerben ist der Zweck, den sich Jeder vorsetzt, und ein gemeines spanisches

Sprüchwort sagt: „Ich bin nicht nach Indien gekommen, blos um eine andere Luft zu athmen.“

Erweiterte Freiheit wird den Handel in Manila blühend machen, und die Bedrückungen, denen er in Canton unterliegt, können den Markt zwischen China und der übrigen Welt hieher versetzen. Jeder handelt; und die Mönche, die das baare Geld besitzen, sind bereitwillig, den Spekulanten Kapitalien gegen bestimmten Gewinnst, für bestimmte Unternehmungen, deren Gefahren sie sich unterziehen, anzuvertrauen. Zucker und Indigo scheinen bis jetzt die vorzüglichsten Waaren zu sein, die hier für Europa gesucht werden. Baumwolle und Zeuge eigener Fabrik werden nach Mexico ausgeführt. Die Chinesen kaufen Trepang und Vogelnester ein. Die Muschel, die in manchen Gegenden Indien's als Münze gilt und die diese Inseln liefern, Perlen, Perlemutter, Ambra u. s. w. können wohl kaum in Betracht kommen. Diese Inseln könnten viel mehr Erzeugnisse dem Handel liefern, als sie wirklich thun; der Kaffee, der von vorzüglicher Güte ist, wird wie der Cacao nur für den eigenen Bedarf angebaut. Den Zimmt, der an manchen Orten in den Wäldern wild vorkommen soll, den Sagu u. s. w. scheint die Industrie noch nicht zu Quellen des Reichthums gemacht zu haben.

Wenn die Geschichte den Abfall beider Amerika von dem Mutterlande besiegelt haben wird, werden die Philippinen-Inseln der spanischen Krone verbleiben und können ihr durch weisere Administration den Verlust eines unermeßlichen Gebietes ersetzen, von dem sie die Vortheile, die es verhieß, zu ziehen nicht verstand.

Die Indianer sind Eigenthümer und freie Menschen und werden als solche behandelt. Die Kastelle, die in jeder Ortschaft der Küste gegen die Mauren erbaut sind, befinden sich in ihrer Macht und werden von ihnen besetzt. Die Vorrechte ihrer adligen Familien sind verschollen, jeder Bezirk, jedes Dorf erwählt seine Häupter, und die Wahl wird nur bestätigt. Bei diesen Governadorcillos, Capitanos u. s. w., die von den Spaniern Don angeredet werden, beruht die gesetzliche Autorität; aber das Ansehn, der Reichthum, die Macht sind ganz auf der Seite der Padres. Die Mönche, die das Volk beherrschen, saugen es auf vielfache Weise aus, und nachdem der Kirche ihr Recht gezollt worden und sich der Priester das Beste angeeignet hat, trägt noch der Verarmte sein letztes Ersparniß für Skapularien und Heiligenbilder hin.

Der Tribut, der dem Könige gezahlt wird, ist nur eine billige Last; aber die Administration des Tabaks, der Allen ohne Unterschied des Alters und Geschlechts zum ersten Lebensbedürfniß geworden, ist eine drückende. Die Felder, wo er sonst für eigene Rechnung angebaut ward, liegen jetzt brach. Der Indianer befürchtet, daß ein neues Erzeugniß derselben eine neue Bedrückung zur Folge haben möchte. Von der Areca-Palme, deren Nuß mit dem Betelblatt (Piper Betel) und Kalk gekaut wird, ist nur eine geringe Abgabe zu entrichten.

Die Volksnahrung ist der Reis, und zu dem kommen alle Früchte, womit die Natur diese wirthbare Erde so verschwenderisch begabt hat, und worunter wir nur die vielgepriesene Manga*), zwei Arten Brodfrucht, die gemeinsame der Südsee-Inseln und die eigenthümliche der Philippinen, den Pisang und den Cocos ausheben wollen.

Die Hausthiere, die sich ursprünglich auf diesem Archipelagus befanden, waren das Schwein, die Ziege, der Hund, die Katze, das Huhn, die Gans und nach Zuñiga auch der Carabao oder der ostindische Büffel**), den man von dem südeuropäischen unterscheiden muß und über welchen wir auf Marsden's Nachrichten zurückweisen***). Der Carabao befindet sich in den Bergen auch wild

*) Zuñiga setzt in Zweifel, ob die Manga ursprünglich einheimisch sei, oder ob sie die Spanier von der Küste des festen Landes herübergebracht. Derselbe rechnet unbegreiflicher Weise das Zuckerrohr unter die Gewächse, welche die Spanier eingeführt haben. Pigafetta erwähnt ausdrücklich des Zuckerrohrs in Zebu. Don San Jago de Echaparre hat vergeblich versucht, den Nußbaum und den Kastanienbaum einheimisch zu machen. Er hat beide zu verschiedenen Malen in den Bergen des Innern und am Saum der Wälder ausgesäet, aber ohne Erfolg.

**) Pigafetta scheint nicht den Carabao auf den Inseln dieses Archipelagus, wo er gewesen ist, angetroffen zu haben. Er nennt den Büffel nur auf Borneo mit dem Elephanten und dem Pferde. Das Wort Carabao, Karbau, ist malayisch.

***) Marsden, Sumatra. Seite 94 erste Ausgabe.

oder verwildert. Die Spanier haben erst unsere Rinderart, das Pferd und Schaf eingeführt.

Der Hahnenkampf, dessen Pigafetta schon erwähnt, ist die größte Ergötzung der Indianer. Ein guter Streithahn ist der Stolz und die Lust seines Herrn, der ihn überall mit sich auf dem Arme trägt. Er wird im Wohnhause, an einem Fuße gebunden, auf das sorgfältigste gehalten. Die Kampflust und der Muth dieser Thiere erwächst aus der Enthaltsamkeit, zu der man sie verdammt.

Der Palmenwein oder vielmehr der Branntwein ist, wie zur Zeit Pigafetta's, ein Lieblingstrank der Indianer. Wir finden die Art ihn zu gewinnen zuerst in Marco Polo beschrieben. Die Blumenspatha der Cocospalme wird, bevor sie sich erschließt, zusammengeschnürt, die Spitze wird abgeschnitten und man befestigt daran ein Gefäß von Bambus, worin der ausströmende Saft aufgenommen wird. Man sammelt diesen Saft zweimal im Tage ein, und wenn ein solcher Quell versiegt, reift auf demselben Baume eine andere Spatha, ihn zu ersetzen. Aus diesem Saft, der frisch genossen kühlend ist, wird durch angemessene Behandlung Wein, Essig, Branntwein oder Zuckersyrup bereitet*). Manche Cocosbäume werden anscheinlich durch zu üppigen Wuchs unfruchtbar, welche Krankheit zu vermeiden man tiefe Einschnitte in ihren Stamm einzuhauen pflegt. Ist aber ein Baum auf diese Weise unnütz geworden, so fället man ihn und hat an dem Kohl, den unentwickelten Blättern in der Mitte der Krone, ein wohlschmeckendes Gemüse**).

Eine besondere Art Musa (Pisang, Banane), die keine genießbare Frucht trägt, wird des Flachses wegen angebaut, der aus ihrem Stamm gewonnen wird und der vor vielen andern den Vorzug zu verdienen scheint. Die Fasern (Längengefäße der Blattstiele) haben die volle Länge des Stammes (gegen acht Fuß) und sind nach ihren

---

*) Der süße Syrup der Pelew-Inseln wird nur von der Cocospalme auf diesem Wege gewonnen. Gegohrnes oder gebranntes Getränk scheint dort nicht Eingang gefunden zu haben.

**) Wir haben das Unfruchtbar- oder, mit dem spanischen Ausdruck, Tollwerden (tornar loco) des Cocosbaumes und das dagegen angewandte Mittel besonders auf Guajan bemerkt.

äußeren oder inneren Lagen von verschiedener Feinheit, so daß aus derselben Pflanze der Flachs gewonnen wird, aus dem man die vorzüglich guten Ankertaue verfertigt, die hier meist die spanische Marine anwendet, und der, aus welchem man die feinen streifigen Zeuge webt, die zu den zierlichen Hemden verwendet werden, die zu der Tracht dieses reinlichen Volkes gehören*).

Ein Palmbaum (Palma de Cabello negro) liefert einen festen schwarzen Bast, der ebenfalls zu Seilen und Ankertauen verarbeitet wird (die chinesischen aus Rotang geflochtenen Ankertaue, die manche Seefahrer des großen Ocean's gebrauchen müssen, gelten für die schlechtesten und unzuverlässigsten). Dieser Palmbaum wird wegen seiner Nutzbarkeit angepflanzt und vermehrt.

Endlich müssen noch der Bambus und der Rotang unter den nutzbarsten Gewächsen dieses Himmelsstrichs aufgeführt werden.

Der Tagal mit seinem Bolo (ein Messer, das er stets wohlgeschliffen in der Scheide bei sich führt und das ihm als einziges Werkzeug bei allen mechanischen Künsten und zugleich als Waffe dient) baut selbst, aus Bambus und Rotang, sein Haus und versieht es mit den meisten der erforderlichen Geräthschaften und Gefäße. Die Erde gönnt ihm Speise und Trank, Stoffe zu seiner Kleidung, den Tabak, die Arecanuß und den Betel zu seinen Genüssen. Ein Streithahn macht ihn glücklich. — Die Erde ist hier so reich, der Mensch so genügsam! Er bedarf so wenig zu seiner Erhaltung und zu seinen Freuden, und hat oft dies Wenige nicht.

---

*) Die Caroliner bereiten auch ihre mattenähnlichen Zeuge aus den Fasern der Musa, die nach Kadu's Aussage zu diesem Behuf, bevor sie Früchte getragen hat, abgeschnitten wird. Sollten sie auch die oben erwähnte Art besitzen?

Die Marianen-Inseln. — Guajan.

Die Marianen-Inseln bilden eine vulkanische Kette, die in der Richtung von Norden nach Süden liegt; die Vulkane und der Sitz der unterirdischen Feuer sind im Norden der Kette, wo unfruchtbare verbrannte Felsen unter den Inseln gezählt werden.

Auf Guajan, der südlichsten derselben und zugleich der größten und vorzüglichsten, werden nur leise Erderschütterungen verspürt. Guajan erscheint von der N. O. Seite als ein mäßig hohes, ebenes Land, dessen Ufer schroffe Abstürze sind. Die Gegend um den Hafen und die Stadt trägt einen andern Charakter und hat hohe Hügel und schöne Thäler.

Wir haben keine andere Gebirgsart angetroffen als Madreporen-Kalkstein und Kalkspath.

Die Insel ist wohl bewaldet, die Flora anscheinend reich, die Vegetation üppig. Der Wald steigt an den steilen Ufern bis zum Meere herab, und verschiedene Rhizophora-Arten baden an geschützten Orten ihr Laub in der Fluth. Nichts ist den Wohlgerüchen zu vergleichen, die, als wir bei der Ankunft den Ankerplatz suchten, uns über die Brandung herüber zuwehten. Die Orangenbäume sind wie andere Fruchtbäume verschiedener Arten, Andenken einer sonst blühenderen Kultur, verwildert. Viele eingeführte Pflanzen haben die Flora wuchernd vermehrt, wie z. B. die stachlichte Limonia trifoliata, der nicht mehr Einhalt zu thun ist, und die Indigofera tinctoria, die Niemand zu benutzen versteht. Der Brodfruchtbaum, der Cocos, der Pisang sind im Ueberfluß da; die Mangifera indica ist angepflanzt, aber noch nicht einheimisch geworden. Wir fanden nur hier verschiedene der Pflanzenarten, die dem Kontinent von Asien und den Inseln des großen Ocean's gemein sind, z. B. die Baringtonia speciosa und die Casuarina equisetifolia. Aber wir vermißten die Pflanzenformen von Neu-Holland, die Proteaceen, Epakrideen, Myrtoideen und Akazien mit einfachen Blättern. Wir trafen die mehrsten der auf Radack wachsenden Pflanzen wieder an, deren wir nachher etliche auf Luçon vermißten, so zum Beispiel die Tacca pinnatifida, die, obgleich in Cochinchina einheimisch und angebaut, bei Manila zu fehlen scheint. Es kommen zwei verschiedene Pandanus-Arten vor und mehrere Feigenbäume.

Außer den Fledermäusen (wir fanden den Vampyrus) ist das einzige ursprünglich einheimische Säugethier die auf allen Inseln der Südsee so allgemein verbreitete Ratte. Die Spanier haben außer unsern gemeinen Hausthieren, deren sich keines hier vorfand, den Guanaco aus Peru und einen Hirsch aus den Philippinen eingeführt; den Hirsch zur Zeit des Gouverneurs D. Thomas. Mehrere dieser Thiere sind jetzt auf verschiedenen dieser Inseln verwildert. Verschiedene Arten der Landvögel kommen vor und unter andern ein Falke. Wir bemerken unter den Amphibien ein Iguan und eine große Seeschildkröte; unter den Zoophyten einige der Holothurien-Arten, die unter dem Namen Trepang (biche de mer, balate) einen so wichtigen Handelszweig für China abgeben.

Die düstere Geschichte der Marianen-Inseln ist in Europa hinreichend bekannt. Wir verweisen auf die Histoire des Isles Marianes nouvellement converties à la Religion chrétienne et de la mort glorieuse des premiers missionaires, qui y ont prêché la foi, par le Père Charles Gobien. Paris 1700, und auf deren beurtheilenden Auszug in Burney Chronological history, T. 3. p. 271.

Diese Inseln wurden von Magalhaens entdeckt, sie hießen unter den Eingeborenen Laguas, die Spanier nannten sie Las Islas de los ladrones, de las Velas latinas, und endlich Marianas. Der fromme Missionar Don Diego Luis de San Vitores landete auf Guajan im Jahre 1667; er begehrte den Völkern das Heil zu bringen, aber es folgten ihm Soldaten und Geschütz. Noch vor dem Schlusse des Jahrhunderts war das Werk vollbracht, und diese Nation war nicht mehr! Pacificar nennen's die Spanier.

„Diese so sehr beträchtliche Verminderung rührt von der Unter-„werfung her, zu der sie die Waffen zwangen. Sie konnten, ihre „Freiheit liebend, kein fremdes Joch erdulden, und es ward ihnen „so drückend, daß, unvermögend es abzuschütteln, sie lieber sich er-„hängten, oder auf andere Weise sich verzweifelnd um das Leben brach-„ten. Die Weiber machten sich vorsätzlich unfruchtbar und warfen „ihre eigene Frucht in das Wasser, überzeugt, daß sie durch solchen „frühen Tod, der sie von Mühseligkeiten und Elend erlösete, sie „glücklich und selig machten. So hielten sie die Abhängigkeit für „das äußerste und erbärmlichste Elend. Auch trug eine epidemische „Krankheit dazu bei, die im Anfange des Jahrhunderts die Uebrig-„gebliebenen fast gänzlich hinraffte.*)

Don Pedro Murillo Velarde führt dasselbe Bild mit denselben Zügen aus. Wir überlassen es gern den Spaniern hier zu reden.

Die ursprüngliche Volkszahl belief sich nach Fra Juan de la Concepcion auf 40000, nach Murillo Velarde auf 44000. (Es heißt im Nouveau voyage à la mer du Sud (Marion), daß die Menschenzahl, sonst über 60000, zu 8—900 geschmolzen sei.) Die Ueberreste der Eingeborenen wurden Anno 1695 auf den Inseln Saypan und Guajan, und nach der gleich darauf erfolgten Krankheit auf letzterer Insel allein gesammelt. Nach der Volkszählung ohne Jahreszahl, die Murillo Velarde (gedruckt zu Manila 1749)

---

*) Esta diminucion tan considerable viene de la sugecion a que los obligaron las armas; amantes de su libertad, no podian tolerar ageno jugo: Se les hizo este tan pesado, que no pudiendo desecharle de sus hombros, tenian en menos perder con lazos y de otros modos desesperamente las vidas. Las mugeres se esterilisaban de proposito, y arrojaban a las aguas sus proprios partos; persuadidas, a que con aquella temprana muerte, que les remedia de trabajos y de una vida penosa, los hacian dichosos y felices; en tanta tenian la sugecion, que les parecia la ultima y mas lamentable miseria: Tambien ajudo una epidemia en los principios de este siglo, que casi despoblo el resto. Fra Juan de la Concepcion, Historia de Philipinas T. 7. p. 348.

als neueste Nachricht mittheilt, waren 1738 Einwohner vorhanden. Die zunehmende Bevölkerung war Anno 1783 auf 3231 und Anno 1816 auf 5389 Seelen gestiegen.*)

Aber die christlichen Nachkommen derer, die dem Untergang ihres Volkes entkommen und ihre Unabhängigkeit überlebt, haben alle Eigenthümlichkeit ihrer Väter verloren, alle ihre Künste und zum Theil selbst ihre Sprache verlernt.

Gobien scheint zuerst die unsinnige Behauptung aufgestellt zu haben, daß die Bewohner der Marianen-Inseln das Feuer erst durch die Europäer kennen gelernt. Die Geschichtschreiber von Manila wiederholen diesen Satz, Velarde wendet auf sie das „Nulla Getis toto gens truculentior orbe“ an, und man wundert sich, daß sich dadurch achtbare Schriftsteller, von denen man gesundere Kritik erwartet hätte, leichtsinnig zu unverantwortlichen Irrthümern verleiten lassen.**)

Diese Völkerschaft gehört zu der Völkerfamilie, die, durch Charakter, Sitten und Künste verwandt, durch Handel und Schifffahrt verbunden, die östlich von den Philippinen bis zum 180° der Länge gelegenen Inseln bewohnt. Diese sanftmüthigen und lieblichen Völ-

*) Man vergesse nicht, daß man in früherer Zeit, um die Mission zu verstärken, Hunderte von Philippinern nach Guajan versetzt hatte und daß deren Nachkommen in diesen Zählungen mitrechnen.

**) Burney zeigt auch hier, in wie guten Händen sich bei ihm die gründlichste Gelehrsamkeit befindet, l. c. p. 312. Wie hätten Bewohner von Inseln, auf welchen häufige Vulkane brennen, das Feuer nicht gekannt. Pigafetta rechnet unter die Dinge, wovon sie sich ernähren, das Fleisch der Vögel, ohne zu bemerken, daß es roh gegessen wurde. — Wir bemerken beiläufig, daß das Mutterschwein, welches nach diesem Reisebeschreiber Magalhaens bei seiner Ankunft auf Humunu (Philippinen-Inseln) schlachten ließ, die unverbürgte Behauptung veranlaßt zu haben scheint, Magalhaens habe Schweine von den Ladronen-Inseln mitgenommen; davon schweigen sowohl Massimilliano Transilvano als die Breve narratione di un Portughese (bei Ramusio), und Herrera, Historia de las Indias. T. 2. Cap. 3. erwähnt nichts davon. Alle Autoritäten stimmen darin überein, daß sich bei der Besitznahme keine vierfüßige Thiere auf derselben befanden. Herrera l. c. schreibt diesen Inseln den Reis zu (y poco arroz), anscheinlich ohne allen Grund.

ber stehen auf keiner geringen Stufe der Bildung, und die Bewohner der Marianen standen in nichts ihren Brüdern nach.

Sie waren in der Schifffahrt den kunstreichsten der Caroliner wenigstens gleich.*) Die noch bestehenden Werke ihrer Baukunst auf Tinian und Saypan bezeugen, daß sie in dieser Hinsicht den übrigen überlegen waren, und wir haben unter ihren Antiquitäten etwas entdeckt, das einen unermeßlichen Schritt in der Civilisation zu bezeichnen scheint, den sie allen Inselbewohnern des großen Ocean's vorausgethan hatten. Wir reden von der Erfindung der Münze. Wir haben die Gegenstände, die wir beschreiben, selbst gesehen und wir erläutern sie nach der befugten Autorität, nach Don Luis de Torres, dem Freunde der Indianer, dem Kenner ihrer Sitten und unserm Freunde.

An einer groben Schnur von Cocosbast sind Scheiben von Schildkröte von der Gestalt einer Knopfform, aber dünn wie Papier, dicht aneinander gepreßt, eingefädelt und durch Reibung äußerlich geglättet. Das Ganze bildet eine biegsame Walze von der Dicke eines Fingers und von der Länge einiger Fuße.

Diese Schnüre sollen als ein Mittel des Handels in Umlauf gewesen sein, und sie zu verfertigen und auszugeben war das Recht nur weniger Häuptlinge.

Schildkrötenfelder von der großen Seeschildkröte sind verschiedentlich in der Mitte von einem größeren und an dem breitern,

---

*) Wir müssen hier in Dampier's Bericht von den Proas der Marianen-Inseln eine Unrichtigkeit rügen. Die Fahrzeuge der Caroliner segeln wirklich nur, wie es in Anson's Reise angegeben wird und wie schon Pigafetta bemerkt, mit dem Ausleger auf der Windseite und der flachen Seite des Boots unter dem Winde. Es ist auch nach Anson, daß man diese Fahrzeuge in England nachgeahmt hat; der Lauf von 24 Knoten, den Dampier denselben zuschreibt, muß übertrieben scheinen, obgleich sie leicht, schnell und besonders viel geschickter sind als unsere Schiffe, scharf bei dem Winde zu segeln. Wir müssen ferner bemerken, was sich ohnehin von selbst versteht, daß das Steuerruder stets unter dem Winde geführt wird, welches in Betreff der Boote von Radack in den zu diesem Werke gehörigen Zeichnungen nicht immer beachtet worden.

dünnern Rande von mehreren kleinern Löchern durchbohrt, oder haben nur ein einziges Loch in der Mitte.

Wer, vermuthlich im Schwimmen, eine Schildkröte getödtet hatte (wohl ein schweres Wagestück), brachte ein Feld ihres Panzers dem Häuptlinge, der nach den Umständen der That und der dabei erhaltenen Hülfe die Löcher darein bohrte; je weniger derer, desto größer der Werth. Solche Trophäen sollen dann dem Eigner ein gewisses Zwangsrecht gegeben haben, sie nach hergebrachten Bräuchen gegen Anderer Eigenthum auszutauschen, und in gewisser Hinsicht als Mittel des Handels und Zeichen des Werthes gegolten haben.

Indem die Insulaner von Guajan, sagt Crozet, durch die Civilisation neue Kenntnisse erworben, haben sie in dem Bau ihrer Boote die Kunst, die sie von ihren Vätern ererbt, vollkommen erhalten; sie hatten in dieser Hinsicht nichts zu gewinnen*).

Sollten wir dieses Zeugniß wie das früherer Seefahrer gelten lassen? verhält es sich doch jetzt weit anders als zur Zeit von Anson (1742) und Duclesmeur (1772). Die jetzigen Bewohner von Guajan kennen nicht mehr die See, sind keine Schiffer, keine Schwimmer mehr, sie haben aufgehört Boote zu bauen. Kaum höhlen sie noch Baumstämme ungeschickt aus, um innerhalb der Brandungen auf den Fischfang zu gehen. Es sind die Bewohner der Carolinen (Lamureck, Ulea u. s. w.), die, nachdem der Pilot Luito aus Lamureck im Jahre 1788 die Wiederentdeckung von Waghal (Guajan) für seine Inseln vollbracht, seit dem Jahre 1805 jährlich mit einer Handelsflotte gegen Guajan kommen und die Spanier gegen Eisen mit den ihnen nöthigen Fahrzeugen versehen, die sie für dieselben auf ihren Inseln erbauen. Sie sind es auch, die auf ihren eignen Booten die Sendungen des Gouverneurs nach Tinian und Saypan befördern und die sonst schwierige Verbindung der Marianen-Inseln unterhalten.

---

*) Nouveau voyage à la mer du Sud, par Marion et Duclesmeur rédigé sur les plans et les journaux de Mr. Crozet, p. 204. „Les insulaires de Guam acquérant par la civilisation de nouvelles connoissances, ont parfaitement conservé l'art, qu'ils tiennent de leurs ancêtres, pour la construction de leurs bateaux, ils n'avoient rien à acquérir dans cette partie."

Dieser carolinischen Boote giebt es jetzt hier 10—12, und man erinnert sich nicht, daß je ähnliche auf Guajan gebaut worden. — Haben nicht auch in der Fremde gebaute Boote die früheren Seefahrer getäuscht? Zu allen Zeiten sind Boote der Caroliner hieher verschlagen worden, und namentlich noch im Jahre 1760—70 ein Boot aus Eap; denn so weit gehen unsere auf Erinnerung gegründete Nachrichten zurück.

Die jetzigen Bewohner von Guajan sind zu Spaniern umgebildet*), sie wohnen und kleiden sich wie die Tagalen um Manila, bauen den Reis für den nächsten Bedarf, bereiten und trinken den Cocoswein, kauen den Betel und rauchen den Tabak und genießen träg bis in ein hohes Alter**) der Früchte des Waldes, der Gaben der willigen Erde und der Milde des Himmels.

Und wie könnte Industrie sich regen! Dem Gouverneur dieses entlegenen Theils der Welt ist auf eine kurze Dauer sein Amt als eine Pfründe verliehen.

Er hat den alleinigen Handel der Kolonie, das heißt, daß er das beträchtliche baare Geld***), das Spanien für Gehalte hinschickt, behält und dafür die Verpflichtung hat, seinen Unterbeamten so wenige und so schlechte Waare, als er nur immer will, zu geben†); dagegen zahlt der Indianer keinen Tribut, bauet selbst seinen Tabak und hat der Kirche keine Zehnten zu entrichten.

Selten legen jetzt die Gallionen von Acapulco in Guajan an, und nur gelegentlich die den Handel der Nordwestküste treibenden Amerikaner. Der jetzige Gouverneur der Marianen besitzt ein eigenes

---

*) Wir äußerten den Wunsch, mit den eigenthümlichen Sitten, Spielen, Tänzen der Eingeborenen bekannt zu werden, und der Gouverneur ließ sie vor uns ein Opernballet von Montezuma in Theatercostümen aufführen, welche sich aus alten Zeiten her im Collegio, den Schulgebäuden der Jesuiten, vorfinden.

**) Ein rüstiger Greis von 86 Jahren und 4 Monaten lebt in Agaña mit seinem gleichbejahrten Weibe, der einzigen Gefährtin seiner Jugend und seines Alters; sie zählen jetzt um sich 135 Nachkommen und die sechste Generation.

***) Gegen 18000 Piaster jährlich, eine Angabe, die wir jedoch nicht verbürgen.

†) Zuñiga p. 6.

Schiff, eine hübsche Brigg, womit er die Verbindung und den nöthigen Handel mit Manila unterhält und außerdem den Handel der biche de mer treibt. Er hat angefangen die Caroliner zu ermuntern, ihm diesen Handelsartikel zuzuführen, da er auf ihren Inseln häufig ist und sein Pilot, ein Engländer, sich wegen Gefahr der Riffe geweigert hat, ihn von dort her zu holen. Es kann dieser Schritt großen und wohlthätigen Einfluß auf die fernere Entwickelungsgeschichte dieser Insulaner erlangen.

Die Jesuiten sind bis zu der Aufhebung des Ordens im Besitz der Missionen geblieben, die sie auf den Marianen begründet hatten.

Sie verbrannten einen Theil ihrer Papiere und Bücher, als die Augustiner sie ablöseten, und räumten ihnen das Feld. Da es in der letzten Zeit an Missionaren gemangelt, ist die Seelsorge der Marianen Weltgeistlichen übertragen worden. Die Inseln sind in zwei Kirchspiele eingetheilt, das von Agaña und das von Rota, welches letztere einen Theil der Insel Guajan in sich begreift; beide stehen eigentlich unter dem Bischof von Zebu, der aber wegen zu großer Abgeschiedenheit die Administration derselben dem Erzbischof von Manila überläßt.

Die Pfarrherren sind junge Tagalen aus Manila, denen die spanische Sprache zur Beschickung ihres Amtes hinreichend ist; sie bewohnen in Agaña das Gebäude der Mission.

Auf der Insel Rota ist jetzt eine feste Ansiedelung unter Aufsicht eines Offiziers, hingegen sind keine Wohnungen auf der Insel Tinian. Es wird dieselbe nur besucht, um den Anbau von Reis zu betreiben. Man sagte uns, daß auf Tinian sich Rinder, Schweine und Ziegen, auf Saypan Rinder und Schweine, und auf Agrigan Schweine und Ziegen verwildert befänden.

Es haben sich etliche Caroliner, welche die Taufe empfangen, auf Guajan angesiedelt; wir fanden nur wenige von ihnen gegenwärtig. Mehrere hatten Urlaub vom Gouverneur erhalten, die Ihrigen auf ihren Inseln zu besuchen, und waren im vorigen Jahre mit der Flottille von Lamureck dahin abgegangen.

Es bleibt noch übrig zu erläutern, weshalb auf der beigefügten

8*

Tafel Eingeborene der Sandwich-Inseln unter den Bewohnern auf Guajan aufgezählt werden können.

Der Leser wird in einem andern Theil dieses Werkes einen umständlichen Bericht über den Menschenraub gefunden haben, den zum Behuf einer Ansiedelung auf den Galapagos ein amerikanischer Schiffs-Kapitain mit bewaffneter Hand und Blutvergießen auf der Oster-Insel verübte.

Der Handel dieses Ocean's macht den Seefahrern, in deren Besitz er sich befindet, ähnliche Ansiedelungen auf östlichern Inseln wünschenswerth. Die Verhältnisse auf den Sandwich-Inseln erleichtern dort den Menschenraub, und die Insel Agrigan, eine der nördlichsten der Marianen, scheint zu einer solchen Niederlassung sich vorzüglich zu eignen, ob sie gleich gebirgig und zur Kultur unfähig, selbst keine Rinder ernähren kann und keinen geschützten Ankerplatz darbietet.

Der Kapitain Brown war im Jahre 1809 oder 10 mit dem Schiff Derby aus Boston auf Atuai. Auf dieser Insel gesellte sich ihm Herr Johnson bei, Schiffsbaumeister des Königs, welcher aber eines Unfalles wegen, der ein Schiff betroffen hatte, in Ungnade gefallen war. Man lichtete die Anker während der Nacht und entführte fünfzehn Weiber, die sich am Bord befanden. Man näherte sich der Insel Oniheau. Ein Boot brachte Erfrischungen vom Lande. Dieses wurde erwartet; sieben Mann, die sich auf demselben befanden, wurden in das Schiff aufgenommen, dann das Boot selbst heraufgezogen, und man richtete den Cours auf Agrigan. Diese Insel wurde verfehlt, sie befand sich im Norden; man suchte, um nicht mit Zeitverlust gegen den Wind anzuringen, auf einer der südlichern Inseln zu landen. Es geschah auf Tinian. Hier blieben zwei Parteien. Einerseits der Johnson mit vier Mann und den Sandwichern (diese sollten sich ein Fahrzeug bauen, um nach Agrigan überzugehen), andererseits der zweite Master des Schiffes mit drei Mann, die vom Dienst entlassen eine Barkasse, die sie vom Kapitain erstanden, zu einem Schiff umarbeiten wollten, geeignet diese Meere auf Handelsspekulationen zu befahren. Das sandwicher Boot ward den Ausgesetzten zurückgelassen, beide Parteien gingen nach Saypan über, welche Insel ihnen besseres Bauholz darbot, und betrieben da ihr Werk. Aber die Sandwicher gedachten der Freiheit, der Rache und ihrer Heimath. Als der Master sein Fahrzeug zu Stande gebracht, welches sie zur Heimfahrt zu benutzen gedachten, ersahen sie die Gelegenheit, die Getrennten und Wehrlosen zu überfallen; der Master und ein Weißer wurden so getödtet; der Krieg wüthete.

Man hatte indeß auf Guajan erfahren, daß sich Fremde auf Saypan und Tinian aufhielten; der Gouverneur D. Alexandro Parreño schickte dahin, und es war mitten in diesen blutigen Zwisten, daß im Juni 1810 Johnson mit vier Weißen, zwei Negern, den sieben Sandwichern und fünfzehn Sandwicherinnen nach Guajan, woselbst er sich noch befindet, abgeführt wurde.

Im Mai 1815 wurde auf Befehl des Kapitain-General der Philippinen, D. Gose Garboque, eine Ansiedelung auf Agrigan aufgehoben und beiläufig vierzig Menschen, worunter ein Amerikaner, drei Engländer und die übrigen Sandwicher waren, nach Guajan eingebracht.

Man weiß aus verschiedenen zuverlässigen Nachrichten, daß sich bereits eine neue Ansiedelung auf Agrigan befindet. Nach dem nunmehrigen Befehl des Kapitain-General in diesem Betreff wird den Ansiedelungen daselbst kein Hinderniß mehr entgegengestellt, die Ansiedler sollen nur die Oberherrschaft der Spanier anerkennen, und ein Spanier soll als Oberer hingesendet werden. Man hat bis jetzt noch unterlassen, Jemand dahin zu schicken.

Guajan erinnert an den in Europa bekannt gewordenen Namen des Gouverneur D. Thomas.

Im Nouveau voyage à la mer du Sud wird seiner mit hohem Lob erwähnt, und der Abbé Raynal weihte ihn auf seine Weise zur Unsterblichkeit ein. Laperouse fand ihn bald darauf zu Manila in den Händen der Inquisition und maß dies den Lobreden des Philosophen zu. Wir bezweifeln jedoch mit besserer Ortskenntniß, daß die Schuld dieses Unrechts lediglich dem französischen Aufklärer beizumessen sei.

Die Inquisition trifft, gleich dem Zufall, unter den Hohen und Reichen Jeden, den nur Angaben bezeichnen, und es ist Brauch, daß die Weiber in häuslichen Mißverhältnissen den Arm des heiligen Gerichts für ihre eigene Sache bewaffnen. Die Güter der Verurtheilten fallen dem Gericht anheim, und der arme obskure Mensch genießt Sicherheit.

Auszug
aus den Archiven von San Ygnacio de Agaña.

	Zahl der Einwohn.	Zu-nahme.	Ab-nahme.
Im J. 1783 dem ersten d. Reg. v. D. Felipe de Cerain	3231	—	—
„ „ 1784	3213	—	18
„ „ 1785	3292	79	—
„ „ 1786	3301	9	—
„ „ 1787 d. erst. d. Reg. v. D. Jose de Arlegui y Leoz	3344	43	—
„ „ 1788	3433	89	—
„ „ 1789	3501	68	—
„ „ 1790	3564	63	—
„ „ 1791	3630	66	—
„ „ 1792	3680	50	—
„ „ 1793	3584	—	96
„ „ 1795 d. ersten der Reg. v. D. Manuel Muro	3500	—	84
„ „ 1796	3643	143	—
„ „ 1797	3789	146	—
„ „ 1798	3935	146	—
„ „ 1799	4001	66	—
„ „ 1800	4158	157	—
„ „ 1801	4245	87	—
„ „ 1802	4249	4	—
„ „ 1803 d. ersten der Reg. v. D. Vicente Blanco	4303	54	—
„ „ 1804	4308	5	—
„ „ 1805	4354	46	—
„ „ 1806 d. ersten d. Reg. v. D. Alexandro Parreño	4442	88	—
„ „ 1807	4545	103	—
„ „ 1808	4690	145	—
„ „ 1809	4804	114	—
„ „ 1810	4845	41	—
„ „ 1811	4958	113	—
„ „ 1812 d. ersten v. D. Jose de Medinilla y Pineda	4921	—	37
„ „ 1813	5049	128	—
„ „ 1814	5232	183	—
„ „ 1815	5315	83	—
„ „ 1816	5389	74	—
	Zunahme	2393	235
	Abnahme	235	
	Reine Zunahme	2158	

San Ygn. de Agaña, Hauptstadt der Marianen-Inseln,
am 27. Nov. 1817.

Ueber unsere Kenntniß der ersten Provinz des großen Ocean's.

Neue Quellen. — Kadu, Don Luis de Torres. Geographischer Ueberblick.

(Mit einer Karte.)

Nach den verschollenen Entdeckungen von Saavedra 1528, Villalobos 1542, Legaspi 1565 und Anderer; nach der Entdeckung der Carolina (vielleicht Cap) durch Lazeano 1686, sammelte auf den Philippinen der Jesuit Paul Clain 1697 die ersten bestimmten Nachrichten über die Inseln, die nachher Carolinen genannt wurden, von Eingeborenen dieser Inseln, welche der Sturm auf Samar verschlagen hatte. Wir erfahren zugleich, daß jene Insulaner öfters, bald zufällig, bald vorsätzlich, diese Küsten besucht.

Lettre du P. Paul Clain, lettres édifiantes T. 1. p. 112. Aux Jésuites de France. Charles Gobien, T. 6. mit der Karte von Serrano, welche keine Aufmerksamkeit verdient.

Der Missionseifer erwacht, alle Monarchen der Erde werden aufgefordert, der Verbreitung der Lehre Christi förderlich zu sein. Verschiedene Schiffe werden in Manila ausgerüstet, die ein den Völkern freundliches Schicksal, deren Glück und Unabhängigkeit bewahrend, von ihrem Ziel abhält. Endlich landen die Väter Cortil und Duperon auf Sonsorol 1710. Wind und Strom entfernen alsbald das Schiff; die Missionare sind verlassen, und vereitelt wird jede fernere Unternehmung, ihnen zu Hülfe zu kommen.

Zu S. 1

und Einwohner.

Entwor|eda, Justicia Mayor, Civil- und Militair-
diesem Jahre 1816.

r verschiedenen Klassen.

Insel	ndianer aus en Sandwich-nseln und aus en Carolinen. Männer.	Frauen.	Summa im Jahre 1816.	Summa im Jahre 1815.	Zunahme.	Abnahme.
Ha						
San Ygn						
Deren						
Santa C						
San Ygn	23	29	3115	3062	53	—
San Nic						
San Ram						
F						
Anigua	—	—	238	233	5	—
Asan .	—	—	116	112	4	—
Tepunga	—	—	71	67	4	—
Mungmu	—	—	84	90	—	6
Sina Sa	—	—	184	188	—	4
Getrennt						
Agat .	—	—	241	244	—	3
Villa de	—	—	189	184	5	—
Merizo	—	—	292	288	4	—
Unarasan	—	—	204	201	3	—
Pago .	—	—	200	204	—	4
I						
Rota und Tinian	—	—	455	442	13	—
	23	29	5389	5315	91	17

nd allen Kasten ergab die Seelenzahl von 5389, und
seit dem | Unterschrieben
José de Medinilla y Pineda.
Justo de la Cruz.

Zu Chamisso's W. 5 Aufl. Bd. IV.

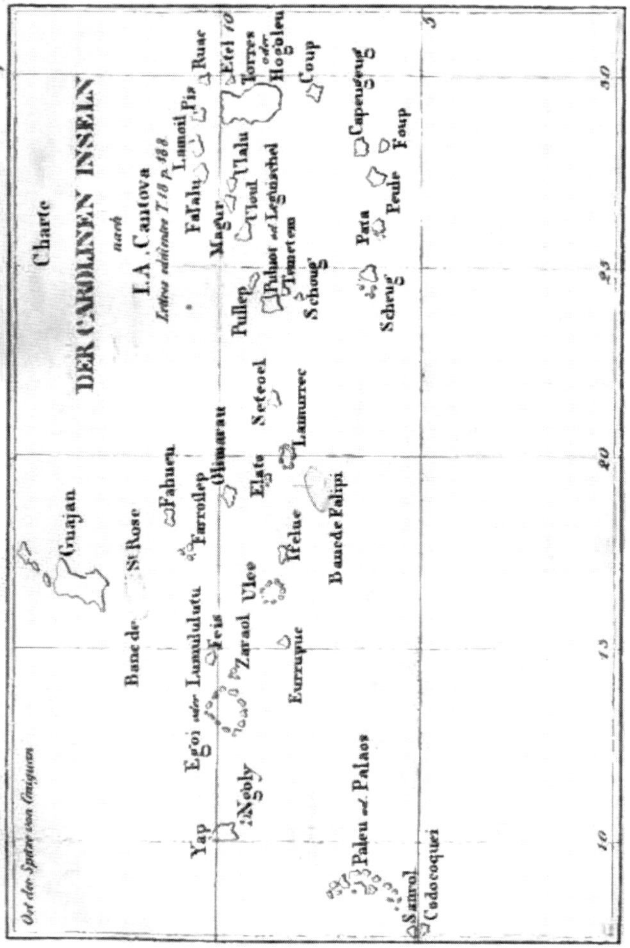

Charte
DER CAROLINEN INSELN
nach
I.A. Cantova
Lettres édifiantes T. 18 p. 188.

Ort der Spitze von Guiguan
Guajan
Banc de St. Rose
Fahueu
Farroilep
Olimarau
Yap
Egoi oder Lumululutu
Feis
Ngoly
Zaraol
Ulee
Eurrupuc
Ifelue
Elato
Setoel
Lamurrec
Banc de Falipi
Paleu od. Palaos
Sanrol
Codocoquei
Falalu
Lamoil
Pis
Ruac
Magur
Pullep
Cloul
Ulalu
Etel
Torres oder Hogoleu
Puluot od. Leguischel
Tametem
Schoug
Coup
Capeugeug
Pata
Scheug
Peule
Foup
10
15
20
25
30
5
10

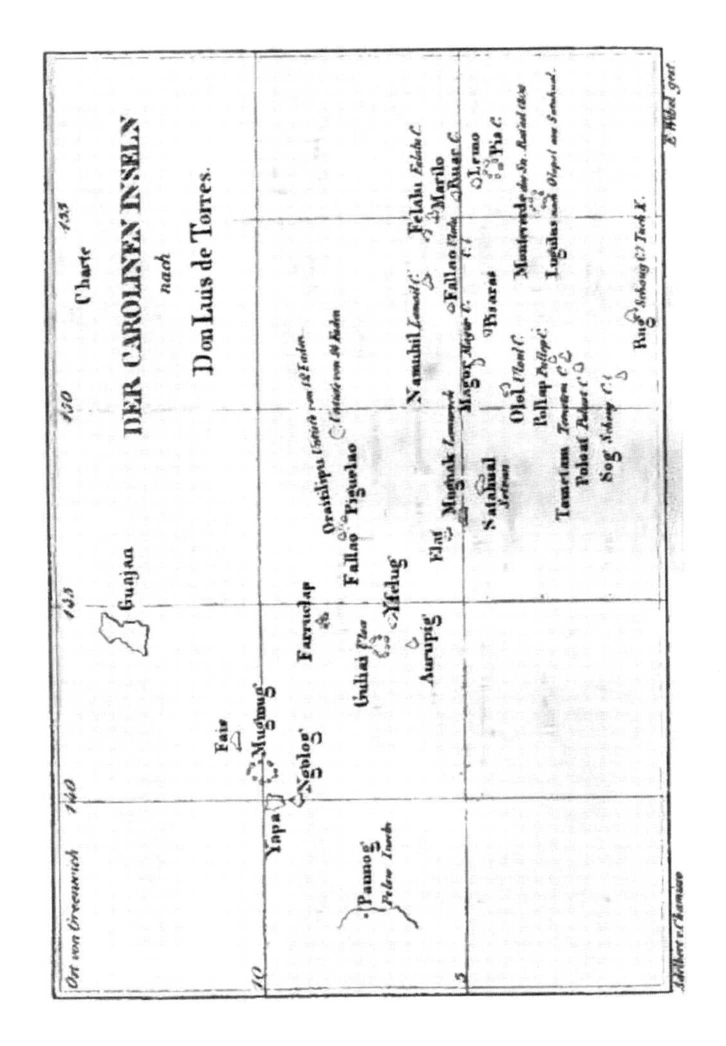
Charte
DER CAROLINEN INSELN
nach
Don Luis de Torres.
Ort von Greenwich
Adelbert v. Chamisso

Aux Jésuites de France. J. B. du Halde T. 6. — Relation en forme de Journal T. 6. p. 75. — Lettre du P. Cazier T. 16.

Der Pater Jean Antoine Cantova sammelt auf Guajan 1722 von dorthin verschlagenen Insulanern aus Ulea und Lamureck die vollständigsten Nachrichten über die Carolinen und entwirft eine Karte von diesen Inseln, die alle Beachtung verdient; sein Herz entbrennt, das Evangelium auf denselben zu verbreiten.

Lettre du Père J. A. Cantova T. 18. p. 188. mit der Karte.

Die Geschichtschreiber von Manila haben diese Geschichten sorgfältig aus den Quellen zusammengetragen.

Historia de la provincia de Philipinas de la Compañia de Jesus por el P. Pedro Murillo Velarde. Manila 1749. T. 2. — Historia general de Philipinas por Fr. Juan de la Concepcion T. 9. c. 4. p. 151. und T. 10. c. 9. p. 239.

Wir entlehnen, was folgt, aus dem letzteren:

Cantova gelingt es, an die Völker der Carolinen gesandt zu werden. Er wird 1731 mit dem P. Victor Uvaldec von Guajan nach Mogmug übergebracht, und eine Mission wird auf der Insel Falalep begründet. Der P. Victor macht eine Reise nach den Marianen; als er mit neuer Hülfe für die Mission 1733 wiederkehrt, ist die Stelle, wo selbige gestanden hatte, verheert und verödet. Er setzt seine mühselige Fahrt nach Manila fort. „Sie erfuhren von einem Gefangenen, den sie entführten, daß zehn Tage „nach Abfahrt des P. Victor am 9. Juli 1731 der P. Cantova „berufen ward, vorgeblich einen Erwachsenen auf Mogemug zu taufen. Er ging mit zwei Soldaten dahin und fand Alles in Waffen. „Sie gaben vor, er wolle ein neu Gesetz gegen das alte und ihre „Bräuche einführen, und durchbohrten ihn mit drei Lanzenstichen, „zwei in die Seiten und einen in das Herz; sie tödteten gleichfalls „die zwei Soldaten und warfen sie in die See. Sie entblößten „aber den Pater, bewunderten, daß er so weiß sei, und beerdigten „ihn unter einem kleinen Dach*). Sie fielen nachher die auf Falalep

*) So bestatten sie ihre eigenen Todten; der Pater ward als ein Fürst, die Soldaten als Männer vom Volke behandelt.

„Zurückgebliebenen unversehens an, diese konnten nur in Eile ihre „kleinen Kanonen!! abfeuern, tödteten also vier Indianer und ver- „wundeten andere mit dem Schwert; aber ihre Vertheidigung war „umsonst. Sämmtliche Spanier, welche auf der Insel waren, vier- „zehn an der Zahl, wurden getödtet, und verschont ward nur ein „junger Tagal, der Sakristan des Pater, den der Chef der Insel an „Sohnesstatt angenommen hatte."

„Derselbe Gefangene sagte aus: daß der Vertraute des Pater, „einer Namens Digal, den er auf Guajan getauft hatte, der vor- „züglichste Anstifter dieses Aufruhrs gewesen sei."

Also endigt die Geschichte der Missionen auf den Carolinen.

Mit einer einzelnen Gruppe dieser Inseln macht uns später be- kannt An account of the Pelew Islands from the journals and communications of Capt. Henry Wilson by George Keate Esq., fifth edition, London 1803.

Burney, im fünften Kapitel des ersten Bandes seiner Chro- nologischen Geschichte der Reisen, berichtet ausführlich aus den Quellen, was die Carolinen anbetrifft. — Er führt beim Tode Cantova's eine Denkschrift des Gouverneurs der Philippinen an, welche uns nicht zu Gesicht gekommen ist. Es enthält dieses fünfte Kapitel eine vollständige Darstellung unserer geographischen Kennt- niß der Inseln, welche die Spanier unter dem Namen las Caroli- nas begreifen.

Wir finden uns veranlaßt, die Carolinen, denen die Pelew- Inseln und die westlicher gelegenen Gruppen beizuzählen sind, mit den fast unter gleicher Breite östlicher gelegenen Inseln bis zu denen, die Krusenstern nach den Haupt-Entdeckern derselben die Gilbert- und Marshals-Inseln nennt, und mit den Marianen im Norden der Carolinen unter einem Gesichtspunkt und unter der Benen- nung der westlichen oder ersten Provinz des großen Ocean's zu vereinigen.

Krusenstern hat in seinen Beiträgen zur Hydrographie, Leip- zig 1819, die Entdeckungen, welche die neuern Seefahrer in diesem Meerstrich gemacht haben, unter verschiedenen Hauptstücken, von

Seite 94 bis 121, gesammelt und mit großer Gelehrsamkeit abgehandelt. Er hat dabei besonders die Memorias por Don Josef Espinosa y Tello, Madrid 1809, benutzt.

Tuckey (Maritim Geography and Statistics, London 1815) hat, indem er die Quellen, nach welchen er die Lage streitiger Inseln (Lamurca, Hogolen) festsetzt, anzugeben unterlassen, seine Arbeit aller Zuverlässigkeit beraubt, und

Arrowsmith, Chart of the pacific ocean mit den additions to 1817, erscheint uns von größerer Autorität.

Es ist hier der Ort, da wir nach eigenen Erfahrungen und gesammelten Nachrichten besonders über die Inseln und Völker dieser Provinz Mittheilungen zu machen uns anschicken, über die neuen Quellen, die wir zu deren Kenntniß darbringen, Rechenschaft abzulegen.

Es sind diese Quellen die Mittheilungen unseres Freundes und Gefährten Kadu, und die von D. Luis de Torres auf Guajan, welche sich an Cantova's Brief und Karte anschließen.

Wir hatten zu Anfang 1817 im äußersten Osten dieser Provinz auf der Gruppe Otdia und Kaben der Inselkette Radack mit dem lieblichen Volke, welches sie bewohnt, Bekanntschaft gemacht und Freundschaft geschlossen. Als wir darauf in die Gruppe Aur derselben Inselkette einfuhren, die Eingeborenen auf ihren Booten uns entgegen kamen und, sobald wir Anker geworfen, an unsern Bord stiegen, trat aus deren Mitte ein Mann hervor, der sich in manchen Dingen vor ihnen auszeichnete. Er war nicht regelmäßig tatuirt wie die Radacker, sondern trug undeutliche Figuren von Fischen und Vögeln, einzeln und in Reihen um die Kniee, an den Armen und auf den Schultern. Er war gedrungenern Wuchses, hellerer Farbe, krauseren Haares als sie. Er redete uns in einer Sprache an, die, von der radackischen verschieden, uns völlig fremd klang, und wir versuchten gleich vergeblich, die Sprache der Sandwich-Inseln mit ihm zu reden. Er machte uns begreiflich, er sei gesonnen, auf unserm Schiffe zu bleiben und uns auf unsern ferneren Reisen zu begleiten. Sein Gesuch ward ihm gern gestattet. Er blieb von Stunde an an unserm Bord, ging auf Aur nur einmal mit Urlaub ans Land und verharrte bei uns, unser treuer Gefährte, den Offizieren gleich gehalten und von Allen geliebt, bis zu unsrer Rückkehr auf Radack, wo er mit schnell verändertem Entschluß erkor sich anzusiedeln, um der Bewahrer und Ausgeber unsrer Gaben unter unsern dürftigen Gastfreunden zu sein. Es könnte Niemand von dem menschenfreundlichen Geiste unsrer Sendung durchdrungener sein als er.

Kadu, ein Eingeborener der Inselgruppe Ulea, im Süden von Guajan, von nicht edler Geburt, aber ein Vertrauter seines Königs Toua, der seine Aufträge auf andern Inseln durch ihn besorgen ließ, hatte auf früheren Reisen die Kette der Inseln, mit denen Ulea verkehrt, im Westen bis auf die Pelew-Inseln, im Osten bis auf Setoan kennen gelernt. Er war auf einer letzten Reise von Ulea nach Feis mit zweien seiner Landsleute und einem Chef aus Eap, welcher letztere nach seinem Vaterlande zurückkehren wollte, begriffen, als Stürme das Boot von der Fahrstraße abbrachten. — Die Seefahrer, wenn wir ihrer unzuverlässigen Zeitrechnung Glauben beimessen, irrten acht Monde auf offener See. Drei Monde reichte ihr kärglich gesparter Vorrath hin; fünf Monde erhielten sie sich, ohne süßes Wasser, blos von den Fischen, die sie fingen. Den Durst zu löschen, holte Kadu, in die Tiefe des Meeres tauchend, kühleres und ihrer Meinung nach auch minder salziges Wasser in einer Cocosschale herauf. Der Nordost-Passat trieb sie endlich auf die Gruppe Aur der Kette Radack, wo sie sich im Westen von Ulea zu befinden wähnten. Kadu hatte von einem Greise auf Eap Kunde von Radack und Ralick vernommen: Seefahrer aus Eap sollen einst auf Radack, und zwar auf die Gruppe Aur verschlagen worden sein und von da über Mugor und Ulea den Rückweg nach Eap gefunden haben. Die Namen Radack und Ralick waren ebenfalls einem Eingeborenen aus Lamureck, den wir auf Guajan antrafen, bekannt. Es werden oft Boote aus Ulea und den umliegenden Inseln auf die östlichen Inselketten verschlagen, und noch leben auf der südlichen Gruppe Arno der Kette Radack fünf Eingeborene aus Lamureck, die ein gleiches Schicksal auf gleicher Bahn dahin geführt.

Die Häuptlinge von Radack schützten die Fremden gegen Niedriggesinnte ihres Volks, deren Habsucht das Eisen, welches jene besaßen, gereizt hatte. — Man trifft die edelmüthigern Gesinnungen stets bei den Häuptlingen an.

Die Einwohner von Ulea, die in größerem Wohlstand und in ausgebreiteterem Verkehr als die Radacker leben, sind ihnen in mancher Hinsicht überlegen. — Kabu stand in einem gewissen Ansehn auf Radack. Er mochte, als wir diese Inseln besuchten, seit etwa vier Jahren auf denselben angelangt sein. Er hatte zwei Weiber auf Aur und von der einen eine Tochter, die bereits zu sprechen begann.

Unsere Erscheinung verbreitete in Aur, wo die Kunde von uns noch nicht erschollen war, Schrecken und Bestürzung. Der vielgewanderte, der vielerfahrene Kabu, der sich zur Stunde auf einer entlegenen Insel der Gruppe befand, ward alsbald herbeigeholt, und man begehrte seinen Rath, wie man den mächtigen Fremden begegnen müsse, die man für böse Menschenfresser anzusehen geneigt war.

Kabu hatte von den Europäern Vieles erfahren, ohne daß er je eines ihrer Schiffe gesehen. Er sprach seinen Freunden Muth ein, warnte sie vor Diebstahl und begleitete sie an unser Schiff mit dem festen Entschluß, bei uns zu bleiben, und in der Hoffnung, durch uns zu seinem lieben Vaterlande wieder zu gelangen, da einmal ein europäisches Schiff in Ulea gewesen, zu einer Zeit, wo er selbst abwesend war.

Einer seiner Landsleute und Schicksals-Gefährten, der bei ihm war, bemühte sich umsonst, ihn von diesem Vorhaben abzubringen, und seine Freunde bestürmten ihn umsonst mit ängstlichen Reden: er war zur Zeit unerschütterlich. — Ein andrer Gefährte Kabu's, der Häuptling aus Eap, den wir im Gefolge des Königs Lamari bei Ubirick antrafen, faßte denselben Entschluß, dieselbe Hoffnung wie unser Freund. Er war ein schwächlicher Greis; sein Gesuch fand kein Gehör. Es war schwer ihn zu vermögen, unser Schiff zu verlassen, worauf er in Thränen in der ruhigen Lage beharrte, durch welche er seinen Vorsatz uns zu versinnlichen gesucht. Wir stellten ihm sein Alter und die Mühseligkeiten unserer Fahrt vor, er blieb bei seinem Sinne; wir stellten ihm vor, daß unser Vorrath nur auf eine gewisse Anzahl Menschen berechnet sei. Er muthete uns zu, unsern Freund Kadu hier auszusetzen und ihn an dessen Stelle aufzunehmen.

Wir müssen die leichte und schickliche Weise rühmen, womit Kadu sich in unsre Welt zu fügen wußte. Die neuen Verhältnisse, worein er sich versetzt fand, waren schwer zu beurtheilen, zu behandeln. Er, ein Mann aus dem Volke, ward unversehens unter den an Macht und Reichthum so sehr überlegenen Fremden gleich einem ihrer Edeln angesehen, und das niedere Volk der Matrosen diente ihm wie dem Oberhaupte. Wir werden Mißgriffe nicht verschweigen, zu welchen er Anfangs verleitet ward, die er aber zu schnell und leicht wieder gut machte, als daß sie strenge Rüge verdienten. — Als kurz nach seiner Aufnahme unter uns Häuptlinge von Radack an unsern Bord kamen, erhob er sich gegen sie und nahm Geberden an, die nur jenen ziemen. Eine arglose Verhöhnung ihrerseits ward sein wohlverdienter Lohn. — Es geschah nicht ein zweites Mal. — Er suchte Anfangs den Gang und die Arten des Kapitains nachzuahmen, stand aber von selbst davon ab. Es ist nicht zu verwundern, daß er die Matrosen erst für Sklaven ansah. Er befahl einst dem Aufwärter, ihm ein Glas Wasser zu bringen; dieser nahm ihn still am Arme, führte ihn zu dem Wasserfaß und gab ihm das Gefäß in die Hand, woraus Andere tranken. Er ging in sich und studirte die Verhältnisse und den Geist unserer Sitten, worein er sich bald und leicht zu versetzen und zu finden lernte, wie er eben unsern äußern Anstand im Leben und bei der Tafel sich anzueignen gewußt.

Kadu lernte erst nach und nach die Kraft unserer geistigen Getränke kennen. Man will bemerkt haben, daß er sich Anfangs Branntwein von den Matrosen geben lassen. Als darauf ein Matrose bestraft wurde, ward ihm angedeutet, solches geschehe wegen heimlichen Trinkens des Feuers (Name, womit er den Branntwein bezeichnete). Er trank nie wieder Branntwein, und Wein, den er liebte, nur mit Mäßigung. Der Anblick betrunkener Menschen, den er auf Unalaschka hatte, machte ihn mit Selbstgefühl über sich selber wachsam. — Er beschwor im Anfang den Wind zu unsern

Gunsten, nach der Sitte von Eap; wir lächelten, und er lächelte bald über diese Beschwörungen, die er fortan nur aus Scherz und uns zu unterhalten wiederholte.

Kadu hatte Gemüth, Verstand, Witz; je näher wir einander kennen lernten, je lieber gewannen wir ihn. Wir fanden nur bei seinem lieblichen Charakter eine gewisse Trägheit an ihm zu bekämpfen, die sich unsern Absichten entgegensetzte. — Er mochte nur gern singen oder schlafen. Als wir uns bemühten, über die Inseln, die er bereist oder von denen er Kenntniß hatte, Nachrichten von ihm einzuziehen, beantwortete er nur die Fragen, die wir ihm vorlegten, und dieselbe Frage nicht gern zweimal, indem er auf das, was er bereits ausgesagt hatte, sich bezog. Wenn im Verlauf des Gesprächs Neues an das Licht gefördert ward, welches verschwiegen zu haben wir ihm verwiesen, pflegte er gelassen zu entgegnen: „Das hast Du mich früher nicht gefragt." Und dabei war sein Gedächtniß nicht sicher. Die Erinnerungen lebten nach und nach in ihm wieder auf, so wie das Ereigniß sie hervorrief, und wir glaubten zugleich zu bemerken, daß die Menge und Vielfältigkeit der Gegenstände, die seine Aufmerksamkeit in Anspruch nahmen, frühere Eindrücke in ihm verlöschten. Die Lieder, die er in verschiedenen Sprachen sang und von den Völkerschaften, unter welchen er gelebt, erlernt hatte, waren gleichsam das Buch, worin er Auskunft oder Belege für seine Angaben suchte.

Kadu hielt unter uns sein Journal nach Monden, wofür er Knoten in eine Schnur knüpfte. Dieses Journal schien uns aber unordentlich geführt zu werden, und wir konnten uns nicht aus seiner Rechnung finden.

Er war nicht ungelehrig, nicht ohne Wißbegierde. Er schien wohl zu verstehen, was wir über die Gestalt der Erde und unsre nautische Kunst ihm anschaulich zu machen uns bestrebten; aber er war ohne Beharrlichkeit, ermüdete durch die Anstrengung und kehrte ausweichend zu seinen Liedern zurück. Er gab sich die Schrift, deren Geheimniß er begriffen hatte, selbst zu erlernen einige Mühe, war aber zu diesem schweren Versuche ohne Geschick. Was man ihm in der Absicht ihn zu befeuern, sagte, mochte ihm wohl völlig den Muth benehmen; er unterbrach und nahm das Studium wieder vor, und legte es endlich gänzlich bei Seite.

Er schien, was wir ihm von der geselligen Ordnung in Europa, von unsern Sitten, Bräuchen, Künsten berichteten, mit offenem Sinne aufzufassen. Am empfänglichsten war er aber für den friedlichen Abenteurersinn unserer Reise, mit der er die Absicht verband, den entdeckten Völkern, was ihnen gut und nützlich sei, mitzutheilen, und er verstand allerdings darunter hauptsächlich, was zur Nahrung dient; erkannte aber auch wohl, daß unsere Ueberlegenheit auf unserm größern Wissen überhaupt beruhe, und er ehrte und diente nach Möglichkeit unserm Forschsinn, wo derselbe auch manchem Gebildeteren unter uns sehr müßig geschienen hätte.

Als wir auf Unalaschka angekommen, und er diese verwaiste, von allen Bäumen entblößte Erde sich beschauet hatte, eilte er geschäftig uns aufzufordern, etliche Cocos, die wir noch an Bord hatten, und zu welchen er noch ihm eigens gehörige zugeben wolle, hier an angemessenen Orten zu säen. Er drang, uns das Elend der Einwohner vorhaltend, auf den Versuch, und ließ sich ungern überreden, daß solcher vollkommen überflüssig sei.

Die Natur fesselte zumeist seine Aufmerksamkeit und Neugierde. Die Rinder auf Unalaschka, die ihm erst ins Gedächtniß wieder riefen, daß er früher welche auf den Pelew-Inseln gesehen, beschäftigten ihn anhaltend, und er ging ihnen täglich betrachtend auf der Weide nach. Nichts auf der ganzen Reise hat ihn freudiger angeregt als der Anblick der Seelöwen- und Seebären-Heerden auf der Insel St. George *).

Wie Kadu während der Reise vernachlässigte Eisenstücke, Glasscherben und alles von uns Uebersehene, was für seine Landsleute

---

*) Als von der Insel St. George ans Schiff zurückgekehrt wir uns von den Seelöwen unterhielten, deren Gang und Stimme mit launigem Geschick nachzuahmen Kadu sich und uns ergötzte, ward er mit anscheinlichem Ernste gefragt, ob er auch deren Nester und Eier unter dem Felsen am Strande in Augenschein genommen? Wie unbewandert er auch in der Naturgeschichte der Säugethiere war, befremdete ihn doch diese Frage, deren Scherz er gleich entdeckte und herzlich belachte.

Werth haben mochte, sorgfältig aufgelesen und aufbewahrt, so suchte er sich auf Unalaschka unter den Geschieben des Ufers vorzüglich zu Schleifsteinen taugliche Steine aus. Wir haben diesen sanftmüthigen Mann nur einmal in zurückgehaltenem Zorne, in Ingrimm gesehen; das war, als im Verlauf der Reise er diese Steine am Orte, wo er sie auf dem Schiffe verwahrt, vergeblich suchte, und die Beschwerde, die er darüber führte, wenig Gehör fand. Er war in seinem Rechtssinn gekränkt.

Kadu war in seiner Armuth freigebig und erkenntlich in seinem Herzen. Er diente denen von uns, von welchen er beschenkt worden, und benutzte auf O-Wahu die Gelegenheit, durch den verständigen Handel, den er mit den kleinen Waaren, womit wir ihn bereichert, trieb, uns und den Matrosen, die ihm gedient hatten, Gegengeschenke darzubringen, wie sie jedem nach eignem Sinn angenehm sein mochten. Er legte für sich selber Nichts zurück, als das, womit er einst seine Landsleute zu bereichern oder zu erfreuen hoffte. So hatte er seinen Freunden auf Radack Alles, was er besaß, hinterlassen und nur ein einziges Kleinod sich vorbehalten, einen Halsschmuck, den er lange noch unter uns getragen hat. Er vertraute uns einst mit feuchten Augen lächelnd die Heimlichkeit dieses Halsbandes. Er focht im Kampf auf Tabual (Insel der Gruppe Aur von Radack) in den Reihen seiner Gastfreunde gegen den aus Meduro und Arno eingefallenen Feind; da gewann er über seinen Gegner den Vortheil, und war im Begriff, den zu seinen Füßen Gestürzten zu durchbohren: als dessen Tochter rettend vorsprang und seinen Arm zurückhielt. Sie erhielt von ihm das Leben ihres Vaters; dieses Mädchen verhieß ihm ihre Liebe, er, der Mann, trug ihr heimlich ansehnliche Geschenke hinüber, und er trug ihr zum Angedenken das Liebespfand, das sie auf dem Schlachtfelde ihm verehrt.

Wir müssen in Kadu's Charakter zwei Züge vorzüglich herausheben: seinen tief eingewurzelten Abscheu vor dem Kriege, dem Menschenmord, und die zarte Schamhaftigkeit, die ihn zierte und die er unter uns nie verleugnet hat.

Kadu verabscheute das Blutvergießen, und er war nicht feig.

Er trug vorn auf der Brust die Narben der Wunden, die er im Vertheidigungskriege auf Radack erhalten hatte, und als wir uns zu einer Landung auf der St. Laurenz-Insel mit Waffen rüsteten und er belehrt war, solches geschehe nicht zu einem feindlichen Angriff, sondern zur Selbstvertheidigung im Fall der Nothwehr unter einem Volke, dessen Gesinnung uns unbekannt und mit dem wir blos zu wechselseitigem Vortheil zu handeln gesonnen seien, begehrte er Waffen, einen Säbel, womit er uns im nöthigen Fall beistehen könne, da er sich im Schießen auf Unalaschka noch nicht hinreichend eingeübt. — Er hegte fest die Meinung, die er auf Eap sich eingeprägt, daß graue Haare nur daher erwüchsen, daß man der Männerschlacht in ihrem Gräuel beigewohnt.

Kadu trug im Verhältnisse zu dem andern Geschlechte eine musterhaft schonende Zartheit. Er hielt sich von dem Weibe, das im Besitz eines andern Mannes war, entfernt. Er hatte überall ein richtiges Maaß für das Schickliche. Was er auf O-Wahu erfuhr, widerstand ihm, und er sprach frei darüber, wie über die Sittenlosigkeit, die er auf den Pelew-Inseln herrschend gefunden. In das freie Männergespräch gezogen, wußte er in dasselbe dergestalt einzugehen, daß er immer innerhalb der ihm angedeuteten Grenzen blieb.

Man findet den regsten Sinn und das größte Talent für den Witz unter den Völkern, die der Natur am wenigsten entfremdet sind, und besonders wo die Milde des Himmels dem Menschen ein leichtes genußreiches Leben gönnt. Kadu war besonders witzig, verstand aber wohl in arglosem Scherz geziemende Schranken zu beobachten, und er wußte mit großem Geschick sich durch leichte Dienste oder Geschenke die zu versöhnen, über die er sich mit Ueberlegenheit erlustigte.

Unser Freund bezeugte uns wiederholt im Verlauf unserer Reise, er sei gesonnen, bis an das Ziel derselben bei uns zu verharren, und sollten wir selbst sein vielgeliebtes Vaterland Ulea auffinden, von uns nicht abzutreten, sondern uns nach Europa zu begleiten, von wo aus wir ihm die Rückkehr nach Ulea verheißen durften, da der Handel unsre Schiffe regelmäßig nach den Pelew-Inseln führt, wo die Boote von Ulea gleich regelmäßig verkehren. Wir waren selbst noch des andern Weges über Guajan unkundig. Aber er hegte den Wunsch, und dieser würde ihm auf Guajan in Erfüllung gegangen sein, Gelegenheit auf einer der ihm bekannten Inseln zu finden, nach Eap über das Schicksal und den jetzigen Aufenthalt des Häuptlings dieser Insel, seines Unglücksgefährten auf Radack, berichten zu lassen, damit, meinte er, die Seinen ein Schiff baueten und ihn dort aufsuchten. Er beschäftigte sich angelegentlich mit diesem Gedanken.

Wir bemühten uns, auf O-Wahu nutzbare Thiere und Gewächse, Setzlinge und Samen verschiedener nützlicher Pflanzen zusammen zu bringen, deren Arten wir auf Radack einzuführen versuchen wollten. Kadu wußte, daß wir dort anzugehen gedachten, und beharrte auf seinem Sinn. Wir forderten ihn auf, sich hier in Allem, was auf Radack nützen könne, zu unterrichten, da er unsre Freunde unterweisen und sie belehren könne, welcher Vortheil ihnen aus unsern Gaben erwachsen sollte und wie sie ihrer pflegen müßten. Er ging wohl in unsere Absichten ein, aber der Zweck lag ihm noch zu fern, und Leichtsinn und Trägheit ließen ihn in diesem wollüstigen Aufenthalt eine Lehrzeit saumselig benutzen, deren Versäumniß er später selbst bereuete*).

Wir kamen nach Radack und landeten auf Otdia, unter dem Jubel der wenigen unserer Freunde, die nicht mit in den Krieg gezogen. Von dem Augenblicke an war Kadu unermüdlich auf das ämsigste beschäftigt, beim Pflanzen, Säen und der Besorgung der Thiere uns mit Rath und That an die Hand zu gehen und den Eingeborenen das Erforderliche zu erklären und einzuschärfen. — Noch war er festen Sinnes, bei uns zu bleiben.

Als auf Otdia alles Nöthige besorgt war, ging Kadu nach Aromed, der Insel des alten Häuptlings Laergaß, um dort auch einen Garten anzulegen. Auf dieser Excursion, die in Booten der

*) Kadu hatte sich leicht mit den O-Waihiern verständigen gelernt, und er machte uns selbst auf die Aehnlichkeit verschiedener Wörter in ihrer Sprache und in den Sprachen der Inseln der ersten Provinz aufmerksam.

9*

Radacker ausgeführt ward, begleitete ihn nur der Verfasser dieser Aufsätze. — Auf Otdia gingen die Stunden des Tages in Arbeiten, die des Abends in anmuthiger Geselligkeit hin. Die Frauen sangen uns die vielen Lieder vor, die während unsrer Abwesenheit auf uns gedichtet und worin unsere Namen der Erinnerung geweiht waren. Kadu berichtete ihnen von seinen Reisen und mischte scherzhafte Märchen seiner Erzählung bei; er theilte Geschenke aus, die er im Verlauf der Reise für seine Freunde bereitet. Sobald am andern Tag, dem letzten unsers Aufenthaltes auf Radack, das Boot, das uns zum Schiffe zurückführte, unter Segel war, erklärte Kadu, dessen heitere Laune in ruhigen Ernst überging, er bleibe nun auf Otdia und gehe mit dem Rurik nicht weiter. Er beauftragte seinen Freund ausdrücklich, diesen neuen, unveränderlichen Entschluß dem Kapitain zu verkündigen, und Gegenvorstellungen ablehnend setzte er die Gründe, die ihn bestimmten, auseinander. - Er bliebe auf Otdia, Hüter und Pfleger der Thiere und Pflanzungen zu sein, die ohne ihn aus Unkunde verwahrlos't, ohne Nutzen für die unverständigen Menschen verderben würden. Er wolle bewirken, daß unsre Gaben den dürftigen Radackern zu hinreichender Nahrung gereichten; daß sie nicht fürder brauchten aus Noth ihre Kinder zu tödten, und davon abließen. — Er wolle dahin wirken, daß zwischen den südlicheren und nördlicheren Gruppen Radack's der Friede wieder hergestellt werde, daß nicht Menschen Menschen mehr mordeten; — er wolle, wenn Thiere und Pflanzen hinreichend vermehrt wären, ein Schiff bauen und nach Ralick übergehen, unsere Gaben auch dort zu verbreiten; — er wolle von dem Kapitain, indem er ihm Alles, was er von ihm empfangen, wiedergebe, nur eine Schaufel, die Erde zu bearbeiten, und dieses und jenes nützliche Werkzeug sich erbitten. Sein Eisen wolle er gegen den mächtigen Lamari verheimlichen und nöthigenfalls vertheidigen. Er rechne bei seinem Unternehmen auf die Mitwirkung seines Landsmannes und Schicksalsgefährten, den er aus Aur, wo er sich jetzt befände, zu sich berufen wolle. Dieser sollte ihm auch sein Kind, seine Tochter, mitbringen, die, wie er nun erfahren, seit seiner Abreise traurig war, nach ihm verlangte, nach ihm schrie und nicht schlafen wollte. — Seine Weiber hatten andere Männer genommen, nur sein Kind beschäftigte ihn auf das zärtlichste.

Kadu bereuete zu dieser Frist, vieles Nützliche, die Bereitung der Baftzeuge auf O-Wahu u. a. m. zu erlernen vernachlässigt zu haben, und er begehrte in diesen letzten Augenblicken noch über Vieles Rath, den er mit großer Aufmerksamkeit auffaßte.

Das Boot, worauf wir diese Fahrt gegen den Wind anringend vollbrachten, war ein schlechter Segler; die Sonne neigte sich schon gegen den Horizont, als wir an das Schiff kamen, worauf sich glücklicher Weise der Kapitain befand. — Als der Entschluß Kadu's bekannt geworden, sah er sich bald und unerwartet in dem Besitz unendlicher Schätze, solcher, die in diesem Theile der Welt die Begehrlichkeit der Fürsten und der Nationen erregen.*) Die Liebe ward kund, die er unter uns genoß, und man sah Jeden stillschweigend geschäftig, den Haufen des Eisens, der Werkzeuge und der nutzbaren Dinge, die für ihn zusammengebracht wurden, aus dem eignen Vorrath zu vermehren. (Proben von Matten und Zeuge aus O-Wahu, Proben von Strohhüten u. dergl. m. wurden nicht vergessen.)

Als Kadu sein Bett, seine Kleider, seine Wäsche, die er nun behielt, zu einem Bündel zu schnüren sich beschäftigte, sonderte er seine Winterkleider sorgfältig ab und brachte dieselben dem Matrosen, der ihm gedient hatte, als ein Geschenk dar, welches jedoch dieser sich weigerte anzunehmen.

Die Sonne war bereits untergegangen, als Kadu mit seinem Reichthume ans Land übergebracht wurde. Die Zeit erlaubte nicht, ihm irgend ein geschriebenes Zeugniß auszufertigen und zu hinterlassen. Nur eine Inschrift auf einer Kupferplatte, an einen Cocosbaum auf Otdia geschlagen, enthält den Namen des Schiffs und das Datum.

Kadu wurde vor den versammelten Einwohnern von Otdia als unser Mann eingesetzt, dem unsere Thiere, unsere Pflanzungen anbefohlen, und der außerdem mit unsern Geschenken an Lamari beauftragt sei. Verheißen ward, daß wir, die wir bereits dreimal

*) Πολύκμητός τε σίδηρος. Hom. Ilias X. v. 379.

auf Radack gekommen, nach einer Zeit zurückkehren würden, nach ihm zu sehen und Rechenschaft zu begehren. Zur Bekräftigung dieser Verheißung und zum Zeichen unsrer Macht (wir hatten bis dahin nur Zeichen unsrer Milde und Freundschaft gegeben) wurden, als wir bei dunkler Nacht an das Schiff zurückgekehrt, zwei Kanonenschüsse und eine Rakete abgefeuert.

Als wir am andern Morgen die Anker lichteten, war unser Freund und Gefährte am Ufer mit den Thieren beschäftigt, und er blickte oft nach uns herüber.

Eines der Lieder, die Kadu oft unter uns sang, verherrlichte in der Sprache von Ulea die Namen Samuel, Bormann (er sprach Moremal aus) und Luis. Dieses Lied bezog sich auf das europäische Schiff, welches Ulea besucht, zu einer Zeit, wo Kadu selbst auf Reisen war. Waghal erschien in den Erzählungen von Kadu als ein großes Land, woselbst Rinder vorhanden, Eisen und andere Reichthümer in Ueberfluß, wohin der König Toua einmal eine Reise gemacht und von woher er namentlich drei zweipfündige Kanonenkugeln heimgebracht hatte.

Wir erkannten, sobald wir auf Guajan gelandet, jenes Waghal in dieser Insel, und der Luis jenes Liedes trat uns freundlich entgegen in der Person von Don Luis de Torres, dem wir hier mit inniger Liebe und Erkenntlichkeit seiner gedenkend, folgende Nachrichten nachschreiben.

Luito*), ein Seefahrer der im Süden von Guajan gelegenen Inseln, dessen Ruhm unter seinen Landsleuten fortlebt, fand im Jahr 1788 mit zwei Booten den Weg von Waghal oder Guajan wieder, wovon ein Lied aus alter Zeit die Kunde aufbewahrt zu haben scheint. Er kam, durch den Erfolg der ersten Reise und den Empfang, den er gefunden, ermuthigt, im Jahre 1789 mit vier Booten wieder und begehrte vom Gouverneur Erlaubniß, jährlich wieder zu kommen. Die vier Fährmänner, als sie zur Rückreise sich anschickten, entzweiten sich über den Rumb, den sie steuern sollten,

---

*) Vgl. Espinosa, bei Krusenstern: Beiträge zur Hydrographie S. 92 angeführt.

— sie trennten sich. Die See gab keinen ihrer seinem Vaterlande je zurück.

Darauf ward der begonnene Verkehr unterbrochen.

Im Sommer des Jahres 1804 ging das Schiff Maria aus Boston, Kapt. Samuel Williams Boll, Supercargo Thomas Bormann, von Guajan aus auf Entdeckung, den Trepang auf den Carolinen-Inseln zu suchen. Don Luis de Torres stieg als Passagier an Bord der Maria, in der Hoffnung, die Insulaner, die er lieb gewonnen hatte, wieder zu sehen, ihnen Gutes zu erzeugen, zu erfahren, warum sie Guajan zu besuchen unterlassen, und sie zur Wiederkehr zu bewegen.

Auf dieser Reise wurden geographisch bestimmt, nach dem Tagebuch von Don Luis:

Eine Untiefe von 24 Faden in 8° 20′ N. B. und 149° O. L. von Greenwich.

Die wüste Insel Piguelao (D. L. d. T.), Bigellé (K.) in 8° 6′ N. B. und 147° 17′ O. L. (fehlt bei Cantova).

Die Untiefe Oraitilipu von 21 Faden unter gleicher Breite auf dem halben Wege nach

der wüsten Insel Fallao (D. L. d. T.), Fahueu (Cantova), Fayo (K.) in 8° 5′ N. B. und 146° 45′ O. L.

Die kleine niedere Gruppe Farruelap (D. L. d. T.) Faroilep (Cantova), Fatoilep (K.), in 8° 30′ N. B., 144° 30′ O. L., und endlich

die Gruppe Gulial (D. L. d. T.), Ulee (Cantova), Ulea (K.), Olă (nach der Aussprache von Radack), in 7° N. B. und 144° O. L., in welche Gruppe die Maria eindrang und woselbst sie sich einige Zeit verweilte.

Don Luis de Torres hat auf Ulea, dessen Sprache er versteht und dessen liebenswerthes Volk er hochschätzt, bei den Unterrichtetsten dieses Volks gründlich und sinnig über dasselbe und die verwandten Völkerschaften, mit denen es verkehrt, sich zu belehren die Gelegenheit benutzt. Er hat auf Ulea nach Angabe der erfahrensten Seefahrer der Eingeborenen, mit Berücksichtigung der Rumben, nach welchen sie segeln, eine Karte aller ihnen bekannten Inseln entworfen, deren Uebereinstimmung mit der ihm unbekannten Karte von Cantova auffallend ist. Er hat seither auf Guajan in fortwährendem Verkehr mit seinen dortigen Freunden gelebt und jährlich die geschickten Fährmänner, die das Handelsgeschwader aus Lamureck nach Guajan führen, gesehen. — Wir bedauern, daß wir aus dem Schatz seiner Erfahrungen und Nachrichten, welchen er uns so liebreich eröffnet hat, zu schöpfen nur so flüchtige Augenblicke gehabt, und wir erwarten von der französischen Expedition unter dem Kapt. Freycinet, der ein längerer Aufenthalt auf Guajan versprochen wird, und mit deren gelehrten Theilnehmern wir uns am Cap über diesen Gegenstand unterhalten haben, eine Nachlese, die weit reicher als unsre Ernte ausfallen kann.

Don Luis de Torres erfuhr auf Ulea, daß das Ausbleiben von Luito im Jahr 1789 den Spaniern auf Guajan mißdeutet worden war. Die Insulaner, eines Bessern belehrt, versprachen den unterbrochenen Handel wieder anzuknüpfen und hielten Wort.

Ein Passagier am Bord der Maria, ein Engländer, den D. Luis Juan nennt, siedelte sich auf Ulea an. Kadu nach seiner Rückkehr hat ihn dort unter dem Namen Lisol gekannt, er hatte ein Weib genommen und ein Kind mit ihr gezeugt. Nach seinen Nachrichten ist später zu einer Zeit, wo Kadu abermals verreist gewesen, dieser Lisol von Schiffen wieder abgeholt worden. Nach den Erkundigungen, die D. Luis über ihn eingezogen, ist derselbe auf Ulea verstorben.

Don Luis de Torres hatte auf dieser Reise die Art der Rinder und Schweine und verschiedener nutzbarer Gewächse auf Ulea einzuführen versucht. — Die Eingeborenen haben in der Folge die Rinder und Schweine geflissentlich ausgerottet, weil sie ihnen nicht nur unnütz, sondern schädlich waren. Die Rinder weideten die jungen Cocosbäume ab, die Schweine gefährdeten die Taro-Pflanzungen. — Von den Gewächsen war nur die Ananas fortgekommen; wie sie Frucht getragen und sich die Menschen darüber gefreut, haben sie die Pflanze, die Jeder besitzen wollte, so oft umgesetzt, daß selbige zuletzt ausgegangen ist.

Seit der Reise von D. Luis hat kein neuer Unfall den

wiederangeknüpften Verkehr unterbrochen. Die Caroliner kommen jährlich zahlreicher gegen Guajan. Ihr Geschwader, in Booten aus Ulea und umliegenden Gruppen, aus Lamureck und Setoan bestehend versammelt sich in Lamureck. Die Reise wird von da aus im Monat April unternommen; man zählt bis nach Fayo, der wüsten Insel, auf welcher man sich ein paar Tage verweilt, zwei Tage Ueberfahrt, von Fayo nach Guajan drei Tage. Die Rückreise geschieht ebenfalls über Fayo und Lamureck. Ihre Zeit ist im Mai, spätestens im Juni, bevor die West-Monsoon, die zu fürchten ist, eintreten kann.

Kadu erwähnte eines Unternehmens des Chefs auf Fatoilep, von dieser Gruppe aus direkt nach Waghal (Guajan) zu segeln. — Derselbe irrte lange zur See und kam, ohne diese Insel aufgefunden zu haben, endlich auf Mogemug an, von wo aus er wieder heimkehrte.

Das Geschwader verfehlte einmal Guajan und trieb unter dem Winde dieser Insel. Die Fährmänner gewahrten bei Zeiten ihren Irrthum und erreichten gegen den Wind anringend nur mit einigem Verzug ihr Ziel.

Diese weite Reise vollbrachte einst ein ganz kleines Boot, welches nur drei Menschen trug. Es segelte besser als die zwei größern Fahrzeuge, mit welchen es kam. Der Fährmann Olopol aus Setoan brachte solches dem D. Luis als Geschenk. Olopol verstarb in Agaña, wir haben das Boot selbst noch gesehen.

Toua*), der König von Ulea, kam selber im Jahr 1807 nach Guajan.

Es war auch in diesem Jahr, oder in dem folgenden, daß ein Boot aus der östlichen Insel Tuch auf Guajan verschlagen ward. Es hatte fünfzehn Menschen an Bord, der Pilot hieß Kulingan. Die Fremden wurden gut empfangen, aber eine Prozession, die in diesen Tagen statt fand und Artillerie-Salven veranlaßte, verbreitete Furcht und Schrecken unter ihnen. Sie verbargen sich in dem Walde

*) Don Luis de Torres nennt ihn Roua, wie er Rug die Insel nennt, die wir nach Kadu Tuch schreiben.

und gingen in derselben Nacht, von allem Vorrath entblößt, wieder in die See. — Zu ihrem Glück begegneten sie auf dieser Flucht der anlangenden Flottille aus Lamureck, die sie mit Lebensmitteln versorgte und ihnen die zu ihrer Heimkehr nöthigen Unterweisungen gab.

Das Geschwader war im Jahre 1814 achtzehn Segel stark.

Die Caroliner tauschen in Guajan Eisen, Glaskörner, Tücher u. s. w. gegen Boote, Muscheln*) und Seltenheiten ein; der Trepang kann zu einem wichtigeren Zweig ihres Handels werden. — Sie selbst werden während der Zeit ihres Aufenthaltes auf Guajan auf das gastfreundlichste von den Eingeborenen aufgenommen.

Don Luis de Torres hat mit Freude übernommen, den Freunden von Kadu auf Ulea sein Schicksal und seinen Aufenthalt berichten zu lassen und ihnen in seinem Namen unsre Gastgeschenke zu übersenden.

Don Luis de Torres hat uns ferner Kunde gegeben von einer hohen großen Insel unbekannten Namens, die von dem Brigantin San Antonio de Manila, Kapt. Manuel Dublon, auf der Reise von Manila nach Guajan am 10. Dezember 1814 in 7° 20′ N. B., 151° 55′ O. L. gesehen worden. Ein sehr hoher Berg erhebt sich auf derselben.

Wir hatten Kadu ein Lied von Feis singen gehört, welches sich auf ein Schiff bezog, mit welchem die Insulaner in Ansicht ihrer Insel, ohne daß es sich aufgehalten habe, gehandelt hatten. Es besang die Namen Jose Maria und Salvador. Wir erfuhren auf Guajan, daß im Jahre 1808 oder 1809 der Modesto aus Manila, Kapt. Jose Maria Fernandez, welches Schiff, um Trepang einzusammeln, die Pelew-Inseln aufsuchte, dieselben verfehlte und in Ansicht von Feis kam. Als darauf der Modesto die Pelew-Inseln erreichte, fand sich dort einer der Eingeborenen aus Feis, mit denen man zur See verkehrt hatte; dieser war, um den Handel fortzusetzen, dem Schiffe dahin vorausgeeilt. — Der

---

*) Diese Muscheln, worunter die schönsten Arten vorkommen, schickt der Gouverneur von Guajan nach Manila, woher sie unsre Museen und Sammlungen erhalten.

Gouverneur der Marianen, D. Jose de Medinilla y Pineda, befand sich am Bord des Modesto. — Wir haben uns auf Manila vergeblich bemüht, fernere Nachrichten von dieser Reise einzuziehen.

Wir erzählen noch hier unserm Freunde Kadu eine Begebenheit nach, die Interesse erwecken kann. — Auf Eap sind einmal sechs weiße kleidertragende Menschen auf einem mit hölzernen Stiften ohne Eisen zusammengefügten Boot angelangt. Dieses Boot war sonst nach Art der europäischen gebaut. Die Fremden wurden gastlich empfangen. Einer von ihnen, Boëlé genannt, ward von Laman, dem Häuptling des Gebietes Kattepar, an Kindesstatt angenommen. Dieser blieb auf der Insel, als die übrigen fünf nach einem Aufenthalt von wenigen Monaten wieder in die See gingen. Kadu, der kurz darauf nach Eap kam, hat diesen Boëlé gekannt. Er ging auf der Insel nackt und war oben an den Lenden tatuirt.

Die Insel-Kette Radack wird uns zuvörderst beschäftigen. Wir werden, was uns die eigene Anschauung gelehrt hat, durch Kadu's Berichte ergänzen, deren Zuverlässigkeit zu bewähren der letzte Besuch, den wir unsern Freunden abgestattet, uns die Gelegenheit gegeben hat.

An Radack reihen sich natürlich an:

die Insel-Kette Ralick, die, nahe in Westen gelegen, den Radackern vollkommen bekannt ist;

die Inseln Repith Urur und

Bogha, von denen verschlagene Seefahrer ihnen die Kunde überbracht haben; und

die Inseln, von der Fregatte Cornwallis im Jahr 1809 entdeckt, die Arrowsmith für Gasparrico der alten Karten anzusehen geneigt ist. Eine nördlich von Radack gelegene wüste Gruppe, welche wir wieder aufgesucht haben.

Die Insel-Ketten Radack und Ralick liegen in dem Meerstrich, den die Marshall-Inseln (Lord Mulgrave's range und nächst gelegenen Inseln) einnehmen.

Kapt. Marshall im Scarborough und Kapt. Guilbert in der Charlotte haben im Jahre 1788 dieselben Inseln gesehen. Der Erste, dem Krusenstern folgt, giebt ihnen (Voyage of Governor Phillip. London 1790 p. 218 u. f.) eine westlichere Lage, als der Zweite thut, dessen Original-Karten und Journale Arrowsmith besitzt und befolgt. Man kann keine geographisch-wissenschaftliche Arbeit über die Inseln dieses Meerstrichs unternehmen, ohne diese Dokumente zu benutzen. Es ist bei den abweichenden Bestimmungen beider Kapitaine und bei den andern Namen, die Jeder den Inseln beilegt, ihre Angaben unter sich und mit den hier eingreifenden Entdeckungen andrer Seefahrer zu vergleichen eine schwere Aufgabe, welche befugteren Geographen aufgespart bleibt. Diese mögen entscheiden, welche von den Inseln, die hier nur unter den einheimischen Namen (diese haben Bestand) aufgeführt werden, früher unsern Seefahrern bekannt geworden und welche der von ihnen gesehenen Inseln, obgleich in der Nähe von Radack, den Radackern dennoch unbekannt geblieben. Der Seefahrer, der die Inseln, die er auffindet und deren Lage er bestimmt, willkürlich zu benennen sich begnügt, zeichnet seinen Namen in den Sand. Der die wirklichen Namen seiner Entdeckungen erfährt und bewahrt, sichert sein Werk und hilft das Gebäude wirklich aufführen, zu welchem der Andere blos Steine reicht.

Wir haben unter den Radackern keine Kenntniß von den Gilbert's-Inseln, das ist von Inseln im Süden von Radack, angetroffen. Man wollte denn, wie uns aus manchen Gründen (der Lauf der Winde u. s. w.) unzulässig scheint, Repith Urur dahin verlegen.

In Marshall's Berichte erscheinen uns die südliche und die nördliche Kette der von ihm entdeckten Inseln in Allem ähnlich und von demselben Volke bewohnt; nur daß die südlicheren Inseln fruchtreicher und volkreicher sind als die nördlicheren, wie wir es auf Radack selbst befunden haben und wie uns Alles einladet anzunehmen, es sei auf allen Archipelagen dieses Meerstrichs der Fall.

Los pintados und los buenos jardines von Alvaro de Saavedra 1529 sind unter der Breite von 7°—8° oder 10° N. anscheinlich fern in Osten von Radack gelegen. Die Beschreibung dieser Inseln, die von unsern Karten verschwunden sind, und die ihrer Bewohner mahnt uns, ihrer hier zu gedenken.

Wir haben auf Radack die Natur selbst beobachtet und mit dem Volke gelebt. Vertraut mit dieser Natur und mit diesem Volke, werden die Nachrichten, die wir von den Carolinen mitzutheilen haben, anschaulicher vor unsern Blick treten.

Die Carolinen-Inseln werden den Gegenstand eines eigenen Aufsatzes ausmachen. Wir werden mit unsern Freunden Kadu und D. Luis de Torres von Ulea aus die umliegenden Inseln zu überschauen uns bemühen und ein liebliches Volk, das nur in Künsten des Friedens bewandert ist, auf seinen muthigen Fahrten verfolgen. Wir werden dabei unsre Nachrichten mit denen der Jesuiten und besonders mit den achtungswerthen Berichten von Cantova sorgfältig vergleichen.

Wir zählen hier diese Inseln nur auf und theilen die sich uns darbietenden geographischen Bemerkungen mit. Dieser Theil unsrer Arbeit kann, wie die Karte von Tupaya und die Nachrichten, die Quiros von den Eingeborenen von Taumaco und andern Inseln einsammelte, Winke enthalten, die künftigen Seefahrern nicht ganz der Beachtung unwürdig scheinen möchten.

Die hier beigefügten Karten von Cantova und D. Luis de Torres werden unsere Nachrichten zu erläutern beitragen. A) Die angeführten Entdeckungen der Neuern sind in den Quellen oder in den vorbenannten hydrographischen Werken und namentlich auf den Karten von Arrowsmith und Krusenstern nachzusehen.

Ulea (K.), Olä nach der Aussprache von Radack, Ulee (C.), Gullai (T.), und nach ihm 7° N. B. und 144° O. L. gelegen. (Die dreizehn Inseln von Wilson in Duff 1797 7° 16' N. B., 144° 30' O. L. [T]).

Eine Hauptgruppe niederer Inseln. — Die Namen von elf

A) Hier möchte noch die Karte zu vergleichen sein, die Herr von Kotzebue nach Edack, dem Gefährten Kadu's, gezeichnet und Reise II. p. 88. mitgetheilt hat.

Inseln sind in Cantova's Original-Karte aufgezeichnet; Kadu hat uns vier und zwanzig genannt und die geringeren unbewohnten übergangen. Namentlich:

nach Kadu:	nach Cantova:
Ulea	Ulee
Raur	Raur
Pelliau	Peliao
Marion	Mariaon
Thagellüp	Tajaulep
Engeligarail	Algrail
Tarreman	Termet
Falalis	Falalis
Futalis	Faralles
Lüfagä	Otagu
Falelegalä	Falelmelo

nach Kadu:

Falelemoriet
Faleelepalap
Faloetik
Lollipellich
Woesafo
Lugalop
Jesang
Seliep
Pügel
Tabogap
Tarrematt
Piel und
Ulimiré, Wohnsitz von Toua, dem Oberhaupte der Insel-Kette, und Vaterland von Kadu.

Fatoilep (K.), Farroilep (C.), Farruelap (T.), und nach ihm 8° 30′ N. B., 144° 30′ O. L. gelegen. Nach Cantova von Juan Rodriguez im Jahr 1696 zwischen dem 10° und 11° N. B. gesehen. Eine kleine niedrige Gruppe von drei Inseln.

Die Bank von St. Rosa, nahe der Südküste von Guajan, deren Dasein vorzüglich Dampier in Cignet 1686, und wiederholt Juan Rodriguez 1696 beweisen, wird nicht mehr gefunden, und es segelte namentlich die Maria 1804 über die Stelle weg, die sie in den Karten einnimmt.

Uetasich ist, nach Kadu, eine Untiefe im Norden von Ulea, die den Seefahrern, welche von Feis kommen, zum Wahrzeichen dienen kann, Ulea nicht zu verfehlen. Man sieht jedoch auf dieser Fahrt Uetasich nicht, so man nur richtig steuert. Das Wasser ist weiß gefärbt. Das Meer brandet nicht.

Eurüpügk (K.), Eurrupuc (C.), Aurupig (T.). Eine geringe niedere Gruppe von drei Inseln, von denen zwei sehr klein sind, in nicht großer Entfernung von Ulea, nach K. und C. gegen Westen, nach T. gegen Süden gelegen.

Die two Islands 1791 auf Arrowsmith's Karte scheinen uns, obgleich entlegen, hier wenigstens erwähnt werden zu müssen. Vergleiche auch Sorol.

Die vier folgenden bilden eine Kette, die von Ulea aus nach C. gegen Osten, nach T. gegen Ost-Süd-Ost, nach K. gegen Sonnenaufgang läuft.

Iviligk (K.), Ifeluc (C.), Ifelug (T.) (die dreizehn Inseln oder die zwei niederen Inseln von Wilson?). Niedere Inselgruppe.

Elath (K.), Elato (C.), Elat (T.) (die zwei niederen Inseln von Wilson?). Eine kleine niedrige Gruppe, wo nur die Insel, nach der sie heißt, beträchtlich ist. Geringere sind vier bis fünf an der Zahl.

Lamureck (K.), Lamurrec (C.), Mugnak (T.), Lamursee bei Krusenstern, oft auch Lamurca genannt, Lamulrec oder Falú bei Gobien und auf der Karte von Serrano (Swedes Islands die sechs Inseln von Wilson? Luito (bei Krusenstern) giebt die Zahl der Inseln auf 13 an.

Eine Hauptgruppe niederer Inseln. Die Namen Puc, Falait (Falu Serrano?), Toas und Uleur auf der Karte von Cantova müssen auf einzelne Inseln der Gruppe bezogen werden, vielleicht auch Olutel, obgleich bei Elato niedergelegt.

Der banc de Falipy von Cantova kommt weder bei Kadu noch bei D. Luis de Torres vor.

Setoan (K.), Seteoel (C.), Satahual (T.) (Tuckers-Insel Wilson in 7° 22′ N. B., 146° 48′ O. L.?). Eine niedrige große einzeln liegende Insel.

Ollimirau (K.), Olimarau (C.). Eine geringe niedere Gruppe, die auf der Karte von D. Luis de Torres fehlt. Kadu legt sie im Osten von Setoan, Cantova im N. W. von Lamureck, auf dem halben Wege nach Fayo; eine Lage, die unrichtig sein muß, da sie auf der Fahrt von Lamureck nach Fayo und Guajan nicht berührt wird, und es bleibt, falls unsre Deutung von Wilson's Inseln richtig ist, zwischen Lamureck und den nördlicheren wüsten Inseln für eine andre Gruppe kein Raum. Wir würden Ollimirau östlich oder nordöstlich von Setoan suchen.

Fayo (K.), Faheu (C.), Fallao (T.), und nach ihm in 8° 5′ N. B., 146° 45′ O. L. gelegen.*) Eine unbewohnte Insel ohne Fruchtbäume und süßes Wasser, welches nur nach dem Regen in den Gruben quillt. Die von Fatoilep, Ulea, Ifoligk, Elath, Lamureck und Ollimirau besuchen sie des Schildkröten- und Vögelfanges wegen.

Bigellé (K.), Piguelao (T.), und nach ihm in 8° 6′ N. B., 147° 17′ O. L., fehlt bei Cantova. Eine ähnliche Insel, die ebenfalls der Jagd wegen von Elath, Lamureck und Ollimirau aus besucht wird.

Oraitilipú (T.) ist eine Untiefe von 12 Faden zwischen beiden vorerwähnten Inseln in 8° 6′ N. B. Eine andere Untiefe von 24 Faden hat D. Luis de Torres in 8° 20′ N. B., 149° O. L. bestimmt.

*) Fayo würde demnach 43′ N. und 3′ W. von Tuckers-Insel liegen, und sind die Swedes-Inseln Lamureck, so würde die Fahrt von dieser Gruppe über Fayo nach Guajan in zwei und drei Tagen unrichtig eingetheilt sein, man müßte Fayo in Einem Tage erreichen. Wir bemerken, daß die Reise von Fayo nach Guajan, eine Entfernung von beiläufig 6 Grad oder 360 Meilen, in drei Tagen oder 72 Stunden zurück zu legen, einen Lauf von 5 Knoten voraussetzt, dies ist 5 Meilen oder 5 Viertel deutsche Meilen die Stunde.

Die bisher genannten Inseln bilden die zweite Provinz von Cantova, die zu seiner Zeit in die zwei Reiche von Lamureck und Ulea getheilt war, jetzt aber den Tamon oder Fürsten von Ulea als alleiniges Oberhaupt anerkennt. Dieser Tamou, mit Namen Toua, wird außerdem noch auf etlichen der östlicheren Inseln, die Cantova zu seiner ersten Provinz rechnet, anerkannt, und namentlich nach Kadu auf Saugk, Buluath und dem hohen Lande Tuch. Nach D. Luis de Torres werden diese Inseln nach dem Ableben von Toua nicht seinem Erben auf Ulea anheim fallen, und dieses neptunische Reich zerfällt.

Auf allen Inseln der zweiten Provinz von Cantova wird eine und dieselbe Sprache gesprochen.

Die Nachrichten über die östlicheren Inseln, die bei Cantova unter dem Fürsten von Torres oder Hogoleu die erste Provinz, Cittac genannt, ausmachen, sind am schwankendsten und am unzuverlässigsten, und es wird ihre Geographie zu beleuchten schwer.

Kadu war selbst auf keiner dieser Inseln gewesen; er läßt, immer nach der aufgehenden Sonne von Ulea, oder in etwas nach Süden hinneigender Richtung, fünf Inselgruppen oder Inseln folgen.

Saugk (K), Seg (T.), Scheug oder, der Lage nach, Schoug (C.)? Niedere Gruppe.

Buluath (K.), Pulaot (C.), Poloat (T.). Ein Riff, auf dem nur die Insel dieses Namens bewohnt ist. — Saugk und Buluath haben noch die Sprache von Ulea.

Tuch (K.), Rug (T.), Schoug oder, der Lage nach, Scheug (C.)? Das einzige hohe Land, von dem Kadu's Nachrichten im Osten erwähnen. Tuch hat sehr hohe Berge, einen Pic nach D. Luis de Torres. Die Einwohner leben im Kriege mit denen von entfernten Inseln (Giep und Vageval). Ihre Sprache ist von der von Ulea sehr abweichend; D. Luis de Torres nennt sie eine eigene. Kadu hat mit Einwohnern von Tuch und Buluath auf Ulea verkehrt, wohin sie den Tribut bringen und handeln.

Savonnemusoch und

Nugor. Reiche niedere Inselgruppen, die Kadu in weiter Entfernung nach derselben Himmelsgegend hin verlegt. Jede soll eine eigene Sprache haben. Man könnte in dem Namen Nugor Magor (T.), Magur (C.) erkennen.

Toroa und

Fanopé sind, nach Kadu, niedrige Inselgruppen, die durch häufig von dorther auf Buluath verschlagene Seefahrer den Bewohnern dieser letzten Insel wohl bekannt sind. Nach einem kurzen Aufenthalt auf Buluath haben etliche dieser Fremden den Weg nach ihrer Heimath wieder zu finden versucht. Sie waren nach einer Irrfahrt von einem Monat auf Buluath angelangt. Die Sprache von Ulea wird auf Toroa und Fanopé gesprochen.

In einem Liede dieser Insulaner, welche Kadu auf Ulea von Menschen aus Buluath erlernt, wird die Kunde von

Malilegotot, einer weit entlegnen niedern Inselgruppe, aufbewahrt, die ihnen eben wohl durch ein von dorther verschlagenes Boot bekannt geworden. Eine eigene Sprache wird da gesprochen und die Bewohner sollen Menschenfleisch essen. (Wir werden an Repith Urur der Radacker erinnert.)

Wuguietsagerar ist ein sehr gefährliches Riff, denen von Buluath wohl bekannt, nach welchem sie sich in ihren Fahrten zu richten scheinen. Es soll in beträchtlicher Entfernung von ihrer Insel sein. Es bildet einen halben Kreis, in den man nur mit großer Gefahr sich eingefangen fände. Man muß den Eingang vermeiden und das ganze Riff zur Seite lassen.

Giep (Cuep [C.] ?) und

Vageval sind niedere Inselgruppen in großer Entfernung von Tuch und im Kriege mit dieser Insel. Kadu hat keine weitere Nachricht darüber.

Lomuil und

Pullop sind Namen von Inseln, die er sich erinnert hat einmal in Ulea vernommen zu haben.

Die Karte von D. Luis de Torres stimmt in der Hauptanordnung der Inseln dieser östlichen Provinz, wie in den mehrsten ihrer Namen, mit der von Cantova überein. Als er sie zuerst entworfen, fehlte darauf die Haupt-Insel Torres oder Hogoleu (C.), die auch auf der Karte von Serrano unter dem Namen Torres aufgezeichnet ist und wovon die Nachrichten von Kadu nichts erwähnen. Nachdem er aber die 29 Inseln von Monteverde (im S. Rafael 1806) nach ihrer angegebenen Länge und Breite auf dieselbe nachgetragen, wo sie denn im Kreis, den die Provinz Cittac bildet, die östliche Stelle ungefähr ausfüllen, die Hogoleu bei Cantova einnimmt, hat der erfahrne Fährmann Olopol aus Setoan diese Inseln mit dem Namen Lugulus belegt, worin man vielleicht Hogoleu erkennen muß.

Cantova hat 19 Inseln, Don Luis mit Lugulus nur 16; ihm fehlen die, so bei Cantova den Kreis im Südosten schließen, fünf an der Zahl, und er hat im übrigen Umkreis drei neue gegen eine, die ihm abgeht, nämlich:

nach Cantova:	nach D. Luis de Torres:
1. Torres oder Hogoleu im Osten u. von da nordwärts den Kreis verfolgend	1. Lugulus
2. Etel	2. Pis (4 C.)
3. Ruac (4 T.)	3. Lemo
4. Pis (2 T.)	4. Ruac (3 C.)
5. Lamoil (7 T.)	5. Marilo
6. Falalu (6 T.)	6. Felalu (6 C.)
7. Ulatu (8 T.)?	7. Namuhil (5 C.)
8. Magur (9 T.)	8. Fallao (7 C.)?
9. Uloul (11 T.)	9. Magor (8 C.)
10. Pullep (12 T.)	10. Pisaras
11. Puluot od. Leguischel, im Westen zunächst gegen Setoan gelegen (14 T.)	11. Olol im Westen zunächst gegen Setoan gelegen (9 C.)
12. Temetem (13 T.)	12. Pollap (10 C.)
13. Schoug (16 T.)	13. Tametam (12 C.)
14. Scheug (15 T.)	14. Peloat (11 C.)
15. Pata	15. Sog (14 C.)
16. Peule	16. Rug im Süden, von wo der Kreis offen bleibt.
17. Foup	
18. Capeugeug	
19. Cuop.	

10*

Der vergleichende Ueberblick, den die beigefügten Karten gewähren, überhebt uns einer weiteren Auseinandersetzung.

Cantova schreibt seiner Provinz Cittac eine einzige Sprache zu, die von der von Ulea verschieden ist. Dagegen ist Kabu's Zeugniß wenigstens in Betreff von Buluath und Tuch überwiegend.

Cantova läßt uns noch fern im Osten von Cittac eine große Menge Inseln unbestimmt erblicken, unter denen er nur Falupet (Fanope K.?) nennt und genauer bezeichnet. Der Haifisch soll da angebetet werden! Seefahrer von diesen Inseln, welche auf die westlicheren verschlagen worden, haben die Kunde davon verbreitet.

Wir kehren nach Ulea zurück, um von da aus die Kette der westlicheren Inseln zu überzählen.

Feis (K. und C.), Veir nach der Aussprache von Radack, Fais (T.), Pais Karte von Serrano, — von der Nassauischen Flotte 1625 gesehen? liegt im Nordwesten von Ulea, und die Reise dahin, die eine der mißlichsten zu sein scheint, erfordert nach Kabu's Zeugniß, dem wir übrigens hierin nicht blinden Glauben beimessen, vierzehn Tage Zeit. Feis, obgleich von derselben Bildung als die übrigen niedern Inseln, ist erhöhter und bei weitem fruchtreicher als alle. Drei Inseln oder Gebiete heißen: Litötö, Soso und Vaneo. Der Chef von Litötö ist unabhängiger Fürst von Feis.

Mogemug (K.), Mugmug (T.), Egoi oder Lumululutu (C.) (er giebt den ersten Namen den westlichen Inseln der Gruppe oder den Inseln unter dem Winde, und den andern den östlichen oder Inseln über dem Winde), los Garbanzos auf seiner verbesserten Karte und bei F. Juan de la Concepcion, Ulithi auf Eap geheißen, von Bernard de Egui 1712 entdeckt, die Gruppe, auf welche Cantova als Missionar ging und wo er den Tod fand.

Eine Hauptgruppe niederer Inseln und anscheinlich größer als Ulea. Sie liegt zwischen Feis und Eap in geringer Entfernung von beiden und erkennt ein eigenes Oberhaupt.

Cantova schreibt den Namen von drei und zwanzig Inseln

auf, Kadu nennt sechs und zwanzig derselben, worunter die mehrsten von Cantova zu erkennen sind. Nämlich:

nach Cantova:	nach Kadu:
Mogmog	Mogemug
Sagaleu	Thagaleu ·
Diescur	Essor
Falalep	Talalep
Guielop	Ealap
Gaur	Cor
Lusiep	Lussiep
Alabul	
Pugelup	Pugulug
Pig	Pig
Faleimel	Faleiman
Faitahun	Teitawal
Laddo	
Fantaral	Fasaral
Gaire	
Pigileilet	Pigeleili
Soin	
Troilem	
Lam	Lam
Elil	Elell
Petasaras	
Mebencang	
Marurul	Malauli
	Tongroß
	Malemat
	Tarembag
	Song
	Elipig
	Eo
	Eoo
	Laß

Feis und Mogemug machen nach Cantova die dritte Provinz aus, der eine eigene Sprache zugeschrieben wird. Es wird aber daselbst die Sprache von Ulea nur mit sehr wenigen Abänderungen geredet.

Eap (K.), Yap (C.), Yapa (T.), Ala-Eap Account of the Pelew Islands p. 21. in der Anmerkung. Gesehen von der Nassauischen Flotte 1625, von Funnel und seinen Gefährten 1705 und von dem Erester 1793, nach dessen Bestimmung sie jetzt auf die Karten niedergesetzt wird.

Eine hohe und beträchtliche Insel, die jedoch, wie die Pelew-Inseln, keine sehr ansehnliche Berge hat. Sie stand sonst unter einem Oberhaupt und genoß des Friedens. Jetzt waltet Krieg zwischen den Häuptlingen der verschiedenen Gebiete, deren uns Kadu 46 gezählt hat. Nämlich:

Kattepar, Sigel, Sumop, Samuel, Sitol, Suomen, Palao, Runnu, Girrigal, Athebus, Tugor, Urang, Maloai, Rumu, Gillfith, Inif, Ugal, Umalai, Sawuith, Magetagl, Elauth, Toauwai, Ngari, Gurum, Tabonefi, Summaki, Sabogel, Samusalai, Tainefar, Thorta, Unau, Maloai, Taumuti, Sul, Sütemil, Täp, Uliener, Wutel, Latpilau, Süllang, Thelta, Urieng, Meit, Feidel, Tumunaupilau, Sop u. a. m. Kleinere Inseln längs der Küste von Eap sind ohne Namen und Einwohner.

Eap hat eine eigene Sprache, die nur noch auf der folgenden Gruppe geredet wird.

Ngoli (K.), Ngolog (T.), Ngoly (C.). Eine kleine niedere Gruppe in geringer Entfernung von Eap gegen Süden und auf dem Wege nach Pelli. Sie hat nur drei Inseln, von denen blos die, nach der die Gruppe heißt, bewohnt ist und nicht über dreißig Einwohner zählt. Die Namen Petangaras und Laddo bei Cantova beziehen sich auf die anderen Inseln der Gruppe, und der Name Laddo hat auf manchen neueren Karten (z. B. Burney) obgesiegt.

Zwischen Eap und den Pelew-Inseln sind mit Ngoli zu vergleichen: Die Inseln de los Reyes, Saavedra 1528; de los Matalotes, Villalobos 1542; die von Hunter 1791 und die 1796 gesehenen Inseln. Die von Hunter scheinen uns der Lage von Ngoli am mehrsten zu entsprechen. — Die Islas de Sequeira 1526 bezieht Burney mit Wahrscheinlichkeit auf los Martires der Spanier 1802, westlicher als die Pelew-Inseln gelegen.

Pelli (K.), nach der Aussprache von Ulea, und nach ihm richtiger Walau; Panneg (T.), Paleu und Palaos (C.), die Pelew-Inseln H. Wilson. — Los Arrecifes von R. L. de Villalobos 1542. Islands of thives von Sir Francis Drake 1579?

Ein Archipelagus hoher Inseln, in zwei Reiche getheilt, welche fortwährend im Kriege sind. Die Pelew-Inseln sind uns vollkommen bekannt und werden regelmäßig von unsern Schiffen besucht. — Die Sprache ist eine eigene, und selbst das Volk scheint in mancher Hinsicht von den Carolinern verschieden.

Die Karte von Don Luis de Torres ist hier begrenzt, und Cantova hat nur noch die St. Andres-Inseln im Südwesten der Palaos.

Kadu zählt noch in dieser Richtung:

Lamuniur (K.), Lamuliur (P. Clain).

Man vergleiche die zweifelhaften Inseln St. Johannes.

Sonsorol (K. und Relation et Lettres édifiantes T. 11. p. 75, wie auch auf der dort beigegebenen Karte steht); Sonrol bei Cantova, beide Namen in Fr. Juan de la Concepcion beibehalten.

Kathogube (K.), Cobocopuek (C.).

Beide letzteren sind die Inseln St. Andres, auf deren erster die Missionare Cortil und Duperon im Jahre 1710 zurück gelassen wurden und verschollen. Sie erscheinen in den Missions-Berichten als Inseln einer und derselben Gruppe, und Kadu, der sie trennt und ihre Entfernung von einander in Tagereisen angiebt, hat wohl hier bei Inseln, die er selbst nicht bereist hat, keine Autorität.

Wull (K.), Poulo und Pulo der Missions-Berichte, nach welchen sie S. ¼ S. W. von Sonsorol liegt. Vergleiche Current Island von Carteret.

Merir (K.), Merieres der Missions-Berichte, nach welchen sie S. ¼ S. O. von Sonsorol liegt. Vergleiche Warren-Hastings-Insel.

Die Namen beider letzten Inseln: Pulo Maria und Pulo Ana auf der Karte zu Fr. Juan de la Concepcion T. 9. p. 150, Pulo Anna und Pulo Mariere auf andern Karten, sind aus verschiedenen Sprachen verderbt zusammengesetzt. Das malayische Wort Pulo, für Insel, ist den Europäern im malayischen Archipelage geläufig.

Alle benannten Inseln im Südwesten der Palaos sind niedrige Inseln oder Inselgruppen, deren friedlich freundliche Bewohner die Sprache von Ulea reden. Die Ereignisse bei Sonsorol, wo Insulaner aus Ulea und Lamureck den Spaniern als Dolmetscher dienten, bestärken hierin Kadu's Aussage.

Nach Kadu gehen die Kauffahrtei-Boote aus Ulea nach diesen Inseln und namentlich bis nach Merir über die Kette der nördlicheren Inseln, wie wir sie von Ulea an verfolgt. Sie kommen aber von Merir nach Ulea auf einem andern Wege zurück, nämlich über

Sorol oder Sonrol (K.), (nicht das Sonrol der St. Andreas-Inseln), Zaraol Cantova, nach welchem sie unter der Botmäßigkeit von Mogemug steht und fünfzehn Stunden davon entfernt liegt. Sie ist auf seiner Karte gezeichnet, aber der Name ausgelassen.

Eine kleine niedere Gruppe von zwei Inseln im Süden und in keiner großen Entfernung von Mogemug.

Vergleiche die Phillip-Inseln vom Kapit. Hunter 1791 und die two Islands 1791, die wir bereits mit mehr Wahrscheinlichkeit bei Eurüpügk angeführt haben.

Sorol scheint nach den Sagen von Kadu von Mogemug aus bevölkert worden zu sein und unter deren Herrschaft gestanden zu haben. Jetzt ist sie schier entvölkert. Diese Sagen erwähnen noch:

Lügülot, eine niedere Inselgruppe, von welcher ein Boot, welches nach

Umaluguoth, einer entlegenen wüsten Insel, auf den Schildkrötenfang fuhr, auf Sorol verschlagen wurde. Die Fremden übten da Raub aus. Der Zwist, der sich daher entspann, wurde blutig geführt. Der Häuptling von Sorol und gegen sieben Mann und fünf Weiber von den Seinen wurden getödtet; von Seiten der Fremden gegen vier Mann. Später gingen noch etliche der Einwohner von Sorol zu Schiff, die nicht dahin zurückgekehrt. Auf der Gruppe blieben zuletzt nur ein Mann und etliche Weiber zurück.

Wir können über die Lage dieser Inseln keine Vermuthung aufstellen.

Don Luis de Torres hat uns in den Stand gesetzt, die Entdeckungen Wilson's am Bord des Duff's 1797 unter den Carolinen aufzusuchen, und wir neigen dahin, in seiner volkreichen und wohlhabenden Dreizehn-Inseln-Gruppe, obgleich die Zahl der Inseln, worunter er nur sechs größere zählt, nicht eintrifft, Ulea zu erkennen. Wenn wir in unserer Voraussetzung nicht irren, läuft die Inselkette von Ulea nach Setoan (Dreizehn-Inseln-Gruppe und Tuckers-Insel) unter dem siebenten Grad nördlicher Breite, von Westen nach Osten, in der Richtung, die sie in Cantova's Karte hat, und nicht von W. N. W. nach O. S. O., wie sie D. Luis de Torres gezeichnet hat. Diese Kette nimmt ferner nur ungefähr drei Längengrade ein, anstatt sich über mehr als fünf Grade zu erstrecken.

Es läßt sich von den Aussagen der Eingeborenen die relative Lage der Inseln gegen einander leichter als ihre Entfernungen abnehmen. Die Rumben lassen sich mit Bestimmtheit angeben, die Entfernungen nur nach der Zeit, die zu der Reise erfordert wird, und selbst darin fehlt hier alles Maaß der Zeit. Cantova scheint beim Entwurf seiner Karte, wie D. Luis de Torres, von Ulea, die er richtig im Süden von Guajan niedergesetzt hatte, ausgegangen zu sein. Beide hatten für den westlichen Theil bestimmte Punkte, zwischen welchen ihnen nur blieb, die übrigen Inseln anzuordnen. Nicht also für den östlichen Theil, wo sich ihnen der Raum unbegrenzt eröffnete. Es ist nur die zufällige Uebereinstimmung des Maaßstabes, den sie angelegt, zu bewundern. Wenn wir nun die Verjüngungs-Skale, die uns die Entdeckungen von Wilson an die Hand geben, auf die Provinz Cittac anzulegen ein Recht haben, so wird dieselbe ungefähr zwischen dem 148° und 152° O. L. von Greenwich und dem 5½ und 8¼ N. B. zu suchen sein. Und wir finden in der That, daß mehrere Inseln von unsern Seefahrern binnen der angegebenen Grenzen aufgefunden worden sind. Nämlich:

Die vom Kapit. Mulgrave in der Sugar Cane 1793 und von Don J. Ibargoitia 1801 gesehene Insel, die Letzterer (ohne Gründe anzugeben) und Arrowsmith für die Quiroia oder St. Bartolome halten, eine große mäßig hohe Insel, die Quiros nach dem Tode von Mendana 1595 entdeckte. Wir bemerken, daß niedrige Inselgruppen sich nah im Westen der Quirosa befinden müssen.

Die Insel Cota 1801.

Eine niedere Insel, gesehen 1796.

Los Martires.

Die Untiefe von D. Luis de Torres in der Maria 1804.

Die Anonima von Espinosa's Karte, und

Das hohe Land von M. Dublon im St. Antonio 1814.

Das Zusammentreffen von Monteverde mit Lugulus in der Karte von D. Luis de Torres ist lediglich für eine Täuschung zu halten. Wir sind dagegen nicht ungeneigt, mit Burney Hogoleu und die Quirosa zu vereinigen, wir glauben aber diese Insel von dem Orte, wo er sie setzt und wo die niedere Gruppe St. Augustin von F. Tompson 1773 wirklich liegt, westwärts verrücken zu müssen. Die Lage von der Insel Dublon, die wie Tuch mit einem hohen Pic beschrieben wird, scheint uns der Quirosa oder Hogoleu zu entsprechen, indem Ibargoitia die Quirosa in einer Insel erkennt, die uns den Ort einzunehmen scheint, worin wir Tuch eher gesucht hätten.

Im Osten von Gittac bleibt bis zu den Inselketten Ralick und Radack ein Zwischenraum von beiläufig 15 Graden, worin uns die unbestimmten Nachrichten von Cantova noch manche Inseln vermuthen lassen und worin unsere Seefahrer wirklich schon mehrere entdeckt haben. Wir bemerken blos, daß sich darunter, und zwar gegen Osten, noch hohe Inseln finden, als da sind Strong Island (Teyoa von Arrowsmith), die sich zu einem hohen Berg erheben soll, und Hope 1807. Die St. Bartolome-Insel von Lovasa 1526 liegt nördlicher. Ebenfalls ein hohes Land, in dessen Westen sich niedrige Inseln befinden. Man hat irrig die von der Nassauischen Flotte gesehenen Inseln darauf bezogen.

Die Boote von der Provinz Ulea und Eap, die auf Radack verschlagen werden, lehren uns, daß die Monsoons viel weiter nach Osten reichen als wir es geglaubt.

Die Seefahrer dieser Inseln, die von Radack den Weg nach ihrem Vaterlande wieder finden und andrer Seits nach den Philippinen fahren und von da zurückkehren, zeigen uns, daß ihre Schifffahrt einen Raum von ungefähr fünf und vierzig Längengraden umfaßt, welches fast die größte Breite des atlantischen Ocean's beträgt.

Radack, Ralick, Repith-Urur, Bogha, die Cornwallis-Inseln.

Wir hatten auf Radack Gelegenheit, die Bildung der niedern Korallen-Inseln genauer zu untersuchen und unsere früheren Beobachtungen über diesen Gegenstand zu ergänzen und zu berichtigen.

Wir denken uns eine Inselgruppe dieser Bildung als eine Felsenmasse, die sich mit senkrechten Wänden aus der unermeßlichen Tiefe des Ocean's erhebt und oben, nahe an dem Wasserspiegel, ein überflossenes Plateau bildet. Ein von der Natur ringsum am Rande dieser Ebene aufgeführter breiter Damm wandelt dieselbe in ein Becken um. Dieser Damm, das Riff, ist mehrstens auf der Seite des Umkreises, die dem Winde zugewendet ist, etwas erhöht und ragt da bei der Ebbe gleich einer breiten Kunststraße aus dem Wasser hervor. Auf dieser Seite, und besonders an den ausspringenden Winkeln, sammeln sich die mehrsten Inseln auf dem Rücken des Dammes an. Unter dem Winde hingegen tauchet derselbe meist unter das Wasser. Er ist da stellenweis unterbrochen, und seine Lücken bieten oft selbst größeren Schiffen Fahrwege dar, durch welche sie mit dem Strome in das innere Becken einfahren können. Innerhalb dieser Thore liegen öfters einzelne Felsenbänke, die wie Bruchstücke der eingerissenen Mauer oder Andeutungen derselben sind. Andere ähnliche Bänke liegen hie und da im Innern des Beckens zerstreut. Sie scheinen von gleicher Beschaffenheit als die Ringmauer zu sein, überragen aber den Wasserspiegel nie. Das innere Meer, die Laguna, hatte in der beträchtlichern Gruppe Kaben

25—32 Faden Tiefe, in der geringeren Ellu bei häufigen Untiefen gegen 22 Faden. Der Grund ist feinerer oder gröberer Korallensand und stellenweise Korallen. Das Meer ist schon bei dieser Tiefe mit dem tiefen dunklen Blau gefärbt, das die reinen Gewässer dieses Ocean's auszeichnet. Das Auge erkennt die Untiefen von Weitem und das Senkblei wird entbehrlich.

Der Theil des Riffes, der aus dem Wasser ragt oder untersucht werden kann, besteht aus fast wagerechten Lagern eines harten, schwer zerbrechlichen Kalksteins, der aus bald gröberen, bald feineren Madreporentrümmern mit beigemengten Muscheln und Echinus-Stacheln zusammengesetzt ist, und der in großen Tafeln bricht, welche stark unter dem Hammerschlag erklingen. Der Stein enthält die Lithophyten nur als Trümmer und nirgends in der Lage, worin sie gewachsen sind und gelebt haben.

Die Oberfläche des Dammes ist gegen seinen dem äußern Meere zugekehrten Rand durch das Ausrollen der brandenden Welle gefegt und ausgeglättet. Auf dem äußersten Rande selbst, wo die Brandung anschlägt, sind Blöcke des Gesteins außer Lage aufgeworfen.

Solche Blöcke finden sich wieder auf der Seite, die nach der Laguna liegt, hin und wieder zerstreut. Diese Seite ist abschüssig, und der minder scharf bezeichnete Rand liegt unter dem Wasser. — Es scheint die Lagerung nach innen zu abschüssig zu sein, und die oberen Lager nicht so weit als die, auf welchen sie ruhen, zu reichen. Die Ankerplätze, die man in der Laguna im Schutze der windwärts gelegenen Hauptinseln der Gruppen bei 4—6, 8 Faden Tiefe findet, sind solcher Abstufung der Steinlager zu verdanken. Meist aber fällt innerhalb und längs dem Riffe das Senkblei von 2—3 Faden Tiefe unmittelbar auf 20 bis 24, und man kann eine Linie verfolgen, auf welcher man von einer Seite des Bootes den Grund sieht und von der andern die dunkle blaue Tiefe.

Ein feiner weißer Sand aus Madreporentrümmern bedeckt den wasserbespülten Abschuß des Dammes. Wenige Arten zierlich ästiger Madreporen oder Milleporen erheben sich stellenweis aus diesem Grunde, in welchem sie mit knollenförmigen Wurzeln haften. Andere und mehrere wachsen an den Steinwänden größerer Klüfte, deren Grund Sand erfüllt, unter diesen auch die Tubipora musica, die wir in lebendigem Zustande gesehen und deren Erzeuger wir für einen sternförmig achttheilig aufblühenden Polypen erkannt haben. Arten, die den Stein überziehen oder sich kuchenförmig gestalten (Astrea), kommen in stets bewässerten Aushöhlungen des Bodens zunächst der Brandung vor. Die rothe Farbe des Riffes unter der Brandung rührt von einer Nullipora her, die überall, wo Wellen schlagen, das Gestein überzieht und sich unter günstigen Umständen stalaktitenartig ausbildet. Farbe und Seidenglanz, die an der Luft vergänglich sind, bestimmten uns gleich, diesem Wesen thierische Natur beizumessen, und die Behandlung des gebleichten Skelets mit verdünnter Salpetersäure bewährte unser auf Analogie gegründetes Urtheil. Der flüchtige Blick unterscheidet nur an der Färbung und einem gewissen sammetartigen Ansehen die Lithophyten-Arten mit feineren Poren im lebendigen Zustande von ihren todten, ausgebleichten Skeletten. Wir haben blos die Millepora caerulea und die Tubipora musica und eine gelblich röthlich bräunliche Distichopora mit an sich gefärbten Skeletten gefunden, letztere aber nie lebend beobachtet. Die Arten mit größeren Sternen oder Lamellen haben größere bemerkbarere Polypen. So überzieht die Endzweige einer Art Caryophyllia, die wir auch über der Linie des niedrigsten Wasserstandes lebendig angetroffen, ein Actinienähnliches Thier; Stämme und Wurzel scheinen ausgebleicht und erstorben. Man sieht an den Lithophyten oft lebendige Aeste oder Theile bei anderen erstorbenen bestehen, und die Arten, die sich sonst kugelförmig gestalten, bilden an Orten, wo Sand zugeführt wird, flache Scheiben mit erhöhtem Rande, indem der Sand den obern Theil ertödtet, und sie nur an dem Umkreise leben und fortwachsen. Die enormen Massen aus einem Wuchs, die man hie und da auf den Inseln oder auf den Riffen als gerollte Felsenstücke antrifft, haben sich wohl in den ruhigen Tiefen des Ocean's erzeugt. Oben unter wechselnden Einwirkungen können nur Bildungen von geringer Größe entstehen. Eine breitgliedrige Corallina hat im lebendigen Zustande eine vegetabilische grüne Farbe, die sie ausgetrocknet verliert. Es kommt nur eine kleine unansehnliche Art Fucus vor, welche noch unbeschrieben ist. (Fucus radaccensis Mertens.)*)

Der Sand, der auf dem innern Abschuß des Riffes abgesetzt wird, häuft sich da stellenweis zu Bänken an. Aus Sandbänken werden Inseln. Diese sind, wie wir bereits bemerkt haben, häufiger, von größerem Umfang und reicher an Humus auf der Windseite und an den ausspringenden Winkeln der Gruppe. Geringere, gleichsam anfangende Inseln sind auf dem Riffe nach innen gelegen, und das innere Meer bespült stets ihren Strand. Einige Inseln ruhen auf Steinlagern, die sich gegen das innere Meer abschüssig senken. Dann bemantelt meist diese Lager, wo sie gegen das äußere Meer an das Licht kommen sollten, ein anderes Lager desselben Gesteins, welches aus gröberen Madreporentrümmern besteht und an seiner obern Fläche ungleich und angefressen erscheint. Dieses äußere Lager ist oft zertrümmert und liegt in großen Tafeln außer Lage. Man beobachtet bei andern Inseln auf äußerer und innerer Seite nur mantelförmige Lagerung, die Bildung erscheint neu, und Lager von Sand wechseln meist mit denen des Kalksteins ab. Dies ist am Strande des innern Meeres immer der Fall.

Ein auf diesem Grunde aufgeworfener Damm großer Madreporengerülle bildet nach der Brandung zu den äußerlichen Rand der Inseln. Das Innere derselben begreift Niederungen und geringe Hügel. Gegen den Strand des innern Meeres ist der Boden etwas erhöht und von feinem Sande. Auf der Insel Otdia, Gruppe gleiches Namens, greift das innere Meer an einer Stelle auf das Land wieder ein, und Lythrum Pemphis erhält sich mit entblößten Wurzeln auf dem wasser-bespülten Felsen. Auf Otdia befindet sich im Innern ein Süßwassersee, und auf Tabual, Gruppe Aur, morastiger Grund. Auf den größern Inseln ist an süßem Wasser kein Mangel, es quillt hinreichend in die Gruben, die man zu dem Behufe gräbt.

*) Die Algen, die den Nieder-Inseln gänzlich zu fehlen scheinen, finden sich auf den Riffen am Fuße des hohen Landes wieder ein. Wir haben auf den Riffen von O-Wahu Fucus natans und andere, mehrere Ulven u. s. w. gesammelt.

Auf dem Trümmerdamm, der die Inseln nach außen umsäumt, wachsen zuerst Scaevola Königii und Tournefortia sericea; diese schirmenden Gesträuche erheben sich allmälig und bieten nach außen dem Winde mit gedrängt verschlungenem Gezweige eine abschüssige Fläche dar, unter deren Schutz sich der Wald oder das Gesträuch des Innern erhebt. Der Pandanus und mit ihm, wo der Humus reicher ist, eine Cerbera machen den Hauptbestandtheil der Vegetation aus. Guettarda speciosa, Morinda citrifolia, Terminalia moluccensis sind auf allen Inseln gemein; Hernandia sonora fehlt auf den reichern selten, Calophyllum inophyllum, Dodonea viscosa, Cordia sebestena u. s. w. kommen einzeln vor. Auf den nördlichern dürftigern Gruppen wachsen Lythrum Pemphis und Suriana maritima am Strande des innern Meeres auf dürrem Sande. Sie fehlen auf Kaben und Aur. Das Ufer des innern Meeres allein ist wirthbar für den Menschen, und er baut da seine Hütten unter den Cocosbäumen, die er gepflanzt hat.

Die Flora dieser Insel ist dürftig; wir haben auf der Kette Radack nur 59 Pflanzenarten gefunden, die, welche nur angebaut vorkommen, sieben an der Zahl, mit eingerechnet. Drei und zwanzig von dieser Zahl, worunter fünf kultivirte, hatten wir bereits auf O-Wahu angetroffen, und zwölf, den Cocosbaum mit eingerechnet, auf der Insel Romanzoff, wo überhaupt nur neunzehn Arten gesammelt wurden. Wir fanden gegen zwanzig derselben auf Guajan wieder. Wir bemerken, daß weder Orangen noch Kohlpalmen, Erzeugnisse, die man auf zweifelhafte Anzeichen den Mulgraves-Inseln zugeschrieben hat, auf der Kette Radack, so weit wir sie kennen gelernt, vorkommen.*)

Wir sind nicht der Meinung, daß die Flora von Radack auf die oben angeführte Pflanzenzahl beschränkt sei. Wir glauben vielmehr, daß selbst auf den Gruppen, die wir besucht und auf welchen wir nicht alle Inseln durchforschen konnten, etliche Arten unserer

---

*) Siehe The voyage of Governor Phillip, second edition. London 1790. p. 218. die Reise von dem Scarborough, Kapt. Marshall.

Bemühung entgangen sind, vorzüglich aber daß die südlichern Gruppen, die wir nicht gesehen (Arno, Meduro und Mille), bei älterer Vegetation und reicherem Humus mehrere Gewächse hervorbringen müssen, die auf den dürftigern nördlichern gänzlich fehlen. Die Vegetation scheint auf dieser Inselkette begonnen zu haben, und der Mensch ihren Fortschritten nach Norden gefolgt zu sein.

Bygar, noch wüst und ohne süßes Wasser, wird nur des Vogel- und Schildkrötenfanges wegen besucht. Udirick, ein Riff von geringem Umfang und arm an Land, hatte nur zwei bewohnte Inseln. Auf ihnen erhebt sich zwar der Cocosbaum über den übrigen Wald empor, dennoch scheint die Vegetation dürftig und der Brodfruchtbaum ist selten. Tegi bei Udirick, wüst und spärlich begrünt, ist kaum dem Namen nach unter dem Volke von Radack bekannt. Eilu (vielleicht richtiger Eilug) ist die ärmlichste der Gruppen, auf denen wir gelandet sind. Udirick und Eilu beziehen ihren Bedarf an Aromä, eine Pflanze, die ihnen fehlt, von der westlicher liegenden Gruppe Ligiep. Auf Ligiep fehlt der Brodfruchtbaum, und der Cocosbaum erhebt sich nicht über den Wald. Temo, auf dem halben Wege nach Ligiep, ist eine kleine wüste Insel, auf welcher auf der Reise dahin übernachtet wird. Mesid, eine ostwärts, abseits von der Kette liegende einzelne Insel, von beiläufig zwei Meilen in ihrem größten Durchmesser, gewährte uns auf der Seite unter dem Winde, wo wir ihr nahten, nicht den Anblick einer sonderlich üppigen Vegetation. Man sieht nur einzelne Cocosbäume sich aus ihrer Mitte erheben, und das süße Wasser, das uns zum Trinken angeboten ward, war ausnehmend schlecht. Nichts desto weniger zeichnet sie sich vor allen Gruppen von Radack, die wir besucht, durch ihre stärkere Bevölkerung aus. Wir schätzten auf mindestens Hundert die Zahl der bei unserem Nahen auf Booten und am Strande versammelten Menschen. Die beträchtliche Gruppe Otdia, die wir am genauesten kennen gelernt, hat, Weiber und Kinder mit eingerechnet, kaum eine gleiche Anzahl Bewohner. Man sieht auf Otdia nur auf einer Insel alte hochstämmige Cocosbäume, und nur auf dieser Einen mehrere Wurzeln und Spuren früher ausgegangener Bäume. Erigup bei Otdia ist eine ärmliche, unbedeutende Gruppe, nur von fünf Männern und etlichen Weibern bewohnt. Wir fanden Kaben, die größte der von uns gesehenen Gruppen, in älterer Kultur und blühenderem Zustande. Die Flora bereicherte sich um mehrere Pflanzen, und wir entdeckten da zuerst den Pisang, welcher jüngst angepflanzt worden zu sein schien. Die Insel Tabual, die einzige der Gruppe Aur, auf der wir gelandet, zeigte sich uns in ungewohntem Flor. Hinter einem gedrängten Wald hochstämmiger Cocospalmen sind in den Niederungen Pflanzungen von Bananen und Arum, und etliche Pflanzen wachsen da, die den andern Gruppen fremd sind. Die südlichern Gruppen Meduro, Arno und Millé sollen an Bananen und Wurzeln reicher sein, und beide ersten vergleichen sich allein den übrigen der Kette zusammengenommen an Bevölkerung und Macht. Limmosalülü im Norden von Arno ist ein Riff, eine Klippe, worauf das Meer brandet, und die den Seefahrern von Radack zum Wahrzeichen dient.

Die Ansicht aller dieser Gruppen und ihrer einzelnen Inseln hat eine ermüdende Einförmigkeit. Man möchte schwerlich vom äußern Meere, da wo die Cocospalme sich nicht über den Wald erhebt, die Gegenwart des Menschen ahnen. Man sieht vom Innern seine Ansiedlungen und die Fortschritte seiner Kultur. Eine Insel nur der Gruppe Otdia zeichnet sich aus und zog schon vom äußern Meere aus unsere Aufmerksamkeit auf sich durch den Anschein erhöhten Landes. Sie wölbte sich wie ein schön begrünter Hügel über den Spiegel der Wellen. Diese Insel nimmt einen ausspringenden Winkel des nördlichen Riffes ein. Sie hat, von andern Inseln an Gestalt verschieden, eine geringere Breite und mehr Tiefe, indem sie sich auf einer Spitze erstreckt, die da das Riff nach dem innern Meere zu bildet. Strömungen dieses Meeres bewirken auch an dem Strande, den es bespült, eine starke Brandung. Was Berg erscheint, ist Wald. Ein Baum, den zu bestimmen die Umstände nicht erlaubten, erreicht dort auf niederem Grunde von großen Madreporengeröllen eine erstaunliche Höhe und Stärke. Auf andern Inseln, wo er ebenfalls vorkommt, gelangt er zu keiner beträchtlichen Größe. Umgestürzte Bäume haben häufig ihre emporgerichteten

Wurzeln wieder zu Stämmen umgewandelt, indem ihr niederliegendes Gezweig Wurzel gefaßt, eine Erscheinung, die auch sonst auf Radack nicht selten ist und auf Orkane schließen läßt. Der gegen den Rand der Insel zu niedrige Wald scheint deren fortschreitende Erweiterung anzudeuten. Der Pandanus ist verdrängt, Nichts zieht an diesem Ort den Menschen an. Eine Seeschwalbe, Sterna stolida, nistet in unendlichen Schaaren in den hohen windgeschlagenen Wipfeln*).

Das nutzbarste Gewächs dieser Inselkette ist der gemeine Pandanus der Südsee-Inseln (Wob). Er wächst wild auf dem dürrsten Sande, wo erst die Vegetation anhebt, und bereichert den Grund durch die vielen Blätter, die er abwirft. Er wuchert in den feuchten Niederungen reicherer Inseln. Er wird außerdem mit Fleiß angebaut, zahlreiche Abarten mit veredelter Frucht, die der Kultur zuzuschreiben sind, werden durch Ableger fortgepflanzt. Ihr Samen bringt die Urform der Art (der Eruan) wieder hervor**). Die Frucht des Pandanus macht auf Radack die Volksnahrung aus. Die zusammengesetzten faserigen Steinfrüchte, aus denen die kugelförmige Frucht besteht, enthalten an ihrer Basis, dem Punkte ihrer Anheftung, einen würzigen Saft. Man klopft erst, diesen Saft zu

---

*) Zu Eriguv sahen wir auch über einer Insel, die sich übrigens vor andern nicht auszeichnet, denselben Vogel in gleich unzählbaren Flügen schwärmen.

**) Man zählt dieser Abarten über zwanzig und unterscheidet sie an der äußern Gestalt der Frucht oder der zusammengesetzten Steinfrüchte, die sie bilden, und an der Zahl der in jeglicher enthaltenen einfachen Früchte oder Kerne. Der männliche Baum heißt Digar, der wildwachsende weibliche Eruan; Abarten sind: Buger, Bugien, Eilugk, Undaim, Erugk, Lerro, Adiburik, Eideboton, Eromamugk, Tabenebogk, Rabilebil, Tumulisien, Lugulugubilan, Ulldien ꝛc. (Die Frucht, die wir 1816 von Udirick erhielten, war Lerro, der Pandanus auf der Insel Romanzoff Eruan.) Der Theil der Frucht, woraus auf Radack und Ralick die Menschen ihre Nahrung ziehen, wird auf den Sandwich-, Marquesas- und Freundschafts-Inseln zu wohlriechenden, goldglänzenden Kränzen angewandt. Wir bemerken beiläufig, daß die Gattung Pandanus eine fernere schwierige Untersuchung erfordert, da die Charaktere, welche die mehrsten Botaniker gewählt haben, die Arten, die sie aufgestellt, zu unterscheiden, von keinem Gewichte sind. Loureiro flor. Cochin. bemerkt ausdrücklich, daß die Frucht des P. odoratissimus ungenießbar sei.

genießen, die Steinfrucht mit einem Stein, kaut sodann die Fasern und dreht sie in dem Munde aus. Man bäckt auch die Früchte in Gruben nach Art der Südsee, nicht sowohl um sie in diesem Zustande zu genießen, als um daraus den Mogan zu bereiten, ein würziges trocknes Konfekt, das, ein köstlicher Vorrath, sorgfältig aufbewahrt, für Seereisen aufgespart bleibt. Zur Bereitung des Mogan sind alle Glieder einer oder mehrerer Familien geschäftig. Aus den Steinfrüchten, wie sie aus der Backgrube kommen, wird der verdickte Saft über den Rand einer Muschel ausgekratzt, dann auf ein mit Blättern belegtes Rost ausgebreitet, über ein gelindes Kohlenfeuer der Sonne ausgesetzt und ausgedörrt. Die dünne Scheibe, sobald sie gehörig getrocknet, wird dicht auf sich selbst zusammengerollt und die Walze dann in Blätter des Baumes sauber eingehüllt und umschnürt. Die Mandel dieser Frucht ist geschmackvoll, aber mühsam zu gewinnen, und wird öfters vernachlässigt. Aus den Blättern des Pandanus verfertigen die Weiber alle Sorten Matten, sowohl die zierlich umrandeten viereckigen, die zu Schürzen dienen, als die, die zu Schiffssegeln verwendet werden, und die dickeren, woraus das Lager besteht.

Nach dem Pandanus gehört dem Cocosbaum (Ni) der zweite Rang. Nicht nur seine Nuß, die Trank und Speise, Gefäße und Oel zum häuslichen Gebrauch gewährt, macht ihn schätzbar, sondern auch und hauptsächlich der Bast um dieselbe, woraus Schnüre und Seile verfertigt werden. Auf dem Pandanns beruht die Nahrung, auf dem Cocosbaum die Schifffahrt dieses Volkes. Die Verfertigung der Schnüre und Seile ist eine Arbeit der Männer, und man sieht selbst die ersten Häuptlinge sich damit beschäftigen. Die Fasern des Bastes werden durch Maceration in Süßwasser-Gruben ausgeschieden und gereinigt. Die Schnur wird zugleich mit den zwei Fäden, aus welchen sie besteht, gesponnen, indem jeglichem vorläufig bereitete gleiche Bündel Fasern hinzugesetzt werden. Das Holz des alten Cocosbaumes zu Pulver gerieben und mit dem Saft der Hülle der unreifen Nuß zu einem Teige gemischt, wird, in Cocosschaalen gekocht oder auf dem Feuer geröstet, zu einer Speise bereitet. Cocosschaalen sind die einzigen Gefäße, worin die Menschen Wasser mit sich zu tragen vermögen; sie werden in geflochtenen länglichen, eigends dazu bestimmten Körben, mehrere, das Auge nach oben, an einander gereiht, verwahrt. Der Cocosbaum wird überall auf bewohnten und unbewohnten Inseln angepflanzt und vermehrt, aber bei den vielen jungen Pflanzschulen, auf die man trifft, sieht man ihn nur auf bewohnten Inseln Früchte tragen, und nur auf wenigen und auf den südlicheren Gruppen seine luftige Krone hoch in den Lüften wiegen. Der Cocosbaum trägt auf Radack nur sehr kleine Nüsse.

Der Brodfruchtbaum (Mä) ist auf Radack nicht sehr gemein, man findet ihn nur im feuchteren Innern bewohnter Inseln angepflanzt. Alte Bäume befinden sich jedoch selbst auf etlichen der ärmeren. Sein Holz ist wie seine Frucht schätzbar, daraus wird der Kiel zu den Booten gelegt, die übrigen Planken werden meist aus Flößholz gearbeitet. Sie werden mit Schnüren von Cocosbast zusammengefügt und die Fugen mit Pandanusblättern kalfatert. Der Brodfruchtbaum liefert außerdem ein Harz, welches verschiedentlich gebraucht wird. Es giebt von dem Brodfruchtbaum wie von allen kultivirten Gewächsen mehrere Abarten. Die einzige hier vorkommende ist von der Urform wenig abgewichen, ihre Frucht ist klein, und die Samenkörner darin öfters ausgebildet.

Aus der Rinde von drei verschiedenen Pflanzenarten, die nur wild vorkommen, wird ein nutzbarer Bast gewonnen. Die vorzüglichste ist ein Strauch aus der Familie der Nessel (eine Boehmeria), der Aromä, der nur auf besserem feuchterem Grunde wächst.

Die Aromä liefert einen weißen Faden von ausnehmender Feinheit und Stärke. Der Atahat (Triumphetta procumbens Forst.) ist eine kriechende Pflanze, aus der Familie der Linden, sie ist gemein und überzieht mit der Cassyta die dürrsten Sande. Aus ihrem braunen Bast werden meist die Männerschürzen verfertigt, die aus freihängenden Baststreifen, um einen Gurt von Matte genäht, bestehen. Daraus werden auch Randverzierungen in die feineren Matten eingeflochten. Der feine weiße Bast des Hibiscus populneus

(Lo), den wir auf Radack nur auf der Gruppe Aur gefunden, hat denselben Gebrauch. Auf den Sandwich-Inseln und an andern Orten werden Seile aus diesem Baste verfertigt.

Aus der knolligen Wurzel der hier sehr häufigen Tacca pinnatifida wird ein nährendes Mehl gewonnen, welches aber selten bereitet und wenig benußt zu werden scheint.

Drei Arten Arum (Caladium), A. esculentum, macrorrhizon und sagittifolium, die Banane und die Rhizophora gymnorhiza werden einzeln hie und da auf verschiedenen Gruppen und Inseln angebaut. Wir fanden die Bananen auf Kaben erst angepflanzt und sahen sie blos auf Aur Früchte tragen. Die Arten Arum finden hier nirgends den tiefen Moorgrund, der ihnen nöthig ist, ihre Wurzel auszubilden, und eignen sich auf diesen Inseln nicht dazu, einen wesentlichen Theil der Volksnahrung auszumachen.

Außer diesen Gewächsen werden noch zwei der seltner wild vorkommenden allgemein um die Wohnungen angepflanzt, zwei Zierpflanzen, eine Sida und ein Crinum, deren wohlriechende Blumen mit denen der Guettarda speciosa, der Volcameria inermis, und auf Aur der Ixora coccinea (?) in anmuthigen Kränzen um das lange aufgebundene Haar und in den Ohren getragen werden. Sinn für Wohlgerüche und Zierlichkeit zeichnet das dürftige Volk von Radack aus.

Das Meer wirft auf die Riffe von Radack nordische Fichtenstämme und Bäume der heißen Zone (Palmen, Bambus) aus. Es versieht die Eingeborenen nicht allein mit Schiffsbauholz, es führt ihnen auch auf Trümmern europäischer Schiffe ihren Bedarf an Eisen zu. Wir trafen bei ihnen, das Holz zu bearbeiten, keine anderen Werkzeuge an, als das auf diesem Wege gewonnene kostbare Metall, und fanden selbst, als wir noch die Aussage unserer Freunde über diesen Punkt bezweifelten, ein solches Stück Holz mit eingeschlagenen Nägeln am Strande einer unter dem Winde liegenden Insel der Gruppe Otdia. Sie erhalten noch auf gleiche Weise einen andern Schatz, harte zum Schleifen brauchbare Steine. Sie werden aus den Wurzeln und Höhlungen der Bäume ausgesucht, die das Meer auswirft; Eisen und Steine gehören den Häuptlingen zu, denen sie gegen eine Belohnung und unter Strafe abgeliefert werden müssen.

Das Meer bringt diesen Inseln den Samen und die Früchte dieser Bäume zu, die meist auf denselben noch nicht aufgegangen sind. Die mehrsten dieser Sämereien scheinen die Fähigkeit zu keimen noch nicht verloren zu haben, und wir haben oft dem Schooße der Erde das ihr zugedachte Geschenk fromm anvertraut. Wir haben dieselben gesammelt und darunter die Früchte von der Nipa-Palme und von Pandanus-Arten gefunden, die nur auf den größern im Westen gelegenen Landen vorkommen, die der Baringtonia speciosa, der Aleuritis triloba und anderer Bäume, die der gemeinsamen Flora Polynesien's angehören und die wir zunächst im Westen auf den Marianen-Inseln angetroffen haben. Der größte Theil dieser Sämereien gehört den baumartigen oder rankenden Schotenpflanzen an, die überall zwischen den Wendekreisen gleich häufig sind. Der Samen der Guilandina Bonduc kommt darunter häufig vor, und wir haben die Pflanze selbst nur einmal auf der Gruppe Otdia, und zwar auf einer unter dem Winde gelegenen Insel angetroffen. Wir bemerken, daß Sämereien, die, mit der Fluth über das Riff getrieben, auf die innere Seite einer Insel unter dem Winde gelangen, mehr Schutz, bessere Erde und zu ihrem Aufkommen günstigere Umstände antreffen als die, so die Brandung auf das Aeußere der Insel auswirft.

Man findet häufig gerollte Bimssteine unter dem Auswurf des Meeres, und dichtgeballte Massen der Cassyta, ähnlich denen, die die Zostera marina auf einigen unserer Küsten bildet und die man in Frankreich am mittelländischen Meere Plotte de mer nennt.

Außer den Säugethieren, die das Meer ernährt, den Delphinen, welche die Radacker nur selten und einzeln erlegen, da sie nicht zahlreich und mächtig genug sind, sie, wie andere Insulaner, heerdenweis zu umringen, in ihre Riffe einzutreiben und zu erjagen, dem Kaschelot*) und den seltneren Wallfischen, wird auf Radack

*) Wir haben im Jahre 1817 einen Physeter macrocephalus bei Radack gesehen.

nur die allgemein verbreitete Ratte gefunden, welche sich, da ihr kein Feind an die Seite gesetzt ist, auf eine furchtbare Weise vermehrt hat. Kadu, der die Ratte nur im Gefolge des Menschen zu denken scheint, behauptet, sie befände sich auf Bygar nicht. Man stellt auf den bewohnteren Gruppen, und namentlich auf Aur, diesen lästigen Thieren zuweilen nach. Man läßt sie bei Lockspeisen sich versammeln, die halb von Feuergruben umringt sind, und treibt sie dann in das Feuer, das man für sie geschürt hat. — Die Ratte wird auf Udirick von den Weibern gespeiset, und auch auf Otdia haben unsere Matrosen Weiber sie essen sehen.

Die Hühner finden sich auf Radack wild oder verwildert, sie dienen nur auf Udirick zur Speise und werden auf andern Gruppen nur zur Lust einzeln gefangen und gezähmt, ohne daß man Nutzen aus ihnen zu ziehen verstünde. Man findet hie und da um die Wohnungen einen Hahn, der, mit einer Schnur am Fuß an einen Pfahl gebunden, an den Streithahn der Tagalen erinnert. Ein kleiner weißer Reiher wird gleichfalls gezähmt. Außer dem Huhn und der Taube der Südsee (Columba australis) kommen nur Wald- und Wasservögel vor, und diese sind auf den bewohnten Gruppen nicht in großer Anzahl. Am häufigsten ist die Sterna stolida, die sich gern in der Nähe der Brandung aufhält.

Die Seeschildkröte wird auf Bygar gefangen; aus der Klasse der Amphibien kommen außerdem vier kleine Arten Eidechsen auf Radack vor.

Die Lagunen im Innern der Inselgruppen sind an Fischen nur arm. Man trifft außen um die Riffe und an deren Eingängen Schaaren von Haifischen an, die nur selten in das innere Meer dringen; diese Thiere sollen bei Bygar den Menschen unschädlich sein. Wir haben beim Eingange in Ellu Boniten gefangen. — Der fliegende Fisch ist in der Nähe der niedern Inseln am häufigsten. Die Radacker stellen ihm Nachts bei Feuerschein nach. Es kommen mehrere Arten von Fischen vor, die nicht gegessen werden und deren Genuß für tödtlich gilt. Kadu führte uns Beispiele von also erfolgten Vergiftungen an. Dieselben Arten werden auf Ulea, nachdem man einen innern Theil (die Leber?) herausgenommen hat, verspeiset, und etliche (namentlich Diodon- und Tetrodon-Arten) gelten da sogar für leckere Bissen. Unter den giftigen Fischen von Radack werden zwei Roggen (Raja) angeführt, welche eine ausnehmende Größe erreichen; die eine hat, wie Raja Aquila und R. Pastinaca, einen großen Stachel am Schwanze, die andere hat deren fünf. Beide sollen, nach Kadu, zu ihrer Vertheidigung diese Stacheln von sich schießen und sie nach deren Verlust binnen zwanzig Tagen wieder erzeugen. Man greift sie nur von vorn an. Sie werden der Haut wegen, welche die Trommel zu bespannen dient, aufgesucht. Beide Arten werden auf Ulea gegessen.

Man trifft eine reiche Mannigfaltigkeit sowohl einschaaliger als zweischaaliger Muscheln an. Manche werden gespeiset, und die Schaalen von manchen werden verschiedentlich benutzt. Das Tritonehorn dient als Signaltrompete. Die Chama gigas und andere große zweischaalige Muscheln dienen als Gefäße, und es werden auch Schneidewerkzeuge daraus verfertigt; die Perlemutter wird zu Messern geschärft, und kleinere Schneckenarten werden zum Schmuck in zierlichen Reihen um Haupt und Nacken getragen.

Unter den Krebsen machen sich verschiedene kleine Pagurus-Arten bemerkbar, die in erborgten bunten Gehäusen von allerhand Seeschnecken, in das Innere der Insel ihrer Nahrung wegen eingehen.

An nackten Molusken, Würmern und Zoophyten ist die Fauna vorzüglich reich. Wir bemerkten einen Tintenfisch, etliche schöne Arten von Seeigeln und Seesternen, etliche Medusen, doch diese nicht in allen Gruppen, und etliche Holothurien. Die dürftigen, um Nahrung bekümmerten Radacker haben in Ueberfluß auf ihren Riffen eins der Thiere (Trepang), nach welchen die chinesischen Wollüstlinge so gierig sind, und darben oft, ohne noch versucht zu haben, den Hunger mit diesem ekelhaften Wurm zu stillen. Das Meer wirft häufig eine kleine Physalis (Physalis pelagica Tiles.) auf die Riffe aus. Ein Wurm durchbohrt den Felsen unter der Linie des höchsten Wasserstandes und lebt im Innern des Kalksteines, und unser gemeiner Regenwurm ist auch auf diesen entlegnen Inseln einheimisch.

Insekten giebt es nur sehr wenige; wir bemerkten die Scolopendra morsitans und den Scorpio Austral-asiae, vor dem die Eingeborenen keine Scheu bezeigten, und dessen Stich nach Kadu eine örtliche vorübergehende Geschwulst verursachen soll.

Die Einwohner von Radack sind weder von großer Statur, noch von sonderlicher körperlicher Kraft. Sie sind, obgleich schmächtig, wohlgebildet und gesund und scheinen ein hohes Alter mit heiterer Rüstigkeit zu erreichen.*) Die Kinder werden lange gesäugt und nehmen noch die Brust, wenn sie schon zu gehen und zu sprechen vermögen. Die Radacker sind von dunklerer Farbe als die O-Waihier, von denen sie sich vortheilhaft unterscheiden durch größere Reinheit der Haut, die weder der Gebrauch des Kava noch sonst dort herrschende Hautkrankheiten entstellen. Beide Geschlechter tragen ihr langes, schönes schwarzes Haar sauber und zierlich hinten aufgebunden. Bei Kindern hängt es frei und lockig herab. Die Männer lassen den Bart wachsen, welcher lang, obgleich nicht sonderlich dicht wird.**) Sie haben im Allgemeinen die Zähne von der Art ihrer Volksnahrung, von dem Kauen der holzig faserigen Frucht des Pandanus verdorben und die vorderen oft ausgebrochen. Es ist bei den Häuptlingen weniger der Fall, für die gewöhnlich der Saft der Frucht über den Rand einer Muschel ausgekratzt und ausgeschieden wird. Mann und Weib tragen in den durchbohrten Ohrlappen ein gerolltes Pandanusblatt. Die Rolle hat bei den Männern drei bis vier Zoll im Durchmesser, bei den Weibern unter der Hälfte. Sie wird zuweilen von einer feinen Schildplatt-

---

*) Wir müssen einer natürlichen Mißbildung erwähnen, die wir an verschiedenen Weibern der Häuptlinge auf verschiedenen Gruppen und an einem jungen Häuptling der Gruppe Ellu bemerkt haben; sie betrifft die Vorderarme. Die Ulna erscheint im Bug der Hand nach oben ausgerenkt, und der gekrümmte, in seinem Wachsthum mehr oder minder gehemmte Vorderarm ist in einigen Fällen kaum spannenlang; die Hand ist klein und nach außen geworfen. — Ein Kind auf Otdia hatte eine doppelte Reihe Zähne im Mund. Noch ist ein Beispiel von Taubstummheit anzuführen.

**) Man erzählte uns von einem im Kampf auf Tabual gebliebenen Mann aus Meduro, dessen voller Bart ihm bis auf die Kniee hing.

lamelle überzogen. Etliche ältere Leute hatten außerdem den obern Rand des Ohrknorpels zum Durchstecken von Blumen durchbohrt.

Die kunstreich zierliche Tatuirung*) ist nach dem Geschlecht verschieden, bei Jedem gleichförmig. Sie bildet bei den Männern über Schulter und Brust ein am Nabel zugespitztes Dreieck, das aus kleineren verschiedentlich verbundenen Strichen besteht. Aehnliche wohlgeordnete Horizontalstriche nehmen den Rücken und den Bauch ein. Bei den Weibern sind nur die Schultern und die Arme tatuirt. Außer dieser regelmäßigen Zeichnung, die am Erwachsenen erst ausgeführt wird und nur bei Wenigen fehlt, haben Alle als Kinder schon an Lenden, Armen, aber seltener im Gesicht Gruppen von Zeichen oder Strichen tatuirt. Wir bemerkten etliche Mal unter diesen Zeichen das Bild des römischen Kreuzes.**) Die tatuirte Stelle ist sehr dunkel, scharf gezeichnet und über der Haut erhaben.

Das Kleid der Männer besteht im Gürtel mit hangenden Baststreifen, den öfters eine kleinere viereckige Matte als Schürze begleitet; Knaben gehen, bis sie das männliche Alter erreicht haben, völlig nackt. Die Weiber tragen zwei längere Matten mit einer Schnur über die Hüften befestigt, die Mädchen früh schon eine kleinere Schürze. Die Männer tragen öfters außer den Blumen- und Muschelkränzen, womit sich beide Geschlechter zieren, einen Halsschmuck von gereiheten Delphinenzähnen, mit vornhängenden Platten von Knochen desselben Thieres oder von Schildkrot. Zu diesem Schmuck werden auch dünne runde Muschel- und Cocosschaalenscheiben gebraucht. Wir haben auch unter ihrem Schmuck die Schwanzfedern des Tropikvogels, die Federn der Fregatte und Armbänder,

*) Wir hatten im Frühjahr 1816 auf Udirick (den Kutusoffs-Inseln) diese Tatuirung übersehen.

**) Eingeborene der Mulgraves-Inseln, die an Bord der Charlotte stiegen, trugen nach Art der Spanier ein Kreuz, am Halse gehangen. Wir haben diesen Schmuck auf Radack nicht angetroffen und uns vergeblich bemühet, in dem Zeichen, dessen wir erwähnten, irgend eine Beziehung auf Christen und Europäer zu entdecken.

aus der Schaale einer größeren einschaaligen Muschel geschliffen, angetroffen.

Die Irus oder Häuptlinge zeichnen sich oft durch höheren Wuchs aus, nie durch unförmliche Dicke des Körpers.*) Die Tatuirung verbreitet sich meist bei ihnen über Theile des Körpers, die beim gemeinen Mann verschont bleiben, die Seiten, die Lenden, den Hals oder die Arme. —

Die Häuser der Radacker bestehen blos in einem von vier niedern Pfosten frei getragenen Dache, das mit einem Hängeboden versehen ist. Man kann unter demselben nur sitzen. Man klettert durch eine viereckige Oeffnung in den obern Raum, worin die kleine Habe verwahrt wird. Man schläft auf diesem Boden oder unten in der offenen Halle, und etliche zeltförmige offne Hütten umher dienen zu abgesonderten Schlafgemächern. Die Dächer sind von Cocos- oder Pandanusblättern, der Estrich ist eine Streu von feinen am Strande aufgelesenen Korallen und Muscheltrümmern. Eine bloße grobe Matte dient zum Bett, und ein Holzstamm zum Kopfkissen.

Wir hielten anfangs nicht diese Häuser, die wir auch oft verlassen fanden, für die stetigen Ansiedelungen der Menschen. Die Schiffer ziehen auf ihren kunstreichen Booten**) mit Habe und Familie bald auf die eine, bald auf die andere Insel, und so versammelte sich, als wir erst mit ihnen befreundet waren, immer der größte Theil der Bevölkerung einer Gruppe in unserer Nähe.

Der wildwachsende Pandanus scheint ein gemeinschaftliches Gut zu sein. Ein Bündel Blätter dieses Baumes (Zeichen des Eigenthums) an den Ast gebunden, woran eine Frucht reift, sichert dem, der sie entdeckt hat, ein Recht darauf. Wir haben oft und besonders auf den ärmlichern nördlichern Gruppen diese Frucht, die fast alleinige Nahrung der Radacker, ganz unreif verzehren sehen. Die

*) Der Häuptling der Gruppe Eigley soll hierin eine Ausnahme machen und ein ausnehmend feister Mann sein.

**) Der Verfasser dieser Aufsätze überläßt Befugteren, diese Fahrzeuge, die im Wesentlichen mit den oft erwähnten Proas der Marianen-Inseln übereinkommen, kunstgerecht zu beschreiben.

Cocosbäume sind ein Privateigenthum. Man sieht öfters die, so in der Nähe der Wohnungen mit reifenden Nüssen beladen sind, mit einem um den Stamm derselben durch Zusammenknüpfen der entgegengesetzten Blättchen befestigten Cocosblatt, das durch Rauschen das Hinanklettern verrathen soll, verwahrt. Auf den volkreicheren Gruppen Kaben und Aur sind oft Bezirke und Baumgärten an Umzäunungsstatt mit einer Schnur umzogen.

Außer der Sorge für Nahrung beschäftigt unsere Freunde nur ihre Schifffahrt und ihr Gesang. Ihr liebstes, ihr einziges Gut sind ihre Boote und ihre Trommel, welche schon ihre Kinderspiele ausmachen. Sie führen besonders am Abend, im Kreis um ein hellloderndes Feuer versammelt, ihre sitzenden Liedertänze auf. Berauschende Freude ergreift dann Alle, und Aller Stimmen mischen sich im Chor. Diese Lieder gleichen denen der O-Waihier, sie sind aber roher, verzerrter, die allmälig gesteigerten Wellen des Gesanges arten zuletzt in Geschrei aus.

Wir lernten zuerst und hauptsächlich auf der Gruppe Otdia das anmuthige Volk von Radack kennen. Die Menschen, die uns freundlich einladend entgegenkamen, schienen uns eine Zeit lang, im Gefühl unserer Ueberlegenheit, zu scheuen. Die Häuptlinge bewiesen den stärkern Muth, die größere Zuversicht. Vertrauen machte unsere Freunde nie zudringlich, nie überlästig. Die Vergleichung unseres überschwenglichen Reichthums und ihrer Dürftigkeit erniedrigte sie nie zum Betteln, verführte sie selten zum Diebstahl, ließ sie nie die Treue brechen, wo ihnen getraut ward. Wir durchwandelten täglich einzeln, ohne Waffen ihre Inseln, schliefen bei weggelegten Schätzen (Messer, Eisen) unter ihren Dächern, entfernten uns auf längeren Zügen auf ihren Booten und vertrauten ihrer Gesinnung, wie wir bei uns dem wachenden Schutze der Gesetze vertrauen. Wir tauschten mit ihnen, von ihnen zuerst aufgefordert, unsere Namen. Die Menschen kamen uns, wo wir erschienen, gastfreundlich entgegen und reichten uns Cocosnüsse dar. Wir handelten auf Otdia nicht, wir beschenkten und wurden beschenkt. Einzelne schienen zu geben eine gleiche Lust zu haben als wir, und brachten uns noch mit feiner Sitte Geschenke, wann Gegengeschenke nicht mehr zu erwarten waren. Andere betrugen sich eigennütziger. Wo unerhörte Ereignisse nie überdachte Verhältnisse herbeiführen und die Sitte schweigt, muß der eigenthümliche Charakter der Menschen sich selbstständig offenbaren. Die Frauen verhielten sich schamhaft und zurückhaltend, sie entfernten sich, wo wir uns zuerst zeigten, und kamen nur in dem Schutze der Männer wieder hervor. Gegen unsere kleinen Geschenke, Ringe, Glasperlen, die sie weniger als wohlriechende Holzsplitter von englischen Bleistiften zu schätzen schienen, reichten sie uns mit zierlicher Art den Schmuck, den sie eben trugen, dar, ihre Muschel- und Blumenkränze. — Kein Weib von Radack ist je an unsern Bord gekommen.

Uns trat überall das Bild des Friedens bei einem werdenden Volke entgegen, wir sahen neue Pflanzungen, fortschreitende Kultur, viele aufwachsende Kinder bei einer geringen Menschenzahl, zärtliche Sorgfalt der Väter für ihre Erzeugten, anmuthige leichte Sitten, Gleichheit im Umgang zwischen Häuptlingen und Mannen, keine Erniedrigung vor Mächtigern, und bei größerer Armuth und minderem Selbstvertrauen keine der Laster durchblicken, welche die Völkerschaften des östlicheren Polynesien's entstellen.

Wir erfuhren zuerst auf Aur, daß diese kümmerlich sich nährenden Menschen auch ihre Kriege führen, daß Herrsch- und Eroberungssucht auch über sie diesen Fluch gebracht. Sie forderten uns auf, mit unserm furchtbaren Eisen (die verderblichere Wirkung anderer Waffen hatten sie durch uns nicht kennen gelernt) in ihre blutigen Fehden wie Schicksalsmächte einzugreifen.

Der gewaltige Lamari ist von Meduro ausgegangen, sich alle nördlicheren Inselgruppen Radack's mit den Waffen zu unterwerfen. Er herrschet nun über Aur, Kaben und den Norden der Kette und hat auf Aur seinen Sitz. Die von Meduro und Arno führen gegen ihn und sein Reich den Krieg. Ihre Streifzüge auf dreißig Booten, jedes mit sechs bis zehn Menschen bemannt, haben sich bis Otdia erstreckt. Der neuliche Kampf auf Tabual hat vier Menschen das Leben gekostet, dreien von Seiten Meduro's, einem von Seiten Aur. In einem frühern Kriegszug waren auf derselben Insel gegen zwanzig von jeder Seite geblieben.

Lamari bereiste zu Anfang von 1817 die Inseln seines Gebietes, sein Kriegsgeschwader, eben auch an dreißig Boote stark, auf Aur zusammen zu berufen, von wo aus er gegen Meduro ziehen wollte. Wir erwarteten diesen Fürsten auf Eilu anzutreffen, er war bereits auf Udirick, bei welcher Gruppe er uns in seinem Boote auf offener See besuchte. Als wir gegen das Ende desselben Jahres nach Otdia wiederkamen, war die Kriegsmacht in Aur versammelt. Lamari hatte die Insel Mesid verfehlt und — auf andere Gruppen verschlagen — Verzicht auf die Verstärkung geleistet, die er von daher zu erwarten hatte.

Wir werden, was uns von der Religion, der geselligen Ordnung, den Sitten und Bräuchen unserer Freunde kund geworden, ausführlich berichten.

Die Bewohner von Radack verehren einen unsichtbaren Gott im Himmel und bringen ihm ohne Tempel und Priester einfache Opfer von Früchten dar. In der Sprache bedeutet Jageach Gott, der Name des Gottes ist Anis. Bei zu unternehmenden Kriegen und ähnlichen Gelegenheiten finden feierliche Opfer statt; die Handlung geschieht im Freien. Einer aus der Versammlung, nicht der Chef, weihet dem Gotte die Früchte durch Emporhalten und Anrufen; die Formel ist: Gidien Anis mne jeo; das letzte Wort wiederholt das versammelte Volk. Wenn ein Hausvater zum Fischfang ausfährt oder etwas ihm Wichtiges unternimmt, so opfert er unter den Seinen. Es giebt auf verschiedenen Inseln heilige Bäume, Cocospalmen, in deren Krone sich Anis niederläßt. Um den Fuß eines solchen Baumes sind vier Balken im Viereck gelegt. Es scheint nicht verboten zu sein, in den Raum, den sie einschließen, zu treten, und die Früchte des Baumes werden von den Menschen gegessen.

Die Operation des Tatuirens steht auf Radack in Beziehung zu dem religiösen Glauben und darf ohne gewisse göttliche Zeichen nicht unternommen werden.*) Die, welche tatuirt zu werden be-

---

*) Unsere Freunde weigerten sich stets unter verschiedenen Vorwänden, uns diese Zierde zu ertheilen. Sie schützten uns oft die bedenklichen Folgen, das Aufschwellen der Glieder, das schwere Erkranken vor. Einst beschied ein Chef

gehren, bringen die Nacht in einem Hause zu, auf welches der Chef, welcher die Operation vollziehen soll, den Gott herabbeschwört: ein vernehmbarer Ton, ein Pfeifen soll seine Zustimmung kund geben. Bleibt dieses Zeichen aus, so unterbleibt auch die Operation. Daher sie an Etlichen nie vollführt wird. Im Fall der Uebertretung würde das Meer über die Insel kommen und alles Land untergehen. Vom Meere bedroht wohlbekannte Gefahr alle niedern Inseln, und der religiöse Glaube verhängt oft diese Ruthe über die Menschen. Dagegen helfen aber Beschwörungen. Kadu hat auf Radack das Meer bis an den Fuß der Cocosbäume steigen sehen, aber es wurde bei Zeiten besprochen und trat in seine Grenzen zurück. Er nannte uns zwei Männer und ein Weib, die auf Radack diese Beschwörung verstehen.

Die wüste Inselgruppe Bygar hat ihren eigenen Gott. Der Gott von Bygar ist blind, er hat zwei junge Söhne, Namens Rigabuil, und die Menschen, die Bygar besuchen, nennen einander, so lange sie da sind, Rigabuil, damit der blinde Gott sie für seine Söhne halte und ihnen Gutes thue. Anis darf auf Bygar nicht angerufen werden, der Gott würde den, der es thäte, mit schwerer Krankheit und mit Tod schlagen. Unter einem Baume von Bygar werden Opfer von Früchten, Cocos u. s. w. dargebracht. Daß in die Gruben Wasser quelle, helfen wohl und ohne Fehl ausgesprochene Beschwörungsformeln; denn ist der Erfolg ungünstig, so ist etwas versehen worden und die Worte wurden nicht recht gesagt. Es ist überall wie bei uns*). Bei Bygar dürfen die Haifische dem Menschen Nichts thun, Gott läßt es nicht zu. Von allen Gruppen Radack's aus wird Bygar über Udirick besucht, nur die aus Eilu dürfen es nicht unmittelbar. Sie müssen einen Monat auf Udirick verweilen, bevor sie hinfahren, und müssen nach der Rück-

auf Nur Einen von uns, die Nacht bei ihm zuzubringen, daß er ihn am andern Morgen tatuire; am andern Morgen wich er wiederholt der Zudringlichkeit seines Gastes aus.

*) Als Beispiel der Glaube an die Arznei, der letzte, woran der Ungläubige noch hängt.

kehr einen andern Monat auf derselben Gruppe verharren, bevor sie von dem mitgebrachten Vorrath genießen. — Dieser Vorrath besteht in Fleisch von Vögeln und Schildkröten, welches erst gehacken und sodann an der Sonne getrocknet werden. Der Gebrauch des Salzes ist auf Radack unbekannt.

Die Ehen, die Bestattung der Todten, die Gelage, die bei verschiedenen Gelegenheiten angestellt werden, scheinen außer Beziehung mit der Religion zu sein. Ueber den Begriff der Fortdauer nach dem Tode ist es uns nicht geglückt uns mit Kadu zu verständigen.

Obgleich den Häuptlingen keine besondere Ehrfurchtsbezeigung gezollt wird, so üben sie doch über alles Eigenthum ein willkürliches Recht. Wir sahen selbst von uns beschenkte Häuptlinge gegen Mächtigere unsere Gaben verheimlichen. Sie scheinen in mehreren Graden einander untergeordnet zu sein, ohne daß wir recht diese Verhältnisse durchschauen gekonnt. Rarick war der mächtigste auf Otdia, sein Vater Saur-aur, vielleicht der wirkliche Häuptling der Gruppe, lebte auf Aur. Rarick und sein Sohn, ein Knabe von ungefähr zehn Jahren, trugen allein etliche Streifen von Pandanusblättern, worin Knoten geknüpft waren, um den Hals, und es schien ein Vorrecht zu sein. Wir haben ähnliche Streifen in Häusern von Häuptlingen hängen sehen, die, wie gedörrte Fischköpfe, unreife Cocos und Steine, das Ansehn geweihter Gegenstände hatten. Die Erbfolge ist nicht unmittelbar von dem Vater auf den Sohn, sondern von dem ältern Bruder auf den jüngern, bis nach Ableben Aller der erstgeborene Sohn des Ersten wieder an die Reihe tritt. — Frauen sind ausgeschlossen. — Wo ein Chef auf eine Insel anfährt, wird von seinem Boote aus ein Zeichen gegeben, und seinen Bedürfnissen wird sofort mit dem besten Vorhandenen zuvorgekommen. Dieses Zeichen giebt, wer am Vorderschiffe sich befindet, indem er den rechten Arm schwenkt und ruft. Dieses wurde, wo Offiziere der Expedition auf Booten der Eingeborenen fuhren, auch beobachtet. Die Häuptlinge zeichnen sich durch freiere Bewegungen in ihrem Gange aus, die der gemeine Mann nicht nachahmen darf.

Zum Kriege berufen die Fürsten ihre Mannen, der Häuptling jeglicher Gruppe stößt mit seinen Booten zu dem Geschwader, man unternimmt mit vereinter Macht eine feindliche Gruppe zu überfallen, man landet. Nur auf dem Lande wird gekämpft. Die Weiber nehmen Antheil an dem Kriege, nicht nur wo es dem Feinde auf eignem Boden zu wehren gilt, sondern auch beim Angriff, und sie machen auf dem Geschwader, obgleich in Minderzahl, doch einen Theil der Kriegsmacht aus. Die Männer stehen in der Schlacht voran. Ihre Waffen sind zum fernen Kampf: die Schleuder, die sie ohne Geschick handhaben, und ein an beiden Enden zugespitzter Stab, der, in Bogen geschleudert, wie der Durchmesser eines rollenden Rades sich in der Luft schwingt und mit dem Ende, womit er voran fällt, sich einbohrt; zum nahen Kampf: der Wurfspieß, ein fünf Fuß langer Stock, der gespitzt und mit Widerhaken oder Haifischzähnen versehen ist; wir haben ein kurzes krummes hölzernes Schwert, dessen beide Schärfen mit Haifischzähnen versehen sind, nur auf Mesid gesehen. Die Weiber bilden unbewaffnet ein zweites Treffen. Etliche ihrer rühren nach dem Geheiß des Führers die Trommel, erst in langsamem abgemessenem Takt (Ringeeipinem), wenn von fern die Streiter Wurf auf Wurf wechseln, dann in verdoppelten raschen Schlägen (Pinneneme), wenn Mann gegen Mann im Handgemenge ficht. Die Weiber werfen Steine mit der bloßen Hand, sie stehen im Kampfe ihren Lieben bei und werfen sich sühnend und rettend zwischen sie und den obsiegenden Feind. Gefangene Weiber werden verschont, Männer werden nicht zu Gefangenen gemacht. Der Mann nimmt den Namen des Feindes an, den er in der Schlacht erlegt. Eingenommene Inseln werden aller Früchte beraubt, aber die Bäume werden geschont.

Die Ehen beruhen auf freier Uebereinkunft und können, wie geschlossen, auch aufgelöset werden. Ein Mann kann mehrere Weiber haben. Das Weib ist die Gefährtin des Mannes und scheint in billigem Verhältniß zu dem Haupt der Familie sich ihm selbstständig und frei unterzuordnen. Beim Wandern gehen die Männer beschützend voran und die Weiber folgen ihnen. Wo gesprochen wird, reden die Männer zuerst, die Weiber nehmen, aufgefordert, Antheil am Gespräch und auf sie wird gehört. Im Frieden ist ihnen blos, was wir weibliche Arbeit nennen, auferlegt. Die Trommel, die in Allen die Freude erweckt, ist in ihrer Hand. Unverheirathete genießen unter dem Schutze der Sitte ihrer Freiheit. Das Mädchen bedingt sich Geschenke von dem Manne aus — aber der Schleier der Schamhaftigkeit ist über alle Verhältnisse, die beide Geschlechter vereinigen, gezogen. Wir bemerken, daß die selbst unter Männern auf den Carolinen wie auf den Inseln des östlichen Polynesien's übliche Liebkosung durch Berührung der Nase auf Radack nur zwischen Mann und Weib und nur im Schatten, worin Vertraulichkeit sich verbirgt, gebräuchlich ist.

Das Band der ausschließlichen Freundschaft zwischen zweien Männern, welches auf allen Inseln der ersten Provinz sich wiederfindet, leget auf Radack dem Freunde die Verbindlichkeit auf, seinem Freunde sein Weib mitzutheilen, verpflichtet ihn aber nicht zur Blutrache.

Wir erwähnen zögernd und mit Schaudern eines Gesetzes, dessen Grund uns Kadu in dem dringenden Mangel und der Unfruchtbarkeit der stiefmütterlichen Erde angegeben hat. Jede Mutter darf nur drei Kinder erziehen; das vierte, das sie gebiert, und jedes darauf folgende soll sie selbst lebendig vergraben. Diesem Gräuel sind die Familien der Häuptlinge nicht unterworfen. Uneheliche Kinder werden übrigens wie die ehelichen erzogen. Wenn sie zu gehen vermögen, nimmt sie der Vater zu sich. Wo kein Vater sein Kind anerkennt, behält es die Mutter. Wenn die Mutter stirbt, nimmt sich ein anderes Weib des Kindes an.

Die Leichen der Verstorbenen werden in sitzender Stellung mit Schnüren ganz umwickelt. Die Häuptlinge werden auf den Inseln begraben. Ein mit großen Steinen abgemessener viereckiger Raum bezeichnet unter den Palmen am innern Strand den Ort. Die aus dem Volke werden in das Meer geworfen. Gegen in der Schlacht gefallene Feinde findet nach ihrem Range dasselbe Verfahren statt. Ein eingepflanzter Stab mit ringförmigen Einschnitten bezeichnet das Grab der Kinder, die nicht leben durften. Wir haben selbst beide Arten der Begräbnisse gesehen.

Vor langer Zeit hat sich ein europäisches Schiff bei Kaben gezeigt und einen Tag lang, ohne eine Landung zu versuchen, in der Nähe dieser Gruppe verweilt. Der Häuptling Saur-aur, unser Gastfreund auf Tabual, ist an Bord dieses Schiffes gestiegen. (Wir bemerken, daß er zur Zeit Laelidjü hieß, indem er seither seinen jetzigen Namen durch freundlichen Tausch von einem Häuptling der Inselkette Ralick erhalten hat, welcher nun nach ihm Laelidjü genannt wird). Die Eingeborenen haben von diesem Schiff Eisen und Glasscherben erhandelt. Kadu besaß selbst auf Aur zwei dieser Scherben und erinnerte sich dessen bei Gelegenheit ähnlicher, die er unter uns für seine Freunde aufhob*). Kein Lied hat das Andenken dieses Schiffes aufbewahrt. Keine Namen sind der Vergessenheit entrissen.

Wir sind die ersten Europäer, die auf Radack gelandet und dessen anmuthiges Volk kennen gelernt. Wir haben aus Grundsatz und aus Neigung, aus wirklicher inniger Liebe, von dem, was wir für dieses Volk zu thun vermochten, Nichts zu unterlassen uns bestrebt. Wir hatten bei unserm ersten Besuch unsere Freunde auf Otdia in Besitz von Schweinen, Ziegen, zahmen Hühnern gesetzt, Ignam waren gepflanzt und Melonen und Wassermelonen waren aufgegangen und in gutem Gedeihen. Wir fanden, als wir nach wenigen Monaten zurückkehrten, die Stelle des Gartens auf der Insel Otdia verödet und leer. Nicht Ein fremdes Unkraut war, unsere fromme Absicht zu bezeugen, zurück geblieben. Die Schweine waren verdurstet, die Hühner waren nicht mehr vorhanden, der Fürst Lamari hatte die Ziegen nach Aur überbracht und so auch die Igname von der Insel Otdia, die allein der feindlichen Ratte widerstanden, dahin verpflanzt. Der alte Häuptling Laergaß hatte auf einer Insel seines Gebietes andere von uns dort gepflanzte Igname entdeckt. Er hatte diese Wurzeln wohlschmeckend gefunden, und nachdem er sie gegessen, das Kraut sorgfältig wieder gepflanzt. Dieses Ver-

*) Man kann das Holz mit Glasscherben schaben und sie ungefähr wie wir den Hobel gebrauchen. Sie haben einen wirklichen Werth.

fahren, welches bei der Kultur der Taro beobachtet wird, hatte sein Vertrauen getäuscht.

Der eigentliche Zweck unseres zweiten Besuches war, unsern Freunden wohlthätig zu sein. Wir brachten ihnen Ziegen, Schweine, Hunde, Katzen, zahme Hühner, Bataten aus den Sandwich-Inseln (Ipomoea tuberosa Lour. Coch.), Jams (Dioscorea alata), die Melone, die Wassermelone, Kürbisse verschiedener Arten, solche, wovon die Frucht zu schätzbaren Gefäßen benutzt, und andere, wovon sie gegessen wird, das Zuckerrohr, die Weinrebe, die Ananas, den Apfelbaum der Sandwich-Inseln (nicht eine Eugenia), die Tea root (Dracaena terminalis), den Citronenbaum und den Samen verschiedener auf den Sandwich-Inseln nutzbarer Bäume, des Kukui (Aleurites triloba), dessen Nüsse als Kerzen gebrannt werden und Oel und Farbestoff gewähren, und zweier der Sträucherarten, deren Bast zur Verfertigung von Zeugen dient u. a. m.

Wir haben mit frommem Sinn den Samen ausgestreut, dessen zu warten unser Freund Kadu übernommen hat.

Möge Kadu in seinem schönen Beruf mit Weisheit und Kraft verfahren, möge ihm gelingen, was ohne ihn nicht zu hoffen stand. Möge der Gute das Gute, was er will, bewirken; möge er, der Wohlthäter eines liebenswerthen Volkes, dessen Wohlstand begründen, es friedlich und volksthümlich zum Besseren leiten und es bald bewegen, ein Natur empörendes Gesetz abzuschwören, welches nur in der Noth begründet war.

Wir müssen es uns gestehen, unser Freund steht allein dem Neid seiner Ebenbürtigen, der Begehrlichkeit und Macht seiner Fürsten blos, und die Schätze, womit ihn unsere Liebe überhäuft, ziehen das Gewitter über sein Haupt zusammen. Unsere Besorgniß kann noch weiter gehen. Der wirkliche Reichthum an Eisen, welchen wir mit Lust auf Radack vergeudet, kann zwischen dem Süden und dem Norden dieser Kette und zwischen ihr und Ralick einen verderblichen Krieg schüren und Blut die Frucht unserer Milde sein.

Die dürftigen und Gefahr drohenden Riffe Radack's haben Nichts, was die Europäer anzuziehen vermöchte, und wir wünschen unsern kindergleichen Freunden Glück, in ihrer Abgeschiedenheit zu beharren. Die Anmuth ihrer Sitten, die holde Scham, die sie ziert, sind Blüthen der Natur, die auf keinen Begriff von Tugend gestützt sind. Sie würden sich unsern Lastern leicht bildsam erweisen und, wie das Opfer unserer Lüste, unsere Verachtung auf sich ziehen.

Ralick ist nah im Westen von Radack eine ähnliche Kette niederer Inselgruppen, deren Geographie selbst Weibern auf Radack geläufig ist. — Ralick ist fruchtreicher und bevölkerter als Radack. Das Volk, die Sprache, die Tatuirung sind dieselben. Es werden keine Kinder gemordet, die Frauen ziehen nicht mit in den Krieg. Die Menschen sind wohlhabender, wohlgenährter als auf Radack, sie tragen einen noch größeren Ohrenschmuck. Etliche Männer werden namentlich angeführt, welche die erweiterten Ohrlappen über den Kopf zu ziehen vermögen.

Zwischen beiden Inselketten finden Reisen, feindliche und freundliche Berührungen statt. Ein Häuptling von Eilu zeigte uns Narben von Wunden, die er auf Ralick empfangen; Ralick hat auf 50 Booten den Krieg in Radack geführt, Häuptlinge von Radack fuhren hinüber; ein freundschaftliches Verhältniß ward wieder hergestellt.

Es ist einmal ein europäisches Schiff nach Ralick gekommen. Dieses Schiff soll eine längere Zeit (angeblich ein Jahr) in Odia (einer Hauptgruppe dieser Kette) vor Anker gelegen haben.

Wir vermuthen, daß gleichfalls auf Ralick die südlichern Gruppen die reicheren sind. Nicht alle Erzeugnisse, Bananen, Wurzeln u. a. m. kommen auf allen Gruppen vor.

Repith-Urur wird uns als eine beträchtliche Gruppe niederer Inseln geschildert, durch häufige von dorther auf ihre Riffe verschlagene Boote den Einwohnern von Radack bekannt. Die Boote und die Tracht der Menschen sind auf Repith-Urur dieselben als auf Radack. Die Sprache ist eine eigene, die Tatuirung ist verschieden. Sie nimmt die Seiten des Körpers ein und erstreckt sich auf das Aeußere der Lenden und Beine. Hausthiere sind da nicht, die Brodfrucht, der Cocos, die Bananen, Wurzeln und, wie auf Radack, die Frucht Pandanus dienen zur Nahrung.

Die Eingeborenen von Repith-Urur leben in fortwährendem Kriege unter sich. Der Mann hat fortwährend die Waffen in der Hand, und wenn er sich, um zu essen, niedersetzt, so legt er einen Wurfspieß zu seiner Rechten und einen andern zu seiner Linken neben sich. Menschenfleisch wird auf Repith-Urur gegessen.

Auf die Insel Relich A) der Kette Ralick kamen einmal vor langer Zeit fünf Menschen aus Repith-Urur auf einem Boote an. Sie fischten und fingen keine Fische, an Früchten war kein Mangel, sie schlachteten Einen aus ihrer Zahl, backten und aßen ihn. Ein Zweiter ward ebenso geschlachtet und verzehrt. Die Bewohner von Relich bezwangen und tödteten die drei Uebrigen.

Auf der Insel Airick der Gruppe Kaben leben ein Mann und ein Weib; auf der Gruppe Arno zwei Männer und ein Weib aus Repith-Urur, die auf Booten auf Radack getrieben sind. Ein zweites Weib, welches Letztere noch bei sich gehabt, war zur See während der langen Irrfahrt vor Durst gestorben. Diese fünf Menschen waren schon vor Kadu's Ankunft auf Radack. Zu seiner Zeit sind noch zwei Boote zugleich aus Repith-Urur auf der Gruppe Aur, wo er sich befand, angelangt, in jeglichem ein Mann und ein Weib. Sie waren nach ihrer Angabe seit neun Monaten zur See und hatten fünf Monate vom Fischfange ohne frisches Wasser gelebt. Die Eingeborenen von Radack wollten gegen diese Menschenfresser zu den Waffen greifen. Die Häuptlinge beschützten die Fremden,

---

A) Diese Insel fehlt auf der Karte des Herrn von Kotzebue.

ein Chef auf Tabual hat einen Mann und ein Weib aufgenommen, ein Chef auf Aur die anderen.

Bogha ist der Name einer geringen niederen Inselgruppe, welche den Radackern durch folgendes Ereigniß bekannt geworden. Ein Weib von Bogha ward, als sie längs dem Riffe von einer Insel dieser Gruppe zu der andern eine Ladung Cocos zog, von der Fluth weggespült. Ihre Cocos dienten ihr zu einem Floß und trugen sie; sie trieb mit Wind und Strom an Bygar vorüber und ward am fünften Tag auf Udirick ausgeworfen. Dieses Weib lebt noch auf der Insel Tabual der Gruppe Aur. Bogha erscheint uns in seiner Abgesondertheit als der Sitz einer verschollenen Kolonie von Radack, deren Sprache daselbst gesprochen wird.

Die von Kapitain Johnstone auf der Fregatte Cornwallis im Jahre 1807 gesehenen und von uns wieder aufgesuchten Inseln im Norden von Radack (dieselben nach Krusenstern Beiträge zur Hydrographie p. 114 No. 24 und p. 119, die Ferdinand Quintana auf dem Schiffe Maria 1796 und die Nassauische Flotte 1625 gesehen, wie auch das Gaspar rico der alten Karten) bilden eine niedere, sichelförmige Gruppe geringen Umfangs, deren Rundung gegen den Wind gekehrt ist. Nur auf der Windseite hat sich Erde auf dem Riffe angesammelt. Es ragt meist unter dem Winde nackt aus den Wellen hervor und senkt sich zu keinem Eingange in das innere Meer. Die Inseln bilden eine dicht gedrängte Reihe, auf ihnen erscheint aber die Vegetation dürftig und der Cocosbaum ragt nirgends empor.

Das wüste Ansehen dieser Gruppe und die Menge der Seevögel, der Fregatten, die uns in deren Nähe umschwärmten und auf die rothen Wimpel unseres Schiffes wie auf eine Beute schossen, überführen uns, daß sie wirklich unbewohnt ist, und wir können nicht unserem Gefährten Kadu beistimmen, der in derselben Bogha erkennen gewollt. Der Nordostpassat und die starke westliche Strömung, die wir auf der Fahrt von Udirick dahin empfanden, wie sie in diesem Meerstrich mit Beständigkeit zu erwarten ist, weisen bei der Geschichte des Weibes auf Tabual eine östlichere Lage der Gruppe Bogha an. Sie müßte vielleicht noch östlich von der durch Ubirick und Bygar angegebenen Richtung in geringer Entfernung von Radack zu suchen sein.

Daß auf Bogha die Cocosbäume nur niedrig seien und die Menschen keine Boote besäßen, mag aus der vorgefaßten Meinung unseres Freundes, die vor ihm liegenden Inseln seien eben Bogha, in seine Schilderung dieser Gruppe übergegangen sein, von der er erst bei dieser Gelegenheit zu erzählen begann.

Die Carolinen-Inseln.

Der scharfsinnige Pedro Fernandez de Quiros 1605 wollte südwärts nach der Mutter so vieler Inseln forschen (en demanda de la madre de tantas Islas), die man schon damals im großen Ocean entdeckt hatte. Wir haben diese Mutter in dem Kontinent erkannt, in dessen Osten man sie antrifft, wie man die Seevögel über dem Winde der Klippen antrifft, die ihr Mutterland sind und zu welchen sie Abends mit der sinkenden Sonne nach ihren Nestern zurückkehren.

Dieses Bild, welches besonders treffend auf die Inseln der ersten Provinz paßt, hat sich uns wieder aufgedrungen, als wir von dem östlichen entfernten Radack auf die westlicheren Carolinen, von dem sich verlierenden Kinde zu den Kindern im Schooße der Mutter zurückgekehrt. Uns empfängt eine reichere Natur, und dasselbe Volk ist bei gleicher Lieblichkeit gebildeter.

Der Meerstrich, den die Carolinen einnehmen, ist heftigen Stürmen unterworfen, die meist den Wechsel der Monsoons bezeichnen. Diese Orkane, welche die Spanier auf den Philippinen- und Marianen-Inseln mit dem tagalischen Wort Bagyo nennen, verwüsten zuweilen auf den niedern Inseln alle Früchte, so daß die Menschen eine Zeit lang sich von dem Fischfang allein zu ernähren gezwungen sind. Sie befährden die Inseln selbst, gegen die sie das Meer empören. Kadu hat auf Mogemug einen Orkan erlebt, während dem das Meer eine zwar unbewohnte, jedoch mit Cocospalmen und Brodfruchtbäumen bewachsene Insel wegspülte.

Herr Wilson gewährt uns einen Blick über die Natur der Pelew-Inseln und deren Erzeugnisse. Eap, das andere westliche hohe Land der Carolinen, erscheint uns, obgleich ohne hohe Gipfel, als der Sitz vulkanischer Kräfte. Die Erdbeben sind häufig und stark, es werden sogar die leicht gebauten Häuser der Eingeborenen davon umgestürzt. Die Korallenriffe von Mogemug und Ulea werden, wenn auf Eap die Erde bebt, erschüttert, jedoch mit minderer Gewalt. Kadu hat dasselbe von Feis nicht erfahren. Nach seiner Bemerkung sind auf Eap die Nächte bei gleich warmen Tagen viel kühler als auf Ulea. — Eap bringt Schleifsteine hervor, welche die östlicheren niedern Inseln von daher beziehen. Sie sind ein freundlicheres Geschenk der Natur als das Silber, welches Cantova dieser Insel auf Zeugniß des dort gebornen Capal zuschreibt. Kadu erklärt uns diese Sage. Ein weißer Stein wird in den Bergen von Eap gefunden, worauf die Häuptlinge ein ausschließliches Recht haben. Ihre Ehrensitze sind davon gemacht. Ein Block bildet den Sitz, ein anderer die Rücklehne; Kadu hat diesen Stein gesehen, es ist nicht Silber, nicht Metall. Ein gelber Stein hat auf Pelli (die Pelew-Inseln) gleiche Würde. Man erinnere sich aus Wilson des als Kriegstrophäe entführten Sitzes eines Häuptlings. Ein Töpferthon wird auf Eap wie auf Pelli benutzt, es werden längliche Gefäße daraus gebrannt. Die Kunst kann auf den niedern Inseln ohne das Material nicht bestehen.

Die verschiedenen nutzbaren Palmen der Philippinen (Palma brava, Palma do Cabello negro), die unter den Gewächsen der Pelew-Inseln angeführt werden, lassen uns den Reichthum ihrer Flora ermessen. Eap genießt mit Pelew die Vorrechte eines hohen Landes; wir finden unter den Erzeugnissen von Eap die Arecapalme (Areca Catechu), den Bambus, drei in den Bergen wachsende Baumarten, aus deren Holz man Boote baut, wozu auf den niedern Inseln nur der Brodfruchtbaum gebraucht wird; die Aleurites triloba, den Würznelkenbaum (Caryophyllus aromatica), der nicht blos nicht geachtet, sondern noch verachtet wird und nebst zwei andern Bäumen, die nutzlos und bittern Geschmackes sind, der Schlechtigkeit und Häßlichkeit zur Vergleichung dient; den Orangenbaum, das

Zuckerrohr und endlich den Curcuma, der freilich auch auf Ulea und den niedern Inseln vorkommt, aber in größerem Reichthum auf Eap. Kadu erkannte auf den Sandwich-Inseln und unter den auf die Riffe von Radack ausgeworfenen Sämereien viele Arten, die theils auf Eap, theils auch auf den niedern Inseln der Carolinen einheimisch sind. Feis erfreut sich unter allen niedern Inseln des reichsten Bodens und der reichsten Flora. Der seines vielfachen Nutzens wegen aus Eap verpflanzte Bambus ist da gut fortgekommen. Die andern Inselgruppen beziehen ihren Bedarf aus Eap. — Ulea und sämmtliche niedere Inseln dieser Meere bringen viele Pflanzenarten hervor, die auf Radack nicht sind, und haben eine bei weitem üppigere Natur. D. Luis de Torres hat sogar Pflanzen von Ulea nach Guajan überbracht, die der Flora dieses hohen Landes fremd waren.

Alle diese Inseln sind reich an Brodfruchtbäumen, Wurzeln, Bananen. Die Volksnahrung scheint auf den niedern Inseln auf dem Brodfruchtbaum zu beruhen, von dem verschiedene großfrüchtige Abarten unter verschiedenen Namen kultivirt werden. Die Wurzeln machen auf den hohen Landen die Volksnahrung aus. Die süße Kartoffel (Camotes) *), die nebst dem Samen anderer nutzbarer Pflanzen Copal, drei seiner Brüder und sein Vater Corr von den Bisayas (Philippinen-Inseln), wohin sie verschlagen worden, nach Eap zurück brachten und von wo sie sich auf andere Inseln verbreitet hat (s. Cantova), kommt nach Kadu auf Ulea nicht fort. Die Wurzel der Arum-Arten erreicht nur auf dem hohen Lande und allenfalls auf Feis ihr volles Wachsthum. Auf den Pelew-Inseln werden verschiedene Varietäten der einen Art angebaut, von denen etliche zu einer außerordentlichen Größe gelangen. **) — Der Pandanus wächst auf allen Carolinen, ohne daß seine Frucht ge-

*) Die Spanier nennen die süßen Wurzeln Camotes, und es scheint, daß sie dieses Wort von den Sprachen der Philippinen entlehnt haben. Der Camote der Tagalen und Bisayas war auf diesen Inseln vor der Eroberung angebaut.

**) Im Account of the Pelew-Islands steht überall Jams, d. i. Dioscorea, irrig für Taro oder Arum Lin.

gessen oder nur zum Schmuck benutzt werde. Es kommt keine der veredelten Abarten vor. Die Agrikultur von Eap muß unvergleichlich sein. Schwimmende Arum-Gärten werden da auf den Wässern, auf Holz- und Bambusflößen künstlich angelegt.

Der Pisang wird nicht sowohl der Frucht als seiner Fasern wegen kultivirt, aus welchen die Weiber zierliche mattenähnliche Zeuge oder zeugähnliche Matten zu weben oder zu flechten verstehen. Die Stücke dieser Zeuge sind in Gestalt eines türkischen Shawls, eine Elle breit und etliche Ellen lang. Eingeschlagene schwarze Fäden bilden zierlich durchwirkte Muster an beiden Enden, und die Fäden des Aufzuges hängen als Fransen heraus. Diese Zeuge werden zuweilen mit Curcuma gefärbt. In der Reisebeschreibung des Kapit. James Wilson, der im Duff 1797 mit den Insulanern der Provinz von Ulea verkehrte, werden diese Zeuge beschrieben und die Kunst sie zu verfertigen ohne allen Grund der Belehrung der spanischen Missionare zugeschrieben*). Die Bananenpflanze wird nach Kadu meist, bevor sie Früchte getragen, zur Gewinnung der Fasern abgeschnitten.

Eine andere Pflanze, eine Malvacea, liefert einen Bast, der ebenfalls auf einigen Inseln zu ähnlichen Zeugen verarbeitet wird**).

Der Papier-Maulbeerbaum und die Bastzeuge von O-Waihi waren Kadu gleich unbekannt***). Die Curcumawurzel wird zu

---

*) Wir erklären uns leicht, daß die Eingeborenen das Eisen mit dem Namen begehrten, unter welchem Lulto neun Jahre früher vieles von den Europäern auf Guajan erhalten hatte. (Lulu Chamori, für Parang Ulea.) Wir begreifen aber nicht, daß die mitgetheilten Zahlen aus keinem der uns bekannten Dialekte dieser Meere sind. Wir erkennen nur die allgemeinen Wurzeln des Sprachstammes darin.

**) Eine Stelle in Cantova's Brief bestärkt uns in der Vermuthung, daß die unfruchtbare Bananenart, die auf den Philippinen eigens ihres Flachses wegen kultivirt wird, gleichfalls auf den Carolinen sich vorfindet. „Mettre en oeuvre une espèce de Plano sauvage et un autre arbre qui s'appelle Balibago pour en faire de la toile."

***) Eine Stelle in Pigafetta möchte auf die Vermuthung bringen, daß die kleine Schürze der Weiber auf den Marianen-Inseln Bastzeug gewesen sei. „Toile ou plutôt écorce mince comme du papier que l'on tire de l'aubier du palmier." S. 61 der franz. Ausgabe.

einem Pulver geraspelt, welches einen beträchtlichen Handelszweig von Eap ausmacht. Sich die Haut mit diesem Pulver zu färben, ist von Tuch im Osten bis Pelli im Westen eine allgemeine Sitte, die auf den südwestlich von den Pelew-Inseln gelegenen Gruppen nicht herrscht und auch auf den Marianen-Inseln nicht herrschte. So schmücken sich die Weiber jederzeit, und die Männer bei Festen oder, wo Krieg herrscht, zum Kampf; so werden die Leichen zur Bestattung geschmückt. — Die Sitte, den Betel zu kauen und die Zähne schwarz zu färben, ist ausschließlich auf Pelli, Ngoli, Eap und die Marianen-Inseln, wo sie ursprünglich auch war, beschränkt. Süßer Syrup wird aus dem Safte der Cocospalme nur auf den Pelew-Inseln gewonnen. Das Trinken des Kava und der Gebrauch des Salzes sind allen diesen Inseln gleich fremd.

Es finden sich auf keiner der Inseln der ersten Provinz des großen Ocean's andere Hausthiere als die, so die Europäer dahin gebracht. Wir lassen Wilson über die Pelew-Inseln berichten. — Nach Kadu ist vor langer, langer Zeit ein großes Schiff auf Mogemug gekommen, welches daselbst Katzen zurückgelassen hat. Die Art dieser Thiere hat sich von Mogemug aus nach Westen bis Pelli, nach Osten bis Ulea verbreitet. Sie werden auf diesen Inseln mit dem spanischen Namen Gato benannt. Von einem sehr bejahrten Greise haben Menschen aus Eap und aus Ulea, hat Kadu selbst in der Sprache jener Fremden von Eins bis Zehn zählen gelernt. So weit zählt er wirklich auf spanisch mit Geläufigkeit und reiner Aussprache. Er hat ferner auf Mogemug zwei große irdene Gefäße (drei bis vier Fuß hoch) gesehen, die von jenem Schiffe herrühren. — Wir haben sonst von der Mission Cantova auf Mogemug kein anderes Andenken aufgespürt. Von dem auf der Insel Falalep zurückgebliebenen Geschütz hat Kadu Nichts vernommen *).

Der Trichechus Dugong kommt in den Gewässern der Pelew-Inseln wie in denen der Philippinen-Inseln vor.

---

*) Gaschattel, Herr von Mogemug zur Zeit des Briefes von Cantova war Kadu dem Namen nach als ein längst verstorbener Häuptling dieser Gruppe wohl bekannt.

Cantova erwähnt der Jagd, welche die Bewohner der niedern Inseln auf den Wallfisch machen. Es möchte vielleicht, was er davon berichtet, auf die Delphinenjagd zu beziehen sein. Es kommen drei Arten Delphinen mit weißen, rothen, schwarzen Bäuchen in diesem Meerstriche vor. Wenn die von Ulea diese Thiere gewahr werden, so gehen kleine Boote, gegen achtzig an der Zahl, in die See, umzingeln die Heerde, treiben selbige gegen das Land, und wenn sie sich dem hinreichend genähert, belästigen sie die Thiere mit Steinwürfen, bis sie sich auf den Strand werfen. So wird man ihrer in großer Anzahl habhaft. Ihr Fleisch wird gern gegessen. Bei dem Zerschneiden sind kunstgerechte Schnitte zu beobachten. Ein falscher Schnitt entfernt die Thiere auf eine gewisse Zeit von der Insel. Zu Zviligk, wo das Riff nur einen schmalen Eingang hat, werden die Thiere in die Laguna getrieben, und es wird keines getödtet, bis sie sich in gehöriger Anzahl (gegen ein halbes Hundert) eingefangen haben. Auf den zu Ulea gehörigen Inseln wird diese Treibjagd mit besonderem Erfolg ausgeübt. Man versteht auf anderen die Kunst nicht so gut. Die Delphine steigen zuweilen in die Flüsse von Eap hinauf, man versperrt ihnen dann die Rückkehr mit Netzen und sie werden harpunirt*).

Das Huhn findet sich auf allen Carolinen-Inseln, ohne daß man daraus besonderen Nutzen zu ziehen verstünde. Wir müssen gegen Cantova, der uns Berichte von Eingeborenen von Eap selbst mittheilt und sagt, daß eine Art von Krokodilen daselbst angebetet oder verehrt werde, das Zeugniß von Kadu ausführlich anführen.

Auf Pelli (den Pelew-Inseln) kommt eine Art Krokodil vor, Ga-ut genannt (Ye-use nach Wilson). Der Ga-ut hält sich beständig im Wasser auf und hat einen zusammengedrückten Schwanz. Die Kinderstimmen ähnlichen Töne, die dieses gefährliche Thier hervorbringt, möchten Unkundige verlocken. Der Ga-ut von Pelli wird auf Eap nicht angetroffen. Es hat sich nur einmal einer

---

*) Die von Eap haben zum Fischfang größere Netze, dergleichen auf den niedern Inseln nicht üblich und vermuthlich nicht anwendbar sind.

da gezeigt und ist getödtet worden, nachdem er ein Weib verschlungen hatte.

Eine große Art Eidechse, Kaluv genannt, kommt auf Pelli und Eap vor, und zwar ausschließlich auf diesen Inseln und namentlich nicht auf Feis. Der Kaluv ist viel kleiner als der Ga-ut und sein Schwanz ist rund. Er geht zwar in das Wasser, wo er Menschen gefährlich werden kann, und frißt Fische, er hält sich aber meist auf dem Lande auf und kriecht auf die Bäume, wo er während der Tageshitze schläft. Kadu erkannte den Kaluv in der Figur der Lacerta Monitor, die Sonini und Latreille in den Suites à Buffon geben; das Fleisch dieses Thieres gilt auf Eap für giftig und wird nicht gegessen. Die Eingeborenen meinen, man stürbe davon; sie tödten aber das Thier, wo sie können. Boslé, der angenommene Sohn des Häuptlings und Priester des Gebietes Kattepar, und seine Gefährten (unmaßgeblich Europäer) aßen das Fleisch ohne Aergerniß wie ohne böse Folgen.

Unter den Insekten von Eap, die auf andern Inseln nicht vorkommen, führt Kadu einen sehr großen Skorpion an, dessen angeblich tödtlicher Stich durch den Saft von Kräutern geheilt wird, und eine kleine Art Lampyris, die nur in etlichen Gebieten angetroffen wird. Der Floh war Kadu, bevor er zu uns kam, völlig unbekannt.

Eisen wird von ausgeworfenen Schiffstrümmern auf Ulea, Eap und andern Inseln in reicherer Menge als auf Radack gewonnen. Es soll auf den Inseln im Südwesten von Pelli gar nicht vorkommen. Das Treibholz wird überall vernachlässigt.

Cantova erwähnt einer Mischung verschiedener Menschenracen auf den Carolinen, von der unsere Nachrichten schweigen. Wohl möchten Papuas aus den südlichen Landen durch irgend einen Zufall, und etliche Europäer, Martin Lopez und seine Gefährten, oder Andere auf andern Wegen auf diese Inseln gelangt sein, wie seit der Zeit es häufiger geschehen ist. Die Race der Eingeborenen ist aber die, so auf allen Inseln des großen Ocean's verbreitet ist. Ihr Haar scheint krauser-lockig zu sein als das der Radacker. Alle lassen es lang wachsen und legen auf diese natürliche Zierde einen besondern Werth. Es wird nur auf Eap den Kindern abgeschnitten.

Nach Kadu's Bemerkung sind die Bewohner des Gebietes Summagi auf Eap von ausnehmend kleiner Statur. Mißgeburten und natürliche Fehler sind nach demselben auf dieser Insel merkwürdig häufig. Er führte uns als Beispiele an: einen Mann ohne Arme, dessen Kopf außerordentlich groß ist, einen ohne Hände, einen andern ohne Daumen, einen Menschen mit nur einem Bein, Hasenscharten und Taubstumme*). Selbst minder auffallende Fälle sind auf andern Inseln viel seltener. Eine Krankheit, welche die Europäer auf den mehrsten Inseln der Südsee verbreitet haben, scheint nach Kadu auf Ulea nicht unbekannt zu sein.

Die Menschen sind im Allgemeinen auf den Carolinen wohlgenährter und stärker als auf Radack. Die Tatuirung ist überall willkürlich und in keiner Beziehung mit dem religiösen Glauben. Die Häuptlinge sind mehr als das Volk tatuirt. Ein Stück Bananenzeug, ungefähr wie das Maro von O-Waihi und O-Taheiti getragen, ist das bräuchliche Kleid, nur auf Pelli gehen die Männer völlig nackt, wie es auch ehemals auf den Marianen-Inseln der Fall war. Der Ohrenschmuck der Radacker wird nur auf Pelli nicht getragen. Der Nasenknorpel wird zum Durchstechen wohlriechender Blumen durchbohrt. Das Armband aus dem Knochen des Trichechus Dugong, das die Häuptlinge der Pelew-Inseln tragen, ist aus H. Wilson bekannt. Die Häuptlinge von Eap tragen ein ähnliches breiteres Armband, das aus einer Muschel geschliffen ist.

Die Häuser sind überall groß und geschlossen. Man kann ohne sich zu bücken zu den Thüren eingehen. Gepflasterte Wege und viereckige Plätze vor den Häusern der Häuptlinge finden sich auf Eap wie auf den Pelew-Inseln, wo wir sie durch H. Wilson kennen gelernt.

Wir müssen dieses muthige Schiffervolk zuerst auf seinen Booten betrachten.

---

*) Auch auf Eap hat Kadu einen monstruösen Kaluv gesehen, der zwei Schwänze und zwei Zungen hatte.

Von gleicher Bauart mit den Booten von Ulea sind nach Kabu die von Nugor und Tuch, deren Völker durch ihre Sprachen abgesondert sind, und die von den gleichredenden niedern Inseln bis Ulea, Feis und Mogemug. Die anders redenden Einwohner von Savonnemusoch zwischen Nugor und Tuch unternehmen keine weiten Seereisen und möchten andere Boote haben. Die Vergleichung, welche Cantova zwischen den Booten der Carolinen und denen der Marianen anstellt, läßt uns auf diese zurückschließen. Die Boote der Marianen waren ähnlich denen von Ulea, jedoch vorzüglicher und bessere Segler *).

Die Bauart der Boote von Eap und Ngoli weicht wenig von der von Ulea ab. Die Eingeborenen von Eap gebrauchen aber gern Boote aus Ulea, die sie sich auf dem Wege des Handels verschaffen. Pelli hat eine eigene Bauart, und die niedern Inseln im Südosten von Pelli wieder eine andere. Pelli und diese Inseln stehen in der Schifffahrt nach, und ihre Boote besuchen die östlicheren Inseln nicht.

Die kühnsten Seefahrer sind die Eingeborenen von Ulea und den umliegenden Inseln, die auch Cantova für gesitteter als die übrigen hält **). Das Triebrad der Schifffahrt ist der Handel. —

---

*) Die zwei Boote, die Cantova gesehen, waren mit vier andern auf der Reise von Fatollep nach Ulea von dem Westwinde ergriffen und zerstreut worden. Die meisten Menschen darin waren Eingeborene beider benannten Gruppen, und wir nehmen an, die Boote selbst seien von diesen Inseln gewesen. Das erste größere Boot, welches 24 Menschen trug, drei Kajüten hatte und seiner Merkwürdigkeit wegen sorgfältig beschrieben wird, heißt: Une barque étrangère peu différente des barques marianoises, mais plus haute, das andere kleinere: une barque étrangère quoique semblable à celle des îles Marianes. Es heißt ferner, wo die Entfernung der Inseln unter sich geschätzt werden soll: J'ai fait attention à la construction de leurs barques qui n'ont pas la légèreté de celles des Marianes, und wir glauben seines Ortes bewiesen zu haben, daß, wo kein anderer Maaßstab gegeben war, die Entfernungen noch zu groß angenommen worden sind. Ulea ist selbst in geringerem Abstand von Guajan niedergesetzt, anscheinlich wegen der falschen Bestimmung von Fatollep durch Juan Rodriguez 1696, auf die sich Cantova verlassen hat.

**) Les habitants de l'isle d'Ulea et des isles voisines m'ont paru plus civilisés et plus raisonnables que les autres.

Die Hauptgegenstände des Handels sind: Eisen, Boote, Zeuge und Curcumapulver. — Wir haben an anderem Orte von dem Handel mit Guajan gesprochen, woselbst die von Ulea hauptsächlich Boote gegen Eisen verkaufen. Die von Feis, Eap und Mogemug holen Boote in Ulea gegen Curcumapulver. Die von den östlicheren Inseln haben den Brodfruchtbaum im Ueberfluß und bauen alle ihre Boote selbst; die von Nugor und Tuch holen in Ulea Eisen gegen Zeuge. Die von Ulea fahren auch gegen Tuch und Nugor; die von Savonnemusoch werden auf diesen Reisen besucht, ohne selbst andere Inseln zu besuchen. In Pelli wird das Eisen, welches die Europäer dorthin bringen, gegen Curcuma eingehandelt. Auf den südwestlichern Inselgruppen werden Zeuge gegen Eisen, welches ihnen fehlt, eingetauscht. Ein Geschwader von zehn Segeln, fünf aus Mogemug und fünf aus Eap, vollbrachte diese Reise; die Seefahrer selbst hat Kadu auf Eap persönlich gekannt.

Ihrer Schifffahrt dient zur Leiterin die Kenntniß des gestirnten Himmels, den sie in verschiedene Konstellationen eintheilen, deren jede ihren besondern Namen hat*).

Sie scheinen auf jeder Fahrt den Auf- oder Niedergang eines andern Gestirns zu beobachten. Ein mißgedeuteter Ausdruck von Cantova hat ihnen irrig die Kenntniß der Magnetnadel zuschreiben lassen**). Cantova meint nur die Eintheilung des Gesichtskreises in zwölf Punkte, wie wir sie nebst andern Benennungen der Rumben und Winde in unserm Vokabularium nach D. Luis de Torres und Kadu mitgetheilt haben. Der Steuermann eines Bootes legt nach Don Luis ein Stückchen Holz, einen kleinen Stab, flach vor sich hin und glaubt von demselben geleitet zu werden, wie wir von dem Kompas. Es ist uns nicht unbegreiflich, daß dieser Stab, im Moment der Beobachtung gestellt, im Gebiet sehr beständiger Winde den gegen den Wind zu haltenden Cours zu versinnlichen dienen könne.

---

*) Nach Cantova wird die Sternkunde gelehrt: Le maitre a une Sphère, où sont tracés les principaux astres.

**) Ils se servent d'une boussole qui a douze aires de vent.

13*

Man zählt auf den Carolinen-Inseln Tage und Monde und theilt das Jahr nach der Wiederkehr und dem Verschwinden der Gestirne in seine Jahreszeiten ein. Niemand aber zählt die Jahre. Das Vergangene ist ja vergangen, das Lied nennet die Namen, die der Aufbewahrung werth geschienen, und sorglos wallet man den Strom hinab*).

Kadu wußte eben so wenig sein eignes Alter als jeder Insulaner des östlicheren Polynesien's. — Das Leben dieser Insulaner, unbedächtlich, entschlossen und dem Moment gehörend, ist vieler der Qualen bar, die das unsere untergraben. Als wir Kadu von dem unter uns nicht beispiellosen Selbstmorde erzählten, glaubte er sich verhört zu haben, und es blieb für ihn eins der lächerlichsten Dinge, die er von uns vernommen. Aber sie sind, und aus denselben Gründen, fremder planmäßiger Bedrückung unduldsam, und die Geschichte hat den Selbstmord des Volkes der Marianen unter den Spaniern (den Boten des Evangelii?) in ihr Buch aufgezeichnet.

Es werden auf allen Carolinen-Inseln nur unsichtbare himmlische Götter geglaubt. — Nirgends werden Figuren der Götter gemacht, nirgends Menschenwerke oder körperliche Sachen verehrt. Kadu war in der Theosophie seines Volkes wenig bewandert. Was wir ihm hier nacherzählen, läßt Vieles zu wünschen übrig und bedarf vielleicht der Kritik. Wir haben nach ihm das Wort Tautup (Tahutup, Cant.), auf Radack Jageach, durch das Wort Gott übersetzen zu müssen geglaubt. Nach Cantova sind die Tahutup abgeschiedene Seelen, die als Schutzgeister betrachtet werden.

Der Gott (Tautup) von Ulea, Mogemug, Eap und Ngoli heißt Engalap, der von Feis: Rongala, der von Elath und Lamureck: Fuss, der von der wüsten Insel Fayo: Lagé. —

Ist Engalap der Eliulep von Cantova, Aluelap von D. Luis de Torres, der große Gott?

Menschen haben Engalap nie gesehen. Die Väter haben die Kunde von ihm den Kindern überliefert. — Er besucht abwechselnd die Inseln, wo er anerkannt wird. Die Zeit seiner Gegenwart

*) „Carpe diem.“

scheint die der Fruchtbarkeit zu sein. Er ist mit Rongala, dem Gott von Feis, durch Freundschaft verbunden; sie besuchen gastfreundlich einander. Mit Fuff, dem Gott von Lamureck, scheint er in keinem Verhältniß zu stehen.

Es giebt auf Ulea und den östlicheren Inseln (Lamureck rc.) weder Tempel noch Priester, und es finden da keine feierlichen Opfer statt. Auf Mogemug, Eap und Ngoli sind eigene Tempel erbaut, Opfer werden dargebracht und es giebt einen religiösen Dienst.

Kabu hat uns berichtet, wie er es auf Eap, wo er sich lange aufgehalten, befunden hat, und er behauptet, daß es auf den beiden nächsten Gruppen sich ebenso verhält. Es haben beide Geschlechter andere Tempel und andere Opferzeiten. Bei den Opfern der Weiber ist kein Mann gegenwärtig. Bei den Opfern der Männer ist der Häuptling der Opfernde. Er weihet dem Gott durch Emporhalten und Anrufen eine Frucht jeglicher Art und einen Fisch. Die Formel ist: Wareganam gure Tautup; das Volk wiederholt das letzte Wort. Die geopferten Früchte werden nicht verzehrt, sondern in dem Tempel weggelegt. Die Menschen bleiben zu diesen Opfern einen Monat lang im Tempel versammelt und abgeschieden, wo sie ihre Nahrung von Außen her erhalten. Jeder weihet von allen Früchten oder Fischen, die er während der Zeit verzehrt, den ersten Bissen nach obigem Brauche ein und wirft dann solchen ungenossen weg. Gesänge oder Tänze finden in den Tempeln nicht statt. Diese Feierlichkeit wird abwechselnd einen Monat in einem Gebiete, den folgenden in einem andern gehalten. Kabu hat, als ein Fremder, der Feier im Tempel nicht beigewohnt. Er ist in denselben nie eingetreten. Der ist außer den Opferzeiten jedem Andern als dem Häuptling und Priester verboten. (Matamat.)

Rongala hat zu Feis keine Tempel. Es giebt aber Zeiten, wo er auf die Insel herabsteigt und unsichtbar im Walde gegenwärtig ist. Dann dürfen die Menschen nicht laut sprechen oder gehen, dann nähern sie sich dem Walde nur mit Curcuma gefärbt und festlich geschmückt.

Wir theilen die Götterlehre von Ulea nach Don Luis de Torres getreu und ausführlich mit. Cantova, den wir hier zu vergleichen bitten, erzählt die Abstammung der Götter fast auf dieselbe Weise und etwas vollständiger. Die liebliche Mythe von Olifat ist völlig neu.

Angebetet werden drei Personen im Himmel, Aluelap, Lugeleng und Olifat. Der Ursprung aller Dinge ist aber, wie folgt. Vor allen Zeiten war ein Götterweib, Ligopup geheißen. Diese wird für die Erschafferin der Welt gehalten*). Sie gebar Aluelap, den Herrn alles Wissens, den Herrn der Herrlichkeit, den Vater von Lugeleng**). Wer aber Lugeleng's Mutter und wie dessen Geburt gewesen, weiß man nicht. Lugeleng hatte zwei Weiber, eine im Himmel und eine auf Erden. Die himmlische hieß Hamulul, die irdische Tariffo, die an Schönheit und andern natürlichen Gaben sonder gleichen war.

Tariffo gebar Olifat***) nach vier Tagen Schwangerschaft aus ihrer Scheitel. Olifat entlief sogleich nach seiner Geburt und man folgte ihm nach, um ihn von dem Blute zu reinigen. Er aber sagte: er wolle es selber thun, und litt nicht, daß man ihn berühre. Er reinigte sich an dem Stamme der Palmbäume, an denen er vorbeilief, daher sie ihre röthliche Farbe behalten. Man rief ihm zu und verfolgte ihn, um ihm die Nabelschnur abzuschneiden. Er aber biß sie sich selber ab; er sagte, er wolle selber für sich sorgen, und ließ sich von keinem Sterblichen berühren. Er gedachte, wie es Brauch sei, den Neugeborenen die Milch der jungen Cocosnuß trinken zu lassen, und kam zu seiner Mutter, die ihm den Cocos zu trinken reichte. Er trank und wandte die Augen gegen den Himmel, worin er seinen Vater Lugeleng gewahrte, welcher nach ihm rief.

*) Nach Cantova Ligopud, Schwester und nicht Mutter von Eliulep (Aluelap I.), Erschafferin der Menschen. Die ersten der Götter sind aber Sabucur und sein Weib Halmelul, Eltern von Eliulep und Ligopud.

**) Lugueileng nach Cantova, der dessen Mutter nennt Letenhieul aus Ulea gebürtig.

***) Dulefat Cant. Er nennt die Weiber von Lugueileng nicht, läßt aber die irdische Mutter von Dulefat aus der Insel Falalu der Provinz von Hogoleu gebürtig sein. — Diese Insel ist dem Kadu unbekannt; sie heißt Felalu auf der Karte von D. L. de Torres.

Da folgte er dem Rufe seines Vaters und seine Mutter mit ihm. Also schieden Beide von der Welt. Wie Olifat in dem Himmel angelangt war, begegnete er daselbst etlichen Kindern, die mit einem Haifische spielten, welchem sie eine Schnur um den Schwanz gebunden hatten. Er stellte sich, um unerkannt zu bleiben, aussätzig an. Da hielten ihn die Kinder fern von sich und berührten ihn nicht. Er begehrte von ihnen den Fisch, um auch damit zu spielen, und sie verweigerten ihm denselben. Einer jedoch erbarmte sich seiner und reichte ihm die Schnur, woran der Fisch gebunden war. Er spielte eine Weile damit und gab ihn sodann den Kindern wieder, sie ermahnend, sich nicht zu fürchten, sondern fort zu spielen; der Fisch werde ihnen Nichts thun. Er biß aber alle bis auf den, der sich dem Olifat gefällig erwiesen. Olifat hatte dem Haifisch, der zuvor keine Zähne gehabt und unschädlich gewesen, geflucht. Also ging er fürder durch den Himmel, seinen Fluch bei ähnlichen Gelegenheiten allen Kreaturen ertheilend, weil man ihn in der Herrlichkeit reizte. Da keiner ihn kannte und er zu seinem Vater noch nicht gekommen, der allein ihn erkennen konnte, stellte man seinem Leben nach. Er kam an einen Ort, da ein großes Haus gebaut wurde; er begehrte von den Arbeitern ein Messer, um Cocosblätter für das Dach schneiden zu helfen; sie schlugen es ihm aber ab; einer jedoch reichte es ihm und er schnitt sich eine Last Blätter; aber er verfluchte alle Arbeiter, bis auf den, der ihm behülflich gewesen, daß sie regungslos zu Bildsäulen erstarrten. Lugeleng aber, der Herr des Baues, erkundigte sich nach seinen Arbeitern, und es wurde ihm berichtet, wasmaßen dieselben regungslos wie Bildsäulen erstarrt seien. Daran erkannten Lugeleng und Aluelap, daß Olifat im Himmel wandelte. Sie fragten den Mann, der noch bei der Arbeit geschäftig Cocosblätter zu dem Bau trug: ob er Nichts umher gesehen, und er antwortete: er habe Nichts gesehen denn einen Canburu (eine Art Uferläufer), in welchen Vogel sich Olifat verwandelt hatte. Sie schickten den Mann aus, den Canburu zu rufen; als er es aber that, erschrack der Vogel ob der Stimme und flog davon. — Der Mann berichtete das, und die Götter fragten ihn, was er denn dem Vogel entboten. Er antwortete: er habe ihn kommen heißen. Sie schickten ihn abermals aus und unterwiesen ihn, den Vogel sich entfernen zu heißen, weil er den Häuptern hinderlich sei. Er that es also, und der Vogel kam alsbald herbei. Er verbot ihm ferner hineinzugehen und sich in Gegenwart der Häupter zu setzen, und der Vogel that alsbald, was ihm verboten ward. Sobald derselbe sich gesetzt hatte, befahl Lugeleng, die Arbeiter, welche im Walde erstarrt geblieben, zusammen zu rufen, und diese kamen alsbald zur Bewunderung der Umstehenden; denn Aluelap und Lugeleng wußten allein, daß Jener Olifat war.

Die Arbeiter fuhren nun mit dem Bau fort und gruben tiefe Löcher in den Boden, um die Pfosten darin aufzurichten. Dies schien ihnen, die damit umgingen den Olifat zu tödten, wegen des vielen Unheils, das er gestiftet, eine gute Gelegenheit zu sein. Olifat erkannte aber ihren Vorsatz und führte bei sich versteckt gefärbte Erde, Kohlen und die Rippe eines Palmblättchens. So grub er nun in der Grube und machte unten eine Seitenhöhle, sich darin zu verbergen. Sie aber glaubten, es sei nun die Zeit gekommen, warfen den Pfosten hinein und Erde um dessen Fuß und wollten ihn so zerquetschen. Er aber rettete sich in die Seitenhöhle, spie die gefärbte Erde aus, und sie meinten, es sei sein Blut. Er spie die Kohlen aus, und sie meinten, es sei die Galle. Sie glaubten, er sei nun todt. Mit der Cocosrippe machte Olifat durch die Mitte des Pfostens sich einen Weg und entwich. Er legte sich als ein Balken quer über den Pfosten, aus dem er herausgekommen, und wurde nicht bemerkt. Als nun das Tagewerk vollendet war, setzten sich die Arbeitsleute zum Mahl. Olifat schickte eine Ameise hin, ihm ein Bißlein Cocos zu holen. Sie brachte ihm ein Bröckelchen davon nach ihren Kräften. Er ergänzte selbiges nach seiner Macht zu einer ganzen Nuß. Er rief sodann laut: Gebet Acht da unten, ich will meinen Cocos spalten. Sie wurden ihn bei dem Ausruf gewahr und wunderten sich sehr, daß er am Leben geblieben sei. Sie hielten ihn für Alus, den bösen Geist*). Sie beharrten bei ihrem Vorsatz, ihn umzubringen, und sagten ihm, er solle nur seine

*) Nombre que dan al Diablo.

Mahlzeit beendigen, sie würden nachher ihm einen Auftrag geben. Sie schickten ihn nach dem Hause des Donners, demselben sein Essen zu bringen. Olifat nahm ein Rohr zu sich und ging getrost hin. Er kam zu dem Donner ins Haus und sagte ihm roh und herrisch: Ich habe mich ermüdet, dir die Nahrung eines mißgestalteten Mundes zu bringen. Er gab das Essen ab und ging. Der Donner wollte über ihn herfallen, er aber versteckte sich in sein Rohr. Der Donner konnte ihn nicht finden und ließ ab, ihn zu verfolgen. Olifat kam wieder hervor und erregte, da er aus dieser Prüfung ohne Unheil zurück gekehrt, desto größere Bewunderung. Die Werkleute schickten ihn abermals aus, dem Fische Fela sein Essen zu bringen*). Olifat trat ein in des Fisches Fela Haus, und da dieser selbst nicht zugegen war, so warf er denen, die da waren, das Essen hin, indem er sagte: Nehmet hin für euch, und ging. Als der Fisch nach Hause kam, so fragte er nach dem, der das Essen gebracht. Die Familie erzählte ihm: Einer hätte ihnen das Essen zugeworfen, sie wüßten aber nicht, wer er sei, noch wohin er gegangen. Der Fisch fing nun an, eine Angel an einer langen Leine nach allen Winden auszuwerfen, und wie er zuletzt die Angel nach Norden auswarf, so zog er den Olifat heraus. Da gab er ihm den Tod. Nachdem vier bis fünf Tage verstrichen, ohne daß Olifat wieder erschienen, so trösteten sich die, welche ihm im Himmel nachstellten, und meinten, er sei nun todt. Aber Lugeleng suchte seinen Sohn und fand ihn endlich entseelt und voller Würmer. Er hob ihn in seinen Armen empor und weckte ihn wieder auf. Er fragte ihn, wer ihn getödtet? Olifat antwortete: er wäre nicht todt gewesen, sondern hätte geschlafen. Lugeleng rief den Fisch Fela zu sich und schlug ihn mit einem Stocke über den Kopf und zerbrach ihm die obere Kinnlade. Daher die Gestalt, die er nun hat. Aluelap, Lugeleng und Olifat gingen nun in die Herrlichkeit ein, wo sie die Gerechtigkeit auszuüben sich beschäftigen.

Andere bringen die Zahl der Himmlischen auf sieben, als da

---

*) Dies ist ein Fisch, dessen obere Kinnlade um Vieles kürzer ist als die untere.

sind: Ligopup, Hautal, Aluelap, Litefeo, Hulaguf, Lugeleng und Olifat.

Auf die Frage, ob andere Inseln einen andern Glauben hätten, antworteten Etliche: dieses sei der Glaube der ganzen Welt, und die Welt würde untergehen, wenn es Aluelap verhänge.

Wir führen zur Vergleichung noch die Lehre der ehemaligen Einwohner der Marianen-Inseln an. Velardo T. 2. L. 291. Puntan war ein sehr sinnreicher Mann, der vor Erschaffung des Himmels und der Erde viele Jahre in den leeren Räumen lebte. Dieser trug, als er zu sterben kam, seiner Schwester auf, daß sie aus seiner Brust und Schultern den Himmel und die Erde, aus seinen Augen die Sonne und den Mond, aus seinen Brauen den Regenbogen verfertigte*).

Obgleich zu Ulea kein öffentlicher Dienst der Götter oder der Gottheit statt findet, sind doch nach Don Luis de Torres die Menschen nicht ohne frommen Sinn. Der Einzelne legt zuweilen Früchte als Opfer den Unsichtbaren hin, und es wird Niemanden verarget, dieses Opfer aufzunehmen und zu verzehren.

Cantova erwähnt einer eigenen Weise, das Loos zu befragen. Das Verfahren dabei ist folgendes. Man reißet aus einem Cocosblättchen von jeder Seite der Rippe zwei Streifen, indem man die Silbe pué pué pué rasch hintereinander hersagt, knüpfet sodann hastig und ohne zu zählen Knoten in jeglichen Streifen, indem man die Frage, die man dem Schicksal vorzulegen hat, mit vernehmbaren Worten wiederholt. Der erste Streifen wird zwischen dem kleinen und dem Ringfinger mit vier Knoten nach dem Innern der Hand genommen, der zweite zwischen dem Ring- und mittleren Finger mit

---

*) So in unserer nordischen Mythologie:

Or Ymis holdi	wörtlich:	Aus Ymer's Fleisch
Var iörth vm scavpvth		Ward die Erde geschaffen,
enn or beinom biörg,		Aber aus (seinen) Gebeinen Felsen,
Himinn or havsi		Der Himmel aus dem Schädel
ins hrimkalda iotvnns		Des eiskalten Giganten,
Enn or sveita siór.		Aber aus seinem Blute die See.

Vafthrudismal XXI. Edda saamundar p. 13.

drei Knoten nach dem Innern der Hand, so wie die andern mit abnehmender Knotenzahl zwischen dem mittleren und Zeigefinger und zwischen Zeigefinger und Daumen. — Nachdem die Zahl der nach dem Rücken der Hand heraushängenden Knoten mit den Zahlen der Finger, eins, zwei, drei und vier zusammentrifft oder davon abweicht, spricht sich das Loos günstig oder ungünstig aus.

Es werden zu Ulea, wie unter allen Völkern, der gläubigen Bräuche viele beobachtet, und auch manche Beschwörungen sind im Schwange. Wir haben das Zerschneiden des Delphins erwähnt. Es wird ein kleiner Fisch häufig gefangen, mit welchem Kinder nicht spielen dürfen. Geschähe es, daß wer einen dieser Fische bei dem Schwanze anfaßte und aufhöbe, so daß der Kopf nach unten hinge, würden bei dem nächsten Fischfange alle Fische eben so mit dem Kopf nach unten die Tiefe suchen, und es könnte keiner gefangen werden. Es dürfen nicht mehrere Menschen Früchte von derselben Bananentraube genießen. Wer eine der Bananen gegessen hat, nur der darf die andern verzehren.

Auf der wüsten Insel Fayo wird, wie auf Bygar, das süße Wasser in den Wassergruben besprochen.

Es giebt eine schwarze Vogelart, die auf dieser Insel in heiligem Schutze steht und die nicht getödtet werden darf.

Die von Eap sind ihrer Zauberkünste wegen berüchtiget. Sie verstehen den Wind zu besprechen, den Sturm zu beschwören, daß er schweige, und bei der Stille den Wind aus dem günstigen Rumbe herzurufen. — Sie verstehen, indem sie mit Beschwörungen ein Kraut ins Meer werfen, die Wellen aufzuwiegeln und unendliche Stürme zu erregen. Dem wird der Untergang vieler Fahrzeuge aus Mogemug und Feis zugeschrieben, ja die allmälige Entvölkerung dieser Insel. In einem süßen Wasser des Gebietes Sütemil befinden sich zwei Fische, nur spannenlang, aber uralt; sie halten sich beständig in einer Linie mit dem Kopfe gegen einander gekehrt. Wenn man den einen etwa mit einer Gerte berührt, daß er sich vorwärts bewege und beide sich kreuzen, so wird die Insel in ihrer Grundfeste erschüttert, und es ist des Erdbebens nicht Ruhe, bis beide ihre gewohnte Stellung wieder angenommen. Ueber diesen Fischen und dem Wasser, worin sie sich befinden, ist ein Haus erbaut, und darüber wachen die Häuptlinge, bei deren Tode manchmal ein Erdbeben veranstaltet wird.

Ein gewisser Conopel (er ist jetzt todt, sein Sohn Tamanagack ist ein Häuptling des Gebietes Eleal) zeigte einst unserem Freunde Kadu ein merkwürdiges Probestück seiner Kunst. Conopel bereitete aus Taro-Teig einen runden flachen Kuchen. Es war Nacht und Vollmondschein. Er begann unter Beschwörungen von seinem Kuchen zu essen. In dem Maaße, als er dessen Scheibe antastete und davon einen Einschnitt aß, ward die erst volle Scheibe des Mondes angegriffen und mehr und mehr sichelförmig ausgeschweift. Als er so eine Zeit lang magisch an dem Monde gezehrt hatte, änderte er sein Verfahren und seine Beschwörungen. Er hub an, den übrig gebliebenen weichen Teig seines Kuchens wiederum in die Form einer vollen Scheibe zu kneten, wobei denn die Mondsichel sich gleichmäßig wieder füllte und zuletzt der Mond wieder voll erschien. Kadu saß indeß dicht neben dem Beschwörer, betrachtete Alles, den Mond und den Kuchen, mit der größten Aufmerksamkeit und bewunderte, wie die Rundung beider gleichmäßig erst verletzt und dann wieder ergänzt wurde. Wir lassen die uns unverdächtige Aussage unseres kindergleichen Freundes auf sich beruhen, es aufgeklärten Auslegern überlassend, dieselbe auf eine Mondfinsterniß zu deuten, welche jedoch auf Eap vor Erfindung der Schrift nicht wohl als voraus berechnet angenommen werden darf.

Feste und Gelage, die bei verschiedenen Gelegenheiten, dem Durchbohren der Ohren der Kinder, dem Abschneiden ihres Haares auf Eap, dem Tatuiren u. a. m. statt finden, scheinen nichts Religiöses zu haben.

Gesang und Tanz, meist unzertrennlich, machen überall die Hauptergötzung, die Hauptlustbarkeiten aus. Es giebt verschiedene Arten Festspiele, die von den verschiedenen Geschlechtern oder von beiden vereint aufgeführt werden, und jede derselben hat einen anderen Charakter und einen eigenen Namen. Diese Gesänge werden aber von keinem musikalischen Instrument begleitet, und selbst die Trommel ist auf den Carolinen-Inseln unbekannt.

Die Häuptlinge scheinen nach einer Art Lehnssystem einander untergeordnet zu sein. Die Meinung erhebt sie hoch über das niedere Volk, und es werden ihnen außerordentliche Ehrfurchtsbezeigungen gezollt, die uns aus Cantova's Briefen und (für Pelli) aus dem Account of the Pelew islands bekannt sind. Man bückt sich vor ihnen zur Erde und kriecht nur zu ihnen hin. Im Angesicht der Insel Mogemug, Wohnsitz des Oberhauptes der Gruppe dieses Namens, lassen die Boote ihre Segel herab. Diese Verehrung der adeligen, vielleicht göttlichen Abstammung scheint in rein menschliche Verhältnisse nicht einzugreifen, welche unbeschadet der Rangverhältnisse, denen ihr Recht geschieht, zwischen Häuptling und Mann statt finden. Die Oberhäupter haben eine große Autorität und verwalten die strafende Gerechtigkeit nach dem Grundsatze der strengen Wiedervergeltung. Aug um Aug, Zahn um Zahn.

Die Verbrecher werden nach Cantova nur durch Verbannung gestraft. Wir erzählen unserm Freunde Kadu eine Geschichte nach, worin es sichtbar wird, wie mit großer Milde das Verbrechen weniger gesühnt als unterdrückt werden soll. Wir wähnen, Fin voleur, das volksthümliche Märchen aus dem Munde unserer Ammen zu vernehmen.

Auf einer Insel von Mogemug wurden die Bäume regelmäßig ihrer besten Früchte beraubt, ohne daß die Menschen, die aufmerksam einander bewachten, eine lange Zeit hindurch den Thäter zu entdecken vermochten. Sie wurden endlich inne, daß ein anscheinlich frommer Knabe allnächtlich aufstand und den Diebstahl verübte. Sie züchtigten ihn und gaben auf ihn Acht. Er aber belog ihre Wachsamkeit und ließ von seiner Sitte nicht ab. Sie sperrten ihn während der Nacht ein, sie banden ihm die Hände auf den Rücken, aber der schlaue Dieb verstand alle ihre Vorsicht zu vereiteln, und es geschah nach wie vor. Sie brachten ihn auf eine entlegene unbewohnte Insel der Gruppe, die kärglich zu der Nahrung eines Menschen genügen konnte. Sie ließen ihn da allein. Sie bemerkten aber bald, daß solches nichts gefruchtet, und ihre Bäume wurden nach wie vor beraubt. Etliche fuhren nach der wüsten Insel hinüber und fanden den jungen Menschen in großem Ueberfluß von den Früchten ihres Eigenthums schmausend. Ein Baumstamm diente ihm zu einem Boot und er fuhr allnächtlich auf seine Ernte aus. Sie zerstörten dieses Fahrzeug und überließen ihn, unschädlich gemacht, seiner Einsamkeit. Sie hatten nun Ruhe. Sie wollten nach einiger Zeit wissen, wie es ihm ginge, und Etliche fuhren wiederum nach der Insel. Sie sahen und hörten Nichts von ihm. Nachdem sie vergeblich im Walde nach ihm gerufen und gesucht, kehrten sie nach dem Strande zurück und fanden nun ihr Boot nicht mehr. Der schlaue Dieb war damit in die See gegangen. Er segelte nach Sorol über. Er ließ auf dieser Gruppe von seiner Tücke nicht ab, sondern sann auf größere Unternehmungen. Er vermochte den Häuptling von Sorol zu einem Anschlage gegen Mogemug. Er sollte bei einem nächtlichen Ueberfall die Häuptlinge tödten und sich die Obergewalt anmaßen. Die Verschworenen kamen bei Tage in Ansicht von Mogemug. Sie ließen die Segel nieder, die Nacht auf hoher See zu erwarten. Das Boot war dennoch bemerkt worden, und sie wurden, so wie sie landeten, umringt. Der Aufwiegler ward getödtet. Die von Sorol zogen frei nach ihrer Insel zurück.

Die Erbfolge geht zu Ulea und Eap, wie auf Radack, erst auf die Brüder, sodann auf die Söhne des Erstgeborenen.

Nach Kadu sollen die Häuptlinge ihrem Erstgeborenen den Namen ihres Vaters, dem zweiten Sohn den Namen des Vaters ihrer Frau, dem dritten wieder den Namen ihres Vaters und so fort; die Leute aus dem Volke hingegen ihrem Erstgeborenen den Namen des Vaters ihrer Frau, und den andern Kindern andere Namen geben, und so soll es auch auf Radack beobachtet werden. Nach D. Luis de Torres liegt in den Namen die Andeutung der Sippschaft, und es läßt sich daran erkennen, wessen Sohn und Enkel Einer sei.

Der freundliche Namentausch, eine allgemeine Sitte des östlichen Polynesien's, ist auf den Carolinen unbekannt, und Kadu leugnete anfangs, daß er auf Radack gebräuchlich sei, ob er gleich selbst in der Folge Beispiele davon anführte. —

Die Ehen werden ohne Feierlichkeit geschlossen. Der Mann

macht dem Vater des Mädchens, das er heimführt, ein Geschenk von Früchten, Fischen und ähnlichen Dingen. Die Ansehnlichkeit dieser Gift richtet sich nach dem Range des Brautvaters; denn Ehen finden auch zwischen Ungleichgeborenen statt. Ist nur der Vater oder nur die Mutter aus der Klasse der Häuptlinge, so werden die Kinder dieser Klasse auch zugezählt. Im ersten Fall erweiset der Mann und Vater seinem Weibe und seinen von ihr gezeugten Kindern die äußerlichen Ehrfurchtsbezeigungen, die ihrem Range zukommen. Die Mehrheit der Weiber ist zugelassen. Die Ehen werden ohne Förmlichkeit getrennt, wie sie ohne Förmlichkeit geschlossen werden. Der Mann schickt seine Frau ihrem Vater zurück. Die Männer wohnen ihren Weibern auch bei, wenn sie gesegneten Leibes sind, nicht aber wenn sie ein Kind an der Brust haben. Das Letztere geschieht nur auf Radack; das Erstere wird, gegen Wilson's Zeugniß, ausdrücklich von Pelli behauptet. Dort läßt ein Häuptling, der gewöhnlich mehrere Weiber hat, seine Stelle bei der seiner Frauen, die in diesem Falle ist, von einem ausgesuchten Manne (ab egregie mentulato quodam) vertreten. — Wir werden von den Sitten von Pelli besonders reden. — Ehefrauen sind auf den übrigen Inseln allein ihren Männern ergeben. Sie sind in Pflicht genommen und es scheint die Unverdorbenheit des Volkes ihre Tugend zu behüten. Unverheiratheten gewährt die Sitte, ihre Freiheit zu genießen. Sie bringen in eigenen großen Häusern die Nächte zu. Der Kindermord ist unerhört; der Fürst würde die unnatürliche Mutter tödten lassen.

Was wir von der Bestattung der Todten auf Radack berichtet, ist auch auf Ulea und den östlicher gelegenen Inseln Brauch. Auf Feis, Mogemug und Eap werden nach Kadu die Leichen Aller, ohne Unterschied der Geburt, auf den Inseln beerdigt. Wir sehen jedoch auf Mogemug nach der großen Tragödie, welche die Geschichte der carolinischen Missionen beschließt, gegen die Körper der erschlagenen bedrohlichen Fremden die Bräuche von Ulea beobachten und müssen glauben, daß Kadu in Rücksicht auf Mogemug irrt. Auf Eap sind die Begräbnisse im Gebirge. Die Bergbewohner holen die Leichen der im Thale Verstorbenen ab und erhalten für dieſes Amt ein Geſchenk an Früchten, Wurzeln u. ſ. w. Es ſcheint, daß keiner der Angehörigen zu Grabe folgt.

Ein unverbrüchlicher Freundſchaftsbund wird auf allen dieſen Inſeln ausſchließlich zwiſchen zwei Männern geſchloſſen, der mit ganz beſonderer Kraft die Verbündeten gegen einander verpflichtet. Der Häuptling und der geringe Mann können auch dieſes Bündniß eingehen, unbeſchadet der Rangverhältniſſe, denen ihr Recht fortwährend geſchieht. Ob ſich gleich dieſe Freundſchaft auf allen dieſen Inſeln wiederfindet, iſt ſie doch an verſchiedenen Orten mit verſchiedenen Rechten und Pflichten verknüpft. Auf Eap muß bei jedem Handel der Freund für ſeinen Freund ſtehen, und wo ihm Unbill geſchieht, oder wo er gefällt wird, liegt ihm die Pflicht der Rache ob. Zu gleichen Verpflichtungen kommt auf Ulea eine neue hinzu. Wenn der Freund die Gaſtfreundſchaft ſeines Freundes anſpricht, ſo tritt ihm dieſer auf die Zeit ſeines Beſuches ſein Weib ab, welches auf Feis und weſtlicher nicht geſchieht. Wir haben geſehen, daß auf Radack die Pflicht in erſter Hinſicht unverbindlicher, in anderer dieſelbe iſt als auf Ulea.

Die Berührung mit der Naſe iſt, wie auf den Inſeln des öſtlichen Polyneſien's, die bräuchliche Liebesbezeigung.

Den Krieg kennen unter den Carolinen nur Pelli, Eap, Tuch und die entlegneren Inſeln, womit Tuch in Fehde iſt. Die übrigen Inſeln genießen, wie Ulea, eines ungeſtörten Friedens. „Da — wiederholte oft und gern unſer gutherziger Gefährte — da weiß man Nichts von Krieg und Kampf, da tödtet nicht der Mann den Mann, und wer den Krieg ſieht, dem wird das Haar weiß.“ — Auf Eap hat nicht immer der Krieg geherrſcht. Sonſt erkannte die Inſel die Autorität eines Oberhauptes und es war Friede. Seit aber Gurr, der letzte Alleinherrſcher, nicht mehr iſt, fechten häufig die Häuptlinge der verſchiedenen Gebiete ihre Fehden blutig aus. Wo eine Uebertretung, eine Beleidigung geſchehen, wird das Tritonshorn geblaſen. Beide Parteien rücken in Waffen gegen einander. Man unterhandelt. Wo Genugthuung verweigert wird und kein Vergleich zu Stande kömmt, wird gekämpft. Der Krieg dauert, bis von jeglicher Seite einer aus der Klaſſe der Häuptlinge gefallen ist und die der Gegenpartei von seinem blutigen Fleische gekostet haben. Ein Jeder führt eben nur ein Stückchen zum Munde. Dies ist eine unerläßliche Förmlichkeit. Der Friede, wenn erst diese Bedingung erfüllt ist, tritt wieder ein, und Ehen zwischen beiden Gebieten besiegeln ihn. Der Charakter dieser Insulaner ist dennoch mild und gastfreundlich, wie auf den übrigen Inselgruppen. Der Fremde auf Eap und Pelli geht unbefährdet durch die kriegführenden Parteien und genießt hier und dort gleich freundlichen Empfang. — Die von Eap werfen den Wurfspieß in Bogen mit Hülfe eines rinnenförmigen Stückes Bambus, worin das unbewaffnete Ende des Geschosses gehalten wird und beim Wurf den Anstoß erhält. Sie treffen so auf eine außerordentliche Weite. Es scheint diese Waffe mit der der Aleuten und nördlichen Eskimos im Wesentlichen zusammenzutreffen. — Sie haben auch den zweispitzigen Wurfstab der Radacker. Derselbe Wurfspieß wird, wenn die Streitenden sich genähert, grad und mit der bloßen Hand geworfen. Es wird zuletzt damit Mann gegen Mann gefochten. Der Häuptling leitet mit dem Tritonshorn das Treffen. Die Kriegsmacht zieht auf Booten und Flößen von Bambus gegen das feindliche Gebiet. Der Landung sucht man zu wehren. Auf dem Lande fallen die entscheidenden Kämpfe vor.

Die von Tuch gebrauchen in der Nähe den Wurfspieß, aus der Ferne aber die Schleuder. Ihr Wurf ist weit und sicher, sie handhaben diese Waffe mit bewundernswürdiger Geschicklichkeit. Sie tragen sie auch im Frieden stets um das Haupt gebunden und gebrauchen sie, um Vögel zu tödten, Früchte von den Bäumen herabzuwerfen und dergleichen. Kadu hatte auf Ulea von Eingeborenen von Tuch die Schleuder brauchen gelernt, und er vertrieb sich oft unter uns die Zeit mit dieser Uebung, worin er übrigens sehr ungeschickt war.

Don Luis de Torres lobte an seinen Freunden von Ulea, was an unsern Freunden von Radack zu loben uns gefreut hat. Sie sind gut, freundlich, zierlich und schamhaft. Nie ist ein Weib an Bord der Maria gestiegen. Sie sind gemüthlich, liebevoll, freigebig und erkenntlich. Sie haben das Gedächtniß des Herzens.

Das Ding, das nützliche Werkzeug etwa, das sie als eine Gabe aus lieber Hand besitzen, erhält und trägt zum späten Angedenken unter ihnen den Namen des Freundes, der es ihnen verehrt hat. Und so wollte Kadu auf Radack den Thieren und Pflanzenarten, die wir eingeführt, unsere Namen zum ewigen Gedächtniß unser auflegen.

Von den Eingebornen der Pelew-Inseln (Palaos, Panlog) entwirft uns Cantova ein abschreckendes Bild*). Es sind nach den Nachrichten, die er eingesammelt, feindliche Menschenfresser. Dieselben erscheinen uns sodann in den Berichten des erkenntlichen Henry Wilson, der ihrer großherzigen Gastlichkeit die Rückkehr ins Vaterland verdankte, im günstigsten Lichte, dem Farbenspiele der Liebe, mit allen Tugenden ausgestattet, — und die That bewährt, daß sie die meisten dieser Tugenden ausgeübt. Wir leben mit Wilson unter diesem Volke, sehen mit eigenen Augen und urtheilen selbst. Seit Wilson haben die Engländer, Spanier, Amerikaner die Pelew-Inseln unausgesetzt besucht, verschiedene Europäer haben sich dort angesiedelt, und der Trepang wird fortwährend auf deren Riffe für den Markt von Canton gesammelt. Kadu aus Ulea war auf den Pelew-Inseln, und in seinem Urtheil geht eine Vergleichung beider Völker uns auf. Diese Vergleichung ist, wie das Urtheil unseres Freundes, den Eingeborenen von Pelli ungünstig. Kadu rügt besonders, wie er sie aller Scham entblößt befunden, so daß sie viehisch den Naturtrieb vor Aller Augen befriedigten. Er erweckte in uns das Bild einer ausschweifenden Verderbtheit, wie sie auf den Sandwich-Inseln zu Hause ist.

Etliche Blätter, die ein Spanier, der neun Monate auf den Pelew-Inseln zugebracht, uns in Cavite über diese Inseln mitge-

*) Peuple nombreux, mais inhumain et barbare; les hommes et les femmes y sont entièrement nus et se repaissent de chair humaine, les Indiens des Carolines regardent cette nation avec horreur, comme l'ennemie du genre humain et avec laquelle il est dangereux d'avoir le moindre commerce. Ce rapport me paroit fidèle et très conforme à ce que nous en a appris le P. Bernard Messia, comme on le peut voir dans sa relation. Dieser Bericht wird nirgends gefunden und scheint nicht gedruckt worden zu sein.

theilt, sind schmähend und nicht beurtheilend abgefaßt. Er macht weniger Eindruck auf uns als unser redlicher Freund, dessen Beschuldigungen er unter andern umständlich wiederholt. „Der Mann erkennt das Weib im Angesichte aller Menschen. Alle sind bereit, für jede Kleinigkeit ihre Weiber Preis zu geben rc." Aber er giebt ihnen auch schuld, Menschenfleisch zu essen, und gönnt ihnen von Menschen kaum die Gestalt.

Wir legen seine traurige Schrift aus der Hand, nachdem wir blos ihrer erwähnt. — Es sind wohl nicht mehr die unschuldigen, arglosen Freunde von Wilson. Was sie von uns gelernt, hat sie nicht besser gemacht.

Die Penrhyn-Inseln.*)

Die hohen, vollen Wälder, welche die Cocospalme auf den Penrhyn-Inseln bildet, täuschten uns von fern mit dem Anschein erhöheter Ufer. Rauch verkündete die Gegenwart des Menschen. Bald, als wir uns dem Lande genähert, umringten uns zahlreiche Boote, und ein friedliches Volk begehrte mit uns zu verkehren.

Die Insulaner sind stark und wohl gebaut, beleibter als die Bewohner der Oster-Insel und von derselben Farbe als sie. Sie sind nicht tatuirt, dagegen haben Viele quer in die Haut des Leibes und der Arme eingerissene Furchen, Striemen, die bei Einem noch frisch und blutend schienen. Es fehlen ihnen öfters die Vorderzähne. Aeltere Leute werden feist und haben dicke Bäuche. Wir bemerkten verschiedene Greise, die den Nagel des Daumes wachsen gelassen, ein redendes Ehrenzeichen ihres vornehmen Müßigganges. Bei Einem hatte dieser einwärts gebogene Nagel eine Länge von 2 bis 3 Zoll erreicht.

Wir zählten gegen 36 Boote. In jedem waren 7 bis 13 Männer, welche zu Einer Familie zu gehören schienen. Ein Greis (der Hausvater?) stand in der Mitte und führte das Wort. Er hatte, anscheinlich als Friedenszeichen, das Ende eines Cocosblattes um den Hals gebunden. Weiber befanden sich nur in drei Booten. In

*) Voyage of Governor Phillip. Second edition, London 1790, p. 233. — Lieut. Watts narrative of the return of the lady Penrhyn (Cap. Sever) p. 254. und Appendix p. 33. Table 7. p. 39.

diesen nahm ein bejahrtes Weib (die Hausmutter?) den hinteren Sitz ein und schien eine gewichtige Stimme in den Angelegenheiten der Männer zu haben. Die Autorität keines Einzelnen schien sich weiter als über sein eigenes Boot zu erstrecken.

Die Weiber tragen einen mit freihängenden Baststreifen besetzten Gürtel, welcher dem Männerkleide von Radack ähnlich ist; die Männer an dessen Statt nur ein durch Schnüre befestigtes Bündel von Cocosblättchen. Nur wenige hatten eine ärmliche Schulterbedeckung. Diese besteht in einer groben, aus zwei Stücken von einem Cocosblatt geflochtenen Matte. Ein Theil der Mittelrippe, der die Blättchen trägt, bildet den unteren Saum dieses korbähnlichen Mantels. Zuweilen sind gebleichte Pandanusblätter der Zierlichkeit wegen eingeflochten. Wenige trugen einen Kopfputz von schwarzen Federn.

Sie drängten sich gesprächig und zutraulich an das Schiff, keiner aber unterfing sich, unsern Einladungen, auf dasselbe zu steigen, Folge zu leisten. Sie hatten gegen unsere Waaren, nach denen sie sich begierig zeigten und die sie mit einer Art Verehrung empfingen, nur wenig zu vertauschen; einige Cocosnüsse, mehrstens unreife, den Durst zu löschen, zufällig mitgenommene Geräthschaften und ihre Waffen. Diese sind lange Spieße von Cocosholz, an deren Fuß eine Handhabe von anderem Holze mit Schnüren von Cocosbast befestigt ist und deren Spitze entweder erweitert und zweischneidig, oder einfach und lang zugespitzt ist. Sie weigerten sich erst, diese Waffen zu veräußern, und entschlossen sich nur dazu gegen lange Nägel oder wollene scharlachene Gürtel. Wir erhandelten von ihnen etliche Fischangeln, die, aus zwei Stücken ächter Perlemutter zusammengesetzt und auf das zierlichste gearbeitet, denen der Sandwich-Inseln vollkommen gleich waren.

Die Boote sind aus mehreren, mittels Schnüren von Cocosbast wohl an einander gefügten Holzstücken gearbeitet. Beide Enden sind über dem Wasser abgerundet und unter dem Wasser mit einem vorspringenden Sporen versehen. Sie haben einen Ausleger und die Waffen liegen auf demselben verwahrt.

Ein Boot, welches aus einer der entfernteren Inseln der Gruppe unter Segel auf uns zu kam, wurde nicht erwartet.

Die niedere Gruppe der Penrhyn ernährt reichlich eine starke Bevölkerung, welches das Ansehen der Menschen verbürgt. Wir kennen von ihren Erzeugnissen nur die Cocoswälder sonder Gleichen, die sie überziehen, und den Pandanus. Welche Früchte sonst und welche Wurzeln, ob auch das Schwein und der Hund, oder letzterer allein daselbst vorhanden sind, haben wir aus keinen Merkmalen abnehmen können.

Als wir uns von den Penrhyn entfernten, überhingen sie blitzend und donnernd Gewitterwolken und gewährten uns ein erhabenes Schauspiel, dessen man selten zur See genießt.

Die niedern Inseln unter dem 15° S. B. zwischen dem 138° und 149° W. L.

Die Insel Romanzoff.

Die niedern Inseln, welche wir gegen den 15. Grad südlicher Breite zwischen dem 138. und 149. Grad Länge westlich von Greenwich im Jahr 1816 gesehen, namentlich in der Ordnung, in der sie von Ost in West, der Richtung unsers Courses, auf einander folgen: die zweifelhafte Insel (Sumnitelny Ostroff), die Inseln Romanzoff und Spiridoff, die Ruriks- und Deans-Ketten und die Inseln Krusenstern, einerseits mit den Entdeckungen früherer Seefahrer und besonders mit denen von Le Maire und Shouten, deren Cours wir folgten, zu vergleichen, und anderer Seits ihre Namen auf der Karte von Tupaya, in deren Bereich sie sich befinden, aufzusuchen — überläßt der Verfasser dieser Aufsätze den gelehrten Hydrographen, die in Ansehung der gleichgestaltenen Riffe und niedern Inseln dieses Meerstriches der wissenschaftlichsten Kritik bedürfen.

Krusenstern hat in seinen Beiträgen zur Hydrographie S. 173 u. f. die erste dieser Aufgaben abgehandelt. Wir können jedoch in der traurigen Spiridoff-Insel die wohlbevölkerte und mit Cocosbäumen reich bewachsene Sondergrondt nicht erkennen, was uns andere seiner Bestimmungen mit zu erschüttern scheint.

Die von uns gesehenen Inseln haben uns alle unwirthbar und wirklich unbewohnt geschienen, der Cocosbaum erhebt sich nur auf der kleinen Insel Romanzoff, der einzigen, auf der wir landeten. Die Bildung, zu der sie insgesammt gehören, ist bereits erläutert worden. Wir haben nur über die, welche wir betreten haben, einige Bemertungen mitzutheilen. Ein Blick auf den Atlas wird in Rücksicht der übrigen belehrender sein als was wir zu sagen vermöchten.

Die Insel Romanzoff ist von geringem Umfange. Der aufgeworfene Damm von Madreporen-Geschieben, der ihren äußern Saum bildet, schließt eine Niederung ein, wo die Dammerde mehr Tiefe zu haben scheint und aus welcher sich schlangstämmige Cocospalmen hie und da erheben, ohne sich zu einem ganzen Walde zu drängen. — Der erhöhte schützende Rand ist auf der Seite unter dem Winde stellenweis durchbrochen, und es scheint, daß bei sehr hoher Fluth das Meer in das Innere der Insel eindringen müsse. Das an manchen Stellen angesammelte Regenwasser war vollkommen süß.

Die Flora ist von der äußersten Dürftigkeit. Wir zählten nur neunzehn Arten vollkommene Pflanzen (ein Farrenkraut, drei Monokotyledonen und funfzehn Dikotyledonen) und wir glauben nicht, daß viele unserer Aufmerksamkeit entgangen sind. Die niedern Akotyledonen, womit in höheren Breiten die Vegetation anhebt, scheinen zu fehlen. Die Lichene erscheinen nur an älteren Baumstämmen als ein pulverähnlicher Ueberzug, und der schwarze Anflug des Gesteins scheint nicht vegetabilischer Natur zu sein. Ein Moos und etliche Schwämme, die wir auf Radack gefunden, haben sich uns auf Romanzoff nicht gezeigt. — Die Pflanzen, die wir beobachteten, waren: ein Polipodium, der Cocosbaum, der Pandanus, ein Gras, Scaevola Königii, Tournefortia argentea, Lythrum Pemphis, Guettarda speciosa, eine Cassyta, eine Euphorbia, eine Boerhavia, eine krautartige Nesselart, Pflanzen, welche alle auf Radack vorkommen; und an Pflanzen, die daselbst fehlen: zwei strauchartige Rubiaceen, ein anderer Strauch, Lithospermum incanum Forst., Portulacca (oleracea?), Lepidium piscidium Forst. und eine Buchnera (?).

Gesträuche mit ganzrandigen, einfachen, meist fleischigen Blättern und farblosen Blüthen bilden ein leicht durchdringliches Gebüsch, über welches der Cocosbaum sich erhebt, worin der Pandanus sich allein durch seine auffallende Form auszeichnet und nur die Cassyta mit blätterlosen röthlichen Fäden rankt. Der Grund scheint überall durch das lose Pflanzenkleid hindurch.

Wir haben die Ratte, die freilich während der heißen Mittagsstunden (der Tageszeit, die wir auf der Insel zubrachten) sich eingezogen hält, nicht wahrgenommen. Verschiedene Arten Waldvögel (Numenius, Scolopax) waren auf der Insel häufig, sie schienen nicht den Menschen fürchten gelernt zu haben. Sie wichen nur vor unsern Tritten, wie zahmes Geflügel in einem Wirthschaftshof. Die Sterna stolida war unter den Wasservögeln am häufigsten. Der zutrauliche Vorwitz dieses Vogels hat ihm billig seinen Namen verdient. Es flogen uns in diesem Meerstrich mehrere buchstäblich in die Hände, und wir schenkten etlichen ihre Freiheit wieder, nachdem wir ihnen Zettel mit dem Namen des Schiffes und dem Datum um den Hals gebunden hatten.

Eine kleine Eidechse schien auf der Insel Romanzoff der einzige unbeflügelte Gast zu sein. Ein kleiner Schmetterling war gemein und das einzige Insekt, das uns in die Hände fiel.

Die Insel Romanzoff wird von andern Inseln her besucht, welche außer Sicht von derselben liegen. — Der Landungsplatz ist auf der Seite, die dem Winde zugekehrt ist. Von da aus führen glänzend in die scharfen Korallentrümmer getretene Pfade in verschiedenen Richtungen durch die Insel. Wir fanden im Innern ein der Verwesung überlassenes kleines Boot, das aus einem Cocosstamm ausgehöhlt und mit einem Ausleger versehen war. An zwei verschiedenen Stellen standen leichte, zirkelförmige Hütten, die aus wenigen Stäben, groben Matten und Cocosblättern zusammengesetzt waren. Wir fanden in einer derselben ein kammähnliches Geräth von Holz, mit Schnüren von Cocosbast zusammengefügt. Gruben waren zum Ansammeln des Regenwassers gehöhlt. Feuer hatte an verschiedenen Orten über der Erde gebrannt, Backgruben bemerkten wir nicht. Unter dem Winde der Insel schien längs dem Strande ein Platz zum Aufziehen von Leinen eingerichtet zu sein, und in der Nähe dieses Ortes war ein junger Baum mit abgeschnittenen Aesten, woran Cocosnüsse und Blätter und eine Schnur von Cocosbast hingen.

Feste Wohnungen oder Morais waren auf der Insel Romanzoff nicht, und wir fanden keine Merkmale eines neulichen Besuches der Menschen.

Waihu oder die Oster-Insel. — Salas y Gomez*).

Wir setzten eben nur den Fuß auf den Lavastrand der Oster-Insel, und schmeicheln uns nicht, die Kenntniß, die man davon hat, beträchtlich erweitern zu können. Wir beziehen uns auf die Berichte unserer Vorgänger, und suchen nur den Eindruck, den diese rasche Berührung in uns hinterließ, unsern Lesern zu vergegenwärtigen.

Die Oster-Insel erhebt sich mit breitgewölbtem Rücken, dreieckig, die Winkel an pyramidenförmige Berge anlehnend, majestätisch aus den Wellen empor. Es wiederholen sich in ihr im Kleinen die ruhig großartigen Linien von O-Waihi. Sie schien uns durchaus mit dem frischesten Grün angethan, die Erde überall und selbst an den steilsten Abhängen der Berge in gradlinige Felder eingetheilt, die sich durch anmuthige Farbenabstufungen unterschieden, und deren viele in gelber Blüthe standen. Wir staunten diese vulkanische, steinbedeckte, wegen ihres Mangels an Holz und Wasser berüchtigte Erde verwundert an!

Wir glaubten einige der kolossalen Bildsäulen, die so viel Bewunderung erregen, auf der Südostküste mit dem Fernrohr unterschieden zu haben. In Cooksbai auf der Westküste, wo wir die Anker fallen ließen, sind diejenigen dieser Büsten, die den Landungsplatz bezeichneten, und die Lisiansky noch gesehen hat, nicht mehr vorhanden.

---

*) Krusenstern Beiträge zur Hydrographie p. 219.

Zwei Kanots (wir sahen im Ganzen nur drei auf der Insel) waren uns, jedes mit zwei Mann bemannt, einladend entgegen gekommen, ohne sich jedoch an das Schiff heran zu wagen. Schwimmende hatten unser zum Sondiren ausgesetztes Boot umringt und den Tauschhandel mit ihm eröffnet. Die Untreue eines dieser Handelnden war streng bestraft worden. Wir ließen, eine Landung zu versuchen, ein zweites Boot in die See. Ein zahlreiches Volk erwartete uns friedlich, freudig, lärmend, ungeduldig, kindergleich und ordnungslos am Ufer. Mit Laperouse zu entscheiden, ob diese Kindermenschen zu bedauern sind, zügelloser zu sein als andere ihrer Brüder, ist unsers Amtes nicht. Gewiß ist es, daß dieser Umstand den Verkehr mit ihnen erschwert. Wir näherten uns dem Strande. Alles lief, jauchzte und schrie, Friedenszeichen, bedrohliche Steinwürfe und Schüsse, Freundschaftsbezeigungen wurden gewechselt. Endlich wagten sich die Schwimmenden haufenweise an uns heran, der Tauschhandel begann mit ihnen und ward mit Redlichkeit geführt. Alle, mit dem wiederholten Rufe Hoë! Hoë!, begehrten Messer oder Eisen gegen die Früchte und Wurzeln und die zierlichen Fischernetze, die sie uns anboten, zum Tausch. Wir traten auf einen Augenblick an das Land.

Diese als so elend geschilderten Menschen schienen uns von schönen Gesichtszügen, von angenehmer und ausdrucksvoller Physiognomie, von wohlgebildetem, schlankem, gesundem Körperbau, das hohe Alter bei ihnen ohne Gebrechen. Das Auge des Künstlers erfreute sich, eine schönere Natur zu schauen, als ihm die Badeplätze in Europa, seine einzige Schule, darbieten. Die bläulich breitlinige Tatuirung, die den Lauf der Muskel kunstreich begleitet, macht auf dem bräunlichen Grunde der Haut eine angenehme Wirkung. Es scheint an Bastzeugen kein Mangel zu sein. Weiße oder gelbe Mäntel davon sind allgemein. Frische Laubkränze werden in den bald länger bald kürzer abgeschnittenen Haaren getragen. Kopfputze aus schwarzen Federn sind seltener, wir bemerkten zierlich anliegende Halsbänder, die vorn mit einer geschliffenen Muschel (Patella) geschmückt waren. Keine unschöne, entstellende Zierrathen fielen uns auf. Die bei einigen Greisen durchbohrten und erweiterten Ohrlappen waren zusammengeknüpft, in das Loch wieder durchgezogen und unscheinbar. Die Schneidezähne waren öfters ausgebrochen. Einige junge Leute unterschieden sich durch eine viel hellere Farbe der Haut. Wir sahen nur wenige Weiber, diese mit dunkelroth gefärbten Gesichtern, ohne Reiz und Anmuth und wie es schien ohne Ansehen unter den Männern. Eine derselben hielt einen Säugling an der Brust. Wir halten uns deshalb zu keinem Schluß über das Zahlenverhältniß der beiden Geschlechter berechtigt.

Wenn wir die Berichte von Cook, Laperouse, Lisiansky und unsere eigenen Erfahrungen vergleichen, dränget sich uns die Vermuthung auf, daß sich die Bevölkerung der Oster-Insel vermehrt und der Zustand der Insulaner gebessert hat. Ob aber die wohlthätigen Absichten des menschenfreundlichen Ludwig XVI., der diesem Volke unsere Hausthiere, nutzbaren Gewächse und Fruchtbäume durch Laperouse überbringen ließ, erreicht worden, konnten wir nicht erfahren, und wir müssen es bezweifeln; wir sahen nur die in Cook aufgezählten Produkte, Bananen, Zuckerrohr, Wurzeln und sehr kleine Hühner.

Als wir am Abend die Anker lichteten, ruheten befruchtende Wolken auf den Höhen der Insel.

Wir haben die vermuthliche Veranlassung des zweifelhaften Empfanges, den man uns auf der Oster-Insel gemacht, seither erfahren und über uns selbst zu erröthen Ursache gehabt, wir, die wir diese Menschen Wilde nennen. —

Die Insel Salas y Gomez ist eine bloße Klippe, die nackt und niedrig aus den Wellen hervortaucht; sie erhebt sich sattelförmig gegen beide Enden, wo die Gebirgsart an dem Tage liegt, indem die Mitte anscheinlich mit Geschieben überstreut ist. Sie gehört nicht zu den Korallenriffen, die nur weiter im Westen vorzukommen beginnen. Vermuthen lassen sich Zusammenhang und gleiche Natur mit dem hohen vulkanischen Lande der nahgelegenen Oster-Insel. Noch sind keine Anfänge einer künftigen Vegetation darauf bemerkbar. Sie dient unzähligen Wasservögeln zum Aufenthalt, die solche kahle Felsen begrünten, obgleich unbewohnten Inseln vorzuziehen scheinen, da mit den Pflanzen sich die Insekten auch einstellen, und die Ameisen, die besonders ihre Brut befährden.

Die Seevögel, nach unserer unmaßgeblichen Erfahrung, werden am häufigsten über dem Winde der Inseln, wo sie nisten, angetroffen. — Man sieht sie am Morgen sich gegen den Wind vom Lande entfernen und am Abend mit dem Winde dem Lande zufliegen. Auch schien Kadu den Flug der Vögel am Abend zu beobachten.

Man soll bei Salas y Gomez Trümmer eines gescheiterten Schiffes wahrgenommen haben; wir späheten umsonst nach denselben. Man schaudert, sich den möglichen Fall vorzustellen, daß ein menschliches Wesen lebend darauf verschlagen werden konnte; denn die Eier der Wasservögel möchten sein verlassenes Dasein zwischen Meer und Himmel auf diesem kahlen sonnengebrannten Steingestell nur allzu sehr zu verlängern hingereicht haben.

Die Sandwich-Inseln. — Die Johnstone-Inseln.

O-Waihi steigt in großartig ruhigen Linien majestätisch aus den Wellen empor und gestaltet sich mit enormer Masse zu drei verschiedenen Berggipfeln, von denen auf zweien der Schnee mehrere Monate im Jahre liegt.

Wir haben beidemal die Sandwich-Inseln im Spätjahr besucht und auf den Höhen von O-Waihi keinen Schnee gesehen*).

Mauna-roa, der große Berg, La Mesa, die Tafel der Spanier**), erhebt sich breit gewölbt südlich im Innern der Insel und überragt die andern, die sich ihm anschließen. Mauna-kea, der kleine Berg, der nächste nach Mauna-roa, nimmt mit zackigen Zinnen den Norden ein. Der dritte, Mauna-Wororay, ein vulkanischer Pic, befindet sich auf der Westküste. Sein Krater ist in Vancouver's Atlas abgebildet. Auf seinen nackten Abhängen erschimmern Lavaströme, deren letzten er durch einen Seitenausbruch im Jahr 1801 nach dem Meere zu ergossen hat A). Das Dorf Powarua ist am

---

*) Im November 1816 und im September 1817.

**) O-Waihi und die Sandwich-Inseln, La Mesa oder La Mira und Los Monges der alten spanischen Karten (San Francisco von Anson's Karte möchte ebenfalls O-Waihi sein) mußten oft von den Galleonen auf der Fahrt von Acapulco nach Manila gesehen werden. Es ist zu bemerken, daß Herr Marini in den Volkssagen von O-Waihi keine Erinnerung früheren Verkehrs mit Europäern auffinden gekonnt.

A) Im Jahre 1774 nach Choris, Voyage pittoresque. Isle Sandwich p. 2.

Strande auf dieser schlackenartigen Lava erbaut. Der Mauna-Puoray, der die Nordwestspitze der Insel bildet, schließt sich als ein geringerer Hügel den Grundfesten von Mauna-kea an.

Die Höhen von O-Waihi erscheinen meist klar und rein während der Nacht und am Morgen; der Wasserdunst schlägt sich gegen Mittag an denselben nieder; die Wolken, die sich erzeugen, ruhen am Abend in dichtem Lager verhüllend über der Insel und lösen sich gegen Mitternacht wieder auf.

Wo wir uns O-Waihi genähert haben, die Nordwestspitze umsegelnd und längs der Westküste bis an den südlichen Fuß des Wororay bei Titatua, erscheinen die Abhänge kahl und sonnengebrannt. Etliche Gegenden gehören dem Feldbau an, die meisten überzieht ein fahler Graswuchs. Hoch unter den Wolken fängt erst die Region der Wälder an, und das Auge erreicht kaum die nackten Kronen des Riesenbaues. Der Strand bietet eine ununterbrochene Reihe von Ansiedlungen dar, die, wie man nach Süden fortschreitet, reicher umgrünt und von häufigeren Cocospalmen untermischt sich zeigen.

In der vulkanischen Gebirgskette der Sandwich-Inseln scheint allein noch der Wororay auf O-Waihi wirksam zu sein. Heiße Quellen befinden sich im Gebiete Kochala bei dem Wohnsitze des Herrn Jung, an der Küste südlich von Puoray. — Die Kette läuft von der Nordwestspitze von O-Waihi über die Inseln Mauwi, Morotoi und O-Wahu nach West-Nord-West. Der östlichere Berg auf Mauwi giebt an Höhe dem Wororay, dessen großartige Formen er wiederholt, nur wenig nach. Der westlichere ist niedriger, und sein Gipfel scheint in zwei verschiedene Spalten von Nord in Süd tief eingerissen zu sein.

Die großgezeichneten Berglinien senken sich auf Morotoi noch niedriger bis zu der ganz flachen westlichen Spitze dieser Insel. Das Gebirge erhebt sich wiederum auf O-Wahu (Waohoo der Engländer), wo es bei einem ganz verschiedenen Charakter kaum ein Viertheil der Höhe von O-Waihi erreicht. Zwei ungleiche Berggruppen erheben sich auf der Insel O-Wahu. Die östliche niedrige hat einen größern Umfang als die westliche, welche die höheren Gipfel enthält. Das Gebirge, von reichbewässerten, schön begrünten Thälern tief durchfurcht, erhebt zackige Gipfel in unruhigen Linien. Tiefer als in O-Waihi senken sich die Wälder auf ihren Abhängen zu den sonnengebrannten Ebenen, welche die Insel meist umsäumen und einst Korallenriffe waren, die das Meer bedeckte; und Korallenriffe erstrecken sich vor diesen Ebenen weit in das Meer. Eine Furche im Riff am Ausflusse eines Stromes angesammelter Berggewässer bildet am südlichen Fuß der östlichen Bergmasse den sichern Hafen von Hana-ruru, von welchem Orte aus sich unsere Exkursionen in verschiedenen Richtungen durch beide Theile der Insel erstreckten.

Der nächste niedrige Hügel hinter Hana-ruru ist ein alter Vulkanen-Krater, dessen verschütteter Mund, wie die äußeren Abhänge, mit dichtem Grase bewachsen ist. Ein anderer ähnlicher, aber größerer und höherer Krater begrenzt als ein meerbespültes Vorgebirge die Aussicht nach Osten. Angebliche Diamanten, die ein Europäer in dieser Gegend gefunden haben soll, haben den Tabu veranlaßt, mit dem dieser Berg belegt worden ist. Man hat uns als solche gemeine Quarzkrystalle gezeigt.

Das Gebirge erhebt sich hinter diesen nackten Vorhügeln schön begrünt in ungleichen Stufen zu seinem höchsten Rücken, welcher längs der nördlichen Küste läuft. Thäler und Schluchten führen zu den Pässen, die es zwischen seinen Gipfeln durchkreuzen. Das Thal Nuanu hinter Hana-ruru ist unter allen das weiteste und anmuthigste. Jenseits gegen Norden oder Nordosten bietet das Gebirge einen steilen Absturz, den man nur barfuß auf schwindligen Pfaden und Felsenstiegen erklimmen kann.

Niedere Hügel, von sonnengebrannten Savannen überzogen, vereinigen die beiden Bergmassen der Insel. Südlich dieser Hügel schlängelt sich mehrfach verzweigt bis an deren Fuß der Einlaß des Meeres, den die Engländer Pearl river nennen, durch eine weite Ebene, die ein meerverlassenes Korallenriff ist, dessen Oberfläche gegen zehn Fuß über den jetzigen Wasserspiegel erhaben sein mag.

Dieser Fiord scheint den schönsten Hafen darzubieten, doch soll eine Bank den Schiffen den Eingang versperren. Er nimmt nur vom östlichen Gebirge Wasserströme auf.

Das westliche höhere Gebirge, dessen Rücken nach dem Innern der Insel gekehrt ist, ergießt seine Gewässer in die Thäler, die es gegen Westen zwischen etliche Arme einschließt. Die Pässe zwischen den Gipfeln sind hoch und steil und nur auf gefährlichen Pfaden zu erklettern. Die Ueppigkeit der Vegetation, die in der Höhe von etwa dreihundert Toisen, zu welcher wir gestiegen, unverändert erscheint, entzieht meist dem Auge des Geognosten den Gegenstand seiner Forschung, und die Gebirgsart kommt selten an den Tag.

Wir haben in beiden Theilen der Insel nur Mandelstein und Thonporphyr beobachtet; schwarze Stellen, die wir von der See aus am östlichen Abhang und Fuße des größern alten Kraters bemerkten, schienen uns eine Lava zu sein.

Um die Gipfel der Berge sammeln sich die Wolken an, und Regen fällt häufig im Innern der Insel, während eine brennende Sonne den Strand versengt.

Die Temperatur verändert sich merklich, sobald man nur von den äußeren Ebenen in die Bergthäler tritt.

Wir besaßen bereits drei von einander sehr abweichende ungefähre Messungen der Höhe von Mauna-roa, nach King, Marchand und Horner. Die genauere Messung von Herrn von Kotzebue stimmt bis auf sechs Toisen mit dem Mittleren der drei früheren überein, und seine trigonometrische Arbeit über die übrigen Gipfel der Sandwich-Inseln bietet eine interessante Reihe dar[A]).

Die Kürze der Frist, die uns beidemal bestimmt war, erlaubte uns nur mit Betrübniß zu den Bergen von O-Waihi zu schauen,

---

A) Auf O-Waihi Mauna-roa	2482,4	Toisen.
Mauna-kea	2180,1	„
Mauna-Wororay	1687,1	„
Mauna-Puoray (mündl. mitgetheilt) .	817,3	„
Der östliche höhere Gipfel von Mauwi	1669,1	„
Auf O-Wahu der höchste Gipfel im N. W. . . .	631,2	„
der höchste Gipfel im S. O.	529,0	„

(Kotzebue's Reise II. S. 21 und 22.)

die uns zu verdienen schienen, der Zweck einer eignen Reise nach den Sandwich-Inseln zu sein. Wir mußten am Ziele selbst darauf Verzicht thun.

Mauna-roa von Titatua aus zu besteigen, erfordert eine Reise von mindestens zwei Wochen (man vergleiche Vancouver), und wenn wir zu Titatua und zu Powarua am Fuße selbst des Wororay dessen Gipfel in kurzer Frist zu ersteigen hoffen durften, blieb uns die Reise zum Schiff nach Hana-ruru in einem Doppelkanot der Eingeborenen unzuverlässig, da sich auf keinen Fall über ein solches Fahrzeug gebieten läßt, häufige Tabu die Schifffahrt hemmen, und die Ueberfahrt von O-Waihi nach Mauwi und von Morotoi nach O-Wahu von den Winden erschwert und lange verzögert werden kann. Was Archibald Menzies, der gelehrte Gefährte von Vancouver, in verschiedenen Reisen auf den Höhen von O-Waihi und Mauwi an Pflanzen gesammelt hat, ist mit so vielen andern Schätzen im Herbario Banks' noch vergraben; und obgleich der ehrwürdige Senior der Naturforscher sein Gazophylacium mit gleich unbeschränkter Gastfreiheit allen Gelehrten offen hält, hat keiner noch übernommen, uns mit der alpinischen Flora von O-Waihi bekannt zu machen.

Die Flora von O-Wahu hat mit der des nächsten Kontinents, der Küste von Californien, Nichts gemein. Die blätterlose Form der Akazien, die Gattungen Metrosideros, Pandanus, Santalum, Aleurites, Dracaena, Amomum, Curcuma, Tacca drücken ihr das Siegel ihres Ursprungs und ihrer natürlichen Verwandtschaft auf. Vorherrschend sind die Familien der Rubiaceen, Contorten und Urticeen, aus welchen letzten viele verschiedene wildwachsende Arten zur Verfertigung verschiedenartiger Bastzeuge benutzt werden.*) Etliche baumartige milchige Lobeliaceen zeichnen sich aus. — Der äußere Saum der Insel bringt nur wenige Arten Gräser und Kräuter her-

*) Der Papiermaulbeerbaum (Broussonetia papyrifera) wird auf den Sandwich-Inseln, wie auf den mehrsten Inseln der Südsee, zur Verfertigung von Zeugen angebaut. Man irrt aber zu glauben, daß nur aus dessen Rinde Zeuge gemacht werden.

vor. Im Innern ist die Flora reich, ohne jedoch an üppiger Fülle der brasilianischen Natur vergleichbar zu sein. Nur niedrige Bäume steigen hinab zu Thal; unter ihnen die Aleurites triloba, die mit weißlichem Laube sich auszeichnende Gebüsche um den Fuß und an dem Abhange der Berge bildet. Man findet hie und da in den hohen Bergschluchten wundervolle Bananenhaine, die, Stamm an Stamm gepreßt, eine dunkle Nacht unter ihren großen ausgebreiteten Blättern hegen. Diese Pflanze, die am Strande kultivirt kaum fünf Fuß hoch wird, erreicht an solchen Orten eine dreifache Höhe. — Die Akazie, aus deren Stamm die großen Kanots der Eingeborenen ausgehöhlt werden, erreicht nur im hohen Gebirge die dazu erforderliche Größe, und es findet sich auch nur da der Sandelbaum, dessen in China so sehr gepriesenes Holz dem Beherrscher dieser Inseln zu Schätzen verhilft, während das bedrückte Volk, welches dasselbe einsammeln muß, seinem Feldbau und seinen Künsten entzogen, verarmt.

Die Tarowurzel (Arum esculentum), zu einem zähen Brei, nachdem sie gekocht worden, gestampft, macht die Hauptnahrung des Volkes aus. Am fruchtreichsten unter den Sandwich-Inseln ist O-Wahu, von der O-Waihi einen Theil seines Bedarfs an Taro bezieht. Die Kultur der Thäler hinter Hana-ruru ist bewundernswürdig. Kunstvolle Bewässerungen unterhalten selbst auf den Hügeln Taropflanzungen, die zugleich Fischweiher sind, und allerlei nutzbare Pflanzungen werden auf den sie scheidenden Dämmen angebaut. Viele eingeführte Pflanzen werden nun neben den ursprünglich einheimischen angebaut; aber das Volk, welches seiner alten Lebensweise anhängt, macht von wenigen Gebrauch. Unter diese ist hauptsächlich der Tabak zu rechnen, dessen Genuß sich anzueignen alle Völker der Erde sich gleich bereitwillig erwiesen haben. Die Wassermelone, die Melone und das Obst überhaupt haben nächst dem Tabak die willigste Aufnahme gefunden. Außer dem verderblichen Kava werden gegohrne Getränke aus der Tea-root (Dracaena terminalis) bereitet, aber das Zuckerrohr wird dazu noch nicht benutzt.

15*

Der Betriebsamkeit des Herrn Marini als Landwirth haben die Sandwich-Inseln im Allgemeinen, und O-Wahu, sein jetziger Aufenthalt, insbesondere Vieles zu verdanken. Er hat unsere Thier- und Pflanzenarten unermüdlich eingeführt und vermehrt. Er besitzt bei Hana-ruru zahlreiche Rinderheerden. (Die Ziegen scheinen allgemeiner verbreitet.) Er besitzt Pferde, und wird Esel und Maulthiere, die in diesen Gebirgen nützlicher sind, vermehren. Viele ausländische Bäume und Gewächse werden in seinen Pflanzungen gehegt. Etliche, die er eingeführt, werden bereits überall verwildert gefunden, z. B. Portulacca oleracea. (Der einheimischen Flora gehören nur zwei andere Arten derselben Gattung an.) Er hat jüngst den Reis, nach mehreren vergeblichen Versuchen, aus chinesischem Samen aufgehen sehen. Er hat Weinberge von beträchtlichem Umfange angelegt, und die Traube gedeihet zum Besten; aber er ist in der Kunst, den Wein zu keltern, noch ungeübt. Wir haben auf unserer Reise vielfach in Erfahrung gebracht, daß überall die Kunst, die vorhandenen Produkte zu benutzen, dringenderes Bedürfniß sei als die Einführung neuer Erzeugnisse, und ergreifen diese Gelegenheit, menschenfreundlichen Reisenden einen nützlichen Fingerzeig zu geben. Es bedarf nur etlicher Bücher zum Unterricht.

Die einzigen ursprünglich wilden Säugethiere der Sandwich-Inseln sind eine kleine Fledermaus und die Ratte. Dieser hat sich nun unsere Hausmaus zugesellt, wie sich auch der Floh, Blatta-Arten und andere schädliche Parasiten eingefunden haben. Die Rinder sind nun im Innern von O-Waihi verwildert, wo der König zuweilen welche für seinen Tisch erlegen läßt. Wir bemerkten unter den Landvögeln die Nectarinia coccinea, deren geschätzte Federn einen Theil des Tributs ausmachen. Das Meer ist reich an Fischen, deren viele mit einer außerordentlichen Farbenpracht begabt sind. Sie gehören zu den Lieblingsspeisen der Eingeborenen, welche verschiedene Arten in den Tarofpflanzungen und in Fischweihern erziehen, die auf den Riffen längs dem Strande durch Mauergehege gebildet sind.

Unter den Krebsen zeichnen sich schöne Squilla- und Palinurusarten aus, unter den Muscheln die kleine Perlemuttermuschel, welche nur im Pearl river gefischt wird und aus der kleine Perlen von geringem Werth gewonnen werden.

Den reichsten und interessantesten Theil der Fauna möchten die Seewürmer und Zoophyten ausmachen. Es scheinen hier im Allgemeinen andere Arten als auf Radack vorzukommen. Das fortschreitende Wachsthum der Riffe selbst scheint den Eingeborenen nicht entgangen zu sein. Man erzählte uns, daß einmal die Menschen, welche auf Geheiß des Königs eine Mauer aufführten, wozu sie die Steine aus dem Meere holen mußten, bei der Arbeit geäußert, es würde solche von selbst nachwachsen und sich vergrößern.

Wir besitzen über die Sandwich-Inseln nur noch die Berichte flüchtiger Reisenden, welche uns in ihrer Treue nur Bilder vorführen, wo wir gründlichere Erkenntniß erwarten und zu begehren immer mehr gereizt werden. Cook entdeckte diese Inseln, und ein unglücklich begonnener Streit ließ ihn unter den starken und kriegerischen O-Waihiern sein schönes Leben beschließen. Sie hatten ihn wie einen Gott verehrt, sie verehren noch sein Andenken mit frommem Sinn. Der Handel folgte den Spuren von Cook nach der Nordwestküste von Amerika; und die Sandwich-Inseln, die den dahin fahrenden Schiffen alle Arten Erfrischungen darboten, erhielten sofort die Wichtigkeit, die ihnen ihr Entdecker beigelegt. Wir werden mit Vancouver einheimisch auf denselben. Ein großer Mann, den wir schon bei Cook als Jüngling kennen gelernt, hatte auf O-Waihi die Zügel der Macht ergriffen und strebte nach der Alleinherrschaft der gesammten Gruppe. Tameiameia versicherte sich des Schutzes von Großbritannien, indem er in die Hände seines Freundes Vancouver selbstständig, freiwillig und feierlich dem König Georg huldigte. Spätere Reisende bis auf Lisiansky, von den auf den Sandwich-Inseln angesiedelten Europäern unterrichtet, erweitern unsere Kenntniß derselben und berichten uns den Verlauf der Geschichte. Unsere gewinnsichtigen Abenteurer schüren geschäftig den Krieg, um die Waffen, womit sie bezahlen, in Preis zu erhalten. Tameiameia vollführt die Eroberung aller Inseln, und der König von Atuai (der im Westen abgesonderten Gruppe) eilet, sich freiwillig dem zu unterwerfen, dem er nicht widerstehen kann. Er wird zwar zur Empörung unter der Flagge der Russisch-Amerikanischen Compagnie verleitet, aber er sühnt sogleich sein Vergehen und huldigt seinem Lehnsherrn aufs Neue (1817).

Tameiameia, durch die Lage seines Reiches und das Sandelholz, das es hervorbringt, begünstigt, hat erstaunliche Reichthümer gesammelt. Er kauft mit baarem Gelde Geschütz und Schiffe, baut selbst kleinere Schiffe, die, wenn er das Kupfer sie zu beschlagen erspart, auf das Land gezogen unter Schuppen zu Titatua, Karakakoa und andern Orten der Insel O-Waihi verwahrt werden. Er schickt seine Schiffe aus, halb von Eingeborenen, halb von Europäern bemannt, und versucht, was ihm noch nicht geglückt, seiner Flagge Eingang in Canton zu verschaffen. Er wählt mit großer Menschenkenntniß unter den Europäern, die sich seinem Dienste anbieten; aber er ist gegen die, die er braucht, mit Löhnen und Gehalten freigebig; er ist großgesinnt und bleibt, bei der Belehrung, die er von den Fremden annimmt, dem Geiste seines Volkes und den väterlichen Sitten getreu.

Aber nach dem Tode des alten Helden wird sein durch Gewalt gegründetes und zusammengehaltenes Reich, dessen Theilung bereits entschieden und vorbereitet ist, in sich zerfallen.

Kareimoku, sonst Naja genannt (Bill Pitt der Engländer), aus dem königlichen Geblüt aus Mauwi entsprossen, ward nach der Eroberung dieser Insel, noch ein Knabe, von Tameiameia verschont, liebreich behandelt und auferzogen. Er hat ihm Liebe, Güter, Macht geschenkt, ihn zu einer Größe erhoben, die kaum der eignen weicht. Er hat das Recht, über Leben und Tod zu sprechen, in seine Hände niedergelegt. Er hat ihn stets treu befunden. Kareimoku, Statthalter von O-Wahu und Herr der Festung von Hana-ruru auf dieser letzteren, ihres Hafens wegen wichtigsten der Inseln, ist dieselbe an sich zu reißen gerüstet und kauft für eigne Rechnung Geschütz und Schiffe. Mit ihm ist einverstanden und in enger Freundschaft verbunden Teimotu, der, aus dem Königsstamm von O-Waihi und ein Bruder der Königin Kahumanu, die Insel Mauwi zu seinem Antheil erhält. Der König von Atuai wird unabhängig sein angeborenes Reich behaupten. Und der natürliche Reichserbe, der schwache, geistlose Liolio (Prince of Wales der Engländer), Enkel des letzten Königs von O-Waihi, Sohn von Tameiameia und der hohen Königin Kahumanu, vor dem sein Vater nur entblößt erscheinen darf, wird auf die Erbinsel O-Waihi beschränkt. Kein Ausländer, so viel ihrer auch unter den mächtigsten Häuptlingen und Reichsvasallen gezählt werden, kann über die Eingeborenen zu herrschen irgend einen Anspruch machen.

Bei diesen bevorstehenden Staatsumwälzungen werden die Sandwich-Inseln bleiben, was sie sind: der Freihafen und Stapelplatz aller Seefahrer dieser Meere. Sollte es irgend eine fremde Macht gelüsten, unsinnig Besitz von denselben zu nehmen, so würde es, die Unternehmung zu vereiteln, nicht der eifersüchtigen Wachsamkeit der Amerikaner bedürfen, welche sich den Handel dieser Meere fast ausschließlich angeeignet, und nicht des sichern Schutzes Englands. Die Eroberung könnte zwar gelingen. Das Fort im Hintergrunde des Hafens von Hana-ruru, welches Herr Jung ohne Sachkenntniß angelegt, ein bloßes Viereck von trocknem Mauerwerk, ohne Basteien oder Thürme und ohne Graben, entspricht nicht der doppelten Absicht des Herrschers, sich gegen äußern Angriff und innern Feind zu verwahren. Das Fort müßte, wo es steht, regelmäßig erbaut sein, und es sollte eine Batterie auf dem äußersten Rande des Riffes den Eingang des Hafens vertheidigen. Bei dem Vorrath an Geschütz und Waffen sind die Eingeborenen im Artilleriedienst wie in unserer Kriegskunst noch unerfahren. Ein erster Ueberfall könnte entschieden zu haben scheinen; aber die Sieger hätten nur die Erde zu ihrem eigenen Grabe erobert. Dieses Volk unterwirft sich Fremden nicht, und es ist zu stark, zu zahlreich und zu waffenfreudig, um schnell, wie die Eingeborenen der Marianen-Inseln, ausgerottet zu werden.

Dieses ist die geschichtliche Lage der Sandwich-Inseln. Was im Missionary register für 1818, Seite 52, behauptet wird, daß ein Sohn von Tamori, König von Atuai, welcher jetzt in der

Schule der auswärtigen Missionen zu Cornwall (Connecticut, Nordamerika) nebst andern O-Waihiern erzogen wird, der natürliche Erbe aller Sandwich-Inseln sei, verräth eine unbegreifliche Unkunde.

Noch sind keine Missionare auf die Sandwich-Inseln gekommen, und wahrlich, sie hätten auch bei diesem sinnlichen Volke wenig Frucht sich zu versprechen. Das Christenthum kann auf den Inseln des östlichen Polynesien's nur auf dem Umsturz alles Bestehenden sich begründen. Wir bezweifeln die Ereignisse auf O-Taheiti nicht, aber wir begreifen sie auch nicht, und Herr Marini, der diese Insel früher besucht, berichtete uns, was uns sehr anschaulich war, daß die Eingeborenen meist nur die Missionare besuchten, aus Lust, sich nachher an der Nachahmung ihrer Bräuche zu ergötzen.

Wir verdanken den Mittheilungen von William Mariner und dem rühmlichen Fleiß des D. John Martin den schätzbarsten Beitrag zur Kenntniß Polynesien's in dem befriedigenden Account of the Natives of the Tonga Islands. London 1818. Dieses wichtige Werk war zur Zeit unserer Reise nicht vorhanden und desto dringender das Bedürfniß eines ähnlichen über die O-Waihier. Die Begierde sowohl, die Sagen und die Geschichte, die gemeine und liturgische Sprache, die Religion und Bräuche, die gesellige Ordnung und den Geist dieses Volkes gründlich zu studiren, als die Sehnsucht, auf den Höhen von O-Waihi der Geschichte der Pflanzen und ihrer Wanderungen nachzuforschen, veranlaßten bei unserem ersten Besuch auf den Sandwich-Inseln den Naturforscher der Expedition, sich zu erbieten, auf denselben bis zur Rückkehr des Rurik's dahin zu verweilen. Diese Idee, die ohnehin die obwaltenden politischen Verhältnisse vereitelt hätten, ward mit den Zwecken der Expedition unvereinbar gefunden. Es ist unter dem großgesinnten Tameiameia und mit Beihülfe der in seinem Reiche angesiedelten Europäer, deren Erfahrung und Wissen dem gelehrten Forscher zu großem Vorsprung gereichen würden, jetzt an der Zeit, dieses Werk zu unternehmen und was die O-Waihier noch von sich selber wissen, der Schrift anzuvertrauen; denn wo Monumente und Schrift fehlen, verändern sich unter fremder Einwirkung die Sprachen, die Sagen verschallen, die Sitten gleichen sich aus, und der Europäer wird einst auf den Sandwich-Inseln nur anerzogene Europäer finden, die ihrer Herkunft und Väter vergessen haben.

Herr Marini scheint unter allen dort ansässigen Europäern die umfassendste Kenntniß des Volkes von O-Waihi zu besitzen. Er hat es in vielfacher Beziehung studirt und seine Erfahrungen auf andern Inseln der Südsee, von O-Taheiti bis auf den Pelew-Inseln, zu vergleichen und zu bereichern auf verschiedenen Reisen Gelegenheit gehabt. Herr Marini hatte geschrieben; wir bedauern mit ihm den Verlust seiner Manuskripte. Er hatte uns bei unserm ersten Aufenthalt zu Hana-ruru versprochen, etliche Fragen, die wir ihm vorgelegt, schriftlich zu beantworten und uns bei unserer Rückkehr seine Aufsätze zu überreichen. Aber wir wurden in der Hoffnung, zu der er uns berechtigte, getäuscht. Er hatte die Zeit zu dieser Arbeit nicht erübrigt, und er war während unseres zweiten Aufenthalts für die im Hafen liegenden Schiffe dergestalt beschäftigt, daß wir kaum in flüchtigen Momenten seines lehrreichen Gesprächs genießen konnten.

Herr Marini bedauerte den neulich erfolgten Tod eines Greises von O-Wahu, welcher in den alten Sagen seines Volkes besonders bewandert war und mit dem bereits ein Theil der überlieferten Geschichte verklungen sein mag. Die alten Sagen werden sehr verschieden erzählt. Es hat eine Fluth gegeben, bei welcher blos der Gipfel von Mauna-roa aus den Wellen hervorgeragt hat. Die Menschen haben sich auf denselben gerettet. Es hat noch vor dieser Fluth eine andere Weltumwälzung gegeben, bei welcher die Erde vierzig Tage lang verdunkelt gewesen ist.

Es sind ehemals Fremde, ihr Name wird genannt, auf einem Boot auf den Sandwich-Inseln angelangt. Herr Marini hat eine Sage auf O-Taheiti vernommen, nach welcher Seefahrer dieser Insel, die zur See verloren gegangen, eben die sind, die auf die Sandwich-Inseln verschlagen worden.

Die Verhältnisse einer geselligen Ordnung, die auf keinem geschriebenem Rechte und Gesetze, sondern mächtiger als die Gewalt auf Glauben und Herkommen beruhen, sind verschiedentlich angesehen und gedeutet zu werden fähig. Herr Marini nimmt im Volke von O-Waihi vier Kasten an: de Sangre real, die Fürsten; de hidalguia, der Adel; de Gente media, der Mittelstand (der bei weitem die Mehrzahl der Bevölkerung ausmacht); und de baxa plebe, das niedere Volk, ein verachtetes Geschlecht, welches nicht zahlreich ist. Sonst war jeder Weihe gleich dem Adel geachtet, jetzt hängt sein Verhältniß von seiner Persönlichkeit ab.

Man könnte das Wort Hieri, jeri, erih, ariki oder hariki (Chief, Chef, Häuptling) am besten durch Herr übersetzen. Der König ist Hieri ei Moku, der Herr der Insel oder Inseln. Jeder mächtige Fürst oder Häuptling ist Hieri nue, Großer Herr, und so werden ohne Unterschied Tameiameia, Kareimoku, Haul-Hanna (Herr Jung) u. A. genannt.

Dem Herrn der Insel gehört das Land, die Herren besitzen die Erde nur als Lehen; die Lehen sind erblich, aber unveräußerlich, sie fallen dem König wieder zu. Mächtige Herren mögen wohl sich empören und was sie besitzen vertheidigen. Das Recht des Stärkeren macht den Herrn der Insel aus. Die großen Herren führen unter sich ihre Fehden mit den Waffen. Diese kleinen Kriege, die ehemals häufig waren, scheinen seit 1798 aufgehört zu haben. Der Herr führt im Kriege seine Mannen an, kein Unedler kann ein Lehen besitzen und Mannen anführen. Er kann nur Verwalter des Gutes sein. Welche die Erde bauen, sind Pächter oder Bauern der Lehnbesitzer oder unmittelbar des Königs. Von aller Erde wird dem König Tribut bezahlt. Ueber die verschiedenen Inseln und Gebiete sind vornehme Häuptlinge als Statthalter gesetzt. Das Volk steht fast in der Willkür der Herren, aber Sklaven oder Leibeigene (glebae adscripti) giebt es nicht. Der Bauer und der Knecht ziehen und wandern, wie es ihnen gefällt. Der Mann ist frei; getödtet kann er werden, nicht aber verkauft und nicht gehalten. Herren oder Adlige ohne Land dienen Mächtigeren. Der Herr der Insel unterhält ihrer viele, und seine Ruderer sind ausschließlich aus dieser Kaste. Es versteht sich, daß die Kasten dergestalt geschieden sind, daß kein Uebergang aus der einen in die andere möglich ist. Ein Adel, der gegeben und genommen werden kann, ist keiner. Das Weib wird nicht des Standes ihres Mannes theilhaftig. Der Stand der Kinder wird nach gewissen, sehr bestimmten Gesetzen, vorzüglich durch den der Mutter, aber auch durch den des Vaters bestimmt. Eine Edle, die einen Mann aus dem niedern Volk heirathet, verliert ihren Stand erst dadurch, daß sie ihm Kinder gebiert, in welchem Falle sie mit ihren Kindern in die Kaste ihres Mannes übergeht. Nicht die Erstgeburt, sondern bei der Vielweiberei die edlere Geburt von Mutterseite bestimmt das Erbrecht. Die Ungleichheit des Adels und der verschiedene Grad des Tabu oder der Weihe, die jedem vornehmeren Häuptling nach seiner Geburt und unangesehen seiner Macht zukommt, sind uns nicht hinlänglich erklärt. Der Vorgänger Tameiameia's auf O-Waihi war dergestalt Tabu, daß er nicht bei Tag gesehen werden durfte. Er zeigte sich nur in der Nacht; wer ihn bei Tageeschein zufällig nur erblickt hätte, hätte sofort sterben müssen: ein heiliges Gebot, dessen Vollstreckung Nichts zu hemmen vermag. Die menschlichen Opfer, die herkömmlich beim Tode der Könige, Fürsten und vornehmen Häuptlinge geschlachtet und mit deren Leichen bestattet werden sollen, sind aus der niedrigsten Kaste. In gewissen Familien dieser Kaste erbt nach bestimmten Gesetzen das Schicksal, mit den verschiedenen Gliedern dieser oder jener vornehmen Familien zu sterben, so daß von der Geburt an verhängt ist, bei wessen Tode einer geopfert werden soll. Die Schlachtopfer wissen ihre Bestimmung, und ihr Loos scheint nichts Abschreckendes für sie zu haben. Der fortschreitende Zeitgeist hat diese Sitte bereits antiquirt, welcher kaum noch bei dem Tode des allerheiligsten Hauptes nachgelebt werden dürfte. — Als nach dem Ableben der Mutter von Kahumanu sich drei Schlachtopfer von selbst meldeten, ihr Verhängniß zu erfüllen, ließ Kareimoku solches nicht geschehen, und es floß kein menschliches Blut. Wohl finden noch Menschenopfer statt, die man aber mit Unrecht den O-Waihiern vorwerfen würde. Sie opfern die Verbrecher ihren Göttern, opfern wir sie doch in Europa der Gerechtigkeit. Jedes Land hat seine Sitten. Was waren unter Christen die Autos da fe, und seit wann haben sie aufgehört? Die Sitte übrigens Menschenfleisch zu essen hatte lange vor Cook's Tode aufgehört. Die letzten geschichtlichen Spuren davon lassen sich auf der Insel O-Wahu nachweisen.

Jeder vornehme Häuptling hat seine eigenen Götter (Akua), deren Idole in allen seinen Morais wiederholt sind. Andere haben andere. Der Kultus dieser Idole scheint mehr vornehmer Prunk als Religion zu sein. Das Volk muß dieser Bilder entbehren und macht verschiedene Kreaturen, Vögel, Hühner u. a. m., zum Gegenstande seines Kultus. Vielgestaltig ist auf den Sandwich-Inseln der Aberglaube. Wir wohnten als Gast Kareimoku's der Feier eines Tabu pori bei, die von einem Sonnenuntergang bis nach dem Sonnenaufgang des dritten Tages währt. Man weiß die Art Heiligkeit, die, wer Antheil an diesem Verkehr mit den Göttern nimmt, während der Zeit seiner Dauer bekommt. Sollte er ein Weib nur zufälliger Weise berühren, so müßte es sofort getödtet werden. Sollte er ein Weiberhaus betreten, so müßte es sofort die Flamme verzehren. Wir erwarteten bei diesen Gebeten und Opfern einigen Ernst; uns befremdete die profane Stimmung, die herrschend war, der unehrbare Scherz, der mit den Bildern getrieben wurde, und die Schwänke, in die man uns während der heiligen Handlungen zu ziehen sich ergötzte. Kinder spielen mit frömmerem Sinn mit ihren Puppen.

Alle hemmende Gesetze des Tabu*) bestehen übrigens in ungebrochener Kraft. Wir sahen selbst um unser Schiff die Leiche eines Weibes schwimmen, die, weil sie in der Trunkenheit das Speisehaus ihres Mannes betreten, getödtet worden war. Es sollen

---

*) Man kennt sie aus den Reisebeschreibungen (Cook, Vancouver, Turnbull, Lisiansky u. a. m.). In einer Familie gehören nothwendig drei Häuser, das Speisehaus der Männer ist den Frauen verboten (tabu). Das Wohnhaus ist das gemeinschaftliche, das Haus der Frauen ist unserem Geschlechte nicht versperrt, aber ein anständiger Mann geht nicht hinein. Jedes Geschlecht muß seine Speise selbst und bei besonderem Feuer bereiten. Auf Schiffen ist das Verbot (tabu) weniger streng. Beide Geschlechter dürfen sich nicht in das Fleisch desselben Thieres theilen. Das Schweinefleisch (nicht das Hundefleisch, welches nicht minder geschätzt wird) und das Schildkrötenfleisch, wie auch etliche Arten Früchte, Cocos, Bananen u. a. m. sind den Weibern untersagt (tabu). Die männlichen Bedienten der Frauen sind in vielen Hinsichten denselben Beschränkungen unterworfen als sie selbst u. s. w.

jedoch die Weiber, wo sie unbelauscht sich wissen, die häufigen sie betreffenden Verbote zu übertreten keinen Anstand nehmen. Der Verkehr mit den Europäern hat bis jetzt auf die gesellige Ordnung, die Art und Weise dieses Volkes äußerlich wenig eingewirkt. Gewiß nur die Laster, die Künste der Verderbtheit, die in diesen kindergleichen Menschen empörend sind, haben wir in ihnen auszubilden beigetragen. Ingens nostratium Lupanar! Turpissimis meretricum artibus, foetidissimis scortorum spurcitiis omnis instructa est femina vel matrona. Omnis abest pudor, aperte avideque obtruditur stuprum, precio flagitato. Aperte quisque maritus uxorem offert, obtrudit solventi.

Ein Vorfall, welcher sich gegen das Jahr 1807 ereignete, wird von dem Gerüchte verschiedentlich erzählt. Wir folgen dem Berichte von Herrn Marini.

Ein Neffe des Königs ward in den Armen der Königin Kahumanu angetroffen. Er selbst entsprang, sein Gewand aber blieb zurück und verrieth ihn. Er ward ungefähr drei Tage nach der That von den Großen des Reiches ergriffen und strangulirt. Ein Soldat der Wache meldete dem Könige zugleich die Strafe und das Verbrechen. Es war so in der Ordnung. Tameiameia bedauerte den armen Jüngling und weinte Thränen um ihn.

Wir haben die O-Waihier in Vergleich mit unsern Freunden von Radack eigennützig, unzierlich und unreinlich gefunden. Sie haben im Verkehr mit Fremden, von denen sie Vortheil ziehen wollen, die natürliche Gastfreundschaft verlernt. Ihr großes mimisches Talent und die Gewohnheit macht ihnen sich mit uns zu verständigen leicht. Sie sind ein unvergleichlich kräftigeres Volk als die Radacker. Daraus entspringt größeres Selbstvertrauen und rücksichtslosere Fröhlichkeit. Die Häuptlinge besonders sind von dem schönsten, stärksten Körperbau. Die Frauen sind schön aber ohne Reiz.

Frühere Reisende haben bemerkt, daß auf den Sandwich-Inseln natürliche Mißbildungen häufiger sind, als auf den übrigen Inseln des östlichen Polynesien's. Wir haben auf O-Wahu verschiedene Bucklige, einen Blödsinnigen und mehrere Menschen einer Familie mit sechs Fingern an den Händen gesehen.

Die O-Waihier sind wenig und unregelmäßig tatuirt. — Es ist merkwürdig, daß jetzt diese volksthümliche Verzierung ausländische Muster entlehnt. Ziegen, Flinten, auch wohl Buchstaben, Name und Geburtsort werden häufig längs dem Arme tatuirt. Die Männer scheeren sich den Bart und verschneiden ihr Haar in die Gestalt eines Helmes, dessen Kamm öfters blond oder weißlich gebeizt wird. Die Frauen tragen es kurz geschoren, und nur um die Stirn einen Rand längerer, mit ungelöschtem Kalk weiß gebrannter, borstenartig aufstarrender Haare. Oft wird auch mitten auf der Stirn eine feine lange Locke ausgespart, die violet gebeizt und nach hinten gekämmt wird. Den Europäern zu gefallen, lassen Etliche ihr Haar wachsen, und binden es hinten in einen Zopf gleich dem, der 1800 im preußischen Heer vorschriftsmäßig war. Die O-Waihier sind im Allgemeinen ihrer volksthümlichen Tracht wie ihrer Lebensart weislich treu geblieben. — Ihre Fürsten erschienen nur uns zu Ehren in feinen englischen Kleidern aufs sauberste angethan; und sie ahmten mit Anstand unsere Sitten nach. Sie sind sonst daheim heimisch gekleidet, und nur ihr fremder Gast wird in Porzellan und Silber bedient. Die Mode herrscht auch auf O-Waihi mit wechselnden Launen besonders über die Frauen. Der Schmuck, den die Königinnen und Vornehmen tragen, steigt alsbald außerordentlich im Werth. Alle tragen jetzt Spiegel und Pfeifenkopf an einem europäischen Tuch um den Hals gebunden. Die Europäer gehen europäisch gekleidet und entblößen sich vor denen nicht, deren Rang diese Ehrfurchtsbezeugung sonst heischt.

Viele O-Waihier verstehen etwas englisch, keiner aber ist der Sprache vollkommen mächtig, selbst die nicht, die auf amerikanischen Schiffen gereiset sind, wie es sehr viele gethan. Die Buchstaben hat wohl keiner erlernt.*) Es sind nur unsere Schiffe, die ihre ganze

---

*) Tameiameia versteht englisch, ohne es zu reden. Liolio hat zwei Zeilen auf englisch schreiben gelernt, worin er sich eine Flasche Rum von dem Schiffskapitain ausbittet. Louis XIV. lernte als Kind schreiben: L'hommage est dû aux Rois „Ils font ce qu'il leur plait." (Manuskript der Dubrowski'schen Sammlung in der Petersburger Kaiserlichen Bibliothek.)

Aufmerksamkeit auf sich ziehen. Wir sahen mit Bewunderung zu Titatua Kinder mit einer Gerte Schiffe in den Sand des Strandes zeichnen. Zwei- und Dreimaster waren in dem richtigsten Ebenmaaß und mit den geringfügigsten Kleinigkeiten der Takelage versehen. Die O-Waihier bauen indeß ihre Boote nach alter Weise, einfache und doppelte. Größere Doppelkanots des Königs, welche die Verbindung der verschiedenen Inseln zu unterhalten dienen, sind nach europäischer Art betakelt worden. Man muß nicht mit Zimmermann (Australien) die Boote des östlichen Polynesien's (Freundschafts-, Sandwich-Inseln u. s. w.), die auf Rudern gehen und auf Segeln nur vor dem Winde, mit den kunstreichen Fahrzeugen der Insulaner der ersten Provinz (der Ladronen u. s. w.), welche bei allen Winden blos auf Segeln gehen, verwechseln. Die ersteren sind uns aus Cook und den neuern Reisenden, die letzteren aus Dampier, Anson u. a. hinlänglich bekannt.

Wie an der Schifffahrt, haben die kriegerischen O-Waihier an ihren Waffen, an ihren Wurfspießen, Lust. Sie erfreuen sich an Waffenspielen, die nicht ohne Gefahr sind, und üben sich als Knaben schon den Wurfspieß zu werfen. — Das Lieblingsspiel der Knaben und Jünglinge, mit kurzen leichten Rohrhalmen, womit der Wind spielt, sicher nach einem wandernden Ziele in die Wette zu werfen, scheint auf diese Waffe zu deuten. Sie haben wenig andere Spiele. Das eigene Bretspiel, welches sich bei ihnen vorgefunden hat, wird jetzt von unserm europäischen Damenspiel verdrängt.

Poesie, Musik und Tanz, die auf den Südseeinseln noch Hand in Hand, in ihrem ursprünglichen Bunde einhertreten, das Leben der Menschen zu verschönen, verdienen vorzüglich beachtet zu werden. Das Schauspiel der Hurra, der Festtänze der O-Waihier, hat uns mit Bewunderung erfüllt.

Die Worte verherrlichen meist, wie Pindarische Oden, den Ruhm irgend eines Fürsten. Unsere Kenntniß der Sprache reichet nicht hin, ihre Poesie zu beurtheilen. Der Gesang ist an sich monoton. Er mißt mit den ihn begleitenden Trommelschlägen die Wendungen des Tanzes ab, trägt gleichsam auf seinen Wellen eine höhere Harmonie. — Im wandelnden Tanze entfaltet sich nach diesem Takt die menschliche Gestalt aufs herrlichste, sich im Fortfluß leichter ungezwungener Bewegung in allen naturgemäßen und schönen Stellungen darstellend. Wir glauben die sich verwandelnde Antike zu sehen; die Füße tragen nur den Tänzer. Er schreitet gelassen einher. Sein Körper bewegt sich, seine Arme, alle seine Muskeln regen sich, sein Antlitz ist belebt. Wir schauen ihm, wie dem Mimen, in das Auge, wenn uns seine Kunst hinreißt. Die Trommelschläger sitzen im Hintergrunde, die Tänzer stehen vor ihnen in einer oder mehreren Reihen, alle mischen ihre Stimmen im Chor. — Der Gesang hebt langsam und leise an und wird allmälig und gleichmäßig beschleunigt und verstärkt, indem die Tänzer vorschreiten und sich ihr Spiel belebt. — Alle führen dieselben Bewegungen aus. Es ist, als stünde derselbe Tänzer mehrere Mal wiederholt vor uns. Wir werden bei diesen Festspielen O-Waihi's an den Chor der Griechen, an die Tragödie, bevor der Dialog hervorgetreten war, erinnert, und wenden wir den Blick auf uns zurück, so erkennen wir, auf welchen Abweg wir lächerlicherweise gerathen sind, den Tanz in die Bewegung der Füße zu bannen. Diese Festspiele berauschen mit Freude die O-Waihier. Ihre gewöhnlichen Lieder werden in demselben Sinn, stehend oder sitzend, getanzt; sie sind von sehr verschiedenem Charakter, aber stets mit anmuthigen Bewegungen des Körpers und der Arme begleitet. Welche Schule eröffnet sich hier dem Künstler, welcher Genuß bietet sich hier dem Kunstfreunde dar!

Diese schöne Kunst, die einzige dieser Insulaner, ist die Blüthe ihres Lebens, welches den Sinnen und der Lust angehört. Sie leben ohne Zeitrechnung in der Gegenwart, und ein bejahrtes Weib weiß blos von ihrem Alter, daß sie über die erste Zeit des Genusses, über zwölf Jahre hinaus, gelebt hat.

Die O-Waihier werden in der Beschuldigung mit einbegriffen, die unsere Seefahrer den Insulanern der Südsee überhaupt machen, dem Diebstahl ergeben zu sein. Daß wir in diese Klage mit einzustimmen keine Veranlassung hatten, ist wohl blos der uns hegenden Vorsorge Tameiameia's zuzuschreiben, der uneigennützig und hochgesinnt die Nachfolger Vancouver's in uns ehrte. Hier angesiedelte Europäer sprechen der Ehrlichkeit der Eingeborenen ein ehrenvolles Zeugniß. Sie lassen Thüren und Laden unbesorgt unverschlossen. Diese Menschen erlauben sich nur den Diebstahl gegen die reichen Fremden auf den gutbeladenen Schiffen. Wie sollte nicht unser Ueberfluß an Eisen, diesem köstlichen Metall, die Begierde der Insulaner der Südsee reizen? „Was siehest du aber den Splitter in deines Bruders Auge und des Balken in deinem Auge wirst du nicht gewahr?" Wir gedenken hier nicht der verflossenen Zeiten der Eroberungen der Spanier, sondern uns liegt nahe vor dem Blick, was in unseren Tagen noch gewinnsüchtige Abenteurer in diesem Meerbecken, wo unsere Gesetze sie nicht erreichen, für Thaten verüben. Manche haben wir in diesen Blättern berührt, manche deckt die Nacht. Wir sind unseres Amtes Anwalt des schwächeren Theiles. Man verwerfe unser Zeugniß, aber man schlage unparteiisch die Berichte aller Seefahrer nach, die diese Meere befahren haben, seitdem sie sich unserm Handel eröffnet. Von Vancouver's Reise an bis auf Nicolas New-Zealand. Man urtheile selbst. Indem wir richten und strafen, üben die Menschen unserer Farbe ungerichtet und ungestraft Menschenraub, Raub, List, Gewalt, Verrath und Mord. — Diese Macht haben uns Wissenschaften und Künste über unsere schwächeren Brüder gegeben.

Der Handel dieses Meerbeckens soll zweihundert nordamerikanische Schiffe beschäftigen, welche Zahl uns jedoch zu stark angenommen scheint. Die Hauptmomente desselben sind der Schleichhandel der spanischen Küste beider Amerika, welcher spanischer Seits von den Mönchen getrieben wird; der Pelzhandel der N. W.-Küste, die Ausfuhr der sich in den russisch-amerikanischen Faktoreien ansammelnden Pelzwerke, das Sandelholz der Sandwich-, Fidji- und anderer Inseln. — Das Feld ist den kühnsten Unternehmungen eröffnet. Man versucht, man verfolgt neue Entdeckungen (wir erinnern an das Schiff, welches nach Mackenzie's Nachrichten sich gegen das Jahr 1780 im Eismeer gezeigt), man nimmt Aleuten oder Kadiaker zum Jagen der Seeotter auf der californischen Küste mit, u. s. w. Canton ist der gemeinsame Markt, Hana-ruru ein Freihafen und Stapelplatz. Der Kapitain steht meist den Handelsgeschäften vor, und es sind keine der Zwistigkeiten zu befürchten, die zwischen Kapitain und Supercargo häufig vorfallen, wo diese Aemter getrennt sind. Im gefahrvollen Handel der N. W.-Küste herrscht beiderseits keine Treue und man hat gegen die Waffen, die man verkauft, auf seiner Hut zu sein. Benachbarte Völkerschaften sind häufig im Kriege begriffen. Man unterhandelt mit dem Anführer der einen und liefert ihm seinen Feind, dessen man sich durch List oder Gewalt zu bemächtigen sucht, gegen ein angemessenes Blutgeld aus. Man lockt Häuptlinge an Bord, entführt sie und giebt sie gegen ein Lösegeld wieder frei u. s. w. Auch sollen Menschen, die man auf der südlicheren Küste kauft, vortheilhaften Absatz auf der nördlicheren finden. Wir haben des Menschenraubes auf den Südsee-Inseln in unserm Aufsatz über Guajan erwähnt. Es war kein Amerikaner, der auf einer Insel längs der Küste von Californien alle männlichen Einwohner zusammentreiben und niederschießen ließ. A) Der Kapitain Door (mit der Jenni aus Boston) legte im Jahr 1808 auf Guajan an, nachdem er Sandelholz auf den Fidji-Inseln geladen hatte. Er rühmte gegen Don Luis de Torres die gastfreie freundliche Aufnahme, die er unter den Eingeborenen gefunden. Er machte im Jahre 1812 dieselbe Reise mit einem andern Schiffe. Er erzählte bei seiner Rückkehr Don Luis de Torres, wie er dieses Mal feindlich empfangen worden sei und einen Master und vier Matrosen verloren habe. Die Eingeborenen hatten ihm gesagt, daß sie in der Folge der Zeiten die Weißen kennen gelernt und fürder keinem Gnade widerfahren zu lassen beschlossen hätten. (Ueber die Fidji-Inseln siehe Mariner's Tonga.)

Man liest auf dem Begräbnißplatz der Europäer nahe bei Hana-ruru diese einfache Grabschrift des Herrn Davis:

A) Ich habe erwartet, daß Herr von Kotzebue, aus dessen Mund ich diese Gräuel-Geschichte vernommen, sie niederschreiben würde. Er hat schaudernd den Schleier darüber fallen lassen. — Der Thäter war ein Beamter der russisch-amerikanischen Handels-Compagnie, der mit dem Otterfang längs der californischen Küste beauftragt war; der Schauplatz eine der größeren Inseln in der Gegend von Santa Barbara. Vergleiche Kotzebue's Reise II. S. 35.

The remains
of
M. Isac Davis
who died at this
Island April 1810.
aged 52 years.

Wir haben, als wir zuletzt von Hana-ruru segelten, Herrn Jung sehr altersschwach zurückgelassen. Beide Freunde, deren Namen vereint eine lange Zeit in der Geschichte dieser Inseln geglänzt haben, werden beisammen ruhen. Die Kinder des Herrn Jung werden, obgleich Erben seiner Güter, sich ohne Ansehn unter dem Volke verlieren, weil sie von keiner edlen Mutter geboren sind.

Die Inseln, welche Kapt. Johnstone auf der Fregatte Cornwallis im Jahre 1807 im W. S. W. der Sandwich-Inseln entdeckte und die wir im Spätjahre 1817 wieder aufgesucht, sind, gleich der Insel Salas y Gomez, völlig nackte Klippen, die nicht der Bildung der niedern Inseln anzugehören scheinen. Die Riffe, die sich ihnen anschließen, bilden noch in großer Entfernung derselben Untiefen, welche den Schiffen Gefahr drohen.

Methoden Feuer anzumachen.

Es giebt verschiedene Weisen, das Feuer durch Reibung hervorzubringen.

Auf den Carolinen-Inseln wird auf einem Stück Holz, das am Boden festgehalten wird, ein anderes, welches grad und wie gedrechselt, ungefähr anderthalb Fuß lang und wie ein Daumen dick sein muß, senkrecht gehalten, mit seiner stumpf abgerundeten Spitze angedrückt und zwischen den flachen Händen durch Quirlen wie ein Bohrer in Bewegung gesetzt. Die erst langsam abgemessene Bewegung wird bei stärkerem Druck beschleunigt, wenn der Holzstaub, der sich unter der Reibung bildet und rings um das bewegte sich einbohrende Holz ansammelt, sich zu verkohlen beginnt. Dieser Staub ist der Zunder, der Feuer fängt. In diesem Verfahren sollen die Weiber von Eap eine ausnehmende Fertigkeit besitzen.

Auf Radack und den Sandwich-Inseln hält man auf dem festliegenden Holz ein anderes spannenlanges Stück mit abgestumpfter Spitze unter einem Winkel von etwa dreißig Grad schräg angepreßt, so daß die Schenkel des Winkels nach sich, die Spitze von sich gekehrt sind. Man hält es mit beiden Händen, die Daumen unten, die Finger oben zum sichern Druck aufgelegt, und reibt es sodann in dem Plane des Winkels gerade vor sich in einer zwei bis drei Zoll langen Spur hin und her. Wenn der Staub, der sich in der entstehenden Rinne vor der Spitze des Reibers ansammelt, sich zu verkohlen beginnt, wird der Druck und die Schnelligkeit der Bewegung verdoppelt.

Es ist zu bemerken, daß nach beiden Methoden zwei Stücke

derselben Holzart gebraucht werden, wozu etliche von gleich feinem Gefüge, nicht zu hart und nicht zu weich, die tauglichsten sind. Beide Methoden erfordern Uebung, Geschick und Geduld.

Das Verfahren der Aleuten ist die erste dieser Methoden, mechanisch verbessert. Sie regieren das zu drehende Holzstück wie den Bohrer, dessen sie sich in ihren Künsten bedienen. Sie halten und ziehen die Schnur, die um dasselbe zweimal gewickelt ist, mit den beiden Händen, indem sich dessen oberes Ende in einem bearbeiteten Holz dreht, welches sie mit dem Munde halten. Wir sahen so Tannenholz auf Tannenholz in wenigen Sekunden Feuer geben, da sonst eine viel längere Zeit erfordert wird. —

Die Aleuten machen auch Feuer, indem sie zwei mit Schwefel eingeriebene Steine über trocknes mit Schwefel bestreutes Moos zusammenschlagen.

Kamtschatka,

die aleutischen Inseln und die Berings-Straße.

Wir haben mit einem Blick das Becken des großen Ocean's und seine Ufer überschaut und die Inseln, welche sich darinnen zwischen den Wendekreisen erheben, von Ostindien aus betrachtet, als von dem Mutterlande, dem sie angehören und von woher die organische Natur und der Mensch sich auf dieselben verbreitet haben.

Wir wenden uns nun von jenen Gärten der Wollust nach dem düstern Norden desselben Meerbeckens hin. Der Gesang verhallt. Ein trüber Himmel empfängt uns gleich an der Grenze des nördlichen Passats. Wir dringen durch die grauen Nebel, die ewig über diesem Meere ruhen, hindurch, und Ufer, die kein Baum beschattet, starren uns mit schneebedeckten Zinnen unwirthbar entgegen.

Wir erschrecken, auch hier den Menschen angesiedelt zu finden! *)

Der Erd- und Meerstrich, den wir uns zu betrachten anschicken, begreift die Kette der Vorlande, die das Becken des Oceans gegen Norden begrenzen, und die Meere, Inseln und Ufer, welche sich im Norden derselben befinden.

---

*) Homo Sapiens habitat intra tropicos palmis lotophagus, hospitatur extra tropicos sub novercante Cerere carnivorus. Lin. Syst. Nat.
Ipsos Germanos indigenas crediderim. — Quis — Asia aut Africa aut Italia relicta, Germaniam peteret, informem terris, asperam coelo, tristem cultu aspectuque, nisi si patria sit? Tacitus Germ. 2.

Diese Kette zieht sich von der Halbinsel Kamtschatka auf der asiatischen Seite aus, über die aleutischen Inseln nach der Halbinsel Alaska auf der amerikanischen Seite hin, über welche Halbinsel das vulkanische Ufergebirge den Kontinent der neuen Welt erreicht. Wir begreifen unter den aleutischen Inseln die gesammte Inselkette, ohne in deren Eintheilung einzugehen, und wir rechnen dazu die außer der Reihe zunächst im Norden von Unalaschka gelegenen, gleichfalls vulkanischen kleinen Inseln St. George und St. Paul, welche man unbegreiflicher Weise auf Arrowsmith's Karten vermißt, obgleich sie selbst englischen Reisebeschreibern, z. B. Sauer, vollkommen bekannt sind. — Wir haben im Norden der Vorlande nur Urgebirge, Eis und Schlemmsand (terres d'alluvions) angetroffen*).

Die Küsten beider Kontinente laufen, die asiatische in einer nordöstlichen, die amerikanische in einer nördlichen Richtung, gegen einander und bilden zwischen hohen Vorgebirgen, dem asiatischen Ost-Cap (Cap East — Vostotschnoi oder auch Tschukotskoy noss) und dem amerikanischen Cap Prince of Wales, die Meerenge, welche die Beringsstraße genannt wird. Das Meerbecken, welches diese Küsten und die aleutischen Inseln einbegreifen, heißt das kamtschattische Meer. Die Insel St. Matwey (Gores Island) liegt in dessen Mitte.

Die asiatische Küste ist hoch und von einem tiefen Meer bespült. Sie ist gegen Norden von dem weiten und tiefeindringenden Meerbusen von Anadir ausgerandet, welcher von der Nordseite von dem vorspringenden Tschukotskoy noss (Anadirskoy noss) begrenzt wird. Sie ist zwischen diesem Noss und dem Ost-Cap noch von den Matschickma- und St. Laurenz-Buchten eingerissen. Zunächst vor dem Tschukotskoy noss und im Süden der Straße liegt die Insel St. Laurentii (Clerkes Island) vor den Vorgebirgen, die des Thores Pfeiler sind, wie ein halber Mond vor zwei Basteien.

---

*) Wir haben von der Flözformation, welche im höchsten Norden von Europa gänzlich vermißt wird, eben auch keine Spur an den nördlichen Küsten, die wir gesehen, bemerkt. Die Expedition des Kapt. Roß hat aber das Vorkommen des Flöz-Kalkes in der Baffinsbai außer Zweifel gesetzt.

Das Meer hat zwischen der Insel und dem Tschukotskoy noss mehr Tiefe als zwischen derselben und der amerikanischen Küste, auf welcher Seite der Durchgang breiter und seichter ist. Der östliche Theil der Insel scheint eine Gruppe felsiger Inseln zu sein, die angeschlemmte Niederungen zu einer einzigen vereinigt haben. Etliche unzugängliche Felseninseln erheben sich noch zwischen der Insel St. Laurentii und der Beringsstraße und mitten in der Straße selbst aus dem Meere.

Die amerikanische Küste ist zwischen der südlichen Bristol-Bai (zunächst im Norden der Halbinsel Alaska) und zwischen dem nördlichen Norton-Sound, der durch seine Lage dem Meerbusen von Anadir der entgegengesetzten asiatischen Küste entspricht, unzugänglich. Das Meer ist ohne Tiefe, und die Welle brandet, noch bevor man Ansicht des Landes hat. Ein beträchtlicher Strom soll aus dem Innern Amerika's sich in dieser Gegend entladen und das Ufer versanden.

Wir dringen durch die Beringsstraße nach Norden. Beide Küsten entfernen sich. Cook hat die asiatische Küste bis zu dem Nord-Cap unter dem 68° 56′ N. B., die amerikanische bis zu dem Eis-Cap 70° 29′ N. B. gesehen. Angeschlemmte Niederungen bilden vor den Hochlanden Amerika's das Ufer, und das Meer, welches es bespült, hat keine Tiefe. Die asiatische Küste scheint nach Cook von gleicher Beschaffenheit zu sein. Das Land scheint durch Versandungen über das Wasser zu gewinnen, und man möchte besorgen, daß sich dieses Meer allmälig ausfülle.

Das Sandufer Amerika's ist von mehreren Eingängen und Fiorden durchfurcht. Wir ließen die südlichere Schischmareff's-Bucht ununtersucht und drangen in den weiten Kotzebue's-Sund ein, der südlich vom hohen Cap Mulgrave in südöstlicher Richtung bis in das Urland eindringt und dessen Hintergrund sich dem des südlich von der Beringsstraße eindringenden Norton-Sound nähert*).

*) Man vergleiche die von Kobelef 1779 unter den Tschuktschi gesammelten Nachrichten und die neueren russischen Karten, welche Arrowsmith und andere Geographen befolgen.

Ein Fiord, der sich an der südlichen Seite von Kotzebue's-Sund in angeschlemmtem Lande eröffnet und in neun Tagen Fahrt auf Baidaren der Eingeborenen in ein offenes Meer führt, die Bucht der guten Hoffnung, möchte wirklich beide vereinigen und das Cap Prince of Wales als eine Insel vom festen Lande trennen, denn es scheint diese Einfahrt zu nah der Schischmareff's-Bucht zu liegen, um ihre von den Eingeborenen beschriebene Ausfahrt in dieser letzten zu erkennen.

Im Norden der Beringsstraße liegt vor uns das noch unerforschte Feld der letzten wichtigen Streitfragen der Erdkunde, und wir werden aufgefordert, unsere Meinung über dieselbe auszusprechen, zu einer Zeit, wo verschiedene Expeditionen ausgerüstet sind, die Thatsachen selbst zu untersuchen, und unsere Stimme ungehört verhallt. Wir schreiten zögernd zu diesem Geschäfte.

Sind Asien und Amerika getrennt und ist das Meer, in welches man durch die Beringsstraße nach Norden dringt, das große nördliche Eismeer selbst, oder ist dieses Meerbecken eine Bucht des südlichen Ocean's, welche die Küste beider im Norden zusammenhängenden Welttheile begrenzt und umfaßt?

Kann aus den Gewässern der Hudsons- und Baffins-Bai längs der Nordküste von Amerika eine Nordwest-Durchfahrt nach der Beringestraße möglich sein?

Kann es möglich sein, aus dem atlantischen Ocean nordwärts von Spitzbergen und über den Nordpol selbst nach der Beringsstraße zu gelangen, und giebt es ein offenes fahrbares Polar-Meer, oder einen Polar-Gletscher festen anliegenden Eises?

Ein Mann, dessen Name uns die größte Ehrfurcht einflößt, den Gelehrsamkeit und Kritik in gleichem Maaße zieren, und der selbst, ein Gefährte Cook's in seiner zweiten und dritten Reise, den südlichen Polar-Ocean und das Meer im Norden der Beringsstraße wiederholt befahren hat, James Burney findet sich zu vermuthen veranlaßt, daß Asien und Amerika zusammenhängen und Theile eines und desselben Kontinents sind*).

*) A memoir on the Geography of the north eastern part of Asia

Wir gestehen, daß Kapitain Burney uns für seine Meinung nicht gewonnen hat. Wir finden in seiner Chronologischen Geschichte der nordöstlichen Reisen die auf vorliegende Frage sich beziehenden historischen Zeugnisse auf das freimüthigste abgehandelt, und beziehen uns mit vollem Vertrauen darauf.

Daß Samoen Deschnew auf seiner berühmten Reise aus der Kolima oder Kovima nach dem Anadir 1648 das Nordost-Cap (Schelatzkoy oder Swoetoy noss, das große Cap der Tschuktschi) nicht wirklich umfahren, sondern, wie später Staras Stabuchin, zu Land auf einem engen Isthmus durchkreuzt habe, dünkt uns eine willkürliche Annahme, zu welcher die Berichte nicht berechtigen und die namentlich Deschnew's Vorsatz, ein Schiff an der Mündung des Anadir zu bauen, um den erpreßten Tribut nach Jakutzk auf dem vorigen Wege zurück zu senden, hinlänglich widerlegt.

Sollten auch die Dokumente, die Müller, Coxe, Pallas in Händen gehabt und aus denen sie uns Deschnew's Reise berichtet, nicht mehr aufzuweisen sein, scheinen uns diese Männer selbst hinlängliche Bürgen zu sein, und wir nehmen auf ihre Autorität unbedenklich an: daß in diesem Einen Falle das Nordost-Cap oder Schelatzkoy noss zu Schiff umfahren worden ist.

Andere Gerüchte und Sagen einer gleichen Fahrt scheinen uns selbst unverbürgt. Wir messen gern dem von Sauer mitgetheilten Zeugnisse von Dauerkin Glauben bei, daß Schalauroff 1664 im Eismeer und nicht am Ausflusse des Anadir umgekommen, und wir haben kein Zutrauen zu der Reise von Laptiew 1740, wie sie angeblich aus Gmelin's mündlichen Bekenntnissen in den Mémoires et observations géographiques et critiques sur la situation des pays septentrionaux, Lausanne 1765. 4. p. 42. erzählt wird.

Die von Hendrick Hamel auf der Küste von Corea 1653 und wiederholt von Henry Busch auf der Küste von Kam-

---

and on the Question whether Asia and America are contiguous, or are separated by the sea, by Capt. James Burney. Philosophical Transactions 1818, widerlegt in The Quarterly Review. June 1818.

A chronological history of north eastern voyages of discovery by Capt. James Burney F. R. S. London 1819.

tschatka 1716 in Wallfischen gefundenen europäischen Harpunen scheinen uns von einigem Gewichte zu sein. Burney nimmt im Widerstreit gegen Müller an, daß Busch den Hamel blos wiederholt haben könne, und es scheint uns diese Annahme sehr willkürlich. Er meint ferner, daß die Russen lange vor der Zeit von Busch den Gebrauch der europäischen Harpunen auf diesen Küsten eingeführt haben möchten, und dies ist unseres Wissens nicht der Fall. Die Russen, schwach an Zahl in diesem Theile der Welt, eignen sich die Früchte der Industrie der Völker zu, die sie sich unterwerfen, ohne ihnen neue zu bringen, und noch wird heutigen Tages auf den aleutischen Inseln dem Wallfische nur von den Eingeborenen und nach alter Art mit ihren eigenen Harpunen nachgestellt. Jede andere Auslegung der Thatsache schiene uns zulässiger.

Wir finden außer dem Bereich von Burney's Werke eine andere Thatsache, die Barrow Chronological history of voyages into the arctic regions, London 1818, unbeachtet gelassen und die uns Aufmerksamkeit zu verdienen scheint.

Nach Mackenzie's am Ausflusse des nach ihm benannten Stromes gesammelten Nachrichten hat gegen das Jahr 1780 ein Schiff, ein sehr großes Fahrzeug, welches weiße Menschen trug, diese Küste besucht, und die Eskimos haben von demselben Eisen gegen Thierhäute eingehandelt. Mackenzie river scheint sich zwischen zwei weit vorgestreckten Landzungen in das Meer zu entladen. Das Meer im Westen, worin sich dieses Schiff zeigte, hat davon den Namen Belhoullai Tou, Weißen-Mannes-See, erhalten. Es scheint uns natürlich vorauszusetzen, daß dieses Schiff über die Beringsstraße dahin gelangt.

Eine nördliche Strömung findet in der Beringsstraße selbst, wenigstens während der Sommermonate, unbezweifelt statt. Wir haben diese Strömung am 16. August auf der asiatischen Seite der Straße hinreichend stark gefunden. Ihre Wirkung brachte uns merklich zurück, als wir, aus der Straße zu kommen, das Ost-Cap umfahren wollten, und hierin ist unsere Erfahrung mit der von Cook und Clerke vollkommen übereinstimmend. Es ist aber die Jahreszeit gerade diejenige, worin die schmelzenden Schneemassen der Ufer eine südliche Strömung nothwendig bedingen müßten, falls dieses Meer ein geschlossenes Becken bildete. Wie die Ströme der Schweiz, die von den Alpengletschern herabkommen, im Sommer anschwellen und reißender werden, müßte in derselben Jahreszeit und aus denselben Gründen das Wasser sich in diesem Becken vermehren und aus dessen verhältnißmäßig engem und seichtem Thore ausströmen.

Es beweisen aber auch andere Thatsachen die nördliche Strömung der Beringsstraße. Beim Aufbrechen des Eises treiben in dem Meere von Kamtschatka die Eisberge und Felder nicht wie im atlantischen Ocean nach Süden, sie treiben nicht nach den aleutischen Inseln, sondern straßeinwärts nach Norden. Das Eis war am 5. Juli 1817 auf der südlichen Küste der St. Laurenz-Insel aufgegangen, und wir kamen am 10. dahin, ohne schwimmendes Eis angetroffen zu haben. Wir begegneten erst diesem Eise in der Nacht zum 11., als wir um die Ostspitze der Insel nach Norden vorrückten. Auf dieser Seite der Insel ist das Meer minder tief und der Strom minder stark als auf der asiatischen.

Es ist zu bemerken, daß im kamtschatkischen Meere die Südwinde während des Sommers vorherrschen und die Nordwinde sich gegen September einstellen, im Spätjahr fortzudauern. Man kann den Einfluß der Winde auf die Strömungen nicht in Abrede stellen.

Die Menge des Treibholzes, die das Meer nach Norden bringt und auswirft und worunter sich entschieden südliche Baumarten sowohl als nordische Tannen befinden*); die Sämereien bekannter südlicher Schotenpflanzen, die, wie auf Radack, so auch auf Una-

---

*) Wir haben auf Unalaschka ausgelegte Schreinerarbeiten gesehen, zu welchen nur an den Ufern dieser Inseln ausgeworfenes Treibholz gebraucht worden war und die sich durch eine große Mannigfaltigkeit schöner Holzarten auszeichneten. Es bringt aber der hohe Norden nur Nadelholz und Birken hervor, und hier nur weit im Innern des festen Landes. Wir haben auf derselben Insel einen großen bearbeiteten Block Kampferholz gesehen, den ebenfalls das Meer ausgeworfen hatte. Die Spur der Menschenhand schwächt allerdings sein Zeugniß. Er konnte von jedem Schiffe herrühren.

laschka, obgleich minder häufig, ans Ufer gespült werden*), lassen uns nicht mit Bestimmtheit auf eine allgemeine Bewegung der Gewässer des großen Ocean's nach dem Norden schließen. Es werden einerseits eben sowohl nördliche Bäume auf Radack ausgeworfen als südliche auf Unalaschka, und andererseits, da die Beringsstraße einer solchen Strömung einen entschieden zu geringen Ausfluß darbeut, so schiene uns, falls die Thatsache fest stünde, natürlicher anzunehmen, daß, nach der Theorie, eine doppelte Strömung im Meere wie in der Atmosphäre statt findet, eine obere des erwärmten leichteren Wassers nach Norden und eine untere des erkalteten schwereren Wassers nach dem Aequator.

Die Bewohner der aleutischen Inseln, der St. Laurenz-Insel und der Ufer der Beringsstraße besitzen kein anderes Holz als Treibholz. Es wird in verschiedenen Jahren in verschiedener Menge ausgeworfen. Es ist zu bemerken, daß es mehr an die amerikanische Küste als an die asiatische gespült wird. Wir fanden es in Kotzebue's-Sund in hinreichender Menge, und es mangelte hingegen in der St. Laurenz-Bucht, wo die Tschuktschi nur Moos und winzige Weidenreiser brannten. Man möchte fragen, ob ihre Berichte von Wäldern auf der entgegengesetzten Küste nicht vielleicht eben sowohl auf Treibholz, woran sie reich ist, als auf die Wälder von Norton-Sound und dem Innern zu deuten wären?

Die angeschlemmten Sandhügel der amerikanischen Küste enthalten Baumstämme und Holz, wie dasjenige ist, welches an den Strand ausgeworfen wird.

Das Treibholz des Nordens scheint uns im Allgemeinen aus dem Innern der Kontinente durch Flüsse und Ströme herabgeführt zu werden und in den Meeren, die uns beschäftigen, besonders aus Amerika herzurühren. Es möchte namentlich der Fluß, der zwischen der Bristolbai und Norton-Sound ins Meer fließt, eine der ergiebigsten Quellen desselben sein.

---

*) Sie wurden sonst von den Aleuten sehr begierig gesucht, da ein besonderer Aberglaube an diesen schwimmenden Steinen hing. — Sie sollen vorzüglich auf der östlichen Küste der Insel ausgeworfen werden.

Die Strömungen im Eismeer längs der Küste von Sibirien sind im Ganzen noch wenig bekannt, und wir stehen an, aus schwankenden Nachrichten Folgerungen zu ziehen. Liachoff und Schalauroff fanden im Norden der Jana und der Kolima den Strom West, Sauer mit Billing bei Westwind Ost und bei Nordostwind West. In der Waigatzstraße und im Norden von Nowaja Semlja scheint der Strom auch West zu sein.

Nachdem wir uns bemüht haben darzuthun, daß ein Strom durch die Beringsstraße nach Norden geht, müssen wir bekennen, daß solcher zu schwach ist und nur zu wenig Wasser durch das enge Thor führen kann, um den Strömungen, die aus der Davisstraße und längs der Ostküste von Grönland nach Süden fließen, wie solche während der Jahreszeit, wo diese Meere der Schifffahrt offen sind, anerkannt statt finden, und wie mehrere Thatsachen schließen lassen, daß sie auch im Winter Beständigkeit haben*), entsprechen zu können.

Die Anzeichen von Land im Norden der Beringsstraße, der Flug der Vögel aus dem Norden her nach Süden und die nach Norden nicht zunehmende Tiefe des Meeres, woraus Burney auf den Zusammenhang beider Kontinente schließt, scheinen uns durch die Voraussetzung hinlänglich erklärt, daß Inseln, wie die Liachoffs-Inseln gegen den Ausfluß der Jana im Eismeere sind, in dieser Gegend liegen können. Das bewohnte Land von Andreef oder Andreanoff im Norden der Kolima 1762 und die Gerüchte und Sagen, es erstrecke sich solches von dem Kontinente Amerika's bis nach dem neuen Sibirien von Sannikoff 1805 (die östlichste der Liachoffs-Inseln) scheinen uns gleich unverbürgt und Burney selbst legt darauf kein Gewicht.

Wir sind also der Meinung, daß beide Kontinente getrennt sind, und halten das Nordost-Cap oder Schelatzkoy noss nicht für einen Isthmus, der beide Welttheile vereinigt, sondern, gleich dem Cap Taimura zwischen dem Jenisei und der Lena, welches nur von Chariton Laptiew 1738, und zwar nur zu Land, umgangen und re-

*) Quarterly Review June 1818. p. 446.

kognoscirt worden ist, für ein bloßes Vorgebirge Asien's, welches zu umfahren das Eis, und zu Land zu rekognosciren das kriegerische ungebändigte Volk der Tschuktschi seit Deschnew verhindert haben, welche Aufgabe zur See oder zu Land nach seinen Instruktionen zu lösen Billing alle Umstände günstig fand und unverantwortlicher Weise vernachlässigte.

Wir wenden uns zu der Nordküste von Amerika.

Das Nord-Cap von Cook, Mackenzie's river, Copper mine river von Hearn sind Punkte, die uns die Hauptrichtung angeben, in der sie ungefähr unter dem 70. Grad nördlicher Breite läuft. Die Nachrichten und Karten der Indianer der Hudsonsbai, welche einmüthig die Küste von Copper mine river bis nördlich der Repulsebai fortsetzen; der Nordwest-Strom und die gleiche Richtung der Wellen (Swell) in der Baffinsbai nach älteren Autoritäten; die Strömungen und Fluthen in Roes Welkome; alle Umstände treffen überein, uns auf Zusammenhang der Meere und Trennung der Lande schließen zu lassen, und wir suchen den Kanal nordwärts von der Repulsebay bis zu Sir James Lancaster's Sound *). Der Kapt. John Roß, dessen Reise Baffin's frühere Entdeckungen bestätigt hat, behauptet, den Zusammenhang der Lande um die Baffinsbai erwiesen zu haben, wogegen viele Theilnehmer derselben Expedition ihre Stimmen laut erheben (der Kommandeur des anderen Schiffes, Lieut. W. E. Parry, der gelehrte Kapt. E. Sabine, der Wundarzt G. Fischer u. a.), und die näher beleuchtete Frage schwebt noch unentschieden **). Es bleibt auf jeden Fall die Küste vom

---

*) Es haben anderer Seits Wallfische, die bei Spitzbergen harpunirt worden und die man in derselben Jahreszeit in der Davisstraße wiedergefunden hat, so wie andere Umstände der Vermuthung Gewicht gegeben, daß Grönland eine Insel oder eine Gruppe von Inseln sei.

**) John Ross Voyage of discovery etc. London 1819.

Dessen Recension in The Quarterly Review, May 1819. p. 313. (Barrow.) Schwerer Tadel trifft Roß, den Hoffnung verheißenden Lancaster-Sound eigentlich ununtersucht gelassen zu haben. There occur unfortunate moments in the history of a man's life, when he is himself unable to account for his actions, and the moment of putting about the Isabella would appear to be one of them, p. 351.

Eingang der Cumberlandstraße bis zu der Repulsebai zu untersuchen.

Ob aber, selbst in den günstigsten Jahren, die Durchfahrt frei von Eis und offen befunden werden kann, ob je die Nordküste Amerika's in ihrem ganzen Umfange und mit ihren etwaigen nördlichsten Vorgebirgen selbst, wie die asiatische Küste streckweise und zu verschiedenen Malen, umfahren werden kann, ist eine andere Frage, die wir dahingestellt sein lassen. Das Meer kann in diesen hohen Breiten nur wenige Tage offen sein, und es verbinden sich alle Umstände, die Entdeckungen zu erschweren und deren Zuverlässigkeit zu vermindern. Ueber dem Meere ruht zur Sommerzeit ein dicker Nebel, welcher sich nur auflöst, wenn er von dem Winde über das erwärmtere Land getrieben wird, und man sieht zur See die Sonne nicht, welche die Küste bescheint*).

Modern voyages and Travels. London 1819. (Das Journal von M. Fischer.)

Blackwood's Magazine, December 1818.

Capt. E. Sabine. Journal of Literature etc. April 1819.

Desselben Remarks on the late voyage of discovery.

— — die Explanation von Kapt. Roß u. s. w.

*) Wir haben dieses Phänomen besonders auf der Insel St. Laurentii, auf Unalaschka, in der Bucht von Awatscha und zu San Francisco beobachtet.

Das Phänomen der Parhelien, welches sich oft im Norden des atlantischen Ocean's zeigen soll, scheint im kamtschatkischen Meere selten. Wir selbst haben es nicht beobachtet, und ein Russe, welcher auf den aleutischen Inseln alt geworden, hatte es in seinem Leben nur ein Mal gesehen.

Wir haben das Phänomen der Kimmung (Mirage) am auffallendsten in der Beringsstraße und namentlich am Eingange der Schischmareff's-Bucht beobachtet, wo es uns auf dem Lande und auf der See zu allen Stunden des Tages wie ein Zauber mit vielfältigen Täuschungen umringte. (Vergl. Capt. J. Ross voyage p. 147.) — Die Gegenstände, die am Horizonte liegen, scheinen sich von demselben zu trennen und über denselben zu erheben (in gewöhnlichen Fällen um 3 bis 5 Minuten, mit dem Sextant gemessen), sie spiegeln sich in dem Kreise ab, der durch ihren Abstand vom Horizonte entsteht, und scheinen durch ihr Spiegelbild verlängert. Die Bedingungen dieses Phänomens haben uns eher in Oertlichkeiten als in dem Wechsel der Atmosphäre zu liegen geschienen und wir haben es unter verschiedenen Zonen mit ziemlicher Beständigkeit an denselben Orten beobachtet, z. B. im Hafen von Hana-ruru (an der Aussicht nach Westen), in der Bucht von Manila u. s. w., nie aber in der Nähe der niedern Inseln.

Wir bemerken, daß der Theil der amerikanischen Küste, den wir im Norden der Beringsstraße untersucht haben, uns geschienen hat die Hoffnung zu erregen, unter den Eingängen und Fiorden, die sie zerreißen, noch einen Kanal zu finden, der nach dem Eismeere gegen den Ausfluß des Mackenzie's führe, ohne das Eis-Cap zu umfahren, welches dann einer Insel angehören würde*). Die vorerwähnte Nachricht der Erscheinung eines Schiffes in diesem Meere leitet uns sogar auf die Vermuthung, es sei bereits ein solcher Kanal befahren worden.

Es bleibt uns die letzte Frage zu erörtern.

Felsenblöcke, welche häufig auf schwimmenden Eisbergen des Nordens beobachtet werden, und andere Merkmale beurkunden, daß sich diese Berge ursprünglich am Lande gebildet, und man hat durch wissenschaftliche und Erfahrungsgründe durchzuführen gesucht, daß Eis überhaupt nur am Lande anschießen könne und daß ein offenes tiefes Meer ohne Land und Inseln nicht zu gefrieren vermöge, sondern zu jeder Zeit offen und fahrbar befunden werden müßte. Wir haben dieser Meinung nur Eine Thatsache entgegen zu setzen, welche man, unseres Erachtens, zu wenig beachtet hat. Es ist diese die Beschaffenheit des Meeres um den Südpol. Man müßte sich denn, durch eine ganz willkürliche Voraussetzung, zu der Nichts berechtiget, den südlichen Gletscher als einem unentdeckten, unzugänglichen Lande anliegend vorstellen. Man hat aus seinem ganzen Umkreis nur in einem Punkte Land hervorragen sehen, das Sandwichland, und dieses ist unmaßgeblich wie das neue Georgien, eine Insel von geringem Umfang, hingeworfen in die weite Oede des südlichen Ocean's.

Wir können einem nördlichen freien Polar-Meer keinen Glauben beimessen.

Die Masse der von Barrington und Beaufoy**) gesam-

---

*) Verschiedene Zeitschriften haben einen Brief des Verfassers dieser Aufsätze (St. Francisco, Neu-Californien, am 28. Okt. 1816) mitgetheilt, worin diese Meinung ausgesprochen war. Ein Fehler des Kopisten veränderte den Sinn dahin, als sei dieser Eingang wirklich von uns untersucht worden.

**) The possibility of approaching the Northpole asserted by Barrington, a new edition with an Appendix by Beaufoy. London 1818.

meiten Zeugnisse, ob man gleich jegliche vereinzelt anfechten könnte, scheint uns unwiderleglich darzuthun, daß in günstigen Jahren die See im Norden von Spitzbergen bis zu sehr hohen Breiten der Schifffahrt offen und völlig frei von Eis befunden werden kann, wie sie wirklich in den Jahren 1754, 1773 und andern befunden worden ist. Es ist aber gleich bewährt, daß in andern Jahren und öfters das Eis den Fortgang nach Norden schon unter dem 80. Breitengrad verhindert hat und verhindert wird.

Wenn bisweilen im Norden von Skandinavien zwischen Spitzbergen und Nowaja Semlja das Meer bis unter sehr hohen Breiten, vielleicht bis unter dem Pole selbst offen befunden wird, während es hingegen auf andern Punkten, etwa im Norden der Beringsstraße, selten unter dem 70. Grade frei von Eis befunden werden dürfte; wenn im Norden von Europa der Polargletscher, woran wir glauben, von einer tiefen, gegen den Pol eindringenden Bucht ausgerandet sein möchte, scheint uns diese Anomalie örtlichen, die Temperatur bedingenden Ursachen zugeschrieben werden zu müssen, und zwar anscheinlich denselben, welche das viel wärmere Klima bewirken, dessen sich anerkannter Weise der Welttheil, den wir bewohnen, vor allen auf der nördlichen Halbkugel unter gleicher Breite gelegenen Landen zu erfreuen hat; welche Lappland mit Wäldern und Kornwuchs bis unter dem 70. Grad begaben und die Vegetation bis unter dem 80. Grad auf Spitzbergen unterhalten und dieses Land für zahlreiche Rennthierheerden wirthbar machen, welche schon die viel südlicher gelegene Nowaja Semlja in trauriger Nacktheit nicht mehr ernähren kann.

Es sei uns erlaubt, zu einer Zeit, wo Männer wie Humboldt, Buch, Wahlenberg u. a. die Masse der Erfahrungen zu vermehren sinnvoll geschäftig sind, und ein Humboldt, um die Bruchstücke örtlicher meteorologischer Beobachtungen, welche nur noch als dürftige Beiträge zu einer physischen Erdkunde vorhanden sind, zu überschauen, zu beleuchten und unter ein Gesetz zu bringen, isothermische Linien über den Globus zu ziehen versucht, eine Hypothesis zur Erklärung der Phänomene der Prüfung der Naturkundigen zu unterwerfen.

Wir fragen uns: ob die Theorie, welche die Tag und Nacht abwechselnden See- und Landwinde der Küsten, die örtlichen Sommer- und Winter-Monsoons und endlich die allgemeinen Passatwinde beleuchtet, nicht zugleich in den mehrsten Fällen die örtliche Verschiedenheit des Klima's unter gleichen Breiten zu erklären hinreichen möchte?

Es scheint uns, wenn unser Blick auf dem Globus ruht, daß die doppelte Strömung der Atmosphäre von dem Aequator nach den Polen in ihrer obern, und von den Polen nach dem Aequator in ihrer untern Region, bedingt in ihrer Richtung durch die Achsendrehung der Erde, über Europa den Kreislauf einer über dem sonnenburchglühten Innern von Afrika verhältnißmäßig ungleich erwärmteren Luft unterhalten müsse als über irgend einem anderen Theil der Welt. Wir glauben in dem südlich und südwestlich von Europa, zwischen der Linie und dem nördlichen Wendekreis, gelegenen festen Lande gleichsam einen Zugofen zu erkennen, der die Luft, welche es bestreicht, erwärmt und sein Klima bedingt; einen Ofen, desgleichen kein anderes Land der Erde sich zu erfreuen hat, und wir meinen, daß überhaupt zwischen dem Aequator und den Wendekreisen gelegene Kontinente den östlicheren Weltstrichen gegen die Pole zu ein wärmeres Klima geben müssen, als dasjenige ist, welches andere Weltstriche unter dem Einflusse gleich gelegener Meere haben.

Es ist hier nicht der Ort, diese Idee weiter zu entwickeln und durchzuführen oder eine neue Theorie der Berechnung zu unterwerfen und sie an dem Probirstein der noch mangelhaft bekannten Thatsachen zu prüfen. Wir haben nur den Gedanken andeuten wollen, der in uns, flüchtigen Reisenden, beim Anblick der winterlichen aleutischen Inseln (unter der Breite von Hamburg) und der Küsten der Beringsstraße (unter der Breite von Drontheim und Norwegen) im Norden des großen Ocean's aufgestiegen ist. Wir versuchen nun, diese Lande selbst dem Blicke unseres Lesers näher zu rücken.

Die Punkte, auf welchen wir angelegt und die Natur zu erforschen uns bemüht haben, sind vom Süden nach Norden folgende:

Der geschützte Hafen von St. Peter und Paul im Innern der Bucht von Awatscha auf der Ostküste von Kamtschatka . . . . 53° 1' N. B.

Unalaschka, eine der Fuchs-Inseln und in der Reihe der aleutischen Inseln östlich gegen Amerika gelegen . . . . 54° — „ „

Die Insel St. George . . . . 56° 42' „ „

und die Insel St. Paul im kamtschatkischen Meere, nordwärts von Unalaschka . . . . 57° 5' „ „

Das Süd-Cap der Insel St. Laurentii im Jahr 1817 . . . . 62° 47' „ „

und ein anderer Theil derselben Insel im Jahr 1816 . . . . 63° 13' „ „

Die St. Laurenzbucht der asiatischen Küste, bis zu deren Hintergrund wir landeinwärts gedrungen sind . . . . 65° 35' „ „

Der Eingang der Schischmareff'sbucht auf der amerikanischen Küste . . . . 66° 13' „ „

Die Felsen-Insel im Innern des Kotzebue's Sund A) . . . . 66° 13' „ „

und etliche wenige Minuten nördlicher gelegene Punkte der Ufer dieses Sundes.

Wir haben zu St. Peter und Paul vom 20. Juni bis zum 13. Juli 1816 dem ersten Erwachen des Frühlings zugeschaut. Das Jahr war verspätet, die frühen Anemonen und Korydalis waren erst erblüht, der Schnee schmolz von den wohlbewachsenen Hügeln, welche den Hafen rings umschließen, und sie begrünten sich nach und nach. Es erschlossen sich zur Zeit unserer Abfahrt die ersten Rosen, die ersten Blüthen des Rhododendron, der Lilien u. a., und noch ruhte der Schnee auf den Bergen und bedeckte die Grundfesten der hohen vulkanischen Pyramiden, welche das Land überragen und die der unermüdliche Horner trigonometrisch gemessen hat. Die Jahreszeit war uns ungünstig, und wir schmeicheln uns nicht, die man-

A) Die Insel Chamisso von der Karte von Kotzebue.

gelhafte Kenntniß, die man von der Natur dieses Landes hat, erweitern zu können. Wir verweisen auf Krascheninikoff, Pallas, Steller (Beschreibung von Kamtschatka, Frankfurt 1774), Lesseps und die anderen Reisenden. Krusenstern ist in anderer Hinsicht über Kamtschatka erschöpfend.

Die Bucht von Awatscha liegt zwischen der Breite von Berlin und Hamburg, und der Hafen von St. Peter und Paul im Innern derselben scheint eben so wenig als das Innere der Fiorden Nordlands dem Einfluß der Seewinde ausgesetzt. Es wächst daselbst nur noch die Birke baumartig, aber verkrüppelt, und ungleich dem schlanken, anmuthigen Baume, den man im Norden von Europa und namentlich bei St. Petersburg in seiner Schönheit bewundert. Pinus Cembra, die sich auf unsern Alpen höher als Pinus Abies erhält und die Grenze der Bäume bezeichnet, Pyrus (Sorbus) Sambucifolia N., Alnus viridis und etliche Weiden bleiben strauchartig. Das Bauholz wird aus dem Innern der Halbinsel bezogen, welches sich eines mildern Klima's erfreut als die Ostküste, und die Samenkörner von Pinus Cembra, welche man auf der Tafel der Russen sieht, kommen aus Sibirien über Ochotzk.

Gräser und Kräuter wachsen auf reichem Humus unter einem feuchten Himmel mit großer Ueppigkeit. Es kommen der Pflanzenarten wenige vor und sie sind überall gleichmäßig vertheilt. An schattigen Orten wachsen Spiraea kamtschatica, Allium ursinum, Mayanthemum canadense, Uvularia amplexifolia, Trillium obovatum Pursch. u. s. w. Auf den Triften ein Veratrum, Lilium kamtschaticum, Iris sibirica u. s. w. Auf den felsigen Hügeln Caprifolien, Spiräen, Rosen, Atragene alpina und alpinische Pflanzen wie Rhododendron kamtschaticum, Empetrum nigrum, Trientalis europaea, Linnaea borealis, Cornus suecica, Saxifragen u. s. w. Etliche Farrenkräuter machen durch Zahl der Exemplare einen bedeutenden Theil der Vegetation aus. Etliche Orchideen kommen vor. Urtica dioica ist, anscheinlich eingeführt, einheimisch geworden.

Wir glauben, daß Sommerkorn bei St. Peter und Paul wie in Lappland unter dem 70. Grad und in den Thälern der Savoyer-

Alpen (au Tour u. s. w.) gedeihen möchte. In dessen Ermangelung geräth aber die Kartoffel leidlich, ob sie gleich nur kleine Knollen ansetzt; und diese Wurzel, welche bereits in einem großen Theil von Europa die Cerealien ersetzt, müßte hier die größte Wichtigkeit erhalten. Man könnte Branntwein daraus brennen und einem Hauptbedürfniß dieser Kolonie abhelfen. Aber es fehlt noch mehr an Händen und an Industrie als an Produkten oder an produktiver Kraft der Erde, und selbst was einmal mit Nutzen unternommen worden, wie das Salzkochen, unterbleibt. Krusenstern bemerkt ganz recht, daß die Erde zu spät bestellt wird. Der Hügel von Uebergangsschiefer, welcher den Hafen von der Bucht von Awatscha absondert, bietet Lager dar, welche die Stadt bequem mit Bausteinen versehen würden, und Kalk könnte aus Muscheln gebrannt werden, wenn nicht Kalkstein noch entdeckt werden sollte.

Unzählige wirksame Vulkane erheben sich längs dem Gebirge, welches, sich bogenförmig zwischen beiden Kontinenten ziehend, die Kette der aleutischen Inseln bildet, und ragen in Pyramidengestalt über die Wolken. Zerrissene, zackige Felsenzinnen bilden in unruhigen Linien den Rücken, welcher diese bedrohlichen Kolosse verbindet. Das Gebirge scheint sich von dem amerikanischen Kontinent aus über die Halbinsel Alaska und die Kette der Inseln gegen Asien zu senken. Die Inseln werden gegen Westen geringeren Umfanges und seltener ausgestreut, und die letzte derselben, die Beringsinsel, neigt sich in sanften Flächen gegen die kamtschatkische Küste hin.

Die zwei Pics der Halbinsel Alaska sind von einer außerordentlichen Höhe. Der erste im Nordosten, welcher vor einigen Jahren bei einem Ausbruch in sich versank, scheint noch mit abgestumpftem Gipfel der höhere zu sein. Der folgende, ein scharfgespitzter Kegel, ist anscheinlich beträchtlich höher als der Pic auf Unimak, und dieser, welcher den Makuschkin auf Unalaschka und die ähnlichen Gipfel auf den nächsten Inseln zu übertreffen scheint, hat nach der Messung von Herrn von Kotzebue 1175 Toisen Höhe A). Der Schnee be-

---

A) Herr von Kotzebue (Reise Vol. II. p. 5.) giebt die Höhe dieses Berges auf 5525 englische Fuß an, welche Angabe der obigen vorzuziehen sein möchte.

kleidet ganz den Kegel, und seine Grundfesten nach ungefährer Schätzung in den zwei obern Dritteln dieser Höhe und senkt sich stellenweis noch tiefer gegen den Strand herab.

Der Anblick dieses Gebirges hinterläßt einen außerordentlichen Eindruck. Das Auge, welches sich in unsern Alpen gewöhnt hat, die Schneelinie als ungefähren Maaßstab zu gebrauchen, kann sich nur schwer der Täuschung erwehren, die Höhen dieser Gipfel zu überschätzen*); die Schneelinie, welche Wahlenberg in den Schweizer-Alpen auf 1371 Toisen und in den lappländischen Bergen auf 555 Toisen beobachtet und Leopold von Buch auf Mageroe 71° N. B. auf 333 Toisen geschätzt hat, möchte sich nach unserer unmaßgeblichen Schätzung über diesen Inseln zu 400 oder 300 Toisen herabsenken, und abgesonderte Gipfel, welche diese Höhe nicht erreichen, hegen noch Schnee unter ihren Zinnen und in den Furchen und Höhlen ihrer Abhänge. Im Spätjahr 1817 hatte sich der Schnee an vielen Orten erhalten, von wo er im Spätjahr 1816 verschwunden war. Die Quellen in den niedern Thälern von Unalaschka, welche wir gegen den Anfang Juli 1817 untersuchten, zeigten uns die Temperatur der Erde zwischen 38 und 39° Fahrenheit an**).

Granit kommt auf Unalaschka vor. Die Berge des Innern, links von dem Thale, welches man auf dem Wege von der Hauptansiedelung nach Makuschkin verfolgt, sind Granit. Wir haben sonst an allen Ufern der großen Bucht, auf dem Wege nach Makuschkin und bei Makuschkin selbst nur Thonporphyr, einerseits und

---

die er mir mitgetheilt hatte, vielleicht bevor er seine Berechnung revidirt und abgeschlossen.

*) Aus derselben Ursache entsprang auf Teneriffa die entgegengesetzte Wirkung. Der Pic, den kaum der Schnee berührte, als wir ihn sahen, machte nicht auf uns den Eindruck, den seine wirkliche Höhe erwarten ließ.

**) Wir bedauern, daß der Zustand unserer meteorologischen Instrumente, von denen wir früher mehrere eingebüßt und deren letzte vor möglichem Unfall zu verwahren Pflicht war, uns die Beobachtungen zu wiederholen und die Resultate zu einer befriedigenden Genauigkeit zu bringen verwehrte; so haben wir den Barometer als Höhenmesser zu gebrauchen nicht vermocht.

hauptsächlich in Mandelstein, andererseits in Grünstein übergehend, konglomeratartigen Porphyr und wahren Konglomerat angetroffen.

Diese Gebirgsarten liegen über einander in mächtigen, wenig geneigten, anscheinlich ohne Gesetz abwechselnden Lagern. Die Lagerung ist nur von Weitem an dem Profil der Berge wahrzunehmen. Diese Porphyre bieten im Großen scharfkantige, zackige, nadelförmige Formen dar und nur, wo sie konglomeratartig werden, abgerundete Formen (Wollensäcke), wie es der Granit öftere thut *).

Aus diesen Porphyrgebirgen brechen mehrerer Orten heiße Quellen hervor, deren Wasser geschmack- und geruchlos ist und auf den Steinen einen Anflug von gelblich bräunlichem Kalksinter absetzt. Der Doktor Eschscholtz fand die Temperatur einer dieser Quellen, die in einem gegen den Eingang des Hafens gelegenen Thale auf einer Wiese sprudelt, zwischen 93° und 94° Fahrenheit. Das stockende Wasser etlicher Lachen auf derselben Wiese setzt ein hellgelbliches schwefelähnliches Sediment ab. Das Wasser der erwähnten Quelle und einer andern auf der Insel Akutan, in welcher Speisen in kurzer Zeit gar gekocht werden, schien dem Doktor sich durch größeren Kalkgehalt von dem Wasser gewöhnlicher Quellen zu unterscheiden. — Bei Makuschkin quillt am Fuße eines insularisch abgesonderten Hügels von geringer Höhe am Meeresstrand, unter der Linie der hohen Fluth, eine andere heiße Quelle aus einem Lager wirklichen Konglomerats hervor. Die darauf liegenden Lager, aus welchen der Hügel besteht, bieten die gewöhnliche Abwechselung von Thonporphyren dar.

Die Makuschkaia sobka raucht ruhig fort und die Aleuten holen sich Schwefel daraus. Wir sind in die abgesondert liegende enorme Gebirgsmasse, welche diesen Feuerschlund trägt, nicht gedrungen und haben in den Theilen der Insel, welche wir durchwandert sind, keine eigentliche Lava angetroffen.

---

*) Die in diesen Blättern zerstreuten geognostischen Bemerkungen sind zumeist dem Professor Weiß zu verdanken, welcher mit dem Verfasser alle mitgebrachten Proben von Gebirgsarten freundschaftlich belehrend durchgesehen hat.

Schwefelkies hat auf Unalaschka, wie an so manchen Orten der Welt, die Habsucht der ersten Entdecker getäuscht, welche solchen für Gold angesehen haben.

Wir haben auf Unalaschka versteinertes Holz, Fragmente großer Dikotyledonen-Stämme erhalten, welche angeblich aus dem Bette eines Sees auf Umnak herrühren, der in Folge eines Erdbebens ausgetrocknet ist. Die Vulkane dieser Insel sind besonders wirksam, und von ihnen ausgeworfene Steine haben in neuerer Zeit einen Kanal ausgefüllt, welcher sonst schiffbar gewesen ist.

Die neue Insel, welche im Jahre 1795 in der Nähe von Umnak und Unalaschka aus den Wellen emporstieg und über deren Entstehung Langsdorf uns benachrichtigt hat, fängt dem Vernehmen nach bereits an, sich mit Vegetation zu überziehen.

Auf der Halbinsel Alaska und auf der zunächst gelegenen Insel Unimak, die davon nur durch eine enge Durchfahrt getrennt ist und auf welche die Natur des Kontinents überzugehen scheint, kommen Bäume noch vor. Unalaschka und die übrigen Inseln dieser Kette sind durchaus davon entblößt. Man hat auf Unalaschka Tannen, eine Art Abies, die man aus Sitcha hergebracht, anzupflanzen versucht; die meisten sind ausgegangen, die übrigen scheinen kaum sich zu erhalten, jedoch ist die Pflanzung noch jung, und man weiß, wie schwer Zapfenbäume das Umpflanzen überstehen.

Wir haben uns auf Unalaschka, wo wir uns zu drei verschiedenen Malen im Früh- und Spätjahr aufgehalten, die Flora besonders zu studiren beflissen, und diese Insel wird uns zu einem Vergleichungspunkt dienen für die übrigen nördlicher gelegenen Landpunkte, welche wir berührt haben.

Auf Unalaschka (unter der Breite von Lübeck) überragen die Weiden in den feuchten Gründen kaum den üppigen Gras- und Kräuterwuchs. Sobald man aus diesen Niederungen die nächsten Hügel hinansteigt, findet man eine durchaus alpinische Flora und es erheben sich nur noch in der untersten Bergregion etliche Myrtillus-ähnliche Vaccinien strauchartig über den Boden. Uebrigens unterhält ein feuchter Himmel den grünen Mantel der Erde bis zu den nackteren Felsenzinnen und dem Schnee in frischem Glanze, und etliche gesellige Pflanzen schmücken diese traurige Welt mit bewunderungswürdiger Farbenpracht. (Lupinus nootkaensis, Mimulus luteus Pursch. guttatus Willd. En. Sup., Epilobium angustifolium und latifolium, Rhododendron kamtschaticum u. a.) Das frische Grün der Matten erinnert an das Urferen-Thal.

Die Flora scheint mit der von St. Peter und Paul keine andere Gemeinschaft zu haben als die, welche sie der allgemeinen alpinischen oder arktischen Flora und der Strand-Flora dieser nordischen Küsten verdankt. Wir haben, außer solchen Pflanzen, die sich im höheren Norden wiederfinden, nur das Lilium kamtschaticum (falls die Varietät auf Unalaschka nicht eine eigene Art sei) und die Uvularia amplexifolia an beiden Orten beobachtet und hingegen auf der amerikanischen Küste im Norden der Beringsstraße mehrere kamtschatkische Pflanzen-Arten gefunden, die wir auf Unalaschka vermißt haben. Es ist die Flora der Nordwest-Küste von Amerika, die sich bis an den Fuß der Hügel dieser Insel hinzieht, wo sie sich mit der arktischen vermählt.

Wir nennen als Beispiele Rubus spectabilis, Lupinus nootkaensis (welcher, jedoch verkrüppelt, auch zu den Höhen hinansteigt), Epilobium luteum und Mimulus guttatus Willd.*) Die Claytonia unalaschcensis Fisch. siberica hort. alsinoides Sims. möchte vielleicht auch hieher zu rechnen sein. Sanguisorba canadensis u. a. gehören der gemeinsamen Flora von Amerika.

Viele Gräserarten wuchern in den Niederungen, mit ihnen etliche Umbellaten, Angelica, Heracleum u. a. Ein Dutzend Carices machen kaum einen bedeutenderen Theil der Vegetation aus als in Nord-Deutschland; etliche Scirpus und Eriophorum begleiten sie, die Junci gesellen sich ihnen ungefähr in dem Verhältniß von eins zu zwei. Die Orchideen behaupten sowohl durch die Zahl der Arten als durch die der Exemplare in der Flora des Thales und der Höhen einen bedeutenden Rang. Wir zählten deren eilf Arten, worunter sich Cypripedium guttatum auszeichnete. Wir haben höher

*) Der Same dieser Pflanze, welche im botanischen Garten zu Berlin gezogen wird, soll vom See Baikal (?) hergekommen sein.

im Norden keine einzige Pflanze dieser Familie beobachtet. Von den Farrenkräutern kommen gegen acht Arten vor; wir haben nördlicher nur eine Filix, und diese nur einmal angetroffen. Etliche Lykopodien kommen auf Unalaschka, nördlicher eine einzige Art noch vor. Man findet in den Seen verschiedene Wasserpflanzen: Potamogeton, Sparganium, Ranunculus aquatilis u. a., wir haben in dem höheren Norden nur die zwei Hippuris-Arten und die gemeine Callitriche beobachtet.

Zwei andere Ranunkeln, die Prunella vulgaris, ein Rhinanthus, eine Cineraria, eine Achillea, eine Plantago, ein Geum, einige Rubiaceen, eine Claytonia, die Menyanthes trifoliata, eine Triglochin u. a. gehören mit den oben erwähnten Pflanzen der Thales-Flora von Unalaschka an. Eine Bartsia scheint sich von der nördlicher vorkommenden Bartsia pallida zu unterscheiden. Eine schöne Pflanze, die eine neue und ausgezeichnete Gattung begründet, die Romanzoffia unalaschcensis, erhielt den Namen des Beförderers aller Wissenschaften in Rußland. Die Gattungen Rumex, Polygonum, Aconitum, Thalictrum, etliche Alsinaceen, die Iris sibirica, das Geranium pratense, das Comarum palustre, die Montia fontana sind über den ganzen Norden verbreitet.

Das Empetrum nigrum, welches mit Helleborus trifolius Linn. (eine amerikanische Pflanze, die wir nördlicher nicht wiedergefunden) die Hügel zumeist bekleidet, eröffnet das Reich der alpinischen Flora. Man findet etliche Arten Vaccinium und den gemeinen Oxycoccos, Arbutus alpinus und Uva ursi, eine weißblüthige Mensiesia, welche unter Erica caerulea mit einbegriffen worden; Rhododendron kamtschaticum, Azalea procumbens, Andromeda tetragona ersetzt wird, alpinische Salices, Sylene acaulis, Sibbaldia procumbens, Cornus suecica, Trientalis europaea, Linnaea borealis, Ornithogalum striatum*), Anthericum calyculatum, L. variet. borealis, Königia islandica, eine von der nördlicher vorkommenden anscheinlich verschiedene Gymnandra, zehn Saxifragae, drei Pediculares, etliche Potentillae, zwei Gea, zwei Anemonae,

*) Zwei Varietäten dieser Pflanze möchten wohl verschiedene Arten sein.

drei Primulae, ein Papaver, eine Drosera, eine Pinguicula, zwei Pyrolae, eine Viola, eine Parnassia, einen Rubus, eine Armeria. Es kommen nur ein alpinischer Ranunculus und drei Gentianae vor, von welchen Gattungen man nördlicher mehrere Arten antrifft. Aus der Klasse der Syngenesia kommen Aster, Hieracium, Gnaphalium, Leontodon, Artemisia u. a. vor. Diese Klasse gewinnt eine größere Ausdehnung im höheren Norden, wo besonders die Gattung Artemisia mehrere ausgezeichnete Arten aufzuweisen hat. Dagegen kommen auf Unalaschka etliche alpinische Arten der Gattungen Campanula und Veronica vor, welche man im höheren Norden gänzlich vermißt. Aus der Klasse der Kreuzblumen sind etliche Arten theils im Thale, theils auf den Höhen vertheilt.

Wir haben auf Unalaschka Alnus viridis, Betula nana, Ledum palustre, Dryas octopetala, Diapensia lapponica, Rhodiola rosea, die Gattungen Spiraea, Astragalus, Allium, Myosotis, Corydalis, Valeriana, Aretia, Androsace, Dodecatheon, Delphinium und Orobanche vermißt, welche wir im höheren Norden angetroffen haben.

Die Strand-Flora, welche nördlicher unverändert dieselbe bleibt, bilden vorzüglich Elymus mollis, Herb. Gorenk. Trinius in Sprengel's Ent. 2. p. 72. Arenaria peploides, Pisum maritimum, verschiedene Formen der Pulmonaria maritima Willd., Cochlearia officinalis und Arnica maritima, welche, üppig und ästig auf dieser Insel, im höheren Norden einblüthig wird. — Wir möchten dieser Flora die Potentilla anserina zuzählen.

Das Meer ist längs der Küsten und in den Buchten an Algen reich, und der Fucus esculentus, der See-Kohl der angesiedelten Russen, zeichnet sich unter vielen gigantischen Fucus-Arten aus.

Die Moose und Lichene beginnen bereits zu Unalaschka in der Flora den großen Raum einzunehmen, welchen sie im höheren Norden behaupten.

Die Insel St. George, mit abgeflachtem Rücken von Felsen-Trümmern und steilen Ufern, bildet eine Tafel von mäßiger Höhe und geringem Umkreis, an welcher sich an der Ostseite eine Niederung anschließt. Man nimmt an den Profilen der Ufer die Lagerung wahr; die Gebirgsart scheint wie zu Unalaschka Thonporphyr zu sein, und große Blöcke einer porösen Lava bilden zum Theil den Strand.

Die Insel St. Paul ist von größerem Umfang und niedriger als St. George. Es erheben sich nur im Innern niedrige Hügel, deren einer einen stumpfen Kegel bildet. Die Ufer senken sich sanft zum Meer und bilden etliche Vorgebirge und Halbinseln. Etliche Riffe erstrecken sich von der Insel und einem nahgelegenen Felsen (der Boberinsel) aus in die See und sind für Schiffe nicht ohne Gefahr. Die Halbinsel, auf welcher die Ansiedelung liegt, ist theils aus gehäuften vulkanischen Schlacken, theils aus einer porösen, Eisen-Schlacken ähnlichen Lava gebildet, deren runzlige Oberfläche, an einigen Stellen noch unbewachsen, außer Zweifel setzt, daß sie wirklich geflossen habe. Hat sich dieser Fluß aus Meeresgrund erhoben, oder hat ihn ein Berg ausgeworfen, welcher in sich versunken ist? — Er kann sich schwerlich in dem jetzigen Zustande der Insel von den fernen und niedern Hügeln des Innern auf fast wagerechter Fläche bis zu den Ufern fortgewälzt haben. Ein Profil bei dem Landungsplatz zeigt deutliche wagerechte Lagerung.

Man hat zu verschiedenen Malen von St. George und St. Paul Feuer zur See brennen sehen und in hellen Tagen Land im Südwesten von St. Paul zu unterscheiden geglaubt. Unsere Untersuchung hat erwiesen, daß die letzte dieser Erscheinungen Trugschein war; die erste möchte vulkanisch gewesen sein.

Wir haben diese Inseln, die ungefähr unter der Breite von Riga liegen, nur mit flüchtigem Blick angeschaut; es ist auffallend, um wie viel winterlicher die Natur auf ihnen erscheint als auf Unalaschka. Es hegen nicht, wie dort, geschützte Thäler und Gründe eine üppigere Vegetation und südlichere Pflanzen. Eine durchaus alpinische Flora schließet sich, wie im höheren Norden, unmittelbar an die Flora des Strandes an. Die erhöhten Rücken von Felsentrümmern sind von schwarzen und fahlen Lichenen, die vom schmelzenden Schnee bewässerten Stellen von Sphagnum, Moosen und wenigen Carices bewachsen. Die Erde hat keine Quellen mehr. Die verschiedenen arktischen Pflanzen wählen sich nach ihrer Natur durch diese hindurch bis zu dem Urland, dem sie anliegen. Das Land hat sich nur wenig erhöht, und die ruhigen Linien der Hügel lassen nicht erkennen, wo der Felsengrund beginnt.

Die Felsen-Insel, die den Ankerplatz im Hintergrunde des Sundes schützt, ist von gemengter Gebirgsart (Quarz-Schiefer). Sie wirkt kräftig auf die Magnetnadel und verändert ihre Richtung. Der Felsen blickt wieder an den Profilen des gegenüberstehenden Ufers, welches den Grund des Sundes bildet, durch. Die Eschscholtz-Bucht, in die sich der Sund nordöstlich verlängert, bringt wiederum in angeschlemmtes Land ein. Wir landeten auf der Ostseite dieser Bucht auf einer Sandspitze, wo die Magnet-Nadel gleichfalls außerordentlich abweichend befunden ward. Soll diese Anomalie auf die Nähe des Urgebirges, welches man unmittelbar nicht siehet, schließen lassen?

Der Doktor Eschscholtz wollte längs dem Strande dieses Sandufers nach dem Felsen-Ufer, dessen Fortsetzung es ist, zurück gehen. Er fand zwischen dem Sande und dem Urgebirge, welches er suchte, in unmerklicher Fortsetzung von beiden, ohne daß die Lagerungsverhältnisse deutlich zu erkennen waren, eine Gebirgsart, die unsers Wissens nur Link unter die Gebirgsarten gerechnet hat, nämlich: Eis, klares, festes Eis.

Das Profil, wo es vom Meere angenagt zum Vorschein kommt, hat eine Höhe von höchstens achtzig Fuß, und der höchste Rücken der Hügel kaum das Doppelte. Auf dem Eise liegt ein dünnes Lager von bläulichem Lehm, zwei bis drei Zoll stark, und unmittelbar darauf die torfartige Dammerde kaum einen Schuh hoch. Die Vegetation ist da vollkommen dieselbe als auf dem angeschlemmten Sand- und Lehm-Boden. Die Erde thaut überall nur wenige Zoll auf, und man kann durch Graben nicht erkennen, auf was für einem Grunde man sich befindet. Die Dammerde, die von den angenagten Eis-Hügeln herabfällt, schützt wieder deren Fuß, und der ferneren Zerstörung geschieht Einhalt, wann sich unter dieser fallenden Erde ein Abhang gebildet hat, der von dem Fuße bis zu der Höhe reicht. Die Länge des Profils, worin das Eis an den Tag kommt, mag ungefähr einen Büchsenschuß betragen. Es ist aber an den Formen der bewachsenen Abhänge des Ufers sichtbar, daß dieselbe Gebirgsart (Eis) eine viel größere Strecke einnimmt.

Wir kennen bereits aus verschiedenen Reisenden ähnlichen Eisgrund im Norden von Asien und Amerika, und es gehört namentlich hieher der bewachsene Eisfelsen am Ausfluß der Lena, aus welchem der Mammuth, dessen Skelet sich in St. Petersburg befindet, herausschmolz und auf welchem Adams, dem man die Erhaltung dieses Skelets und die Nachrichten darüber verdankt, ein Kreuz errichten ließ.

Fossiles Elfenbein kommt hier, wie in Nordasien, vor, und die Eingeborenen verfertigen Werkzeuge daraus, wie aus Wallroß- und Physeter-Zähnen. Wir fanden in der Nähe des Eisbodens auf der Sandspitze, wo wir bivouakirten und wo die Eingeborenen vor uns sich aufgehalten, etliche Molar-Zähne, die denen des Mammuth's völlig glichen; aber auch einen Hauzahn, der durch seine größere Dicke an der Wurzel und seine einfache Krümmung sich merklich von den bekannten Mammuthshörnern unterschied und vielmehr mit den Zähnen der lebenden Elephantenarten übereinzukommen schien. — Während der Nacht ward unser Wachtfeuer zum Theil mit solchem Elfenbein geschürt.

Wir haben den größern Reichthum der arktischen Flora unter vielfältiger Abwechselung des Bodens an den felsigen Ufern der St. Laurenz-Bucht gefunden, die größere Dürftigkeit hingegen auf der flachen sandigen Küste Amerika's, deren Hügel einförmig von Sphagnum bekleidet sind und wo uns nur die Felseninsel im Innern des Sundes etliche der alpinischen Pflanzen-Arten darbot, welche nur auf Felsengrund gedeihen. Wir haben in der St. Laurenz-Bucht viele Pflanzenarten gesammelt, denen wir nur da begegnet sind. Die gleich felsige Insel St. Laurentii, die wir nur auf flüchtige Augenblicke, auf zwei verschiedenen Punkten betraten, hat uns mehrere Arten gezeigt, welche sie mit der Bucht gleiches Namens gemein hatte und die auf der amerikanischen Küste fehlten. Diese Küste endlich hat uns wenige andere Arten dargeboten, welche wir in der St. Laurenz-Bucht nicht gefunden haben. Wir können zwischen der Flora beider Küsten keinen wesentlicheren Unterschied aufstellen als den, welchen die Verschiedenheit des Bodens und des Klima's bedingt.

Der Anblick der Natur ist in der St. Laurenz-Bucht am winterlichsten. Die dem Boden angedrückte Vegetation erhebt sich kaum merklich im Hintergrunde derselben, woselbst die strauchartigen Weiden den Menschen kaum bis an die Kniee reichen. Die Andromeda polyfolia, die wir nur da gefunden, war nur zwei bis drei Zoll hoch und einblüthig. Die Flora dieser Bucht schmücken ein Delphinium, ein Dodecatheon, eine Aretia und mehrere von uns nur da beobachtete Arten von jeder echt arktisch alpinischen Gattung. Gentiana, Saxifraga, Astragalus, Artemisia, Draba, Ranunculus, Claytonia u. s. w. Mehrere derselben waren noch unbeschrieben.

Die St. Laurenz-Insel, zwei Grad südlicher gelegen, unterscheidet sich nicht von der St. Laurenz-Bucht in Rücksicht der Vegetation. Die Andromeda tetragona, die Dryas octopetala, die Diapensia lapponica, alpinische Myosotis-Arten, eine Gymnandra u. a. m. bezeichnen, wie in der St. Laurenz-Bucht, den Charakter der Flora. Wir bemerken, daß wir, zuerst auf dieser Insel in diese arktische Pflanzenwelt versetzt, in wenigen Minuten mehr blühende Pflanzen sammelten, als wir während mehreren Wochen auf der zwischen den Wendekreisen gelegenen Insel-Kette Radack beobachtet haben. Weiter nach Norden, auf der Felseninsel im Innern des Kotzebue's-Sund, wächst die Azalea procumbens, wie auf Unalaschka, in der Bucht und auf der Insel St. Laurenz; mit ihr alpinische Weiden, Cornus suecica, Linnaea borealis, arktische Rubusarten u. s. w. Empetrum nigrum und Ledum palustre kommen auf dem Moorgrund und unter dem Sphagnum überall vor, aber das Ledum bildet nicht da den hohen Strauch, der die Torfmoore von Nord-Deutschland ziert.

Die Vegetation hat sich im Innern des Kotzebue's-Sund beträchtlich mehr erhoben als im Innern der St. Laurenz-Bucht. Die Weiden sind höher, der Graswuchs üppiger, alle Gewächse saftiger und stärker. Die mehrsten Pflanzenarten, die wir auf der amerikanischen Küste gefunden und die in der St. Laurenz-Bucht gefehlt, deuten auf eine minder winterliche Natur. Wir fanden auf der erwähnten Insel Alnus viridis als winzigen Strauch und Spiraea chamaedrifolia, Pflanzen, welche wir in Kamtschatka, und nicht auf der amerikanischen Insel Unalaschka beobachtet und die ein roheres Klima aus der St. Laurenz-Bucht verdrängt zu haben scheint. Die Flora dieser Insel zierten eine Orobanche (rossica N.) und eine Pinguicula. — Die Cineraria palustris wächst besonders üppig auf den wohlbewässerten Abhängen, die sich am Fuße der Eiswände bilden. Betula nana kommt schon an der äußern Küste vor. Das ebene Land dieser Küste bleibt den Sommer über von Schnee entblößt.

Unfern des Grundes von Kotzebue's-Sund, ungefähr anderthalb Grad südlicher, hat Cook die Ufer von Norton-Sound bewaldet gefunden, und die Bäume erhoben sich mehr und mehr nach dem Innern des Landes zu (nordwärts). —

Mackenzie hat östlicher im Innern von Amerika die Ufer des Flusses, dem er seinen Namen gegeben, noch unter dem 68. Grad nördlicher Breite mit hohen Bäumen bewachsen gefunden, und diese Ufer schienen ihm von Eis zu sein.

Es scheint uns, wenn wir alle Umstände erwägen, die amerikanische Küste der Beringsstraße sich eines mildern Klima's als die asiatische zu erfreuen.

Es sei uns erlaubt, dem traurigen Gemälde dieser Küsten ein Bild der europäischen Natur unter dem 70. Grad nördlicher Breite (drei und einen halben Grad nördlicher als die nördlichsten von uns berührten Punkte) an die Seite zu setzen. „Da erschien uns reizend „die kreisrunde Bucht und das Amphitheater von Talvig, als sie „sich uns plötzlich und auf einmal durch den engen Kanal eröffnete, „durch den wir hineinfuhren. Die Kirche auf dem lebhaft grünen „Abhange in der Mitte, der große Prediger-Hof darüber, an den „Seiten zwei ansehnliche Gaarde, und rund umher am Ufer fort „Quäner und Bauern, und darüber malerische Felsen und ein herr- „lich schäumender Fall. Dazu die Lebendigkeit des Sommers; „Schiffe im Hafen, eine Kopenhagener und eine Flensburger Brigg „neben einem Russen von Archangel's Küsten her und Finnen und „Normänner in fortwährender Bewegung in der Bucht, herein und

18*

„wieder fort, mit frischen Fischen zum Russen, mit getrockneten nach
„dem Kaufmann und mit Mehl und Kornwaaren zurück. Wer mag
„sich doch Finnmarken traurig und elend vorstellen, wenn ihm Tal-
„vig's Bucht in solcher Lage erscheint.

„Gegen Mittag fuhren wir die zwei kleinen Meilen herüber
„von Talvig nach Altengaard, dem Amtmanns-Sitz im innersten
„Theile des Fiord. Auch dieser Gaard überrascht. Er liegt mitten
„im Wald von hohen Fichten, auf einer grünen Wiese, mit herr-
„lichen Blicken durch die Bäume auf den Fiord, auf die hinter-
„einander in das Wasser hervorstehenden Spitzen und endlich auf
„Seyland's und Langfiord's Fielde. Die Bäume umher sind so
„schön, so abwechselnd. Zwischen den Zweigen schäumt jenseit des
„Wassers im ewigen Treiben der Bach der Sägemühle von den Fel-
„sen herunter, und im Fiord und in Refsbotn leuchten fast in jeder
„Stunde, welche die Sonne fortschreitet, neue Gaarde herüber. Eine
„Villa ist diese Wohnung; ein Landsitz, nicht für Aktenstaub gebaut,
„oder um dort Prozesse zu führen. Ist es doch, wenn man durch
„den Wald vom Strand herankommt, als wäre man bei Berlin in
„den Thiergarten versetzt; und dann wieder, wenn sich die Perspek-
„tiven den Fiord herunter eröffnen, als sähe man italienische Fernen
„oder einen See in der Schweiz." (Leopold von Buch's Reise
durch Norwegen und Lappland 2c. p. 485.)

Mageröe, unter dem 71. Grad, scheint mit zertrümmerten nackten Felsen, unter welchen am Ende des Julius überall große und
ausgedehnte Schneemassen liegen, den Anblick der Ufer der St. Laurenz-Bucht zu vergegenwärtigen. Die Birke wächst jedoch da, obgleich verkrüppelt, auf den Abhängen der Berge bis zu einer Höhe
von 400 Fuß. Leopold von Buch schätzt die mittlere Tempera-
tur der Luft auf dieser Insel $1\frac{1}{2}^{\circ}$ R. und die Höhe des ewigen
Schnees 2000 Fuß. Aber es friert da in gut geschlossenen Kellern
niemals, und das Gras hört nie auf, noch unter dem Schnee zu
wachsen. — Ein Bach fließt bei Hammerfest auf Qualöe den ganzen Winter hindurch.

Wir sehen hingegen auf den Küsten, auf welchen unsere Blicke
haften, eine üppigere Vegetation, Sträuche, hohe Bäume (**Mackenzie**)

auf einem ewig gefrornen Boden, auf einem Boden von gediegenem Eis gedeihen.

Wahlemberg (de vegetatione et climate in Helvetia septentrionali p. LXXXIV.) hat für Europa dieses Gesetz aufgestellt: Die mittlere Temperatur der Luft ist gegen den 46. Grad nördlicher Breite der Temperatur der Erde im ebenen, wenig über die Meeresfläche erhabenen Lande gleich. Von diesem Mittelpunkt aus nimmt die Temperatur der Luft sowohl gegen Norden als gegen den Gipfel der Berge schneller ab als die Temperatur der Erde, und gegen Süden schneller zu, so daß im Norden und auf den Bergen die Temperatur der Erde wärmer, im Süden aber weniger warm ist als die mittlere Temperatur der Luft.

Auf den Küsten, welche wir besucht haben, können nur die direkte Sonnenhitze und die Temperatur der Luft während des Sommers die Vegetation auf einer ewig gefrornen Erde unterhalten. Sollte da die Winterskälte so streng sein, daß die mittlere Temperatur der Luft noch unter die Temperatur der Erde fallen könnte? Der Anblick der Natur auf diesen Küsten widerstreitet in Ermangelung aller meteorologischen Beobachtungen dem erwähnten Gesetze, wie dasselbe, bewährt für Europa, ungünstig der von uns gewagten Hypothese scheint, nach welcher dieser Welttheil der erwärmteren Luft, die ihn bestreicht, sein mildered Klima zu verdanken hätte.

Steller zuerst, den Pallas den Unsterblichen nennt, hat unter Bering die Naturgeschichte dieses Land- und Meerstriches enthüllt, und Merk ist unter Billing seiner Spur rühmlich ergänzend gefolgt. Andere Gelehrte und Sammler haben gemächlicher in Kamtschatka geforscht und Unalaschka ist besucht worden. Die Namen Steller und Merk sind unverdunkelt geblieben. Von dem, was für die Botanik gewonnen ward, liegt Vieles noch vorzüglich in den Lambert'schen, Willdenow'schen und Görenk'schen Herbarien unedirt. Pallas hat in der Zoographia rossica, soweit selbige gediehen ist (bis zur Mitte der Fische), alles Zoologische zusammengestellt. Wir werden mit gebührender Ehrfurcht zu unseren Vorgängern nur wenige Bemerkungen über die Fauna dieser Meere und Küsten uns erlauben.

Die größeren Säugethiere sind vom amerikanischen Kontinente bis auf Unimak übergegangen. Man findet da das Rennthier, einen Wolf und einen Bären, welcher der europäische braune Bär zu sein scheint. Der schwarze Bär (Ursus americanus, gula genisque ferrugineis), dessen kostbare Haut zu Pelzwerken gesucht wird, kommt mit dem braunen Bären zusammen erst an der entfernteren Nordwestküste vor. Man findet nur noch auf Unalaschka den schwarzen Fuchs und verschiedene kleine Nagethiere, worunter sich der Mus oeconomus auszeichnet, welcher die Wurzeln des Polygonum viviparum, der Surana (Lilium kamtschaticum) und anderer Pflanzen als Wintervorrath unter dem Schnee aufspeichert. Die übrigen Säugethiere gehören der Fauna des Meeres an.

Wie gegen Norden hin auf dem Lande die Wälder sich senken, die Vegetation allmälig abnimmt, der Thiere immer weniger werden, zuletzt (wie auf Novaja Semlja) das Rennthier und die Nager mit den letzten Pflanzen verschwinden und nur Raubthiere, denen ihre Nahrung auf dem Meere angewiesen ist, den beeisten Strand umschleichen, füllt sich dagegen das Wasser mehr und mehr mit Leben an. Die Algen, gigantische Tangarten, bilden um die felsigen Küsten überflossene Wälder, dergleichen in der heißen Zone nicht vorkommen.*) Aber das Leben im Wasser neigt sich auf die animalische Stufenreihe, obgleich alle Wasserthiere auf einer niedrigeren Stufe zu beharren scheinen als ihre Verwandten aus denselben Klassen, welche dem Lande angehören. Die Medusen und freien Zoophyten, die Molusken, Würmer und Crustaceen, unzählige Arten von Fischen in unglaublich gedrängten unendlichen Schaaren, die riesigen schwimmenden Säugethiere, Wallfische, Physeter, Delphine, die Wallrosse und Robben erfüllen das Meer und dessen Strand, und es wiegen sich darüber wundersame, zahllose Flüge von Wasser-

*) Die See-Tange, welche an der californischen Küste den Galeonen von Manila zum Wahrzeichen des nahenden Landes dienen, möchten das äußerste Vorschreiten dieser Bildung gegen die Grenze der Passatwinde bezeichnen. — Am Vorgebirge der guten Hoffnung kommt der hieher zu rechnende Fucus buccinalis vor.

vögeln, welche in der Dämmerung gleich schwebenden Inseln anzusehen sind.

Die Seeotter scheint nicht nach Norden über die Kette der aleutischen Inseln auszuschweifen und beginnt auf denselben selten zu werden, nachdem sie den Untergang der eingeborenen Völker veranlaßt hat. Der Seelöwe und der Seebär scheinen sich ungefähr in denselben Grenzen zu halten, andere, der Phoca vitulina ähnlichere Robben kommen nördlicher häufiger vor. Man trifft in der Beringsstraße unendliche Heerden von Wallrossen an, und die Zähne dieser Thiere scheinen einen beträchtlichen Handelszweig der Bewohner der St. Laurenz-Insel auszumachen. Wir haben zu Unalaschka nur entstellte Sagen vernommen, die auf den Manatus borealis zu deuten schienen. Ein Physeter, ein Anarnak, sechs verschiedene Wallfischarten, der Delphinus Orca und zwei andere Delphine kommen um die aleutischen Inseln, und außerdem im Norden der Beringsstraße, wie wir aus etlichen Anzeichen schließen, noch der Delphinus leucas vor.*)

Man findet an den Küsten der Beringsstraße verschiedene Viverra- und Canis-Arten, unter welchen hauptsächlich der schwarze Fuchs unsere Habsucht zu reizen vermöchte. Der sehr gemeine Arctomys Cytillus, dessen Fell ein elegantes Rauchwerk abgiebt, zeichnet

---

*) Wir werden die Nachrichten, die wir über die Wallfische dieser Meere zu Unalaschka von den Aleuten eingezogen haben, ausführlicher in den Verhandlungen der Leopoldinischen Akademie mittheilen. Wir bemerken hier blos unmaßgeblich zu Pallas Zoographia p. 283, daß Aggadachgick Physeter macrocephalus, Tschiedugk ein Anarnak, und Tschumitschugagak, von dem unsere Nachrichten schweigen, vielleicht dieses letztere Thier im jüngern Alter sind. Zur Seite 288, wo sechs Wallfischarten aufgezählt werden, daß No. 2 Culamimak Balaena Mysticetus auct. B. Physalus Pall. zu sein scheint, und daß No. 6 anstatt Kamschalang, welches alt bedeutet und ein Beiname der erwachsenen Thiere jeglicher Art sein kann, Mangidach einzuschalten ist, welcher Name p. 294 unter B. Musculus angeführt wird. Fünf Arten mit mehr oder minder gefurchter Brust sind aus flüchtigen Beschreibungen und rohen Abbildungen kaum von einander zu unterscheiden. Der wohl erhaltene Schädel, welcher nach St. Petersburg mitgebracht wurde, gehört zu der Art No. 3. Allamak.

sich unter den Nagern aus. Das Rennthier, welches beiden Küsten angehört, scheint auf der St. Laurenz-Insel zu fehlen. Der Hund, überall im Norden der nächste Gefährte des Menschen und sein nützlichstes Zugthier, fehlt nur auf den aleutischen Inseln, wo er, sonst eingeführt, sich vermehrt hatte, aber von den Herren des Landes ausgerottet worden, weil er die Füchse befährdete, deren Häute ihr sicherster Reichthum sind.

Viele Landvögel haben sich von der nächsten Küste aus auf Unalaschka verbreitet, über welche der weißköpfige amerikanische Adler herrscht. Wir haben in Hinsicht auf den Albatros, Diomedea exulans, einen gemeinen Irrthum zu berichtigen, der unter Pallas' Autorität Glauben gefunden hat*). Der Albatros besucht nicht blos als ein flüchtiger Gast aus der südlichen Halbkugel den Norden auf kurze Zeit, um seinen Hunger zu stillen und sofort zur Brutzeit nach der südlichen Heimath zurückzukehren. Der Albatros baut sein Nest aus Federn auf den höchsten Gipfeln der aleutischen Inseln, namentlich auf Umnak und Tschatirech sobpotschnie ostroff. (Die Insel der vier Pics.) Er legt zwei sehr große Eier bläulicher Farbe und brütet sie zur Sommerzeit aus. Die schwarze Varietät, derer die Autoren erwähnen, ist das jüngere Thier. Die Aleuten besteigen gegen August diese Gipfel und holen die Eier aus den Nestern; den brütenden Vögeln selbst stellen sie mit eigens dazu gemachten Wurfspießen nach und sind besonders begierig des Fettes, womit selbige zu dieser Zeit beladen sind.

Kein einziges Thier aus der Klasse der Amphibien kommt auf Unalaschka und den aleutischen Inseln vor.

Vorherrschend sind unter den Insekten die Käfer und unter diesen die Gattung Carabus, aus welcher der Dr. Eschscholtz 16 Arten zählte, unter welchen mehrere noch unbeschrieben waren. Etliche

---

*) Unica Septentrionem visitans avis Diomedea Albatrus, hiemem antarcticam fugiens, per immensum Oceanum ad nostra littora, aestiva abundantia piscium anadromorum allicitur, nec tamen apud nos generat, sed ad aestatem antarcticam prolificandi gratia illuc denuo abit Zoogr. Ross. V. 1. p. 297 und V. 2. p. 308.

Wasserkäfer beleben noch die Landseen und Lachen. Man möchte sie nördlicher vergeblich suchen.

Die gemeine nordische große Maja (Lithodes artica Lat.) zeichnet sich unter den Krebsen aus und ist eine vorzügliche Speise.

Wir verweisen auf Pallas und andere Schriftsteller in Hinsicht auf die Fische, auf deren beständigen unzähligen Zügen die Nahrung des Menschen und seiner Hausthiere*) (das Rennthier ausgenommen) im Norden beruht, wie unter einem mildern Himmel auf den Ernten der Cerealien, und die getrocknet das Brod und Futter der Nordländer sind. Die einfacher organisirten Thiere des Meeres werden uns zu etlichen allgemeinen Bemerkungen veranlassen.

Wir haben im Aequatorial-Ocean eine Werkstatt der Natur erkannt, wo sie von Molusken, Würmern und vorzüglich von Polypen die Kalkerde erzeugen oder absondern läßt. Thiere aus denselben Klassen sind im Meere, welches die aleutischen Inseln bespült, wenigstens was die Zahl der Individuen anbetrifft, nicht minder zahlreich; und manche der Arten sind nicht minder riesig als die jener Zone; aber die Kalkerzeugung tritt zurück. Unter den Molusken zeichnet sich ein Tintenfisch aus (Sepia octopus?), welcher zu einer Größe heranwächst, die ihn den kleinen Baidaren der Eingeborenen, welche er umzuwerfen vermag, wirklich gefährlich macht und die Fabel des Polypen, welcher mit seinen Armen Schiffe umstrickt und in den Grund zieht, in etwas rechtfertigt. Es herrscht unter den Testaceen keine große Mannigfaltigkeit, aber die Zahl der Arten wird durch die der Individuen von wenigen allgemein verbreiteten ersetzt. Etliche Balanus und die gemeine Muschel (Mytilus edulis) überziehen meist den Strand. Die Muschel, welche bei uns allgemein gegessen wird, ist hier eine höchst gefährliche Speise, zu

---

*) Wir bemerken, zu Vergleichungen geneigt, daß Marco Polo im 46. Kapitel des dritten Buches von der Landschaft Aden (unter der heißen Zone) berichtet, daß daselbst „Pferd, Rinder und Kameel, das isset alles Fisch, denn es „mag kein Kraut aus der Erde wachsen vor großer Hitze wegen. Das Vihe isset „lieber dürr, denn griene Fische.“

welcher man sich nur in der Noth entschließt. Sie soll zu Zeiten als ein entschiedenes Gift wirken, und es sind, wie man uns berichtet, öfters Menschen an deren Genuß gestorben. Keine Mollusca dieser Meere kann an Kalkerzeugung mit der Chama gigas und anderen Arten des Südens verglichen werden.

Unter den Zoophyten Cuv. zeichnen sich die Seesterne (Asterias L.), Seeigel (Echinus L.) und Quallen (Medusa L.) aus. Der gemeinste Seestern (Asterias rubens?) erreicht die Größe von beiläufig einem Fuß im Durchmesser. Eine Euryale (Caput Medusae) ist entschieden eine andere Art als die, welche am Vorgebirge der guten Hoffnung vorkommt. Der gemeinste Seeigel (Echinus esculentus?) wird gegessen. Die Quallen und andere unscheinbare Thiere gereichen den Wallfischen zur hinreichenden Nahrung.*) Die Stelle der südlichen Lithophyten nehmen die Ceratophyten ein, und namentlich die Nordküste der Insel Umnak bringt deren mehrere ausgezeichnete Arten hervor. Die Fischer angeln häufig aus des Meeres Grunde sechs Fuß lange Gerten herauf, die sie nach deren nächster Aehnlichkeit für Bärte eines riesigen Thieres halten und die uns das Skelet einer Seefeder (Pennatula) zu sein geschienen.

Es bleibt uns übrig die Völker zu betrachten, welche die Küsten und Inseln, die wir überschaut haben, bewohnen**).

Es ist bekannt, daß die ansässigen Tschuktschi auf der Nordost-Spitze von Asien, die Bewohner der St. Laurenz-Insel der gegenüberliegenden Küste und überhaupt alle nördlichen Küstenbewohner Amerika's, von der Beringsstraße an, einerseits südwärts bis zu den Konägen auf Kadiak und den Tschugatzen im Hintergrund von Cooksinlet und andererseits nord- und ostwärts längs dem Eismeere, am Ausfluß des Mackenzie und Copper mine river, bis zu den Eskimos im Norden der Hudsonsbai und auf Labrador, und bis zu

*) Wir haben die Clio borealis in diesem Meere nicht angetroffen.

**) Wir bemerken, daß wir meist diese Völker und Völkerschaften mit Namen benennen, die sie sich nicht selber, sondern die ihnen Fremde auferlegt. Und es geschieht also in Rücksicht der mehrsten Völker der Erde. So scheint das Wort Aleut von der fragenden Partikel Allix sich herzuleiten, die in der Sprache dieses Volkes den Fremden auffiel.

den Grönländern und der im höchsten Norden der Baffinsbai von Roß aufgefundenen Völkerschaft, zu einem und demselben Stamme gehören; einem Menschenstamme von ausgezeichnet mongolischer Gesichtsbildung, dem Stamme der Eskimos, dessen asiatischer Ursprung augenscheinlich ist und dessen Wanderungen man leicht über das Ost-Cap Asien's und längs den Küsten Amerika's verfolgen kann.

Die Sprache ist von ausgezeichnet künstlichem Bau. Die Lebensart, die Sitten, die Künste, die ganz eigenthümliche Schifffahrt in ledernen Booten (Kajak Baidaren)*), die Waffen, die Kleidertracht sind im Wesentlichen überall dieselben, und man unterscheidet kaum in dem Atlas der Reisenden den Grönländer von dem Tschuktschen oder Konägen.

Vater im Mithridates 3, 3, p. 425 nimmt Anstand, die Bewohner der Fuchs-Inseln, die Aleuten, mit G. Förster zu den Eskimos zu rechnen. Sie gehören aber offenbar zu denselben. Der Dr. Eschscholtz hat sich von der wesentlichen Uebereinkunft ihrer abweichenden Mundart mit der Stammsprache überzeugt, und sie sind sonst in Allem ihren Stammverwandten gleich. Diese Völkerschaft ist augenscheinlich vom amerikanischen Kontinent westwärts auf die Inseln gewandert; die westlichsten der Kette sind, wie die im Innern des kamtschatkischen Meerbeckens gelegenen, unbevölkert geblieben.

Die Sprache dieses Menschenstammes ist uns hauptsächlich aus den Lehrbüchern der grönländischen Mundart, die wir den dänischen Missionaren verdanken, und aus den grönländischen und labradorischen Bibelübersetzungen hinreichend bekannt**). Der Dr. Eschscholtz hatte mit Hülfe eines der uns begleitenden Aleuten unternommen, den aleutischen Dialekt und dessen sehr verwickelte Grammatik besonders zu beleuchten. Er war das begonnene, eben so schwierige als verdienstliche Werk zu vollenden entschlossen, und es ist zu hoffen, daß ihm die zu diesem Behufe nothwendige Hülfe seines Pfleglings nicht entzogen werde.

---

*) Merkwürdig, daß diese den nordlichen Hochländern von Roß fehlen.

**) Mithridates 3, 3, p. 432 und Linguarum index p. 85.

Im Aleutischen wie im Grönländischen findet zwischen der Rede der Männer und der der Frauen ein ausgezeichneter Unterschied statt.

Die Kamtschadalen gehören nicht zu diesem Volksstamme. Sie sind gleichfalls mongolischer Race und reden verschiedene Dialekte einer anscheinlich eigenthümlichen Sprache. Dieses Volk ist bereits fast gänzlich unter der neuen fremden Herrschaft erloschen. (Siehe Krusenstern V. 2. cap. 8.)

Ueber die Aleuten und die Russisch-Amerikanische Compagnie zu reden ist der Verfasser nicht befugt. Er würde nur sein gekränktes Gefühl und sein Erbarmen auszudrücken vermögen. Wer auch nach hergebrachtem Brauch das Recht ungeschützter Völker zu ihrer angeborenen Freiheit mißachtet, muß bekennen, daß unter diesem strengen Himmel Armuth Elend ist, und arm und elend sind die Aleuten im Gegensatz zu den wohlhabenden, starken, unabhängigen Völkerschaften gleiches Stammes unerhört. Sie sind harmlose, armselige Sklaven, die noch jetzt ohne gehörige Sparsamkeit, obgleich nicht mehr mit dem sonstigen Uebermuth ausgegeben werden und deren Stamm sehr bald versiegen wird*).

---

*) Sauer theilt in den Anhängen zu seiner Reise den Auszug des Journals eines russischen Offiziers mit, worin von den ersten russischen Pelzjägern auf diesen Inseln gesagt wird: They used not unfrequently to place the men close together and try through how many the ball of their rifle barelled musquet would pass. Gegori Schelikoff has been charged with this act of cruelty and J have reason to believe it. Sie pflegten nicht selten die Menschen dicht zusammen zu stellen und zu versuchen, durch wie viele die Kugel ihrer gezogenen Büchse hindurchgehen könne. Man hat Gegori Schelikoff dieser Grausamkeit beschuldigt und ich habe Gründe, daran zu glauben.

Zu Billing's Zeit zeichneten sich noch die Unalaschker durch größere Bildung, Feinheit, Kunstfertigkeit aus. Jetzt nicht mehr.

Auf den westindischen Inseln flüchten nicht selten Negersklaven zu den unwegsamen Bergen des Innern (Nelgres marrons, Cimarrones). Hier, wo nur das Meer ernährt, sollen auch auf etlichen Inseln die Aleuten sich in die Berge geflüchtet haben.

Man hat uns als aktenmäßig mitgetheilt, daß die Zahl der Aleuten auf den Fuchsinseln im Jahre 1806 1334 Männer und 570 Frauen, im Jahre 1817 462 Männer und 584 Frauen gewesen ist. (?)

Sauer, Davidoff, Langsdorf, Krusenstern und Andere haben darüber ihre Stimme erhoben.

Wir werden uns auch nur über die nördlicheren Völkerschaften, die Tschuktschi, die Bewohner der St. Laurenz-Insel und die der Ufer des Kotzebue's-Sund wenige Bemerkungen erlauben und uns im Ganzen auf die russischen Berichte, Cook, die Geschichtschreiber der Billing'schen Expedition, Saretschew und Sauer, und auf die Beschreibung unserer Reise beziehen. Besagtere haben über diese Völker zu reden übernommen.

Wir haben die Tschuktschi an demselben Orte kennen gelernt, wo Cook und Billing vor uns gewesen waren. Wir haben ihre Berichte über die Sitten und Bräuche dieses Volkes, in sofern wir selbige kennen gelernt, sehr treu befunden und müssen ihnen nur in einem Punkte widersprechen: nämlich in Ansehung des Vorzugs, der ihnen vor andern Völkerschaften eingeräumt wird; der Bildung, der Kraft, der Leibesgröße, der besonderen, mehr europäischen Gesichtszüge, die ihnen zugeschrieben werden. Wir haben in ihnen nur die Eskimos der gegenüberliegenden Küste wieder erkannt, denen sie uns sogar, wenigstens an Kunstfertigkeit, unterlegen geschienen haben. Nur möchten sich ihrer etliche durch eine höhere Statur unterscheiden.

Die Tschuktschi erkennen zwar die russische Oberherrschaft an, aber der Tribut, den sie in die russischen Handelsplätze freiwillig bringen, ist gleichsam nur ein Zoll, wodurch sie sich selbige eröffnen, und sie genießen der Vortheile des Handels, indem ihre Selbstständigkeit und Unabhängigkeit unbefährdet bleibt.

Wie die St. Laurenz-Insel zwischen beiden Kontinenten liegt, so scheinen ihre Bewohner zwischen den Tschuktschi und Amerikanern die Mitte zu halten, den letzteren jedoch näher verwandt zu sein. Sie scheinen nicht ihre Todten, wie die Tschuktschi, zu verbrennen. Wir haben Schädel auf dem Plateau der Insel und in den Felsentrümmern am Fuße der Höhen angetroffen, aber nicht die aus Treibholz aufgeführten Monumente bemerkt, die auf der amerikanischen Küste die Ruhestätte der Todten über dem gefrornen Boden der Hügel bezeichnen und vor den wilden Thieren schützen. Sie tragen bekanntlich schon die Zierrathen in den Ecken des Mundes, welche die Eskimos vom Kotzebue's-Sund bis an den Ausfluß von Mackenzie's River bezeichnen, aber sie sind bei ihnen weniger allgemein und von geringerer Größe. Sie scheinen mit den Tschuktschi in Handelsverkehr zu stehen und von ihnen namentlich die Pelzkleider (Parken) von Rennthierfellen zu beziehen, welche sie brauchen; das Thier selbst besitzen sie nicht. Sie sind an Wallroßzähnen und anderen den Seethieren abgewonnenen Produkten reich und zu Handel erbötig.

Die Tschuktschi hassen die Bewohner der amerikanischen Küste, mit denen sie in Feindschaft und Krieg leben, wie nur Brüder sich zu hassen vermögen, und schilderten sie uns mit den schwärzesten Farben. Wir haben an diesen im Verkehr mit ihnen nur die Vorsicht, die dem waffenfähigen Manne gegen Unbekannte geziemt und die wir selbst gegen sie gebrauchten, bemerkt, Nichts aber, was uns zu dem Verdacht berechtigt hätte: sie sännen auf Verrath. — Ihr Reichthum an russischen Gütern, an Eisen, blauen Glasperlen u. s. w. war uns auffallend; sie sollen diese Waaren, wenn wir anders die Tschuktschi wohl verstanden haben und ihnen Glauben beimessen wollen, wie diese selbst aus Kolima holen. Sollte sich wirklich der Handel dieser Amerikaner einen Weg nach diesem Markt zur See um den Schelatzkoy noss oder vielmehr bei Nacht und Winterzeit zu Schlitten und über den mehr erwähnten Isthmus dieses Vorgebirges eröffnet haben?

Meteorologie. — Magnet.

Dem Naturforscher der Expedition ist nur die Beobachtung der Inklinationsnadel von **Troughton** anvertraut worden und zwar nur zwei Mal, in Chile und in der St. Laurenz-Bucht. Er kann nur das wiederholen, was man in **Roß** Reise, Appendix p. 128 liest:

„We never got any result from this instrument, which could be depended on."

Nachschrift.

Von dem Befehlshaber und Berichterstatter der Expedition getrennt, war es dem Verfasser der Bemerkungen und Ansichten unmöglich, seine Angaben oder Urtheile an denen der Gelehrten, in deren Reihe er auftritt, zu prüfen und zu berichtigen. Er konnte selbst nicht seine Rechtschreibung fremder Namen und Wörter mit der in der Reisebeschreibung befolgten in Uebereinstimmung bringen, da er die Aushängebogen des Werkes nicht gesehen hat. Er ist in Hinsicht der Sprachen, die geschrieben werden, der Autorität der heimischen Schriftsteller gefolgt, und in Hinsicht der nicht geschriebenen eigenen Grundsätzen, von denen er in der Anmerkung zum Vokabularium Rechenschaft abgelegt hat.

Viele dieser Blätter sind in der Zwischenzeit ihres Entstehens und ihrer Bekanntmachung im frischen Treiben der Zeit und der Wissenschaft bereits verwelkt und der Vergessenheit anheim gefallen. Der Verfasser hätte sie zu unterdrücken gewünscht. Südamerika ist uns näher gerückt. Wichtige Werke und der tägliche Verkehr haben uns Brasilien eröffnet. Chile ist nicht mehr das Land, das wir gesehen; wir bringen ein Bild der Vergangenheit dar; der freie Handel führet heute das Kupfer aus, welches die ersten Verfechter der Unabhängigkeit zu Kanonenkugeln verbrauchen mußten.

Spätere Entdeckungen haben die Streitfragen, die wir über die Polarregionen zu erörtern hatten, ihrer Entscheidung nahe gebracht und den Standpunkt, aus dem man sie betrachten soll, vorgerückt. Der Lieutenant Parry ist aus dem Lancaster's-Sound, zwischen Inseln und von Kanälen zerrissenen Ländermassen, bis über den

115° W. L. hinaus (eine Strecke von 35°) vorgedrungen, nur 20° diesseits der Mittagslinie von Mackenzie's River. Wir sind uns vorzustellen geneigt, daß ähnliche Inseln und Ländermassen zwischen Grönland und Neusibirien und namentlich im Norden der Beringsstraße (Burney) einen großen Theil der Polarregion einnehmen.

Es hat andrerseits das Neusüdshetland von William Smith 1819, welches man sich nicht erwehren kann in Verbindung mit dem Sandwichland zu denken, den Glauben an einen südlichen Kontinent, welchem Cook selbst noch nach seiner zweiten Reise anhing, wieder belebt. Diese Küste begrenzt eine der befahrensten Straßen, und jährlich müssen ihr Hunderte von Schiffen, gegen Weststürme auf der Westfahrt ringend, auf wenige Grade nah kommen. Man erstaunt ob der verspäteten Entdeckung.

Es hat endlich W. Scoresby (An account of the arctic regions, Edinburgh 1820) uns ein Werk über die nordische Polarregion gegeben, vor dessen Gründlichkeit unser flüchtiger Versuch in den Schatten zurück tritt.

Diese Aufsätze erscheinen unverändert. Und der Verfasser, von dem Druckort entfernt, vermag nicht den Mängeln, die er fühlt, nachzuhelfen. Er wird nur wenige Berichtigungen und Anmerkungen nachtragen.

Im März 1821.

Adelbert v. Chamisso.

Berichtigungen und Anmerkungen.

Uebersicht des großen Ocean's u. s. w.

Tagalische Literatur.

F. C. Alter, Ueber die tagalische Sprache, Wien 1802, lehrt uns blos, daß ein unvollständiges handschriftliches Vocabulario Tagalog in der kaiserlichen Wiener Bibliothek vorhanden ist.

Sprachen und Zahlensystem der östlicheren Inseln des großen Ocean's.

Als wir unsere Betrachtungen über die Dialekte der Insulaner des großen Ocean's niederschrieben, hatten wir noch die Mundart von Tonga mit keiner andern Mundart derselben gemeinsamen Sprache genau vergleichen können, und es bedurfte einer solchen Vergleichung, unser Urtheil hinreichend zu begründen. Wir müssen hier unsern Dank einem Gelehrten zollen, der, an dem Gegenstande unserer Untersuchung lebhaften Antheil nehmend, sich eifrig verwendete, uns die literarischen Subsidien, deren wir bedurften, zu verschaffen. Seine Excellenz der Herr Staats-Minister Freiherr Wilhelm von Humboldt bemühte sich einige Bücher zu erhalten, welche die ehrwürdigen Missionare auf den Gesellschafts-Inseln in der Sprache derselben geschrieben, die theils zu Paramatta (New South Wales), theils auf O-Taheiti selbst gedruckt worden und von denen im Narrative of the Mission at O-Taheite, London 1818, Erwähnung geschieht.

Wir sehen mit Erstaunen diese Inseln sich unter der Einwirkung des Christenthums aus einem geselligen Zustande, welcher unserm eigenen im Mittelalter glich, schnell und ruhig zu demjenigen erheben, der erst für unsere Welt unter verzögernden und blutigen Stürmen hervorzugehen begonnen hat. Volk und Herrscher bieten sich dort über den Trümmern der verfallenen geselligen Ordnung, des Tabu's und der Willkür, die Hand; einmüthig und feierlich wird das geschriebene Gesetz begehrt, vorgeschlagen, bekräftigt, und die fremden Lehrer, die sich aller Einmischung in die Angelegenheiten des Staats enthalten, sehen mit Dankgebet dem Aufkeimen ihrer Saaten zu.

Indem wir vergeblich auf Proben der aufblühenden o-taheitischen Literatur hofften, ist uns unser Wunsch an einer anderen Mundart in Erfüllung gegangen, und wir verdanken es derselben wohlthätigen Missionsgesellschaft. Vor uns liegt: A Grammar and Vocabulary of the language of New-Zealand. Published by the Church Missionary Society. London 1820. 8. Der Verfasser dieser Grammatik ist derselbe M. Kendall, der das Vokabularium in Nicolas' Voyage mitgetheilt hat. Die Sprache ist uns nunmehr aufgeschlossen und wir berichtigen unser Urtheil.

Die Mundart von Neu-Seeland hat, wie die von Tonga, Fürwörter der drei Personen im Singular und der vier Personen im Dual und Plural (wir meinen die zweifache erste Person, davon die eine die angeredete in den Sinn mit einbegreift und die andere sie ausschließt). Die Fürwörter des Duals werden aus der Wurzel derer des Plurals und der Zahl zwei gebildet. Alle erscheinen in dem Dialekte von Neu-Seeland einfacher und mehr zusammengezogen als in dem Dialekte von Tonga, wo jede Person mehrere Fürwörter verschiedenen Gebrauches hat. Diese Fürwörter, und namentlich die der zweifachen ersten Person des Plurals, müssen für den Fremden das Heimlichste der Sprache ausmachen, was er am letzten begreift und sich aneignet. Sie möchten, der malayischen Stammsprache wesentlich, in allen Mundarten des östlichen Po-

19*

lynesien's vorhanden sein, und wir glauben nun in dem, was wir von der Mundart von O-Waihi gesagt, mit Unrecht das Fürwort der dritten Person, welches Lisiansky angiebt, als uns verdächtig ausgelassen zu haben. Es ist dieses Oyera, welches mit Iya Malayu, Siya Tagalog, Ia Tonga und Neu-Seeland übereinkommt.

Die Partikeln, welche die Zeiten und Moden der Handlung bezeichnen, sind in den Dialekten von Tonga, Neu-Seeland und O-Waihi verschieden.

Es ist nichts weniger als leicht, das Zahlensystem eines Volkes auszumitteln. Es ist dieses auf Neu-Seeland, wie auf Tonga, das Decimalsystem. Was Anfangs M. Kendall, dessen erstem Versuche in Nicolas' Voyage wir gefolgt sind, irre geleitet haben mag, ist die Gewohnheit der Neu-Seeländer, die Dinge Paarweise zu zählen. Die Eingeborenen von Tonga zählen die Bananen und Fische ebenfalls Paar- und Zwanzigerweise (Tecow, das englische Score), das Decimal- und Vigesimalsystem greifen oft in einander ein (quatrevingt, sixvingt, quinzevingt). Wir glauben uns in Hinsicht auf Radack nicht geirrt zu haben, aber das Zahlensystem der O-Waihier und anderer Völkerschaften des großen Ocean's möchte einer nähern Beleuchtung bedürfen.

Die in der angeführten neu-seeländischen Grammatik festgesetzte Rechtschreibung ist natürlich und empfehlenswerth: es ist zu hoffen, daß sie mit der in den o-taheitischen Büchern befolgten übereinstimme.

Manila.

Vulkan de Taal.

Man wird die erwähnte Zeichnung des Kraters des Vulkan de Taal in dem Voyage pittoresque finden, welchen Herr Choris mit besonderer Begünstigung S. E. des Grafen Romanzoff in Paris herausgiebt. Diese schöne und getreue Bildergallerie unserer Reise wird unsere Bemerkungen und Ansichten vielfach erläutern. Wir haben oft für überflüssig geachtet zu beschreiben, was dem Auge darzustellen der geschickte Künstler berufen war.

Kamtschatka, die aleutischen Inseln und die Beringsstraße.

Das Polareis im Norden von Europa.

Scoresby giebt uns die bestimmtesten Nachrichten über die Beschaffenheit des grönländischen Meeres und die Grenzen des Polareises in demselben. Er lenkt unsere Aufmerksamkeit auf die Strömungen, die aus dem Süden erwärmteres Wasser diesem Meerstriche zuführen, und läßt uns den Golfstrom bis an die Küsten von Spitzbergen verfolgen. Es ist unstreitig, daß man in den Strömungen die nächsten Ursachen suchen müsse, welche die örtliche Temperatur der Meere bedingen und hier namentlich die Grenzen des Eises gegen den Pol zurück drängen und die Temperatur der Tiefe über die der Oberfläche erheben. Vergleiche Scoresby, Account of the arctic regions, Vol. I. Ch. 3.

Notice sur les iles de corail du grand Océan.[A)]

Les groupes d'iles basses dont le grand Océan et la mer de l'Inde sont parsemés dans le voisinage de l'Equateur, sont le couronnement de montagnes soumarines, dont la formation singulière et moderne semble appartenir à l'époque du globe à laquelle nous vivons.

A) Ich habe mich redlich beflissen, die Beschaffenheit der niedern Inseln geognostisch zu untersuchen, und habe mich bestrebt, über das Wahrgenommene klar und bestimmt zu berichten. Man hat mir zugeschrieben, was Andere gesagt hatten, und hat den Knoten fester geschürzt, den ich zu lösen beabsichtigte. Gegenwärtiger Aufsatz, der in den Nouvelles Annales des Voyages No. 19. 1821 und wiederholt in Choris voyage pittoresque gestanden hat, soll meine Ansicht erläuternd unzweideutig feststellen.

Ich füge nachträglich über den Gegenstand ein paar Bemerkungen zu dem Gesagten hinzu.

Nach Herrn von Kotzebue findet das Senkblei im Binnen-Meere aller Inselgruppen beständig längs des Riffes feinen Kalksand, und gegen die Mitte des Beckens zu lebendige Korallen.

Die Wörter: Kreis und Ring (kreisförmig, Umkreis, ringförmig, Ringmauer), die sich zuerst darbieten, wo von dem Umriß eines geschlossenen Hages gesprochen werden soll, und die auch häufig bei der Beschreibung der Korallenriffe gebraucht worden sind, möchten zu der falschen Vorstellung verleiten, diese Riffe und Inselgruppen seien in der Regel zirkelrund und stellten sich, wie die vulkanischen Krater der Erde und die Ringgebirge des Mondes, meist als mathematische Kreise dar. Dem ist nicht also; sie bilden unregelmäßige Figuren mit graden, auswärts und einwärts gekrümmten Seiten, aus- und einspringenden Winkeln und sehr ungleichen Durchmessern. Ich verweise auf die Specialkarten von Herrn von Kotzebue und anderen Reisenden.

Ces montagnes s'élancent à pic du sein de l'abime: la sonde, dans leur proximité, ne trouve point de fond; leur cime forme des plateaux submergés qu'une large digue, élevée sur leur contour, convertit en autant de bassins, dont les plus étendus semblent être les plus profonds. Les moindres se comblent entièrement et produisent chacun une île isolée, tandis que les plus vastes donnent naissance à des groupes d'îles disposées circulairement et en chapelets sur le récif qui forme leur enceinte.

Ce récif, dans la partie de son contour opposée au vent, s'élève au-dessus du niveau de la marée basse, et présente, au temps du reflux, l'image d'une large chaussée qui unit entre elles les îles qu'elle supporte. C'est à cette exposition que les îles sont plus nombreuses, plus rapprochées, plus fertiles; elles occupent aussi de préférence les angles saillants du pourtour: le récif est au contraire, dans la partie de son contour située au-dessous du vent, presque partout submergé, et parfois il est interrompu de manière à ouvrir des détroits par lesquels un vaisseau peut, comme entre deux moles d'un port, pénétrer dans le bassin intérieur à la faveur de la marée montante. De semblables portes se rencontrent aussi dans la partie de l'enceinte que des angles saillants et des îles protègent contre l'action des vents et des flots.

Quelques bancs isolés s'élèvent çà et là dans l'intérieur du bassin, mais ils n'atteignent jamais le niveau de la marée basse.

Le récif présente, comme les montagnes secondaires, des couches distinctes et parallèles de diverses épaisseurs.

La roche est une pierre calcaire composée de fragments ou de détritus de lithophytes et de coquillages agglutinés par un ciment d'une consistance au moins égale à la leur. Le gisement est ou horizontal ou légèrement incliné vers l'intérieur du bassin; on observe dans quelques-unes de ces couches des masses de madrépore considérables, dont les intervalles sont remplis par de moindres débris: mais ces masses sont constamment brisées, roulées; elles ont toujours, avant que de faire partie de la roche, été arrachées du site où elles ont végété. D'autres couches, dont les éléments de même nature ont été réduits en un gros sable, présentent une espèce de grès calcaire grossier. La plus exacte comparaison ne laisse aucun doute sur l'identité de cette roche et de celle de la Guadeloupe qui contient les anthropolithes. Cette même roche forme les soi-disants récifs de corail qui, dans les mers équatoriales, bordent fréquemment les hautes terres, et de leur pied se plongent et se perdent sous les eaux, sans opposer aux flots les murailles escarpées qui caractérisent les îles basses.

La crête de la digue opposée à l'Océan est fréquemment couronnée de brisants, de blocs de pierre renversés et amoncelés, contre lesquels se rompt l'impétuosité des flots. Le dos de la digue est, dans près d'un tiers de sa largeur, balayé et pour ainsi dire poli par l'effet des vagues qui y déferlent; il offre vers l'intérieur une pente douce qui se prolonge sous les eaux tranquilles de la lagune, et s'y termine le plus souvent par un escarpement subit; quelquefois cependant les couches de la roche forment, dans le bassin intérieur, comme de larges gradins, et c'est à cette particularité que l'on doit les fonds d'ancrage que l'on trouve à l'abri des îles au vent. On rencontre çà et là sur le talus du dos de la digue qui regarde le bassin intérieur, des quartiers de roche roulés semblables à ceux qui, sur la crête, arrêtent la haute mer; c'est dans ces blocs que l'on remarque les plus grandes masses continues de madrépore. Les eaux déposent sur le talus du côté de la lagune une sable calcaire semblable à celui dont se composent les couches de roche d'un moindre grain, et dans le bassin intérieur la sonde rapporte généralement ce même sable.

Les polypiers vivant croissent, selon leur genre ou leur espèce, ou dans le sable mouvant, ou bien attachés au rocher; et les cavernes que l'on rencontre dans le récif, sur les bords de la lagune, offrent la facilité de les observer. Partout où les vagues se brisent avec violence, une espèce de nullipore de couleur rougeâtre incruste la roche, et c'est à cette singulière végétation animale qu'est due la couleur qu'a généralement le récif vu de la haute mer au temps de la marée basse.

Des sables déposés et amoncelés sur le talus du récif, vers le bord de la lagune, forment le commencement des îles; la végétation s'y établit lentement. Les îles plus anciennes et plus riches qui, sur une longueur indéterminée, occupent la plus grande largeur du récif, sont assises sur des couches de roche plus élevées que le dos de la digue submergé à la marée haute. Ces couches ont en général une inclinaison marquée vers l'intérieur du bassin: le profil qu'elles présentent du côté de la haute mer est d'ordinaire marqué par une couche inclinée en sens contraire: cette couche, composée de plus gros fragments de madrépore, est souvent rompue, et les blocs renversés en sont épars çà et là. Des couches d'une formation récente, composées d'un sable plus menu, et alternant avec des couches de sable mobile, semblent, en quelques endroits, revêtir les rivages des îles, et surtout leur rive intérieure que baignent les eaux de la lagune. Sur une base de roche s'élève du côté de la haute mer un rempart de madrépores brisés et roulés qui forme la ceinture extérieure des îles. Quelques arbustes (Scaevola Koenigli, Tournefortia sericea) croissent sur ce sol pierreux et mouvant; ils y forment un épais taillis, et opposent leurs branches entrelacées et leur épais feuillage à l'action du vent. Derrière cet abri, l'intérieur des îles en est la partie la plus basse, la plus fertile, la mieux boisée; on y rencontre des fonds marécageux et des citernes naturelles; la lisière intérieure au bord de la lagune offre un sol sablonneux plus élevé, et c'est là que l'homme habite sous les cocotiers que lui-même a plantés.

Il est à remarquer que des groupes d'îles basses de cette formation, situées à quatre ou cinq degrés de distance des hautes terres volcaniques, ressentent les secousses dont celles-ci sont agitées.

Anhang.

Ueber malayische Volkslieder.*)

Es giebt eine ursprüngliche Poesie, die dem Menschen einwohnt, wie die Stimme den Vögeln. Das Volk läßt sich von unbefugten Vorsängern nicht verleiten, sondern bleibt seinen eigenen Liedern getreu. Ein Lied, das im Volke angeklungen, überschreitet oft, unbegreiflicher Weise, die Scheidegrenzen der Sprachen, erhält sich durch den Wechsel der Zeiten, und man trifft auf den entlegensten Punkten Europa's unter örtlichen und eigenthümlichen Gesängen dieselben Lieder wieder an. Ja man wird oft überrascht, wenn man die Lieder von Völkern, die einander gänzlich fremd geblieben sind, zusammen vergleicht, sie einander so ähnlich zu finden, als wären sie aus einer Quelle geflossen, und es verhält sich auch also: es sind Stimmen der Natur.

Wir finden im Munde unseres eigenen Volkes Lieder, die uns die Pantun, die Volkslieder der Malayen auf den ostindischen Inseln, auf das treffendste vergegenwärtigen.

„Es ist nicht lang, daß es g'regnet hat,
Die Bäumli tröpfeln noch —
Ich hab' ein Mal ein Schätz'l gehabt,
Ich wollt', ich hätt' es noch."

---

*) Aus dem Morgenblatt 1822, Nr. 4, Einleitung zu der Uebersetzung malayischer Volkslieder, Bd. 3. S. 133.

Der Deutsche gesellet gerne der Empfindung, die er im Lied ausströmt, ein entsprechendes Naturbild, und hebet mit demselben an — (der Regen, der von den Bäumen träufelt; die grüne Linde im Thale; das Mühlrad, das sich dreht; die Sterne, die am Himmel scheinen u. s. w.) —; der Malaye läßt ähnliche Bilder und sprüchwörtliche Gleichnisse ununterbrochen den Fortgang seiner Empfindung verkünden und begleiten, und es liegt darin der wesentliche Charakter der Pantun. Viele derselben sind, wie das angeführte deutsche Lied, ein bloßer Hauch. Man wird den Gang längerer Gesänge und die darin beobachtete Verkettung der Strophen und Reime aus den mitgetheilten Nachbildungen [Bd. 1. S. 133.] ersehen. Diese Pantun sind wirkliche Volkslieder, die im Volk entstanden im Volke leben. Manche werden aus dem Stegreif gesungen, und Wettgesänge sind üblich, in welchen jeder Sänger abwechselnd eine Strophe auf die ihm überlieferten Reime vorträgt.

Der malayische Vers, der im Heldengedicht (Siàr) und im Pantun derselbe ist, besteht aus acht bis zwölf Sylben, von denen vier akzentuirt sind und einen meist trochäisch-daktylischen Rhythmus hervorbringen. Selten fängt eine Zeile mit einer Vorschlagsylbe an. Der Einschnitt nach dem zweiten Akzent und der Endreim sind trochäisch, wie es die Betonung der malayischen Wörter mit sich bringt. Im Pantun ist der nach unserer Art vollständige weibliche Reim gewöhnlich, da sonst nur der Gleichlaut der unbetonten Sylbe zum Reim erfordert wird. Das Ohr entscheidet mehr als feste Regeln.

Man könnte den Vers auf folgendes Schema zurück führen:

(⏑)–⏑⏑–⏑ | ⏑–⏑⏑–⏑
–⏑ –⏑ | –⏑ –⏑

Ein Beispiel diene zur Erläuterung:

Kálau túan jálan daúlu
Chári-kan sáya daún kambója
Kálau túan máti daúlu
Nánti-kan sáya da pintu súrga.

Zu deutsch, mit strenger Beobachtung der Sylbenzahl und der

Akzente, indem wir kambója (Plumeria obtusa), die um Gräber gepflanzt wird, in Rosmarin verwandeln:

> Wenn im Wege du vorangeh'st,
> Wolle mir suchen Rosmarinlaub —
> Wenn im Tode du vorangeh'st,
> Woll' mich erwarten am Paradiesthor.

Wir verweisen übrigens die, so in den anmuthigen Liedergarten der malayischen Poesie einzubringen wünschen, auf Marsden, Grammar of the Malayan language. Lond. 1812. Leyden in den Asiat. researches, Lond. ed. Vol. X. Werndly, Maleische Spraakkunst. Amst. 1736. u. a. m.

Ueber die hawaiische Sprache.

1.

Aus der Denkschrift über die hawaiische Sprache, vorgelegt der K. Akademie der Wissenschaften zu Berlin am 12. Januar 1837.

Als ich jüngst (im Winter 1834—1835) behufs einer neuen Ausgabe die Bemerkungen und Ansichten überlas, welche ich auf der Romanzoff'schen Entdeckungsreise (1815—1818) gesammelt und bald nach der Heimkehr für den Druck verfaßt hatte, ward ich gewahr, wie seither diese Blätter im schnellen Fortgang der Weltgeschichte und der Wissenschaft veraltet sind. Die Zukunft, in die ich blickte, ist Vergangenheit geworden; Fragen, die ich abzuhandeln berufen war, hat die Erfahrung beseitiget, und wo ich, in tiefer Finsterniß tappend, errathen mußte, ist jetzt der Forscher berechtigt, eine klare Einsicht zu verlangen.

Als die Sprache von Hawaii in meinem Ohr erklang, und ich sie selbst zum nothdürftigen Verständniß innerhalb eines engen Kreises von Begriffen mit den Eingeborenen sprach, war noch kein Versuch gemacht worden, sie der Schrift anzuvertrauen; jetzt ist sie zu einer Büchersprache geworden, und von diesen Inseln, die der unermeßliche Ocean, aus dessen Mitte sie emportauchen, mit uns verbindet, sind uns bereits der Druckschriften genug zugekommen, um einem gründlichen Sprachstudium zu Grunde gelegt zu werden.

Wilhelm v. Humboldt schickte sich an, auf die Sprachen Polynesiens das Licht seines Auges auszustrahlen. — Dieses Auge hat sich geschlossen.

Ich habe geglaubt, in meiner Reise und in meinen früheren Versuchen meinen Beruf zu erkennen, meine letzte Kraft daran zu setzen, dieses Feld der Sprachforschung urbar zu machen.

Ich habe unternommen, aus den mir vorliegenden Büchern die hawaiische Sprache zu erlernen. Ich habe mir vorgesetzt, eine Grammatik und ein Wörterbuch derselben zu verfassen. Ich behalte mir schließlich vor, dieselbe, nachdem ich sie mir angeeignet, mit anderen Sprachen oder Mundarten desselben Stammes zu vergleichen, welche uns durch Druckschriften, Grammatiken und Vokabularien zugänglich geworden sind.

Bei dem Umfang des unternommenen Werkes vermag ich heute nur eine Vorarbeit darzubringen, für welche ich die Nachsicht der Sprachforscher ansprechen muß. Ich versuche etliche Grundzüge der hawaiischen Grammatik nach eigener Auffassung zu entwerfen.

Hier folgt das Verzeichniß der von Chamisso benutzten Hawaiischen Druckschriften, Uebersetzungen des neuen Testaments und einzelner Schriften des alten, Katechismen, Gesangbücher, ABC- und Rechnenbücher, einer Erdkunde, zum größten Theil in Oahu 1830 bis 1833 gedruckt; zum Schluß wird auch eine zweite Nummer des hawaiischen Lehrers (eine der zwei auf Hawaii erschienenen Zeitungen) vom 26. Nov. 1834 und ein Katechismus der Katholisch-Römischen Mission. Macao 1831. angeführt.

Zur Vergleichung anderer Sprachen sind vorhanden:

A grammar of the Tonga language. — A vocabulary Tonga and English and English and Tonga. — Beides in Mariner and Martin: Account of the natives of the Tonga islands. London 1818.

A grammar and vocabulary of the language of New Zealand. London 1820.

A grammar of the Tahitian dialect of the Polynesian language. (Tahiti.)

Ein hawaiisches Vokabularium, dessen Herausgabe die Missionare zu Honolulu auf Oahu im Jahr 1833 zu beabsichtigen schienen, ist uns noch nicht zugekommen; von einer Grammatik war nicht die Rede. Die vorerwähnten Neu-Seeländischen und Tahitischen Grammatiken, die von Missionaren verfaßt sind, lassen dem Sprachforscher vieles zu wünschen übrig; wir möchten nicht so bald aus Honolulu eine Sprachlehre erhalten, die unsere eigene Forschung überflüssig machte.

Beim Entwerfen des obigen Verzeichnisses drängte sich uns schmerzlich die Bemerkung auf, daß unter diesen Schriften, und wohl unter allen, die aus der Presse der Mission hervorgegangen, und sämmtlich in der Absicht verfaßt sind, dem Hawaiier die ihm so fremde Welt unserer Gesittung zu eröffnen, keine einzige dem Zwecke gewidmet ist, das Alterthümlich-Volksthümliche dieses Menschenstammes in der Erinnerung festzuhalten, wenn der Fortgang der Geschichte das Alte vor der aufgehenden neuen Zeit dem Untergang weiht. Gesellige Zustände, Satzungen, Bräuche, Geschichte, Sagen, Götterlehre, Kultus; die Sprache selbst der Liturgie, die eine von der lebenden abweichende zu sein gesagt wird; alle Schlüssel zu einem der wichtigsten Räthsel, welche die Geschichte des Menschengeschlechts und seiner Wanderungen auf der Erde darbietet, werden von uns selbst in der Stunde, wo sie in unsere Hände gegeben sind, in das Meer der Vergessenheit versenkt. Sollte man diesen frommen Missionaren nicht zurufen: Er ist auch von Gott der Durst nach Erkenntniß, der den Menschen von dem Vieh unterscheidet, und es ist nicht Sünde, wenn er auf seine eigene Geschichte zurück zu schauen begehrt, worin sich Gott im Fortschritt offenbaret. Aber zu spät! bevor sich das Neue gestaltet hat, ist das Alte bereits verschollen.

Als wir gleichzeitig den Vorrath tahitischer Bücher durchmusterten, hatten wir die Freude, darunter E Ture na Huahine noi anzutreffen, dies ist: Das Gesetz von Huahine hier, gedruckt zu Huahine 1826, 36 Seiten, 8. Noch ist kein heimisches Gesetzbuch von der Presse von Honolulu hervorgegangen. Noch hat zu Hawaii unter der Einwirkung der Missionare kein Fortschritt der Art die Segnungen des Evangelii bezeichnet.

Wenn man die Zustände dieses Volkes, das auf seinen meerumspülten sonnigen Wohnsitzen mit frischer Freudigkeit der Lust lebte und dem Augenblick, mit den künstlichen Wundern unserer Gesittung vergleicht, wird man nicht erwarten, daß solche zu besprechen, seine Sprache ausreichen werde. Dinge und Begriffe waren ihm gleich fremd und unerhört: unsere winterliche Natur, das Eisen, die uns fröhnenden Thiere, mit denen wir der kargen Erde unsere Nahrung abkümmern; die Stadt mit ihren Bauten, Straßen, Brücken; das Geld, die Schrift, die Buchdruckerei; die Theilung der Gewerbe; unsere Wissenschaft, unsere grübelnde Philosophie — — wird von allem Fremden nicht auch mit fremden Worten geredet werden müssen? Aber die kindliche Sprache fügt sich mit unerwarteter Schmiegsamkeit und von dem Allen spricht man mit dem Hawaiier mit seinen eignen Worten.

Es liegt uns ob, von dieser Sprache, deren Verständniß wir uns eröffnet haben, ein gedrängtes möglichst anschauliches Bild zu entwerfen.

Es folgt nun in 122 §§. der Versuch einer hawaiischen Grammatik; am Schluß heißt es:

Es kann Niemand die Mangelhaftigkeit des gegenwärtigen Versuches deutlicher erkennen, als ich selbst, und dennoch nehme ich keinen Anstand, ihn der Oeffentlichkeit zu übergeben. Diese Arbeit, so unreif ich sie weiß, wird dem Gelehrten, in dessen Forschungskreis der besprochene Gegenstand liegt, die nicht geringe Mühe, die sie mich gekostet hat, ersparen, und falls er billig denkt, wird er mir noch Dank wissen, wenn er mich längst auf dem betretenen Wege überholt haben wird.

———

2.

Einleitung zu einer zweiten Denkschrift über die hawaiische Sprache.*)

Ich werde Rechenschaft von meinem fortgesetzten Studium der hawaiischen Sprache ablegen.

Nachdem ich in einer ersten Denkschrift die Grammatik der hawaiischen Sprache zu beleuchten versucht, habe ich aus den mir zugänglichen Quellen ein Wörterbuch derselben zu verfassen unternommen. Ich hatte die erforderlichen langwierigen Vorarbeiten vollendet und bereits den ersten Buchstaben vorläufig redigirt, (das hawaiische Alphabet hat nur zwölf Buchstaben, von denen das A einer der stärkeren ist), als vor einigen Wochen neuere Bücher, die ein Reisender, Herr Deppe, aus Hawaii mitgebracht, mich die Eitelkeit meines Bemühens erkennen ließen und mich vermochten von dem begonnenen Werke abzustehen.**)

*) Dieser Aufsatz, welcher sich in Chamisso's Nachlaß vorfand, sollte die Einleitung zu einer zweiten Denkschrift über die hawaiische Sprache bilden, welche Chamisso der Akademie vorzulegen beabsichtigte. Geschrieben ist er wahrscheinlich zu Anfang des Jahres 1838.

**) Diese Bücher sind: Das neue Testament. Ke kauoha hou. Oahu 1835. — A vocabulary of words in the hawaiian language. Lahainaluna 1836. — Erdkunde. Ke holke honua. Oahu 1836. — Naturgeschichte der vierfüßigen Thiere. He mooolelo no na hohoholona wauna eha. Lahainaluna 1834. — Kirchengeschichte. Ka mooolelo no ka ekalesia o Jesu Kristo. Ebd. 1835. — Der hawaiische Lehrer (Zeitung von Honolulu) vom 11. Mai 1836. Ke kumu hawaii.

Der Dr. von Besser, der im Jahr 1833 Hawaii besuchte und dem ich bereits meinen hawaiischen Bücherschatz verdanke (die ersten Ausgaben des neuen Testaments, der Erdkunde u. a.), hat eben ein zweites Exemplar des Vocabulary direkt aus Honolulu zugesendet erhalten und mich mit selbigem beschenkt.

Ich bemerke beiläufig, daß der an den Dr. von Besser aus Honolulu gerichtete Brief auf Papier geschrieben ist, welches in den Freistaaten aus hawaiischem Kapa (Bastzeug, Bast) verfertigt worden. Auf solchem Papier scheinen auch die mehrsten hawaiischen Bücher gedruckt zu sein.

In der vorerwähnten neueren Ausgabe des neuen Testamentes sind die fünf historischen Bücher und die Epistel an die Römer dergestalt überarbeitet und verändert worden, daß die Uebersetzung für eine neue gelten kann, wodurch die erste als ein schülerhafter Versuch erscheint, den die Verfasser selber verworfen haben. — Das Bruchstück der Apostelgeschichte, welches „das tägliche Brod für das Jahr 1833" (ka ai o ka la. Oahu, Jan. 1833) ausmacht, ist noch unverändert nach der ersten Ausgabe abgedruckt. — Aber jene erste Ausgabe war es, die ich, solchen Fortschritt nicht ahndend, meiner Arbeit zum Grunde gelegt hatte. Mußte ich nicht die Bibel, mit welcher diesem Volke die Buchstaben zuerst gegeben wurden, für bestimmt halten, seine Schriftsprache unabänderlich festzusetzen?

Manche in meiner ersten Denkschrift bemerkte Sprachseltsamkeiten erweisen sich, dieser neuen Uebersetzung nach, als Unrichtigkeiten, die verbessert worden sind. i kekahi i kekahi (§. 16 in der Note) kommt nicht wieder vor, sondern immer sprachgerecht: kekahi i kekahi, Einer den Andern, und die Passiva: ikea maka ia und ikea koke ia (§. 90) sind zu der gewöhnlichen Bildung: ike maka ia, mit Augen gesehen werden, und ike koke ia, bald gesehen werden, zurücke geführt worden.

Wie die Sprache in grammatikalischer Hinsicht berichtigt worden, so haben auch sehr oft andere Wurzelwörter die früher gebrauchten verdrängt: ὁ λόγος Ev. Joh. K. 1. V. 1 war früher durch: ka olelo, das Wort, übersetzt und diese Stelle hätte wohl im Wörterbuch ad vocem olelo angeführt werden müssen; in der neuen Uebersetzung ist dafür das griechische Wort: ka logou wieder hergestellt worden. Für ὁ παράκλητος Joh. K. 14, V. 16, 26. K. 15, V. 26. K. 16, V. 17 stand früher: ke kumu Ursprung, Wurzelstock oder Stamm eines Baumes, Grund eines Gebäudes, Urbild, Lehrer; an die Stelle ist jetzt bestimmter: ke kokua Helfer, Beistand, getreten.

Der Sprachgebrauch und die Rechtschreibung erweisen sich aber immer noch in dieser neuen Ausgabe des neuen Testamentes und in den gleichzeitig aus den Pressen von Honolulu und Lahainaluna hervorgegangenen Büchern als in vieler Hinsicht noch schwankend, und wir werden gewahr, daß die, welche die Sprache schreiben, noch nicht zur Einsicht ihrer innern Nothwendigkeit gelangt sind, und noch nicht vermocht haben, sich der Gesetze ihrer Grammatik bewußt zu werden.

Es ist dieses auszuführen hier nicht der Ort, mag indeß ein einziges Beispiel angeführt werden:

Die vielen Bedeutungen des Wurzelwortes kau lassen sich füglich auf den Urbegriff (mit transitiver Geltung) stellen, legen, setzen, mettre, etwas auf etwas anderes, (mit intransitiver Geltung) stehen, liegen, sitzen, sein auf etwas, zurück führen. Daher das Frequentativ: kakau aufsetzen, aufschreiben, verfassen. Daher die Bedeutung walten, daher auch Jahreszeit, saison und κατ' ἐξοχήν die Jahreszeit der Früchte, der Sommer; daher auch das Walten oder die Zeit des Waltens, des Herrschens z. B. eines Königes. In dieser Bedeutung hat dasselbe Wort neben der gewöhnlichen Form noch eine andere und in gleicher Geltung kommen vor ke kau und ke au. Man findet bald beide Formen in demselben Buche, bald in anderen Büchern nur die eine ausschließlich gebraucht. In den mehrsten Schriften steht der Regierende im objektiven Fall: ke kau oder ke au i ke alii, ke kau oder ke au ia Kaisara. In der Kirchengeschichte hingegen tritt, dem Genitiv unseres eigenen Sprachgebrauchs entsprechend, die Präposition o an die Stelle der Präposition des objektiven Falles und man liest durchgängig darin: ke au o ke alii, ke au o Kaisara, die Herrschaft des Königes, die Herrschaft des Cäsar's.

Der Verfasser des Vocabulary Lorrin Andrews kündigt dasselbe in der Vorrede mit seltener Bescheidenheit an. Es mußte einem längst gefühlten und geklagten Bedürfniß einigermaßen abgeholfen werden und so sind vorläufig blos etliche vorhandene Wörterverzeichnisse zusammen getragen worden, ohne selbige berichten oder vervollständigen zu können. Das begehrte Werk, welches nur als eine Vorarbeit zu einem künftig verfassenden Wörterbuch zu betrachten ist, schneller zu fördern, ist unterlassen worden, die Wörter durch Phrasen und Citate zu erläutern. Die gehegte Absicht, einiges über die Sprache zur Einleitung des Vocabulary zu sagen, ist vorläufig auf-

20*

gegeben und die Veröffentlichung dieser Spracherläuterungen einer künftigen Zeit aufgespart worden. Es wird die Hoffnung ausgesprochen, daß sich andere dem Geschäft unterziehen, die Hülfsmittel der hawaiischen Sprache ins Licht zu setzen: das Feld ist offen und weit, und das Werk wird denen lohnend sein, die mit Geschick, Geduld und Beharrlichkeit begabt sich demselben widmen werden.

Dieses Vocabulary, allerdings noch rudis indigestaque moles, mag der Mängel nicht frei sein, die der bescheidene Verfasser an demselben rügt; es wird jedoch dem Sprachforscher vollkommen genügen, der mit Beihülfe der grammatikalischen Andeutungen, die ich zu geben vermag, sich einen Blick in die Sprache verschaffen, und das Verständniß der Bücher eröffnen will. Viel reicher als meine Kollektaneen, hat es mich belehrt, daß die Aufgabe, die ich mir gestellt hatte, nur auf Hawaii selbst befriedigend gelöst werden kann. Nur wer unter dem Volke lebt, vertraut mit seinen Zuständen, Bräuchen, Künsten, vermag von der eigentlichen, der erweiterten, der abgeleiteten, der bildlichen Bedeutung der Wurzelwörter seiner Sprache Rechenschaft zu geben. Die Mittel, die uns zu Gebot stehen, sind einerseits unzuversichtlich, andererseits ungenügend: Schriften, deren Verfasser in der durchdringlichen Erlernung der Sprache noch im Fortschritt begriffen sind; Bücher, deren Zweck es ist, jenes Volk mit ihm neuen und fremden Gegenständen, Begriffen, Zuständen und Geschichten bekannt zu machen.

Für die Noachische Sündfluth ist das Wort kaiakahinalii beliebt worden. Dies ist: ke kai a kahina 'lii, die See, die Fluth von kahina dem Könige, die Fluth der volksthümlichen Sage Hawaii's. — Das Joch, ζυγός, wird auamo übersetzt. Auf den Südseeinseln ist die volksthümliche Weise Lasten zu tragen folgende: zwei Menschen, die hintereinander gehen, tragen jeder auf einer Schulter ein Ende von einem Stocke, an welchem in der Mitte zwischen beiden die Last schwebend hängt. Dieses Tragen heißt auf Hawaii wie auf Tonga: amo, auamo ist der Tragebalken.

In wie wenigen Fällen dürften wir im Stande sein, die von

den Missionaren in ihren Schriften gebrauchten Wörter genügend wie diese zu erläutern?

Eine Stelle in dem Vocabulary giebt uns eine schwache Hoffnung, daß etwas geschehen sein dürfte, die geschichtlichen Erinnerungen der Hawaiier aufzuzeichnen. Es heißt nämlich Seite 64 ad vocem kano, mythologische Person: see the story. Eine Geschichte von Hawaii, ein moolelo no ka pae aina o Hawaii nei. falls ein solches Werk wirklich erschienen, ist uns nicht zugekommen. Die dürftige historische Notiz, die sich in der ersten Ausgabe der Erdkunde Seite 161 vorfindet, hebt erst mit der Landung Lono's, des Kapitain Cook, auf Hawaii an.

Die hawaiischen Inseln, die sich im Jahre 1779 vor ihrem Entdecker Cook wie eine märchenhaft abgeschiedene Welt aus dem Meere erhoben, liegen nicht mehr außerhalb unseres Bereiches. Mit uns verbindet sie die gemeinsame Straße, der Ocean. Ein Wald von Masten bedeckt den Hafen von Honolulu auf Oahu, der ein Mittelpunkt und Stapelplatz des Handels geworden ist, welcher zwischen allen Küsten des großen Meerbeckens getrieben wird, und der Wallfischjäger, die den Cachalot an den Küsten von Japan verfolgen. Zu Honolulu liefen im Jahre 1836 hundert und zehn Schiffe ein. Darunter war der Kapitain A. Vaillant, der daselbst mit der Bonite vom 8. bis zu dem 25. Oktober verweilte; er hat unter anderen hawaiischen Büchern auch das erwähnte Vocabulary nach Frankreich mitgebracht. Ein preußisches Schiff besucht alle drei Jahre die hawaiischen Inseln, und man kann leicht und jährlich über Boston mit denselben verkehren und Bücher von dorther beziehen.

Die widerstreitende Einwirkung der Missionare und der Seefahrer vereiniget sich darin, die Hawaiier unserer Gesittung im Guten und im Bösen theilhaftig zu machen. Sie nehmen thätigen Antheil an dem Handel, dessen Markt ihre Inseln geworden sind. Von den vorerwähnten 110 Schiffen, die 1836 zu Honolulu einliefen, gehörten 15 der Insel selbst. Der Sandelbaum, der ursprüngliche Reichthum Hawaii's, ist in den Wäldern bis auf die jüngeren Sprößlinge ausgerottet, aber die Inseln versorgen reichlich die fremden Schiffe mit Lebensmitteln und Erfrischungen, und die Baumwollenstaude, deren Anbau zu fördern sich die Missionare beeifern, verheißt eine neue Quelle des Wohlstandes. Die neueren Berichte entwerfen von dem gedeihlichen Zustand Hawaii's, dem aufkommenden Handel, der zunehmenden Gesittung ein glänzendes Bild. Steinerne Häuser mit Magazinen, Läden, Restaurationen erheben sich zwischen den volksthümlichen Strohdächern von Honolulu, wo verschiedene Handelsmächte Konsuln akkreditirt haben und wo der Europäer, keines der Bedürfnisse des gewohnten Luxus entbehrend, sich fast in einer heimischen Stadt zu sein bedünken kann. Daselbst sind zwei Kirchen; in der einen wird der Gottesdienst in hawaiischer, in der andern in englischer Sprache gehalten. Nach dem Ausspruch des Herrschers Kauikeaouli he aupuni palapala ko'u aupuni, ist sein Reich ein „Reich der Schrift" geworden. Ueberall Schulen; eine hohe Schule zu Lahainaluna auf Maui; daselbst und zu Honolulu Druckereien; verschiedene Zeitungen erscheinen regelmäßig in hawaiischer und englischer Sprache.

Daß sich nicht um des Segens willen, den wir diesem Volk gebracht haben, unser Stolz überhebe, werde ich sogleich über das uns vorgespiegelte reizende Bild einen grellen Schatten werfen.

Es wird eingestanden, daß, im Allgemeinen, wo der Europäer einwandert und sich ansiedelt, minder gesittete Völker vor seinem Angesichte aussterben. Nicht gemordet haben wir auf Hawaii, nicht geknechtet haben wir das Volk; wir sind daselbst aller Frevel rein, die wir in andern Welttheilen begangen haben. Wir haben uns nur den Eingeborenen gezeigt, und sie haben selbstständig und freiwillig sich theils unserem Beispiele, theils unseren Lehren zu fügen begonnen; dennoch will auch hier, so scheint es, die alte Erfahrung sich betrübend erneuern.

Die Missionare werden mit Entrüstung die schnelle Abnahme der Volkszahl auf den sonst übervölkerten Inseln gewahr. Ich stelle aus den zuverlässigen Quellen, die sie mittheilen, die Thatsache fest und füge ihre eigenen Worte hinzu, mit denen sie, wenig befriedigend, dieselben zu erläutern versuchen.

Nach der Volkszählung vom Jahre 1832 ergab sich als

Zahl der Einwohner auf den sämmtlichen hawaiischen Inseln 129,814

Sie war nach der Volkszählung im Jahre 1836 108,393

Demnach betrug die Abnahme, die während dieser vier Jahre stattgefunden 21,421

Dies ist mehr als ein Sechstel der ersten Zahl; s. Hoike honua (Erdkunde) 1836 auf dem Umschlag.

In der Ausgabe der Erdkunde, die im Jahre 1832 während der Volkszählung erschien, wird das Ergebniß derselben nur für Oahu, Maui, Kauai und Nihau mitgetheilt. Anscheinend ziehen Handel und Verkehr mit den Europäern die Bevölkerung der übrigen Inseln nach Oahu, wo, minder fühlbar, die Abnahme während der vorerwähnten vier Jahre wenig über ein Fünfzehntel betragen hat. Sie hat auf Maui fast ein Drittel erreicht, auf den entlegneren westlichen Inseln Kauai und Nihau hat sie ein Weniges über ein Sechstel betragen. Für die Hauptinsel Hawaii und die drei kleineren Molokai, Lanai und Kahoolawe zusammen genommen berechnet, hat sie nur um wenig ein Achtel überstiegen.

Man liest über den besprochenen Gegenstand in der ersten Ausgabe der Erdkunde Seite 166:

„In der alten Zeit, da war die Bevölkerung ausnehmend stark. Dicht bedeckt mit Menschen war damals das Land. Jetzt vermindert sich die Bevölkerung.

Aus vier Ursachen hat sich die Bevölkerung vermindert.

1) Bevor sämmtliche Inseln ein einziges Reich ausmachten, wurden in den Kriegen der Fürsten viele Menschen niedergemacht. Dieses trug dazu bei das Land von Menschen zu entblößen.

2) Eine verderbliche epidemische Krankheit hat vorhin geherrscht. Sie fand zu der Zeit statt, wo sich Kamehameha auf Oahu aufhielt (gegen 1800). Außerordentlich viele Menschen wurden von derselben hingerafft, wenige nur verschont. Mancher, der am Morgen stark und gesund, war am Abend unter den Todten. Mancher ging aus einen Todten zu bestatten, ward krank und starb und kehrte nicht wieder heim. Viele Leichen lagen verlassen und Keiner war da, sie zu beerdigen. Fast das ganze Volk erlag dem Tode.

Auch diese Krankheit hat zu der jetzigen Schwäche der Bevölkerung mitgewirkt.

3) Der Kindermord trägt auch dazu bei das Land zu entvölkern. Solches ist etwas Ungeheures, Widernatürliches, desgleichen vielleicht kein anderes Land darbietet. Die Frauen tödten sohin ihre eigenen Kinder, etliche während ihrer Schwangerschaft, andere nach der Geburt. Sie halten die Kinder für eine Last und wollen nicht durch sie in ihrer Ueppigkeit behindert und von Lustbarkeiten abgehalten werden. Andere befürchten, daß zu häufige Geburten ihre Schönheit befährden. Aus diesen Ursachen verhärten sie ihr Herz und tödten erbarmungslos selber ihre Kinder. Unzucht und Ehebruch veranlassen manchen Kindermord und manchen der Grimm der Männer.

4) Was aber hauptsächlich das Land verödet, das ist die Seuche, mit welcher die Frauen in unzüchtigem Verkehr auf den fremden Schiffen behaftet worden sind. Diese ist der Abgrund der Vernichtung für Hawaii; sie ist es, die den Leib verdirbt, die Frauen unfruchtbar macht und die Kinder versiechen läßt. Sie ist es, die die Straßen menschenleer macht und die, falls ihr nicht Einhalt geschieht, die gänzliche Verödung des Landes erwarten läßt. Sie ist über alle Inseln verbreitet; die unzüchtigen Eltern vererben sie auf ihre Kinder und Kindeskinder bis ins dritte und ins vierte Glied. Der Krieg, der Kindermord, jene epidemische Krankheit sind gegen dieselbe nur gering; sie ist bei weitem das größere Uebel. Sie ist der böse Feind Hawaii's, der den Leib und die Seele der Menschen verdirbt.

Es giebt nur ein Kraut, nur eine Arzenei, die diese Seuche auf diesen Inseln zu heilen vermag, sonst keine: das Wort Gottes allein. Wenn das sechste Gebot von allem Volk gehörig gehalten wird, so möchte sich das Land wiederum mit Menschen bedecken."

In der zweiten Ausgabe der Erdkunde wird der Bevölkerungstabelle von Hawaii folgende Bemerkung hinzugefügt:

„In den gesitteten Ländern vermehrt sich in Folge der guten Ordnung*) die Bevölkerung mit jedem Jahre. Also verhält es sich

*) ka pono, hier das Platonische: τάξις καὶ ἀνάγκη.

in den vereinigten Staaten von Nordamerika und in England. Wie aber auf diesen Inseln? Hier vermindert sich in steigendem Verhältniß die Bevölkerung von Jahr zu Jahr. Bald möchte das Land gänzlich verödet sein. Woher diese Verminderung? Von dem unordentlichen Wandel der Fürsten und des Volkes. Wie möchte der gänzlichen Entvölkerung Hawaii's vorgebeugt werden? Vielleicht also: Laßt sich bald Fürsten und Volk zu Recht und Ordnung kehren. Laßt sie alle von Unzucht, Branntwein, Tabakrauchen und allem, was den Leib verdirbt, ablassen. Laßt Mann und Weib in ordentlicher Ehe züchtig leben und ihrer Kinder pflegen. Befleißige sich jeder der Weisheit und des Heiles; dann werden sich die Menschen wiederum auf Hawaii vermehren und das Land vielleicht sich mit Volk bedecken." So weit die Missionare.

Die Kriege der Fürsten haben aufgehört; die Krankheit von 1800 wirkt 1832—1836 nicht nachhaltig fort; die Unsitte des Kindermordes hat hoffentlich unter Einwirkung des Christenthums nicht überhand genommen. Es können nur die Syphilis und der Branntwein in Betracht kommen. Beide Uebel waren auf den hawaiischen Inseln zu der Zeit, wo ich sie besuchte, nicht unbekannt, aber so verheerend war ihre Wirkung nicht.

Die Missionare benutzen in ihren Elementarbüchern jede Gelegenheit sehr zweckmäßig gegen den Branntwein warnend zu eifern. Aber die Trunksucht ist, war zu meiner Zeit, kein vorherrschendes Laster der Hawaiier. Wir haben nie einen wohlanständigen Mann und nur selten Weiber sich betrinken sehen. Das volksthümliche berauschende Mittel Polynesiens, der Awa, nur selten und mäßig genossen, wie ich ihn selbst als Gast von Kaírimoku (Bill Pitt der Engländer) getrunken habe, hat auf diesen Inseln nie die verderblichen Folgen geäußert, die auf andern Inseln die Aufmerksamkeit der älteren Reisenden auf sich gezogen haben.

Der unschuldige Tabak dem Branntwein gesellt entkräftet sehr in Hinsicht auf diesen die strafenden Worte der frommen Lehrer, und wenn in der hawaiischen Zeitung vom 11. Mai 1836 bekannt gemacht wird, daß sich am 23. April ein Betrunkener verbrüht habe und in Gefahr gewesen sei, glaube ich daraus schließen zu dürfen, daß solche Fälle zu den nicht täglichen gehören.

Uebrigens stimmen die Erfahrungen des Dr. von Besser (1833) mit den meinigen vollkommen überein. Die auf Hawaii ansässigen Aerzte haben ihn versichert, daß daselbst die venerische Krankheit selten vorkomme und auf keine Weise dem abschreckenden Bilde entspräche, das die Missionare entwerfen.

Man verzeihe mir diese lange Abschweifung.

Die Kenntniß der hawaiischen Sprache, die ich mir erworben zu haben mich rühmen darf, müßte, um der Wissenschaft Früchte zu tragen, ich weiß es, mit der Kenntniß der Sprachen Ostasiens und Indiens gepaart, als ein entfernteres Glied der Kette, zur überschaulichen Vergleichung der Sprachen des redenden Menschen benutzt werden. Ich bin auf diesem Felde des Wissens ein Fremder, und zu alt und gebrochen, um daran zu denken, mich noch auf demselben anzubauen. Es genügt mir zu dem Bau der Wissenschaft zugehauene Steine zugetragen zu haben, falls nur solche von den Werkmeistern tauglich befunden werden. Ich wünsche, ich begehre, das in meiner Hand nutzlose Werkzeug, mit dem ausgerüstet andere Nützlicheres wirken könnten, in befugtere Hände niederzulegen. Ich getraue mir, die mühsam errungene Kenntniß des Hawaiischen dem kundigen Sprachforscher leicht und in kurzer Zeit mittheilen zu können. Ich wünsche, ich erwarte, daß sich ein solcher Lernbegieriger an mich wende. Der Doktor Buschmann hat mir die Hoffnung gegeben, sich im Laufe dieses Sommers die Zeit abzumüßigen meinen Unterricht anzunehmen.

Ich werde zu meiner ersten Denkschrift über die hawaiische Grammatik Ergänzungen und Berichtigungen nachliefern.

Verlag der Weidmannschen Buchhandlung (G. Reimer) in Berlin.

Druck von W. Vermetter in Berlin.